MEYERS
GROSSES
TASCHEN
LEXIKON

Band 21

MEYERS
GROSSES
TASCHEN
LEXIKON

in 24 Bänden

5., überarbeitete Auflage
Herausgegeben und bearbeitet von
Meyers Lexikonredaktion

Band 21:
Spas–Tas

B.I.-Taschenbuchverlag
Mannheim · Leipzig · Wien · Zürich

Redaktionelle Leitung der 5. Auflage: Dr. Rudolf Ohlig

Redaktionelle Bearbeitung der 5. Auflage:
Ariane Braunbehrens M. A., Dipl.-Inform. Veronika Licher,
Otto Reger, Wolfram Schwachulla, Johannes-Ulrich Wening

Die Deutsche Bibliothek – CIP-Einheitsaufnahme
Meyers großes Taschenlexikon: in 24 Bänden/hrsg. und bearb.
von Meyers Lexikonredaktion. – Mannheim; Leipzig; Wien; Zürich:
BI-Taschenbuchverl.
Früher im Bibliogr. Inst., Mannheim, Wien, Zürich.
ISBN 3-411-11005-8 (5., überarb. Aufl.) kart. in Kassette
NE: Digel, Werner [Red.]
Bd. 21. Spas – Tas. – 5., überarb. Aufl. /
[red. Leitung der 5. Aufl.: Rudolf Ohlig]. – 1995
ISBN 3-411-11215-8
NE: Ohlig, Rudolf [Red.]

Satz: Bibliographisches Institut & F. A. Brockhaus AG, Mannheim
(DIACOS Siemens)
Druck: Klambt-Druck GmbH, Speyer
Bindearbeit: Röck GmbH, Weinsberg
Papier: 80 g/m², Eural Super Recyclingpapier matt gestrichen
der Papeterie Bourray, Frankreich
Printed in Germany
Gesamtwerk: ISBN 3-411-11005-8
Band 21: ISBN 3-411-11215-8

Spas

spasmisch (spasmodisch, spastisch) [griech.], krampfhaft, zu Krämpfen neigend, krampfartig.

Spasmolytika [griech.] (Antispasmodika, krampflösende Mittel), Arzneimittel, die krampfartige, schmerzhafte Zusammenziehungen (Spasmen) der glatten Muskulatur (z. B. Bronchien, Magen-Darm-Kanal, Gefäße) lösen; zu den S. gehören u. a. Papaverin, Nitroglycerin und Adrenalin.

Spasmophilie [griech.] (rachitogene Tetanie), kindl. Tetanie; Ursache ist eine rachit. Stoffwechselstörung des Kindes mit patholog. Übererregbarkeit des Nervensystems und Neigung zu Krämpfen infolge ↑ Hypokalzämie.

Spasmus [griech.], svw. ↑ Krampf.

Spasski, Boris Wassiljewitsch, * Leningrad (= Sankt Petersburg) 30. Jan. 1937, russ.-sowjet. Schachspieler. – 1969–72 Schachweltmeister; gilt als einer der stärksten Schachspieler des 20. Jahrhunderts.

Spastik (Spastizität) [griech.], vermehrter Muskeltonus durch Schädigung des 1. motor. Neurons mit zunehmendem Widerstand gegen passive Bewegungen; z. B. nach einem Schlaganfall.

Spastiker [griech.], an einer spasm. Erkrankung Leidender.

spastische Spinalparalyse (Spinalparalyse), seltene, zu den Systemerkrankungen des Rückenmarks gehörende, langsam fortschreitende degenerative Erkrankung der Pyramidenbahn und der motor. Hirnrinde; Beginn der s. S. im Kindes- und Jugendalter mit fortschreitender spast. Lähmung der Beine.

Spat, in der *Mathematik* svw. ↑ Parallelepiped.

◆ in der *Mineralogie* Bez. für ein Mineral mit guter Spaltbarkeit, z. B. Feldspat oder Flußspat.

◆ in der *Tiermedizin* ein- oder beiderseitig auftretende chron. nichtinfektiöse Erkrankung an der Innenfläche des Sprunggelenks bei Pferd und Rind; führt zu typ. S.lahmheit.

Spätburgunder ↑ Burgunderreben.

Spatel [zu lat. spatula „kleiner Rührlöffel"], kleiner Metall-, Glas-, Holz- oder Kunststoffstab mit abgeflachtem Ende. – ↑ Spachtel.

Spaten (Grabscheit), Handgerät zum Abstechen, Ausheben und Umschichten von Erdboden, bestehend aus einem rechteckigen, leicht gewölbten (beim *Hohl-S.* stark gewölbten) Blatt mit Tülle aus Stahlblech und Holzstiel. Zum Umgraben und Lockern schweren und festen Bodens eignet sich bes. die *Grabgabel* mit vier flachen Stahlzinken.

Spatenpflug ↑ Pflug.

Spätentwicklung, auffällige Verlangsamung der individuellen phys. und/oder psych. Entwicklung von Kindern oder Jugendlichen, die gleichwohl das Erreichen eines durchschnittl. Endniveaus erwarten läßt.

Spätgeburt (Übertragung), Geburt, die erst mit einer Verzögerung von mehr als 14 Tagen nach dem vorausberechneten Geburtstermin erfolgt bzw. eingeleitet wird.

Späth, Gerold, * Rapperswil 16. Okt. 1939, schweizer. Schriftsteller. – Hauptschauplatz seiner fabulierfreudigen, grotesken Romane ist seine Heimatstadt Rapperswil; schreibt auch Hörspiele und Drehbücher. – *Werke:* Unschlecht (R., 1970), Die heile Hölle (1974), Commedia (R., 1980), Sacramento (En., 1983), Barbarswila (R., 1988), Stilles Gelände am See (R., 1991), Das Spiel des Sommers neunundneunzig (Prosa, 1993).

S., Lothar, * Sigmaringen 16. Nov. 1937, dt. Politiker (CDU). – In Bad.-Württ. 1968–91 MdL, 1972–78 Vors. der CDU-Landtagsfraktion, 1978 Innenmin., 1978–91 (Rücktritt wegen – von ihm bestrittenen – Verdachts der

Lothar Späth

Vorteilsnahme im Amt) Min.präs. und 1979–91 Landesvors. der CDU; seit 1991 Vors. der Geschäftsführung der Jenoptik Carl Zeiss Jena GmbH.

Spatha [griech.] () (Blütenscheide), großes, häufig auffallend gefärbtes, den Blütenstand in Ein- oder Mehrzahl scheidig überragendes Hochblatt z. B. bei Aronstabgewächsen.

spationieren [lat.], svw. ↑ sperren.

Spatium [lat.] ↑ sperren.

Spätlähme ↑ Fohlenlähme.

Spätlese, Qualitätswein mit Prädikat zw. Kabinett und Auslese.

Spätreife, in der *Anthropologie und Medizin* svw. ↑ Spätentwicklung.

Spätschmerz, Magenschmerzen bei pept. Geschwür und Magenschleimhautentzündung, die nahrungsabhängig sind und mehr als 2–4 Stunden nach einer Mahlzeit auftreten. Der S. ist im allg. typisch für ein Zwölffingerdarmgeschwür, der **Frühschmerz** (unmittelbar nach der Nahrungsaufnahme) dagegen für ein Magengeschwür.

Spatz, volkstüml. Bez. für Haus- und Feldsperling.

Spätzle, v. a. in Württemberg beliebte, traditionell mit S.brett und S.schaber zubereitete, in siedendem Salzwasser gegarte Teigware.

SPC, Abk. für: South Pacific Commission, ↑ Südpazifik-Kommission.

SPD, Abk. für: ↑ Sozialdemokratische Partei Deutschlands.

Spee von Langenfeld, Friedrich ↑ Spee von Langenfeld, Friedrich.

Speaker ['spi:kər, engl. spi:kə; eigtl. „Sprecher"], in Großbritannien Bez. für den Vors. des Oberhauses und den Vors. des Unterhauses, in den USA für den Vors. des Repräsentantenhauses.

Spearman, Charles Edward [engl. 'spiəmən], * London 10. Sept. 1863, † ebd. 17. Sept. 1945, brit. Psychologe. – Prof. in London; entwickelte die Grundlagen der ↑ Faktorenanalyse (1904) und erstellte die Zweifaktorentheorie der Intelligenz, nach der sich ein allg. Intelligenzfaktor und eine Gruppe untergeordneter, spezif. Intelligenzfaktoren unterscheiden lassen.

spec., Abk. für lat.: species [„Art"], in der biolog. Systematik Zusatz hinter Gattungsnamen von Tieren und Pflanzen, wenn deren genaue Artzugehörigkeit nicht angegeben werden kann oder soll.

Spechte (Picinae), mit nahezu 200 Arten fast weltweit verbreitete Unterfam. (häufig auch als Fam. *Picidae* aufgefaßt) 10–55 cm langer Vögel (Ordnung Spechtvögel); ausgesprochene Baumvögel, die mit Hilfe kräftiger Greiffüße an Baumstämmen ausgezeichnet klettern können. Schnabel kräftig, meißelartig, dient sowohl zum „Auszimmern" von Bruthöhlen in Stämmen als auch zum Freilegen von im Holz verborgenen Insekten, die mit Hilfe einer weit vorstreckbaren Zunge aufgespießt oder „angeleimt" werden. Der Schnabel wird außerdem zum „Trommeln" benutzt, indem das ♂ in schneller Folge an einen resonanzfähigen (häufig abgestorbenen) Ast schlägt, um ♀♀ anzulocken. – S. sind meist einzeln lebende Standvögel. Zu ihnen gehören u. a. **Buntspecht** (mit dem Großen Buntspecht, dem Mittelspecht und dem Kleinspecht), Grünspecht, Schwarzspecht, Weißrückenspecht und **Grauspecht** (Picus canus; 25–30 cm lang, grauer Kopf und Hals, schmaler, schwarzer Bartstreif und [beim ♂] leuchtend rote Stirn).

Spechtmeisen, svw. ↑ Kleiber.

Spechtvögel (Piciformes), seit der Kreidezeit bekannte, heute mit 380 Arten fast weltweit verbreitete Ordnung 8–60 cm langer Vögel; häufig bunt gefiederte, sich vorwiegend von Insekten, Früchten, Sämereien und auch von Bienenwachs ernährende Tiere mit einem Paar kräftiger Greiffüße und einem kräftigen Schnabel; Höhlenbrüter.

Species [lat.] (Spezies), in der Logik svw. ↑ Art.

Speck, durch Pökeln und Räuchern haltbar gemachtes Fettgewebe vom Schwein, u. a. Bauch-S. (mit Fleisch durchwachsen), Frühstücks-S. (vom Rücken), Schinken-S. (meist vom Hinterlauf).

Speckbacher, Joseph, gen. der Mann von Rinn, * Gnadenwald (bei Hall in Tirol) 13. Juli 1767, † Hall in Tirol 28. März 1820, Tiroler Freiheitskämpfer. – Schützenhauptmann und Vertrauter A. Hofers; einer der Führer des Tiroler Freiheitskampfes 1809; mußte nach Wien flüchten (1810).

Speckkäfer (Dermestidae), mit fast 900 Arten weltweit verbreitete Fam. rundl. bis länglich ovale, 2–12 mm langer Käfer; im Frühjahr häufig Blüten besuchende Insekten, deren meist lang behaarte Larven an den Seiten und am Hinterleibsende mit Haarbüscheln versehen sind; Larven fressen an organ. (fetthaltigen) Stoffen meist tier. Herkunft, sie werden oft schädlich in Insektensammlungen sowie an Vogel- und Säugetierbälgen. Am bekanntesten sind ↑ Pelzkäfer, ↑ Kabinettkäfer, **Museumkäfer** (Anthrenus museorum; 2–3 mm groß), die Vertreter der Gatt. *Dermestes* (Eigtl. S.) mit 14 einheim., 5–10 mm großen, längl. Arten (u. a. **Gemeiner Speckkäfer** [Dermestes lardarius]; 7–9 mm lang) und **Teppichkäfer** (Anthrenus scrophulariae; 3–4,5 mm groß).

Speckstein, svw. ↑ Steatit.

Speculum [lat. „Spiegel"], häufiger Titel spätmittelalterl. Kompilationen v. a. theolog., didakt. und sonstiger Art.
♦ ärztl. Instrument (↑ Spekulum).

Spediteur [...'tøːr; lat.-italien.], Kaufmann, der es gewerbsmäßig übernimmt, Güterversendungen durch Frachtführer als ↑ Speditionsgeschäft zu besorgen; dabei hat der S. das Interesse des Versenders wahrzunehmen und dessen Weisungen zu befolgen. **Speditionsgeschäft** [lat.-italien./dt.], Handelsgeschäft, bei dem der Spediteur als Vermittler im eigenen Namen, aber auf Rechnung des Versenders Güter durch einen Frachtführer versendet. Rechtsgrundlage sind in erster Linie die Allg. Dt. Spediteurbedingungen i. d. F. vom 1. 10. 1978.

Spee, Maximilian Reichsgraf von, * Kopenhagen 22. Juni 1861, ✕ bei den Falklandinseln 8. Dez. 1914, dt. Admiral (seit 1910). – 1912 Chef des dt. Kreuzergeschwaders in Ostasien; siegte am 1. Nov. 1914 bei Coronel, konnte aber die Vernichtung seines Geschwaders bei den Falklandinseln am 8. Dez. 1914 nicht verhindern.

Spee von Langenfeld, Friedrich (Spe), * Kaiserswerth (= Düsseldorf) 25. Febr. 1591, † Trier 7. Aug. 1635, dt. Theologe und Dichter. – Jesuit; 1623–26 Prof. für Philosophie und Domprediger in Paderborn, danach Seelsorger in Wesel und Lehrer in Köln; 1629–31 Prof. für Moraltheologie in Paderborn, danach in Köln und Trier; gilt mit seinen myst.-geistl. Liedern in der Vorstellungswelt des Hohenliedes als bedeutendster kath. religiöser Lyriker des Frühbarock; z. B. „Trutz-Nachtigall ...“ (1649). 1631 erschien anonym seine „Cautio criminalis ...“, die die allmähl. Befreiung Deutschlands vom Hexenwahn einleitete.

Speech [engl. spiːtʃ], Rede, Ansprache.

Speed [engl. spiːd „Geschwindigkeit“], Temposteigerung z. B. eines Rennpferdes; Spurt.

Speedway [engl. 'spiːdwɛɪ „Schnellweg“], Kurzbez. für Speedwayrennen.

Speedwayrennen [engl. 'spiːdwɛɪ] (Dirt-Track-Rennen), mit Spezialmotorrädern auf meist 400 m langem Aschenbahnrundkurs betriebene Rennen über jeweils 2 000 m. Ein S. wird in mehreren Läufen zu je 4 Fahrern mit Punktwertung für die Laufplazierung ausgetragen (1. Platz 3 Punkte, 4. Platz 0 Punkte). Jeder Fahrer fährt einmal gegen jeden. Der Gesamtsieg ergibt sich aus der erreichten höchsten Punktzahl. Eis-S. werden auf Eisschnellaufbahnen ausgetragen.

Speer, Albert, * Mannheim 19. März 1905, † London 1. Sept. 1981, dt. Architekt und Politiker. – Errichtete bzw. plante ab 1933 für und mit Hitler gigant. Repräsentationsbauten in Berlin, München und Nürnberg; 1937 Generalbauinspekteur für Berlin; 1942 Reichsmin. für Bewaffnung und Munition (1943 für Rüstung und Kriegsproduktion), Generalinspekteur für das dt. Straßenwesen und für Wasser und Energie; im Nürnberger Prozeß 1945/46 zu 20 Jahren Haft verurteilt, 1966 entlassen; schrieb u. a. „Erinnerungen“ (1969), „Der Sklavenstaat“ (1981).

Speer, Stangenwaffe für Stoß und Wurf; hölzerner, urspr. zugespitzter, später mit Spitze (Klinge) aus Stein, Bronze oder Eisen versehener Stab; im MA abgelöst von Langspieß und Lanze; bei Naturvölkern z. T. bis heute verwendet.
◆ Sportgerät der Leichtathletik; Wurfgerät aus Holz oder Metall mit einer Metallspitze (mindestens 25 cm, höchstens 33 cm lang); für Frauen soll der S. 2,20–2,30 m (für Männer 2,60–2,70 m) lang und 600 g (Männer: 800 g) schwer sein. Der Anlauf ist etwa 35 m lang; gültig ist ein Wurf nur dann, wenn die S.spitze innerhalb des Wurfsektors den Boden zuerst berührt.

Speerkies ↑ Markasit.

Speermagen ↑ Agnaten.

Speerschleuder, v. a. bei den Naturvölkern Australiens, Melanesiens, Polynesiens und Amerikas verbreitete Waffe, die zum Werfen von Speeren oder Pfeilen dient.

Speiche, stabförmiger Radteil; Verbindungsglieder zw. Nabe und Felge.
◆ (Radius) Unterarmknochen an der Daumenseite der vierfüßigen Wirbeltiere; bildet zus. mit der ↑ Elle das Skelett des Unterarms, wobei es bei den Säugern häufig zur Verschmelzung beider Knochen kommt. Beim Menschen weist die S. am unteren Ende eine starke Verdickung mit einer gelenkigen Verbindung zu den Handwurzelknochen auf (↑ Arm).

Speichel (Saliva), von Speicheldrüsen gebildetes und in die Mundhöhle oder den Anfangsteil des Darmtrakts abgegebenes Sekret von entweder wäßriger (seröser) oder schleimiger (muköser) Konsistenz. Beim S. der Säugetiere (einschl. Mensch) aus Ohrspeicheldrüse, Unterkieferspeicheldrüse und Unterzungendrüse sowie aus Drüsen der Mundschleimhaut handelt es sich um einen *Misch-S.,* dessen chem. Zusammensetzung und Menge (beim Menschen normalerweise 1–1,5 l je Tag; beim Rind bis zu 60 l je Tag), abhängig von der Nahrung sowie von psych. und nervösen Einflüssen, erheblich variieren kann.

Der *S. des Menschen* ist meist schwach sauer (pH 5,8–7,8, im Mittel 6,4), wasserklar (er wird jedoch beim Stehen durch entstandenes Calciumcarbonat trüb), geruch- und geschmacklos und viskos. Er enthält zu über 99 % Wasser, bakterizid wirkende Leukozyten, Schleimstoffe (Muzine), das Enzym Ptyalin und andere Eiweiße sowie Salze. Die Funktion des S. ist es, die Nahrung anzufeuchten, zu verdünnen und schlüpfrig zu machen, um das Schlucken zu erleichtern; außerdem dient der S. der Selbstreinigung der Mundhöhle. Durch das Ptyalin kommt es zu einer Spaltung von Stärke und Glykogen, d. h. zu einer Vorverdauung (die im Magen noch einige Zeit weitergeht). Im Unterschied zu anderen Verdauungssekreten erfolgt die Sekretion des S. unter nervöser Kontrolle. Die Auslösung kann reflektorisch (durch mechan. oder chem. Reize wie Geschmack, Geruch), mit der Tätigkeit der Kaumuskeln assoziiert oder rein psychisch bedingt (über bedingte Reflexe) erfolgen (z. B. beim Anblick von Speisen).

Speicheldrüsen, in die Mundhöhle mündende, den Mundspeichel absondernde Drüsen v. a. bei Landwirbeltieren; kleine und verstreut in der Mundschleimhaut liegende Drüsen und größere Drüsenkörper, die bei den Säugetieren (einschl. Mensch) neben kleineren Drüsen in Dreizahl als paarige Ohrspeicheldrüse, Unterkieferspeicheldrüse und Unterzungendrüse vorkommen (wiegen beim Menschen insgesamt gut 60 g) und mit serösen und mukösen Drüsenzellen ausgestattet sind, die eine hohe Stoffwechselleistung erbringen. – In Analogie zu den S. bei den Wirbeltieren werden auch bei den Wirbellosen alle in den Mund oder in die Speiseröhre mündenden, häufig Verdauungsenzyme produzierenden Drüsen als S. bezeichnet.

Speicheldrüsenviruskrankheit, svw. ↑ Zytomegalie.

Speichelstein (Sialolith), v. a. aus Calciumphosphat oder -carbonat gebildetes, stecknadelkopf- bis pfirsichkerngroßes Konkrement in einem der Ausführgänge der großen Speicheldrüsen; kann eine Speicheldrüsenentzündung bewirken.

Speicher, urspr. ein [Dachboden]raum, Gebäude oder Bauwerk zur Lagerung von Gegenständen, bes. von landw. Produkten; i. w. S. jede techn. Einrichtung, Anlage u. a., die flüssige, feste oder gasförmige Stoffe, Energie oder Informationen aufbewahren und zu einem späteren Zeitpunkt wieder zur Verfügung stellen kann. ◆ in der *Datenverarbeitung* Funktionseinheit eines Computers, die Daten (Daten-S.) und Programme (Programm-S.) aufnimmt und zu einem späteren, frei wählbaren Zeitpunkt wieder bereitstellt. Ein S. besteht aus einzelnen *S.elementen (S.stellen),* die jeweils einen von zwei mögl. Zuständen (0 und 1) annehmen und damit 1 Bit speichern. Das Einspeichern einer Information nennt man *Schreiben,* das Abrufen einer Information *Lesen.* Entsprechend gibt es funktionell reine *Nur-Lese-S.,* bei denen die gespeicherten Informationen nur abgerufen werden können, und *Schreib-Lese-S.,* bei denen Informationen

eingegeben und abgerufen werden können. Jedem S.element ist eine Adresse zugeordnet, bei deren Ansprechen über die Adreßeingänge es aktiviert wird. Mit gleicher Adresse versehene und damit durch einmaligen Zugriff erreichbare S.elemente bilden eine *S.zelle.* Die *S.kapazität* eines S. gibt die Anzahl verfügbarer S.zellen in Byte an. Die *Zugriffszeit* als weiteres kennzeichnendes Merkmal eines S. ist die Zeitspanne, die zw. Ansprechen der S.adresse und Beendigung des Schreib- oder Lesevorgangs vergeht. Man unterscheidet bei einem Computer die zur Zentraleinheit gehörenden und als ↑ Halbleiterspeicher realisierten *internen* S. (Haupt-S. und Mikroprogramm-S.) sowie die zu den Peripheriegeräten gehörenden *externen* S., die ↑ Magnetspeicher (v. a. Magnetplatten-, Disketten- und Magnetband-S.) sind. – ↑ optischer Speicher.

Speicherauszug, svw. ↑ Dump.

Speicherblätter, parenchymreiche, meist verdickte pflanzl. Blattorgane, die der Speicherung von Wasser (bei Sukkulenten) oder Reservestoffen (Niederblätter bei Zwiebeln) dienen.

Speicherembryo, pflanzl. Embryo, der Nährstoffe in eigenen, verdickten Organen, z. B. in der Keimachse (u. a. bei der Paranuß) oder in den Keimblättern (z. B. bei vielen Hülsenfrüchtlern) speichert.

Speichergestein ↑ Erdöl.

Speichergewebe, funktionell differenziertes pflanzl. Grundgewebe. Die Zellen enthalten Zucker, Stärke, Öle und Eiweiß, jedoch keine Chloroplasten. S. werden v. a. in Mark und Rinde von Sproß und Wurzel (Rübe, Knolle) und in Samen ausgebildet.

Speicherkraftwerk ↑ Kraftwerke.

Speichernieren, bestimmte Zellen, Gewebe oder Organe, die bei manchen Tieren Exkretstoffe speichern; z. B. der Fettkörper bei Insekten.

Speicherofen (Nachtstrom-S.) ↑ Heizung.

Speicherring ↑ Teilchenbeschleuniger.

Speicherwurzeln, Reservestoffe speichernde parenchymat. Wurzeln mehrjähriger Pflanzen.

Speidel, Hans, * Metzingen 28. Okt. 1897, † Bad Honnef 28. Nov. 1984, dt. General. – Teilnahme am 1. Weltkrieg, danach Übernahme in die Reichswehr; im 2. Weltkrieg in hohen Stabsstellungen, zuletzt bei E. Rommel; als Vertrauter L. Becks nach dem 20. Juli 1944 verhaftet; nach 1949 militär. Berater Adenauers; führend an den Verhandlungen um die EVG und um den Beitritt der BR Deutschland zur NATO beteiligt. 1955 bis 1957 im Bundesverteidigungsministerium; 1957–63 Oberbefehlshaber der NATO-Landstreitkräfte in Mitteleuropa.

Speierling (Sperberbaum, Zahme Eberesche, Schmerbirne, Sorbus domestica), der Eberesche ähnl. Art der Gatt. ↑ Sorbus, verbreitet im Mittelmeergebiet sowie vom mittleren Frankreich über Deutschland bis zum Schwarzen Meer; 10–20 m hoher Baum mit gefiederten Blättern und weißen oder rötl., meist fünfgriffeligen Blüten in Doldentrauben. Die apfel- oder birnenähnl., bis 3 cm großen Früchte **(Spieräpfel)** wurden früher gegessen und wegen des hohen Gerbstoffgehalts als Heilmittel verwendet.

Speigatt ↑ Gatt.

Speik [lat.], (Echter S., Gelber S., Roter S., Valeriana celtica) in den Alpen von 2000 bis 3500 m Höhe vorkommende Art des ↑ Baldrians; 5–15 cm hohe Staude; Blüten gelblichweiß; in traubigem, aus wenigblütigen Trugdolden gebildetem Blütenstand; auf Alpenmatten und Schutthalden. – Die Wurzel enthält etwa 1 % äther. Öl und wird bei der Parfümherstellung verwendet.
◆ (Kleiner S.) svw. Echter Lavendel (↑ Lavendel).
◆ (Großer S.) ↑ Lavendel.

Speischlangen (Speikobras), zusammenfassende Bez. für drei Brillenschlangenarten, die in offenen Landschaften (bes. Savannen) Afrikas südl. der Sahara und S-Asiens vorkommen und die ihr Gift durch Muskeldruck über 1 m zielsicher gegen Angreifer speien. Hierher gehört neben der *Eigtl. Brillenschange* (↑ Kobras) die bis 2 m lange, hell- bis dunkelbraune *Speikobra* (Schwarzhalskobra, Naja nigricollis).

Speise, bei der metallurg. Verarbeitung von Nickel-, Kobalt- und Kupfererzen sich abscheidendes, v. a. Edelmetalle enthaltendes legierungsartiges Zwischenprodukt.

Speisebrei (Chymus), die halbflüssige, sauer reagierende und z. T. enzymatisch gespaltene Kohlenhydrate und Eiweiße enthaltende, aus der mechanisch zerkleinerten und mit Speichel versetzten Nahrung unter Einwirkung des Magensaftes gebildete Masse im Magen der Wirbeltiere (einschl. Mensch); wird durch den Magenpförtner portionsweise in den Darm abgegeben.

Speiseeis, gefrorenes süßes Genußmittel, meist nur Eis genannt; **Milcheis** enthält mindestens 70 % Milch, **Sahneeis** 60 % Sahne (z. B. ↑ Fürst-Pückler-Eis, Eistorte, Cassata), **Fruchteis** 20 % Obstanteil (bei Zitroneneis 10 % Saft). **Eiscreme** (Eiskrem) ist lagerfähig.

Speisefette, der menschl. Ernährung dienende, tier. und pflanzl. feste Fette und aus ihnen hergestellte Fettzubereitungen (z. B. Margarine). Man unterscheidet *Aufstrichfette* (Butter, Margarine), *Backfette* und bes. wasserarme, hitzebeständige *Bratfette*. Wichtige S. sind Kokos-, Palmkern- und Palmfett, Schweineschmalz und Rindertalg.

Speisegesetze, in einigen Religionen die gesetzl. Unterscheidung von erlaubten bzw. bei bestimmten kult. Handlungen vorgeschriebenen (z. B. ↑ Omophagie) und verbotenen **(Speiseverbote)** Speisen und Getränken. Bes. ausgeprägte S. kennt das *jüd.* Religionsgesetz (↑ koscher), das zw. reinen und unreinen Tieren unterscheidet sowie Fleisch- und Milchspeisen streng trennt. Ähnlich verbietet der *Islam* den Genuß von Schweine-, Hunde-, Esel- und Maultierfleisch, Wein und nicht rituell geschlachteten Tieren.

Speisekelch, svw. ↑ Ziborium.

Speisekürbis ↑ Kürbis.

Speisemorchel ↑ Morchel.

Speiseöle, der menschl. Ernährung dienende flüssige Fette v. a. pflanzl. Herkunft. Wichtige S. sind Baumwollsaat-, Erdnuß-, Maiskern-, Oliven-, Rüb-, Sesam-, Soja- und Sonnenblumenöl.

Speiseopfer, rituelle Darbringung von pflanzl. oder tier. Nahrung, auf primitiver Stufe wohl zur Ernährung von Gottheiten, in vergeistigterer Form ein Dankopfer, das für [Segnung mit] Viehbesitz und für reiche Ernten gespendet wird (↑ Opfer).

Speisepilze, Sammelbez. für die eßbaren Schlauch- und Ständerpilze ohne Rücksicht auf ihre Stellung im System der Pflanzen. – Übersicht. S. 10.

Speiseröhre (Ösophagus, Oesophagus), meist ausschließlich als Gleitrohr dem Nahrungstransport dienender, mit Schleimhaut und gut entwickelter Muskulatur versehener Teil des Darmtrakts (Vorderdarm) der Wirbeltiere zw. Kiemenregion (bei Kiemenatmern) oder hinterer Mundhöhle bzw. Schlund und dem Mitteldarmbereich bzw. Magen. Primär ist die S. mit einem (schleimabsondernde Becherzellen aufweisenden) Flimmerepithel ausgekleidet (bei vielen Fischen, Amphibien, Reptilien; embryonal auch beim Menschen). Bei den Vögeln und Säugetieren (einschl. Mensch) besitzt die S. ein mit nur wenigen kleinen Schleimdrüsen ausgestattetes, vielschichtiges, nicht selten auch verhorntes Plattenepithel. Oft ist die Schleimhaut in Falten gelegt und dadurch sehr erweiterungsfähig. Eine spezielle Ausstülpung der S. stellt der ↑ Kropf der Vögel dar. – Beim *Menschen* ist die S. ein rd. 25 cm langer, muskulöser Schlauch. Ihre Dehnbarkeit ist an drei Stellen (hinter dem Kehlkopf, neben dem Aortenbogen und beim Durchtritt durch das Zwerchfell) beim Erwachsenen bis auf maximal 15 mm Weite eingeengt, so daß größere verschluckte Objekte steckenbleiben können.

Speiseröhrenkrampfadern, svw. ↑ Ösophagusvarizen.

Speiseröhrenverengung (Ösophagusstriktur, Ösophagusstenose), durch Miß-

Speisepilze (Auswahl)

dt. Name (lat. Bezeichnung)	Aussehen	Standort
Austernseitling (Pleurotus ostreatus)	graubrauner bis schwarzer Hut, randständiger, weißer Stiel	an Laubbäumen
Birkenpilz (Leccinum scabrum)	brauner Hut, hoher, weißer Stiel mit schwarzen Schuppen	Birkenwald
Brätling (Lactarius volemus)	orangebrauner Hut, Stiel heller	Laubwald
Brauner Ledertäubling (Russula integra)	rotbrauner Hut, ockergelbe Lamellen, weißer Stiel	Nadelwald
Butterpilz (Suillus luteus)	gelbbrauner Hut mit meist schmieriger Oberhaut	Kiefernwald
Goldgelber Ziegenbart[1] (Ramaria aurea)	hell- bis ockergelb, blumenkohl- artiges Aussehen	Nadel- und Laubwald
Goldröhrling (Suillus grevillei)	orangegelber bis goldgelber Hut, weißer, beringter Stiel	Lärchenwald
Hallimasch[2] (Armillariella mellea)	gelber bis hellbrauner, schuppiger Hut, schuppiger Stiel	auf Baumstümpfen
Kiefernblutreizker (Lactarius deliciosus)	orangeroter, gezonter Hut, Stiel mit dunkleren Flecken	Kiefernwald
Krause Glucke (Sparassis crispa)	gelblich, blumenkohlartiges Aussehen	an Kiefern
Maronenröhrling (Xerocomus badius)	brauner Hut, hellbrauner Stiel	Nadelwald
Parasolpilz (Macrolepiota procera)	grauer bis rötlichbrauner schuppiger Hut, Stielknolle	Nadel- und Laubwald
Perlpilz (Amanita rubescens)	blaßrötl. bis braunroter Hut mit hell- grauen Pusteln, Stiel mit Manschette	Nadel- und Laubwald
Pfifferling (Cantharellus cibarius)	Hut und Stiel eigelb	Nadel- und Laubwald
Rotkappe (Leccinum rufescens)	orangefarbener bis ziegelroter Hut, weißer Stil mit dunklen Schuppen	Nadel- und Laubwald
Schafporling (Albatrellus ovinus)	weißlicher Hut, dicker Stiel	Nadelwald
Schopftintling[1] (Coprinus comatus)	hoher, walzenförmiger, schuppiger, weißer Hut	Schuttplätze, Parkanlagen
Speisemorchel (Morchella esculenta)	braungelber, tiefgrubiger Hut, blasser Stiel	Laubwald (kalkhaltige Böden)
Speisetäubling (Russula vesca)	rosa-violetter Hut, weißer Stiel	Nadel- und Laubwald
Steinpilz (Boletus edulis)	dunkelbrauner Hut, Röhren erst weiß, später gelb	Nadel- und Laubwald (saure Böden)
Stockschwämmchen (Kuehneromyces mutabilis)	honiggelb, schuppiger Stiel	auf Baumstümpfen (Laubwald)
Totentrompete (Craterellus cornucopioides)	ganzer Pilz düster bis dunkel gefärbt, Hut tief getrichtet	Buchenwald
Waldchampignon (Agaricus silvaticus)	dunkelbrauner, schuppiger Hut, beringter Stiel	Fichtenwald
Wiesenchampignon (Agaricus campestris)	weißer, feinschuppiger Hut, rosa Lamellen (später braunschwarz), kurzer Stiel mit Ring	Wiesen, Weiden

[1] jung eßbar, [2] roh giftig

bildung, Narbenzug nach Verätzungen oder einen Tumor (Speiseröhrenkrebs) bedingte Einengung oder Verlegung der Speiseröhrenlichtung.

Speisesalz ↑ Kochsalz.

Speisetäubling (Russula vesca), Ständerpilz (Täubling) mit regelmäßig halbkugelig bis flach ausgebreitetem Hut, 5–10 cm groß, in der Mitte niedergedrückt, je nach Alter fast weiß über fleischfarben bis blutrot gefärbt, im Alter oft wieder ausblassend, feinrunzelig und glanzlos; Lamellen weißlich, alt braungefleckt, am Stiel angewachsen; Stiel weiß, 4–7 cm hoch, walzenförmig; Fleisch fest, weiß, unter der Oberhaut violett; Juni bis Okt. in Wäldern, bes. unter Eichen und Buchen; Speisepilz.

Speiseverbote ↑ Speisegesetze.

Speisewagen ↑ Eisenbahn (Reisezugwagen).

Speisewasser, zum Betrieb von Dampferzeugeranlagen bes. aufbereitetes Wasser.

Speisezwiebel ↑ Zwiebel.

Speiskobalt (Smaltin, Skutterudit), zinnweißes bis graues kub. Mineral, $(Co,Ni)As_3$; tritt in körnigen oder dichten Aggregaten meist zus. mit Nickelerzen auf, Mohshärte 5,5 bis 6; Dichte 6,4–6,8 g/cm^3; wichtiges Kobalterz.

Speispinnen (Sicariidae), überwiegend in trop. und subtrop. Gebieten heim., rd. 180 Arten umfassende Spinnenfam.; Körperlänge bis 3 cm, einheimisch nur die 5,5 mm lange, auf gelbl. Grund dunkel gefleckte **Speispinne** (Scytodes thoracica) mit auffallend gewölbtem Vorderkörper; heftet kleine Insekten durch Bespeien mit einem sehr klebrigen Sekret am Boden fest.

Speitäubling (Speiteufel, Kirschroter Speitäubling, Russula emetica), Ständerpilz (Täubling) mit 3–8 cm breitem, meist kirschrotem Hut, dessen Haut abziehbar ist; Lamellen rein weiß; Stiel 5–8 cm hoch, schlank; Fleisch weich, weiß und sehr scharf schmeckend; von Juli bis Nov. in Wäldern zw. Moos auf feucht-moorigem Grund; schwach giftig.

Speke, John Hanning [engl. spi:k], *Jordans (Somerset) 4. Mai 1827, † Neston Park (Wiltshire) 15. Sept. 1864, brit. Afrikaforscher. – Entdeckte u. a. 1858 den Tanganjikasee (zus. mit R. F. Burton) und den Victoriasee.

Spektakel [lat.], 1. die Schaulust befriedigendes Theater-, Ausstattungsstück; 2. Lärm, Krach, Geschrei, Gepolter.

Spektiv [lat.], svw. ↑ Perspektiv.

Spektor, Jizchak Elchanan, *Rossi bei Grodno 1817, † Kaunas 6. März 1896, russ. Rabbiner und Religionsgelehrter. – Eine der führenden rabbin. Persönlichkeiten der osteurop. Judenheit im 19. Jh.; setzte sich in einer Vielzahl von Entscheidungen zum religiösen Gesetz für zeitgemäße Erleichterungen ein.

spektral [lat.], auf das Spektrum bezogen.

Spektralanalyse, Methode zur qualitativen und quantitativen chem. Analyse fester, flüssiger oder gasförmiger Stoffe durch Erzeugung ihres Spektrums und dessen Registrierung mit einem Spektralgerät nach Verfahren der Spektroskopie. Bei der *Absorptions-S.* werden die von der gelösten, flüssigen oder dampfförmigen Probensubstanz aus einem kontinuierl. Spektrum bekannter Intensität absorbierten Wellenlängen gemessen. Bei der *Emissions-S.* wird die gas- oder dampfförmige Probensubstanz zum Leuchten angeregt und ihr Emissionsspektrum untersucht. Die Anregung kann thermisch in einer Flamme oder heißeren elektr. Entladung oder auch optisch erfolgen. Extrem hohe Nachweisempfindlichkeit wird bei der Laser-S. erzielt.

Geschichte: Die Färbung von Flammen durch chem. Verbindungen war in Europa schon im 18. Jh. bekannt. 1814 entdeckte J. von Fraunhofer die nach ihm benannten Absorptionslinien im Sonnenspektrum. R. W. Bunsen und G. R. Kirchhoff entwickelten das erste Spektroskop, und 1860 entdeckte Bunsen spektralanalytisch die Elemente Cäsium und Rubidium.

spektraler Absorptionsgrad ↑ Absorptionsgrad.

Spektralfarben ↑ Spektrum.

Spektralgeräte (Spektralapparate), opt. Geräte, mit denen elektromagnet. Strahlung (bes. Licht) benachbarter Wellenlängenbereiche in die spektralen Anteile zerlegt und beobachtet bzw. registriert werden kann. S. bestehen im Prinzip aus einem Eintrittsspalt, einem im abbildenden Linsensystem, einem strahlungszerlegenden Teil und einem zweiten Linsensystem bzw. einem Austrittsspalt. Nach der Art des spektral zerlegenden Teiles unterscheidet man *Prismen-, Gitter-, Filter-* und *Interferenz-S.,* nach der Beobachtungsbzw. Registrierungsart **Spektroskope** (mit im allg. auf Unendlich eingestelltem Fernrohr zur visuellen Beobachtung von Spektren), **Spektrographen** (mit Kamera zur photograph. Aufnahme von Spektren) und **Spektrometer** (mit Präzisionsskalen zur Wellenlängenmessung der Spektrallinien). Die Kombination von S. und Photometer bezeichnet man als **Spektralphotometer (Spektrophotometer),** das zur Ermittlung der Intensität von Licht als Funktion der Wellenlänge dient. Außerdem gibt es S., die die Strahlung nicht räumlich zerlegen, sondern mit frequenzselektiver Strahlungsmodulation arbeiten.

Spektralklasse (Spektraltyp), Zusammenfassung von Sternen mit gleich aussehendem Spektrum, wobei man sich auf das Auftreten und die Stärke bestimmter Absorptionslinien stützt. Sie werden mit Buchstaben O, B, A, F, G, K und M bezeichnet und sind jeweils noch dezimal unterteilt, so daß z. B. auf O9 die S. B0 folgt. Die S. ist ein Maß für die Oberflächentemperatur der Sterne, die von O nach M abnimmt. Die S. der Sonne z. B. ist G2.

Spektrallampe, eine Edelgas- oder Metalldampflampe, die monochromat. Strahlung bestimmter Wellenlängen aussendet.

Spektrallinien, voneinander scharf getrennte Linien in den Linien- oder Bandenspektren elektromagnet. Strahlung, die von atomaren Systemen emittiert *(Emissionslinien)* oder absorbiert *(Absorptionslinien)* wird.

Spektralphotometer ↑ Spektralgeräte.

Spektralserie, Folge von Spektrallinien eines Linienspektrums, die Elektronenübergängen aus angeregten Zuständen in denselben Endzustand eines Atoms entsprechen. Die Frequenzen der Linien einer S. genügen einer Serienformel. So gilt z. B. für Frequenzen ν der verschiedenen S. des Wasserstoffs (H): $\nu = cR_H (1/n^2 - 1/m^2)$ $(n = 1, 2, 3, ...;$ $m = 1, 2, 3, ...; m > n; c$ Lichtgeschwindigkeit; R_H ↑ Rydbergkonstante für Wasserstoff). Dabei erhält man jeweils eine S., wenn man n fest wählt und m (die sog. *Laufzahl)* alle ganzen Zahlen größer als n durchlaufen läßt. Für $n = 1$ erhält man die ↑ Lyman-Serie, für $n = 2$ die ↑ Balmer-Serie, für $n = 3$ die ↑ Paschen-Serie, für $n = 4$ die ↑ Brackett-Serie und für $n = 5$ die ↑ Pfund-Serie. Läßt man in der Serienformel die Laufzahl gegen Unendlich gehen, so häufen sich die zugehörigen Frequenzen an der sog. **Seriengrenze.**

Spektraltyp, svw. ↑ Spektralklasse.

spektro..., Spektro... [lat.], Bestimmungswort von Zusammensetzungen mit der Bed. „auf das Spektrum bezogen".

Spektrograph ↑ Spektralgerät, ↑ Massenspektrograph.

Spektroheliograph, Gerät zur photograph. Aufnahme der Sonnenoberfläche *(Spektroheliogramm)* im Lichte eines sehr engen Spektralbereichs bzw. einer Spektrallinie.

Spektrometer ↑ Spektralgeräte, ↑ Massenspektrometer.

Spektrophotometer ↑ Spektralgeräte.

Spektroskop [lat./griech.] ↑ Spektralgeräte.

Spektroskopie [lat./griech.], die Lehre von der Erzeugung, Beobachtung und Registrierung der von Atomen, Ionen, Molekülen *(Atom-* und *Molekül-S.)* und Atomkernen *(Kern-S.)* sowie der kondensierten Materie *(Festkörper-S.)* als elektromagnet. Strahlung emittierten bzw. absorbierten Spektren, einschl. ihrer Ausmessung (Bereich der *Spektrometrie)* und Interpretation. I. w. S. bezeich-

net man mit S. und Spektrometrie die Untersuchung eines beliebigen Spektrums, z. B. der Massen- und Energieverteilungen von Atom- und Molekülgemischen in der ↑ Massenspektroskopie oder von Elementarteilchen in der Hochenergiephysik. – Die S. ermöglicht einen Einblick in die Wechselwirkungen zw. Materie und elektromagnet. Strahlung und in die Struktur der Materie, wenn die Spektren mit Hilfe der Quantenmechanik gedeutet werden. Sie hat die Aufgabe, die Wellenlängen und Intensitäten der in den Spektren der verschiedenen Stoffe (Elemente) enthaltenen Spektrallinien und ihre gesetzmäßigen Zusammenhänge zu ermitteln. Die S. erlaubt Rückschlüsse auf die in einer Lichtquelle oder durchstrahlten Substanz vorhandenen chem. Elemente oder Verbindungen (z. B. bei der ↑ Spektralanalyse) sowie auf deren Zustandsgrößen (z. B. Temperatur, Druck u. a.). Als Teilgebiete (nach den Spektralbereichen benannt) unterscheidet man u. a.: Hochfrequenz-, Infrarot-S., S. im sichtbaren Bereich, Ultraviolett-, Röntgen- und Gamma-S. – In der *Hochfrequenz-* oder *Mikrowellen-S.* werden durch Einstrahlen von Hochfrequenz- oder Mikrowellen Übergänge zw. Atom- und Molekülzuständen induziert und deren energet. Abstände sehr genau bestimmt. Die *Molekül-S.* untersucht die im Vergleich zu Atomspektren (Linienspektren) sehr viel komplizierteren Molekülspektren (Bandenspektren); sie ist wichtiges Hilfsmittel bei der chem. Analyse und liefert Aussagen über die Molekülstruktur. – ↑ Laserspektroskopie.

📖 *Kuzmany, H.:* Festkörper-S. *Bln. 1990.* – *Williams, D. H./Fleming, I.:* Strukturaufklärung in der organ. Chemie. Eine Einf. in die spektroskop. Methoden. *Dt. Übers. Stg.* ^{6}*1990.* – *Perkampus, H. H.:* UV-VIS-S. u. ihre Anwendungen. *Bln. 1986.*

spektroskopische Hauptkonstanten ↑ Atomkonstanten.

Spektrum [lat. „Erscheinung, Schemen, Gesicht"], allg. die Häufigkeits- bzw. Intensitätsverteilung der Bestandteile eines Gemisches in Abhängigkeit von einer gemeinsamen Eigenschaft, z. B. der Energie bzw. Geschwindigkeit oder der Masse, v. a. von der Wellenlänge bzw. Frequenz. Urspr. verstand man unter einem S. nur das farbige Lichtband, das entsteht, wenn weißes Licht (z. B. Sonnenlicht) durch ein Glasprisma oder Beugungsgitter fällt und dabei in Licht unterschiedl. Wellenlänge zerlegt wird, von denen das Auge nach dem Bereich von 380–780 nm als Folge der *Spektralfarben* Violett, Indigo, Blau, Grün, Gelb, Orange, Rot sieht. Licht von glühenden festen oder flüssigen Körpern (Temperaturstrahlern) zeigt eine kontinuierl. Farbfolge und somit ein *kontinuierl. S.;* das Licht leuchtender Gase oder Dämpfe hinge-

gen liefert ein S. aus einzelnen Spektrallinien (↑ *Linienspektrum*) bzw. aus Häufungen von Linien (↑ *Bandenspektrum*), das für die jeweiligen Atome bzw. Moleküle des Gases charakteristisch ist und daher zu deren Nachweis verwendet werden kann, z. B. bei der Spektralanalyse. Das S. des von angeregten Atomen ausgehenden Lichtes heißt ↑ *Emissionsspektrum*. Dunkle Linien oder Banden erscheinen in einem ↑ *Absorptionsspektrum;* es entsteht z. B., wenn weißes Licht durch ein kühles, nicht leuchtendes Gas hindurchtritt. Die Untersuchung von Spektren mittels Spektralgeräten ist Aufgabe der Spektroskopie.
◆ (akust. S.) svw. Schall-S. (↑ Schallanalyse).

Spekulation [zu lat. speculatio „das Auskundschaften"], in der *Philosophie* Begriff zur Bestimmung desjenigen Denkens, das jeden Erfahrungsbezug überschreitet. Der Anspruch auf Gültigkeit der durch S. gewonnenen Erkenntnis wird über eine methodologisch definierte Schlüssigkeit der Argumentation oder durch eine über Intuition gewonnene Evidenz begründet.
◆ in der *Wirtschaft* jedes Verhalten, das darauf abzielt, unter Inkaufnahme eines Risikos aus einer erwarteten Veränderung des Preises eines Gutes bzw. des Kurses eines Wertpapiers oder einer Währung einen Gewinn zu erzielen.

Spekulatius [niederl.], Weihnachtsgebäck in Figurenform, das durch Nelken, Kardamom, Muskatblute und Zimt seinen spezif. Geschmack bekommt.

spekulative Theologie [lat./griech.], eine in der prot. Theologiegeschichte seit Ende des 18. Jh. einsetzende Denkrichtung, die die christl. Lehre mit den Methoden des spekulativen Idealismus ausdeuten und das kirchl. Dogma in freier wiss. Forschung begrifflich verarbeiten wollte (u. a. P. K. Marheineke, D. F. Strauß und F. C. Baur).

Spekulum (Speculum) [lat.], röhren- oder trichterförmiges ärztl. Instrument, das in die natürl. Öffnungen des Körpers (z. B. Mastdarm, Nase) zur Untersuchung eingeführt wird.

Speläologie [zu griech. spélaion „Höhle"] (Höhlenkunde), Wiss., die sich mit allen Fragen befaßt, die Höhlen betreffen. Auf die Erkundung und Vermessung von Höhlen, deren Ergebnisse im **Höhlenkataster** festgehalten wird, folgt die wiss. Untersuchung über Entstehung, Entwicklung, Alter, Klimabedingungen, Höhlensedimente und Fossilien, Analyse der im Höhleneis eingeschlossenen Pollen, Bestimmung der Stein- und Knochengerätte, Tonscherben, Feuerstellen und Kunst der prähistor., in Höhlen lebenden Menschen und der rezenten Flora und Fauna.

Spellman, Francis Joseph [engl. 'spɛlmən], * Whitman (Mass.) 4. Mai 1889, † New York 2. Dez. 1967, amerikan. kath. Theologe. – 1925–32 als Vertreter der amerikan. Kirche im päpstl. Staatssekretariat und gleichzeitig des State Departments beim Vatikan; 1939 Erzbischof von New York; 1943 zugleich Militärbischof; 1946 Kardinal.

Spelt (Spelz), svw. ↑ Dinkel.

Spelzen, trockenhäutige, zweizeilig angeordnete Hochblätter im Blütenstand der Gräser; man unterscheidet die schuppenförmigen *Hüllspelzen,* die oft begrannten, kahnförmigen *Deckspelzen* und die meist zweikieligen *Vorspelzen*.

Spemann, Hans, * Stuttgart 27. Juni 1869, † Freiburg im Breisgau 12. Sept. 1941, dt. Zoologe. – Prof. in Rostock, Berlin und in Freiburg im Breisgau; führte die durch W. Roux begründete Entwicklungsmechanik weiter und förderte mikrochirurg. Arbeitstechniken. Für die Entdeckung des Organisatoreffekts während der embryonalen Entwicklung erhielt er 1935 den Nobelpreis für Physiologie oder Medizin.

Spencer [engl. 'spɛnsə], Bud, eigtl. Carlo Pedersoli, * Neapel 31. Okt. 1929, italien. Filmschauspieler. – Wurde mit seinem Partner T. Hill populär durch den Nonsenswestern „Vier Fäuste für ein Halleluja" (1971).

S., Herbert, * Derby 27. April 1820, † Brighton 8. Dez. 1903, engl. Philosoph. – Anhänger des Darwinismus; kennzeichnend für seine Werke ist das Bemühen um eine übergreifende, alle Wiss. umfassende Systematik und ein wiss. fundiertes Weltbild. Das einigende Prinzip in allen Gegenstandsbereichen wiss. Forschung ist die Evolution. Entsprechend der Evolution der biolog. Arten glaubt S., auch bei menschl. Kulturen und Staatsformen eine Entwicklung zu fortschreitend heterogeneren und komplexeren Formen feststellen zu können. – *Werke:* System der synthet. Philosophie (11 Bde., 1855–96), Einleitung in das Studium der Soziologie (1873).

Spende [zu lat. expendere „(Gold oder Silber) auf der Waage auszahlen; auszahlen; aufwenden"], freiwillige und unentgeltl. Leistung, Geld- oder Sachzuwendung.

Spender, Sir (seit 1983), Stephen [engl. 'spɛndə], * London 28. Febr. 1909, engl. Schriftsteller. – In den 30er Jahren Mgl. einer linksorientierten Dichtergruppe um W. H. Auden; 1970–77 Prof. für Englisch an der University of London. Nach Anfängen mit revolutionärer Lyrik Wendung zu einer intellektbetonten Dichtung des allg. Humanismus; auch erzählende Prosa, Dramen und Essays („Das Jahr der jungen Rebellen", 1969); Übersetzer v. a. moderner dt. Dichtung.

Spener, Philipp Jakob, *Rappoltsweiler (Elsaß) 13. Jan. 1635, † Berlin 5. Febr. 1705, dt. ev. Theologe. – 1663 Freiprediger am Straßburger Münster, 1686 Oberhofprediger in Dresden, 1691 Propst und Pfarrer an der Nikolaikirche in Berlin. Mit seiner Hauptschrift „Pia Desideria oder Herzl. Verlangen nach gottgefälliger Besserung der wahren Ev. Kirchen" (1675) legte S. zus. mit der Frankfurter Pfarrerschaft (Collegia pietatis) das Reformprogramm des luth. Pietismus vor, das den Stiftungs- und Vereinscharakter der Kirche auf der Basis einer individualist. Gesamtauffassung des Christentums betont.

Spengelin, Friedrich, *Kempten 29. März 1925, dt. Architekt. – Baute u.a. Wohnsiedlungen in Hamburg-Harburg (zus. mit seiner Frau Ingeborg S.), Buxtehude und Göttingen; Mitarbeit am Bau des Fernsehstudios des Norddt. Rundfunks (1964–67), Gebäude der Hamburg-Mannheimer Versicherung in Hamburg (1975).

Spengler, Oswald, *Blankenburg (Harz) 29. Mai 1880, † München 8. Mai 1936, dt. Kultur- und Geschichtsphilosoph. – Gymnasiallehrer in Hamburg, seit 1911 Privatgelehrter in München. In seinem Hauptwerk „Der Untergang des Abendlandes" (2 Bde., 1918–22) bezeichnet S. Kulturen als individuelle Wesenheiten, als „Organismen", die jeweils einen Zyklus von Blüte, Reife und Verfall durchlaufen. Seine Zyklentheorie faßt S. als histor. Verlaufsgesetzlichkeit auf. Unabänderlich sind auch die Formen von Herrschaft und Knechtschaft oder „Rasse". Auf Grund des Zyklengesetzes prognostiziert S. den „Untergang des Abendlandes". In seinen weiteren Schriften führt er die pessimist. Kultur- und Geschichtsphilosophie seines Hauptwerkes weiter aus, die vom dt. Bürgertum nach dem verlorenen Weltkrieg und dem ihn begleitenden Zerfall bürgerl. Werte und Normen begeistert rezipiert wurde. – *Weitere Werke:* Neubau des dt. Reiches (1924), Der Mensch und die Technik (1931), Jahre der Entscheidung (1933), Frühzeit der Weltgeschichte (hg. 1966).

Spenser, Edmund [engl. 'spɛnsə], *London 1552 (?), † ebd. 16. Jan. 1599, engl. Dichter. – Sohn eines Tuchmachers; ab 1580 Sekretär des Statthalters von Irland; floh während des ir. Aufstands 1598 nach England; wichtigster engl. Renaissancedichter neben Shakespeare. Sein Hauptwerk, das unvollendete allegor. Epos „Fünf Gesänge der Feenkönigin" (1589–96), läßt im Rückgriff auf den Artusstoff alte Ritterideale wieder lebendig werden; er verwendete dabei die sog. Spenserstanze, eine neunzeilige Strophenform (8 jamb. Fünfheber und ein schlußbeschwerender Alexandriner); schrieb ferner Gedichte und Sonette („Amoretti", 1595).

Spenzer [nach dem brit. Politiker und Bibliophilen Earl G.J. Spencer, *1758, †1834], Ende des 18.Jh. aufgekommene, enge, taillenlange Überjacke mit Kragen und meist langen Ärmeln.

Speranski, Michail Michailowitsch Graf (seit 1793), *Tscherkutino (Gouv. Wladimir) 12. Jan. 1772, † Petersburg 23. Febr. 1839, russ. Staatsmann. – 1808–12 engster Vertrauter Zar Alexanders I. Pawlowitsch; entwarf 1808/09 das erste auf der Grundlage strikter Gewaltentrennung basierende Verfassungsprojekt. 1812–16 nach Sibirien verbannt; als Mgl. des Staatsrates (seit 1824) mit der Kodifizierung des russ. Rechts betraut.

Speratus, Paulus, eigtl. Paul Offer (Hoffer) von Spretten, *Rötlen (= Ellwangen [Jagst]) 13. Dez. 1484, †Marienwerder 12. Aug. 1551, dt. luth. Theologe und Kirchenliederdichter. – Als Schloßprediger Herzog Albrechts in Königsberg (Pr) (1524) und als Bischof von Pomesanien (ab 1529) setzte sich S. für die Verbreitung der luth. Reformation ein; verfaßte bed. Kirchenlieder.

Sperber, Manès [frz. spɛr'bɛːr], *Zablotów (= Sabolotow) bei Kolomyja 12. Dez. 1905, † Paris 5. Febr. 1984, frz. Schriftsteller östr. Herkunft. – Emigrierte 1933 über Jugoslawien nach Frankreich; bis 1937 Mgl. der KP. Setzte sich in Romanen, u.a., „Wie eine Träne im Ozean" (R.-Trilogie, 1949–53), und Essays mit jegl. Form von Totalitarismus auseinander; Georg-Büchner-Preis 1975, Friedenspreis des Börsenvereins des Dt. Buchhandels 1983. – *Weitere Werke:* Bis man mir Scherben auf die Augen legt (Erinnerungen, 1977), Churban oder Die unfaßbare Gewißheit (Essays, 1979).

Sperber ↑ Habichte.

Sperbertäubchen (Zebratäubchen, Malakkatäubchen, Geopelia striata), etwa 20 cm lange, oberseits (mit Ausnahme des grauen Kopfs) braune, mit schwarzen Federrändern gezeichnete Taube in SO-Asien, Australien und S-Neuguinea; Brust rötlich, Bauch weiß, zw. Körperoberseite und Unterseite mit schmalem, schwarzweiß quergebändertem (gesperbertem) Streifen.

Sperlinge (Passerinae), mit rd. 25 Arten weltweit verbreitete Unterfam. 12–20 cm langer, meist unscheinbar gefärbter Singvögel (Fam. ↑ Webervögel) mit kräftigem, kegelförmigem Schnabel; brüten entweder in Baumhöhlen oder in frei gebauten, überdachten Nestern (z. B. an Mauern oder in Büschen). S. bewohnten urspr. trockene, warme Landschaften Afrikas und S-Asiens, von wo aus sie in die nördl. gemäßigten Regionen der Alten Welt vorgedrungen sind. – Zu den S. gehören u.a.: Schneefink (Montifringilla nivalis; bis knapp 20 cm lang, unterscheidet sich vom ♂ der ↑Schneeammer v.a. durch die etwas grauere Unterseite mit schwarzem Kehlfleck, den grauen Kopf und den braunen Rücken), **Steinsperling** (Petronia petronia; fast 15 cm lang, oberseits graubraun, dunkel gestreift, unterseits heller; ♀ und ♂ mit undeutlich gelbem Kehlfleck) und die Hauptgatt. *Passer* (Sperling i. e. S.) mit dem **Feldsperling** (Passer montanus; etwa 14 cm lang, lebhafter gefärbt als der Haus-S., mit schwarzem Fleck auf den weißen Wangen), dem **Haussperling** (Passer domesticus; knapp 15 cm groß, Oberseite dunkelstreifig braun, Unterseite graubraun, ♂ mit grauem Scheitel, kastanienbraunem Nacken und schwarzer Kehle) und dem **Weidensperling** (Passer domesticus hispaniolus; ♂ mit charakterist. „Kehlfleck" und braunem Scheitel).

Sperlingskauz ↑ Eulenvögel.

Sperlingsvögel (Passeriformes), stammesgeschichtlich die jüngste, seit dem Tertiär bekannte, heute mit über 5000 Arten in fast allen Lebensräumen weltweit verbreitete Ordnung 7 bis 110 cm langer Vögel, deren Junge blind schlüpfen und Nesthocker sind. Man unterscheidet vier Unterordnungen: Zehenkoppler, Schreivögel, *Primärsingvögel* (Leierschwanzartige, Suboscines) und Singvögel.

Sperlonga, italien. Badeort am Tyrrhen. Meer, im südl. Latium, 5 m ü. d. M., 3800 E. Im Museum sind (wieder zusammengesetzten) Marmorfiguren (um 50 v. Chr.), die in einer zu einer ehem. Villa des Tiberius gehörenden Höhle am Meer gefunden wurden.

Sperma [griech.] (Samenflüssigkeit, Samen, Semen), das beim Samenerguß (↑ Ejakulation) vom ♂ Begattungsorgan abgegebene Ejakulat: eine die Spermien enthaltende schleimige, alkalisch reagierende Flüssigkeit mit Sekret v. a. aus dem Nebenhoden, der Prostata und der Bläschendrüse. Beim Abkühlen und Eintrocknen des S. entstehen sehr verschieden gestaltete Sperminphosphatkristalle *(Böttcher-Kristalle).* Das menschl. S. enthält im Normalfall pro Ejakulation rd. 200–300 Mill. Spermien.

Spermatogenese (Spermiogenese, Spermatogonie) [griech.], der Prozeß der Bildung und Reifung der Samenzellen (Spermien), der bei den Säugetieren (einschl. Mensch) in den Hodenkanälchen der ♂ Keimdrüsen (↑ Hoden) unter der Einwirkung des follikelstimulierenden Hormons (FSH; ↑ Geschlechtshormone) aus dem Hypophysenvorderlappen stattfindet. Über die von den Urgeschlechtszellen der Keimbahn durch zahlr. mitot. Teilungen (Vermehrungsphase) entstehenden, sehr kleinen, diploiden *Ursamenzellen (Spermatogonien, Spermiogonien)* werden nach einer Wachstumsphase zu relativ großen (diploiden) *Spermatozyten (Spermiozyten, Spermienmutterzellen, Samenbildungszellen) erster Ordnung;* diese wiederum werden nach einer ersten meiot. Teilung (erste Reifeteilung) zu je zwei (kleineren) *Spermatozyten zweiter Ordnung (Spermatoden, Präspermatiden).* Am Ende der sofort darauf folgenden zweiten Reifeteilung entstehen aus jeder urspr. Spermatozyte erster Ordnung vier (wieder sehr kleine) haploide *Spermatiden.* Erst nach einem Differenzierungsprozeß *(Spermiozytogenese, Spermiohistogenese)* gehen aus den Spermatiden funktions-, d. h. befruchtungsfähige, reife Spermien hervor. – Die S. setzt beim Menschen mit der Pubertät ein und kann bis ins hohe Alter andauern.

Spermatophore [griech.] (Samenpaket, Samenträger), bei verschiedenen Tiergruppen (viele Würmer, Gliederfüßer, Weichtiere, Schwanzlurche) von den ♂♂ abgegebenes, eine oft bizarr geformte, auch gestielte Kapsel aus erhärtetem Sekret (von Anhangsdrüsen der ♂ Geschlechtsorgane) darstellendes Gebilde, das eine größere Menge loser Spermien oder mehrere Spermienbündel **(Spermiozeugmen, Spermiodesmen)** enthält. Die S. wird entweder bei der Kopulation durch primäre oder sekundäre Kopulationsorgane (Penis, Hectocotylus, Spadix) direkt in die ♀ Geschlechtsöffnung übertragen, oder das ♀ übernimmt mit der Geschlechtsöffnung aktiv die bereits vom ♂ auf dem Untergrund abgesetzte S., wobei die Partner ein kompliziertes Verhalten an den Tag legen können (z. B. bei Skorpionen, Molchen). Das Platzen der S. wird meist durch einen einfachen Quellungsvorgang bewirkt.

Spermatophyten [griech.], svw. ↑ Samenpflanzen.

Spermatorrhö [griech.] (Samenfluß), der ohne geschlechtl. Erregung erfolgende Abgang von Samenflüssigkeit bei Schließunfähigkeit des Endabschnittes des Samenleiters.

Spermatozoen [griech.], svw. ↑ Spermien.

Spermaturie [griech.] (Seminurie), Ausscheidung von Sperma im Urin.

Spermazetöl [griech./griech.-lat.], svw. ↑ Spermöl.

Spermidin [griech.], zu den biogenen Aminen zählendes aliphat. Triamin mit charakterist. Amingeruch; kommt u. a. im Sperma vor.

Spermien [griech.] (Einz. Spermium; Spermatozoen, Samenzellen), aus den Spermatiden über eine Spermiozytogenese (↑ Spermatogenese) entstehende, nicht mehr teilungsfähige, i. d. R. bewegl. ♂ Geschlechtszellen der tier. Vielzeller (einschl. Mensch). S. sind je nach Art charakteristisch gestaltet. Meist sind sie durch eine lange Geißel fadenförmig *(Samenfäden, Geißel-S., Flagello-S.),* so bei Hohltieren, Stachelhäutern, Ringelwürmern, Insekten und Wirbeltieren (einschl. Mensch). Beim typ. menschl. **Geißelspermium**, das 0,05–0,06 mm lang ist, unterscheidet man drei Hauptabschnitte: 1. den Kopf (3–5 μm lang, 2–3 μm breit, abgeplattet-oval, in Kantenansicht birnenförmig) mit dem sehr kompakten Zellkern, dem ein kappenförmiges Gebilde (Akrosom) aufliegt; 2. das Mittelstück aus dem Hals und dem Verbindungsstück: Im Hals liegt ein Zentriol, aus dem in der Eizelle der Teilungsapparat (Spindel, Polstrahlen, Zugfasern) für die Furchungsteilung hervorgeht. Im Verbindungsstück verläuft ein Achsenfaden aus den Geißelfibrillen, der von einem Mantel schraubig angeordneter Mitochondriensubstanz umhüllt ist; 3. den langen Schwanz *(Geißel, S.geißel)* als Bewegungsorganell, dessen Zytoplasma von Fibrillen durchzogen ist. – Die S. werden in sehr großer Anzahl in den Hodenkanälchen gebildet und, noch bewegungsunfähig, in den Nebenhoden gespeichert (bei den Säugern). Die Lebensdauer der menschl. S. beträgt in der Vagina etwa 60 Minuten, in den übrigen ♀ Geschlechtswegen einen bis drei Tage. Die Bewegungsfähigkeit ist nur im schwach alkal. Milieu (pH 7,14–7,37) des Sekrets der Prostata und der Bläschendrüse (↑ Samenblase) gegeben. Die Geschwindigkeit der menschl. S. liegt bei etwa 3,5 mm pro Minute. ⊞ *Guraya, Sardul S.: Biology of Spermatogenesis and Spermatozoa in Mammals. Bln. 1987. – Austin, C./Short, R.: Fortpflanzungsbiologie der Säugetiere. Bd. 1: Keimzellen u. Befruchtung. Dt. Übers. Bln. 1976.*

Spermiodesmen [griech.] ↑ Spermatophore.

Spermiogonien [griech.] ↑ Spermatogenese.

Spermiohistogenese [griech.] ↑ Spermatogenese.

Spermiozeugmen [griech.] ↑ Spermatophore.

Spermiozyten [griech.] ↑ Spermatogenese.

Spermiozytogenese [griech.] ↑ Spermatogenese.

Spermium, Einz. von ↑ Spermien.

Spermöl [griech./griech.-lat.] (Spermazetöl), aus Walrat gewonnenes. hellgelbes Öl, u. a. als Spezialschmiermittel und Rohstoff zur Gewinnung von Fettsäuren verwendet.

Sperontes, eigtl. Johann Sigismund Scholze, * Lobendau bei Goldberg (Schlesien) 20. März 1705, † Leipzig 12. Febr. 1750. dt. Dichter. – Bekannt v. a. durch die Veröffentlichung der Lyrikanthologie „Singende Muse an der Pleisse in 2 mahl 50 Oden" (1736–45).

Sperr, Martin, * Steinberg (= Marklkofen bei Dingolfing) 14. Sept. 1944, dt. Dramatiker. – Stellt in seinen realist., in stilisiertem Dialekt geschriebenen gesellschaftskrit. Stükken („Jagdszenen aus Niederbayern", 1966 [als Oper Uraufführung 1979]; „Landshuter Erzählungen", 1967; „Münchner Freiheit", 1972; alle 1972 u. d. T. „Bayr. Trilogie") Verhaltensweisen im bayr. Alltagsmilieu bloß. Auch Hör- und Fernsehspiele – *Weitere Werke:* Koralle Meier (Schsp., 1971), Adele Spitzeder (Fsp., 1972, mit P. Raben; als Dr. u. d. T. Die Spitzeder, Uraufführung 1977).

Sperrbrecher, bes. ausgerüstetes Schiff, meist altes Handelsschiff, zum gewaltsamen Durchbrechen einer feindl. Sperre. Durch in den Laderäumen gestaute Auftriebsmittel praktisch unsinkbar, fuhren sie vor Handels- oder Kriegsschiffen und brachten Sperrmittel (meist Minen) zur Explosion. Schiffe, die feindl. ↑ Blockaden durchbrechen, heißen Blockadebrecher.

sperren (spationieren), in der graph. Technik: die Buchstaben eines oder mehrerer Wörter durch einen kleinen Zwischenraum *(Spatium;* Mrz. *Spatien)* trennen und dadurch hervorheben.

Sperren, künstl. Hindernisse, die den militär. Gegner aufhalten sollen, z. B. Minen-, Draht-, Baum-, Wasser-S., Panzergräben.

Sperrfeuer, bes gegner. Panzer- oder Infanterieangriff schlagartig ausgelöstes Feuer der Artillerie und der schweren Infanterie.

Sperrfrist, in der *Publizistik* der vom Urheber einer Nachricht (z. B. Text einer noch nicht gehaltenen Rede) festgesetzte Zeitspanne, während der die Nachricht nicht veröffentlicht werden soll.
◆ im *Recht* ein Zeitraum, in dem bestimmte Handlungen nicht vorgenommen werden dürfen (z. B. die entzogene Fahrerlaubnis nicht wieder erteilt werden darf).

Sperrgetriebe ↑ Getriebe.

Sperrholz, Holzplatten aus mindestens drei aufeinandergeleimten Holzlagen. *Furnierplatten* bestehen aus mindestens drei Furnierlagen, deren Faserrichtungen (benachbarter Lagen) jeweils nahezu senkrecht zueinander verlaufen (bei *Diagonal-S.* unter einem Winkel von rd. 45°). *Tischlerplatten* enthalten eine Mittellage aus plattenförmig aneinandergesetzten Holzleisten (Blindholz) und mindestens eine Furnierlage auf jeder Seite.

Sperrhorn, kleiner Amboß.

Sperrklausel ↑ Wahlen.

Sperrkraut (Himmelsleiter, Jakobsleiter, Polemonium), Gatt. der S.gewächse mit über 20 Arten, v. a. im westl. N-Amerika. In Deutschland wächst vereinzelt im Alpenvorland das **Blaue Sperrkraut** (Polemonium coeruleum), eine 30–80 cm hohe Staude mit unpaarig gefiederten Blättern und glockigen, himmelblauen Blüten in endständigen Rispen; auch Gartenpflanze.

Sperrkrautgewächse (Himmelsleitergewächse, Polemoniaceae), Pflanzenfam. mit rd. 320 Arten in 18 Gatt., fast ausschließlich in Amerika; meist einjährige Kräuter. Wichtige Gatt. (v. a. als Zierpflanzen) sind † Phlox und † Sperrkraut sowie als Kletterpflanze die † Glockenrebe.

Sperrminorität, im Aktienrecht Bez. für eine Beteiligung von mindestens 25% des Aktienkapitals. Durch eine S. können Beschlüsse der Hauptversammlung vereitelt werden, für die eine Dreiviertelmehrheit vorgeschrieben ist, z. B. Satzungsänderungen.

Sperrschicht, in der *Meteorologie* eine Inversion in der Atmosphäre, an der Vertikalbewegungen abgebremst werden, so daß der Austausch der Luft der unteren Schichten mit der Höhenluft verhindert wird.
◆ in der *Halbleiterphysik* eine an Ladungsträgern verarmte Grenzschicht zw. einem Metall und einem Halbleiter *(Schottky-Barriere)* oder zw. zwei Halbleitern mit unterschiedl. Leitungstyp *(pn-Übergang);* stellt für elektr. Strom in einer Richtung *(Sperrichtung)* einen hohen, in der anderen *(Fluß-* oder *Durchlaßrichtung)* einen niedrigen Widerstand dar.

Sperry, Roger Wolcott [engl. 'spɛrɪ], * Hartford (Conn.) 20. Aug. 1913, † Pasadena (Calif.) 17. April 1994, amerikan. Neurologe. – Prof. in Pasadena; Arbeiten zur Erforschung des Gehirns, v. a. über die Funktionen der beiden Hemisphären; 1981 Nobelpreis für Physiologie oder Medizin (mit D. H. Hubel und T. N. Wiesel).

Sperrylith [nach dem kanad. Chemiker F. L. Sperry, 19. Jh.], zinnweißes, stark metallisch glänzendes, kub. Mineral, PtAs₂. Es tritt in Kupferkies-, Magnetkies- und Pentlanditlagerstätten auf; wichtiges Platinmineral. Mohshärte 6–7; Dichte 10,6 g/cm³.

Sperry Rand Corporation [engl. 'spɛrɪ 'rænd kɔ:pə'reɪʃən], amerikan. Unternehmen der elektron. Industrie, Sitz New York; entstanden 1955 aus der Fusion der Remington Rand Inc. mit der Sperry Corporation.

Sperrzeit, die nach dem GaststättenG durch VO der zuständigen obersten Landesbehörde festzusetzende Zeit (i. d. R. 1 Uhr), in der Gast- und öff. Vergnügungsstätten geschlossen werden müssen; sog. *Polizeistunde.*

Spes [lat.], bei den Römern Begriff und Personifikation der „Hoffnung".

Spesen [italien., zu lat. expensa „Aufwand"], die Auslagen oder Kosten, die in Verbindung mit der Erledigung eines Geschäfts (z. B. einer Geschäftsreise) erwachsen.

Spessart, waldreiches Bergland zw. Main (im O, S und W) und Kinzig (im N), im Geiersberg 585 m hoch; z. T. Naturpark; Naherholungsgebiet für die Städte des Rhein-Main-Gebietes.

Speusippos, *um 408, †Athen 339, griech. Philosoph. – Neffe und Nachfolger Platons in der Leitung der Akademie. Versuchte in seinem Werk „Ähnlichkeiten", die Tier- und Pflanzenwelt vollständig nach Art und Gatt. einzuteilen und die Klassifikationstypen jeweils durch „Ähnlichkeiten" zu verbinden.

Speyer, Stadt an der Mündung des Speyerbachs in den Oberrhein, Rhdl.-Pf., 104 m ü. d. M., 44 000 E. Sitz eines kath. Bischofs und des Prot. Landeskirchenrats der Pfalz; Hochschule für Verwaltungswiss., Museen, u. a. Histor. Museum der Pfalz, Weinmuseum, Feuerbachmuseum; Landesarchiv; kirchenmusikal. Institut. Metallverarbeitung, Erdölraffinerie, Glaswerk, chem., Textil-, Nahrungsmittel- und Getränkeindustrie, Tabakverarbeitung, Druckereien; Hafen. **Geschichte:** Um 150 v. Chr. erstmals als **Noviomagus** erwähnt; kelt. Oppidum, das 70 v. Chr. von den Nemetern in Besitz genommen, 58 v. Chr. von Cäsar unterworfen wurde; befestigter Hauptort der Civitas Nemetum; 496 von den Franken erobert und im 6. Jh. erstmals als **Spira** bezeichnet, seit Erhebung zum Bistum (614 erstmals bezeugt) stets Stadt gen.; im 7.–11. Jh. unter wachsendem bischöfl. Einfluß; seit 1111 ständ. und gerichtl. Freiheiten; 1294 freie Reichsstadt; Schauplatz zahlr. Hof- und Reichstage. 1529 protestierten die ev. Reichsstände gegen den von Kaiser Karl V. veranlaßten Reichsabschied (Protestation von S.); 1527–1689 Sitz des Reichskammergerichts; fiel 1816 an Bayern und war bis 1945 Sitz der rheinpfälz. Bezirksregierung. **Bauten:** Außer dem †Speyerer Dom bed. ev. Dreifaltigkeitskirche (1701–17), Reste der ehem. Synagoge (11. Jh.) mit unterird. Frauenbad (12. Jh.); barockes Rathaus (18. Jh.), Reste der Stadtbefestigung, u. a. das Stadttor, sog. Altpörtel (13. und 16. Jh.).
  📖 *Gesch. der Stadt S.* Hg. v. der Stadt S. Stg. u. a. ²1983. (Bd. 1 u. 2), 1989 (Bd. 3). – *Roland,* B.: *S. Bilder aus der Vergangenheit.* Bad Honnef ²1976.

S., Bistum, erstmals 614 bezeugt; bis 1801 Suffragan von Mainz; durch das frz. Konkordat (1801) fiel der größte Teil des Bistums an das neue Bistum Mainz. Als Folge des Konkordats mit Bayern (1817) wurde 1821 ein neues Bistum S. geschaffen, das auf den linksrhein. Rheinkreis (seit 1838 Pfalz) beschränkt blieb und zur Kirchenprov. Bamberg gehört. – †katholische Kirche (Übersicht).

Speyerer Dom, einer der drei großen Kaiserdome am Rhein. In zwei Bauperioden (um 1030–61; vor 1082–um 1106) unter Kaiser Konrad II. und Heinrich IV. errichtet; 1689 und 1794 wüstet; seit 1816 Wieder-

herstellung. Der S. D. ist eine dreischiffige Basilika mit Querhaus. Die Krypta (1041 geweiht) unter Chor und Querhaus ist die Grablege von 8 Königen und Kaisern des Hl. Röm. Reiches. Restaurierung des Doms 1957–72. Der S. D. wurde von der UNESCO zum Weltkulturerbe erklärt.
ω *Kubach, H. E.: Der Dom zu S.* Darmst. ³1988.

Spezia, La, italien. Hafenstadt im östl. Ligurien, 105 700 E. Hauptstadt der Prov. La S., kath. Bischofssitz; archäolog. und Marinemuseum, Gemäldegalerie; Erdölraffinerie, Werften, Eisenhütten und Stahlwerk, Maschinenbau; Muschelzucht. – In röm. Zeit ein kleiner Hafen **(Portus Lunae)**; kam 1274 an Genua, vergrößerte sich rasch und errang im 15. Jh. Bed. als Handelsplatz; Ende des 16. Jh. befestigt; nach 1860 zum wichtigen Marinestützpunkt ausgebaut; seit 1923 Prov.-hauptstadt. – Nach Zerstörungen im 2. Weltkrieg planmäßig wieder aufgebaut; der Dom (16. Jh.) wurde wiederhergestellt.

spezial, svw. ↑ speziell.

Spezialisation [lat.], in der *Biologie* Bez. für die Umformung von Organismen in Richtung einer zunehmenden Eignung für bes., enger gefaßte Lebensbedingungen.

spezialisieren [lat.-frz.], 1. gliedern, einzeln anführen, unterscheiden; 2. (sich s.) sich [beruflich] auf ein Teilgebiet beschränken.

Spezialist [lat.], Fachmann, Facharbeiter, Facharzt.

Spezialität [lat.], Besonderheit; Liebhaberei; Feinschmeckergericht.
♦ in der *Pharmazie* svw. Fertigarzneimittel.

Speziation [lat.], svw. ↑ Artbildung.

speziell (spezial) [lat.], vor allem, besonders, eigens; eigentümlich; genau.

Spezies, in der Biologie svw. ↑ Art.

Spezieskauf (Stückkauf), Kauf, bei dem im Vertrag die gekaufte Sache als einzelner Gegenstand individuell bestimmt ist. – Ggs. Gattungskauf.

Speziesschuld (Stückschuld), die Verpflichtung zur Leistung einer bestimmten Sache, die nicht nur nach Artmerkmalen bestimmt ist (↑ Gattungsschuld).

Speziestaler [zu lat. species „Art, Sorte"], svw. „eigtl. Taler", das wirklich geprägte Talerstück im Ggs. zum bloßen Rechnungstaler (d. h. zur Rechnungsmünze).

Spezifikum [lat.], Besonderes, Entscheidendes.

spezifisch [lat.], arteigen, kennzeichnend.
♦ in *Physik* und *Technik* svw. auf eine bestimmte Größe (z. B. Masse, Fläche, Volumen) bezogen; nach DIN 5485 soll die Bez. nur dann verwendet werden, wenn die Bezugsgröße die Masse ist.

spezifisches Gewicht, svw. ↑ Wichte.

spezifische Wärmekapazität (früher spezif. Wärme), Formelzeichen c, die auf die Masse bezogene ↑ Wärmekapazität, zahlenmäßig gleich der Wärmemenge, die erforderlich ist, um 1 kg eines Stoffes um 1 K zu erwärmen, SI-Einheit J/(kg · K). Die s. W. ist eine Konstante, für Wasser beträgt sie rd. 4,2 kJ/(kg · K). Man unterscheidet zw. s. W. bei konstantem Volumen c_V und der bei konstantem Druck c_p. Stets ist $c_p > c_V$, aber nur bei Gasen ist der Unterschied merklich. Die auf die Stoffmenge bezogene Wärmekapazität heißt *molare Wärmekapazität* (auch *Atom*- bzw. *Molwärme* gen.), SI-Einheit J (K · mol); für sie gilt die ↑ Dulong-Petitsche Regel.

spezifizieren [lat.], einzeln aufführen, verzeichnen; zergliedern.

Spezimen [lat.], Probe, Beispiel; Muster.

Sphalerit [griech.], svw. ↑ Zinkblende.

Sphäre [zu griech. sphaïra „Ball, Kugel"], svw. Bereich, [Um]kreis, z. B. Macht-, Einflußbereich, Gesichts-, Wirkungskreis.
♦ svw. Kugel; in der *Astronomie* Bez. für die Himmelskugel.

Sphärenharmonie, die in Zahlenverhältnissen ausdrückbare Entsprechung von Bewegungen und Entfernungen der Himmelskörper (Mond, Sonne, Planeten, Fixsterne) und von Grundlagen des Tonsystems (Zahlenproportionen der Intervalle). Die Vorstellung von einer Entsprechung von Welt- und Tonsystem geht auf die Pythagoreer zurück, wurde von Platon und Aristoteles übernommen und ging durch Boethius in die ma. Musiktheorie ein. Die Frage nach der Hörbarkeit der *Sphärenmusik* wurde mit der erneuten Beschäftigung mit Aristoteles im 13. Jh. wieder aufgegriffen. Mit einer verstärkt empir. Orientierung von Philosophie und Musiktheorie seit dem 14. Jh. verlor die Vorstellung von der S. ihre musiktheoret. Bed., blieb aber als Denkform (z. B. bei J. Kepler) bis in die Barockzeit erhalten.

sphärisch, auf die Kugel bezogen, mit der Kugel zusammenhängend.

sphärische Aberration ↑ Abbildungsfehler.

sphärische Astronomie, svw. ↑ Astrometrie.

sphärisches Dreieck (Kugeldreieck), aus Großkreisbögen auf der Kugeloberfläche gebildetes Dreieck.

Sphärit [griech.], ältere Bez. für ↑ Variscit.

Sphäroid [griech.], allg. ein kugelähnl. Körper bzw. seine Oberfläche; i. e. S. ein Rotationsellipsoid (↑ Ellipsoid).

Sphärometer [griech.], Gerät zur Bestimmung der Krümmungsradien von Linsen u. ä.

Sphen, svw. ↑ Titanit.

Sphenoidale [...no-i...; griech.], Kurzbez. für Os sphenoidale (↑ Keilbein).

Spherics [engl. 'sfɛrɪks; griech.-engl.] (Atmospherics), Funkstörungen, die von Blitzen herrühren und sich beim [Rund]funkempfang als Knack- und Kratzgeräusche bemerkbar machen.

Sphingomyeline [griech.], zu den Phospholipiden zählende, v. a. in Nervenzellen enthaltene Substanzen aus Cholin, Phosphorsäure, **Sphingosin** (ein Aminoalkohol; 2-Amino-4-trans-octadecen-1,3-diol) und ei ner an die Aminogruppe des Sphingosins gebundenen Fettsäure.

Sphinkter [griech. „Schnürer"], svw. ↑ Schließmuskel.

Sphinx, Fabelwesen der ägypt. und griech. Mythologie. In Ägypten symbolisiert sie den Pharao (Löwenleib) oder später auch einen Gott (Widderleib). Die griech. S. (geflügelter Löwenrumpf mit Mädchenkopf), ein Todesdämon, haust auf einem Felsen bei Theben und tötet jeden Wanderer, der ihr Rätsel („Was ist am Morgen vierfüßig, zu Mittag zweifüßig, am Abend dreifüßig?") nicht lösen kann. Als Ödipus die richtige Antwort („der Mensch") findet, stürzt sie sich in die Tiefe. – Das bekannteste Bildwerk ist die große S. von Gise. Die S. erscheint auf assyr. Rollsiegeln, in der griech. Kunst in der Vasenmalerei und Plastik, bes. als Akroter (auf Grabstelen u. a.); lebt fort in der roman. Bauskulptur v. a. an den Kapitellen, erneut aufgegriffen seit dem 15./16. Jh. Im Symbolismus erfuhr sie eine erot. Umdeutung.

📖 *Demisch, H.: Die S. Stg. 1977.*

Sphinx [griech.], Gatt. der Schwärmer mit zahlr. Arten auf der Nordhalbkugel, davon der ↑ Ligusterschwärmer als einzige Art in M-Europa.

Sphinxpavian (Guineapavian, Roter Pavian, Papio papio), mit 50–60 cm Körperlänge kleinste Art der Paviane (Gruppe ↑ Babuine) in W-Afrika; Fell rotbraun bis ockerfarben; ♂ mit kräftig entwickelter Rückenmähne; in Savannen, bes. in felsigem Gelände.

Sphragistik [zu griech. sphragís „Siegel"], svw. Siegelkunde, ↑ Siegel.

Sphygmogramm [zu griech. sphygmós „Puls"], Aufzeichnung der Pulsdruckkurve mit einem Sphygmographen (Pulsschreiber). Elektromechan. Wandler werden auf die Haut (über großen Arterien) aufgesetzt und messen die Druckänderungen, die durch den Puls erzeugt werden. Sie hängen ab von der Kraftentwicklung der linken Herzkammer, den elast. Eigenschaften der Gefäßwand sowie dem vom Blutstrom zu überwindenden peripheren Strömungswiderstand. Durch Aufzeichnung der S. von 2 Stellen, z. B. Aorta oder Halsschlagader und Aorta femoralis (Beinschlagader), kann die Pulswellengeschwindigkeit (Abk. PWG) bestimmt werden,

Sphinx von Gise; um 2500 v. Chr.; im Hintergrund die Cheopspyramide

die von der Wandbeschaffenheit der arteriellen Blutgefäße abhängt.

Spica (Spika) [lat. „Kornähre"], der hellste Stern im Sternbild Virgo (Jungfrau).

spiccato [italien.], Spielanweisung für Streicher, jeden Ton mit einem neuen Bogenstrich zu spielen, bei schnellem Tempo in ↑ Springbogen übergehend.

Spickaal [niederdt.], sehr fetter, geräucherter Flußaal.

spicken, bei magerem Fleisch (v. a. Wild) Speckstreifen mit der Spicknadel in die obere Fleischschicht schieben.

Spiegel [zu lat. speculum „Spiegel(bild), Abbild"], opt. Bauelement für Strahlenablenkung oder Bilderzeugung, dessen Funktion auf regulärer Reflexion beruht. Die S.fläche kann aus poliertem Metall, aus Glas mit aufgedampftem oder elektrolytisch abgeschiedenem Metall (z. B. Aluminium oder Silber) oder aus Interferenzschichten mit hoher Reflexion bestehen. Man unterscheidet *Vorderflächen-S.* (z. B. bei S.teleskopen und Scheinwerfern), *Rückflächen-S.* (z. B. Haushalts-S.) und S. mit teildurchlässiger Verspiegelung. – *Ebene S. (Plan-S.)* erzeugen virtuelle, aufrechte, seitenverkehrte Bilder. *Hohl-* oder *Konkav-S.* erzeugen je nach Lage des Objektes zum Brennpunkt reelle, umgekehrte, ver-

Spiegel, Der
Spiegel, Der   **20**

größere bzw. verkleinerte Bilder oder aber virtuelle, aufrechte, vergrößerte Bilder (z. B. Rasier-S.); *Wölb-* oder *Konvex-S.* erzeugen virtuelle, aufrechte, verkleinerte Bilder (z. B. Rück-S.). Neben den *sphär. S. (Kugel-S.),* bei denen die Brennweite gleich dem halben Krümmungsradius ist, gibt es *asphär. S.* (z. B. Parabol-S., hyperbol. und ellipt. Spiegel). **Geschichte:** Die ältesten bekannten S. waren aus Metall und stammen aus dem 3./2. Jt. v. Chr. Die S. der Römer waren meist auf der Vorderseite mit Silber belegt. Während im Mittelmeerraum vorwiegend mit einem Griff (Stiel) versehene Hand-S. in Gebrauch waren, kannten die Chinesen etwa vom 7. Jh. v. Chr. an Rund-S. aus Bronze zum Aufhängen. Im MA wurden S. meist aus Metall, später aus Glas gefertigt und mit Quecksilber verspiegelt. Vom 16. Jh. an entwickelte sich Venedig zum Zentrum der S.industrie, die nach einem neuen Guß- und Walzverfahren ebene S. herstellte. Die dadurch ermöglichte Fabrikation großflächiger S. wurde bei der Ausstattung fürstl. Räume genutzt, die in den S.kabinetten des Barock und der Rokokozeit ihren Höhepunkt erreichte.
In der Sprache der *Mystik* ist S. ein Symbol für Gott, Christus und die Seele („S. der Gottheit"). – Der S. ist ferner ein Sinnbild göttl. Allwissenheit, so daß in *Magie* und *Märchen* (z. B. „Schneewittchen") der Zauber-S. Fragen beantwortet. ⊞ *Peez, E.: Die Macht der S. Ffm. 1990. – Gerhard, E., u. a.: Etrusk. S. Bln. 1843–97. 5 Bde. in 6 Tlen. Nachdr. Bln. 1974. 5 Bde. – Enzyklopäd. Hdb. zur Ur- u. Frühgesch. Europas. Hg. v. J. Filip. Bd. 2. Stg. u. a. 1969. – Hartlaub, G. F.: Zauber des S. Mchn. 1951.*
◆ in der *graph. Technik* ↑ Satzspiegel.
◆ (Scheibe) *wm.* Bez. für den weißen bzw. heller gefärbten Fleck in der Afterregion beim Reh-, Rot- und Damwild.
◆ bei *Uniformen* ein Besatzstück aus Tuch an den Kragenecken.
◆ im MA Buchtitel für belehrende, religiöse, jurist. und satir. Werke, meist in Prosa; z. B. die Rechtsbücher „Sachsenspiegel", „Deutschenspiegel", „Schwabenspiegel".
Spiegel, Der, dt. Nachrichtenmagazin. 1946 von (erst. Hrsg.) Presseoffizieren in Hannover als „Diese Woche" gegr.; ging 1947 in dt. Hände über und wurde von R. Augstein als Hg. seitdem als „D. S." weitergeführt (seit 1952 in Hamburg); Auflage seit 1970 zw. 900 000 und 1,1 Mio. Exemplaren.
Spiegelaffäre, innenpolit. Krise in der BR Deutschland 1962, ausgelöst durch eine Polizeiaktion gegen das Nachrichtenmagazin „Der Spiegel". Unter dem Vorwurf des publizist. Landesverrats (wegen eines Beitrags über die NATO-Übung „Fallex 62") wurden der Hg. R. Augstein, der Redakteur C. Ahlers

(* 1922, † 1980) u. a. verhaftet; Verteidigungsmin. F. J. Strauß mußte auf Grund heftiger öff. Reaktionen zurücktreten.
Spiegelgänse ↑ Halbgänse.
Spiegelgewölbe ↑ Gewölbe.
Spiegelglas (Kristallspiegelglas), beidseitig geschliffenes und poliertes, bes. homogenes Flachglas zur Herstellung von Spiegeln.
Spiegelharnisch ↑ Harnisch.
Spiegelheck (Plattgattheck), Schiffsheck mit ebener, quer zum Schiffskörper verlaufender Heckplatte (Spiegel).
Spiegelkarpfen ↑ Karpfen.
Spiegellinse, Linse, deren Rückseite als Spiegel ausgebildet ist.
Spiegelreflexkamera ↑ photographische Apparate.
Spiegelteleskop (Reflektor, Spiegelfernrohr), sammelndes Spiegel- oder Spiegellinsensystem zur Aufnahme astrophotograph. Bilder. Der Hauptspiegel sammelt Strahlenbündel mit großem Durchmesser. Der wesentlich kleinere Fangspiegel lenkt das Licht zur Brennebene des S. ab, in der das Bild entsteht. Korrektionslinsen können das opt. System ergänzen. Der Hauptteil der Brechkraft wird vom Spiegeln erzeugt, um Farbfehler zu vermeiden. Je größer der Hauptspiegeldurchmesser, um so lichtschwächere Himmelsobjekte können photographiert werden. Das größte S. war für viele Jahre das Hale-Teleskop auf dem Mount Palomar (Spiegeldurchmesser 5,10 m). 1976 wurde ein S. mit einem Spiegeldurchmesser von 6,10 m im nördl. Großen Kaukasus (Selentschukskaja) in Betrieb genommen. Seit 1990 steht das ↑ NTT, ein S. mit neuartiger Technologie zur Verfügung. S. mit mehreren Hauptspiegeln befinden sich in Entwicklung bzw. Erprobung (↑ VLT).
Spiegelung, in der *Optik* Bez. für die gerichtete Reflexion.
◆ in der *Medizin* svw. ↑ Endoskopie.
◆ in der *Mathematik* eine spezielle ↑ Bewegung; in der ebenen Geometrie gibt es Punkt- und Geraden-S., im Raum auch Ebenen-S. Ist X' Bild des Punktes X bei einer S., so ist P bei *Punkt-S.* an P Mittelpunkt der Strecke XX'; bei *Geraden-S.* an g bzw. *Ebenen-S.* an E ist XX' zu g bzw. E senkrecht und X, X' haben von g bzw. E gleichen Abstand. – Mit S. werden auch andersartige Abbildungen, z. B. spezielle affine Abbildungen bezeichnet.
Spiegel zum Desenberg, Ferdinand August Graf von (seit 1816), *Schloß Canstein (Gem. Marsberg, Hochsauerlandkreis) 25. Dez. 1764, † Köln 2. Aug. 1835, dt. kath. Theologe. – 1813 von Napoleon I. zum Bischof von Münster ernannt; 1817 Mgl. des preuß. Staatsrats; 1821 von der preuß. Reg. zum Erzbischof des neuerrichteten Erzbis-

tums Köln ernannt (1825 inthronisiert); maßgeblich an der Organisation der Unabhängigkeit der Kirche von der staatl. Kirchenpolitik beteiligt; seine Unterzeichnung der „Berliner Konvention" vom 19. Juni 1834 (feierl. Einsegnung konfessionsverschiedener Eheleute ohne Garantie der kath. Kindererziehung) führte zu den ↑ Kölner Wirren.

Spiegler, Franz Joseph, * Wangen im Allgäu 5. April 1691, † Konstanz 15. April 1757, dt. Maler. – Sein Hauptwerk sind die illusionist., hochdramat. Fresken in der ehem. Abteikirche in Zwiefalten (1747–51).

Spiekeroog [...'o:k], eine der Ostfries. Inseln, zw. Langeoog im W und Wangerooge im O, 17,4 km². Am sw. Rand der Dünen liegt das Seebad S. (700 E); Fähre von Neuharlingersiel.

Spiel, Hilde, * Wien 19. Okt. 1911, † ebd. 30. Nov. 1990, östr. Schriftstellerin. – Ging 1936 nach Großbritannien; seit 1963 in Wien. Verf. von Romanen („Lisas Zimmer", 1961), Novellen, Essays („Welt im Widerschein", 1960) und Hörspielen; Übersetzerin. – *Weitere Werke:* Verwirrung am Wolfgangsee (R., 1935), Fanny von Arnstein oder Die Emanzipation (Biogr., 1962), Engl. Ansichten (Essays, 1984), Die hellen und die finsteren Zeiten. Erinnerungen 1911–1946 (1989), Welche Welt ist meine Welt. Erinnerungen 1946 bis 1989 (1990).

Spiel, Tätigkeit, die ohne bewußten Zweck, aus Vergnügen an der Tätigkeit als solcher bzw. an ihrem Gelingen vollzogen wird und stets mit Lustempfindungen verbunden ist.
Das S. des *Kindes* dient neben der Funktion, kognitive Fähigkeiten zu trainieren, dessen soziale Identität entwickeln und stabilisieren. V. a. in den ersten beiden Lebensjahren übt das Kind mit Hilfe häufig wiederholter Bewegungen körperl. Funktionen ein *(Funktions-S.);* später setzt das *Fiktions-S.* (auch *Rollen-, Illusions-* oder *Deutungs-S.*) ein, in dem das Kind mit Mimik und Gestik Handlungen und Verhaltensweisen anderer nachahmt. Nimmt das Kind das Material zu Hilfe und versucht es, Gegenstände miteinander in Beziehung zu setzen, spricht man von *Konstruktions-S.* Bis zum Vorschulalter bleibt das S. meist Einzelbeschäftigung *(Einzel-S.),* erst später, als *Gruppen-S.,* bekommt es Wettbewerbscharakter *(Wettbewerbs-S.)* und wird durch die Einigung auf bzw. Vorgabe von Vorschriften zum *Regel-S.;* Wettbewerbs- und Regel-S., v. a. die sog. Gesellschafts-S., dienen auch der Entspannung *Erwachsener.*
Die klass. *Theorien vom S.* verstehen S. z. B. als Ausfluß eines Kraftüberschusses, als Rekapitulation der kulturellen Entwicklung des Menschen, als Ein- und Vorübung wichtiger Anlagen und Instinkte, als Erholung und

Entlastung oder als Abfuhr von Affekten und Triebregungen. – In der Geschichte der *Pädagogik* wies bereits F. ↑ Fröbel auf die Bed. des kindl. S. hin.
S. im rechtl. Sinn: ↑ Glücksspiel, ↑ Lotterie.
⨅ *Scheuerl, H.:* Das S. Untersuchungen über sein Wesen ... Weinheim ¹¹1990. – *Heimlich, U.:* Soziale Benachteiligung u. S. Trier 1989. – *Stöcklin-Meier, S.:* Spielen u. Sprechen. Ravensburg ⁶1987.
◆ in der *Technik* der Maßunterschied zw. zwei gekoppelten Teilen (z. B. Bohrung und Welle), wenn das umschlossene kleiner ist als das umfassende, z. B. bei S.passung.

Spielautomaten, Geräte mit einer vom Spieler zu betätigenden, den Spielausgang beeinflussenden Vorrichtung, die als Geschicklichkeits-S. (↑ Flipper, v. a. elektron. Geräte, die z. B. ein Autorennen, militär. Aktionen u. ä. simulieren) der Unterhaltung dienen oder als Geld-S. die Möglichkeit eines Gewinns bieten. Das gewerbsmäßige Aufstellen von S., die mit einer den Spielausgang beeinflussenden Vorrichtung versehen sind und eine Gewinnmöglichkeit bieten, ist nach der Gewerbeordnung erlaubnispflichtig. Kindern und Jugendlichen ist die Benutzung dieser S. in der Öffentlichkeit nicht gestattet.

Spielbank (Spielkasino), gewerbl. Unternehmen, das Gelegenheit zu öff. Glücksspiel bietet. S. bedürfen besonderer staatlicher Zulassung.

Spielbein ↑ Kontrapost.

Spielberg, Steven [engl. 'spi:lbə:g], * Cincinnati (Ohio) 18. Dez. 1947, amerikan. Filmregisseur. – Drehte Actionfilme, u. a. „Der weiße Hai" (1974), Science-fiction-Filme „Unheiml. Begegnung der dritten Art" (1978), „E. T." (1982), „1941" (1979), „Zurück in die Zukunft" (1985), außerdem „Die Farbe Lila" (1985), „Das Reich der Sonne" (1987), „Hook" (1992), Jurassic Park (1993), Schindlers Liste (1994).

Spieldose, mechan. Musikinstrument, bei dem die Töne durch das Anzupfen von Metallzungen mittels Stiften entstehen. Die Stifte sitzen auf einer rotierenden Metallscheibe oder Walze.

Spielgeschäft ↑ Differenzgeschäft.

Spielhagen, Friedrich, * Magdeburg 24. Febr. 1829, † Berlin 25. Febr. 1911, dt. Schriftsteller. – 1860–62 Feuilletonredakteur in Hannover, dann in Berlin. Einer der erfolgreichsten dt. Romanciers der 2. Hälfte des 19. Jh.; seine Romane („Sturmflut", 3 Bde., 1877) zeigen sowohl Sympathien mit der Revolution von 1848 („Problemat. Naturen", 1861) als auch die Probleme des industriellen Fortschritts („Hammer und Amboß", 1869). S. schrieb auch Novellen, Lyrik und Dramen. Heute von Bed. v. a. als Theoretiker des Realismus und der Erzählstrategie.

Spiel im Spiel (Theater auf dem Theater), in ein Bühnenwerk eingefügte dramat. oder pantomim. Handlung oder Szene, z. B. in Shakespeares „Hamlet".

Spielkarten, Kartenblätter zum Spielen, Wahrsagen oder Lehren. In Europa haben S. meist ein rechteckiges Format, in Indien sind sie meist rund; in China sind S. lange schmale Streifen. Auf der Vorderseite der S. befinden sich Symbole (Farbzeichen oder auch Farben gen.) und Figuren. Die Symbole geben dem Spieler den Wert des einzelnen Blattes an. Meist werden 4 gleiche Reihen durch unterschiedl. Farbzeichen gekennzeichnet. Innerhalb einer Farbzeichenreihe haben die einzelnen Karten eine unterschiedl. Rangfolge. Zu den *Zahlenkarten* 1–10 (oder weniger, je nach Spielregel) treten die *Figurenkarten:* König, Königin, Reiter oder Bube. Die **Farbzeichen** werden in Europa nach den Ländern benannt, in denen sie am meisten verbreitet sind. Man unterscheidet v. a. zw. italien., dt. und frz. Farbzeichen. Die italien. Farbzeichen sind: *Spade* (Schwerter), *Bastoni* (Stäbe), *Coppe* (Becher) und *Denari* (Münzen). Die dazugehörigen Figurenkarten: Re (König), Cavallo bzw. Cavaliere (Reiter) und Fante (Bube), manchmal folgt dem König noch die Regina (Königin). Im dt. Sprachgebiet werden die Farbzeichen *Eichel, Blatt, Herz* und *Schelle* verwendet. Die Figuren sind König, Ober[mann] und Unter[mann]. Die Zahlenkarten umfassen z. B. beim Skat 7 bis 10 und das Daus (As). Die schweizer. Farben *(Eichel, Schilten, Blumen* und *Schellen)* sind eine Variante der deutschen. Mit den frz. Farbzeichen *Tréfle* (Treff oder Kreuz), *Pique* (Pik), *Cœur* (Herz) und *Carreau* (Karo) spielt man in französisch- und englischsprachigen Gebieten, aber auch in Deutschland. Die Figurenkarten König, Dame und Bube sehen in den einzelnen Ländern verschieden aus. Die Zahlenkarten umfassen 2 bis 10 und das As, dazu kommt – je nach Spielregel – der Joker. Die Rückseiten eines Kartenspiels müssen völlig identisch sein, damit nicht zu erraten ist, welche Karten der Gegner in der Hand hält.

□ *Weise, P.: Rund um die S. Bln.* ²1988. – *Hoffmann, Detlef: Die Welt der S.: eine Kulturgesch. Mchn. 1983. – S. Ihre Kunst u. Gesch. in Mitteleuropa. Ausstellungskat. Hg. v. Detlef Hoffmann u. a. Wien 1974.*

Spielkartenmeister ↑Meister der Spielkarten.

Spielkasino, svw. ↑Spielbanken.

Spielmann, fahrender Sänger des MA, der seinen Lebensunterhalt durch artist. und musikal. Darbietungen sowie den Vortrag literar. Kleinkunst bestritt. – ↑Fahrende.

Spielmannsdichtung, i. e. S. eine Gruppe von 5 anonymen [frühhöf.] **Spielmannsepen,** denen das Strukturschema der Brautwerbung gemeinsam ist: „König Rother", „Herzog Ernst", „Sankt Oswald", „Orendel" und „Salman und Morolf". Umstritten sind die Einheitlichkeit dieser um die Mitte des 12. Jh. datierten Gruppe, der Grad ihrer Absetzung von der Helden- und Geistlichenepik wie auch vom höf. Roman. Auch ihre Zuordnung zum **Spielmann,** als dem Verbreiter oder Autor dieser Werke ist ungeklärt. Angeblich typ. „spielmänn." Züge, wie additiver Stil, Unbekümmertheit in Sprache und Vers, starke Formelhaftigkeit, Freude am vordergründig Gegenständlichen, zeitgenöss. Stoffe (Kreuzzüge), spätantike Stoffquellen, finden sich auch in anderen Gattungen.

Spielkarten. 1 Französische Holzschnittkarte aus Lyon, um 1490; 2 Eichelkönig von P. Flötner aus Nürnberg, um 1540; 3 Deutsche Einheitskarte von J. Schulze in Leipzig, Lithographie, um 1860; 4 Chinesische Dominokarte, Holzschnitt, um 1850

1   2   3   4

Spielmannszug, in der Militärmusik die Trommler und Pfeifer; der S. (auch in nichtmilitär. Vereinigungen verbreitet) wechselt sich z. B. bei Umzügen und beim Zeremoniell mit dem reicher besetzten Musikkorps ab; wird von einem Tambourmajor angeführt.

Spielmethoden (spieler. Gestaltungsverfahren, Spieltests), in der psycholog. Diagnostik (bes. bei Kindern) verwendete Verfahren oder Tests. Es werden unterschiedlich strukturierte Materialien (Klötze, Tiere, Puppen, Bilder) zur spieler. Benutzung ohne nähere Anweisungen angeboten. Der Diagnostiker kann (je nach Art der Verwendung des Materials) Schlüsse über Persönlichkeitsmerkmale sowie über aktuelle Konfliktsituationen des Spielenden ziehen.

Spielplatz, i. e. S. der für Kinder zum Spielen geeignete und bes. ausgestaltete Platz im Freien, i. w. S. jeder von Kindern genutzte Raum.

Spieltheorie, mathematisch-kybernet. Theorie, in der Spiele mit Entscheidungsproblemen behandelt werden, deren Ausgang auch (oder ausschließlich) vom Verhalten der Spieler abhängt *(strateg. Spiele).* Der Begriff *Spiel* umfaßt dabei auch soziolog., wirtsch. und polit. Gegebenheiten (Wettbewerb, Konkurrenzkampf, Störfall, Konflikt u. a.), die ähnl. Strukturen aufweisen wie die ideal., durch feste Spielregeln bestimmten Spiele. Das Hauptziel der S. ist das Auffinden der für einen Spieler günstigsten Spielverfahren, d. h. der optimalen Strategie. - Die S. wurde von J. von Neumann begründet.

Spieltherapie, Form der Psychotherapie, die versucht, im spieler. Darstellen und Durchleben psych. Konfliktsituationen, die meist nicht bewußt sind und sich in Verhaltensstörungen oder neurot. Zügen kenntlich machen, zu klären. Gewöhnlich wird diese Methode bei Kindern in Einzel- oder Gruppensituationen angewandt.

Spieluhr, eine Uhr, die neben oder anstelle des Schlagwerks ein mechan. Musikwerk (↑ mechanische Musikinstrumente) aufweist.

Spielzeug, i. w. S. jeder Gegenstand, der zum Spielen veranlaßt; i. e. S. ein Hilfsmittel, das als Impulsquelle erziehende und bildende Wirkung bei allen Altersgruppen ermöglicht. Das S. stellt häufig Dinge der Umwelt dar und fordert zu bestimmten Handlungen heraus. Es gibt S., mit dem beobachtete Sachverhalte abgebildet sowie spezif. Beziehungen herausgefordert (z. B. Puppe) werden können oder das zum Kennenlernen von Natur und Technik beiträgt. Die Wirkungen des S. sind von dessen Beschaffenheit, aber auch von der Persönlichkeit des/der Spielenden, der Spielsituation sowie der Anregung und

Hilfestellung anderer Personen abhängig. Maßstab für die Beurteilung von S. sind unterschiedl. funktionale Schwerpunkte sowie die Vielseitigkeit der Wirkung. - S., das gezielt auf die Förderung bestimmter Fähigkeiten ausgerichtet ist, wird *didakt. S.* genannt.

Geschichte: Tontiere und Kinderrasseln aus Bronze oder Ton, Puppen aus verschiedenen Materialien kannte man bereits in Ägypten und im klass. Altertum. Aus Griechenland sind S.pferde auf Rädern, kleine Wagen, Reifen, Bälle u. a., aus Rom Puppenmöbel und -stuben, aus dem MA S.reiter und -pferde aus Ton überliefert. - Seit dem 15. Jh. entwickelten sich S.fabrikation und -handel; mit ihnen wurde das S. vielfältiger (z. B. Puppen, Puppenstuben, -kleidung, -möbel, -geschirr) und kunstvoller. Dt. Zentren der S.fabrikation waren v. a. Nürnberg, Frankfurt am Main, Augsburg und Ulm. In waldreichen Gegenden (z. B. Tirol, Bayern, Thüringer Wald, Erzgebirge) hat die S.herstellung mit Hilfe kunstvoller Holzschnitzerei ihre Tradition gewahrt, auch wenn heute Bleche und Kunststoffe das am häufigsten verwendeten Materialien sind. - Nach der Entwicklung des *mechan. S.* (z. B. Maschinen, Eisenbahnen, Autos), das durch Federwerk, Dampf oder Strom angetrieben wird, bietet die zeitgenöss. Spielwarenind. neben Lernspielen, Experimentierkästen o. ä. zunehmend Computer- und Videospiele an.

📖 *Sommerfeld, V.: Krieg u. Frieden im Kinderzimmer.* Rbk. 1991. – *Jaffke, F.: S. Stg.* [16]1989. – *Kutschera, V.: S. Spiegelbild der Kulturgesch.* Mchn. 1983. – *Retter, H.: S. Hdb. zur Gesch. u. Pädagogik der Spielmittel.* Weinheim 1979.

Spiere [niederdt.], jedes Rundholz an Bord eines Schiffs oder Boots, mit Ausnahme von Mast, Rah und Stenge.

Spierstrauch [griech./dt.] (Spiraea), Gatt. der Rosengewächse mit über 90 Arten in der nördl. gemäßigten Zone; sommergrüne Sträucher mit einfachen, meist gesägten Blättern; Blüten klein; Blütenstände doldig oder traubig; z. T. als reichblühende Ziersträucher kultiviert.

Spieß, Stangenwaffe mit (eiserner) Spitze; urspr. auch als Wurfwaffe (Jagd-S.) verwendet; bed. insbesondere der Lang-S. (↑ Pike).

◆ in der *Soldatensprache* Bez. für den Kompanie- bzw. Batteriefeldwebel.

Spießblattnase (Große S., Falsche Vampirfledermaus, Vampyrus spectrum), größte Art der neuweltl. Kleinfledermäuse (Fam. Blattnasen) im trop. S- und M-Amerika; Körperlänge etwa 12–14 cm; Flügelspannweite rd. 70 cm; mit großen, weit abstehenden Ohren und sehr großem, dolchähnl. Nasenaufsatz.

Spießbock, (Oryxantilope, Oryxgazelle) früher (mit Ausnahme der Regenwaldgebiete) über ganz Afrika und die Arab. Halbinsel verbreitete Art der Pferdeböcke, heute im N und äußersten S ausgerottet; etwa 1,6–2,3 m körperlange und 0,9–1,4 m schulterhohe Tiere mit sehr langen, spießförmigen Hörnern; überwiegend braun bis sandfarben, meist mit schwarz-weißer Zeichnung an Kopf und Beinen; mehrere Unterarten, u. a. **Beisaantilope** (Oryx gazella beisa; etwa 1,2 m schulterhoch), **Säbelantilope** (Oryx gazella dammah; bis 1,3 m schulterhoch, Hörner bis 1,2 m lang, nach hinten geschwungen), **Weiße Oryx** (Oryx gazella leucoryx; wahrscheinlich ausgerottet).
◆ svw. ↑ Heldbock.

Spießbürger, urspr. spött. Bez. für den nur mit einem Spieß bewaffneten Stadtbürger; heute (abwertend) svw. kleinl., engstirniger Mensch; seit Ende des 19. Jh. meist als *Spießer* bezeichnet (↑ Kleinbürger).

Spieße ↑ Geweih.

Spießente ↑ Enten.

Spießer ↑ Spießbürger, ↑ Kleinbürger.

Spießflughuhn (Pterocles alchata), über 30 cm lange, einem kleinen, hellen Rebhuhn ähnl. Art der Flughühner in SW-Europa und Vorderasien mit langen, nadelartig zugespitzten Mittelschwanzfedern, weißem Bauch und weißen Flügelbinden.

Spießgeselle, urspr. der Waffengefährte; heute svw. Helfershelfer, Komplize.

Spießglanze, Gruppe meist nadeligspießig, z. T. aber auch faserig oder derb ausgebildeter Sulfidminerale, deren einzelne Glieder viele Gemeinsamkeiten besitzen (meist hydrothermal auf Gängen entstanden).

Spießhirsche (Mazamas, Mazamahirsche, Mazama), Gatt. kleiner bis sehr kleiner Hirsche mit vier Arten (↑ Neuwelthirsche).

Spießrutenlaufen (Gassenlaufen), etwa seit Ende des 16. Jh. überlieferte Militärstrafe; Der u. a. wegen Fahnenflucht oder Trunkenheit Verurteilte mußte durch eine von bis zu 300 Mann gebildete Gasse laufen und erhielt dabei Rutenhiebe auf den entblößten Rücken. Im 19. Jh. abgeschafft.

Spießtanne (Cunninghamia), Gatt. der Sumpfzypressengewächse mit drei Arten im südl. China und auf Taiwan; immergrüne, in ihrer Heimat bis 15 m hohe Bäume mit unregelmäßig in Quirlen stehenden Ästen; Blätter schmal, ledrig, spiralig in zwei Zeilen angeordnet; die kugeligen Zapfen haben locker dachziegelartig angeordnete Schuppen.

Spiethoff, Arthur, * Düsseldorf 13. Mai 1873, † Tübingen 4. April 1957, dt. Volkswirtschaftler und Konjunkturtheoretiker. – Prof. in Prag (1907–17) und Bonn (1918–39); entwickelte mit der Theorie der wirtsch. Wech-

sellagen eine moderne, eigenständige Variante der Überinvestitionstheorien.

Spiez, schweizer. Kurort am Thuner See, Kt. Bern, 628 m ü. d. M., 9 800 E. – Schloß (13., 16.–18. Jh.; jetzt Museum) mit Bergfried (10.–'13. Jh.). Nahebei Alte Kirche, eine dreischiffige, flachgedeckte frühroman. Pfeilerbasilika (11. und 17. Jh.).

Spikes [engl. spaɪks; eigtl. „lange Nägel, Stacheln"], (Dornschuhe) im *Sport* Schuhe der Leichtathleten mit Dornen aus Metall, die unter der Sohle angebracht sind.
◆ (Spikereifen) mit Hartmetallstiften bestückte Spezialwinterreifen für Kraftwagen; in Deutschland nicht zugelassen.

Spiköl [lat./griech.-lat.] (Nardenöl, Oleum Spicae), äther. Öl aus verschiedenen Lavendelarten; wird in der Parfümind. verwendet.

Spill [niederdt.], maschinell oder von Hand betriebene windenähnl. Vorrichtung; die Leine, Trosse oder Kette wird in mehreren Windungen um die senkrecht (*Gang-S.*) oder waagerecht (*Brat-S., Pump-S.*) stehende S.trommel gelegt und bei der Drehung durch Reibung mitgenommen; zum Ankerhieven (*Anker-S.*), zum Bedienen der Ladebäume auf Frachtschiffen u. a. verwendet.

Spin [engl. spɪn „schnelle Drehung"], Eigendrehimpuls von Elementarteilchen, Atomen oder Kernen (*Kern-S.*), der nicht auf eine Bahnbewegung zurückgeführt werden kann und daher eine innere Eigenschaft der Teilchen ist. Der S. ist gequantelt, sein Betrag sh wird in Einheiten von $h = h/(2\pi)$ (h Plancksches Wirkungsquantum) angegeben, wobei die *S.quantenzahl* (kurz Spin) s ganze oder halbzahlige Werte annehmen kann, d. h. $s = 0, \frac{1}{2}, 1, \frac{3}{2}, ...$ Teilchen mit halbzahligem S. heißen Fermionen, solche mit ganzzahligem S. Bosonen. Der S. der Elektronen verursacht u. a. die Feinstruktur von Spektrallinien, die homöopolare chem. Bindung und den Ferromagnetismus. Der S. der Protonen im Atomkern ist u. a. Grundlage für die Kernresonanz. **Geschichte:** Die von W. Pauli 1924/25 eingeführte vierte Quantenzahl zur Charakterisierung eines Elektrons wurde 1925 von G. E. Uhlenbeck und S. A. Goudsmit als S. identifiziert.

Spina, untergegangene antike Stadt, nw. von Comacchio, in der Emilia Romagna, Italien; griech.-etrusk. Handelsstadt, gegr. im 6. Jh. v. Chr., um 300 v. Chr. aufgegeben; in nachantiker Zeit überflutet; archäolog. Grabungen seit 1922 ergaben etwa 2 500 Gräber mit großen Mengen v. a. griech. Keramik, bes. der klass. Zeit.

Spina [lat.], in der *Anatomie* Bez. für einen spitzen oder stumpfen, meist knöchernen Vorsprung in Form eines Dorns, Stachels, Höckers, einer Leiste oder eines Kamms.

spinal [lat.], in der *Anatomie* und *Medizin:* zur Wirbelsäule, zum Rückenmark gehörend, im Bereich der Wirbelsäule liegend oder erfolgend.

Spinalanästhesie ↑ Anästhesie.

spinale Kinderlähmung ↑ Kinderlähmung.

Spinalganglion, Nervenzellen enthaltende Verdickung der hinteren Wurzel des Spinalnervs.

Spinaliom, [lat.] (Plattenepithelkarzinom, Stachelzellenkrebs, Epithelioma spinocellulare), bösartige Haut- oder Schleimhautgeschwulst mit zerstörendem Wachstum und Übergreifen auf regionäre Lymphknoten. Das S. entsteht u. a. auf chronisch entzündeter oder strahlengeschädigter Haut und auf straffen Narben; tritt in höherem Lebensalter auf.

Spinalkanal, svw. Wirbelkanal (↑ Wirbelsäule).

Spinalnerven (Rückenmarknerven, Nervi spinales), paarige, meist in jedem Körpersegment vorhandene, dem Rückenmark über je eine ventrale (vordere; *Radix ventralis*) und eine dorsale (hintere; *Radix dorsalis*) Wurzel entspringende Nerven der Wirbeltiere (einschl. Mensch, der 31 Paar S. besitzt). Die S. innervieren die Streckmuskulatur des Rückens, die vordere Rumpfmuskulatur, die Extremitätenmuskulatur und die entsprechenden Hautbezirke.

Spinalpunktion, svw. ↑ Lumbalpunktion.

Spinat [pers.-arab.-span.], (Spinacia) Gatt. der Gänsefußgewächse mit nur drei Arten, verbreitet vom Mittelmeergebiet bis Zentralasien. Die wichtigste Art ist der als Wildpflanze nicht bekannte, einjährige **Gemüsespinat** (Echter S., Spinacia oleracea; weltweit verbreitet) mit 20–30 cm hohen Stengeln und langgestielten, dreieckigen, kräftig grünen Blättern. S. hat einen hohen Gehalt an Vitaminen (Provitamin A, Vitamine der B-Gruppe und Vitamin C) sowie an Chlorophyll.

◆ (Engl. S.) svw. ↑ Gartenampfer.

◆ (Ind. S.) svw. ↑ Malabarspinat.

Spindel, bei der Hand- und Maschinenspinnerei der zum Verdrillen der Fasern und zur Aufnahme des Garns dienende Stab bzw. Maschinenteil.

◆ Gewindewelle zur Übertragung einer Drehbewegung oder zur Erzeugung einer Längsbewegung aus einer Drehbewegung. Die *Haupt*- oder *Arbeits*-S. nimmt das Werkstück oder das Werkzeug auf.

◆ (S.baum) im Unterschied zum Schnurbaum ein freistehender Formobstbaum, dessen kräftiger Mitteltrieb in ganzer Stammhöhe gleich lange, kurze Seitenäste besitzt, an denen das Fruchtholz ansetzt.

Spindelbaumgewächse (Baumwürgergewächse, Celastraceae), Pflanzenfam. mit rd. 850 Arten, v. a. in den Tropen und Subtropen; Bäume oder Sträucher mit einfachen Blättern; einige Arten mit guttaperchahaltigem Milchsaft; Früchte als Kapseln, Steinfrüchte oder Beeren; Samen häufig mit lebhaft gefärbtem Samenmantel. Die wichtigsten Gatt. sind Baumwürger und Spindelstrauch.

Spindelgifte, svw. ↑ Mitosegifte.

Spindelhaare (Monilethrix), erbl., nicht heilbare Haarkrankheit, die auf einem abnormen Verhornungsvorgang in den Haarfollikeln beruht und beim Einzelhaar in Abständen von 0,5–1 mm abwechselnd zu Einschnürungen und lufthaltigen Auftreibungen führt.

Spindelmagen ↑ Agnaten.

Spindelstrauch (Euonymus), Gatt. der Spindelbaumgewächse mit über 200 Arten in den gemäßigten Zonen, den Subtropen und Tropen; Hauptverbreitung in SO-Asien; Sträucher mit meist vierkantigen Zweigen und überwiegend gegenständigen Blättern; Blüten vier- bis fünfzählig, zwittrig oder eingeschlechtig, meist unscheinbar; Frucht eine drei- bis fünffächerige Kapsel. Neben dem giftigen einheim. **Pfaffenhütchen** (Europ. Pfaffenhütchen, Euonymus europaea; 3–6 m hoch, mit gelbl.-grünen Blüten und vierkantigen roten, einem Priesterhut ähnelnden Kapselfrüchten, deren Samen von einem orangefarbenen Samenmantel umschlossen sind) werden zahlr. Arten und Sorten als Ziersträucher angepflanzt.

Spindler, Karl, Pseud. C. Spinalba, Max Hufnagl, * Breslau 16. Okt. 1796, † Bad Freyersbach (= Bad Peterstal-Griesbach) 12. Juli 1855, dt. Schriftsteller. – Zeitweilig Wanderschauspieler; verfaßte breitangelegte, publikumswirksame Romane und Novellen, v. a. mit histor. Themen, u. a. „Der Jude" (R., 1827), „Für Stadt und Land" (En., 1849).

Spindlermühle ↑ Špindlerův Mlýn.

Špindlerův Mlýn [tschech. 'ʃpindleru:v 'mli:n] (dt. Spindlermühle), Stadt und wichtigster Fremdenverkehrsort im tschechoslowak. Teil des Riesengebirges, am Oberlauf der Elbe, 710 bis 850 m ü. d. M.; 1400 E. Sessellift zum 1 237 m hohen Medvědin.

Spinelle [lat.-italien.], Gruppe isomorpher kub. Minerale der allg. Zusammensetzung MeMe₂'O₄ bzw. MeO · Me₂'O₃, wobei Me ein zweiwertiges Metall (meist Mg, Zn, Mn, Fe) und Me' ein dreiwertiges Metall (meist Al, Fe, Cr) bedeutet. Die S. werden meist nach dem dreiwertigen Metall in die Gruppen der *Aluminat*-, der *Ferrit*- und der *Chromit*-S. unterteilt. Zu den Aluminat-S. zählt bes. das als *Spinell* bezeichnete Mineral, $MgAl_2O_4$, das in Form glasig glänzender, farbloser oder je nach Beimengungen roter, grüner, blauvioletter Kristalle auftritt (Mohshärte 8; Dichte 3,5–3,7 g/cm³); bes. schön ausgebildete Kristalle *(Edelspinell)* werden als Schmucksteine verwendet. Zu den Ferrit-S. zählt u. a. Magnetit, zu den Chromit-S. z. B. Chromit.

Spinello Aretino, eigtl. Spinello di Luca Spinelli, † Arezzo 14. März 1410, italien. Maler. – Nachweisbar ab 1373. Schuf Altarbilder und Fresken in der Tradition Giottos.

Spinętt [italien., Herkunft unklar, entweder nach dem venezian. Erfinder G. Spinetti (um 1500) oder zu lat. spina „Dorn"], kleines fünf- oder sechseckiges Kielklavier, bei dem die (mit einem Kiel angerissenen) Saiten im Ggs. zum Cembalo spitzwinklig zur Klaviatur angeordnet sind. Das S. verfügt meist nur über eine Saite je Taste, also nur über ein Register (Umfang meist C–c³ oder f³).

Spinnaker [engl.], ein leichtes, bauchiges Vorsegel, das auf bestimmten Sportsegelbooten gesetzt werden darf, wenn sie vor dem Wind fahren.

Spinnapparat (Arachnidium), dem Herstellen von ↑ Gespinsten dienende Einrichtung am Hinterleib der Spinnen: Die Ausführungsgänge der über hundert (bis mehrere tausend) **Spinndrüsen,** von denen es bis zu sechs verschiedene, jeweils eine ganz spezielle Fadenqualität liefernde Arten geben kann (im Hinterleib von Radnetzspinnen), verlaufen zu mehrgliedrigen, sehr bewegl., verschieden langen **Spinnwarzen.** Die Ausmündung der einzelnen Spinndrüsen auf den abgeschrägten Kuppen **(Spinnfelder)** der Spinnwarzen erfolgt über entsprechend zahlr. feine, bewegl., hohle, kanülenartige Röhrchen **(Spinnröhren, Spinnspulen).** Durch das Zusammenwirken von bis zu 200 Spinnspulen entstehen die bes. dicken Haltefäden (Sicherheitsfäden) der Kreuzspinnen. Hilfsor-

gane beim Spinnen sind die beiden Klauen am Endglied der Beine, die zu kammförmig gezahnten **Webeklauen** ausgebildet sind. Bei Vorhandensein eines Spinnsiebs befindet sich außerdem oben auf dem vorletzten Fußglied beider Hinterbeine noch eine als *Calamistrum* (Kräuselkamm) bezeichnete Doppelreihe kammförmig angeordneter, starrer Borsten, die zur Bildung der sog. Fadenwatte dienen.

Spinndrüsen, tier. Drüsen, die ein an der Luft erhärtendes Sekret aus Proteinen in Form eines Spinnfadens (↑Seide) ausscheiden. S. besitzen v. a. viele Insekten bzw. deren Larven.

Spinnen (Webespinnen, Araneae), seit dem Devon bekannte, heute mit über 30 000 Arten weltweit (bes. in warmen Ländern) verbreitete Ordnung etwa 0,1–9 cm langer S.tiere; getrenntgeschlechtige Gliederfüßer, Körper von einem chitinigen Außenskelett umgeben (Wechsel durch Häutung). Von einem einheitl. Kopf-Brust-Stück (Cephalothorax) ist ein weichhäutiger, ungegliederter Hinterleib deutlich abgesetzt. Der vordere Abschnitt weist in der Brustregion (im Unterschied zu den Insekten) stets vier Laufbeinpaare auf und in der Kopfregion ein Paar Kieferfühler (mit einschlagbaren Giftklauen), ein Paar Kiefertaster (↑ Pedipalpen) sowie zwei bis meist acht Augen. Der Gesichtssinn ist im allgemeinen gut ausgebildet, bes. bei den frei jagenden Arten. Daneben spielen der Tastsinn (Sinneshaare) und der Erschütterungssinn (Vibrationsorgane an den Beinen) eine große Rolle. Im Hinterleib finden sich fast stets zwei Paar Atemorgane. Am Hinterleibsende stehen die Spinnwarzen des ↑Spinnapparats. Die ♂♂ sind meist kleiner als die ♀♀ und tragen an den Pedipalpen einen bes. Kopulationsapparat. Die Paarung erfolgt oft mit einleitendem Vorspiel („Tänze" oder Übergabe eines Beutetiers

Spinnen. Querschnitt

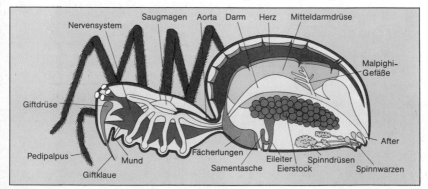

Nervensystem — Saugmagen — Aorta — Darm — Herz — Mitteldarmdrüse — Malpighi-Gefäße — After — Giftdrüse — Pedipalpus — Giftklaue — Mund — Fächerlungen — Samentasche — Eileiter — Eierstock — Spinndrüsen — Spinnwarzen

Spinnennetz

27

durch das ♂), mit dem der Beutetrieb des ♀ ausgeschaltet werden soll. Nach der Begattung wird das ♂ mitunter von dem ♀ gefressen. Die Eier werden in Kokons abgelegt, die entweder in einem Gespinst aufgehängt oder vom ♀, zw. den Kieferfühlern oder an den Spinnwarzen befestigt, umhergetragen werden. Auch die ausgeschlüpften Jung-S. können noch eine Zeitlang auf dem Rücken des Muttertiers verbleiben. S. können mehr als 10 Jahre alt werden (z. B. bestimmte Vogel-S.), die meisten einheim. Arten sind jedoch einjährig. – Als Beutetiere werden Insekten bevorzugt. – Die Giftwirkung eines S.bisses kann bei wenigen Arten auch für den Menschen gefährlich werden (↑ Giftspinnen).
Geschichte: Im Altertum glaubte man, S. seien aus dem Blut eines Ungeheuers, der Titanen oder der Gorgonen hervorgegangen. Im Christentum wurden S. zu Symbolen des Satans; man glaubte, sie kündigen die Pest an, führen zu Wahnsinn und rufen Ausschlag hervor. Nur die Kreuzspinne hielt man wegen ihres sichtbaren Zeichens für ein Glückstier, das das Haus und Hof vor Blitzschlag bewahre. – In der Volksmedizin wurden S. gegen Fieber, Gelbsucht, Augenkrankheiten und Nasenbluten verabreicht.
📖 *Jones, D.: Der Kosmos-S.führer. Stg. ⁴1990. – Stern, H./Kullmann, E.: Leben aus seidenen Faden. Neuausg. Mchn. 1987. – Bellmann, H.: S. Melsungen 1984.*

Spinnen, die Gesamtheit der der jeweiligen Faserart angepaßten Arbeitsgänge zur Garnherstellung. Beim **Handspinnen** wird das auf einen Spinnrocken aufgesteckte Fasergut unter Benutzung einer Spindel oder eines Spinnrades mit der Hand zum Faden verfeinert. Das **Maschinenspinnen** hat das Prinzip des Hand-S. für das mechan. S. übernommen. Beim *Baumwoll-S.* wird die Baumwolle zum Krempel- bzw. Kardenband, dieses zum Streckenband vorgefertigt, das auf Vor- und Ringspinnmaschinen zum Garn verzogen wird und Drehung erhält. In der *Flachsspinnerei* wird Schwingflachs in Lang- und Kurzfasern getrennt. Die Flachs- und Wergbänder werden über Zwischenstufen zu Garn gesponnen. Beim *Woll-S.* werden im Streichgarnspinnverfahren Schafwollvliese, im Kammgarnspinnverfahren lange glatte Wollen über Spezialmaschinen zum Vorgarn und auf der Feinspinnmaschine zu Garn gesponnen. Die *Schappespinnerei* (Florettspinnerei) verarbeitet Raupenseidenabfälle, die *Grobgarnspinnerei* Reißfasern aus Textilabfällen u. a., Chemiefaserstoffe werden aus Spinnmassen (Lösungen und Schmelzen) erzeugt.
Geschichte: Das älteste **Spinnverfahren** ist die *Handspinnerei*, bei der das um einen Stab (den *[Spinn]rocken*) gewickelte Spinnmaterial mit Hilfe eines in Drehung versetzten Stabes

(der *Spindel*) gedreht wurde und bei dem man den Faden, sobald er die gewünschte Festigkeit erlangt hatte, auf die Spindel aufwickelte. Bei dem handbetriebenen Spinnrad wurde das Garn noch abwechselnd gesponnen und aufgewickelt. Das gleichzeitige S. und Aufwickeln des Fadens war erst mit dem Flügelspinnrad möglich, das seit etwa 1480 nachgewiesen ist. Die ersten brauchbaren Spinnmaschinen kamen im 18.Jh. auf, so die von J. Hargreaves um 1764 erfundene Jenny-Spinnmaschine („Spinning Jenny") und die 1769 von R. Arkwright erfundene Maschine, 1779 folgte die Mule-Maschine („Mule Jenny") von S. Crompton. Deren Weiterentwicklung 1825 durch den brit. Ingenieur R. Roberts (* 1789, † 1864), die automat. „Spinning Mule", wurde als Selfaktor („selfactor") bekannt. Der amerikan. Ingenieur J. Thorp (* 1784, † 1848) entwickelte 1830 die Ringspinnmaschine.
📖 *Müller, S. u.a.: Technologie der Garn- u. Zwirnherstellung. Lpz. ²1988. – Srinicki, E.: S. u. Färben. Eine vollständige Einf. Dt. Übers. Ravensburg ⁴1984. – Diekmann, C./Diekmann, H.: Garne spinnen. Zum Stricken, Häkeln, Weben. Stg. 1983. – Simmons, P.: S. u. Weben mit Wolle. Dt. Übers. Ravensburg 1982.*

Spinnenasseln (Spinnenläufer, Scutigeromorpha), mit rd. 130 Arten in den Tropen und Subtropen verbreitete Ordnung der Hundertfüßer, davon eine Art (die bis 2,6 cm lange *Scutigera coleoptrata*) aus S-Europa in warme Gegenden Deutschlands vordringend; mit 15 Paar sehr langen Beinen; sehr flinke Läufer; Insektenfresser.

Spinnenfische, (Leierfische, Callionymidae) Fam. bis 40 cm langer Knochenfische (Ordnung Barschartige) mit rd. 50 Arten in gemäßigten und warmen N-Atlantik, im Ind. und im östl. Pazif. Ozean; meist langgestreckte Bodenbewohner mit langer Rückenflosse, deren vordere Stachelstrahlen beim ♂ zur Fortpflanzungszeit lang ausgezogen sind.
◆ (Bathypteroidae) Fam. langgestreckter, kleinäugiger, etwa 10–30 cm langer Lachsfische mit mehr als zehn tiefseebewohnenden Arten; erste Strahlen der Brust- und Bauchflossen meist stark verlängert, dienen dem Aufsetzen am Untergrund, möglicherweise auch als Tastorgane.

Spinnenfresser (Mimetidae), Fam. der Spinnen mit fast 100 weltweit verbreiteten, keine Netze, sondern höchstens einzelne Fäden spinnenden Arten, davon drei Arten in Deutschland; mit stark bestachelten Endgliedern der beiden vorderen Beinpaare zum Ergreifen anderer Spinnen.

Spinnenkrabben, svw. ↑ Gespensterkrabben.

Spinnennetz, aus feinsten (bei der Seidenspinne z.B. nur 0,007 bis 0,008 mm star-

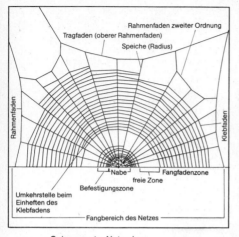

Rahmenfaden zweiter Ordnung
Tragfaden (oberer Rahmenfaden)
Speiche (Radius)
Rahmenfaden
Klebfaden
Nabe
freie Zone
Befestigungszone
Fangfadenzone
Umkehrstelle beim Einheften des Klebfadens
Fangbereich des Netzes

Spinnennetz. Netz einer Radnetzspinne

ken) Spinnenfäden gefertigte Fanggewebe der Spinnen, die zum Festhalten der Beutetiere entweder mit feinen Leimtröpfchen (Klebfäden) oder mit feiner Fadenwatte ausgerüstet sind. Das Fertigen der verschiedenen Netzformen ist erblich festgelegt.

Spinnenpflanze (Cleome spinosa), im trop. und subtrop. Amerika beheimatetes Kaperngewächs der Gatt. Senfklapper; Halbstrauch oder einjähriges, bis 1,2 m hohes Kraut mit weicher, klebriger Behaarung, aus fünf bis sieben Blättchen handförmig zusammengesetzten Blättern und zahlr. langgestielten, purpur-, rosafarbenen oder weißen Blüten; Gartenzierpflanze.

Spinnenspringer (Dicyrtomidae), Fam. der Urinsekten mit rd. zehn europ. Arten von 1,5–3 mm Länge; leben in der Bodenvegetation, bes. von Wäldern.

Spinnentiere (Arachnida), weltweit verbreitete Klasse der Gliederfüßer mit rd. 45 000 bisher beschriebenen, knapp 1 mm bis 18 cm langen Arten; Körper in Kopf-Brust-Stück und Hinterleib gegliedert (nur bei den Milben sind beide Abschnitte verschmolzen); Kopf mit Kieferfühler und Kiefertaster (↑ Pedipalpen); meist mit vier Beinpaaren; atmen durch Röhrentracheen oder Tracheenlungen; hauptsächlich landbewohnend, vorwiegend räuberisch, auch parasitisch (Milben). – Die S. umfassen u. a. Afterskorpione, Skorpione, Skorpionsspinnen, Weberknechte, Spinnen und Milben.

Spinner (Bombyces), veraltete Sammelbez. für verschiedene Schmetterlingsfam., deren Fühler als Träger des hochentwickelten Geruchssinnes sowie des Tast- und Erschütterungssinnes oft stark gekämmt oder gefiedert sind; ihre Raupen spinnen Puppenkokons (z. B. die Seidenspinner).

Spinner (Spinnköder) ↑ Angelfischerei.

Spinnfüßer, svw. ↑ Embien.

Spinnhanf ↑ Faserhanf.

Spinnmilben (Blattspinnmilben, Tetranychidae), Fam. 0,25 bis knapp 1 mm großer, je nach Entwicklungsstadium, Ernährungszustand oder Geschlecht wechselnd gelblich, grünlich oder bräunlich bis rot gefärbter, weichhäutiger Milben von rundl. bis birnenförmiger Gestalt; fast ausschließlich schädl. Pflanzenparasiten. Eine bekannte Art ist die ↑ Obstbaumspinnmilbe.

Spinnrad, einfaches Gerät zum Spinnen von Fäden, bei dem die auf dem sog. *[Spinn]rocken* befestigten Textilfasern einer *Spindel* zugeführt und bei deren Drehung verdrillt werden.

Spinnverfahren ↑ Spinnen.

Spinnwebenhauswurz (Sempervivum arachnoideum), 5–10 cm hohe, dichte Polster bildende Art der Gatt. Hauswurz, verbreitet von den Pyrenäen über die Alpen bis zu den Karpaten; Rosetten 5–25 mm breit, mit lanzettförmigen, an der Spitze mit spinnwebartigen Haaren besetzten Blättern; Blüten mit 12–18 karminroten Kronblättern.

Spinnwebenhaut, svw. ↑ Arachnoidea.

Spinnwebtheorem, Bez. für den über den Preismechanismus (↑ Marktmechanismus) zustande kommenden, durch verzögerte Reaktionen der Anbieter auf Marktpreisänderungen (↑ Lag) ausgelösten Anpassungsprozeß, für den als Musterbeispiel die landw. Produktion gilt. Je nach Steigung der Angebots- und Nachfragefunktionen können in diesem Anpassungsprozeß die Preis- und Mengenschwankungen zunehmen, konstant bleiben oder dem Gleichgewicht annähern. Die graph. Darstellung dieser Schwankungen um den Gleichgewichtspunkt erinnert an ein Spinnengewebe.

Spínola, António Sebastião Ribeiro de [portugies. ıʃ'pinulɐ], *Estremoz 11. April 1910, portugies. General und Politiker. – 1968–73 Oberkommandierender der Streitkräfte und Gouverneur in Portugies.-Guinea; 1973 bis März 1974 stellv. Generalstabschef. Maßgeblich beteiligt an der Revolution vom 25. April 1974. Zunächst Vors. der Junta, Mai–Sept. 1974 Staatspräs.; nach einem mißglückten Putschversuch gegen die linke Militärreg. 1975/76 im Exil; 1981 Ernennung zum Marschall.

Spinortheorie der Elementarteilchen ['spi:nɔr; engl.] (einheitl. Feldtheorie der Elementarteilchen), von W. Heisenberg und seinen Mitarbeitern entwickelte nichtlineare Quantenfeldtheorie der Elementarteilchen, deren Ziel eine einheitl. Beschreibung sämtl. Elementarteilchen (einschl. der Resonanzen) sowie der zw. ihnen bestehenden Wechselwirkungen ist. Die S. basiert auf der Vorstellung, daß sämtl. Elementarteilchen Zustände desselben, durch eine sog. Spinorfeldgröße beschriebenen Materiefeldes sind, für das eine nichtlineare Feldgleichung gilt und das bestimmten Symmetrieprinzipien bzw. Invarianzen genügen soll.

Spinoza, Baruch (Benedict[us]) de [...'noːtsa; niederl. spiː'noːzaː], * Amsterdam 24. Nov. 1632, † Den Haag 21. Febr. 1677, niederl. Philosoph. – Wegen seiner Abweichung von der jüd. Lehre aus der jüd. Gemeinde von Amsterdam (1656) ausgeschlossen und aus der Stadt verbannt. Zu seinen Lebzeiten veröffentlichte S. nur einen Traktat (1663) über Descartes' „Principia philosophiae" und anonym den „Tractatus theologico-politicus" (1670). – Der Kartesianismus, die jüd. Mystik und Kabbalistik, die Renaissancephilosophie sowie die polit. Philosophie von Hobbes beeinflußten S. Seine Philosophie kennzeichnen folgende Charakteristika: sein *Monismus,* d. h. seine Lehre von der Identität Gottes und der Natur, sein *Naturalismus,* d. h. die method. Forderung, den Menschen als einen Teil der Natur darzustellen und das menschl. Handeln nach den Gesetzen der Natur zu erklären, und sein *Liberalismus,* d. h. seine Auffassung, daß das aufgeklärte Selbstinteresse der einzelnen Grundmotiv für die Bildung einer Gesellschaft mit einer souveränen Herrschaftsstruktur darstelle. S. gelangte zu diesen themat. Positionen durch eine method. Entscheidung für einen *Rationalismus,* nach dem die Ordnung der Ideen dasselbe ist wie die Ordnung der Dinge selbst. Nach S. kann es nur eine Substanz geben, die damit notwendigerweise Ursache ihrer selbst und Gott ist. Gott ist daher die Natur, sofern diese als das System der log. und kausal verstandenen Zusammenhänge der Dinge verstanden wird. – Großen Einfluß gewann die Philosophie S. erst im dt. Idealismus und in der dt. Romantik.
🕮 *Jaspers, K.: S. Mchn. ²1986. – Wenzel, A.: Die Weltanschauung S. Aalen 1983. – Negri, A.: Die wilde Anomalie. S. Entwurf einer freien Gesellschaft. Dt. Übers. Bln. 1982.*

Spinquantenzahl [engl. spɪn] ↑ Spin.

Spion [italien., zu spiare „ausspähen"], Person, die ↑ Spionage betreibt.
◆ svw. ↑ Fühlerlehre.

Spionage [...'naːʒə; italien.-frz.], das Auskundschaften von (v. a. militär.) Einrichtungen und Vorgängen, die von Bed. für die Sicherheit eines Staates sind, im Auftrag oder im Interesse einer fremden Macht. S. ist in Krieg und Frieden keine Völkerrechtsverletzung. Der Staat, gegen den sich die S. richtet,

kann den Spion nach Strafrecht oder Militärstrafrecht bestrafen (zum *innerstaatl. Recht* ↑ Landesverrat und Gefährdung der äußeren Sicherheit). – I. w. S. versteht man unter S. die rechtswidrige Erkundung von Geheimnissen jeder Art (v. a. auch Wirtschaftsspionage).

Spira [griech.] ↑ Trochilus.

Spiräengewächse [griech./dt.] ↑ Rosengewächse.

Spiralbindung, Buchbindeverfahren, bei dem perforierte Blätter durch eine Spirale verbunden werden.

Spiralbohrer ↑ Bohren.

Spirale [griech.-lat.], ebene Kurve, die in unendlich vielen, immer weiter werdenden Windungen einen festen Punkt (Pol) mit dem Abstand r umläuft, der in einem Polarkoordinatensystem eine Funktion des Winkels φ ist. Die *archimed. S.* ($r = a\varphi$; $a \neq 0$) wird von einem Punkt beschrieben, der mit konstanter Geschwindigkeit v auf einer Geraden fortschreitet, die wiederum mit konstanter Winkelgeschwindigkeit ω um einen festen Punkt gedreht wird ($a = v/\omega$). Für *logarithm. S.* ($r = ae^{k\varphi}$, $k > 0$) und *hyperbol. S.* ($r = a/\varphi$) mit $a \neq 0$ ist der Pol ein asympot. Punkt, um den sich die S. windet, ohne ihn zu erreichen.
◆ Kurzbez. für Intrauterinpessar (↑ Empfängnisverhütung).

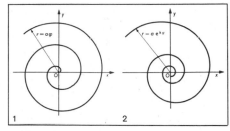

Spirale. Archimedische (1) und logarithmische (2) Spirale

Spiralnebel ↑ Nebel (Astronomie).

Spiralwuchs, svw. ↑ Drehwuchs.

Spirane [griech.], svw. ↑ Spiroverbindungen.

Spirans [lat.], svw. ↑ Reibelaut.

Spirant [lat.], svw. ↑ Reibelaut.

Spirdingsee, mit 109,7 km² größter Binnensee in Ostpreußen, Polen.

Spirifer [griech.-lat.], ausgestorbene, vom Silur bis zum Jura bekannte Gatt. der ↑ Armfüßer mit radial gefalteten Schalen und einem spiralig aufgerollten Kalkgerüst für die fleischigen Arme; erlebten ihre stärkste Entfaltung in Devon und Karbon; stellen als ehem. Bewohner der küstennahen Flachmeere viele Leitfossilien.

Spirillen [griech.], allg. Bez. für schraubig gewundene Bakterien.

◆ (Spirillum) Bakteriengatt. mit rd. 20 Arten in Gewässern, die Art *Spirillum minus* auch im Blut von Ratten (Erreger der † Rattenbißkrankheit); gramnegative, starre, schraubig gewundene Bakterien mit Geißelbüscheln an beiden Enden.

Spirillum-minus-Krankheit, svw. † Rattenbißkrankheit.

Spiritismus [zu lat. spiritus „Geist"], Bez. für Lehre und Praxis der Beschwörung von Geistern, die sich in Materialisationen zeigen und sich in schriftl. Form oder in Tranceäußerungen von Medien mitteilen sollen. Die häufigste Form des weltweit verbreiteten und zu allen Zeiten geübten S. ist die Nekromantie, die die Begegnung mit Geistern Verstorbener anstrebt. Das Ziel spiritist. Praktiken besteht in der Orakelerteilung über zukünftige ird. Ereignisse sowie in der Kenntnisnahme jenseitiger Geheimnisse. – † Okkultismus, † Parapsychologie.

Spiritist [lat.], Anhänger des Spiritismus.

Spiritualen, bes. Richtung im Franziskanerorden, die im Armutsstreit gegen die Konventualen die Intention des Franz von Assisi ohne Abstriche verwirklichen wollte und den Alleinanspruch auf das geistige Erbe des Gründers erhob.

Spiritualien [lat.], Bez. für das geistl. Amt, die bischöfl. Amtsgewalt. Die Unterscheidung von geistl. und weltl. Bereich **(Temporalien)** schuf die Voraussetzung für die Lösung des Investiturstreits: Die königl. Investitur galt den Temporalien, daher verzichtete der König auf die geistl. Investitursymbole (Ring und Stab) bei der Einsetzung eines Bischofs.

Spiritualismus [lat.], in der Philosophie Bez. 1. für eine Lehre, in der alles Wirkliche Geist bzw. Erscheinungsform des Geistes ist *(metaphys. S.);* 2. für die Lehre von der geistigen Beschaffenheit der Seele *(psycholog. S.).* – Als *religiöser S.* Bez. für verschiedene Bewegungen in der Geschichte des Christentums (z. B. Pietismus, Erweckungsbewegung), die die ird. Wirklichkeit des Christen und sein innerweltl. Handeln zugunsten des Heilswirkens Gottes durch dessen Geist zurückdrängen; er wendet sich gegen die verfaßte Kirche und lehnt eine Heilsbed. der Erlösung für die materielle Schöpfung ab.

Spiritual Song [engl. 'spɪrɪtjʊəl 'sɔŋ], geistl. Lied. Im Unterschied zu † Negro Spiritual wird der Begriff meist für die Hymnen und Gesänge weißer Amerikaner verwendet.

spirituell [lat.], geistig, geistlich.

Spirituosen [lat.-frz.], Getränke mit einem Gehalt an Alkohol (Äthanol) von mindestens 20 %, z. B. Branntweine, Liköre sowie Cocktails.

spirituoso [italien.], musikal. Vortragsbez.: feurig.

Spiritus [lat.], svw. Weingeist († Äthanol).

Spiritus rector [lat.], belebender Geist; treibende Kraft.

Spiritus sanctus [lat.] † Heiliger Geist.

Spirochäten [griech.], Bakterien der Ordnung *Spirochaetales* mit rd. 40 Arten. Wichtige Gatt. sind Spirochaeta, Cristispira, Treponema, Borrelia und Leptospira. Die schraubig gewundenen, flexiblen und sehr bewegl. Zellen werden z. T. bis 500 µm lang. Viele S. sind krankheitserregend (Syphilis, Frambösie, Rückfallfieber u. a.). Die Arten der Gatt. *Spirochaeta* sind saprophytische, meist anaerobe Bewohner von Gewässern.

Spirometer [lat./griech.] (Atemmesser), Gerät zur Messung von Atemfrequenz, Atemvolumen, Vitalkapazität u. a. Atemgrößen bei der Lungenfunktionsdiagnostik.

Spiroverbindungen [lat./dt.] (Spirane), gesättigte oder ungesättigte cycl. Kohlenwasserstoffe oder deren Substitutionsprodukte, bei denen ein oder mehrere Atome (meist Kohlenstoffatome) zwei Ringsystemen zugleich angehören.

Spirre [niederdt.] † Blütenstand.

Spital, Hermann Josef, * Münster 31. Dez. 1925, dt. kath. Theologe, seit 1981 Bischof von Trier.

Spitta, Friedrich, * Wittingen 11. Jan. 1852, † Göttingen 8. Juni 1924, dt. ev. Theologe. – Sohn von Philipp S.; Prof. für N. T. und prakt. Theologie in Straßburg und Göttingen; begründete zus. mit J. Smend die „ältere liturg. Bewegung".

S., Heinrich, * Straßburg 19. März 1902, † Lüneburg 23. Juni 1972, dt. Komponist. – Sohn von Friedrich S.; komponierte v. a. Chorwerke (u. a. „Heilig Vaterland", „Die beste Zeit", „Passionskantate").

S., Philipp, * Hannover 1. Aug. 1801, † Burgdorf 28. Sept. 1859, dt. ev. Theologe und Kirchenliederdichter. – Schuf v. a. ein durch sprachl. Klarheit ausgezeichnetes Liedwerk („Psalter und Harfe", 1833–44).

S., Philipp, * Wechold (= Hilgermissen, Landkr. Nienburg [Weser]) 27. Dez. 1841, † Berlin 13. April 1894, dt. Musikforscher. – Sohn von Philipp S.; ab 1875 Prof. in Berlin. Gab die Werke von D. Buxtehude, H. Schütz und Friedrich II. heraus und schrieb die grundlegende Biographie „Johann Sebastian Bach" (1873–80).

Spittal an der Drau, östr. Bez.hauptstadt in Kärnten, an der Drau, 554 m ü. d. M., 15 000 E. Sommertheater; Schuhfabrik, Sägewerke, chem. Ind., Molkerei, Maschinenbau. – 1242 erstmals als Markt gen.; wurde 1930 Stadt. – Got. Stadtpfarrkirche (1584 erweitert), Schloß Porcia (Salamancaschloß; 1527–97) mit Laubeninnenhof.

Spitteler, Carl, Pseud. Carl Felix Tandem, * Liestal 24. April 1845, † Luzern 29. Dez. 1924, schweizer. Dichter. – Beamtensohn; 1890–92 Feuilletonredakteur der „Neuen Zürcher Zeitung". Die Verschmelzung überlieferten humanist. Gedankenguts und myth.-kosm. Vorstellungen mit zeit- und kulturkrit. Ansichten (Einflüsse A. Schopenhauers, F. Nietzsches und J. Burckhardts) sollte dem nach Schönheit strebenden Menschen auch im beginnenden 20. Jh. zu einer mögl. Daseinsform verhelfen. Dies zeigen bes. die Versepen „Prometheus und Epimetheus" (1881, Neufassung 1924 u. d. T. „Prometheus der Dulder") und „Olymp. Frühling" (1900–05, Neufassung 1910). Verfaßte auch Novellen, Romane („Imago", 1906), Lustspiele, Balladen, Kritiken und Essays. 1919 Nobelpreis für Literatur.

Spittler † Deutscher Orden.

Spitz, Mark [engl. spɪts], * Modesto (Calif.) 10. Febr. 1950, amerikan. Schwimmer. – Ist mit 7 Goldmedaillen (1972) erfolgreichster Teilnehmer bei Spielen der Olympiade (insgesamt 9 Gold-, 1 Silber-, 1 Bronzemedaille).

Spitzahorn (Acer platanoides), bis 30 m hoher, im gemäßigten Europa bis zum Kaukasus und Ural heim. Baum der Gatt. Ahorn mit dichter Krone; Blätter milchsaftführend, handförmig; Blüten mit gelbgrünen Kronblättern, in fast aufrechten, reichblütigen, kurzen Doldentrauben; verbreitet auf nährstoffreichen Böden in Laubmischwäldern; häufig als Park- und Alleebaum.

Spitzbergen (früher West-S.), Hauptinsel des Archipels S., 39 043 km², bis 1 717 m ü. d. M.; Kohlevorkommen.

S., Inselgruppe im Nordpolarmeer, bildet zus. mit der Bäreninsel das norweg. Verw.-Geb. Svalbard, 3 900 E, davon 2 500 v. a. Russen; Sitz des Gouverneurs Longyearbyen. S. besteht aus den 4 großen Inseln *Spitzbergen,* *Nordostland* (14 530 km²), *Edgeinsel* (5 030 km²) und *Barentsinsel* (1 330 km²) sowie zahlr. kleineren Inseln, Gesamtfläche 62 700 km². Das gebirgige Land ist zu etwa 60 % von Eis bedeckt. Die Küsten sind durch Fjorde stark gegliedert. Sie haben ein etwas milderes Klima als das Binnenland. Die Jahresmitteltemperatur der Station Isfjord Radio an der Mündung des Eisfjords beträgt −4,4 °C (März −12,1 °C; Aug. +4,2 °C); Mitternachtssonne 20. April–24. Aug., Polarnacht 27. Okt.–16. Febr. Der Boden taut im Sommer bis in 1 m Tiefe auf. Die wirtsch. Bed. beruht, abgesehen vom heute untergeordneten Pelztierfang, auf dem Abbau von Kohle. Die Norweger fördern bei Longyearbyen; insbes. von Rußland ausgebeutete Gruben liegen bei Barentsburg und Pyramiden. Meteorolog. und Radiostationen, ⚓ bei Longyearbyen.

Geschichte: Schon 1194 von Wikingern aufgesucht, die S. den Namen „Svalbard" („kalte Küste") gaben; 1596 von dem Niederländer W. Barentsz wiederentdeckt; ab 1758 wiss. Erforschung. 1920 durch den Vertrag von Sèvres Norwegen zugesprochen (1925 eingegliedert), vorbehaltlich des Rechts aller Signatarmächte zu Kohleabbau, Jagd und Fischfang; 1941–45 britisch besetzt.

📖 *Umbreit, A.: S.-Hdb.* Kiel ²1989.

Spitzbogen † Bogen.

Spitzbohrer, Werkzeug zum Anreißen oder Vorstechen kleiner Löcher; vierkantige oder runde, nadelförmige Klinge mit Griff (Heft).

Spitzbuckel † Kyphose.

Spitze, Hunderassen mit spitzen Stehohren und Ringelrute. Man unterscheidet: *Europ. S.* (Groß-, Klein-, Wolfs-S., Lappen-S., Isländer S.), *Chin. S.* (Chow-Chow) und *Jap. S.* (Akita-Inu, bis 70 cm schulterhoch).

Spitze, durchbrochene, netzartige Textilien, die nach verschiedenen Handarbeitstechniken, seit dem 19. Jh. auch maschinell hergestellt werden (*Maschinen-S.,* wie Plauener S.) und durch den durchschimmernden Untergrund wirken. Zu den wichtigsten *handgearbeiteten S.* gehören Klöppel-S. und Nadel-S. (Näh-S.), die sich aus der Durchbruchsarbeit entwickelte, vom Leinengrund löste und nur mit Hilfe von Nähnadeln aus Fäden hergestellt wird. Häkel-S. wird mit der Häkelnadel und nur einem Faden ohne Unterlage gearbeitet. Außerdem unterscheidet man Filet-S. (Netz-S.), Knüpf-S., Strick-S., Schiffchen-S. u. a. – Von der S. sind Knüpfarbeiten zu unterscheiden, bei denen die Fäden geknotet werden, z. B. der Grund von Filetarbeiten oder Makramee.

Spitzenentladung, elektr. Entladung an den Spitzen von elektr. Leitern. Nach dem Erscheinungsbild unterscheidet man † Koronaentladungen und † Büschelentladungen, zu denen auch das † Elmsfeuer gehört.

Spitzenlastkraftwerk † Kraftwerke.

Spitzensport † Sport.

Spitzentanz, Tanz auf der Fußspitze im Spitzenschuh (ein Spezialschuh mit geleimter oder geblockter Spitze).

Spitzer, Leo, * Wien 7. Febr. 1887, † Forte dei Marmi (Prov. Lucca) 16. Sept. 1960, östr. Romanist. – Prof. in Bonn, Marburg, Köln, 1933 in Istanbul, ab 1936 in Baltimore. Bed. Arbeiten zur roman. Sprach- und Literaturwiss.; schrieb u. a. „Stilstudien" (2 Bde., 1928), „Linguistics and literary history" (1948).

S., Rudolf, östr. Schriftsteller, † Lothar, Rudolf.

S., Wolf, * Speyer 19. Febr. 1940, dt. Bildhauer. – Studierte u. a. bei F. Wotruba; gestaltet stark abstrahierte Porträts und Bänderskulpturen aus Bronze oder Stahl (u. a. Brunnenskulptur für das Südwestfunkstudio, Mainz, 1986).

spitzer Winkel, ein Winkel, der kleiner als ein rechter Winkel (90°) ist.

Spitzfuß ↑ Fußdeformitäten.

Spitzhacke ↑ Hacken.

Spitzhörnchen (Tupajas, Tupaiidae), (von manchen Systematikern zu den Halbaffen gestellte) relativ hochentwickelte Fam. der Insektenfresser mit 18 Arten in S- und SO-Asien, v. a. im Malaiischen Archipel; äußerlich hörnchenähnlich; Körperlänge etwa 15–20 cm; Schwanz ebensolang, meist buschig behaart; Fell dicht; Schnauze lang und spitz; Schädel teilweise mit Halbaffenmerkmalen; Gebiß insektenfresserartig.

Spitzkiel (Fahnenwicke, Oxytropis), Gatt. der Schmetterlingsblütler mit mehr als 300 Arten in der nördl. gemäßigten Zone, v. a. in Vorder- und Zentralasien; Kräuter oder niedrige Sträucher mit unpaarig gefiederten Blättern; Blüten mit stachelspitzigem Schiffchen.

Spitzklette (Xanthium), in Amerika beheimatete, nach Europa, W-Asien und Afrika eingeschleppte Korbblütlergatt.; Pflanzen mit mehrblütigen ♂ und ein- oder mehrblütigen ♀ Blütenköpfchen, die zu mehreren in endständigen Ähren stehen; Früchte wie die ♀ Blüten von z. T. widerhakig bedornten Hüllblättern umgeben; einjährige, windblütige Unkräuter.

Spitzmaulnashorn ↑ Nashörner.

Spitzmausartige (Soricoidea), Überfamilie der Insektenfresser mit langgestrecktem, schlankem bis walzenförmigem, etwa 3,5–22 cm langem Körper mit dichtem, weichem, kurzhaarigem Fell; insekten- bis allesfressend; zwei weit verbreitete Fam.: Spitzmäuse und Maulwürfe.

Spitzmausbeutelratten, svw. ↑ Beutelspitzmäuse.

Spitzmäuse (Soricidae), mit Ausnahme von Australien nahezu weltweit verbreitete Fam. vorwiegend nachtaktiver Insektenfresser mit über 250, etwa 3–18 cm langen Arten; mäuseähnlich, jedoch mit stark verlängerter, zugespitzter Schnauze und kurzem, sehr dichtem Fell. Einige Arten erzeugen Ultraschalltöne zur Peilorientierung. Einheim. Arten sind u. a. Wald-, Zwerg-, Wasser-, Feld- und die geschützte Hausspitzmaus (↑ Rotzahnspitzmäuse, ↑ Weißzahnspitzmäuse).

Spitzmorchel (Morchella conica), bis 10 cm hohe Art der ↑ Morcheln (Schlauchpilz) mit kegelförmigem, braungrauem Hut, der durch erhabene Längsrippen unregelmäßig gefeldert ist; Stiel schmutziggelblich, hohl; wohlschmeckender Speisepilz.

Spitzname ↑ Übername.

Spitzpocken, svw. ↑ Windpocken.

Spitzrüßler (Spitzmäuschen, Apioninae), Unterfam. 1,2–5 mm großer Rüsselkäfer mit der über 100 einheim. Arten umfassenden Gatt. *Apion;* meist schwarz, oft mit Metallglanz; Larven oft in Samen von Hülsenfrüchten.

Spitzschwanz-Doppelschleichen (Trogonophidae), nur wenige Arten umfassende, von NW-Afrika bis zum Iran verbreitete Fam. der Doppelschleichen von maximal 25 cm Körperlänge; mit zugespitztem, nach unten gekrümmtem Schwanz.

Spitzsegel ↑ Segel.

Spitzweg, Carl, *München 5. Febr. 1808, † ebd. 23. Sept. 1885, dt. Maler und Illustrator. – Zeichnete für humorist. Zeitschriften und malte kleinformatige, von Anekdotischem bestimmte Gemälde („Der arme Poet", 1839, München, Neue Pinakothek; „Der Liebesbrief", um 1845/46, Berlin, neue Nationalgalerie). Als Maler der liebenswert dargestellten Welt des. dt. Kleinbürgers ist S. ein typ. Vertreter des Biedermeier; malte auch reizvolle Landschaften. – Abb. S. 34.

Spitzwegerich ↑ Wegerich.

Splanchna [griech.], svw. ↑ Eingeweide.

Splanchnocranium [griech.], svw. Gesichtsschädel (↑ Schädel).

Spleen [ʃpliːn, spliːn; engl., eigtl. „Milz" (zu griech. splēn „Milz")], phantast. Einfall; verrückte Angewohnheit, Verschrobenheit; **spleenig,** svw. schrullig, überspannt.

Spleißen, Ineinanderflechten einzelner Stränge zweier Tau- oder Drahtenden zur Erstellung einer festen Verbindung (Spleiß). – ↑ Augspleiß.

Splen [griech.], svw. ↑ Milz.

splendid [lat.], freigebig, großzügig; prächtig.

Splendid isolation [engl. ˈsplɛndɪd aɪsəˈleɪʃən „glanzvolles Alleinsein"], Schlagwort für die Bündnislosigkeit Großbritanniens im 19. Jh. (bis 1902/04).

Splint [niederdt.], gespaltener Metallstift zur Sicherung von Bolzen oder Schrauben gegen Lösen; der S. wird durch eine Öffnung gesteckt und durch Auseinanderbiegen seiner Enden gesichert.

♦ (Splintholz) ↑ Holz.

Splintholzbäume (Splintbäume) ↑ Holz.

Splintholzkäfer (Holzmehlkäfer, Schattenkäfer, Lyctidae), Fam. kleiner, länglich abgeflachter Käfer mit rd. 60 Arten, davon sechs einheimisch; Larven engerlingähnlich, in Drogen und zeitl. eintrindetem Holz. Die Larven des 2,5–5 mm langen europ. **Parkettkäfers** (Lyctus linearis) fressen Gänge in den Splint von trockenem, bereits verarbeitetem Holz und werden v. a. in Eichenfurnierholz und Parketholz schädlich.

Splintkäfer (Scolytus), Gatt. der Borkenkäfer mit 14 1,5–7 mm großen Arten in

Europa; legen ihre Brutgänge im Splintholz, oft auch von Obstbäumen, an.

Split, Hafenstadt an der Adriaküste, in Kroatien, 180 600 E. Kultur- und Wirtschaftszentrum Dalmatiens; Sitz eines kath. Erzbischofs; Univ. (gegr. 1974), mehrere Inst.; Museen, Kunstgalerien, Theater, Werft, Zementfabriken, Automontage, chem., Elektro- und Nahrungsmittelind.; Badestrände. – Entstand um den von Kaiser Diokletian in der Nähe von Salona (= Solin) errichteten Palast **(Spalatum);** seit dem 6. Jh. Erzbischofs- oder Bischofssitz; war bereits im 8. Jh. eine bed. Hafen- und Handelsstadt; 12.–15. Jh. zeitweilig ungarisch, 1420–1797 im Besitz Venedigs; kam 1797/1815 an Österreich, 1918 an das spätere Jugoslawien. – Die Altstadt, von der UNESCO zum Weltkulturerbe erklärt, liegt innerhalb des ehem. Diokletianpalastes; die Palastmauer bildet die Stadtmauer. In der Altstadt das ehem. Mausoleum Diokletians, ein im frühen MA zum Dom umgebautes, überkuppeltes Oktogon mit roman.-got. Glockenturm, und der ehem. Jupitertempel, im MA in ein Baptisterium umgewandelt; Altes Rathaus in venezian. Gotik (1432).

Splitt [niederdt.], aus zerkleinertem Felsgestein bestehender Zuschlagstoff für im Straßenbau verwendeten Beton.

splitterfreies Glas ↑ Sicherheitsglas.

Splitting [engl.] ↑ Wahlen.

Splittingverfahren, Zusammenveranlagung der Einkünfte von Ehegatten und den ihnen hinsichtlich der Besteuerung gleichgestellten Personen bei der ↑ Einkommensteuer. Zunächst wird die Gesamtsumme der Einkünfte der Ehegatten durch Addition ermittelt und danach durch zwei dividiert. Von dieser Hälfte wird die Einkommensteuerschuld berechnet; diese wird wieder mit zwei multipliziert. Das führt im allg. auf Grund der Steuerprogression zu Steuervorteilen, wenn die Ehegatten unterschiedlich hohe Einkommen beziehen oder ein Ehegatte überhaupt keine Einkünfte hat.

Splügen ↑ Alpenpässe (Übersicht).

SPÖ, Abk. für: ↑ Sozialdemokratische Partei Österreichs.

Spodumen [griech.], zur Gruppe der monoklinen Augite gehörendes Mineral, $LiAl[Si_2O_6]$; bildet durchsichtige Kristalle. Mohshärte 6,5–7; Dichte 3,1–3,2 g/cm³; wichtiger Rohstoff für die Lithiumgewinnung. Seine Varietäten *Kunzit* und *Hiddenit* sind wertvolle Schmucksteine.

Spoerl [ʃpœrl], Alexander, * Düsseldorf 3. Jan. 1917, † Rottach-Egern 16. Okt. 1978, dt. Schriftsteller. – Schrieb (zus. mit seinem Vater Heinrich) „Der eiserne Besen" (R., 1949). Verfaßte erfolgreiche humorist.-satir. Romane, u. a. „Memoiren eines mittelmäßigen Schülers" (1950), und Sachbücher.

S., Heinrich, * Düsseldorf 8. Febr. 1887, † Rottach-Egern 25. Aug. 1955, dt. Schriftsteller. – Urspr. Rechtsanwalt. Schrieb humorvolle, z. T. zeit- und gesellschaftskrit. Romane („Die Feuerzangenbowle", 1933; „Wenn wir alle Engel wären", 1936) und Erzählungen.

Spoerli [ʃpœrli], Heinz, * Basel 8. Juli 1941, schweizer. Tänzer und Choreograph. – Tanzte u. a. beim Basler Ballett und wurde 1973 dessen Choreograph, 1978 auch Direktor; seit 1991 Leiter des Balletts der Dt. Oper am Rhein Düsseldorf-Duisburg. In seinen Choreographien verbindet er klass. Ballett mit Modern dance; u. a. „La fille mal gardée" (1981), „Préludes" (1982), „La belle vie" (1987), „Patently Unclear" (1988), „Fondue" (1991).

Spoerri, Daniel [ʃpœri], eigtl. Spörri, urspr. D. Feinstein, * Galatz 27. März 1930, schweizer. Objektkünstler rumän. Herkunft. – Bekannt durch Objektmontagen (aufgehängte Tischplatten mit nach Gebrauch fixierten Gedecken).

Spohr, Louis, eigtl. Ludewig S., * Braunschweig 5. April 1784, † Kassel 22. Okt. 1859, dt. Komponist, Violinist und Dirigent. – Wirkte als Kapellmeister in Wien, Frankfurt am Main und Kassel. S. war einer der großen Violinisten seiner Zeit. Sein umfangreiches Werk zeigt ihn als Romantiker mit einer starken Bindung an die Klassik; er schrieb u. a. 10 Opern (v. a. „Faust", 1816; „Jessonda", 1823), 4 Oratorien, 10 Sinfonien, 4 Klarinetten- und 15 Violinkonzerte, 40 Streich- und Doppelquartette, 10 Quintette.

Spoiler [engl. ˈspɔɪlə; eigtl. „Räuber"], Störklappe auf der Oberseite eines Tragflügels; durch Ausschlagen des S. wird die Umströmung des Flügels örtlich so verändert, daß ein Auftriebsverlust eintritt. ◆ Luftleitblech *(Bug-* oder *Heck-S.)* an Autos, das durch Beeinflussung der Luftströmung die Bodenhaftung des Fahrzeugs verbessert oder als *Dach-S.* den Luftwiderstand bes. bei Lkw oder Pkw mit Wohnwagen verringert.

Spoils system [engl. ˈspɔɪlz ˈsɪstɪm „Beutesystem"], Bez. für das in den USA seit dem 19. Jh. bestehende Gewohnheitsrecht von Politikern, nach ihrem Amtsantritt die ihnen unterstellten Behörden in großem Umfang mit eigenen Anhängern neu zu besetzen.

Spokane [engl. spoʊˈkæn], Stadt im Bundesstaat Washington, USA, im Columbia Basin, 171 000 E. Sitz eines anglikan. und eines kath. Bischofs; Univ. (gegr. 1887); Handelszentrum. – Gegr. 1872.

Spöke [niederdt.] (Seeratte, Heringskönig, Chimaera monstrosa), bis knapp 1,5 m langer Knorpelfisch (Unterklasse Seedrachen) im nö. Atlantik sowie im westl. und mittleren Mittelmeer.

Carl Spitzweg. Der arme Poet;
1839 (Ausschnitt; München, Neue
Pinakothek)

Spökenkieker [niederdt.], Bez. für Personen, die mit dem Zweiten Gesicht begabt sind.

Spoleto, italien. Stadt im südl. Umbrien, 396 m ü. d. M., 38 000 E. Kath. Erzbischofssitz; Inst. für Landesgeschichte, archäolog. Museum; jährl. Kunsthandwerksmesse. – Das antike **Spoletium** wurde 241 v. Chr. Kolonie latin. Rechts; seit der Mitte des 4. Jh. n. Chr. Bischofssitz (seit 1820 Erzbischofssitz); wurde um 570/580 Sitz eines langobard. Hzgt., das einen großen Teil M-Italiens umfaßte; obwohl in der Pippinschen Schenkung von 754 Teil des Kirchenstaates, blieb es auch unter fränk. Herrschaft bestehen; bes. einflußreich unter den Widonen (fränk. Herzöge seit 842) im 9. Jh., von Ottonen und Saliern wieder fester ins Reich eingegliedert; 1155 durch Friedrich I. Barbarossa zerstört; 1240 endgültig Teil des Kirchenstaates (bis 1861). – Reste der antiken Stadtmauer, ma. Aquädukt über dem Tessino; roman. Dom (1194 geweiht), mit Renaissancevorhalle (1491), über der Stadt die Festung (14. Jh.).

Spolien [...i-ɛn; zu lat. spolium „Beute"], aus anderen Bauten wiederverwendete Bauteile (v. a. Säulen, Kapitelle, Friese).

Spondeus [griech.-lat.], aus 2 langen Silben (– –) bestehender antiker Versfuß, auch als Anapäst bzw. Kontraktion der 2 kurzen Silben definiert (–⌣⌣ bzw. ⌣⌣–).

Spondylarthritis ankylopoetica [griech.], svw. ↑ Bechterew-Krankheit.

Spondylitis [griech.], Wirbelentzündung mit anfänglich unklaren Symptomen wie Bauch-, Brust- und/oder Rückenschmerzen, Schonhaltung, Muskelverspannungen, Beweglichkeitseinschränkung; später mit lokalem Schmerz, Wirbeldeformierung, reaktiver Osteosklerose, unter Umständen Lähmungen.

Spondylodese [griech.], operatives Versteifen von Wirbelsäulenabschnitten mit oder ohne Korrektur der Wirbelsäulenschwingung bei Skoliose, Kyphose bzw. bei Wirbelkörperveränderungen durch Unfall, Entzündung oder Tumor und bei Gefügelockerung zw. den Wirbeln.

Spondylose [griech.] (Spondylosis deformans, Spondylopathie), degenerative Erkrankung der Wirbelsäule, die von den Bandscheiben ausgeht und zu Randwucherungen der Wirbelkörper führt. Zu den Symptomen der S. gehören eingeschränkte Beweglichkeit, ausstrahlende und Bewegungsschmerzen.

Spondylus [griech.] ↑ Wirbel.

Spongia [griech.] (Euspongia), Gatt. der Schwämme mit mehreren Arten, darunter der ↑ Badeschwamm.

Spongilla [griech.], Gatt. der Süßwasserschwämme mit zwei einheim. Arten: krustenförmig bis strauchig verzweigt, Kolonien bis 1 m ausgebreitet; Färbung variabel; häufig auf Steinen, Wurzeln und dergleichen, in Flüssen und Seen.

Spongin [griech.], hornartiges, elast. Gerüsteiweiß der Schwämme, das bis zu 1,5 % Jod (gebunden v. a. an Tyrosin) enthält. Bei Hornschwämmen ist S. die einzige Stützsubstanz.

spongiös [griech.], in der *Medizin* für: schwammig, schwammartig; bezogen auf die Beschaffenheit von Geweben (auch der Knochen).

Spongiosa [griech.] ↑ Knochen.

Sponheim, ehem. Gft. zw. Nahe und Mosel, um 1044 erstmals erwähnt (Spanheim); um 1233 in die Vordere Gft. um Bad Kreuznach und die Hintere Gft. (S.-Starkenburg) geteilt; fielen nach Aussterben beider Linien 1414/37 an Kurpfalz, Baden und Veldenz (dessen Anteil 1444 an Pfalz-Zweibrücken).

Sponsor [lat.-engl.], Gönner, Geldgeber, Förderer (z. B. im Sport).

Sponsoring [engl.], finanzielle Förderung von Personen, Vereinen oder Veranstaltungen im sportl., wiss. und kulturellen sowie ökolog. und sozialen Bereich durch Privatpersonen bzw. Unternehmen. Da der Name des Sponsors deutlich ausgewiesen wird, dient S. auch der Werbung.

spontan [lat.], von selbst; freiwillig; unmittelbar.

spontane Frühgeburt ↑ Frühgeburt.

Spontaneität [...e-i...] (Spontanität) [lat.], Handeln aus eigenem Antrieb, ohne [erkennbare] äußere Verursachung; auch Handlung, die ein Individuum ohne (bewußte) Absicht oder Überlegung vollführt.

spontaner Lautwandel, von einem Nachbarlaut unabhängiger Lautwandel, der durchgehend eingetreten ist, für den aber im Ggs. zum **kombinatorischen Lautwandel** bes. Bedingungen nicht festzustellen sind.

Spontanität [lat.], svw. ↑ Spontaneität.

Spontini, Gaspare, *Maiolati (= Maiolati Spontini, Prov. Ancona) 14. Nov. 1774, †ebd. 24. Jan. 1851, italien. Komponist. – Begann als Opernkomponist in Italien, ging 1803 nach Paris, wo er histor.-heroische Opern schuf, u. a. „La vestale" (1807), „Fernand Cortez" (1809) und „Olimpie" (1819). Wirkte 1820–41 als Generalmusikdirektor am preuß. Hof in Berlin.

Sponton [spɔn'toːn, spŏ'tõː; lat.-italien.], von den Infanterieoffizieren im 17./18. Jh. getragene kurze, der Hellebarde verwandte Pike.

Sporaden, zusammenfassende Bez. für die Inselgruppen der *Südl. S.* (↑ Dodekanes) und der *Nördl. S.* vor der O-Küste Griechenlands (Skopelos, Skiathos, Alonnisos, Skiros und zahlr. kleinere, z. T. unbewohnte Inseln).

sporadisch [griech.-frz.], vereinzelt vorkommend, verstreut; selten, gelegentlich.

Sporangien (Einzahl Sporangium) [griech.], vielgestaltige, einzellige (bei vielen Algen und Pilzen) oder mehrzellige (bei Moosen und Farnen) Behälter, in denen die Sporen **(Sporangiosporen)** gebildet und aus denen sie bei der Reife durch deren Öffnung freigesetzt werden. S. treten häufig gruppenweise (z. B. im Fruchtkörper der Pilze und im Sorus der Farne) auf.

Sporen [zu griech. spóros „das Säen, Saat, Samen"], ungeschlechtl. Fortpflanzungszellen niederer Pflanzen, die in ↑ Sporangien gebildet werden. Ebenfalls als S. bezeichnet werden die ↑ Dauerstadien von Bakterien und anderen Einzellern.

Sporen, Mrz. von ↑ Sporn (Reitsport).

Sporenblätter, svw. ↑ Sporophylle.

Sporenpflanzen, svw. ↑ Kryptogamen.

Sporenschlacht ↑ Kortrijk.

Sporentierchen (Sporozoen, Sporozoa), Stamm der ↑ Protozoen (Urtierchen) mit sehr geringer Zelldifferenzierung und entoparasit. Lebensweise; fast immer mit Generationswechsel (Metagenese), nicht selten auch mit Wirtswechsel; oft Ausbildung von Infektionskeimen mit widerstandsfähiger Hülle (Sporen), z. T. gefährl. Krankheitserreger bei Tier und Mensch.

Spörgel [lat.] ↑ Spark.

Sporn, (Calcar) in der *zoolog. Anatomie* und *Morphologie* allg. Bez. für spitze knö-

cherne oder knorpelige Bildungen an verschiedenen Organen bei manchen Wirbeltieren. S. stehen häufig mittelbar oder unmittelbar im Dienst des Sexualverhaltens, können jedoch auch allg. der Verteidigung dienen (z. B. bei den Hähnen der Hühnervögel).
◆ in der *Botanik* hohle, spitzkegelförmige Aussackung der Blumen- und Kelchblätter bei verschiedenen Pflanzenarten (z. B. Akelei, Ritter-S., Veilchen, einige Orchideen).
◆ (Mrz. Sporen) im *Reitsport* stumpfer Metallstift am Absatz des Reitstiefels; dient dem Reiter zur besseren Beherrschung des Pferdes. Befindet sich in der Spitze des S. ein bewegl., gezacktes Metallrädchen, so spricht man von einem *scharfen Sporn.*

Spornblume (Kentranthus, Centranthus), Gatt. der Baldriangewächse mit rd. 10 Arten im Mittelmeergebiet; Stauden, Halbsträucher oder einjährige, stark verzweigte Kräuter; Blüten rot oder weiß, mit dünner, gespornter Kronröhre, in endständigen Trugdolden, Doldentrauben oder Rispen.

Spornveilchen ↑ Veilchen.

Spornzikaden (Delphacidae, Araeopidae), weltweit verbreitete Fam. der Zikaden; in M-Europa mit rd. 90 meist zw. 4 und 6 mm großen Arten vertreten; Flügel oft verkürzt, mit großem, unbewegl. Sporn an den Schienen der Hinterbeine.

Sporoblasten [griech.], Entwicklungsstadium bei Sporentierchen im Verlauf der Sporogonie: Zellen, aus denen Sporen bzw. Sporozoiten hervorgehen.

sporogen [griech.], in der Botanik svw. sporenerzeugend.

Sporogonie [griech.] (Sporogenese, Sporie), in der Biologie eine spezielle Form der ungeschlechtl. Fortpflanzung, bei der im Anschluß an eine mehrfach hintereinander erfolgende Kernteilung in einer Zelle bzw. Zygote zahlr. Sporen bzw. Sporozoiten gebildet werden.

Sporophylle [griech.] (Sporenblätter), Sporangien tragende Blätter der Farne, Bärlappe und Schachtelhalme.

Sporophyt [griech.] (Sporobiont), die Sporen hervorbringende diploide, ungeschlechtlich aus der befruchteten Eizelle hervorgehende Generation im Fortpflanzungszyklus der Moose und Farne und Samenpflanzen; im Ggs. zur geschlechtl. Generation (↑ Gametophyt).

Sporozoen [griech./dt.], svw. ↑ Sporentierchen.

Sporozyste [griech.], Entwicklungsstadium vieler Saugwürmer; geht durch Verlust des Wimperkleids und der inneren Organe aus dem vom Zwischenwirt aufgenommenen ↑ Miracidium hervor.

Sport [Kurzform von engl. disport „Vergnügen"; zu altfrz. desport (von vulgärlat. de-

Gewichtsklassen

Gewichtheben	Junioren, Senioren
Fliegengewicht	bis 52 kg
Bantamgewicht	bis 56 kg
Federgewicht	bis 60 kg
Leichtgewicht	bis 67,5 kg
Mittelgewicht	bis 75 kg
Leichtschwergewicht	bis 82,5 kg
Mittelschwergewicht	bis 90 kg
1. Schwergewicht	bis 100 kg
2. Schwergewicht	bis 110 kg
Superschwergewicht	über 110 kg

Ringen	Junioren, Senioren
Halbfliegengewicht (Papiergewicht)	bis 48 kg
Fliegengewicht	bis 52 kg
Bantamgewicht	bis 57 kg
Federgewicht	bis 62 kg
Leichtgewicht	bis 68 kg
Weltergewicht	bis 74 kg
Mittelgewicht	bis 82 kg
Halbschwergewicht	bis 90 kg
Schwergewicht	bis 100 kg
Superschwergewicht	bis 130 kg

Boxen	Junioren, Senioren	Berufsboxer[1]
Juniorfliegengewicht	–	bis 47,049 kg
Halbfliegengewicht	bis 48 kg	–
Fliegengewicht	bis 51 kg	bis 50,802 kg
Bantamgewicht	bis 54 kg	bis 53,524 kg
Juniorfedergewicht	–	bis 55,338 kg
Federgewicht	bis 57 kg	bis 57,152 kg
Juniorleichtgewicht	–	bis 59,020 kg
Leichtgewicht	bis 60 kg	bis 61,235 kg
Juniorweltergewicht	–	bis 63,560 kg
Halbweltergewicht	bis 63,5 kg	–
Weltergewicht	bis 67 kg	bis 66,678 kg
Halbmittelgewicht	bis 71 kg	–
Juniormittelgewicht	–	bis 69,816 kg
Mittelgewicht	bis 75 kg	bis 72,574 kg
Halbschwergewicht	bis 81 kg	bis 79,378 kg
Leichtschwergewicht	–	bis 86,128 kg
Schwergewicht	über 81 kg	über 86,128 kg

Judo	Junioren, Senioren
Extraleichtgewicht (Superleichtgewicht)	bis 60 kg
Halbleichtgewicht	bis 65 kg
Leichtgewicht	bis 71 kg
Halbmittelgewicht	bis 78 kg
Mittelgewicht	bis 86 kg
Halbschwergewicht	bis 95 kg
Schwergewicht	über 95 kg
Allkategorie (nicht bei Olymp. Spielen)	60 kg bis über 95 kg

Damen[2]: bis 48 kg; bis 52 kg; bis 56 kg; bis 61 kg; bis 66 kg; bis 72 kg; über 72 kg

[1] World Boxing Association. [2] Ohne namentliche Benennung der Gewichtsklassen.

portare „sich vergnügen")], Sammelbez. für alle als Bewegungs-, Spiel- oder Wettkampfformen gepflegten körperl. Aktivitäten des Menschen. Im S. zeigt sich ein spezifisch menschl., gesellschaftlich vermitteltes Auseinandersetzen mit den eigenen phys. Kräften. Auf Grund der leichten Überprüfbarkeit und teilweisen Meßbarkeit (Registrierung von Rekorden) dient die S. sowohl der persönl. Bestätigung als auch der sozialen Konkurrenz (S.wettkampf). Die Deutung des S. als einer sich selbst genügenden menschl. Tätigkeit *(Amateur-S.)* wird durch gesundheitl. und sozialpädagog. Rechtfertigungen für S.treiben und -pflege ergänzt. Das gilt insbes. für den *Schul-S.* und sonstige staatl. S.förderung. Außerdem gibt es Erklärungsversuche im Rückgriff auf kult. Ursprünge, Bewegungstrieb, Aggressionstrieb, Schaubedürfnis, Nationalismus. Die sozialwiss. Deutung sieht den modernen S. als ein mit der Ind.gesellschaft synchron anwachsendes Phänomen, das deren Grundzüge wie Leistungs-, Konkurrenz- und Gleichheitsprinzip bes. deutlich mache. Andererseits zeigen sich in der Ausgestaltung insbes. des Spitzen-S. jene Phänomene, die den allg. neuzeitlichen Rationalisierungsprozeß kennzeichnen: Verwissenschaftlichung, Quantifizierung, Zerlegung, Spezialisierung, Systematisierung, Regulierung, auch Bürokratisierung und Zentralisierung. Der **Breitensport** ist auf Motive wie Fitneß und Geselligkeit orientiert, wobei das ansteigende Masseninteresse durch Angebote und Anregungen von S.organisationen *(Vereins-* und *Verbands-S.)* sowie von Institutionen wie Gemeinden, Kirchen, Betrieben *(Betriebs-S.),* Schulen, Univ. *(Hochschul-S.),* aber auch zunehmend im Sinne eines Marktes durch die Freizeitind. befriedigt wird. Der **Leistungssport** (Hochleistungs-S., Spitzen-S.) hat seinen Kern in der meist durch die Medien vermittelten Präsentation von Spitzenleistungen, die als Kampf um den Sieg und Bestleistungen breites Interesse finden. Bei bedingungsloser Leistungssteigerung sind jedoch oft gesundheitl. Gefährdungen sowie personale, soziale und berufl. Konflikte die Folge. Der **Behindertensport** (Versehrten-S., Invaliden-S.) ist heute Teil einer umfassenden Therapie zur Rehabilitation von Behinderten. Im Vereins-S. gewinnt der **Mädchen- und Frauensport** sowohl in urspr. ausschließlich als „männlich" angesehenen S.arten und -disziplinen (z. B. Fußball, Marathonlauf) als auch in einer zahlenmäßig stärkeren Ausweitung traditioneller S.arten zunehmend Raum. Organisationsprinzip der S. an der Basis ist die *sportl. Selbstverwaltung* der Vereine; regionale Verbände schließen sich zu nat. Fachverbänden zusammen. Zur Entscheidung verbandsinterner Rechtsstreitigkeiten und Verhängung von Verbandsstrafen bestehen **Sportgerichte.** Die Darstellung und Kommentierung der Entwicklung des S. im allg. sowie insbes. der aktuellen Ereignisse in den Massenmedien ist Aufgabe der **Sportpublizistik.** Die **Sportwissenschaft** ist ein System wiss. Forschung, Lehre und Praxis, in das Erkenntnisse aus anderen Disziplinen integriert werden. Wiss. Teilgebiete sind: die **Sportpädagogik,** die sich insbes. mit den pädagog. Aspekten der Leibeserziehung sowie mit den Problemen des Schul-S. befaßt; die **Sportsoziologie,** deren Gegenstand nicht nur der S., sondern u.a. auch seine gesellschaftl. Bed. ist; die **Sportinformatik,** deren sportspezif. Informationen und Dokumentationen die zentralen Bestandteile der S.wissenschaft sind; in den Grundwiss. vertreten sind ↑Sportmedizin und ↑Sportpsychologie.

📖 *Modernes Training im S. Hg. v. H. Digel. Darmst. 1990. – Der S.-Brockhaus. Mhm. ⁵1989. – S. u. Höchstleistung. Hg. v. P. Becker. Rbk. 1986. – Beckers, E.: S. u. Erziehung. Köln 1985. – S. u. Gesundheit. Hg. v. E. Franke. Rbk. 1985. – Der S. in der BR Deutschland. Hg. v. K. Gieseler u.a. Wsb. 1983. – Quell, M.: S., Soziologie u. Erziehung. Bln. 1980. – Rigauer, B.: S. u. Arbeit. Münster (Westf.) 1980. – Eichberg, H.: Der Weg des S. in die industrielle Zivilisation. Baden-Baden ²1979. – Hortleder, G.: S. in der nachindustriellen Gesellschaft. Ffm. 1978.*

Sportanlagen, Sammelbegriff für Gebäude, Räume, Freianlagen einschl. Anlagen für Nebenfunktionen (z. B. Umkleiden, Sanitäres, Aufbewahren von Sportgeräten, Betreuung, Organisation, techn. Versorgung), die der Sportausübung, der Durchführung von Sportveranstaltungen und der sportlich aktiven Erholung dienen.

Sporteln [zu lat. sportula, eigtl. „Körbchen; Geschenk; Spende"], seit dem 15. Jh. Bez. für Gebühren, die ein Amtsträger persönlich für die Vornahme einer Amtshandlung erhielt; seit dem 18. Jh. durch eine feste staatl. Besoldung ersetzt.

Sportflugzeug, meist einmotoriges Flugzeug zur sportl. Betätigung (als Freizeitgestaltung oder bei Wettbewerben); als ausgesprochenes Wettbewerbsflugzeug („kunstflugtauglich") ein- oder zweisitzig, sonst häufig drei- oder viersitzig.

Sportgerichte ↑Sport.

Sportherz (Leistungsherz), trainingsbedingte Vergrößerung des Herzens mit Zunahme der Herzmuskelfaserdicke (und dadurch auch der Kontraktionskraft) sowie der Wandstärke und des Volumens der Herzhöhlen (Vergrößerung der Restblutmenge), ebenso der Kapillarisierung und des Myoglobingehalts des Herzmuskels. Diese Änderun-

gen sind als physiolog. Anpassungsvorgänge und nicht als patholog. Reaktionen aufzufassen.

Sporthilfe ↑Stiftung Deutsche Sporthilfe.

Sportmedizin, Spezialgebiet der Medizin; prüft mit klin. und physiolog. Methoden die Auswirkungen sportl. Betätigungen auf den menschl. Organismus. Die S. befaßt sich außer mit der Trainingsüberwachung und Versorgung von Sportverletzungen mit der Erforschung und Durchführung präventiver wie rehabilitativer Maßnahmen.

Sportpsychologie, Zweig der angewandten Psychologie und Sportwiss., der sich mit den psych. und psychosomat. Bedingungen und Auswirkungen sportl. Betätigung befaßt.

Sportwaffen, Sammelbez. für die beim Fechten (Säbel, Degen, Florett), Schießen (Gewehre, Pistolen, Revolver), Bogen- und Armbrustschießen verwendeten Waffen.

Sportwagen, im Automobilsport (↑Motorsport) Wettbewerbsfahrzeuge der Gruppe C, speziell für Geschwindigkeitswettbewerbe auf abgesperrten Straßen gebaut.

Sportwissenschaft ↑Sport.

Spot [engl. „Fleck, Stückchen"] (Werbespot), Werbekurzfilm oder kurze Werbedurchsage im Hörfunk.

Spotlight [engl. 'spotlaɪt], Scheinwerfer mit lichtsammelnder Optik für Effektbeleuchtung (z. B. auf Bühnen).

Spotmarkt, internat. Warenbörse für Geschäfte gegen sofortige Kasse und Lieferung. Im Rohölgeschäft Handelsplatz, an dem Rohöl, das außerhalb der laufenden Abnahmeverträge angeliefert wird, meistbietend an freie Händler und Raffinerien verkauft wird (v. a. in New York, Mexiko, Rotterdam).

Spottdrosseln (Mimidae), Fam. bis 30 cm langer, gut singender, häufig „spottender" (↑Spotten), langschwänziger, meist unauffällig brauner oder grauer Singvögel mit rd. 30 Arten in Amerika.

Spotten, in der *Ornithologie* Bez. für die völlige oder teilweise Übernahme artfremder Gesangsmotive von Lauten aus der Umwelt durch Vögel (u. a. Spötter, Spottdrosseln, Eichelhäher, Stare, Papagei).

Spötter ↑Grasmücken.

spp., in der *Biologie* im Anschluß an den Gattungsbegriff verwendete Abkürzung; die besagt, daß es sich hier um mehrere, nicht im einzelnen zu nennende Arten (Species) der betreffenden Gatt. handelt.

S. P. Q. R., Abk. für lat.: ↑Senatus Populusque Romanus.

Sprachakademien, Institutionen, die sich mit der Pflege oder Normierung der Sprache befassen; traditionsreich sind v. a.

die Accademia della Crusca und die Académie française. – ↑Deutsche Akademie für Sprache und Dichtung.

Sprachatlas, Kartenwerk, das die geograph. Verbreitung von Wörtern, Lauten oder anderen sprachl. Erscheinungen verzeichnet. – ↑Deutscher Sprachatlas.

Sprachausgabe, in der *Datenverarbeitung* akust. Ausgabe der in digitaler Form gespeicherten menschl. Sprache. Dabei werden komplette gespeicherte Wörter oder Wörter, die aus einzelnen Wortelementen (Phoneme) zusammengesetzt werden, aus dem Computer abgerufen.

Sprache, die Fähigkeit zu sprechen sowie die Gesamtheit der sprachl. Ausdrucksmittel, die einer menschl. Gemeinschaft zur Verfügung stehen. S. kann als soziales Phänomen (insofern für das Zustandekommen sprachl. Ereignisse mindestens 2 Sprecher/Hörer notwendig sind), als akust. (Folge von Schallereignissen) oder psych. Phänomen (insofern das Stattfinden sprachl. Ereignisse bestimmte innerpsych. Prozesse vor einer sprachl. Äußerung und nach deren Rezeption voraussetzt) oder auch als System log. Operationen aufgefaßt werden (insofern S. die Wirklichkeit in die symbol. Form sprachl. Zeichen überführt und dieser Prozeß nach bestimmten Regeln abläuft). Natürliche Sprachen (z. B. Deutsch, Engl., Frz.) unterscheiden sich von sog. künstlichen Sprachen (z. B. die Programmier-S. zur Steuerung von Computern) und von tier. Kommunikationssystemen v. a. dadurch, daß die natürl. S. eine gewisse Redundanz aufweist (eine bestimmte außersprachl. Wirklichkeit kann mit mehreren verschiedenen sprachl. Zeichen bezeichnet werden), ferner dadurch, daß ein einzelnes sprachl. Zeichen verschiedene außersprachl. Wirklichkeiten repräsentieren kann. Entscheidend für die Theorie vom Funktionieren der S. sind folgende Grunderkenntnisse: Die Beziehung zw. Zeichen (z. B. sprachl. Äußerung) und Bezeichnetem (ein Ausschnitt aus der außersprachl. Wirklichkeit) hängt von der jeweiligen Sprachgemeinschaft ab; dieselbe Wirklichkeit kann mit den unterschiedlichsten Zeichen bezeichnet werden, die Zeichen sind daher nicht der notwendige oder natürl. Ausdruck der Wirklichkeit, sondern sie werden ihr von jeder Sprachgemeinschaft konventional zugeordnet.

Im ↑Strukturalismus wird S. als überindividuelles Zeichensystem (Langue) von ihrer Aktualisierung durch den einzelnen Sprecher (Parole) unterschieden. – ↑Schriftsprache, ↑Sprechsprache.

Alle S. haben sich im Lauf der Zeit in Lautung, Wortgestalt, Wortgebrauch, Wortschatz und Syntax verändert. Erste Abweichungen gehen von einzelnen Menschen in einzelnen Sprechakten aus; dadurch, daß sie nachgeahmt werden und allg. durchdringen, verändern sie den Sprachgebrauch der Gemeinschaft. Ihre Verbreitung und Durchsetzung hängt stark vom Ansehen des Urhebers und des Kreises ab, der sie zuerst aufnimmt. Änderungen des gesellschaftl., sozialen oder polit. Gefüges führen daher häufig zu Veränderungen der Sprachgestalt (**Sprachwandel**). Der Einfluß gesellschaftl. Momente auf den Sprachbesitz drückt sich im Zusammenhang von sozialem Wandel und sprachl. Kommunikation aus. Soziale Differenzierung und differenziertes sprachl. Ausdrucksverhalten stehen in engem Wechselverhältnis; dies gilt für die National-S. wie für schicht- und gruppenspezif., durch sozialen Status, Beruf und Alter bestimmten Gruppensprachen.

Die **Sprachtypologie** beschäftigt sich mit der formalen Charakteristik der Sprache. – Nach dem Typus ihres Baus teilt man die S. unter Zugrundelegung des Verhältnisses von Wort und Satz ein: 1. wird die Gestalt der Wörter durch ihre Rolle im Satz nicht berührt, so spricht man von **isolierten Sprachen**. Viele von diesen haben nur einsilbige Wörter, z. B. das klass. Chinesisch; 2. werden alle bedeutungstragenden Lautungen in einer Wortform vereinigt, so heißen die S. **polysynthetisch** oder **inkorporierend**, z. B. das Eskimo-Aleutische; 3. in der Rolle des Wortes im Satz durch Anfügen besonderer Lautungen (Affixe), die selbständig nicht vorkommen, an die unveränderten Stämme bezeichnet; 4. **flektierende Sprachen** sind solche, in denen auch der Stamm des Wortes je nach der Rolle im Satz verschieden gestaltet wird.

Sprachverwandtschaft liegt bei engen histor. Beziehungen zw. S. vor. 1. S. sind durch Auflösung einer ehem. Spracheinheit entstanden (**genealogische** oder **genetische Sprachverwandtschaft**). Die gemeinsame S. nennt man Grund-S. (früher auch Ur-S.), die neuen S. deren Tochter-S. Sie bilden zusammen eine **Sprachfamilie**. Der Vorgang kann sich wiederholen, so daß es genealog. Sprachverwandtschaft zw. ganzen Sprachfamilien gibt, die dann einen **Sprachstamm** bilden, dessen Glieder man auch **Sprachzweige** nennt; 2. ursprünglich unähnl. S. entwickeln sich unter gleichen Kulturbedingungen in nachbarl. Berührung so, daß sie einander immer ähnlicher werden (**kulturelle Sprachverwandtschaft**); 3. wenn der normale Austausch zw. benachbarten S. durch Entlehung von Wörtern, Bildungsmitteln, Satzbauplänen und Lautgewohnheiten ein bestimmtes Maß übersteigt, entsteht eine **Mischsprache**, die mit den an ihrer Entstehung beteiligten S. verwandt ist, ohne daß diese unter sich verwandt zu sein brauchen.

Sprachen der Erde: Die insgesamt auf der Erde gegenwärtig oder früher gesprochenen (bzw. schriftlich überlieferten) S., deren Zahl auf 2 500 bis 3 500 geschätzt wird, unterscheiden sich voneinander sehr stark, auch die genetisch näher miteinander verwandten S. der verschiedenen Sprachfamilien der Erde; diese Unterschiede sind Gegenstand der genet. und der typolog. Sprachbetrachtung. Die Übersicht auf Seite 40/41 fußt, soweit möglich, auf genet. Klassifikation, ordnet aber andere S. und Sprachgruppen je nach der gegenwärtigen Forschungslage nach typolog. oder geograph. Gesichtspunkten; bes. problematisch ist die Klassifikation der afrikan. und amerikan. S., nicht unbestritten auch die der paläosibir., südostasiat. und austrones. Sprachen. Eine Reihe von S. ist isoliert, d. h., eine Verwandtschaft mit anderen S. ist bisher nicht nachgewiesen.

Bodmer, F.: Die S. der Welt. Herrsching 1988. – Weigand, E.: S. als Dialog. Tüb. 1988. – Michel, G.: Sprachl. Kommunikation. Lpz. ²1988. – Lyons, J.: Die S. Dt. Übers. Mchn. ²1987. – Anderegg, J.: S. u. Vewandlung. Gött. 1985. – Ezawa, K.: S.system u. Sprechnorm. Tüb. 1985. – Seiler, H.: S. u. Gegenstand. Wsh. 1985. – Gabelentz, G. v. d.: Die S.wiss. Tüb. ³1984. – Wandruszka, M.: Das Leben der S. Stg. 1984. – Langenmayr, M.: Sprachl. Kommunikation. Mchn. ²1984. – Vennemann, T./Jakobs, J.: S. u. Grammatik. Darmst. 1982. – Chomsky, N.: S. u. Geist. Dt. Übers. Ffm. 1981. – Surier, H.: Mythos S. Ffm. 1980. – Hüllen, W./Jung, L.: Sprachstruktur u. Spracherwerb. Düss. 1980. – Kommunikationstheoret. Grundll. des Sprachwandels. Hg. v. H. Lüdke. Bln. 1980. – Mertian, I.: Allg. Sprachkunde. Stg. 1979. – Thomas, J. L.: Glossologie oder Philosophie der S. Stg. 1979. – Künstl. Intelligenz u. natürl. S. Hg. v. M. Kolvenbach u. a. Tüb. 1979. – Geier, M. u. a.: Sprachbewußtsein. Elf Untersuchungen. Stg. 1979.

Spracheingabe, in der *Datenverarbeitung* die Eingabe gesprochener Informationen in eine Datenverarbeitungsanlage. Systeme zur S. sind noch sprecherabhängig und im Wortvorrat beschränkt. – ↑ Spracherkennung.

Sprachenfrage, kultureller, sozialer, wirtsch. und polit. Problemkomplex, der sich aus dem Gebrauch unterschiedl. Sprachen innerhalb einer Großgruppe (meist Staat) ergibt und als solcher ein Teilbereich der Nationalitätenfrage sowie eine der Ursachen von Autonomiebewegungen ist. Die S. entsteht in ethn. Mischzonen eines Staates (mit sprachl. Minderheiten) bzw. in Staaten mit mehreren, z. T. auch räumlich getrennten Sprachgruppen (z. B. in Österreich, in Belgien, in Spanien).

Spracherkennung (automat. S., maschinelle S.), in der *Datenverarbeitung* ein Verfahren, das die automat. Erfassung der gesprochenen menschl. Sprache, ihre Speicherung und die Umsetzung in eine andere Form (z. B. Schrift) gestattet. Grundlage der automat. S. ist die Entwicklung von Algorithmen zur Erkennung der Zeichenzusammensetzung gesprochener Wörter, die nach der ↑ Spracheingabe z. B. digitalisiert und als Bitmuster (↑ Bit) gespeichert werden können. – Zur S. laufen Forschungsprojekte bes. in den USA, Japan und Europa (z. B. im Rahmen von ESPRIT). Auf dem Markt sind z. B. telefonisch anwählbare Auskunftssysteme, eine sprachgesteuerte Bedienung für Videorecorder sowie Vorstufen der hörenden Schreibmaschine; in einigen Jahren wird S. im Telefonnetz und bei Computern zur Verfügung stehen.

Spracherwerb, Aneignung der Fähigkeit, grammatikalisch richtige Sätze zu bilden, sprachl. Äußerungen zu verstehen und situationsgerecht anzuwenden. S. und kognitive Entwicklung stehen in enger Wechselbeziehung; beide werden durch (soziale) Umweltbeziehungen stark beeinflußt. Folgende Stadien der *Sprachentwicklung* lassen sich unterscheiden: Zw. dem 4. und 5. Lebensmonat eines Kindes beginnt die *Lallperiode*. Im 10. Monat etwa wird das erste (einfache) Wort (↑ Lallwort) geformt. Danach werden Einwortsätze, später Zwei- und Mehrwortsätze gebildet. Zur sprachl. Flexion kommt es im Alter von etwa zweieinhalb Jahren. Dreijährige können bereits über ein Vokabular von annähernd 1 000 Wörtern (und mehr) verfügen. Im Alter von 3 – 4 Jahren sind die wichtigsten syntakt. Regeln geläufig.

Sprachfamilie, Bez. für eine Gruppe von Sprachen, die auf Grund ihrer genet. Verwandtschaft (↑ Sprache) zusammengehören.

Sprachfehler ↑ Sprachstörungen.

Sprachgemeinschaft, Gruppe von Sprechern mit wesentlich gleichem Sprachbesitz (↑ Sprache). Die S. ist vielfach gegliedert in ↑ Mundarten oder Dialekte, nach Altersstufen, Geschlechtern, der sozialen Stellung, dem Bildungsgrad, Berufs- oder Lebensgemeinschaft. Diesen Besonderheiten steht der weit überwiegende gemeinsame Besitz als **Gemeinsprache** gegenüber. Nach dem Zweck des Sprechens unterscheidet man die situationsgebundene **Umgangssprache** des tägl. Lebens von der selbständigen **Hochsprache (Standardsprache)** der Literatur, Wiss., Verwaltung usw. Ferner gibt es Fachsprachen der verschiedenen Sachgebiete. Deutl. Absonderungstendenzen von den übrigen S. zeigen ↑ Rotwelsch, ↑ Argot und ↑ Slang.

Sprachgeographie, sprachwiss. Forschungsrichtung, die die Unterschiede oder Übereinstimmungen zw. räumlich getrennten

SINOTIBETISCHE SPRACHEN

Chinesisch	Tibetobirmanisch		Thaisprachen
Althinesisch	Tibetisch	Naga	Thai (Siamesisch)
–	Newari	Kachin	Laotisch
Chinesisch	Dzongkha	Karen	Dioi
Mandarin	Birmanisch		
Wu	Bodo		
Kantonesisch			

MIAO-YAO

Miao
Yao
Khamti

VIETNAMESISCH

Vietnamesisch
Muong

AUSTROASIATISCHE SPRACHEN

Mon-Khmer		Munda	
Malakkasprachen	Palaung	Santali	Juang
Semang	Mon	Mundari	Sawara
Senoi	Khmer (Kambodschanisch)	Koda	Gabada
Berisi-Djakum	Moi	Ho	
Khasi		Kurku	
Nikobaresisch		Kharia	

AUSTRONESISCHE SPRACHEN

Malaiopolynesisch

Malagasy (Madagassisch)	Iloca (Iloko)	Balinesisch	Javanisch
Tagalog (Pilipino)	Batak	Buginesisch	Sundanesisch
Bikol	Malaiisch	Makassarisch	Maduresisch
Bisaya	Bahasa Indonesia	Gorontalo	Dajaksprachen

Polynesisch

Samoanisch
Tonganisch
Maori
Tahitisch
Marketanisch
Hawaiisch

Melanesisch

Neukaledonisch
Fidschi
Rotuma
Torres
Mikronesisch
Naruuanisch

AUSTRALISCHE SPRACHEN

Nordgruppe	Südgruppe
Wulamba	Garadjeri
Mudbura	Kanyara
Chingali	Luridya
Aranda	Yungar
Waka-Kabi	Narrinyeri
	Wiradyuri
	Victoriadialekte
	Yuin-Kuri

AFRIKANISCHE SPRACHEN

Nigerkordofanisch

(Niger-Kongo)	Benue-Kongo	Kordofanisch
Niger-Kongo	Plateausprachen	Koalib
Westatlantische Sprachen	Jukunoidsprachen	Tegali
(Dyola, Ful, Konyagi,	Cross-River-Sprachen	Talodi
Wolof, Gola, Temne)	Bantusprachen	Tumtum
Mandesprachen	(Herero, Nyanja,	Katla
(Susu, Soninke, Vai, Ma-	Rundi, Rwanda,	
linke, Mano, Dan, Samo)	Sotho, Swahili,	
Gursprachen	Tswana, Tumbuka,	
(Senufo, Mossi, Gurma)	Xhosa, Zulu)	
Kwasprachen	Adamaua-Ost (Ngbandi, Sango)	
(Akan, Ewe, Igbo, Twi,		
Yoruba)		

Nilosaharanisch

Songhai
Saharanisch (Kanuri, Teda, Zaghawa, Berti)
Maba
Fur
Schari-Nil
Östliche Sudansprachen
(Nubisch, Nilotische Sprachen)
Zentrale Sudansprachen
Berta
Kunama
Koman

Khoi-San

Südafrikanisches Khoi-San
Hottentottensprachen (Nama, Korana, Nharu)
Buschmannsprachen (Kung, Auen)
Sandawe
Hadza (Hatsa)

NORD- UND MITTELAMERIKANISCHE INDIANERSPRACHEN

Algonkin-Wakash	Hoka-Sioux	Nadene	Penuti	Uto-Aztekisch-Tano	Maya-Zoque	Miskito-Matagalpa	Otomang	weitere mittelameri- kanische Sprachen:
Algonkin	Hoka	Athapaskisch	Kalifornisches	Uto-Aztekisch	Maya-Quiché	Miskito	Otomi-Pame	Kwitlatek
Menomini	Yuki	Navajo	Penuti	Shoshone	Huaxtekisch	Sumu	Mistek-Trique	Lenka
Fox	Keres	Eyak	Chinook	Ute	Maya	Matagalpa	Mixtekisch	Paya
Blackfoot	Tunica	Tlingit	Kalapuya	Hopi	Quiché		Popoluca-	Tarasco
Beothuk	Caddo	Haida	Sahaptin	Nahua	Mixe-Zoque		Mazateco	Jicaque
Ritwan	Irokesisch		Tsimshian	Aztekisch	Sinca		Chinanteco	Huave
Yurok	Yuchi			(Nahuatl)	Totonak		Sapotek	
Wiyot	Muskogee			Pipil			Chorotega	
Wakash	Sioux			Toltekisch			(Mangue)	
Kutenai	Dakota			Nicarao				
Salish				Tano				
Bellacoola				Kiowa				
Kalispel				Zuni				

SÜDAMERIKANISCHE INDIANERSPRACHEN

	Ge-Gruppe	
Alakaluf	(Akroa, Bororó,	Puelche
Araukanisch	Kayapo, Timbira)	Quechua
Arawak	Karibisch	Tupi-Guarani
Aymará	Pano-Tacana-Gruppe	
Chibcha	(Pano, Tacana,	
Ciboney	Tehuelche)	

ISOLIERTE SPRACHEN

Alter Orient und Mittelmeerraum		Asien – Australien – Ozeanien
Baskisch	Etruskisch	Andamanisch
Churritisch	Iberisch	Buruschaski
Elamisch	Kassitisch	Japanisch
Eteokretisch	Ligurisch	Koreanisch
Eteokyprisch	Protohattisch	Nahali
	Rätisch	Papuasprachen
	Sumerisch	Tasmanisch
	Urartäisch	
	Vorgriechisch	

Anmerkung: Die Tabelle enthält nur eine Auswahl der wichtigsten Sprachen. Gelegentlich werden durch gestrichelte Linien verschiedene Sprachstufen abgesetzt. Die Sprachbezeichnungen wer –

INDOGERMANISCHE SPRACHEN

Indoarisch
Altindisch · Prakrit · Pali — Sindhi · Lahnda · Pandschabi · Gudscharati · Radschasthani · Pahari · Nepali · West-Hindi · Hindustani · Urdu · Ost-Hindi · Bihari · Orija · Bengali · Assami · Marathi · Dardische Sprachen · Kaschmiri · Romani (Zigeunerisch) · Singhalesisch · Divehi · Afghon

Iranisch
Awestisch · Altpersisch — Mitteliranisch · Mittelpersisch · Parthisch — Neupersisch · Dari · Tadschikisch · Afghanisch (?aschtu) · Kurdisch · Belutschisch · Farsidialekte · Kasp.-iran. Dialekte · Lurische Dia ekte · Zentraliran. Dialekte · Talyschisch · Tatisch · Jaghnobisch · Pamirdialekte · Paratschi · Ormuri · Ossetisch

Kafirsprachen — Kati · Prasun · Waigali · Aschkun

Armenisch — Altarmenisch · Mittelarmenisch · Neuostarmenisch · Neuwestarmenisch

Tocharisch — Osttocharisch (A) · Westtocharisch (B) (Kutschisch)

Hethitisch-Luwisch (Anatolisch) — Hethitisch · Luwisch · Palaisch · Hieroglyphen-hethitisch

Phrygisch — Phrygisch · Mysisch (?)

Thrakisch — Thrakisch · Dakisch

Illyrisch · **Messapisch** · **Venetisch**

Italisch — Oskisch · Umbrisch · (Romanisch) · Rumänisch · Dalmatisch · Italienisch · Faliskisch · Lateinisch · Französisch · Provenzalisch · Katalanisch · Spanisch · Portugiesisch · Sardisch · Rätoromanisch

Keltisch — Festlandkeltisch · Gallisch · Galatisch · Lepontisch · Keltiberisch · Inselkeltisch · Ir sch · Schottisch-Gälisch · Manx-Gälisch · Walisisch (Kymrisch) · Kornisch · Bretonisch

Griechisch — Ionisch-Attisch · Aolisch · Arkadisch-Kyprisch · Westgriechisch · Dorisch · Mykenisch · Neugriechisch

Makedonisch

Germanisch — Nordgermanisch · Schwedisch · Dänisch · Norwegisch · Isländisch · Färöisch · Westgermanisch · Englisch · Friesisch · Niederländisch · Deutsch · Ostgermanisch · Gotisch

Albanisch — Toskisch · Gegisch

Baltisch — Litauisch · Lettisch · Altpreußisch

Slawisch — Altkirchen-slawisch · Südslawisch · Bulgarisch · Makedonisch · Serbokroatisch · Slowenisch · Ostslawisch · Russisch · Ukrainisch · Weißrussisch · Westslawisch · Tschechisch · Slowakisch · Polnisch · Polabisch · Kaschubisch · Slowinzisch · Sorbisch

HAMITOSEMITISCHE SPRACHEN

Semitisch — Akkadisch · Babylonisch · Assyrisch · Ugaritisch · Phönikisch-Punisch · Moabitisch · Hebräisch · Aramäisch · Nabatäisch · Palmyrenisch · Samaritanisch · Neuwestaramäisch · Syrisch · Mandäisch · Syrisch-Libanesisch-Palästinensisch-Arab. · Ägyptisch-Arabisch · Maghrebinisch-Arabisch · Maltesisch

Arabisch — Arabisch · Südarabisch · Sabäisch · Minäisch · Arabien-Arabisch · Irakisch-Arabisch

Ägyptisch — Altägyptisch · Demotisch · Koptisch

Äthiopische Sprachen — Äthiopisch · Geez · Tigre · Tigrinja · Amharisch · Curagedialekte

Libyco-Berberisch — Libysch · Berbersprachen · Schilchisch · Rifisch · Kabylisch · Chaouia · Tuareg · Senet

Kuschitisch — Meroitisch (?) · Afar · Agau · Bedauye · Galla · Saho · Sidamo · Somali

Tschadisch — Angas · Hausa · Mandara · Mubi

KAUKASISCHE SPRACHEN

Südkaukasisch — Georgisch · Mingrelisch · Lasisch · Swanisch

Westkaukasisch — Abchasisch · Abasinisch · Ubychisch · Kabardinisch · Adygisch

Ostkaukasisch — Tschetschenisch · Inguschisch · Batisch · Andisch · Awarisch · Lakkisch · Darginisch · Lesgisch · Rutulisch · Tsachurisch · Tabassaranisch · Agulisch · Chinalugisch · Udisch

URALISCHE SPRACHEN

FINNO-UGRISCHE SPRACHEN

Lappisch

Ostseefinnisch — Finnisch · Wotisch · Wepsisch · Karelisch · Ingrisc? · Estnisch · Livisch

Wolgafinnisch — Tscheremissisch · Mordwinisch

Permisch — Wotjakisch (Udmurt) · Syrjänisch (Komi)

Ugrisch — Ungarisch · Ob-Ugrisch (Magyarisch) · Ostjakisch · Wogulisch

SAMOJEDISCH — Juraksamojedisch (Nenzisch) · Jenisseisamojedisch (Enzisch) · Ostjaksamojedisch (Selkupisch) · Tawgi (Nganassanisch)

ALTAISCHE SPRACHEN

Turksprachen — Alttürkisch · Tschuwaschisch · Türkisch (Osmanli) · Gagausisch · Aserbaidschanisch · Turkmenisch · Kiptschakisch · Chwaresmtürkisch · Karatschaisch-Balkarisch · Kumykisch · Tatarisch · Baschkirisch · Kasachisch · Karakalpakisch · Nogaisch · Kirgisisch · Usbekisch · Oiratisch · Altaisch · Chakassisch · Tuwinisch · Tofalarisch · Jakutisch

Mongolisch — Kalmückisch · Ordos-Mongolisch · Chalkha · Burjatisch · Mogholi · Monguor · Daghurisch

Mandschu-Tungusisch — Mandschu · Nanaisch (Goldisch) · Udiheisch · Orotschisch · Ewenkisch (Tungusisch) · Ewenisch (Lamutisch) · Armenisch

PALÄOSIBIRISCHE SPRACHEN — Kottisch · Arinisch · Asanisch · Ketisch (Jenissei-Ostjakisch) · Jukagirisch (Odulisch) · Tschuwanisch · Tschuktschisch · Korjakisch · Kamtschadalisch (Itelmenisch) · Niwchisch (Giljakisch) · Ainu (?) · Eskimo-Aleutisch

DRAWIDISCHE SPRACHEN — Tamil · Malajalam · Kannada · Tulu · Telugu · Gondi · Kui · Oraon (Kurukh) · Brahui

Sprachsystemen untersucht, in Karten dargestellt und interpretiert.

Sprachgeschädigtenpädagogik, Teil der ↑Sonderpädagogik, der die Erziehung und heilpädagog. Betreuung Sprachbehinderter zum Ziel hat. Je nach der Art der ↑Sprachstörung werden die sprachlich Behinderten in Hals-Nasen-Ohren-Kliniken, in Sprachheilschulen o. ä. Institutionen behandelt.

Sprachgesellschaften, gelehrte Vereinigungen des 17. Jh. zur Pflege der dt. Sprache, insbes. zu ihrer Reinigung von Fremdwörtern und fremdsprachl. Elementen, zur Förderung einer einheitl. Orthographie, zur Klärung sprachwiss., poetolog. (v. a. vers- und reimtechn.) und ästhet. Fragen sowie zur prakt. Anwendung und Verbreitung einer solcherart erarbeiteten Literatursprache. – Nach dem Vorbild der berühmten Accademia della Crusca in Florenz wurde 1617 in Weimar die erste und bedeutendste der dt. S. gegr., die „Fruchtbringende Gesellschaft", die während ihrer Blütezeit 1640–80 über 500 Mgl. hatte. Die „Teutschgesinnete Genossenschaft" wurde von P. von Zesen 1643 gegr.; sie war in Zünfte eingeteilt und zählte etwa 200 Mitglieder. Der „Pegnes. Blumenorden" (↑Nürnberger Dichterkreis), gegr. 1644, hatte in seiner Blütezeit (1660–80) 58 Mitglieder. Gegen Ende des 17. Jh. verloren die S. ihre Bed.; die im frühen 18. Jh. entstandenen ↑Deutschen Gesellschaften knüpften z. T. an die Tradition der S. an.

Sprachinhaltsforschung (inhaltsbezogene Grammatik, Sprachforschung), auf pädagog. Anwendung zielende, v. a. von L. Weisgerber begründete Richtung der Sprachwiss. (auch *neuromant. Schule* gen.), die den geistigen Anverwandlungsprozeß der außersprachl. Wirklichkeit mit den Mitteln der Sprache und damit das Weltbild einer Sprache zu erschließen versucht. Eine nahestehende Richtung stellt die von B. L. Whorf entwickelte anthropolog. Metalinguistik dar (E. Sapir). Die S. gründet in der Sprachauffassung W. von Humboldts. Sprache wird bestimmt als „Energeia", als eine Kraft geistigen Gestaltens, deren Entfaltungsformen die natürl. Sprachen (Muttersprachen) sind.

Sprachinsel, geschlossene, kleinere Sprach- und Siedlungsgemeinschaft in einem größeren anderssprachigen Gebiet.

Sprachkode ↑Code (Sprachwissenschaft).

Sprachkompetenz ↑Kompetenz.

Sprachlabor, Bez. für einen Unterrichtsraum für den Fremdsprachenunterricht mit ↑audiovisuellen Medien. Man unterscheidet 3 Typen: 1. das Hör(H)-Labor (dem Schüler wird über Kopfhörer ein gemeinsames Programm zugespielt); 2. das Hör-

Sprech(HS)-Labor (die Schüler hören ein gemeinsames Programm und ihre eigenen Antworten; der Lehrer kann mit jedem einzelnen Schüler sprechen); 3. das Hör-Sprech-Aufnahme(HSA)-Labor (jeder Schüler kann das gemeinsame Programm mit seinen eigenen Antworten aufnehmen und es beliebig oft abspielen). Heute wird v. a. mit dem HSA-Labor gearbeitet, da es ermöglicht, daß die Schüler unterschiedl. Programme bearbeiten.

Sprachlaut, svw. ↑Laut.

Sprachlehre, svw. ↑Grammatik.

Sprachnorm, die Gesamtheit der Richtlinien für den (in Orthographie, Grammatik, Syntax, Semantik, Lautung, Stilistik) als vorbildlich geltenden Sprachgebrauch.

Sprachperformanz ↑Kompetenz.

Sprachphilosophie, Teildisziplin der Philosophie, die Ursprung und Wesen, soziolog., kulturelle und geistige Funktion, Logik und Psychologie der Sprache sowie die Bedingungen der Möglichkeit von Philosophie und Wiss. und anderer sprachlich verfaßter Kulturleistungen zum Gegenstand hat. Die S. ist die Grundlage der ↑Sprachwissenschaft; zum bestimmenden Gegenstand der zeitgenöss. Philosophie wurde sie v. a. in der ↑analytischen Philosophie.
Ⓛ *Albrecht, E.: S. Bln. 1991. – Heintel, E.: Einf. in die S. Darmst. ³1986.*

Sprachpsychologie, Forschungsgebiet, das sich mit den psycholog. Aspekten des Sprechens und der Sprache befaßt (↑Psycholinguistik).

Sprachregelung, in der *Politik* die Weisung oder Empfehlung, daß ein bestimmter Sachverhalt (bes. im amtl. Sprachgebrauch) nur auf eine ganz bestimmte Weise zu nennen oder zu formulieren ist.

Sprachreinigung ↑Purismus.

Sprachrohr, trichterförmiges Blechrohr, das – beim Sprechen vor dem Mund gehalten – die Stimme verstärkt; Megaphon.

Sprachsoziologie, Teildisziplin der Soziologie, die v. a. im Rahmen einer allg. Handlungstheorie das Sprachverhalten als eine Form sozialen Verhaltens ansieht und die Zusammenhänge von sozialer Situation und Sprachverhalten sowie von Sprach- und Gesellschaftsstruktur und deren Veränderungen innerhalb eines sozialen Wandels untersucht.

Sprachspiel, von L. Wittgenstein eingeführter Begriff für das Geflecht der Verwendung sprachl. Ausdrücke im Kontext beliebiger Handlungen.

Sprachstil, durch die Auswahl aller sprachl. Mittel charakterisierte mündl. oder schriftl. Verwendungsweise der Sprache. Die Auswahl ist abhängig von Gegenstand und Zweck (Funktionalstil, Gattungsstil) sowie den Adressaten der Äußerung innerhalb der

Kommunikationsbereiche (z. B. Alltagsverkehr, Publizistik, Belletristik), auch individuelle Eigenarten (Individualstil) und histor. Besonderheiten (Zeitstil) wirken sich aus. **Sprachstörungen,** Abweichungen von den (alterstyp.) Normen der Sprache bzw. des Sprechens. Gelegentlich werden *Sprachfehler* als Normvarianten ohne wesentl. Einschränkung der Mitteilungsfähigkeit der gravierenderen, langfristig behandlungsbedürftigen *Sprachbehinderung* gegenübergestellt. Die häufigsten S. sind ↑ Stammeln bzw. Paralalie, ↑ Agrammatismus, Näseln (↑ Rhinolalie), ↑ Stottern, ↑ Poltern. Auf Grund der unterschiedl. Lokalisation im Gehirn können Sprachverständnis und Sprechmotorik gesondert gestört sein (↑ Aphasie). S. lassen sich einteilen in: *Stimmstörungen* (z. B. Heiserkeit bei Kehlkopferkrankungen), *Sprechrhythmusstörungen* (die Atmung ist unkoordiniert, z. B. beim Poltern oder Stottern), *Artikulationsstörungen* (z. B. beim Stammeln). S. können beruhen auf: neurolog. Schädigungen (↑ Dysarthrie) oder Mißbildungen der Sprechwerkzeuge (Stammeln), Hörstörungen (z. B. Taubstummheit), frühkindl. Gehirnschädigung, schwerem Schwachsinn oder schwerer sozialer Deprivation. Zu den S. zählen außerdem die *verzögerte Sprachentwicklung* (oft aufholbar), bedingt etwa durch frühkindl. ↑ Autismus oder ↑ Mutismus, und *S. bei seel. Krankheiten* (z. B. Sprechangst). – Eine Reihe von Sprachbesonderheiten (z. B. Stammeln, Echolalie oder Schwierigkeiten beim Bilden grammatikalisch richtiger Sätze) treten auch beim normalen Spracherwerb auf und sind nur dann als abnorm zu werten, wenn sie über die übl. Altersstufen hinaus fortbestehen. Frühe Erkennung und sprachpädagog., logopäd., medizin. bzw. psychotherapeut. Behandlung können häufig Spätschäden vermeiden bzw. mindern.
📖 *Wirth, G.: S. – Sprechstörungen – kindl. Hörstörungen. Köln ³1990. – Schwerin, A. v.: Sprache haben – sprechen können. Freib. ³1990. – S. Hg. v. K. B. Günther. Hdbg. 1988.*
Sprachstruktur, formaler Bau einer (natürl.) Sprache. Die S. schließt die sprachl. Grundeinheiten auf allen Ebenen (Phonem, Morphem, Wortform, Syntagma u. a.), ihre Beziehungen zueinander und die Kombinationsregeln ein. – ↑ Phonologie, ↑ Morphologie, ↑ Syntax, ↑ Semantik, ↑ Lexikologie.
Sprachsystem, der komplexe Zusammenhang der zw. sprachl. Einheiten und ihren Beziehungen auf phonolog., morpholog., syntakt. und semant. Ebene angenommen und in der Grammatik darzustellen versucht wird.
Sprachtypologie, eine Methode der Sprachwiss., die die erkennbaren Ähnlichkeiten bzw. Übereinstimmungen zw. Sprachen

und Sprachgruppen zu einer Klassifikation der Sprachen heranzieht. – ↑ Sprache.
Sprachübersetzung (automat. S., maschinelle S.), computergestützte Übertragung von Texten aus einer natürl. Sprache in eine andere natürl. Sprache unter Bewahrung des Textinhalts. – ↑ Übersetzungscomputer.
Sprachverarbeitung (automat. S.), Gebiet der Datenverarbeitung, das sich mit der Aufnahme, Verarbeitung, Interpretation und Synthese gesprochener menschl. Sprache befaßt. – ↑ Spracherkennung.
📖 *Paulus, E.: Einf. in die maschinelle Verarbeitung von Sprachsignalen. Mhm. u. a. 1991.*
Sprachverwandtschaft, Beziehung zw. Sprachen, die auf eine gemeinsame Grundsprache zurückzuführen sind. – ↑ Sprache.
Sprachwandel ↑ Sprache.
Sprachwerke, Begriff des Urheberrechts für Werke der Literatur, Wiss. und Kunst, die aus geschriebener oder gesprochener Sprache bestehen (Schriftwerke, Reden).
Sprachwissenschaft, umfassende Bez. für die wiss. Beschäftigung mit der Sprache in allen ihren Bezügen, mit den Einzelsprachen und ihren Gliederungen. Gleichbedeutend mit S. wird häufig die Bez. ↑ Linguistik verwendet. Die Beschreibung der *Sprachstruktur* ist Aufgabe der Grammatik, die sich in Phonologie, Morphologie, Syntax und Semantik gliedert. *Soziale* und *räuml. Gliederung* der Sprache werden von der Soziolinguistik und von der Dialektologie (Mundartforschung) untersucht. Die Entwicklung der *Sprechfähigkeit* beim Kind ist Gegenstand der Spracherwerbsforschung (↑ Spracherwerb) als Teil der ↑ Psycholinguistik. Die *geschichtl. Veränderungen* von Sprachen, Dialekten, Soziolekten werden in der histor. S. behandelt. Beim Vergleich von *Einzelsprachen* fragt man historisch einerseits nach mögl. gemeinsamen Vorstufen, andererseits wird die Aufspaltung einer Sprache in sich auseinanderentwickelnde Einzelsprachen verfolgt. Die Sprachtheorie geht von den Einzelsprachen aus und fragt nach den anthropolog., soziolog., psycholog. Bedingungen und Eigenschaften der Sprache, ihrer Organisation, ihrer Verwendung und Funktion. – Die Ergebnisse und Erkenntnisse der sprachwiss. Disziplinen spielen bes. im pädagog.-didakt. Bereich, im muttersprachl. und im fremdsprachl. Unterricht eine wichtige Rolle, ebenso bei der Sprachmittlung (Übersetzen, Dolmetschen) und der Sprachtherapie. Daneben sind sie für die Entwicklung von Verfahren zur elektron. Informationsspeicherung und -verarbeitung sowie bei den Bemühungen um eine maschinelle Übersetzung und linguist. Datenverarbeitung wichtig geworden.

Geschichte: Während in Indien schon früh eine grammat. Tradition bestand, auf die Panini (6./5. Jh.) zurückgreifen konnte, hat sich die antike griech. S. im Kontext philosoph. Fragen nach dem Sprachursprung und dem Verhältnis zw. Form und Bed. von Wörtern entwickelt. Erste grammat. Kategorisierungen wurden von Aristoteles im Rahmen von Poetik und Logik vorgenommen. In Alexandria entstanden die ersten griech. Grammatiken von Dionysios Thrax (2. Jh. v. Chr.) und Apollonios Dyskolos (2. Jh. n. Chr.), nach deren Vorbild die lat. Grammatiken von Aelius Donatus (4. Jh.) und Priscianus (5./6. Jh.) gestaltet sind. Eine Leistung der ma. Sprachforschung bildet die scholast. Darstellung des Zusammenhangs von Sprache, Logik, Metaphysik in sog. spekulativen Grammatiken. – Die Entwicklung der S. im 17. und 18. Jh. ist gekennzeichnet durch die seit der Reformation wachsende Bed. der Volkssprachen und durch die Entdeckung amerikan., afrikan. und asiat. Sprachen. Die vermehrte Kenntnis von Einzelsprachen führte im 19. Jh. zur vergleichenden und histor. S., die bes. durch die Entdeckung der Verwandtschaft des Sanskrit mit den europ. Sprachen ausgelöst wurde. Von R. Rask, F. Bopp und J. Grimm wurden Methoden ausgearbeitet, mit denen die genet. Verwandtschaft der indogerman. Sprachen nachgewiesen wurde. Neben der materialbezogenen histor.-vergleichenden S. war und ist die allg. S., die W. von Humboldt begründete, von größter Wirkung. Humboldts Unterscheidung von äußerer und innerer Sprachform und seine These von der Verknüpfung der Sprache mit Mentalität, Kultur und Weltansicht eines Volkes wirkten sich in unterschiedl. Weise auf spätere Sprachtheorien aus. Die Epoche der primär histor.-vergleichend ausgerichteten S. wurde zu Beginn des 20. Jh. von der strukturell orientierten Linguistik abgelöst; als ihr Begründer gilt F. de Saussure. Gegenüber der diachron. (histor.) Sprachbetrachtung betonte der ↑ Strukturalismus die synchron., die Analyse der Sprache als zu einem bestimmten Zeitpunkt funktionierendes System sprachl. Zeichen. Forschungen zur Phonologie wurden bes. von der ↑ Prager Schule betrieben. Strukturelle Gesichtspunkte gingen auch in die Wortfeldforschung (J. Trier, L. Weisgerber) ein. In den USA entwickelte sich z. T. aus der Verbindung von S. und Anthropologie der Deskriptivismus, der von behaviorist. Psychologie und positivist. Auffassungen geprägt ist (L. Bloomfield). Kennzeichnend ist die Betonung synchroner Beschreibung der gesprochenen Sprache, die weitgehende Ausklammerung der Semantik sowie die Anwendung exakter analyt. Verfahren. Die Beschränkungen des Deskriptivismus versuchte seit den frühen 1960er Jahren die ↑ generative Grammatik mit zu überwinden. Nachdem einige Zeit die formale grammat. Seite der Sprache im Zentrum der Forschung stand, fragt man heute wieder nach den gegenseitigen Verbindungen von Sprache, Denken und Bewußtsein (Psycholinguistik).

📖 *Schuch, G. v.: Einf. in die S. Mchn. 1990. – Bußmann, H.: Lex. der S. Stg. ²1990. – Helbig, G.: Entwicklung der S. seit 1970. Wsb. 1990. – Coseriu, E.: Einf. in die Allg. S. Tüb. 1988. – Porzig, W.: Das Wunder der Sprache. Tüb. ⁸1986. – Brekle, H. E.: Einf. in die Gesch. der S. Darmst. 1985. – Kreuder, H. D.: Studienbibliothek Linguistik. Wsb. ²1982.*

Sprachzentrum, Bez. für verschiedene zusammenwirkende Assoziationsfelder v. a. in der Großhirnrinde, die den Prozessen der Sprachbildung und des Sprachverständnisses zugeordnet sind. Bei Rechtshändern liegen diese Felder in der linken, bei Linkshändern in der rechten Gehirnhemisphäre und können in ein *motor. S. (Broca-Windung, Broca-Zentrum)* für die Steuerung und Kontrolle der beim Sprechen notwendigen Muskelbewegungen, in ein *sensor. S. (akust. S., Spracherinnerungszentrum)* zur Aufnahme und zum Erkennen (akust. Sprachverständnis) gehörter Worte und Wortklänge sowie in ein *opt. S.* unterteilt werden. Letzteres ist für das Lesenkönnen, außerdem für optisch geführte Gedankengänge (opt. Denken, Ortsgedächtnis u. a.) zuständig. – Eine Schädigung im Bereich des S. führt zu ↑ Aphasie.

Spranger, Bartholomäus, * Antwerpen 21. März 1546, † Prag im Aug. 1611, niederl. Maler. – 1575/76 Hofmaler Kaiser Maximilians II. in Wien, ab 1581 Kaiser Rudolfs II. in Prag. Bed. Vertreter des Manierismus, v. a. allegor.-mytholog. Szenen und Einzelfiguren.

S., Carl-Dieter, * Leipzig 28. März 1939, dt. Politiker (CSU). – Jurist; MdB seit 1972, 1982–91 Parlamentar. Staatssekretär im Bundesinnenministerium, seit Jan. 1991 Bundesmin. für wirtsch. Zusammenarbeit.

S., Eduard, * Groß-Lichterfelde (= Berlin) 27. Juni 1882, † Tübingen 17. Sept. 1963, dt. Kulturphilosoph und Pädagoge. – Prof. in Leipzig, Berlin, ab 1946 in Tübingen. Schüler F. Paulsens und W. Diltheys. Einer der führenden Theoretiker einer kulturphilosophisch orientierten, geisteswiss. Pädagogik und Psychologie. Grundlegend für S. Werk ist die Lehre von der Wechselbeziehung zw. *subjektivem Geist* (Seele, Ich, Individualität) und *objektiviertem* bzw. *objektivem Geist* (Kultur in ihrer überindividuellen gesellschaftl. und geschichtl. Dimension). Beidem ist der *normative Geist* vor- bzw. übergeordnet, d. h. die überindividuellen Ordnungs- und Wertsysteme (z. B. Recht, Moral), die – durch das Individuum, dem sie immanent

sind, vermittelt – die Kultur bestimmen. – Schul- und kulturpolitisch wirkte S. insbes. durch seine Forderung einer akadem. Ausbildung für Volksschullehrer. – *Werke:* Lebensformen (1914), Zur Psychologie des Verstehens (1918), Psychologie des Jugendalters (1924), Die Magie der Seele (1947), Pädagog. Perspektiven (1951), Menschenleben und Menschheitsfragen (1963).
🕮 *Sacher, W.: E. S. 1902–1933. Hamb. 1988. – Maßstäbe. Perspektiven des Denkens von E. S. Hg. v. W. Eisermann u. a. Düss. 1983.*

Spratlyinseln [engl. 'sprætlɪ], im Südchin. Meer gelegene Inselgruppe von 7 z. T. unbewohnten Koralleninseln und zahlr. Riffen, auf die China, Taiwan, Vietnam und die Philippinen Anspruch erheben. Die S. liegen in strategisch günstiger Lage in einem Gebiet mit vermuteten Erdölvorkommen.

Spratzen, das beim Erstarren geschmolzener Metalle oder von Lava rasche Entweichen gelöster Gase, durch das sich poröse Metallstücke bilden.

Spray [engl. spreɪ; niederl.-engl.], Flüssigkeit (z. B. Farben, Deodorants, Haarfestiger), die sich zus. mit einem unter Druck stehenden, unbrennbaren, physiologisch unbedenkl. Treibgas in einem bruch- und druckfesten Gefäß *(Spraydose)* befindet; das Treibgas treibt die Flüssigkeit in feinsten Tröpfchen aus einer Düse. Die chemisch nicht abbaubaren, in die Atmosphäre gelangenden Treibgase bewirken eine Schwächung der Ozonschicht der Erdatmosphäre (↑ Fluorchlorkohlenwasserstoffe [FCKW]). In Deutschland ist die bereits deutlich reduzierte Produktion von FCKW ab 1995 gesetzlich verboten. Als Ersatz dienen insbes. Butan, Isobutan und Propan mit Zusätzen, die deren Lösungseigenschaften verbessern und ihre Entflammbarkeit herabsetzen.

Spraybilder [engl. spreɪ...], graffitiartige Beschriftungen und Malereien, die mittels Spraydosen auf Wände u. a. Malgründe gesprüht werden. – ↑ Graffiti.

Sprechakt, Begriff der linguist. Pragmatik zur Bez. der grundlegenden oder kleinsten Einheiten der sprachl. Kommunikation. Mit einem S. vollzieht ein Sprecher gleichzeitig drei Teilakte (nach J. L. Austin): 1. den *lokutiven* Akt, der a) den phonet. (Äußerung von Lauten), b) den phatischen (Äußerung von Wörtern in grammat. Konstruktionen) und c) den rhetischen Akt (Verwendung von Wörtern und Konstruktionen in einer bestimmten Bed.) umfaßt; 2. den *illokutiven* Akt, der die Intention einer Äußerung in einer bestimmten Kommunikationssituation festlegt (z. B. Frage, Befehl); 3. den *perlokutiven* Akt, der die Wirkung der Äußerung [auf den Hörer] bestimmt (z. B. Ausführung einer geforderten Handlung). – ↑ Organonmodell.

Sprechchor, Gestaltungsmittel im Sprechtheater und Hörspiel, bei dem mehrere Personen Texte nach bestimmten rhythm. und melod. Vorschriften gemeinsam (unisono oder in verschiedenen Stimmlagen) oder nach Gruppen getrennt (in Dialog- bzw. Kanonform) sprechen.

Sprecherziehung, Gesamtheit der pädagog. Maßnahmen zum richtigen, d. h. den phys. Gegebenheiten angemessenen Sprechen. Die S. umfaßt neben Übungen zur Atem-, Stimm- und Lautbildung auch die Gestaltung des gesprochenen Wortes.

Sprechfunk, Funkverkehr im Kurzwellen- und UKW-Bereich ohne Codierung der Sprache.

Sprechfunkgerät, speziell für die Sprachübertragung konzipiertes Funkgerät (kombinierte Sende- und Empfangsanlage), mit bis zu über hundert Frequenzkanälen. S. werden v. a. zur Nachrichtenübermittlung im Rahmen der beweg. Funkdienste eingesetzt; S. für den Nahbereich (bis etwa 50 km) arbeiten überwiegend im UKW-Bereich, zur Überwindung mittlerer und größerer Entfernungen im Grenz- und Kurzwellenbereich. Ein handl., tragbares, batteriebetriebenes S. wird meist als *Funksprechgerät (Walkie-talkie)* bezeichnet. – ↑ CB-Funk.

Sprechgesang, dem Sprechton angenäherte Art des Singens, bei dem es bes. auf deutl. Aussprache und Erfassung von Rhythmus und Klang des Wortes ankommt; als ↑ Rezitativ fester Bestandteil von Oper und Oratorium; im Musiktheater des 20. Jh. ↑ Melodram.

Sprechhilfen, Geräte zur Bildung einer Ersatzstimme nach operativer Entfernung des Kehlkopfs. Die Halsgeräte *(Elektrolarynx, Kehlkopfgenerator)* bestehen aus einem obertonreichen Wechselstromgenerator; er regt (meist durch äußeres Auflegen an den Mundboden) die Resonanzräume in Mundhöhle und Rachen zur Schwingung an und ermöglicht durch Sprechbewegungen eine Sprachbildung. Daneben gibt es Schlauchgeräte *(Pipa di Ticchioni),* bei denen der Klang durch Anblasen eines mechan. Vibrators erzeugt wird, und intraorale Geräte, die jedoch technisch noch verbessert werden müssen.

Sprechkunst (Vortragskunst), i. e. S. Bez. für die Kunst des Vortrags von literar. Texten. I. w. S. das geschulte Sprechen, das eine bes. Beherrschung der Atem-, Stimm- und Sprechtechnik voraussetzt.

Sprechmelodie, svw. ↑ Intonation.

Sprechorgane (Sprechwerkzeuge) ↑ Artikulation.

Sprechsprache, gesprochene Sprache im Unterschied zur geschriebenen Sprache. Für die gesprochene Gegenwartssprache wird im allg. eine Dreistufung angesetzt: die

↑ Standardsprache, die den größten Verbreitungsgrad hat; die lokalen ↑ Umgangssprachen und die Dialekte. – ↑ Laut.

Spree, linker Nebenfluß der Havel, entspringt (2 Quellbäche) im Lausitzer Bergland, durchfließt das Niederlausitzer Braunkohlengebiet (Flußlaufverlegungen, Speicherbecken), mündet bei Berlin-Spandau, 384 km lang.

Spree-Neiße, Landkr. in Brandenburg.

Spreewald, bis 16 km breite und 45 km lange Niederung in der Niederlausitz, Brandenburg, von der in mehrere Arme aufgeteilten Spree durchflossen. Die urspr. Bruchwaldgebiete sind nur noch im Unter-S. erhalten. Neben dem Meerrettich- und Gurkenanbau spielt der Fremdenverkehr im Ober-S. eine bes. Rolle. Der S. ist seit 1991 ein von den UN anerkanntes Biosphärenreservat (475,8 km²). – Urspr. Siedlungsgebiet der Sorben, bis im 10. Jh. die dt. Besiedlung einsetzte.

Spreite, svw. Blattspreite (↑ Laubblatt).

Spreizfuß ↑ Fußdeformitäten.

Spreizklimmer ↑ Lianen.

Spremberg, Stadt an der Spree, Brandenburg, 99–126 m ü. d. M., 24 000 E. Textilind., Kunststoffverarbeitung; Braunkohlenbergbau im Umland. – In der 2. Hälfte des 13. Jh. gegr.; 1379 Stadtrecht bestätigt. – Spätgotische Hallenkirche (16. Jh.); Schloß (Hauptbau 16. Jh.).

Spremberg-Talsperre ↑ Stauseen (Übersicht).

Sprendlingen ↑ Dreieich.

Sprengel, Carl (Karl), *Schillerslage (= Burgdorf, Landkr. Hannover) 29. März 1787, † Regenwalde 19. April 1859, dt. Agronom. – Prof. in Braunschweig; wandte die Chemie auf Bodenkunde und Düngelehre an. Er lehrte den Ersatz der verbrauchten Bodennährstoffe durch Mineraldüngung.

Sprengel, kirchl. (Pfarrei, Diözese) oder weltl. (z. B. Gerichts-S.) Amtsbezirk.

Sprengel-Deformität [nach dem dt. Chirurgen O. K. Sprengel, *1852, †1915], angeborene Veränderung der Nacken-Schulter-Region mit ein- oder beidseitigem Schulterblatthochstand und teilweise zusätzl. Wirbel-, Rippen- und Muskelanomalien.

Sprengen, eine Sprengung vornehmen. Bei Sprengungen mit Bohrlöchern, die die Sprengwirkung des Sprengstoffs erhöhen, erfolgt nach dem Einbringen der Sprengladung *(Laden)* das Verdämmen (der *Besatz*) der Löcher. Dann werden die einzelnen mit Sprengzünder oder Sprengkapsel und mit Zündschnur versehenen Sprengstoffpatronen untereinander zu einem Zündkreis verbunden *(Kuppeln).* Durch Betätigung der Zündmaschine wird die Detonation **(Sprengung)** ausgelöst. – ↑ Sprengstoffe.

Sprengfeder (Sprengring), formschlüssige, ringförmige Befestigungsfeder in einer Nut auf einer Welle oder in einer Bohrung zur Sicherung der axialen Lage eines Bauelements (z. B. Kolbenbolzen, Kugellager).

Sprenggelatine ↑ Sprengstoffe.

Sprenggranaten ↑ Munition.

Sprenglaut, svw. ↑ Verschlußlaut.

Sprengmittel ↑ Sprengstoffe.

Sprengöl ↑ Sprengstoffe.

Sprengstoffe (Explosivstoffe), feste, flüssige (auch pastenartige oder gelatinöse) Substanzen oder Substanzgemische, die nach Zündung (Funken, Flammen, Reibung, Schlag oder indirekt durch eine Sprengkapsel) rasch große Mengen heißer, komprimierter Gase freisetzen. Schon bei geringster Erwärmung bzw. geringstem Stoß reagierende S. werden als **Primärsprengstoffe (Initialsprengstoffe)** den weniger empfindl., durch sie gezündeten **Sekundärsprengstoffen** gegenübergestellt. Die **Sprengkapsel** [Zündhütchen] enthält Initial-S. [z. B. Bleiazid, Bleipikrat] und ist in den zu zündenden Sekundär-S. eingebettet. Wichtige Kenndaten eines S. sind die *Detonationsgeschwindigkeit* (zw. 300 und 8 500 m/s), die *Explosions-* oder *Umsetzungswärme* (zw. 2 500 und 5 900 kJ/kg) und die *Explosionstemperatur* (zw. 2 000 und 5 000 °C). Als **Schießmittel** (Schießstoffe, Treibmittel, z. B. für Gewehre, Feuerwerkskörper) bezeichnet man S. mit geringen Detonationsgeschwindigkeiten von 300–500 m/s. Hierzu zählen **Schießpulver** (Pulver), explosive Substanzgemische, die sich im Ggs. zu den S. bei Zündung mit gleichförmiger Geschwindigkeit zu Gasen umsetzen und einem Geschoß die erforderl. Anfangsgeschwindigkeit erteilen. Man unterscheidet *einbasige Schießpulver,* die nur aus (gelatinierter) Nitrozellulose bestehen, *zweibasige Schießpulver* aus Nitrozellulose und Diglycerin und *dreibasige Schießpulver,* die sich alle gegenüber dem früher gebräuchlichen **Schwarzpulver** (Gemisch aus 75 % Kalisalpeter, 10 % Schwefel, 15 % Holzkohle) durch fehlende Rückstandsbildung im Lauf und geringere Rauchbildung auszeichnen.

Sprengmittel (S. im engeren Sinn) sind dagegen einheitl. oder gemischte S., die wesentl. heftiger reagieren und dabei zertrümmernd auf die Umgebung wirken; sie werden für militär. und zivile (gewerbl.) Zwecke mit unterschiedl. Eigenschaften hergestellt. Wichtige S. (für militär. Zwecke sowie für den Berg- und Straßenbau) sind die Salpetersäureester, aromat. Nitroverbindungen, Nitramine, Ammonsalpeter-S. und Chlorat-S. Zu den Salpetersäureestern gehört das Pentaerythritnitrat, das Nitroglycerin (als **Sprengöl** bezeichnet) und die Nitrozellulose (mit 12,6–13,5 % Stickstoffgehalt als weiße, watteartige Substanz: sog. Schießbaumwolle [Schießwolle, Pyroxylin]); eine gelatinöse Masse aus 7–8% Nitrozellulose und 92–93% Nitroglycerin wird als *Sprenggelatine (Nitrogelatine)* bezeichnet (Detonationsgeschwindigkeit 7700 m/s). **Dynamit** besteht aus Sprenggelatine, der zur Abstufung der Sprengkraft Natronsalpeter und Holzmehl zugegeben wird. S. aus der Reihe der aromat. Nitroverbindungen sind die Pikrinsäure und das 2,4,6-Trinitrotoluol (↑Nitrotoluole). Nitramin-S. sind u. a. das ↑Hexogen und Tetryl. Zu den S.mischungen gehören z. B. die Ammonsalpeter-S., die v. a. aus Ammoniumnitrat, NH_4NO_3, bestehen und u. a. mit Trinitrotoluol versetzt werden *(Ammonit)*. Pulverige S. können durch Zusatz von Plastiziermitteln (Vaseline, Wachse, Kunststoffe) leichter handhabbar gemacht werden (**Plastiksprengstoffe** z. B. in sog. Plastikbomben). Den für Sprengungen im Kohlebergbau entwickelten *Sicherheits-S. (Wetter-S.)* werden zur Erniedrigung von Explosionstemperatur und -druck reaktionsträge (inerte) Salze (z. B. Kochsalz) zugesetzt. **Geschichte:** Der erste wirksame S., der sich sowohl als Schießmittel als auch als Sprengmittel eignete, war das Schwarzpulver, das in China schon im 8./9.Jh. in Feuerwerkskörpern verwendet wurde und im 13.Jh. in Europa bekannt wurde (seine Erfindung wurde Berthold dem Schwarzen zugeschrieben). Die hochnitrierte Nitrozellulose (Schießbaumwolle) wurde erstmals 1845 durch C. F. Schönbein hergestellt, 1846/47 das Nitroglycerin durch A. Sobrero. 1867 gelang es A. Nobel, das äußerst stoß- und schlagempfindl. Nitroglycerin in eine zur Handhabung sichere Form zu bringen; ab 1875 entwickelte er außerdem die Sprenggelatine und die von ihr abgeleiteten Dynamitarten. Das Trinitrotoluol wurde 1863 durch J. Wilbrand dargestellt.

📖 *Hinze, R.:* Sprengstoff. *Meerbusch 1989. – Meyer, Rudolf:* Explosivstoffe. *Weinheim ⁶1985.*

Sprengstoff- und Strahlungsverbrechen, gemeingefährl. Straftaten, die als Herbeiführen einer Explosion durch Freisetzen von Kernenergie oder durch Sprengstoff gemäß §§310b ff. StGB geahndet werden, wenn dadurch eine konkrete Gefahr für Leib oder Leben eines anderen oder für fremde Sachen von bed. Wert verursacht wird. S.- u. S. werden mit Freiheitsstrafe nicht unter einem Jahr (bei Explosion durch Kernenergie nicht unter fünf Jahren, im bes. schweren Fall nicht unter 10 Jahren oder lebenslange Freiheitsstrafe) bestraft. Bei fahrlässigem Handeln bestehen geringere Strafdrohungen. In *Österreich* sind S.- u. S. in §§171 ff. StGB unter Strafe gestellt. – In der *Schweiz* wird die Gefährdung durch Sprengstoff und gif-

tige Gase beim Vorliegen einer verbrecher. Absicht mit Zuchthaus, sonst mit Gefängnis bedroht.

Sprengwerk, Baukonstruktion (Tragwerk) aus Holz, Stahl oder Stahlbeton, bei der ein horizontaler Träger durch geneigte Streben abgestützt wird.

Spreu (Kaff), der beim Dreschen von Getreide und Hülsenfrüchten anfallende Abfall (Samenschalen, Spelzen, Grannen, Stengelteilchen u. a.).

Spreublätter, schuppenförmige, trokkenhäutige Tragblätter der Einzelblüten in den Blütenköpfchen vieler Kardengewächse und Korbblütler.

Sprichwort (Proverb), weit verbreitete, knapp und treffend, meist bildhaft formulierte Lebensweisheit („Wer andern eine Grube gräbt, fällt selbst hinein"). Die Urheber bleiben (im Ggs. zu denen geflügelter Worte) anonym. Das Sammeln von S. hat eine lange Tradition. Im Dt. Sprichwörterlexikon (5 Bde., 1867–80) von K. F. W. Wander sind mehr als 300000 S. zusammengetragen.

Sprieße, im *Bauwesen* 1. horizontal liegende Rundhölzer *(Spreizen)* zur Abstützung der Wände von Baugruben; 2. vertikale Stützen von Deckenschalungen u. a.

Sprietsegel [niederdt.], ein durch eine diagonale Spiere, die sog. Spriet, gespreiztes Gaffelsegel (↑Segel).

Spring, Howard [engl. sprɪŋ], * Cardiff 10. Febr. 1889, † Falmouth 3. Mai 1965, engl. Schriftsteller. – Journalist; Verf. von sozialkrit. Zeit- und Familienromanen, u. a. „Das Haus in Cornwall" (1948), „Tumult des Herzens" (1953). „Geliebte Söhne" (1938) schildert den Aufstieg zweier Väter und den Untergang ihrer Söhne im ir. Befreiungskrieg.

Spring, Leine zum Festmachen eines Schiffes, die vom Bug nach achtern oder vom Heck nach vorn verläuft.

Springantilopen (Antilopinae), Unterfam. der Antilopen mit rd. 20 Arten, v. a. in trockenen, offenen Landschaften Afrikas und Asiens. In den Steppen Indiens lebt die etwa damhirschgroße **Hirschziegenantilope** (Sasin, Antilope cervicapra); ♂♂ mit bis 0,5 m langen, korkenzieherartig gewundenen, geringelten Hörnern. Wichtigste Gatt. ↑Gazellen.

Springbeutler, svw. ↑Känguruhs.

Springbock (Antidorcas), Gatt. der gazellenartigen mit der einzigen Art *Antidorcas marsupialis* in Südafrika; vielerorts ausgerottet; Länge 1,2–1,5 m, Schulterhöhe etwa 70–90 cm; Rücken braun, durch schwarzbraunes Längsband von der weißen Unterseite abgesetzt; ♂♂ und ♀♀ mit etwa 30 cm langen, leierförmigen Hörnern; kann weit und hoch springen.

Springbogen (italien. saltato), bei Streichinstrumenten eine Strichart in schnellem Tempo, bei der der Bogen auf Grund seiner Eigenelastizität springt und die Saite kurz anreißt (↑ spiccato).

Springe, Stadt zw. Deister und Osterwald, Nds., 113 m ü. d. M., 29 300 E. Holz-, Möbel-, Maschinen-, Elektroind. Südl. von S. das Naturschutzgebiet und Wisentgehege Saupark. – Ersterwähnung im 10. Jh.; 1324 Stadt. – Spätgot. Kirche (vollendet 1445), zahlr. Fachwerkhäuser (17.–18. Jh.).

Springer, Axel Caesar, * Altona (= Hamburg) 2. Mai 1912, † Berlin 22. Sept. 1985, dt. Verleger. – Journalist; nach 1945 zunächst Buchverleger, baute ab 1946 seinen Pressekonzern (↑ Springer Verlag) auf.

Springer, Figur im ↑ Schach.

Springerle, süddt. Weihnachtsgebäck aus Mehl, Zucker, Ei, mit Anis gewürzt, mit einem Model geformt.

Springerspaniel, etwa 50 cm schulterhoher Stöberhund; etwas größer und hochbeiniger als der Cockerspaniel; Haar schlicht und glatt anliegend, bevorzugt weiß-braun und weiß-schwarz gescheckt.

Springer Verlag (seit 1970 Axel Springer Verlag AG), dt. Pressekonzern, Sitz Berlin; gibt die überregionalen Tageszeitungen „Bild-Zeitung" und „Die Welt", die auch als Sonntagszeitungen erscheinen, mehrere regional verbreitete Tageszeitungen (u. a. „Berliner Morgenpost", „B. Z.", „Hamburger Abendblatt"), Programmzeitschriften sowie zahlr. Unterhaltungs-, Spezial- und Fachzeitschriften heraus; Projekte auch im Rundfunkbereich; besitzt mehrere Großdruckereien und einen Buchverlag (Ullstein GmbH).

Springer-Verlag KG ↑ Verlage (Übersicht).

Springfield [engl. 'sprɪŋfiːld], Hauptstadt des Bundesstaates Illinois, USA, 176 100 E. Sitz eines anglikan. und eines kath. Bischofs; Nahrungsmittel-, chem. Ind., Druckereien, Fremdenverkehr. – Gegr. 1821; Hauptstadt von Illinois seit 1837; seit 1840 City. – Lincoln-Gedenkstätten (u. a. Wohnhaus, Grabdenkmal).

Springflut ↑ Gezeiten.

Springfrosch ↑ Frösche.

Springkraut (Balsamine, Impatiens), Gatt. der Balsaminengewächse mit über 400 Arten; meist im trop. Afrika sowie im trop. und subtrop. Asien; Kräuter oder Halbsträucher; Frucht eine bei Berührung elastisch aus fünf Klappen aufspringende, die Samen wegschleudernde Kapsel. In Deutschland kommen drei Arten vor, u. a. **Rührmichnichtan** (Echtes S., Impatiens noli-tangere), einjährig, bis 1 m hoch, mit durchscheinenden Stengeln und Blättern; Blüten zitronengelb, innen rot punktiert. Bes. bekannt sind die **Gartenbalsamine** (Impatiens balsamina), eine in mehre-

ren Sorten verbreitete, 20–60 cm hohe Sommerblume mit meist gefüllten, verschiedenfarbigen Blüten sowie als Garten- und Topfpflanze das aus den Gebirgen des trop. Afrikas stammende **Fleißige Lieschen** (Impatiens walleriana) mit 30–60 cm hohen dickfleischigen Stengeln und bis 4 cm breiten, meist roten, langgespornten Blüten.

Springlade, in der Orgel Form der Windlade, bei der statt der Schleifen Ventile unter den Pfeifenfüßen sitzen.

Springläuse, svw. ↑ Blattflöhe.

Springmäuse (Springnager, Dipodidae), Fam. der Mäuseartigen mit rd. 25 Arten in Trockengebieten und Wüsten Asiens und N-Afrikas; Länge 4–15 cm; Schwanz weit über körperlang, mit Endquaste; Hinterbeine stark verlängert, Vorderbeine kurz. – Die S. bewegen sich in großen Sprüngen (auf zwei Beinen) sehr rasch fort, wobei der Schwanz als eine Art Steuerorgan fungiert. Sie graben im Boden und sind nachtaktiv. Die Arten der Gatt. **Pferdespringer** (Allactage) sind 9–15 cm lang; Schwanz 16–22 cm lang mit weißer Endquaste; Kopf rundlich, mit sehr langen Ohren und großen Augen. Etwa 10–15 cm lang sind die Arten der Gatt. **Wüstenspringmäuse** (Jaculus). Am bekanntesten ist die Art *Dscherboa* (Jaculus jaculus).

Springprozession, bes. Form der Prozession, v. a. in ↑ Echternach.

Springquelle ↑ Geysir.

Springratten, Bez. für die beiden Gatt. **Mesembriomys** und **Conilurus** der Echtmäuse mit sechs Arten in Australien; bis etwa wanderrattengroß; Hinterbeine verlängert; gute Springer und Kletterer.

Springreiten ↑ Reitsport.

Springschrecken, svw. ↑ Heuschrecken.

Springschwänze (Kollembolen, Collembola), mit rd. 5 000 Arten weltweit verbreitete Unterordnung primär flügelloser Insekten (Ordnung Urinsekten) von 0,3–10 mm Länge; Körper langgestreckt, entweder deutlich gegliedert (Überfam. *Arthropleona*) oder kugelig und undeutlich gegliedert (Überfam. *Symphypleona*); behaart oder glänzend beschuppt; durch Körperpigmente blau, violett, rotbraun, gelb, grün oder schwarz gefärbt; Kopf mit meist viergliedrigen Fühlern; schabende oder stechende Mundwerkzeuge in die Kopfkapsel eingesenkt; Augen einfach gebaut oder völlig rückgebildet; können sich mit Hilfe einer Sprunggabel bei Beunruhigung vom Boden abschnellen. – S. leben oft massenhaft an feuchten Orten in und auf der Erde, auf der Wasseroberfläche, auch auf Schneefeldern (S. ↑ Gletscherfloh). Sie ernähren sich v. a. von zerfallenden organ. Substanzen und spielen eine wichtige Rolle bei der Humusbildung.

Springspinnen (Hüpfspinnen, Salticidae), weltweit verbreitete, mit rd. 3 000 Arten größte Fam. 2–12 mm langer ↑Spinnen (davon 70 Arten einheimisch); Körper gedrungen, oft sehr bunt gefärbt (z. B. Harlekinspinne). S. weben keine Fangnetze. Sie beschleichen ihre Beute und packen sie im Sprung.

Springsteen, Bruce [engl. 'sprıŋsti:n], *Freehold (N. J.) 23. Sept. 1949, amerikan. Rockmusiker (Sänger, Gitarrist, Komponist, Texter). – In seinen balladenhaften, einprägsamen Rock'n'Roll-Songs greift er v. a. gesellschaftskrit. Themen auf, singt über Außenseiter und Ausgestoßene, soziale Mißstände in seiner Heimat sowie über Probleme und Träume Jugendlicher.

Springtamarin (Goeldi-Tamarin, Callimico goeldii), Art der Kapuzineraffenartigen im Gebiet des oberen Amazonasbeckens; Körperlänge um 25 cm, Schwanz etwas länger; Fell seidig, schwarz mit Goldschimmer; mit Kopf- und Nackenmähne; Großzehe mit flachem Nagel, alle anderen Zehen und Finger mit Krallen; gute Springer; Bestand gefährdet.

Springtide ↑Gezeiten.

Springwanzen (Uferwanzen, Saldidae), Fam. 2–7 mm langer Wanzen mit rd. 150 Arten, bes. an Teichufern, moorigen Stellen und Meeresküsten (davon fast 30 Arten einheimisch); äußerst lebhafte, schnell auffliegende Tiere, die gut springen können; ernähren sich räuberisch von anderen Gliederfüßern.

Springwurzel (Springwurz), Bez. für den weißen Erdsproß (Rhizom) des Salomonsiegels; im Volksmärchen gilt sie als Zaubermittel.

Sprinkleranlage [engl./dt.], selbsttätige Feuerlöschanlage, bei der an der Decke des zu schützenden Raumes zahlr. Löschwassersprühvorrichtungen *(Sprinkler)* installiert sind. Im Brandfall öffnen sich die über dem Brandherd befindl. Sprinkler beim Erreichen einer bestimmten Temperatur.

Sprint [engl.], in verschiedenen Sportarten Bez. für Wettkämpfe über eine kurze Strecke, z. B. in der *Leichtathletik* (alle Läufe über Distanzen bis zu 400 m), im *Biathlon* (10-km-Einzellauf) und im *Radsport* (Fliegerrennen). Auch Bez. für eine Temposteigerung über eine kurze Strecke in Läufen über längere Strecken. **Sprinter,** Kurzstreckenläufer, Radrennfahrer über kurze Strecken.

Sprit [volkstüml. Umbildung von ↑Spiritus], gereinigter, hochprozentiger Alkohol.
◆ umgangssprachl. Bez. für Treibstoff.

Spritblau, svw. ↑Anilinblau.

Spritze (Injektionsspritze) ↑Injektion.

Spritzgurke (Eselsgurke, Ecballium), Gatt. der Kürbisgewächse mit der einzigen Art *Ecballium elaterium:* in S-Europa auf Ödland verbreitetes Kraut mit glockenförmigen, gelben Blüten und eigroßen, stachelwarzigen Früchten, die nach der Reife vom Stiel springen und das Innengewebe mit den Samen ausspritzen.

Spritzguß, svw. Spritzgießen, ein Verfahren v. a. bei der ↑Kunststoffverarbeitung.

spritzig, kennzeichnend für einen frischen, kohlensäurereichen Wein (häufig bei Moselweinen) verwendet.

Spritzlackieren ↑Spritzpistole.

Spritzloch (Spiraculum), bei Fischen kleine, mehr oder weniger verkümmerte vorderste Kiemenspalte (erste Viszeralspalte, Spirakularkieme) zw. dem Kiefer und dem Zungenbeinbogen; v. a. bei Knorpelfischen.
◆ bei Walen paarige oder unpaare Nasenöffnung, die (mit Ausnahme des Pottwals) weit nach hinten auf die Körperoberseite verschoben ist und beim Ausatmen der verbrauchten Luft eine (durch Kondensation) mehrere Meter hohe Dampffontäne hochsteigen läßt.

Spritzpistole, meist mit Druckluft betriebenes Gerät in pistolenähnl. Form zum *Spritzlackieren,* d. h. zum Aufspritzen von Anstrichstoffen in feinverteilter Form.

Spritzputz ↑Putz.

Spritzwürmer (Sipunculida), fast ausschließlich mariner Stamm der Wirbellosen mit rd. 250, etwa 1–50 cm langen, wurmförmigen Arten; unsegmentiert; Vorderende einstülpbar, rüsselartig, mit Tentakelkranz.

Sprödbruch ↑Bruch.

spröde, im techn. Sprachgebrauch svw. nicht elastisch; bei s. Werkstoffen tritt nach Überschreitung der Elastizitätsgrenze *Sprödbruch* auf.

Sproß (Trieb), der aus den Grundorganen ↑Sproßachse und ↑Blatt gebildete, aus der zw. den Keimblättern liegenden S.knospe der S.pflanzen. Er entwickelt sich meist oberirdisch (Luft-S.), bei Wasserpflanzen untergetaucht (Wasser-S.) oder ganz bzw. teilweise unterirdisch (Rhizom, S.knolle, Zwiebel). Je nach Art des Wachstums und der Funktion der Blätter werden Laub-S. und Blüten unterschieden.

Sproßachse (Achsenkörper), neben Blatt und Wurzel eines der Grundorgane der Sproßpflanzen (↑Kormophyten); Trägersystem für die assimilierenden Blätter bzw. Fortpflanzungsorgane. Die S. entwickelt sich von einem an ihrer Spitze gelegenen Vegetationskegel. In diesem Urmeristem werden durch Teilung laufend Zellen nach unten und seitlich abgegliedert. Kurz hinter dieser Zone entstehen die Anlagen für Seitensprosse und Blätter. Es folgt die Zone des größten Längenwachstums. Gleichzeitig erfolgt die Differenzierung der Zellen in Epidermis, Rinde und Zentralzylinder. Im Bereich des Zentral-

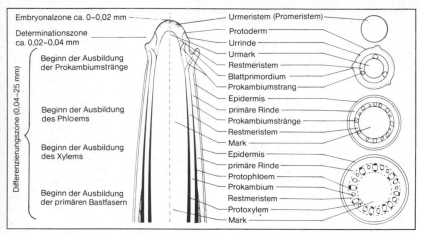

Embryonalzone ca. 0–0,02 mm

Determinationszone ca. 0,02–0,04 mm

Beginn der Ausbildung der Prokambiumstränge

Beginn der Ausbildung des Phloems

Beginn der Ausbildung des Xylems

Beginn der Ausbildung der primären Bastfasern

Differenzierungszone (0,04–25 mm)

Urmeristem (Promeristem)
Protoderm
Urrinde
Urmark
Restmeristem
Blattprimordium
Prokambiumstrang
Epidermis
primäre Rinde
Prokambiumstränge
Restmeristem
Mark
Epidermis
primäre Rinde
Protophloem
Prokambium
Restmeristem
Protoxylem
Mark

Sproßachse. Schematischer Längsschnitt durch die Sproßspitze einer Zweikeimblättrigen mit den Entwicklungsphasen der einzelnen Gewebekomplexe; rechts die entsprechenden schematischen Sproßquerschnitte

zylinders bilden sich durch Längsteilung von Zellen Initialbündel, aus denen die Leitbündel hervorgehen. Innerhalb des Zentralzylinders bleibt bei ausdauernden S. der Nacktsamer und Zweikeimblättrigen ein teilungsfähiger Gewebszylinder, das Kambium, erhalten, von dem im Zuge des sekundären Dickenwachstums die Bildung verholzter S. ausgeht (Stamm).

Sproßdornen ↑ Dornen.

Sprosser (Poln. Nachtigall, Luscinia luscinia), mit der Nachtigall nah verwandte Drossel (Gatt. Erdsänger); etwa 17 cm lang; Oberseite rötlichbraun, Unterseite grauweißlich, Brust dunkler als bei der Nachtigall; verbreitet von N- und O-Europa bis nach W-Sibirien.

Sproßknolle ↑ Knolle.

Sproßmutationen (Knospenmutationen, Sports), in der *Botanik* Bez. für Gen- oder Genommutationen in einer Zelle des Vegetationskegels. S. haben eine bes. Bed. in der Pflanzenzucht, da durch sie neue Kultursorten gewonnen werden können, deren Eigenschaften bei vegetativer Vermehrung erhalten bleiben (z. B. Obst, Kartoffeln). Bei geschlechtl. Vermehrung können die neuen Eigenschaften nur dann auf die Nachkommen übertragen werden, wenn durch die Mutation mindestens zwei Zellschichten erfaßt worden sind.

Sproßpflanzen, svw. ↑ Kormophyten.

Sprossung, bei mehrzelligen Organismen svw. ↑ Knospung.

◆ bes. Zellteilungsvorgang v. a. bei Hefepil-

zen und bei der Exosporenbildung vieler Pilze. Bei der S. bildet sich vor der Kernteilung aus der Mutterzelle aus ein Auswuchs, dann erfolgt die Einwanderung des Tochterkerns und die Abschnürung der Tochterzelle.

Sprotten [niederdt.], Gatt. bis 20 cm langer, schwarmbildender Heringsfische mit sechs Arten, v. a. im S-Pazifik. Die einzige Art an den Küsten Europas und N-Afrikas ist der **Sprott** (Sprotte, *Sprattus sprattus*): wichtiger Speisefisch, v. a. mariniert als Anschovis und geräuchert als *Kieler Sprotten*.

Spruchband, bandartiger Streifen, oft in Form einer Schriftrolle, auf dem in bildl. Darstellungen des MA die den Figuren zugedachten Worte (Legende) geschrieben sind.

Spruchdichtung, 1. von K. Simrock eingeführte Bez. für mittelhochdt. Lieder und Gedichte über religiöse, polit. und moral. Fragen und mit Kritik an kirchl. und weltl. Zuständen. Der **Sangspruch** (dem Lied verwandt und strophisch gegliedert) wurde gesungen vorgetragen. Bed. Spruchdichter: Walther von der Vogelweide, Reinmar von Zweter, Bruder Wernher, der Marner, Frauenlob. Der zum Sprechvortrag bestimmte **Sprechspruch** (meist vierhebige Reimpaare ohne Stropheneinteilung) mit seiner didakt., vielfach unmittelbar moralisierenden Tendenz wurde v. a. von Heinrich dem Teichner, H. Folz, H. Rosenplüt ausgeformt. – 2. Bez. für genuan. gnom. Dichtung, die in formelhafter Sprache und stab- sowie silbenreimenden Versen und Strophen Lebensweisheiten, Rätsel- und Zaubersprüche überliefert.

Sprüche Jesu ↑ Logia Jesu.
Sprüche Salomos (in der Vulgata: Proverbia), Name des bibl. Buchs der Sprüche, König Salomo zugeschrieben; wohl in nachexil. Zeit gesammelt.
Spruchkammern, laiengerichtartige Institutionen, die nach 1946 die Prüfungsverfahren im Rahmen der ↑ Entnazifizierung durchführten.
Sprudel, an freiem Kohlendioxid reiches Mineralwasser.
Sprue [engl. spru:; niederl.-engl.] (idiopathische Steatorrhö), Syndrom mit mangelhafter Absorption von Nährstoffen, Vitaminen und Mineralen im Dünndarm (Malabsorption) unbekannter Ursache. Bei der *einheim. S.*, der Zöliakie des Erwachsenen, besteht eine Unverträglichkeit gegen das Gliadin, einen Bestandteil des Klebereiweißes Gluten (enthalten in Weizen, Roggen, Gerste, Hafer). Bei der Entwicklung der *trop. S.* ist eine Infektion bedeutsam. Kennzeichen sind u. a. Durchfälle, voluminöse Fettstühle, Schwäche und Gewichtsverlust.
Sprungbein, Fußwurzelknochen des Menschen und der Säugetiere (↑ Fuß).
Sprungfunktion, mathemat. Zeitfunktion, die für den Zeitraum $t < 0$ den Wert 0 und für $t \geq 0$ den Wert 1 annimmt.
Sprunggelenk ↑ Fuß.
Sprunggeräte, Sammelbez. für alle Turngeräte, die zu Auf-, Nieder- und Übersprüngen dienen: Bock, Pferd, Kasten. Absprunghilfen sind Sprung- oder Federbrett („Reutherbrett") sowie Minitramp[olin].
Sprunglatte, runde oder dreikantige Latte aus Holz oder Metall, die beim Hochsprung (Höchstmasse 2, 2 kg, Länge 3,98 bis 4,02 m, Kantenhöhe 3 cm) und im Stabhochsprung (4,48 m – 4,52 m lang und höchstens 2,25 kg schwer) zu überqueren ist.
Sprunglauf (Skispringen) ↑ Skisport.
Sprungrevision ↑ Revision.
Sprungschanze, svw. ↑ Schanze.
Sprungschicht, Wasserschicht im Meer mit plötzl., sprunghafter Änderung der Temperatur oder/und des Salzgehalts und damit der Dichte; wirkt als Sperrschicht für vertikale Austauschvorgänge, daher u. a. wichtig für den Nährstoffhaushalt des Meeres.
◆ (Metalimnion) eine in den meisten tiefen Süßwasserseen der gemäßigten und subtrop. Zone während des Sommers auftretende, v. a. durch starkes Temperaturgefälle charakterisierte Wasserschicht zw. dem erwärmten Epilimnion und dem unteren, kühlen Hypolimnion.
◆ in der *Meteorologie* Bez. für eine Schicht der Atmosphäre; ↑ Inversion.
Sprungtemperatur ↑ Supraleitung.
Sprungtuch, bei der Rettung von Personen benutztes, mit Gurtstreifen verstärktes

Leinwandtuch, das, an Halteseilen von mehreren Helfern gehalten, zum Auffangen gefährdeter Personen dient, die aus oberen Stockwerken eines [z. B. brennenden] Hauses abspringen.
SPS, Abk. für: ↑ Sozialdemokratische Partei der Schweiz.
Spühler, Willy, *Zürich 31. Jan. 1902, † ebd. 31. Mai 1990, schweizer. sozialdemokrat. Politiker. - 1938–1955 Nationalrat, 1955–59 Ständerat; 1959–70 Bundesrat (bis 1965 Dep. für Post und Eisenbahnen bzw. für Verkehr und Energiewirtsch.; ab 1966 Polit. Dep.); 1963 und 1968 Bundespräsident.
Spuk [niederdt.], Sammelbez. für rational unerklärl. und darum unheiml. Erscheinungen (Gespenster, Klopfgeister, Bewegung von Gegenständen), die, soweit sie nicht auf Täuschung beruhen, Untersuchungsgegenstand der Parapsychologie sind.
Spule, zylindr. oder kon. Körper zum Aufwickeln von Garn, Draht u. a.
◆ elektr. Schaltungselement, das man durch Wicklung eines Leiters mit kleinem Querschnitt, aber großer Länge auf einen meist zylindr. Körper *(S.körper)* erhält. Im Innern des S.körpers wird bei Stromdurchgang ein Magnetfeld erzeugt. Die S. kann zur Speicherung von magnet. Feldenergie dienen. In der *Elektrotechnik* werden S. zur Erzeugung magnet. Felder (Elektromagnet) und als Teil von Schwingkreisen verwendet. Jede S. besitzt neben dem ohmschen Widerstand (Wirk- oder Verlustwiderstand) des Leiters noch einen frequenzabhängigen Blindwiderstand.
Spuler, Bertold, *Karlsruhe 5. Dez. 1911, dt. Orientalist und Ostkirchenforscher. - Prof. in München, Göttingen und Hamburg; verfaßte Werke über die Geschichte Irans und Z-Asiens („Die Goldene Horde", 1943); Hg. des „Handbuches der Orientalistik" (1952 ff.).
Spülklosett ↑ Abort.
Spültrübe ↑ Bohren.
Spulwürmer (Askariden, Ascarididae), Fam. der Fadenwürmer mit zahlr., bis maximal 40 cm langen, im Darm von Wirbeltieren (insbes. Säugetieren, einschl. Mensch) parasitierenden Arten; erwachsen im Dünndarm; Entwicklung ohne Zwischenwirt. Die Eier gelangen mit dem Kot ins Freie und werden mit verschmutzter Nahrung aufgenommen. Die Larven schlüpfen im Darm, durchbohren die Darmwand und gelangen mit dem Blutstrom in die Lungen, von dort in die Mundhöhle und werden verschluckt. Erst danach verbleiben die S. im Darm und werden geschlechtsreif. - Bekannte Gatt. ist *Ascaris* mit dem etwa 25 (♂)–40 cm (♀) langen *Menschenspulwurm* (Ascaris lumbricoides); parasitiert im Dünndarm des Menschen. Im Dünndarm

des Haushundes (gelegentlich auch beim Menschen) parasitiert der 5 (♂)–18 cm (♀) lange *Hundespulwurm* (Toxacara canis). Der *Pferdespulwurm* (Parascaris equorum) ist etwa 15 (♂)–35 cm (♀) lang.

Spumạnte [lat.-italien.], italien. Schaumwein, z. B. Asti spumante.

Spund [zu lat. expungere „ausstechen"], Holzpflock, Pfropfen, Stöpsel, der zum Verschließen eines Fasses in das *Spundloch* geschlagen wird.

Spundwand, Wand aus Profileisen oder Bohlen (Spundbohlen); u. a. zum Abdichten von Baugruben gegen Wasser, zur Befestigung von Ufermauern, als Schleusenwand.

Spur ↑ Fährte.
◆ in der *Fahrzeugtechnik* svw. ↑ Spurweite.
◆ (Magnetspur) ↑ Tonbandgerät.

Spurenanalyse, Teilgebiet der chem. Analyse, bei dem geringste Mengen einer Substanz (unter 0,01 % bzw. 100 ppm) in größeren Mengen anderer Substanzen nachgewiesen und quantitativ bestimmt werden. S. werden v. a. in der Bio- und Lebensmittelchemie, Toxikologie und im Umweltschutz meist mit physikal.-chem. Nachweisverfahren (z. B. Spektralanalyse, Photometrie, Röntgenfluoreszenzanalyse, Radiochemie) eingesetzt.

Spurenelemente (Mikronährstoffe), Bez. für eine Reihe von chem. Elementen, die für die menschl., tier. und pflanzl. Ernährung und den Stoffwechsel unentbehrlich sind, jedoch nur in sehr geringen Mengen benötigt werden. S. für Mensch und Tier sind Eisen, Mangan, Kupfer, Kobalt, Zink, Fluor, Jod. Bei Pflanzen sind es Mangan, Kupfer, Zink, Molybdän, Bor und Chlor. Die S. sind meist Bestandteile von Enzymen, Vitaminen und Hormonen. Ihr Fehlen (durch einseitige Ernährung bzw. Bodenmüdigkeit) ruft Mangelkrankheiten hervor.

Spurensicherung, Kunstrichtung seit Anfang der 1970er Jahre, die verborgene Bezüge zur Vergangenheit aufdecken will. Ihre Vertreter (C. Boltanski, D. Bay, N. Lang u. a.) sammeln z. T. fiktive Zeichen und Spuren und konstruieren Dokumentationen mit Photographien, Zeichnungen, Inventaren sowie sog. Fundstücken.
◆ im *Polizeiwesen* im Rahmen kriminaltechn. Ermittlungen alle Maßnahmen zur Sicherstellung von Spuren, die Rückschlüsse auf den Tathergang oder Täter zulassen.

Spurkranz, ringförmiger Wulst an der Innenkante der Lauffläche eines Rades bei Schienenfahrzeugen zur Führung des Fahrzeuges im Gleis.

Spurt [engl.], bei Rennen oder Läufen über eine längere Strecke eine plötzl. Steigerung der Geschwindigkeit innerhalb der *(Zwischen-S.)* oder zum Ende des Rennens *(End-S.; Finish).*

Spurweite (Spur), 1. bei Kfz-Fahrwerken der Abstand der Reifenmitten zweier Räder derselben Achse; 2. bei Gleisanlagen der Abstand zw. den Innenkanten der Schienenköpfe (Nenn-S.). Etwa 70 % des Welteisenbahnnetzes haben die *Normal-* oder *Regelspur* (1 435 mm); bei kleinerer S. spricht man von *Schmalspur* (z. B. 1 000 mm als sog. *Meterspur,* 1 067 mm als sog. *Kapspur*), bei größeren von *Breitspur* (z. B. 1 524 mm in Rußland, 1 668 mm in Spanien). – ↑ Eisenbahn (Gleisanlagen), ↑ Modelleisenbahn.

Spụtnik [russ., eigtl. „Weggenosse"], Name der ersten drei künstl. sowjet. Erdsatelliten; Start am 4. Okt. 1957 in der Sowjetunion. *S. 1* bestand aus einer kugelförmigen Gerätezelle (Durchmesser 0,58 m, Masse 83,6 kg) mit 4 Stabantennen für Ortungssignale von 1 W Leistung; Perigäumshöhe 228 km, Apogäumshöhe 947 km, Umlaufzeit 96,2 min, Lebensdauer 92 Tage.

Spụtum [lat.], svw. ↑ Auswurf.

Spychalski, Marian [poln. spiˈxalski], * Łódź 6. Dez. 1906, † Warschau 7. Juni 1980, poln. Politiker. – Während der dt. Besetzung Polens im 2. Weltkrieg zeitweilig Stabschef der „Volksarmee"; seit 1945 Mgl. des ZK und des Politbüros der Poln. Arbeiterpartei; 1949 als „Rechtsabweichler" aus der Partei ausgeschlossen, 1950–56 inhaftiert, 1959 wieder in ZK und Politbüro (Mgl. bis 1970) berufen; 1956–68 Verteidigungsmin.; 1968–70 Vors. im Staatsrat (Staatspräsident).

Spyri, Johanna [ˈʃpiːri], geb. Heußer, * Hirzel bei Zürich 12. Juni 1827, † Zürich 7. Juli 1901, schweizer. Schriftstellerin. – Weltweit bekannt wurden ihre Erzählungen um „Heidi" (1881; mehrfach verfilmt).

sq, Abk. für: ↑ Square.

Squalen [lat.] (Spinacen), aliphat., sechsfach ungesättigtes, aus sechs Isoprenresten bestehendes Triterpen (↑ Terpene); farblose, ölige, in vielen tier. (v. a. Haifischleberöl) und pflanzl. Ölen enthaltene Flüssigkeit. S. ist ein Zwischenprodukt bei der Biosynthese der cycl. Triterpene.

Squạmae [lat.], svw. ↑ Schuppen.

Square ... [engl. skwɛə; lat.-engl.], Abk. sq, Vorsatz vor angelsächs. Längeneinheiten zur Bez. von Flächeneinheiten, z. B. beim *Square foot* (1 sq ft = 9,288 dm²).

Square dance [engl. ˈskwɛə ˈdɑːns], nordamerikan. Volkstanz, bei dem sich 4 Paare im Quadrat („square") gegenüberstehen und nach Anweisungen eines Ansagers („caller") gemeinsam verschiedene Figuren ausführen.

Squash [engl. skwɔʃ] (Squash Racket), in einem geschlossenen Raum von 6,40 × 9,75 × 4,60 m gespieltes Rückschlagspiel, bei dem ein 24 g schwerer Vollgummiball von 4 cm Durchmesser so gegen eine

Wand zu schlagen ist, daß der Gegner den Ballwechsel nicht regelgerecht fortsetzen kann. Die Schläger ähneln Badminton- bzw. Tennisschlägern. Es werden Einzel- und Doppelspiele jeweils um 3 Gewinnsätze zu je 9 Gewinnpunkten ausgetragen, die sich (bei eigenem Aufschlag) aus Fehlern des Gegners ergeben. Der Ball darf vor dem Rückschlag höchstens einmal auf dem Boden aufschlagen, darf alle Seitenwände, jedoch nicht die untere, blechverkleidete Zone berühren.

Squaw [engl. skwɔ:; indian.], in Nordamerika unter Weißen übl. Bez. für die Indianerfrau.

Squaw Valley [engl. 'skwɔ: 'vælı], Tal in der Sierra Nevada, Kalifornien; 1 889 m ü. d. M.; 1960 Austragungsort der Olymp. Winterspiele.

Squire [engl. 'skwaıə], in Großbritannien Kurzform von ↑ Esquire.

sr, Einheitenzeichen für ↑ Steradiant.

Sr, chem. Symbol für ↑ Strontium.

SR, Abk. für: Slowakische Republik.

SRAM ↑ Halbleiterspeicher.

Šrámek [tschech. 'ʃraːmɛk], Fráňa (František), *Sobotka 19. Jan. 1877, † Prag 1. Juli 1952, tschech. Schriftsteller. – Wegen antimilitarist. Einstellung mehrmals in östr. Gefängnissen. Schrieb impressionist. Gedichte, Erzählungen, Romane und Dramen, die durch anarchist. Auflehnung gegen Konventionen und Obrigkeit sowie ungestümen Vitalismus gekennzeichnet sind; u. a. „Der silberne Wind" (R., 1910), „Der Mond über dem Fluß" (Dr., 1922).

Š., Jan, *Grygov bei Olmütz 11. Aug. 1870, † Prag 22. April 1956, tschechoslowak. Politiker. – Mgl. des Präsidiums der Tschech. Volkspartei (seit 1919); deren Repräsentant in fast allen Kabinetten der ČSR; 1940–45 Premiermin. der Exilreg. in London; danach bis zum Februarumsturz 1948 stellv. Min.präsident.

Srbik, Heinrich Ritter von ['zırbık], *Wien 10. Nov. 1878, † Ehrwald (Tirol) 16. Febr. 1951, östr. Historiker. – Prof. in Graz und Wien; 1929/30 Unterrichtsmin., 1938–45 MdR; sah sein nationalpolit. Ideal eines universalist. dt. Reiches nach 1938 verwirklicht. – *Werke:* Metternich (3 Bde., 1925–54), Dt. Einheit (4 Bde., 1935–42), Geist und Geschichte vom dt. Humanismus bis zur Gegenwart (2 Bde., 1950/51).

Sredna gora [bulgar. 'srɛdna gɔ'ra] (Antibalkan), dem Balkan südl. vorgelagertes Mittelgebirge in Bulgarien, zw. dem Isker im W und der mittleren Tundscha im O, etwa 280 km lang, bis 1 604 m hoch (Bogdan).

Sremska Mitrovica [serbokroat. 'mitrovitsa], Stadt in der zu Serbien gehörenden Wojwodina, Hauptort von Sirmien, 81 m ü. d. M., 32 000 E. Stadtmuseum (röm.

Funde), Museum kirchl. Kunst (in der Stephanskirche [17. Jh.]), Lapidarium; Zellstoff- und Papier-, Möbel- sowie Nahrungsmittelind. – Liegt an der Stelle des antiken (urspr. kelt., ab 35 v. Chr. röm.) **Sirmium;** Colonia seit dem 1. Jh. n. Chr.; Prov.hauptstadt und Kaiserresidenz in der späten Kaiserzeit; im 4. Jh. Bischofssitz; verfiel nach der Eroberung durch die Awaren (582). – Reste der röm. Stadtanlage, 4 Nekropolen.

Sremski Karlovci [serbokroat. 'ka:rlɔvtsi], Ort in der zu Serbien gehörenden Wojwodina, an der Donau, 7 000 E. Sitz des serb.-orth. Bischofs für Sirmien, orth. Priesterseminar; Mittelpunkt eines Weinbaugebiets. – Wurde nach Befreiung von osman. Herrschaft Ende des 17. Jh. durch den Zuzug des Patriarchen von Peć Sitz eines Patriarchats (1713). – ↑ Karlowitz, Friede von.

SRG, Abk. für: ↑ Schweizerische Radio- und Fernsehgesellschaft.

Sri Aurobindo Ghosh ↑ Aurobindo.

Sri Lanka

(Demokrat. Sozialist. Republik S. L.), Inselstaat im Ind. Ozean, zw. 5° 55' und 9° 50' n. Br. sowie 79° 42' und 81° 52' ö. L. **Staatsgebiet:** Umfaßt die Insel Ceylon (einschl. 22 vorgelagerter Inseln und Eilande) sowie die in der Palkstraße gelegene Insel Kachchativu. **Fläche:** 65 610 km². **Bevölkerung:** 17,6 Mill. E (1992), 268,3 E/km². **Hauptstadt:** Colombo. **Verwaltungsgliederung:** 24 Distrikte. **Amtssprachen:** Singhalesisch und Tamil. **Nationalfeiertag:** 4. Februar. **Währung:** Sri-Lanka-Rupie (S.L.Re.) = 100 Sri-Lanka-Cents (S.L.Cts). **Internationale Mitgliedschaften:** UN, Commonwealth, Colombo-Plan, WTO. **Zeitzone:** MEZ + 4½ Std.

Landesnatur: Dem ind. Subkontinent vorgelagert und von diesem durch die Palkstraße getrennt, erstreckt sich S. L. 435 km in N–S- und 225 km in W–O-Richtung. Die südl. Hälfte der Insel beherrscht das zentrale Hochland (im Pidurutalagala 2 524 m hoch), das allseits von Tiefländern und Küstenebenen umgeben wird. Die Ebenen, einschl. der Küstenebenen, sind zw. 20 und 170 km (im N) breit. Lagunenreiche Küsten charakterisieren den N, Strandseen die östl. und Nehrungen sowie Sanddünen die westl. Küstenbereiche.

Klima: S. L. hat innertrop. Äquatorialklima, gekennzeichnet durch monsunale Luftströmungen. Der SW der Insel ist immerfeucht mit zwei Niederschlagsmaxima im Mai und Okt. (durchschnittlich 2 500 mm Niederschlag). Im O fallen etwa 1 000–1 500 mm Niederschlag/Jahr. Am trockensten sind die Gebiete im äußersten NW und SO.

Sri Lanka. Übersichtskarte

Vegetation: Der für den SW typ. immergrüne trop. Regenwald ist durch den Teeanbau stark dezimiert. In den übrigen Gebieten der Insel herrschen laubabwerfende Monsunwälder vor, im NW und SO sind auch Trockenwald und Dornsavannen verbreitet.

Bevölkerung: 74% der Bev. sind Singhalesen (Tiefland-Singhalesen: rd. 44%, Kandy-Singhalesen: 30%), 18,2% Tamilen (Ceylon-Tamilen: 12,6%, Ind. Tamilen: 5,6%), 7,1% Moors (die muslim. Nachfahren arab. Seeleute und Händler) u.a. Die Urbev. bilden die Wedda (nur noch rd. 2 500). Verbreitetste Religion ist der Buddhismus (69,3%), gefolgt vom Hinduismus (15,5%); daneben gibt es 7,6% Muslime, 7,5% Christen und 0,1% Anhänger von sonstigen Religionsgemeinschaften. Der größte Teil der Bev. lebt im SW der Insel. Grundschulpflicht besteht vom 6. bis 15. Lebensjahr. Neben verschiedenen Hochschulen gibt es 9 Universitäten.

Wirtschaft: Grundlage der durch den seit 1983 anhaltenden Bürgerkrieg geschwächten Wirtschaft bilden die verstaatlichten Plantagen, deren Hauptprodukte Tee, Kautschuk und Kokosnüsse fast die Hälfte der Exporteinnahmen erbringen. S. L. ist nach Indien und China der drittgrößte Teeproduzent der Welt, in der Kautschukerzeugung steht es an 4. Stelle der Weltproduktion. Im Bergbau werden Graphit, Kaolin, Titanrohstoffe, Edel- und Halbedelsteine gewonnen. Die großen Wasserressourcen der Mahaweli Ganga werden durch Kraftwerkssysteme (ständiger Ausbau) genutzt. Zu den größten Ind.unternehmen des Landes zählen eine Erdölraffinerie, ein Stahlwerk und eine Reifenfabrik. Große Bed. besitzen auch das traditionelle Handwerk sowie der Fremdenverkehr.

Außenhandel: S. L. wichtigste Handelspartner sind die EU-Länder, die USA, Japan, China, Indien und Singapur. Exportiert werden Tee, Rohkautschuk, Kokosnußöl, Kokosnüsse, Gewürze (v. a. Zimt), Bekleidung und Schmucksteine, Erdölprodukte. Importiert werden Zucker, Weizenmehl, Reis, Textilwaren, Maschinen, Erdöl, Eisen, Stahl, Kunstdünger.

Verkehr: Nur das sw. S. L. ist durch Straßen gut erschlossen. Die Länge des Straßennetzes beträgt 25 680 km, die Streckenlänge der Eisenbahn 1 453 km (überwiegend Breitspur). Sie besitzt über die Adamsbrücke Fährverbindung mit dem südind. Schienennetz. Größte Häfen sind Colombo, Trincomalee und Galle. Internat. ✈ bei Colombo.

Geschichte: Die älteste Bev.schicht wird durch die ↑Wedda repräsentiert. Im 6. Jh. v.Chr. Einwanderung einer indoar. Volksgruppe aus N-Indien (später Selbstbez. Singhalesen), die ein Kgr. mit der Hauptstadt Anuradhapura gründete. Im 3. Jh. v.Chr. verbreiteten ind. Missionare den Buddhismus auf der Insel, die vom 2. Jh. v.Chr. bis zum 13. Jh. n.Chr. wiederholt Einfällen südind. Eroberer ausgesetzt war und immer wieder in Teilreiche zerfiel. Im 14. Jh. bildete sich ein von den singhales. Königen unabhängiges tamil. Königreich. Die 1505 auf der Insel gelandeten Portugiesen, die die westl. Küstengebiete und den N in Besitz nahmen, wurden 1656 von den Niederländern verdrängt; 1796 Eroberung durch Großbritannien. 1815 setzten die singhales. Adligen den König ab und unterstellten sein Reich in der „Konvention von Kandy" Großbritannien, das nun die gesamte Insel als Kronkolonie *Ceylon* beherrschte. Eine polit. Unabhängigkeitsbewegung, die durch den Ggs. zw. der singhales. Bev.mehrheit und der tamil. Minderheit geschwächt wurde, entfaltete sich erst nach den Unruhen von 1915.

Nach Erlangung der Unabhängigkeit (4. Febr. 1948) stellte die konservative United National Party (UNP) bis 1956 und 1965–70 den Min.präs.; dazwischen regierte die Sri Lanka Freedom Party (SLFP) unter Solomon Bandaranaike, die einen tiefgreifenden kulturellen und wirtsch. Wandel in Gang setzte. Nach Bandaranaikes Ermordung (Sept. 1959) folgte ihm seine Witwe Sirimawo Bandaranaike im Amt (1960–65, erneut 1970–77). Der Umsturzversuch der mit dem Sozialisierungstempo unzufriedenen Volksbefreiungsfront im April 1971 wurde mit ausländ. Waffenhilfe niedergeschlagen, doch gab er den Anstoß zu einem teils buddhistisch, teils marxistisch inspirierten Sozialisierungsprogramm, das zur Staatskontrolle über ökonom. Schlüsselbereiche und 1975 zur Verstaatlichung der letzten Plantagen führte. Im Mai 1972 gab sich das Land eine neue Verfassung und wurde Republik (zuvor parlamentar. Monarchie) unter dem Namen S. L. Nach dem Wahlsieg der UNP unter J. R. Jayawardene 1977 wurden repressive Gesetze aufgehoben, und es erfolgte eine beschleunigte Rückkehr zur freien Marktwirtschaft. Seit langem bestehende Spannungen zw. Singhalesen und der sezessionist. tamil. Minderheit konnten nur vorübergehend durch konstitutionelle Zugeständnisse an die Tamilen beruhigt werden. Nach der Einführung des Präsidialsystems 1977 wurde Jayawardene am 4. Febr. 1978 Präs. Nach seiner Wiederwahl im Okt. 1982 ließ er im Dez. eine Volksabstimmung durchführen, in der sich die Bev. mehrheitlich für eine Verlängerung der Legislaturperiode des Parlaments bis 1989 ohne allg. Wahlen aussprach. Um die v. a. seit 1983 eskalierten blutigen Auseinandersetzungen zw. Tamilen und Singhalesen zu beenden, schlossen Indien und S. L. 1987 ein Abkommen, das die Landung ind. Truppen vereinbarte, die die Entwaffnung tamil. Rebellen (insbes. der Liberation Tigers of Tamil Eelam) in Vorbereitung einer Teilautonomie für die Tamilen im N und O überwachen sollten. Dennoch kam es in der Folgezeit immer wieder zu Gefechten zw. tamil. Guerillaeinheiten und srilank. Streitkräften, in die die ind. Truppen hineingezogen wurden. Aus den Präsidentschaftswahlen vom Dez. 1988 ging R. Premadasa (UNP) als Sieger hervor (Amtsantritt im Jan. 1989). Die von schweren Unruhen begleiteten Parlamentswahlen im Febr. 1989 gewann die UNP; Min.präs. wurde D. B. Wijetunga. Im Juli 1989 begann Indien mit dem Abzug seiner Truppen (im März 1990 abgeschlossen) und erfüllte damit ein Ultimatum Präs. Premadasas. Nach erfolglosen Waffenstillstandsverhandlungen zw. Reg. und tamil. Separatisten (Dez. 1990/Jan. 1991) fiel nach einer neuen Offensive der Reg.truppen im März 1991 Verteidigungsmin. R. Wijeratne einem Attentat zum Opfer; im Mai 1993 kam Präs. Premadas bei einem Bombenanschlag ums Leben. Min.präs. B. Wijetunge wurde ohne Gegenkandidaten zum Präs. gewählt. Er löste Ende Juni 1994 überraschend das Parlament auf und hob für die vorgezogenen Parlamentswahlen im Aug. den seit 1991 währenden Ausnahmezustand auf. Die oppositionelle People's Alliance (PA) ging als Sieger aus den Wahlen hervor. Als Min.präsidentin wurde C. Kumaratunga bestellt, die im Nov. 1994 auch die Präsidentschaftswahlen für sich entscheiden konnte. Zur Min.präsidentin ernannte sie daraufhin ihre Mutter, S. Bandaranaike. Die von der Reg. betriebene Ausgleichspolitik mit den Bürgerkriegsparteien führte im Jan. 1995 zu einem Waffenstillstandsabkommen. **Politisches System:** Nach der Verfassung vom 7. Sept. 1978 ist S. L. eine präsidiale Republik. *Staatsoberhaupt,* Oberbefehlshaber der Streitkräfte und oberster Inhaber der *Exekutive* ist der Präsident. Er wird vom Volk für 6 Jahre gewählt (Wiederwahl ist möglich). Die *Legislative* liegt bei der Nat.versammlung (225 für 6 Jahre gewählte Mgl.). Die wichtigsten der im Parlament vertretenen *Parteien* sind die liberal-konservative United National Party (UNP), die Sri Lanka Freedom Party (SLFP) als größte Partei der aus 5 Parteien bestehenden People's Alliance (PA), Eelam Popular Democratic Party (EPDP) und die Tamil United Liberation Front (TULF), die einen unabhängigen Tamilenstaat anstrebt. Die *Gewerkschaften* sind in zahlreichen Verbänden organisiert. Die *Recht*sprechung ist durch das Nebeneinander verschiedener, historisch bzw. religiös-ethnisch bedingter Rechtssysteme gekennzeichnet. Das Straf-, Handels-, Vertrags- und Eigentumsrecht ist jedoch für ganz S. L. einheitlich am brit. Recht orientiert.

📖 *Rausch, B./Meyer, P.: S. L. und die Malediven. Wetzlar* ⁶*1991. – Wagner, C.: Die Muslime S. L. Freib. 1990. – Rupesinghe, K./Verstappen, B.: Ethnic Conflict and Human Rights in S. L. London 1989. – De Silva, K. M.: A history of S. L. Berkeley (Calif.) 1981.*

Srinagar, Hauptstadt des ind. Bundesstaates Jammu and Kashmir, am Jhelum, 1 893 m ü. d. M., 610 000 E. Univ. (gegr. 1969), Wirtschafts- und Handelszentrum mit berühmtem Handwerk: Seiden-, Silber-, Kupfer-, Papier-, Leder-, Woll- und Holzarbeiten sowie Teppichknüpferei. – S. wurde im 6. Jh. als Hauptstadt von Kaschmir gegründet. – Maler. Stadtbild mit Moscheen, buddhist. und hinduist. Tempeln und Klöstern; Basare. Holzhäuser mit reich geschnitzten Lauben.

Sriwijaya [indones. sriwi'dʒaja], indones. Reich, † Indonesien (Geschichte).

SRP, Abk. für: ↑Sozialistische Reichspartei.

SS, Abk. für: ↑Schutzstaffel.

◆ ↑Dampfschiff.

SSD, Abk. für: ↑Staatssicherheitsdienst.

ssp., Abk. für lat.: Subspecies (svw. ↑Unterart).

SSR, Abk. für: Sozialistische Sowjetrepublik.

Ssu-ma Ch'ien (Se-ma Tsien), chin. Hofastrologe und Geschichtsschreiber, ↑Sima Qian.

SSW, Abk. für: ↑Südschleswigscher Wählerverband.

Staat [zu lat. status „das Stehen, Stellung, Zustand; Stand"], Vereinigung einer Vielheit von Menschen innerhalb eines abgegrenzten geograph. Raumes unter einer souveränen Herrschaftsgewalt. Der Begriff erscheint im 15. Jh. erstmals bei Machiavelli, seit Ende des 18. Jh. ist er auch im dt. Sprachbereich üblich. – Das **Staatsvolk** bildet die Gesamtheit der durch dieselbe Staatsangehörigkeit verbundenen Mgl. eines S. (National-S.), manchmal mehrere Nationen umfassend (Nationalitäten-S.). Das **Staatsgebiet** ist der geograph. Raum (einschließlich des Luftraums darüber und den Eigen- und Küstengewässern), in dem der S. seine Herrschaftsrechte ausübt. – Die **Staatsgewalt** ist die Herrschaftsmacht des S. über sein Gebiet und über die auf ihm befindlichen Personen sowie über die eigenen Staatsangehörigen. – Die **Staatsorgane** sind alle Personen, Körperschaften und Behörden, die im Namen und in Vollmacht des S. kraft eigener Zuständigkeit an der Ausübung der Staatsgewalt teilnehmen. – ↑Gewaltentrennung.

Staatsformen: Im MA waren die öff. Aufgaben auf verschiedenste, mit je eigenen Rechten ausgestattete Amtsträger aufgeteilt. Da Person und von ihr ausgeübte öff. Herrschaft sowie privates und öff. Recht noch nicht getrennt waren, wurden die Stellung in der Hierarchie und die Ämter einer Person als rechtlich garantiertes und ihr zustehendes Eigentum angesehen. Diese ma. Form wird **Personenverbandsstaat** im Ggs. zum modernen **Flächenstaat** genannt. – Die allg. S.lehre unterscheidet heute die Idealtypen ↑Monarchie und ↑Republik. – Nach der Ausübung staatl. Hoheitsgewalt oder nach der Führungsgruppe unterscheidet man folgende **Regierungsformen:** den ↑Absolutismus, den ↑Feudalismus, den ↑Ständestaat, den ↑Parlamentarismus und das ↑Präsidialsystem. Die modernen westl. Demokratien kennen parlamentar. und präsidiale Verfassungen sowie verschiedene Mischformen; ihnen gemeinsam ist die Einbeziehung von Parteien bei der Repräsentation (sog. **Parteienstaat**). Parteien-S. können danach unterschieden werden, ob mehrere Parteien mit wechselnden Koalitionen die Macht anstreben (**Mehrparteienstaat**) oder ob es zwei Parteien sind, von denen jeweils eine Reg.- und die andere Oppositionspartei ist (**Zweiparteienstaat**). In Diktaturen wird häufig nur eine einzige Partei zugelassen (**Einparteienstaat**), bzw. andere Parteien stehen unter der Hegemonie der führenden Partei. Weiterhin werden **zentral verwaltete Staaten** (alle Entscheidungen werden von den obersten S.organen in der Hauptstadt getroffen, wie z. B. in Frankreich) und **föderative Staaten** unterschieden: Nur bestimmte Aufgaben (z. B. Außen- und Sicherheitspolitik) werden von der Reg. des **Gesamtstaates** wahrgenommen, während andere Aufgaben von der Reg. der **Gliedstaaten** (Länder) selbständig oder zugewiesen erfüllt und von Landesparlamenten kontrolliert werden. – Im 19. Jh. kam der Begriff des ↑Rechtsstaats, im Laufe des 20. Jh. der des ↑Sozialstaats auf; vom Sozialstaat zu unterscheiden ist der ↑Wohlfahrtsstaat.

Als **Staatswissenschaften** gelten 1. die **allg. Staatslehre,** die als typologisierende und erklärende Wiss. von den Erscheinungsformen staatl. Gebilde Methoden und Erkenntnisse aus den Gebieten der Philosophie, Soziologie, Nationalökonomie, Rechtswiss. und Geschichte vereinigt; 2. die Politologie (↑Politik); 3. die **rechtswiss. Staatslehre,** die v. a. verfassungsrechtl. Normen analysiert; 4. die **Staatssoziologie,** die v. a. Verfassungsnormen und -wirklichkeit vergleicht, indem sie Funktionen des S. als Ordnungsmacht, Herrschaftsorganisation und gesellschaftl.-polit. Integrationsform überprüft.

Gegenstand der **Staatsphilosophie** oder **Staatstheorie** ist die Reflexion über Wesen, Aufgabe, Zweck und eth. Berechtigung des S. sowie über dessen Prinzipien und Formen. – Als Exponenten der antiken S.philosophie sind einerseits Sokrates, Platon und Aristoteles zu nennen, andererseits die Philosophen der ↑Stoa. Die S.philosophie des MA geht von der ↑Zweigewaltenlehre sowie von der Frage nach dem gerechten Herrscher und später nach dem Gottesgnadentum aus. Die bes. von Luther und Calvin vertretene reformator. S.philosophie verknüpft die Zweigewaltenlehre mit der Anerkennung der weltl. Obrigkeit (↑Zweireichelehre); im Rahmen der Reformation begründeten G. Buchanan und F. Hotmann später die Lehre vom Widerstandsrecht. – Die S.philosophie der Aufklärung ist an der Naturrechtslehre orientiert und betont die Bedeutung der Vertragstheorien (↑Naturrecht, ↑Gesellschaftsvertrag). – Zur Zeit des dt. Idealismus betont die S.philosophie, daß sich der S. vom Zwangsstaat zum Rechtsstaat entwickeln müsse sowie den Weg zum Völkerbund von Staaten zu garan-

tieren habe (Kant, J. G. Fichte, Hegel). – Die S.philosophie des histor. Materialismus (Marx, Engels) propagiert die Lehre vom Klassenkampf, der Revolution und der klassenlosen Gesellschaft. – Grundsätzlich gibt es in der Neuzeit drei Positionen: die Ablehnung des Staates (u. a. F. Nietzsche, M. Bakunin), seine Anerkennung innerhalb bestimmter Grenzen seiner Wirksamkeit (u. a. W. von Humboldt) sowie die Verabsolutierung des Staatlich-Politischen (Marchiavelli, T. Hobbes, C. Schmitt). – Im Rahmen der humanitären Tradition der S.philosophie steht bis heute der Rechtsstaat im Mittelpunkt der verschiedensten Theorien.
📖 *Bockenförde, E. W.: Recht, S., Gesch. Ffm. 1991. – Zippelius, R.: Gesch. der S.idee. Mchn. ⁷1990. – Kriele, M.: Einf. in die S.lehre. Wsb. ⁴1990. – Zippelius, R.: Allg. Staatslehre. Mchn. ¹⁰1988. – Cassirer, E.: Der Mythus des S. Mchn. 1978.*

staatenbildende Insekten, svw. ↑soziale Insekten.

Staatenbund, svw. ↑Konföderation.

Staatenflandern (niederl. Staatsvlaanderen) ↑Seeland (Geschichte).

Staatenlose ↑Staatsangehörigkeit.

Staatensukzession (Staatennachfolge), die Nachfolge eines Staates (Nachfolgestaat) in die Rechte und Pflichten eines anderen Staates (Vorgängerstaat), als Folge des Wechsels der Identität und der Durchbrechung der ↑Kontinuität eines Staates (z. B. Aufteilung eines Staates oder Vereinigung mit einem anderen, Annexion).

Staatliche Porzellan-Manufaktur Meißen, ältester Porzellanproduzent Europas, gegr. 1710 (J. F. ↑Böttger; ↑Meißner Porzellan). Die S. P.-M. M. war bis 1831 in königl. Besitz, bis 1945 Eigentum des Staates bzw. Landes Sachsen, 1945–50 SAG, bis 1991 volkseigener Betrieb; dann kurzfristig der Treuhandanstalt unterstellt. Seit 1991 im Besitz des Freistaats Sachsen. Der Manufaktur ist eine eigene Zeichenschule (seit 1764) und eine museumsähnl. Schauhalle angegliedert.

Staatsakt, 1. rechtswirksame Handlung eines Staatsorgans (↑Staat); 2. feierl. Veranstaltung, die aus bes. Anlässen vom Staat vorgenommen wird.

Staatsangehörigkeit, Rechtsverhältnis eine natürl. Person zu einem Staat, aus dem Rechte (z. B. Wahlrecht) und Pflichten (z. B. Wehrpflicht) folgen. Für den Erwerb der S. gilt grundsätzlich entweder das Abstammungsprinzip (jus sanguinis „Recht des Blutes") – so im dt. Recht – oder das Territorialitätsprinzip (jus soli „Recht des Bodens"). Zu einer Doppel-S. kann es kommen, wenn jemand die Voraussetzungen für die S. in mehreren Staaten erfüllt. Personen, die die Voraussetzungen für die S. in keinem Staat

erfüllen, sind **Staatenlose,** die dem Ausländerrecht des Aufenthaltsstaates unterliegen. In Deutschland ist das Recht der S. im Reichs- und StaatsangehörigkeitsG vom 22. 7. 1913 geregelt. Danach wird die dt. S. erworben durch Geburt, Legitimation, Annahme als Kind oder durch Einbürgerung. Der Verlust der dt. S. tritt ein durch „Entlassung aus der S." auf Antrag des Betroffenen, durch Verzicht, Erwerb einer ausländ. S. oder Annahme als Kind durch einen Ausländer. Nach Art. 16 GG darf die dt. S. nicht zwangsweise entzogen (aberkannt) werden, d. h. darf eine Ausbürgerung nicht erfolgen. Der Verlust der S. darf nur auf Grund eines Gesetzes und gegen den Willen des Betroffenen nur dann eintreten, wenn dieser dadurch nicht staatenlos wird (Art. 16 Abs. 1 Satz 2 GG). In Österreich besteht nach Art. 6 B-VG eine einheitl. Staatsbürgerschaft. Erwerb (Abstammungsprinzip) und Verlust der S. sind im StaatsbürgerschaftsG 1985 ähnlich dem dt. Recht geregelt. – In der Schweiz gilt gleichfalls das Abstammungsprinzip; die S. setzt sich aus dem ↑Schweizer Bürgerrecht, dem ↑Kantonsbürgerrecht und dem ↑Gemeindebürgerrecht zusammen.
📖 *Hecker, H.: Die Behandlung von S.fragen im Dt. Bundestag seit 1949. Baden-Baden 1990.*

Staatsanleihen, Anleihen des Bundes, der Länder und der Sondervermögen des Bundes (Dt. Bundesbahn und Dt. Bundespost). S. sind ohne Prospekt bei jeder Börse zum amtl. Handel zugelassen.

Staatsanwalt ↑Staatsanwaltschaft.

Staatsanwaltschaft, selbständiges, vom Gericht unabhängiges Rechtspflegeorgan bei den ordentl. Gerichten. Als Strafverfolgungsbehörde obliegt der S. die Leitung des ↑Ermittlungsverfahrens, Erhebung und Vertretung der Anklage sowie die Strafvollstreckung. In Ordnungswidrigkeiten sowie in bestimmten Zivilsachen (z. B. Todeserklärungen) hat sie ein Mitwirkungsrecht. Sie ist eine hierarchisch aufgebaute Justizbehörde (Verwaltungsbehörde) und als solche weisungsgebunden. Das Amt der S. wird ausgeübt: beim Bundesgerichtshof durch den Generalbundesanwalt und Bundesanwälte, bei den Oberlandesgerichten durch den Generalstaatsanwalt und Staatsanwälte, bei den Landgerichten durch den (leitenden) Oberstaatsanwalt und Staatsanwälte und bei den Amtsgerichten durch Staatsanwälte oder ↑Amtsanwälte. Der einzelne Staatsanwalt ist an Weisungen des Vorgesetzten gebunden. Das Weisungsrecht findet jedoch insbes. seine Grenze im ↑Legalitätsprinzip; es kann i. d. R. nur in Ermessensfragen und zweifelhaften Rechtsfragen ausgeübt werden.
In Österreich gilt eine entsprechende organisator. und funktionelle Regelung. Den Ge-

richtshöfen erster Instanz ist ein Staatsanwalt, den Gerichtshöfen zweiter Instanz ein Oberstaatsanwalt und dem Obersten Gerichtshof ein **Generalprokurator** (unmittelbar dem Bundesmin. der Justiz unterstellt) zugeordnet. – In der *Schweiz* sind Aufgaben und Befugnisse der S. kantonal verschieden geregelt. Die Bundesanwaltschaft führt die Ermittlung bei Delikten, die von Bundes wegen verfolgt werden und vertritt die Anklage vor den Bundesstrafgerichten.

Staatsaufsicht, die Aufsicht von Bund oder Ländern über nichtstaatl., aber rechtsfähige öff. Verwaltungseinheiten, wie insbes. Körperschaften, Anstalten und Stiftungen des öff. Rechts, sowie über gesetzlich bestimmte Unternehmen von öff. Bed. (z. B. Banken-, Versicherungsaufsicht). Die S. beschränkt sich gegenüber Verwaltungseinheiten mit dem Recht der Selbstverwaltung (insbes. Gemeinden und Gemeindeverbände) im allg. auf die Rechtsaufsicht. Nur soweit staatl. Auftragsangelegenheiten wahrgenommen werden, schließt die S. die Fachaufsicht ein.

Staatsausgaben, svw. öff. Ausgaben (↑ Haushalt).

Staatsbanken, öff.-rechtl. Kreditinstitute mit eigener Rechtspersönlichkeit und eigenem Vermögen; sie sind im allg. mit Sonderrechten ausgestattet. Heute sind S. i. d. R. als Universalbanken tätig und werden nach kaufmänn. Grundsätzen geleitet.

Staatsbankrott, Unfähigkeit des Staates, eingegangenen Verpflichtungen zur Zins- und Schuldenrückzahlung weiterhin nachkommen zu können; wird in der Gegenwart bei hochverschuldeten Entwicklungsländern meist über Umschuldungsabkommen aufgefangen.

Staatsbibliothek Preußischer Kulturbesitz, Staatsbibliothek in Berlin, entstanden aus den in Westdeutschland im 2. Weltkrieg ausgelagerten Beständen der Preuß. Staatsbibliothek. – ↑ Bibliotheken (Übersicht).

Staatsbürger, i. e. S. die Staatsangehörigen eines Staates (↑ Staatsangehörigkeit), die alle polit. Rechte und Pflichten besitzen; i. w. S. alle Staatsangehörigen eines Staates, unabhängig davon, ob ihnen polit. Rechte und Pflichten zustehen.

Staatsbürger in Uniform, in Deutschland Leitbild soldat. Erziehung und soldat. Handelns nach den Grundsätzen der ↑ inneren Führung; wendet sich gegen Drill und absoluten Gehorsam. Der Soldat behält seine Bürgerrechte, insbes. sein Wahlrecht.

Staatsbürgerkunde, seit 1871 Teilbereich des Geschichtsunterrichts, während der Weimarer Republik und in der DDR eigenständiges Unterrichtsfach, in dem die Schüler zu staatspolit. Verständnis und Handeln erzogen werden sollten; heute integriert in die Unterrichtsfächer ↑ Gemeinschaftskunde, ↑ Gesellschaftslehre, ↑ Sozialkunde.

Staatsexamen (Staatsprüfung), i. w. S. Bez. für jede nach einem staatlich geregelten Verfahren mit staatlich bestellten Prüfern durchgeführte Abschlußprüfung; i. e. S. Bez. für eine Prüfung, die die Voraussetzung für die Zulassung zu bestimmten akadem. Berufen (z. B. Jurist, Arzt, Apotheker, Lehrer) ist, wobei i. d. R. das *Erste S.* (theoret. Prüfung) das Hochschulstudium und das *Zweite S.* (prakt. Prüfung) den Vorbereitungsdienst (für Ärzte und Apotheker ↑ Approbation) abschließt.

staatsfeindliche Hetze, Straftatbestand des polit. Strafrechts der DDR (§ 106 StGB), stellte als Verbrechen „Angriffe gegen die verfassungsmäßigen Grundlagen der sozialist. Staats- und Gesellschaftsordnung z. B. durch Diskriminierung der gesellschaftl. Verhältnisse, der Repräsentanten u. a. Bürger wegen deren staatl. oder gesellschaftl. Tätigkeit" unter Strafe; diente der Kriminalisierung jegl. krit. Meinungs- und Willensbekundung. – ↑ Boykotthetze.

Staatsflagge, im Unterschied zur Nationalflagge eine nur bes. Behörden zustehende Flagge.

Staatsforst (Staatswald), Wald in Staatseigentum, der von Forstbehörden beaufsichtigt, verwaltet und bewirtschaftet wird. In Deutschland werden *Bundesforsten* und *Landesforsten* unterschieden.

Staatsgebiet ↑ Staat.

Staatsgefährdung, svw. ↑ Rechtsstaatsgefährdung.

Staatsgeheimnis, Tatsachen, Gegenstände oder Erkenntnisse, die nur einem begrenzten Personenkreis zugänglich sind und vor einer fremden Macht geheimgehalten werden müssen, um die Gefahr eines schweren Nachteils für die äußere Sicherheit der BR Deutschland abzuwenden (§ 93 StGB). Der Verrat von S. wird als Landesverrat geahndet.

Staatsgerichtshof, Bez. für die Verfassungsgerichte der Länder Baden-Württemberg, Bremen, Hessen und Niedersachsen.

Staatsgewalt, Herrschaftsmacht des Staates über sein Gebiet und die auf ihm befindl. Personen *(Gebietshoheit)* sowie über die eigenen Staatsangehörigen *(Personalhoheit).* Die S. ist wesentl. Merkmal des Staates (↑ Souveränität). Mit Hilfe der S. setzt der Staat die geltende Rechtsordnung durch. Hierfür steht ihm das Monopol der Anwendung phys. Gewalt *(Gewaltmonopol)* zu. Nach außen ist die S. durch das Völkerrecht oder internat. Verträge, nach innen durch die Grundrechte der Staatsbürger begrenzt.

Staatsgrenze, völkerrechtlich verbindl. und anerkannte Grenze eines Staatsgebietes, die zw. Nachbarstaaten vertraglich oder im Falle einer Seegrenze durch nat. Gesetzgebung festgelegt wird.

Staatshaftung ↑ Amtshaftung.

Staatshandelsländer, Bez. für Länder mit staatl. Außenhandelsmonopol, insbes. für die Länder mit kommunist. Zentralverwaltungswirtschaft.

Staatshaushalt, svw. ↑ öffentlicher Haushalt.

Staatskanzlei, in der *Schweiz* der Bundeskanzlei entsprechende Kantonsbehörde; in den meisten Ländern der *BR Deutschland* das Büro des Min.präs. (Ausnahme Baden-Württemberg: Staatsministerium).

Staatskanzler, ehem. Amtsbez.; 1. in *Preußen* 1810–22 Titel Hardenbergs als Reg.-chef; die Nachfolger führten den Titel Kabinettsmin. bzw. (ab 1848) Min.präs.; 2. in *Österreich* Amtsbez. für den Leiter der Geheimen Haus-, Hof- und Staatskanzlei, 1918/19–20 und von April–Dez. 1945 für den Reg.chef.

Staatskapitalismus, Wirtschaftsform, bei der der Staat eigene Betriebe bildet, private Betriebe erwirbt oder sich an privaten Betrieben beteiligt. – Historisch entstand die Bez. S. in polem. Auseinandersetzung liberaler Wirtschaftspolitiker mit dem Auftreten des Staates als gewerbl. Unternehmer. In diesem Sinne wurde der Begriff S. zeitweilig synonym für Sozialisierung gebraucht, bei Lenin im Sinne von Verstaatlichung der privaten Produktion und der damit verbundenen Verschmelzung der Wirtschaft mit der Macht des Staates. Nach dem 2. Weltkrieg trat die Bezeichnung S. hinter dem leninist. Begriff **staatsmonopolist.** Kapitalismus (Stamokap) zurück, mit dem eine Entwicklungsphase des Kapitalismus bezeichnet wird, die durch eine Verflechtung der Macht der Monopole mit der des Staates zu einem einzigen Mechanismus gekennzeichnet sein soll. – Die Rezeption der Theorie des Stamokap durch Teile der Jungsozialisten in den 1970er Jahren führte zu heftigen innerparteil. Auseinandersetzungen.

Staatskirche, die innerhalb der Grenzen eines Staates einzige oder vorherrschend als Kirche anerkannte Religionsgemeinschaft (z. B. in Großbritannien, Spanien, skand. und lateinamerikan. Ländern). Die Wurzeln der S. liegen in der antiken polit. Religiosität, die auf der Einheit von Religion und Reich beruhte (Cäsaropapismus). – Gegen ein vollständiges Aufgehen der röm.-kath. Kirche in den Nationalstaaten wehrte sich der Zentralismus des Papsttums. Die Reformation suchte eine klare Trennung von geistl. und weltl. Gewalt zu erreichen. Die Benennung

der Landesherren als Bischöfe (Summepiskopat) schuf jedoch in den reformator. Ländern ein ausgesprochenes ↑ Staatskirchentum.

Staatskirchenrecht, Bez. für das Rechtsgebiet, dessen Einzelnormen als Teil der staatl. Rechtsordnung die bes. Beziehungen zw. dem Staat und den Religionsgesellschaften auf der Basis des öffentl. Rechts regeln (in der kath. Kirche im Konkordat, in den ev. Kirchen in Kirchenverträgen), das die inneren Angelegenheiten der Religionsgesellschaften jedoch nicht berührt.

Staatskirchentum, Bez. für ein kirchenpolit. System, wie es sich nach antiken und [spät]ma. Vorformen in Europa vom 16. bis 18. Jh. im Zusammenhang mit Reformation, Gegenreformation und Absolutismus herausbildete. Im S. bilden die einzige bzw. vorrangig zugelassene Kirche und der Staat eine Gesamtkörperschaft. Die Staatskirche ist Staatsanstalt. i. d. R. mit dem Staatsoberhaupt als höchstem kirchl. Würdenträger; der Staat übt – über das Gremium des *Geistlichen Rats* – die Gesetzgebung für die Kirche aus. Mit der Säkularisierung des Staates, bes. seit der Frz. Revolution, wurde das S. überwunden. Im Art. 137 Weimarer Reichsverfassung (gemäß Art. 140 Bestandteil des GG) wird festgestellt, daß eine Staatskirche in Deutschland nicht besteht, ohne damit jedoch jede institutionelle Verbindung zw. Staat und Kirche auszuschließen.

Staatslehre ↑ Staat.

Staatsminister, in früheren Monarchien die in der Staatsverwaltung tätigen Min., dann ein Min., der kein bestimmtes Ressort verwaltet (Min.präs., Premiermin., Min. ohne Portefeuille); in Bayern und Sachsen der Leiter eines Ministeriums; in Deutschland seit 1973 auch Amtsbez. parlamentar. Staatssekretäre.

Staatsmonopol (staatl. Monopol), mit Wettbewerbsausschluß privater Unternehmer verbundene Form des ↑ Monopols, bei der eine Tätigkeit, die an sich auch Privatunternehmen ausüben könnten, ausschließlich staatl. Verwaltung vorbehalten ist. – In Deutschland bestehen S. u. a. für einen Teil der Tätigkeiten der Post *(Postmonopol),* für die Ausgabe von Banknoten (*Banknotenmonopol* seit 1935), für die ↑ Arbeitsvermittlung der Bundesanstalt für Arbeit. – ↑ Finanzmonopol.

staatsmonopolistischer Kapitalismus, Abk. Stamokap, ↑ Staatskapitalismus.

Staatsnation ↑ Nation.

Staatsnotstand, ein Zustand drohender Gefahr für den Bestand oder die öff. Sicherheit und Ordnung des Staates, der nicht mehr mit den von der Verfassung für den Normalfall vorgesehenen Mitteln bewältigt werden kann. – Zur Bewältigung des S.

wurde das GG durch die Notstandsverfassung († Notstand) ergänzt.

Staatsoberhaupt, der oberste Repräsentant des Staates, der den jeweiligen Staat auch völkerrechtlich vertritt.

Staatsphilosophie † Staat.

Staatspräsident, allg. übl. Bez. (in verschiedenen Ländern auch offizielle Amtsbez.) für das Staatsoberhaupt einer Republik, das i. d. R. direkt vom Volk oder vom Parlament gewählt wird. Für die BR Deutschland † Bundespräsident.

Staatsprüfung, svw. † Staatsexamen.

Staatsquallen (Röhrenquallen, Siphonophora), Ordnung mariner Nesseltiere (Klasse Hydrozoen) mit rd. 150 Arten; glasartig durchscheinend, oft schimmernd bunt gefärbt; bilden wenige Zentimeter bis über 3 m lange, freischwimmende Kolonien, am oberen Teil mit Schwimmglocken, die übrigen (unteren) Individuen sind nach ihrer Funktion unterschiedlich ausgebildet, z. B. Nährpolypen, Deckstücke (Schutzfunktion), Geschlechtstiere und *Palponen* (mundlos, v. a. der intrazellulären Verdauung dienend); das Nesselgift mancher Arten ist auch für den Menschen gefährlich.

Staatsräson [rɛ'zõ:], der Grundsatz, daß die Verwirklichung des Staatswohls, der Machterhaltung und -erweiterung Maßstab und Handeln staatl. Handelns seien. V. a. im Absolutismus von bes. Bed.; geht auf die von Machiavelli aufgestellte Lehre zurück, daß der Staat die zu seiner Selbsterhaltung notwendige Macht ohne Rücksicht auf Recht oder Moral wahren müsse. Das Prinzip der S. wurde schon früh (z. B. von G. Botero, dann von den neuzeitl. Naturrechtslehrern) kritisiert; wich im 19. Jh. zunehmend der † Realpolitik.

Staatsrat, Kollegialorgan auf der obersten Ebene eines Staates mit unterschiedl. Aufgaben und Kompetenzen; entwickelte sich aus der im MA in verschiedenen europ. Ländern ausgebildeten Institution des Consilium status („Staatsrat"); bestand seit dem 19. Jh. nur noch in einzelnen Ländern mit vorwiegend beratenden Funktionen fort (Österreich bis 1848, Großbritannien ist heute [Privy Council]). – In der *Schweiz* führen die Reg. mehrerer Kantone die Bez. S.; in den skand. Ländern und in China heißt das Min.kollegium Staatsrat. – In der *DDR* war der S. 1960–90 ebenso wie in einer Reihe anderer kommunist. Staaten das kollektive Staatsoberhaupt.

Staatsrecht, der Teil des † öffentlichen Rechts, der die rechtl. Grundordnung eines Staates zum Gegenstand hat. Das S. regelt insbes. Organisation, Aufbau und Befugnisse der Staatsgewalt und das Grundverhältnis zw. Staat und Bürgern. Es ist weitgehend mit dem **Verfassungsrecht** identisch, da die Verfassung die (schriftlich) festgelegte rechtl. Grundlage eines bestimmten Staates darstellt.

Staatsreligion, die von einem Staat (z. B. Griechenland, Spanien, arab. Staaten) in seinem Territorium ausschließlich anerkannte oder bevorzugte Religion. Im Unterschied zu einer förml. Staatskirche ist die S. jedoch vom Staat nicht direkt beeinflußt oder gar mit diesem identisch.

Staatsschutzdelikte, Delikte gegen den Bestand und die verfassungsmäßigen Einrichtungen des Staates, z. B. Friedens-, Hoch- und Landesverrat, Rechtsstaatsgefährdung, Gefährdung der Landesverteidigung, Verschleppung und polit. Verdächtigung. Für die Aburteilung von S. ist bei den Landgerichten, in deren Bezirk ein Oberlandesgericht seinen Sitz hat, eine Sonderstrafkammer, die Staatsschutzkammer, eingerichtet.

Staatssekretär, seit 1919 in Deutschland Bez. für den nach dem Min. ranghöchsten Beamten eines Ministeriums. Neben dem beamteten S., die den Min. außer in Reg.geschäften in allen Ressortfragen vertreten, gibt es in der BR Deutschland seit 1967 auch das Amt der parlamentar. Staatssekretärs.

Staatssekretariat (Päpstl. Sekretariat, Secretaria Status seu Papalis), Behörde der röm. † Kurie.

Staatssicherheitsdienst, Abk. SSD, auch Stasi, polit. Geheimpolizei der DDR; 1950 als Ministerium für Staatssicherheit (MfS) gegr., praktisch aber bereits durch Bildung der Kommissariate 5 (K 5) der Volkspolizei seit 1945 tätig; 1953–55 als Staatssekretariat dem Innenministerium unterstellt; seit 1955 wieder als MfS selbständig und nur der SED-Führung verantwortlich; 1957–Nov. 1989 unter Leitung von E. † Mielke. Während der Amtszeit von E. Honecker erfolgte ein extensiver Ausbau des S. (1989 etwa 85 000 hauptamtl. und über 100 000 inoffizielle Mitarbeiter [IM]). Geheime Offiziere im bes. Einsatz (OibE) waren u. a. in den Ministerien, Außenhandelseinrichtungen und Abteilungen Inneres der Räte der Bezirke und Kreise eingesetzt. Die Aufgaben des S. bestanden im Schutz der bestehenden Gesellschafts- und Staatsordnung, in der Überwachung von Bev., Betrieben und Verwaltung, in der Bekämpfung von Spionage und Sabotage sowie in der Nachrichtenbeschaffung aus dem Ausland („Hauptverwaltung Aufklärung", Abk. HVA, geschätzt 4 300 Mitarbeiter und 5 000 Spione in den alten Bundesländern). Die Bekämpfung „jeder staatsfeindl. Tätigkeit" äußerte sich zunehmend in der Unterdrückung oppositioneller Tätigkeit im Land, in der flächendeckenden Bespitzelung der Bev., in restriktiven Maßnahmen gegenüber Anders-

61   **Staat und Kirche**

denkenden, in offenem Terror. Anfang 1990 wurde bekannt, daß der S. seit Ende der 70er Jahre Internierungslager für Systemgegner geplant hatte. Eine Serie von Festnahmen lange gesuchter mutmaßl. Mgl. der Vereinigung „Rote-Armee-Fraktion" (RAF) in der DDR im Juni 1990 offenbarte enge Kontakte des S. zu internat. gesuchten Terroristen. Ende 1989 wurde der S. zunächst umgewandelt in ein Amt für Nat. Sicherheit (AfNS), nach heftigen Protesten der Opposition (u. a. Besetzung von Dienststellen, zuerst [4. Dez. 1989] in Leipzig und Erfurt, zuletzt [15. Jan. 1990] der Zentrale in Berlin) schließlich unter Kontrolle von Bürgerkomitees und (seit Juni 1990) eines Sonderausschusses der Volkskammer (Leiter Joachim Gauck [* 1940]) aufgelöst. – Am 3. Okt. 1990 übernahmen die Sonderbeauftragte der Bundesreg. für die Verwaltung der Stasi-Akten (J. Gauck) und seine Behörde (kurz „Gauck-Behörde" gen.) die Verantwortung für die Aufbewahrung und Sicherung der hinterlassenen Unterlagen und Dateien des S.; am 18. Dez. 1990 wurde eine vorläufige Benutzerregelung zur eingeschränkten Akteneinsicht erlassen. Die Abg. und Mitarbeiter des öff. Dienstes in den neuen Bundesländern wurden auf eine frühere Mitarbeit in S. überprüft. Verschiedene Politiker der DDR und der neuen Länder mußten wegen der erwiesenen Zusammenarbeit mit dem S. zurücktreten. Über den Umgang mit den **Stasi-Akten** (darunter etwa 6 Mill. personenbezogene Akten) wurde das „Stasi-Unterlagen-Gesetz" vom 20.12.1991 erlassen, das jedem einzelnen seit dem 1. Jan. 1992 (nach erfolgter Antragstellung) das Recht auf Einsichtnahme in seine personenbezogenen Unterlagen gewährt. ⌑ *Stasi intern. Macht und Banalität. Hg. v. Leipziger Bürgerkomitee zur Auflösung des MfS/AfNS. Lpz. 1991. – Worst, A.: Das Ende eines Geheimdienstes Bln. 1991. – Fricke, K. W.: Die DDR-Staatssicherheit. Köln ³1989.*

Staatssprache, die offizielle Sprache eines Staates. Die Festlegung einer S. stellt eine polit. Entscheidung gegenüber der v. a. verwaltungstechn. Bestimmung der ↑Amtssprache dar. In neuerer Zeit wurde in selbständig gewordenen ehemaligen Kolonien häufig die Sprache des früheren Mutterlandes als Amtssprache beibehalten, die Sprache [eines Teils] der Bevölkerung als S. festgelegt.

Staatsstreich (frz. coup d'état), verfassungswidriger Umsturz durch einen (im Ggs. zum Putsch) bereits etablierten Träger eines Teils der Staatsgewalt (z. B. Präs., Militärbefehlshaber), um die gesamte staatl. Macht oder Teilvollmachten anderer Gewalten zusätzlich zu übernehmen.

Staatssymbole, urspr. Zeichen des Herrschers, die ihn von anderen Menschen abheben sollten und deren Besitz oder Anwendung häufig Voraussetzung legitimer Herrschaft war. Neben bestimmten Gesten, Bräuchen (z. B. Ritus der Thronsetzung, Hofzeremoniell), Zeichen der Verehrung (Proskynese) und Sitzen (Thron) hatten im Hl. Röm. Reich die Reichsinsignien bes. Bed. als Herrschaftszeichen. Die modernen Staaten haben an ihre Stelle bestimmte Hoheitszeichen (Staatswappen, Nationalflaggen) gesetzt.

Staatstheorie, theoret. Annahmen über Wesen, Wert, Zweck und Funktion staatl. Macht. – ↑Staat.

Staatsverträge, Vereinbarungen zw. Staaten über völkerrechtl. Rechte und Pflichten sowie zur Regelung der internat. Beziehungen und Zusammenarbeit. – In *Deutschland* werden S. gemäß dem GG vom Bundespräs. im Namen des Bundes durch Unterzeichnung der S. *(Ratifikation)* geschlossen, nachdem bevollmächtigte Unterhändler der jeweiligen Regierungen den Inhalt der S. ausgehandelt und in einer Vertragsurkunde festgelegt haben *(Paraphierung)*. Soweit die S. polit. Beziehungen des Bundes regeln oder sich auf Gegenstände der Bundesgesetzgebung beziehen, bedürfen sie der *Transformation,* d. h., daß das Parlament S. durch Gesetz billigen muß. Auch Vereinbarungen zw. Bundesländern, die über bloße Verwaltungsabkommen hinausgehen, stellen S. dar. Sie bedürfen nach Landesverfassungsrecht generell der Zustimmung durch den Gesetzgeber. – Zu den Festlegungen des Einigungsvertrages über völkerrechtl. Verträge der BR Deutschland und der DDR ↑völkerrechtliche Verträge. – In *Österreich* ist der Abschluß aller S. dem Bund bzw. der Bundespräs. vorbehalten. Polit. S. bedürfen der Genehmigung des Nat.rates. – Auch in der *Schweiz* steht das Recht zum Abschluß von S. allein dem Bund zu. Soweit der Bund von seiner Kompetenz keinen Gebrauch macht, können die Kantone über Gegenstände des kantonalen Gesetzgebungsbereichs S. abschließen, die zu ihrer Wirksamkeit jedoch der Genehmigung des Bundesrats bedürfen.

Staatswissenschaften ↑Staat.

Staat und Kirche, Kurzformel zur Bez. des Verhältnisses der zwei in sich unabhängig und doch in vielem aufeinander bezogenen „Mächte" Staat und Kirche, bei dessen Untersuchung und Beschreibung v. a. theolog., jurist. und polit. Fragestellungen im Vordergrund stehen. Die Grundlage für die gegenwärtige Regelung des Verhältnisses von S. u. K. in Deutschland bildet Art. 140 GG in Verbindung mit den Art. 136–138 und 141 der Weimarer Reichsverfassung. Hier wird zw. Religionsgemeinschaften, die Körperschaften des

öff. Rechts sind, und solchen, die es nicht sind, unterschieden. Zu den öffentlich-rechtlich anerkannten Religionsgemeinschaften in Deutschland zählen die EKD und ihre Gliedkirchen, die kath. Kirche und ihre Ortskirchen, einige Freikirchen (u. a. Altlutheraner, Altkatholiken, die Vereinigung der dt. Mennonitengemeinden, die Methodistenkirche, der Bund Ev.-Freikirchl. Gemeinden in Deutschland) und die jüd. Kultusgemeinschaften. Für alle Religions- und Weltanschauungsgemeinschaften gelten das Grundrecht der Glaubens- und Gewissensfreiheit (Art. 4 GG) und der Grundsatz der weltanschaul. Neutralität des Staates.
Im einzelnen wird das Verhältnis zw. S. u. K. durch Verträge (Konkordat, Kirchenverträge) geregelt, wie z. B. die Staatsleistungen an die Kirchen, die Grundsteuerfreiheit von Kirchengütern, die Mitwirkungsrechte der Kirchen im Bildungswesen, die Präsenz der Kirchen in den Medien und im sozialen Bereich (Kindergärten, Krankenhauswesen).
⚏ *Christl. Botschaft u. Politik. Hg. v. H. Buchheim u. a. Paderborn ²1990. – Jossutis, M.: Praxis des Evangeliums zw. Politik u. Religion. Mchn. ⁴1988.*

Stab, in der *Statik* eine der Grundformen des starren Körpers; Querschnittsabmessungen klein im Verhältnis zur Länge.
◆ (schwingender S.) in der *Akustik* langer, dünner Schallgeber aus Metall, Holz u. a., der im Ggs. zur Saite Eigenelastizität besitzt und dessen Schwingungen musikalisch u. a. beim Glockenspiel, Xylophon und bei Stimmgabeln ausgenutzt werden.
◆ in der *Rechtssymbolik* Zeichen für jede Auftrags- und Vollmachtserteilung, bes. für die richterl. Gewalt *(Richterstab).*

Stabilität. Stabilitätsverhältnisse bei starker Krängung eines Schiffes
(S Schwerpunkt, S_F Formschwerpunkt, S_F' verlagerter Formschwerpunkt, F_G Gewichtskraft, F_A Auftriebskraft, M Metazentrum)

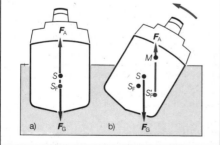

◆ beim *Militär* die Gesamtheit der Hilfsorgane, die den Führer eines Verbandes oder Großverbandes bei der Erfüllung seiner Aufgaben unterstützen.
◆ allg. Bez. für bes. Gremien von Fachleuten zur Beratung von Fachinstanzen oder polit. Entscheidungsinstanzen.

Stabat mater (S. m. dolorosa) [lat. „es stand die (schmerzensreiche) Mutter"], nach den Anfangsworten ben. Sequenz über das Mitleiden Marias am Kreuz Jesu; vermutlich zw. dem 12. und 14. Jh. entstanden.

Stäbchen, (Sehstäbchen) ↑ Auge.
◆ (Eßstäbchen) im Fernen Osten übl. Eßwerkzeug: zwei S. aus Bambus, [Eben]holz u. a., die in einer Hand gehalten werden.

Staberl (eigtl. Chrysostomus S.), von A. Bäuerle 1813 geschaffene Figur des Wiener Volkstheaters: ein tolpatschig-pfiffiger kleinbürgerl. Wiener Schirmmacher.

Stabheuschrecken, heute nicht mehr übl. Bez. für die Stabschrecken (↑ Gespenstschrecken).

Stabhochsprung, leichtathlet. Disziplin; nach dem Anlauf schwingt sich der Springer mit Hilfe der [aus Glasfiber bestehenden] biegsamen *Sprungstange* über die Latte. Der Aufsprung erfolgt auf einen aus Schaumgummi gebildeten *Aufsprunghügel.*

Stabiae ↑ Castellammare di Stabia.

stabil [lat.], 1. beständig, sich im Gleichgewicht haltend; 2. widerstandsfähig, psychisch ausgeglichen; 3. körperlich kräftig; 4. dauerhaft.

Stabilisator [lat.], in der *Chemie* Substanz, die leicht zersetzbaren Stoffen zur Erhöhung der Beständigkeit oder zur Verhinderung einer unerwünschten Reaktion zugegeben wird (↑ Inhibitoren). Bed. haben S. v. a. als Kunststoffadditive oder zur Verminderung der Licht- (UV-Absorber) bzw. Sauerstoffeinwirkung (↑ Antioxidanzien).
◆ in der *Technik* allg. eine Vorrichtung, die Schwankungen unterschiedl. Art verhindert oder vermindert.

Stabilität [lat.], allg. svw. Beständigkeit, Festigkeit, Dauerhaftigkeit.
◆ in *Physik, Chemie* und *Technik* 1. zeitl. Beständigkeit eines Systems auch bei äußeren Einwirkungen (z. B. die S. von Bauten u. ä., S. der Materie und ihrer Atome, Moleküle und Atomkerne). 2. Eigenschaft eines Systems, in einen durch äußere Einflüsse vorübergehend gestörten stabilen Gleichgewichtszustand zurückzukehren. Beispiele dafür sind das chem. Gleichgewicht oder die Standsicherheit sowie die Schwimm-S. von Schiffen. Die *S.* eines Schiffes besteht in der Eigenschaft, sich aus einer Seitwärtsneigung (Krängung) infolge Drehung um die Längsachse *(Quer-S.)* oder aus einer Neigung um die Querachse *(Längs-S.)* wieder aufzurichten. Der Form-

schwerpunkt eines gekrängten Schiffes wandert entsprechend der geänderten Unterwasserform aus, das entstehende Kräftepaar aus Auftrieb und Schiffsgewicht bildet das aufrichtende *S.moment.* Der Schnittpunkt der Auftriebsrichtung mit der Mittschiffsebene wird als *[Breiten]metazentrum* bezeichnet. Den Abstand des Metazentrums vom Gewichtsschwerpunkt nennt man die *metazentr. Höhe.* Nur solange das Metazentrum über dem Gewichtsschwerpunkt liegt, herrscht ein stabiles Gleichgewicht.

◆ in der *Meteorologie* Zustand der Atmosphäre, bei dem die vertikale Temperaturabnahme in nicht feuchtigkeitsgesättigter Luft kleiner ist, als es der Trockenadiabate entspricht, also geringer als 1 °C pro 100 m Höhendifferenz.

Stabilitätsgesetz, Kurzbez. für das Gesetz zur Förderung der Stabilität und des Wachstums der Wirtschaft vom 8. 6. 1967. Das S. stellt die rechtl. Grundlage für eine antizykl. Konjunkturpolitik dar. Als grundsätzl. Aufgabe für die Wirtschafts-, Geld- und Finanzpolitik von Bund und Ländern schreibt das S. fest, daß sie zur Erreichung der Ziele des ↑magischen Vierecks beitragen sollen. Dafür ist im S. eine **Konjunkturausgleichsrücklage** vorgesehen, in die bei einem Nachfrageüberhang Mittel eingestellt werden sollen, die in Falle einer Abschwächung der allg. Wirtschaftätigkeit für zusätzl. Ausgaben zu verwenden sind. Außerdem verpflichtet das S. die Bundesreg., jährlich dem Bundestag und Bundesrat einen **Jahreswirtschaftsbericht** vorzulegen, der auch eine Stellungnahme zum Gutachten des Sachverständigenrats enthält und durch einen **Konjunkturrat** zu beraten ist. Weiterhin hat nach dem S. die Bundesreg. im Falle der Gefährdung eines der Ziele des sog. mag. Vierecks Orientierungsdaten für ein gleichzeitiges aufeinander abgestimmtes Verhalten **(konzertierte Aktion)** der Gebietskörperschaften, Gewerkschaften und Unternehmensverbände zur Verfügung zu stellen.

Stabkarten, die von den Mikronesiern früher verwendeten Seekarten; bestehen aus Blattrippen, die durch Kokosfasern verbunden sind, Muscheln, Schnecken u. a. markieren die Lage der Inseln, die Blattrippen die Meeresströmungen, Dünungen und Kabbelungen.

Stabkirche (Mastenkirche), in Skandinavien (v. a. Norwegen) seit dem 11. Jh. übl. Form der Holzkirche, deren tragende Elemente bis an den Dachstuhl des Hauptraumes reichende Pfosten (Stäbe, Masten) sind, die meist eine Unterteilung des Innenraumes in Hauptraum und Seitenschiffe ergeben. Typisch sind Außenwände aus senkrechten Planken, steile, stufenförmig angeordnete

Stabkirche von Borgund

Dächer, bisweilen Schnitzereien an Giebeln und Türen. Bed. die S. von Borgund bei Lærdal (12. Jh.) in W-Norwegen und in ↑Heddal.

Stablo, dt. Name der Benediktinerabtei ↑Stavelot.

Stabpuppe, Figur des Puppenspiels; Kopf und Körper der Puppe sitzen an einem Stockgriff. Während die S. mittels mehrerer Stäbe oder des Innern der Figur gebogener Stäbe, Hebel oder Fadenzug beweglich ist, ist die **Stockpuppe** nur an einem Arm dirigierbar (↑Hänneschen-Theater).

Stabreim, älteste Form des Reims; Lautreim, der auf dem Gleichklang im Anlaut beruht. Alle Vokale können dabei miteinander staben, Konsonanten jedoch nur bei gleichem Laut. Außerdem reimen i. d. R. die Konsonantengruppen sk, sp und st nur untereinander. Bes. verbreitet in der altengl., altnord. und altsächs. Dichtung; mit der Einführung des Endreims im 9. Jh. wird der S. aber weitgehend verdrängt. – ↑Alliteration.

Stabsbootsmann ↑Dienstgradbezeichnungen (Übersicht).

Stabschrecken ↑Gespenstschrecken.

Stabsfeldwebel ↑Dienstgradbezeichnungen (Übersicht).

Stabsichtigkeit ↑Astigmatismus.

Stabsoffiziere, Dienstgradgruppe der Offiziere; in der Bundeswehr: Major/Korvettenkapitän, Oberstleutnant/Fregattenkapitän, Oberst/Kapitän zur See. – ↑Dienstgradbezeichnungen (Übersicht).

Stabsunteroffizier ↑Dienstgradbezeichnungen (Übersicht).

Stabwanze ↑Skorpionswanzen.

Stabwerk, in der *Baukunst* die senkrechte Unterteilung der got. Fenster, kann auch der Fassade oder Triforien vorgeblendet sein.

staccato [italien.], Abk. stacc., musikal. Vortragsbez.: abgestoßen, d. h. die Töne sollen deutlich voneinander getrennt werden; angezeigt durch einen Punkt (oder Keil) über bzw. unter der Note. – Ggs. ↑legato.

Stachanow (bis 1978 und seit 1992 Kadijewka), Ind.stadt im Donbass, 50 km westl. von Lugansk, Ukraine, 112 000 E. Steinkohlenbergbau, Kohlechemie-, Hütten- und Maschinenbauwerk.

Stachanow-Bewegung, nach dem sowjet. Grubenarbeiter A. G. Stachanow (* 1906, † 1977), der 1935 seine Arbeitsnorm mit 1 300 % übertraf, benannte, von der KPdSU und den sowjet. Gewerkschaften begründete Wettbewerbsbewegung mit dem Ziel, die Arbeiter und Kollektivbauern zu höchsten Arbeitsleistungen anzuregen; diente später als Vorbild für ähnl. Bewegungen (↑Hennecke, Adolf) in anderen kommunist. Ländern.

Stachelaale, svw. ↑Pfeilschnäbel.

Stachelalge (Stacheltang, Desmarestia aculeata), in Küstengewässern kälterer Meere vorkommende Braunalge; Thallus bis über 1 m lang, mit goldbraunen, haarbüschelähnl. Ausgliederungen, die während des Sommers abfallen; die Alge erhält danach ein stachelartig gezacktes Aussehen.

Stachelameisen (Stechameisen, Poneridae), weltweit verbreitete, jedoch vorwiegend in warmen Regionen vorkommende Fam. kleiner Ameisen mit deutl. Einschnürung zw. dem zweiten und dritten Hinterleibssegment und mit Giftstachel am Hinterleibsende.

Stachelannone (Sauersack, Annona muricata), im trop. Amerika heim. Baum der Gatt. ↑Annone mit bis 2 kg schweren, zapfenförmigen Sammelfrüchten mit Reihen von Stachelspitzen (Griffelreste) auf sonst glatter Oberfläche.

Stachelbärenklau (Acanthus mollis), Art der Gatt. Bärenklau im Mittelmeergebiet; bis 1 m hohe Staude mit bis 50 cm langen, stark gebuchteten bis fiederspaltigen, unbedornten Blättern; Blüten mit bedornten Tragblättern, in lockerer, langer Ähre, weißlich, lilafarben geädert.

Stachelbeere, (Ribes) Gatt. der Stachelbeergewächse mit rd. 150 Arten in der nördl. gemäßigten Zone und den Gebirgen S-Amerikas; Früchte als Beeren ausgebildet. Die wichtigsten Arten sind neben den eigtl. Stachelbeeren die ↑Johannisbeeren.

◆ (Heckenbeere, Ribes uva-crispa) in Eurasien bis zur Mandschurei heimisch, niedriger Strauch mit unter den Blättern stehenden, einfachen Stacheln; Beerenfrüchte rötlich, grün oder gelb, derbschalig, behaart oder glatt, mit zahlr. Samen. S. enthalten neben Kohlenhydraten v. a. Vitamin C und Vitamine der B-Gruppe; für Marmelade, zum Rohessen u. a.

◆ (Chin. S.) ↑Kiwifrucht.

Stachelbeergewächse (Johannisbeergewächse, Ribesiaceae), meist als Unterfam. *Ribesioideae* zur Fam. Steinbrechgewächse gezählte Gruppe von Sträuchern, die in der Gatt. Stachelbeere (Ribes) zusammengefaßt sind; zahlr. Nutzpflanzen, z. B. ↑Johannisbeere und ↑Stachelbeere.

Stachelbeerspanner (Harlekin, Abraxas grossulariata), bis 4 cm spannender einheim. Schmetterling (Fam. Spanner); Flügel weiß, schwarz gefleckt (Vorderflügel mit schmalem, dottergelbem Querstreifen).

Stachelechsen (Stachelskinke, Dornschwanzskinke, Egernia), Gatt. der Skinke mit rd. 20 Arten in Australien; bis 50 cm lange Tiere; Schwanz stark stachelschuppig oder mit glatten Schuppen.

Stachelflosser (Acanthopterygii), svw. ↑Strahlenflosser.

Stachelgurke (Sechium), Gatt. der Kürbisgewächse mit der einzigen, in Brasilien beheimateten, heute auch in Westindien, Kalifornien und Westafrika kultivierten Art *Sechium edule* (Stachelgurke i. e. S.; Chayote, Schuschu); Früchte bis 1 kg schwer, birnenförmig, etwas stachelig, werden wegen ihres Stärke- und Vitamingehalts gegessen oder als Viehfutter verwendet. Die bis 10 kg schweren, bis 20 % Stärke enthaltenden Wurzelknollen werden wie Kartoffeln gekocht.

Stachelhaie (Dornhaie, Akanthoden, Acanthodes, Acanthodii), ausgestorbene Ordnung nur wenige Zentimeter langer Panzerfische vom Unterdevon bis Perm; haiähnlich, aber mit Knochenschuppen und verknöchertem Skelett; mit großem Stachel vor jeder Flosse; an der Bauchseite mehrere Flossenpaare.

Stachelhäuter (Echinodermata), Stamm ausschließlich mariner wirbelloser ↑Deuterostomier mit rd. 6 000, wenige mm bis über 1 m großen Arten; meist freilebende Bodenbewohner mit im Erwachsenenstadium fünfstrahliger Radiärsymmetrie; meist getrenntgeschlechtlich; Fortbewegung durch *Ambulakralfüßchen*, die durch Ein- und Auspressen von Flüssigkeit aus dem die S. kennzeichnenden Wassergefäßsystem bewegt werden. – Das Kalkskelett der S. besteht aus einzelnen Plättchen oder (meist) einem festen Panzer. Es ist häufig mit Stacheln besetzt. Die Larven sind bilateralsymmetrisch, sie leben planktontisch. – S. sind seit dem Kambrium bekannt und waren in früheren Erdperioden weitaus formenreicher als heute. – Die fünf rezenten Klassen sind: Haarsterne, Seegurken, Seeigel, Seesterne und Schlangensterne.

Stachelhummer ↑ Langusten.

Stacheligel ↑ Igel.

Stachelige Rose, svw. ↑ Dünenrose.

Stachelkäfer, (Mordellidae) weltweit verbreitet, jedoch bes. in den Tropen und Subtropen vorkommende Käferfam. mit rd. 1 500 Arten, davon etwa 50 einheimisch; 2–9 mm lang, feinbehaart mit stachelförmig verlängerter Hinterleibsspitze.
◆ ↑ Igelkäfer.

Stachelleguane (Sceloporus), Gatt. (einschl. Schwanz) etwa 10–20 cm langer Leguane mit über 30 Arten, v. a. in Wüsten, Steppen und Wäldern N- und Z-Amerikas; wärmebedürftige Reptilien, die sich gern auf Felsen oder Zaunpfählen (**Zaunleguane:** Sceloporus undultus und Sceloporus occidentalis) sonnen; Körper mit kurzem Kopf und stark gekielten, stacheligen Schuppen.

Stachellose Bienen (Meliponini), rd. 350 Arten umfassende, in den Tropen der Alten und Neuen Welt verbreitete Gattungsgruppe der Bienen; Körperlänge von 1,5 mm bis etwa Honigbienengröße; rotbraun oder schwarz, Hinterleib nur schwach behaart, oft gelb gezeichnet; Stachel der Königin und der Arbeiterin stark rückgebildet. Im Ggs. zu den Honigbienen kann ein Volk mehrere friedlich nebeneinanderlebende Königinnen haben. S. B. haben keine ausgeprägte „Tanzsprache" wie die Honigbiene.

Stachelmakrelen (Carangidae), Fam. der Barschfische mit über 100 Arten in allen trop. und gemäßigten Meeren; Körper meist langgestreckt, spindelförmig oder seitlich abgeflacht; Schwanzflosse tief eingeschnitten; sehr geschätzte Speisefische, u. a. **Lotsenfisch** (Pilotfisch, Naucrates ductor; 70–160 cm lang, mit blausilbernem Körper und schwarzblauen Querbinden) und **Stöcker** (Bastardmakrele, Caranx trachurus; bis 50 cm lang, mit blaugrauem bis grünl. Rücken, silberglänzenden Seiten und ebensolchem Bauch).

Stachelmohn (Argemone), Gatt. der Mohngewächse mit zehn Arten in N- und S-Amerika und auf den Hawaii-Inseln; meist einjährige, aber auch ausdauernde, bis 1 m hohe Kräuter mit gelbem Milchsaft und stachelig gezähnten Blättern; Blüten weiß oder gelb; Kapselfrüchte borstig behaart.

Stacheln, bei *Tieren* spitze Gebilde unterschiedl. Herkunft und Bedeutung, häufig mit Schutzfunktion; z. B. durch Kalk oder Gerbstoffe verhärtete, spitze Chitinvor-

sprünge des Außenpanzers, umgebildete Hinterleibsextremitäten bei weibl. Insekten (Lege-S., Gift-S.), bei Fischen entsprechend umgebildete Schuppen, Hautzähne, Flossenstrahlen, in eine Spitze ausgezogene Hornschuppen bei vielen Echsen, Borsten in Form von dicken, steifen Haaren aus Hornsubstanzen bei Säugetieren.
◆ bei *Pflanzen* harte, spitze Anhangsgebilde der pflanzl. Oberhaut und z. T. darunterliegender Gewebe, die im Ggs. zu den ↑ Dornen bauplanmäßig keine Sproß- oder Blattmetamorphosen sind. S. hat z. B. die Rose.

Stachelpilze (Stachelschwämme, Hydnaceae), Fam. der Ständerpilze mit mehreren einheim. Gatt. Die S. tragen die Fruchtschicht auf der Oberfläche von freistehenden Stacheln, Warzen oder Zähnen, meist auf der Unterseite eines mehr oder weniger regelmäßig geformten, gestielten Huts. Jung eßbare Arten sind: der **Habichtspilz** (Hirschling, Sarcodon imbricatus), mit graubraunem, grobschuppigem, 5–20 cm breitem, gestieltem Hut und diststehenden, zerbrechl., graubraunen Stacheln; der **Semmelstoppelpilz** (Hydnum repandum), mit blaßgelbem, buckligem Hut, auf der Unterseite mit zahlr. Stacheln.

Stachelrochen, svw. ↑ Stechrochen.

Stachelsalat, svw. Kompaßlattich (↑ Lattich).

Stachelschnecken, svw. ↑ Purpurschnecken.

Stachelschwanzsegler (Chaeturinae), Unterfam. der Segler mit rd. 50 Arten in S- und O-Asien, Afrika und Amerika; die Schäfte der Schwanzfedern sind über die Federfahnen hinaus stachelartig verlängert und dienen als Stütze beim Sichanklammern an senkrechten Wänden; u. a. **Kaminsegler** (Chaetura pelagica; oberseits braun, unterseits weißlich, brütet in nicht benutzten Schornsteinen).

Stachelschwein (Gewöhnl. S., Hystrix cristata), Stachelschweinart in N-Afrika und in Italien sowie in SO-Europa; Körperlänge etwa 60–70 cm; Grundfärbung schwarzbraun; Vorderrücken mit langen, weißen Haaren; Mittel- und Hinterrücken mit bis 40 cm langen, schwärzlich und weiß geringelten, z. T. sehr spitzen Stacheln; kauert sich bei Gefahr zusammen; dämmerungs- und nachtaktiv.

Stachelschweine (Altweltstachelschweine, Erdstachelschweine, Hystricidae), Fam. der Nagetiere mit fünf Gatt. und 15 Arten in Afrika, S-Asien und S-Europa; Körperlänge rd. 35–80 cm; Körperform gedrungen, kurzbeinig; bes. am Rücken mit oft sehr langen Stacheln, die in Abwehrstellung aufgerichtet werden; u. a. ↑ Stachelschwein, ↑ Quastenstachler.

Stachelseestern (Oreaster nodosus), sehr großer, bis 90 cm spannender Seestern im Pazif. und Ind. Ozean; Außenskelett sehr fest; Arme breit ansetzend, mit stachelartigen Erhebungen; meist rot auf weißl. Grund.

Stachelskinke, svw. ↑ Stachelechsen.

Stachelweichtiere (Aculifera), Unterstamm der Weichtiere, der durch mehrere ursprüngl. Merkmale (Mantelbedeckung mit chitinöser Kutikula und einzelnen Kalkkörpern, Fehlen von Kopftentakeln und Schweresinnesorganen) von den ↑ Schalenweichtieren unterschieden wird. Zu den S. zählen Schildfüßer, Furchenfüßer, Käferschnecken.

Stachelwelse (Bagridae), Fam. der Welse in Afrika, S- und O-Asien; Körperlänge 8–60 cm; mit vier Paar Barteln und oft sehr großer Fettflosse; erster Rückenflossenstrahl hart und spitz.

Stachelzellenkrebs, svw. ↑ Spinaliom.

Stack [engl. stæk], svw. ↑ Keller.

Stackelberg, Heinrich Freiherr von, * bei Moskau 31. Okt. 1905, † Madrid 12. Okt. 1946, dt. Nationalökonom. – Prof. in Berlin (ab 1935), Bonn (ab 1941) und Madrid (ab 1943); gehörte zu den Begründern der modernen Marktforschung.

Stade, Krst. am N-Rand des Alten Landes, Nds., 7 m ü. d. M., 40 900 E. Niedersächs. Staatsarchiv, Urgeschichts-, Freilicht- und Heimatmuseum. Werft, Flugzeugwerk, Mineralöl-, Gummi-, Holz-, Textil- und chem. Ind.; Großkraftwerke; Elbhafen. – Ersterwähnung 994; um 1017 Errichtung einer Burg; 1038 Erwerb des Zoll-, Markt- und Münzrechts durch den Erzbischof von Bre-

men; erhielt zw. 1168 und 1181 Stadtrecht; fiel 1236 mit der seit dem 10. Jh. nachweisbaren Gft. endgültig an das Bremer Erzstift; 1259 Stapelrecht; schwed. Residenz 1652 bis 1712. – Got. Pfarrkirche Sankt Wilhadi (14. Jh.), Stadtkirche Sankt Cosmae und Damiani (13., 15. und 17. Jh.); Bürgerhäuser (16. und 17. Jh.), barockes Rathaus (1667).

S., Landkr. in Niedersachsen.

Städelsches Kunstinstitut (Städel), Gemäldesammlung in Frankfurt am Main, gestiftet von dem Kaufmann und Bankier Johann Friedrich Städel (* 1728, † 1816). – ↑ Museen (Übersicht).

Staden, Johann, ≈ Nürnberg 2. Juli 1581, □ ebd. 15. Nov. 1634, dt. Organist und Komponist. – Hoforganist in Bayreuth und Kulmbach, ab 1616 Organist an Sankt Lorenz, 1618 an Sankt Sebaldus in Nürnberg. Komponierte Motetten, chor. und solist. Konzerte, weltl. und geistl. [mehrstimmige] Lieder.

S., Sigmund Theophil, ≈ Kulmbach 6. Nov. 1607, □ Nürnberg 30. Juli 1655, dt. Organist und Komponist. – Sohn von Johann S.; ab 1627 Stadtpfeifer und ab 1634 Organist an Sankt Lorenz in Nürnberg. Komponierte u. a. die erste erhaltene dt. Oper, „Seelewig" (Text von G. P. Harsdörffer, gedruckt 1644).

Stadial, in der *Geologie* svw. ↑ Stadium.

Stadion, Johann Philipp Graf von (eigtl. S.-Warthausen und Thannhausen), * Mainz 18. Juni 1763, † Baden (Niederösterreich) 15. Mai 1824, östr. Politiker. – 1805–09 Außenmin., ab 1816 Finanzmin., gründete die Nationalbank.

Stadion [griech.], altgriech. Längeneinheit unterschiedl. Größe; olymp. S. ≈ 192 m, altgriech. S. = 184,97 m, neugriech. S. = 1 000 m.

◆ mit Zuschauerrängen versehene Sportstätte; in der Antike zunächst Schauplatz des Laufes über 1 S. (Dromos) bzw. 2 Stadien (Diaulos) und 7–24 Stadien (Dolichos), später auch Kampfstätte für andere Sportarten. In moderner Zeit große Freianlage für verschiedene Sportarten mit hohem Zuschauerfassungsvermögen, bestehend aus *Kernplatz* (Mannschaftsballspiele), *Rundbahn* (Lauf), *Segmenten* (Wurf, Sprung), *Tribüne* (häufig überdacht); auch separate Großanlage für eine Sportart (Fußball-, Reit-, Schwimm-, Radstadion).

Stadium (Mrz. Stadien) [griech.-lat.], allg. svw. Zustand, Entwicklungsstufe; Abschnitt.

◆ in der *Geologie* Bez. (auch **Stadial**) für eine innerhalb einer Eiszeit stationäre Eisrandlage und ihren zugehörigen glazialen Formenschatz.

Stadler, Ernst, * Colmar 11. Aug. 1883, ✕ bei Ypern 30. Okt. 1914, elsäss. Lyriker. –

Stadt. Beispiel einer römischen Stadtanlage (Timgad)

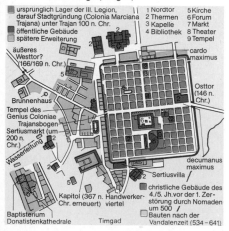

■ ursprünglich Lager der III. Legion, darauf Stadtgründung (Colonia Marciana Trajana) unter Trajan 100 n. Chr.
▨ öffentliche Gebäude
□ spätere Erweiterung

1 Nordtor
2 Thermen
3 Kapelle
4 Bibliothek
5 Kirche
6 Forum
7 Markt
8 Theater
9 Tempel

äußeres Westtor? (166/169 n. Chr.)

cardo maximus

Osttor (146 n. Chr.)

Brunnenhaus
Tempel des Genius Coloniae
Trajansmarkt (um 200 n. Chr.)

Wasserleitung

decumanus maximus

Sertiusvilla

Kapitol (367 n. Chr. erneuert)
Handwerkerviertel

christliche Gebäude des 4./5. Jh. vor der 1. Zerstörung durch Nomaden um 500

Baptisterium
Donatistenkathedrale

Timgad

□ Bauten nach der Vandalenzeit (534–641)

1902 Hg. (zus. mit R. Schickele und O. Flake) der elsäss.-regionalist., neuromant. Literaturzeitschrift „Der Stürmer"; 1910–14 Prof. in Brüssel. Einer der Wegbereiter expressionist. Lyrik („Der Aufbruch", 1914).

S., Maximilian, * Melk 4. Aug. 1748, † Wien 8. Nov. 1833, östr. Komponist. – Benediktiner; befreundet mit J. Haydn und W. A. Mozart, von dessen Kompositionen er einige ergänzte bzw. vollendete.

S., Toni, * München 5. Sept. 1888, † ebd. 5. April 1982, dt. Bildhauer und Graphiker. – Schüler von A. Gaul; in Paris (1925–27) von A. Maillol beeinflußt; 1946–58 Prof. an der Münchner Akad. V. a. Figuren- und Porträtplastik in einer archaisierenden Formauffassung.

Stadt [zu althochdt. stat „Ort, Stelle"], Siedlung mit meist nichtlandw. Funktionen (Ausnahme *Ackerbürger-S.*), gekennzeichnet u. a. durch eine gewisse Größe, Geschlossenheit der Ortsform, hohe Bebauungsdichte, zentrale Funktionen in Handel, Kultur und Verwaltung; in größeren Städten führt die Differenzierung des Ortsbildes zur Bildung von *S.vierteln.* – Die statist. Definition der S. geht nur von einer bestimmten Einwohnerzahl aus, unabhängig vom Stadtrecht; in Deutschland jede Siedlung mit über 2 000 E, wobei man *Land-* (2 000–5 000 E), *Klein-* (5 000–20 000 E), *Mittel-* (20 000–100 000 E) und *Groß-S.* (über 100 000 E) unterscheidet. **Geschichte:** Der Übergang zu städt. Hochkulturen erfolgte seit dem 9./8.Jt. in Palästina (Jericho), seit dem 5.Jt. im Tal von Nil, Indus, Euphrat und Jangtsekiang. Die alten S.kulturen waren (häufig befestigte) Zentren großer Gebietsherrschaften mit straffer Verwaltungs- und Militärorganisation, Hof-, Tempel-, Handels- und Gewerbezentralen mit Schriftsystemen, Geld- und Planwirtschaft. In *Europa* begann die S.entwicklung im 2.Jt. v.Chr. im östl. Mittelmeerraum; sie erreichte bis zum frühen 1.Jh. n.Chr. den Rhein. In den klass. *griech.* S.staaten (Polis) entwickelte sich ein S.organismus; weite Verbreitung erfuhr die antike S.kultur durch die griech. Kolonisation (750 bis 550 v.Chr.), während der hellenist. Epoche und schließlich in röm. (stark etruskisch beeinflußter) Form in den von den Römern unterworfenen Gebieten, in Germanien (als Garnisons- und Verwaltungs-S.) z. B. Köln, Mainz, Trier. Die urbane Tradition der Antike beeinflußte die Entwicklung der *ma.* europ. S. relativ stark in den südeurop. Ländern, v. a. in Oberitalien, wo die Entstehung autonomer S.staaten möglich wurde, während nördl. der Alpen das Land sein polit. und kulturelles Eigengewicht behielt und der Adel i. d. R. nicht stadtsässig wurde. Wichtige europ. Städtelandschaften des MA waren neben Oberitalien

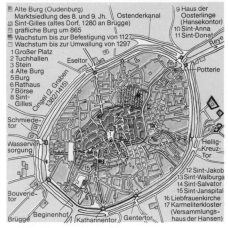

Stadt. Beispiel einer mittelalterlichen Stadt mit Radialplan (Brügge)

Alte Burg (Oudenburg)
Marktsiedlung des 8. und 9. Jh.
Sint-Gilles (altes Dorf, 1280 an Brügge)
gräfliche Burg um 865
Wachstum bis zur Befestigung von 1127
Wachstum bis zur Umwallung von 1297
Ostendenkanal
9 Haus der Oosterlinge (Hansekontor)
10 Sint-Anna
11 Sint-Donat
1 Großer Platz
2 Tuchhallen
3 Stein
4 Alte Burg
5 Burg
6 Rathaus
7 Börse
8 Sint-Gilles
Eseltor
Potterie
Schmiedetor
Wasserversorgung
Heilig-Kreuz-Tor
12 Sint-Jakob
13 Sint-Walburga
14 Sint-Salvator
15 Sint-Janspital
16 Liebfrauenkirche
17 Karmeliterkloster (Versammlungshaus der Hansen)
Bouverietor
Beginenhof
Brügge
Katharinentor
Gentertor

der Raum zw. Seine und Rhein, England, später der Hanseraum und S-Deutschland. – Im MA entwickelte sich die S. häufig im Schutz einer Burg (als Burgflecken), aus Märkten, offenen Kaufmannssiedlungen, bei Bischofssitzen, Königspfalzen und Klöstern; die S.werdung fand ihren Abschluß in der

Stadt. Beispiel einer planmäßig angelegten Residenzstadt mit kombinierter Keil- und Radialanlage (Karlsruhe; ab 1715)

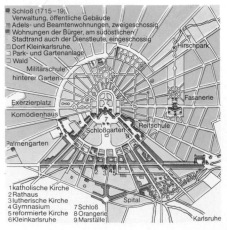

Schloß (1715–19),
Verwaltung, öffentliche Gebäude
Adels- und Beamtenwohnungen, zweigeschossig
Wohnungen der Bürger, am südöstlichen Stadtrand auch der Dienstleute, eingeschossig
Dorf Kleinkarlsruhe
Park- und Gartenanlage
Wald
Militärschule
hinterer Garten
Exerzierplatz
Komödienhaus
Schloßgarten
Palmengarten
Hirschpark
Fasanerie
Reitschule
1 katholische Kirche
2 Rathaus
3 lutherische Kirche
4 Gymnasium
5 reformierte Kirche
6 Kleinkarlsruhe
7 Schloß
8 Orangerie
9 Marställe
Spital
Karlsruhe

Verleihung des S.rechts. Die Bildung der S.gemeinde erfolgte auf der Grundlage von Nachbarschaft, Pfarrgemeinde, Gerichtsgemeinde, Schwureinung der Bürger u. ä. Ein gewisses Maß an Selbstverwaltung und eigener städt. Gerichtsbarkeit wurde teils durch Privilegierung, teils in Auseinandersetzung mit dem S.herrn erworben (↑ Bürgertum). Neben die gewachsenen S. M-Europas traten seit dem 11./12. Jh. Gründungs-S. (Hauptphase 13./14. Jh., bes. während der dt. Ostsiedlung). S.pfarrkirche, Rathaus, Zunfthäuser, Kaufhallen bildeten das Zentrum der ma. S., die durchweg befestigt war. Alle S. waren wegen hoher Sterblichkeitsrate auf Zuwanderung angewiesen. Die persönl. Freiheit („Stadtluft macht frei"), die Rechtsgleichheit und die besseren wirtsch. Möglichkeiten in der S. übten eine außerordentl. Anziehungskraft auf die Landbev. aus. Die bes. Leistung der ma. S. bestand im Aufbau einer umfassenden Markt- und Verkehrswirtschaft, in der Konzentration von Handel und Gewerbe, in einer planmäßigen Wirtschaftspolitik, in der wirtsch. Beherrschung des Umlandes, der Erschließung neuer Absatzräume und der Entwicklung einer blühenden bürgerl. Kultur. Ihre polit. Bed. lag bes. in ihrem Festungscharakter und ihrer überlegenen Finanzkraft. Polit. und wirtsch. Zusammenschlüsse (Lombardenbund, Rhein. und Schwäb. Städtebund, Hanse u. a.) sicherten polit. Einfluß. Die freien Reichs-S. nahmen ab 1489 als geschlossene Kurie am Reichstagen teil.

Neuzeit: Der entstehende moderne Staat, auf die Steuerleistung der S. immer stärker angewiesen, beschnitt seit dem 15./16. Jh. die städt. Autonomie. Die Beamten, die gelehrten Räte drangen in die alten Führungsschichten ein. Die S., deren militär. Bed. mit der modernen Kriegstechnik schwand, wurde Amts- und Verwaltungs-S. im institutionellen Flächenstaat. S.neugründungen (Plan-S.) bzw. -erweiterungen durch die absolutist. Herrscher waren geprägt von den Idealen der Renaissance: Es entstanden radiale Straßensysteme mit dem Schloß als Bezugspunkt (Versailles, Karlsruhe); Bauvorschriften sorgten für Einheitlichkeit und Gliederung. Neben diesen Haupt- und Residenz-S. entwickelten sich Bergbau-S. mit oft nur kurzer Blütezeit, Exulanten-S. (z. B. Krefeld, Frankenthal [Pfalz], Freudenstadt), Wallfahrts-, Bade-, Festungs- und Garnisons-S. sowie Überseehandelsplätze.

Neben den weiterhin selbständigen Reichs-S. gab es S. unter Hoheit eines Landesfürsten sowie Klein-S. mit nur geringen Vergünstigungen (Marktrecht); die Idee der kommunalen Selbstverwaltung behauptete sich, wurde jedoch erst im 19. Jh. verfassungsmäßig verankert (z. B. preuß. Städteordnung 1808/31).

Die industrielle Revolution führte zu enormem Zuwachs in und bei den neuen Ind.zentren und zur Proletarisierung der Bev.; die S. dehnten sich fast explosionsartig aus; ganze S.teile aus Mietskasernen wurden von Boden- und Häuserspekulanten errichtet; es entwickelten sich die modernen Groß-städte. – ↑ Agglomeration.

Probleme der Großstadt: Wirtsch. Interessen (Konzentration von Handel und Verwaltung in den S.zentren) und steigende Mieten verdrängten nach und nach die Bewohner aus den S.zentren; die *Betonbautechnik* führte dazu, daß die alte Bausubstanz v. a. nach dem 2. Weltkrieg durch Hochhäuser aus Glas und Beton ersetzt wurde. Die S. selbst wuchsen planlos entlang den Ausfallstraßen; bes. ser Verdienenden siedelten sich in *S.erweiterungsgebieten* im Grünen an; im 19. Jh. geschah dies in geplanten Reihenvillengebieten (Bremen, Hamburg, Rheinland), im 20. Jh. weitgehend regellos in Gebieten mit Einfamilienhäusern an den S.rändern. Um die Ausbreitung der S. unter Kontrolle zu bekommen, wurden an den S.peripherien *Trabantenstädte* errichtet, oft mit Hochhauskomplexen, die auf die Wohnfunktion reduziert waren. In diesen sog. *Schlafstädten* lebten v. a. Hausfrauen, alte Menschen und Kinder wegen fehlender kultureller und sozialer Einrichtungen isoliert; später wurden auf Grund dieser Mängel zur Entlastung der Groß-S. neue S. mit Versorgungsfunktionen des tägl. und teilweise des gehobenen Bedarfs, die gleichzeitig auch Gewerbestandorte bildeten, gebaut *(Satellitenstädte).* Diese Lösung strebte bereits um die Jh.wende das Konzept der ↑ Gartenstadt an, das sich jedoch nicht durchsetzte. Zunehmend wird auch die Bedeutung der Förderung von *Stadtteilzentren* gesehen.

Das starke Wachstum größerer S., verbunden mit höherem Verkehraufkommen durch die Trennung von Wohnen und Arbeiten sowie die zunehmende Umweltbelastung (Abwasserbeseitigung, Müllabfuhr, Smog), stellen die S.verwaltungen vor Probleme, die durch die schwierige Finanzsituation der Kommunen noch verstärkt wird. Darüber hinaus hat die *Stadtsoziologie,* die sich mit den Problemen des modernen [Groß]stadtlebens und deren Ursachen beschäftigt, auf den Zusammenhang zw. S.größe und sozialem Verhalten hingewiesen, der sich v. a. durch Verkümmerung sozialer Lebensformen manifestiert und in sozialpatholog. Auswüchsen (z. B. Slums, erhöhte Kriminalitätsrate) gipfelt. Alle diese Erkenntnisse haben Einfluß auf die **Stadtplanung,** die nicht mehr allein Aufgabe von Bauingenieuren, sondern auch von Ökologen, Soziologen und Sozialpsychologen ist. In Deutschland sollen Planungsinstrumentarien des Bundes (Raumordnungsgesetz [↑ Raum-ordnung], ↑ Baugesetzbuch), der Länder (Landesbauordnungen) und der Gemeinden gemeinsam städtebaul. Probleme lösen. Kommunale Planungsinstrumentarien sind 1. *Bauleitpläne* (der ↑ Flächennutzungsplan als vorläufiger und der ↑ Bebauungsplan als verbindl. Bauleitplan); 2. nicht in der Bauleitung erfaßte *Einzelplanungen* wie die Verkehrs-, Grünflächen-, Spielplatz-, Sportstätten- und Kanalnetzplanung und Schwerpunktvorhaben (z. B. Sanierungen von älteren Wohnvierteln durch Abriß, Neuaufbau oder Restaurierung mit dem Ziel der Verbesserung der Wohn- und Lebensbedingungen der dort ansässigen Bev.); 3. *Gestaltungssatzungen* (z. B. Anzahl der Stockwerke). ⨅ *Boockmann, H.: Die S. im späten MA. Mchn. ²1987. – Gerties, K.: Die dt. Städte in der frühen Neuzeit. Wsb. 1986. – Ennen, E.: Die europ. S. des MA. Gött. ⁴1984. – Kolb, F.: Die S. im Altertum. Mchn. 1984. – Benevolo, L.: Die Gesch. der S. Dt. Übers. Ffm. 1983. – Seifert, F.: Das dt. Städtelexikon, Bindlach 1983. – Mumford, L.: Die S. Dt. Übers. Mchn. 1979. 2 Bde.*

Stadtallendorf, hess. Stadt 22 km östl. von Marburg, 250 m ü. d. M., 19 500 E. Als Ind.siedlung in Anlehnung an einen dörfl. Kern *(Allendorf)* nach 1945 entstanden; Metallverarbeitung, Nahrungsmittel-, Textil-, Papier-, Holz-, Kunststoffind. – Seit 1960 Stadt.

Stadtbücher, seit dem 12. Jh. geführte Bücher zur Aufzeichnung aller rechtserhebl. Vorgänge in einer Stadt, seit dem 14. Jh. inhaltlich u. a. getrennt in Gerichts-, Verwaltungs- und „Privatrechtsgeschäftsbücher".

Städtebauförderungsgesetz, Gesetz über städtebaul. Sanierungs- und Entwicklungsmaßnahmen von 1971; wurde mit Änderungen Bestandteil des ↑ Baugesetzbuches (§§ 136 ff.).

Städtebünde, im MA Zusammenschlüsse von Städten zum Schutz ihrer Rechte; in Deutschland ab dem 13. Jh. zur Sicherung des Landfriedens gebildet, v. a. aber gegen fürstl. Territorialpolitik und Beeinträchtigung städt. Rechte durch den König gerichtet. Bed. S.: Schwäb. S., Rhein. S., Hanse.

Stadtgas (Leuchtgas), v. a. für Heizzwecke, früher auch zur Straßenbeleuchtung verwendetes, überwiegend aus Wasserstoff, Kohlenmonoxid und Methan bestehendes Brenngas, das durch Rohrleitungen zum Verbraucher geleitet wird. Das giftige S. wurde weitgehend von ↑ Erdgas (aus den Niederlanden, Rußland, Usbekistan, Iran, Algerien und Libyen) als Brenngas verdrängt.

Stadtgericht, im MA städt. Gericht für Bürger; als Marktgericht auch für Fremde;

Gerichtsherr war anfänglich der Stadtherr, ab dem 13. Jh. der Stadtrat.

Stadtguerilla [geˈrɪl(j)a] ↑ Tupamaros, ↑ Guerilla.

Stadthagen, Krst. 37 km westl. von Hannover, Nds., 68 m ü. d. M., 22 100 E. Verwaltungssitz des Landkr. Schaumburg; u. a. holz- und metallverarbeitende Ind., Lederfabrik. – Zw. 1220 und 1225 Gründung und planmäßige Anlage; nach Graf Adolf III. von Holstein lange **Grevenalveshagen** gen.; Residenz bis 1608. – Stadtkirche Sankt Martini (14./15. Jh.), frühbarockes Mausoleum (1608 – 25) mit Bronzefiguren von A. de Vries. Bauten der Weserrenaissance: Schloß (1534 ff.), Rathaus (16. Jh.); Fachwerkhäuser (16.–18. Jh.).

städtische Agglomeration ↑ Agglomeration.

Stadtkämmerer, Leiter des Finanzdezernats einer Stadtverwaltung; verantwortlich v. a. für die Aufstellung und Realisierung des Haushaltsplans.

Stadtkreis, svw. ↑ kreisfreie Stadt.

Stadtlohn, Stadt im Kreis Borken, NRW, im westl. Münsterland, 17 100 E. Landmaschinenbau, Metallwaren-, Möbel-, Textilind.; Töpfereigewerbe. – Der um 1085 erstmals (als Laon) genannte Ort erhielt wohl im 14. Jh. Stadtrecht. Wirtsch. Grundlagen bildeten bis ins 19. Jh. Heimspinnerei und -weberei, Tonpfeifen- und Ziegelherstellung.

Stadtmission, in den *ev. Kirchen* ein Fachverband des Diakon. Werkes zur geistl. und diakon. Betreuung (Telefonseelsorge, Drogenberatung u. a.) jener Menschen in Großstädten, die durch die Pfarrämter nicht oder nur schwer zu erreichen sind.

Stadtpfeifer, seit dem 14. Jh. nachweisbare Bez. für Instrumentalmusiker im städt. Dienst (in größeren Städten *Ratsmusiker* gen.). Nach dem Vorbild der ma. Musikerzünfte organisiert, breiteten sich Stadtpfeifereien v. a. seit dem 16. Jh. aus und genossen Privilegien als Mitwirkende bei öff. wie auch privaten Anlässen (z. B. Hochzeiten). Mit dem Aufkommen des bürgerl. Konzertbetriebs im 18./19. Jh. verloren die S. ihre Existenzgrundlage.

Stadtplan, großmaßstäbige Orientierungskarte einer Stadt mit Suchgitter und Register.

Stadtrat ↑ Gemeindeverfassungsrecht.

Stadtrechte, die innerhalb einer Stadt geltenden Rechtsnormen; die seit dem MA z. T. bis ins 19. Jh. geltenden S. umfaßten Gewohnheits-, Kaufmanns- und Marktrecht sowie die vom Stadtherrn verliehenen Privilegien. Durch die Bewidmung von Gründungsstädten mit dem Recht älterer Städte v. a. im Rahmen der dt. Ostsiedlung entstanden sog. **Stadtrechtsfamilien.** Die bedeutendsten S.

waren das *lübische Recht* für die Städte des Ostseeraumes und das *Magdeburger Recht* für mehrere hundert Städte bis nach Rußland. Zum geltenden Recht ↑Gemeindeverfassungsrecht.

Stadtroda, Krst. sö. von Weimar, Thür., 245 m ü. d. M., 6 600 E. Möbelbau. – Um 1250 bei dem Zisterzienserinnen-Kloster **Roda** als Marktflecken angelegt, 1333 als Stadt bezeugt; seit 1925 Stadtroda. – Heilig-Kreuz-Kirche (12. Jh.) mit barockem Langhaus; Ruine der frühgot. Klosterkirche; Renaissancepfarrkirche Sankt Salvator (16. Jh.), Barockschloß (17. und 18. Jh.).

S., Landkr. in Thüringen.

Stadtschnellbahn, svw. ↑S-Bahn.

Stadtschreiber, in den dt. Städten ab dem ausgehenden 12. Jh. der Beamte, der den gesamten Schriftverkehr besorgte; Organisation und Führung der Verwaltung, Protokollführung bei Rats- und Gerichtssitzungen, diplomat. Vertretung der Stadt, Archivtätigkeit.

Stadtsenat, seit 1919 das leitende Gemeindeorgan in Wien, zugleich die Landesreg. des Bundeslandes Wien.

Stadtstaat, eine Stadt, die ein selbständiges Staatswesen mit demokrat. oder aristokrat. Verfassung bildet, z. B. in der Antike die griech. Polis. Heute in Deutschland Hamburg, Bremen und Berlin.

Staeck, Klaus [ʃtɛːk], *Pulsnitz 28. Febr. 1938, dt. Graphiker. – Von Beruf Rechtsanwalt; betätigt sich autodidaktisch als Künstler und Galerist, seit 1960 v. a. als Graphiker. Wurde v. a. durch seine polit. Plakate (Photomontagen) bekannt.

Staël [frz. stal], Germaine Baronin von S.-Holstein, gen. Madame de S., *Paris 22. April 1766, ↑ebd. 14. Juli 1817, frz. Schriftstellerin schweizer. Herkunft. – Tochter von J. Necker. Trotz anfängl. Begeisterung für die Frz. Revolution floh sie 1792 nach Coppet am Genfer See (ab 1794 befreundet mit B. H. Constant de Rebecque), 1795 Rückkehr nach Paris; Gegnerin Napoleons I.; wurde 1802 aus Paris verbannt; bereiste u. a. 1803/04 und 1807 Deutschland, wo sie mit Goethe, Schiller, Wieland und den Schlegels bekannt wurde. Ihr Hauptwerk, die Abhandlung „De l'Allemagne" (1810, dt. 1814 u. d. T. „Deutschland"), erschloß den Franzosen die dt. Denk- und Empfindungswelt und bereitete damit die Aufnahme der Romantik in Frankreich vor. Für lange Zeit bestimmte ihre stark idealisierende Schilderung das Deutschlandbild der Franzosen: Deutschland als das Land politisch passiver Menschen, der Denker und Träumer. In ihren teilw. autobiograph. Romanen trat sie schon vor George Sand für die Emanzipation der Frau ein („Delphine", 2 Bde., 1802; „Corinna, oder Italien", 1807).

⊞ *Herold, C.: Madame de S. Dt. Übers. Mchn. 1985. – Diesbach, G. de: Madame de S. Paris 1983. – Pulver, C.: Madame de S. Die Biographie. Mchn. 1980.*

S., Nicolas de, *Petersburg 5. Jan. 1914, ↑Antibes 16. März 1955 (Selbstmord), frz. Maler russ. Herkunft. – Seine abstrakten Kompositionen sind auf differenzierten farbl. Beziehungen aufgebaut.

Staffage [...'faːʒə; frz.-niederl.], Menschen und Tiere in einem Landschafts- oder Architekturbild; auch beiläufige Bildelemente (Ruinen u. a.).

Staffel, *Militärwesen:* 1. der Kompanie vergleichbare Einheit eines Luftwaffengeschwaders; 2. in der Kriegsmarine Bez. für eine Schiffsformation beim Fahren im Verband, bei der die Schiffe nebeneinander den gleichen Kurs [schräg z. S.linie] steuern.
◆ im *Sport* Bez. für eine Gruppe nacheinander startender Wettkämpfer, deren Ergebnisse gemeinsam gewertet werden (Leichtathletik [↑Staffellauf], Sportschwimmen, Skisport, Biathlon).

Staffelei, Bildergestell, auf dem der Maler beim Arbeiten das Bild in Höhe und Neigung verstellen kann.

Staffelgiebel (Treppengiebel), Giebel mit staffelartigem (abgetrepptem) Umriß.

Staffellauf, Mannschaftswettbewerb in mehreren Sportarten; z. B. in der Leichtathletik: ein Läufer übergibt dem nachfolgenden innerhalb einer 20-m-Zone den **Staffelstab** (28–30 cm langer Holz- oder Metallstab). Staffelwettbewerbe bei Olymp. Spielen: 4 × 100 m und 4 × 400 m für Männer und Frauen.

Staffelmiete ↑Mietpreisrecht.

Staffelsee, See im Alpenvorland bei Murnau, Bay., 7,7 km², 648 m ü. d. M., bis 38 m tief.

Staffelstein, Stadt im Obermaintal, Bay., 274 m ü. d. M., 9 900 E. Möbel- und Akkumulatorenfertigung, Porzellanfabrik, Pinselherstellung. – Seit dem 9. Jh. belegt, erhielt 1130 Marktrecht, 1418 erstmals als Stadt bezeichnet. – Spätgot. Pfarrkirche Sankt Kilian und Georg (15. Jh.); Fachwerkrathaus (17. Jh.).

Staffeltest ↑Binet, Alfred.

Stafford [engl. 'stæfəd], engl. Stadt in den West Midlands, 55 500 E. Verwaltungssitz der Gft. Staffordshire; Museum, Kunstgalerie, Schuhind. und Maschinenbau. – 871/899 gegr.; erhielt 1206 Stadtrecht. – Ehem. Kollegiatkirche Saint Mary (12. Jh.).

Staffordshire [engl. 'stæfədʃɪə], engl. Gft. in den West Midlands.

Stag [niederdt.], Stahldraht, Tau oder Stahlstange zur Abstützung eines Schiffsmastes nach vorn (Backstag); dient auch zur Anbringung der Stagsegel.

Stagflation [Kw. aus Stagnation und Inflation], im Konjunkturzyklus († Konjunktur) die Phase des Tiefs bei gleichzeitigem Preisauftrieb. Die Ursachen für das gleichzeitige Auftreten von Stagnation und Inflation werden meist in der staatl. Konjunkturpolitik, die inflationsfördernd wirken kann, in der Existenz von Monopolen und Oligopolen, die einem Nachfragerückgang mit Preiserhöhungen begegnen, und in der Durchsetzung von Lohnerhöhungen durch die Gewerkschaften auch bei verminderter Nachfrage nach Arbeitskräften gesehen.

Stagnation [lat.-engl.], allg. svw. Stokkung, Stauung, Stillstand. Im Konjunkturzyklus die Phase des Tiefs († Konjunktur) mit gleichbleibendem (oder rückläufigem) Sozialprodukt.

Stagnelius, Erik Johan [schwed. staŋ-'ne:liʋs], * Gärdslösa (Verw.-Geb. Kalmar) 14. Okt. 1793, † Stockholm 3. April 1823, schwed. Dichter. – Origineller Vertreter der schwed. Romantik; zunächst Liebeslyrik, später religiöse Themen; rhetor., z. T. prunkvolle Sprache mit ekstat.-myst. Bildern.

Stagsegel † Segel.

Stahl, Friedrich Julius, urspr. F. J. Jolson Uhlfelder, * Würzburg 16. Jan. 1802, † Bad Brückenau 10. Aug. 1861, dt. Rechtsphilosoph und Politiker. – Aus jüd. Familie, trat 1819 zum Luthertum über. Prof. in Würzburg (1823), Erlangen (1834) und Berlin (1840), wo er als Staatsrechtler und Theoretiker des preuß. Konservatismus großen Einfluß auf die Politik Friedrich Wilhelms IV. gewann. Seit 1849 Mgl. der preuß. 1. Kammer (Führer der äußersten Rechten). Verfaßte die als Grundlage der preuß. konservativen Partei geltende Schrift „Das monarch. Prinzip" (1845); Mitgründer der „Kreuzzeitung". Seine christl.-konservative Staatslehre prägte lange den preuß. und dt. Konservatismus nach 1871.

S., Hermann, * Dillenburg 14. April 1908, dt. Schriftsteller. – Urspr. Maler (ab 1933 Malverbot). 1949 Gründungsmgl. der Dt. Akademie für Sprache und Dichtung. – Schrieb Lyrik (u. a. „Gras und Mohn", 1942) und Romane (u. a. „Traum der Erde", 1936; „Die Orgel der Wälder", 1939; „Die Heimkehr des Odysseus", 1940; „Die Spiegeltüren", 1951; „Wildtaubenruf", 1958; „Jenseits der Jahre", 1959; „Das Pfauenrad", 1979).

Stahl, große Gruppe von Eisenlegierungen, deren Eigenschaften (Festigkeit, Zähigkeit, chem. Beständigkeit) sich durch Änderung der Legierungszusammensetzung und durch Wärmebehandlung in weitem Maß variieren lassen. Das wichtigste Legierungselement des Eisens ist der Kohlenstoff; Eisen mit einem Kohlenstoffgehalt über 2 % ist spröde und nicht verformbar, weshalb das im Hochofen gewonnene, bis 4 % Kohlenstoff enthaltende Roheisen durch Frischen auf einen Kohlenstoffgehalt unter 2 % gebracht werden muß († Stahlerzeugung). Durch Wärmebehandlung wandelt sich die im Roh-S. vorliegende Mischung von Eisen und Eisencarbid, Fe_3C *(Zementit),* in die Einlagerungsmischkristalle des γ-Eisens *(Austenit)* um, die durch rasches Abkühlen *(Abschrecken)* in Wasser oder Öl in das Gefüge des sehr harten *Martensits* übergehen (Härten des S., † Wärmebehandlung). Zu den zahlr. anderen metall. und nichtmetall. Elementen, mit denen Eisen zu härtbarem und nichthärtbarem S. legiert werden kann, gehören neben dem Kohlenstoff Nickel, Mangan, Stickstoff und Kobalt sowie Silicium, Phosphor, Vanadium, Chrom, Molybdän und Wolfram. Außer nach den von den Legierungsbestandteilen abhängigen Gefügeformen lassen sich die Stähle nach dem Herstellungsverfahren (z. B. Thomas-, Siemens-Martin-, Elektro-S.), nach dem Reinheitsgrad in Massen-, Qualitäts- und Edel-S., nach der chem. Beständigkeit in nichtrostenden S. (mit einem Chromgehalt über 12,5 %), säurebeständigen S. (mit 12–19 % Chrom, bis 8 % Nickel u. a. Legierungselemente) usw. und nach den techn. Eigenschaften unterteilen (z. B. selbsthärtender S. mit bis zu 20 % Wolfram). – † Stahlerzeugung.

📖 *Wegst, C. W.: S.schlüssel-Tb. Wissenswertes über Stähle. Marbach* ¹⁶*1992. – S.-Eisen-Liste. Hg. v. Verein Dt. Eisenhüttenleute. Düss.* ⁸*1990. – Scheer, L./Berns, H.: Was ist S. Eine S.kunde für jedermann. Bln. u. a.* ¹⁵*1980. – Grundl. u. Technologie der S.erzeugung. Lpz. 1975.*

Stahlbau, Bautechnik, bei der im wesentl. Bauteile aus Stahl verwendet werden. Man unterscheidet den Stahlhochbau (Stahlskelettbau, Industrie- und Hallenbau), den Brückenbau, den Freileitungsbau, den Kran- und Förderanlagenbau, den Stahlleichtbau (Hallen- und Dachbauten) u. a.

Stahlbeton [betɔː] (bewehrter Beton, früher: Eisenbeton), mit Stahleinlagen (in der Regel Rundstahl) versehener Beton. Beton ist druckfest, aber nur wenig zugfest, so daß er schon bei geringer Dehnung reißt. Erst im Verbund mit Stahleinlagen (Bewehrung), die die Zugkräfte aufnehmen, wird er für Bauteile aller Art anwendbar. Je größer die Festigkeit von Beton und Stahl und je größer die Bewehrungsmenge im Beton ist, desto kleiner können die Dickenabmessungen der Bauteile und damit deren Eigenmasse werden; auch lassen sich größere Spannweiten überwinden. – Als Erfinder des S. gilt J. Monier, auf den auch die früher übl. Bez. *Moniereisen* für die Stahleinlagen zurückgeht.

Stahleck, Burg über † Bacharach.

Stahlerzeugung, die Herstellung von ↑Stahl aus dem im Hochofen gewonnenen Roheisen, z. T. unter Zusatz von Schrott; sie beruht im wesentlichen darauf, daß die im Roheisen gelösten unerwünschten Begleitelemente des Eisens, insbes. der Kohlenstoff, daneben auch Mangan, Silicium, Phosphor und Schwefel durch **Frischen** (d. h. durch Oxidieren mit Luft bzw. reinem Sauerstoff oder sauerstoffabgebenden Substanzen) in Form von Schlacke oder gasförmigen Verbindungen ganz oder teilweise entfernt werden. Für das Frischen wurden mehrere Verfahren entwickelt: Bei den *Blasverfahren* sind als ältere Verfahren v. a. das Bessemer-Verfahren und das Thomas-Verfahren zu nennen, bei denen das Roheisen in Konvertern durch Einblasen von Luft vom Konverterboden aus gefrischt wird (Windfrischen). Große techn. Bed. haben heute die sog. *Sauerstoffaufblasverfahren,* unter denen v. a. das für phosphorarmes Roheisen geeignete **LD-Verfahren** sowie das für phosphorreiches Roheisen entwickelte **LDAC-Verfahren** zu nennen sind, bei denen das Roheisen in Konvertern durch Aufblasen von reinem Sauerstoff (unter Zusatz von schlackenbildenden Substanzen) gefrischt wird. *Herdfrischverfahren* sind das **Siemens-Martin-Verfahren,** bei dem die unerwünschten Begleitstoffe durch Einwirkung heißer, oxidierender Flammengase und durch die Frischwirkung des Schrott oder oxid. Eisenerz abgegebenen Sauerstoff entfernt werden, und das **Elektrostahlverfahren,** d. h. die Herstellung von Elektrostahl in Elektroschmelzöfen wie Lichtbogen- oder Induktionsöfen. In den letzten Jahren gewann die S. durch Direktreduktion von Eisenerzen zunehmende Bedeutung.
Die Weltproduktion an Rohstahl betrug 1990 771 Mill. t. Hauptproduktionsländer waren (Mill. t): Sowjetunion 154,4; Japan 110,3; USA 90,8; China 66,3; BR Deutschland 43,7.
Geschichte: Schmiedbares Eisen (mit einem Gehalt von etwa 0,5 % Kohlenstoff) wurde in den frühen histor. Zeiten durch Reduktion eisenreicher Erze mit Holzkohle erzeugt (↑Eisen, Geschichte). Als frühestes Verfahren zur Herstellung von Schmiedeeisen aus flüssigem Roheisen ist das Herdfrischen anzusehen, bei dem das Roheisen im sog. Frischfeuer auf einem Herd mit Holzkohlen unter Zufuhr von Gebläseluft eingeschmolzen wurde; hierbei fiel das gefrischte Eisen in Form von Luppen an, die durch Zusammenschweißen in sog. Schweißeisen (Schweißstahl) überführt wurden. 1742 gelang es B. Huntsman, durch Schmelzen der Luppen in einem Tiegel den Stahl in reiner Zusammensetzung zu vergleichmäßigen (Gußstahl, Tiegelstahl). Dieses Verfahren wurde in der 1. Hälfte des 19. Jh. durch F. Krupp in großtechn. Maßstab

übertragen. 1784 wurde das von H. Cort entwickelte Puddelverfahren bekannt, bei dem das Roheisen in Flammöfen gefrischt wurde. 1856 erhielt H. Bessemer ein Patent auf sein Verfahren zum Frischen von siliciumreichem und phosphorarmem Roheisen, 1864 entwickelte P. Martin das erste techn. Herdfrischverfahren, das dann unter Verwendung des von F. und W. Siemens gebauten Regenerativflammofens schnell von der Stahlindustrie übernommen wurde (Siemens-Martin-Verfahren). Das von S. G. Thomas und P. J. Gilchrist verbesserte Windfrischverfahren (1879) ermöglichte auch die Verarbeitung von phosphorreichem Roheisen.
📖 *Oeters, F.:* Metallurgie der Stahlherstellung. *Bln. 1989.*

Stahlguß, durch Vergießen von erschmolzenem Stahl (auch *Gußstahl* gen.) hergestellte Werkstücke großer Festigkeit und Zähigkeit. Im Vergleich zum Gußeisen wird mit höheren Temperaturen gearbeitet; es entsteht eine stärkere Gasentwicklung, und die Teile schwinden leichter. S.formen erfordern daher viele Steiger (Hohlräume, die das Entweichen der in den Formen befindl. Luft ermöglichen) und werden durch sog. verlorene Köpfe nachgespeist, außerdem zusätzlich gekühlt. Das Gußzeichen für S. ist GS.

Stahlhelm (eigtl. Stahlhelm, Bund der Frontsoldaten), 1918 von F. Seldte gegründeter Zusammenschluß von Soldaten des 1. Weltkrieges (seit 1924 auch von Nichtkriegsteilnehmern); neigte zunehmend der antidemokrat. Rechtsparteien zu, mit denen er ab 1929 die Republik offen bekämpfte (↑Harzburger Front). Ab Juni 1933 wurden die Mgl. bis zum Alter von 35 Jahren in die SA eingegliedert, der S. wurde im April 1934 in „Nat.-soz. Dt. Frontkämpferbund" umbenannt; im Nov. 1935 aufgelöst. 1951 Neugründung in der BR Deutschland.

Stahlhelm ↑Helm.
Stahlhof ↑Stalhof.
Stählin, Wilhelm [...li:n], * Gunzenhausen 24. Sept. 1883, † Prien a. Chiemsee 16. Dez. 1975, dt. ev. Theologe. – 1926–58 Prof. für prakt. Theologie in Münster; 1944–52 Bischof der Ev.-luth. Kirche in Oldenburg. Als eine der führenden Persönlichkeiten der dt. Jugendbewegung und Mitbegr. des Berneuchener Kreises (1931) suchte S. das kirchl. Leben bes. auf liturg. Gebiet zu erneuern und die ev.-kath. Ökumene zu fördern.

Stahlmantelgeschoß ↑Munition.
Stahlpakt, Bez. für den Bündnisvertrag zw. Deutschland und Italien vom 22. Mai 1939; formalisierte die ↑Achse Berlin–Rom und erweiterte sie zur uneingeschränkten Offensivallianz; bildete neben dem Dt.-Sowjet. Nichtangriffspakt das wichtigste diplomat.

Instrument zur Vorbereitung des dt. Angriffs auf Polen.

Stahlrohrmöbel (Stahlmöbel), Möbel, deren tragende Teile aus verchromten oder auch aus lackierten Stahlrohren bestehen, insbes. Sitzmöbel; bed. Entwürfe für Stahlrohrsessel von M. L. Breuer (1925) und Mies van der Rohe (1927).

Stahlskelettbauweise, Skelettbauweise für Hochbauten, bei der Stahltragwerke verwendet werden, die zu räuml. Rahmen verbunden sind.

Stahlstich (Siderographie), graph. Verfahren, bei dem eine Stahlplatte durch Entzug von Kohlenstoff weich gemacht wird, so daß Linien eingearbeitet werden können. Danach wird sie wieder gehärtet. Der S. ergibt konturenscharfe Drucke.

Stahlwolle, gekräuselte Stahlfasern verschiedener Stärke, die u. a. zum Abschleifen und Reinigen von Metall- oder Holzflächen verwendet werden.

Staiger, Emil, * Kreuzlingen 8. Febr. 1908, † Horgen 28. April 1987, schweizer. Literaturwissenschaftler. – Seit 1943 Prof. in Zürich. Begründete die Methode der stilkrit. [immanenten] Interpretation, die das Wortkunstwerk aus sich heraus beschreiben und deuten will. Schrieb u. a. „Die Grundbegriffe der Poetik" (1946).

Stainer, Jakob, * Absam vor 1617, † ebd. 1683, Tiroler Geigenbauer. – Ab etwa 1638 in Absam tätig, baute v. a. Violinen, Violen, Gamben, Kontrabässe; charakteristisch sind die hohe Boden- und Deckenwölbung und der weiche, silbrige Ton.

Staked Plain [engl. 'steɪkt 'pleɪn] ↑ Llano Estacado.

Staket [italien.], Lattenzaun.

stakkato, svw. ↑ staccato.

Stalag, Abk. für: Kriegsgefangenen-Mannschafts-**Stamm**lager, v. a. an der Ostgrenze des Dt. Reiches (Ostpreußen) und in Polen eingerichtete Lager für jeweils 30 000 bis 50 000 sowjet. Kriegsgefangene; entgegen völkerrechtl. Bestimmungen bestanden die S. z. T. aus mit Stacheldraht umzäunten Plätzen, auf denen die Kriegsgefangenen unter freiem Himmel leben mußten. Neben den S. existierten Kriegsgefangenen-**Offiziers**lager **(Oflag)** und Kriegsgefangenen-**Durch**gangslager **(Dulag).**

Stalagmiten [griech.] ↑ Höhle.

Stalagnaten [griech.] ↑ Höhle.

Stalaktiten [griech.] ↑ Höhle.

◆ (Mukarnas) Schmuckelemente der islam. Architektur; sog. Zellenwerk aus bemaltem Stuck oder Holz u. a., zusammengesetzt aus Reihen kleiner nischen- oder konchenförmiger oder prismat. Formen. Verwendet als Überleitung vom Viereckplan zur Kuppel, auch als *S.gewölbe.*

Stalhof [zu niederdt. stal „(zum Verkauf ausgelegtes) Muster, Probe"] (fälschl. Stahlhof), das Hansekontor in London bis zur Aufhebung der hans. Privilegien (1598).

Stalin, Iossif (Josef) Wissarionowitsch; eigtl. I. W. Dschugaschwili, * Gori (Georgien) 21. Dez. 1879, † Kunzewo (= Moskau) 5. März 1953, sowjet. Politiker. – Vom Priesterseminar in Tiflis 1899 wegen Verbindungen zu marxist. Kreisen (seit 1898 Mgl. der SDAPR) ausgeschlossen; organisierte unter dem Decknamen *Koba* Streiks und Demonstrationen; zw. 1903 und 1917 mehrmals verbannt. Seit 1912 Mgl. des ZK und seit 1917 des Politbüros der Bolschewiki, war S. an Vorbereitung und Durchführung der Oktoberrevolution beteiligt. 1917–23 Volkskommissar für Nationalitätenfragen, 1919–22 für staatl. Kontrolle bzw. für die Arbeiter- und Bauerninspektion; ab 1922 Generalsekretär des ZK. Nach Lenins Tod (Jan. 1924) gelang es ihm, seine Konkurrenten (insbes. L. Trotzki) nach und nach auszuschalten. Ab 1927 unumschränkter Diktator, sicherte er in der Folgezeit seine Macht durch eine rücksichtslose Vernichtung polit. Gegner in allen gesellschaftl. Bereichen, die ihren Höhepunkt mit den „Säuberungen" und Schauprozessen der 1930er Jahre (Große ↑ Tschistka) erreichte. Innenpolitisch forcierte S. entsprechend seiner These vom „Aufbau des Sozialismus in einem Land" die Industrialisierung und Zwangskollektivierung in der Landw. Außenpolitisch schloß er kurz vor Ausbruch des 2. Weltkrieges 1939 einen Nichtangriffspakt mit Deutschland (Geheimes Zusatzprotokoll u. a. über die Aufteilung Polens) und löste 1940 den ↑ Finnisch-Sowjetischen Winterkrieg aus. Vom dt. Angriff 1941 wurden S. und die Rote Armee, deren Offizierskorps durch die „Säuberungen" weitgehend liquidiert worden war, überrascht. Während des Krieges ließ er unter dem Vorwurf der Kollaboration mit den Deutschen nat. Minderheiten nach O deportieren (u. a. 1941 die Wolgadeutschen, 1944 die Krimtataren). Die letztlich erfolgreiche Abwehr des Überfalls im „Großen Vaterländ. Krieg" nutzte S. als Vors. des Rats der Volkskommissare (seit 1941), Marschall (1943) und schließlich Generalissimus (1945) zur weiteren Steigerung des Personenkults. In den Verhandlungen mit den westl. Alliierten (Konferenzen von Teheran, Jalta und Potsdam) und durch den erzwungenen Machtantritt kommunist. Parteien in den osteurop. Ländern (Sowjetisierung) konnte S. die Einflußsphäre der UdSSR bis zum O Deutschlands ausdehnen. Er ließ in den „Volksdemokratien" alle nationalkommunistischen Kräfte ausschalten (seit 1948 Schauprozesse; Konflikt mit Jugoslawien unter Tito) und führte die Sowjetunion in den ↑kalten Krieg gegen die Westmächte. Eine bereits vorbereitete neue Welle von innenpolit. „Säuberungen" kam durch seinen Tod nicht mehr zustande. 1956 begann mit der Kritik Chruschtschows an S. und seiner Herrschaft („Geheimrede" auf dem XX. Parteitag) eine ↑Entstalinisierung. S., der sich selbst unter die „Klassiker" des Marxismus-Leninismus einreihte, verfaßte zahlr., den Marxismus vulgarisierende Schriften.

📖 *Deutscher, I.: S. Eine polit. Biogr. Dt. Übers. Rbk. 1992. – Bullock, A.: Hitler u. Stalin. Dt. Übers. Bln. 1991. – Conquest, R.: S. Der totale Wille zur Macht. Dt. Übers. Mchn. 1991. – Wolkogonow, D.: S. – Triumph u. Tragödie. Ein polit. Porträt. Dt. Übers. Düss. 1989. – Hodos, G. H.: S. Schauprozesse. Stalinist. Säuberungen in Osteuropa 1948 bis 1954. Zürich 1988. – Antonow-Owssejenko, A.: S. Porträt einer Tyrannei. Bln. 1986. – Morozow, M.: Der Georgier S. Mchn. u. Wien ²1980.*

Iossif Wissarionowitsch Stalin (um 1941)

Stalingrad, 1925–61 Name der Stadt ↑Wolgograd.

Stalingrad, Schlacht von (1942/43), eine der kriegsentscheidenden Schlachten des 2. Weltkrieges. Die Ende Aug. 1942 bis zur Wolga bei Stalingrad vorgestoßene dt. 6. Armee unter Generaloberst F. Paulus wurde mit rd. 280 000 Mann nach Eroberung eines Großteils der Stadt Ende Nov. 1942 durch eine sowjet. Gegenoffensive eingekesselt. Als Entsatzversuche ab Mitte Dez. 1942 erfolglos blieben, Hitler Ausbruch und Kapitulation verbot, die Luftversorgung völlig unzureichend wurde, kapitulierte Paulus (von Hitler noch zum Generalfeldmarschall befördert) unter wachsendem Druck der Roten Armee für das Gros seiner Truppen am 31. Jan., der Rest der Armee am 2. Febr. 1943; rd. 146 000 Gefallene, rd. 90 000 Kriegsgefangene.

Stalinismus, Bez. für eine bestimmte, von I. W. Stalin geprägte theoret. Interpretation des Marxismus sowie für autoritär-bürokrat. Methoden und Herrschaftsformen innerhalb kommunist. Parteien bzw. kommunist. Länder, die von Stalin erstmals praktiziert wurden. Im *Theorie* kennzeichnet den S. die Dogmatisierung des Marxismus, die Reduzierung der Dialektik auf bloße Gegensätzlichkeit, die Überbetonung einer Determiniertheit der gesellschaftl. Entwicklung gegenüber den Einflußmöglichkeiten subjektiver Faktoren sowie eine starre Schematisierung. – In der polit. *Praxis* werden sowohl einzelne bürokrat. Erscheinungen als „stalinistisch" bezeichnet als auch (in umfassenderer Bed.) die innerhalb kommunist. Parteien von der Mitgliedschaft unkontrollierbar ausgeübte Führung der Partei durch einen bürokrat. Apparat, der seine polit. Linie autonom festlegt und administrativ durchsetzt. – Als *Herrschaftsform* wird unter S. die Diktatur einer Parteiführung oder – wie im Falle Stalins – eines Parteiführers (↑Personenkult) verstanden, wobei die administrative Durchsetzung der willkürlich festgelegten polit. Linie mit Repression und Terror bis hin zur phys. Liquidierung wirkl. oder vermeintl. polit. Gegner erfolgt. – Kritiker des *Marxismus* betrachten den S. als konsequente Folge des Marxismus[-Leninismus] in der Theorie bzw. in der polit. Praxis, während Marxisten den S. als eine dem Wesen des Sozialismus widersprechende Erscheinung erklären. Innerhalb des Kommunismus entstand in Opposition zum S. die Richtung des Reformkommunismus. – ↑Entstalinisierung.

📖 *Plimak, J. G.: Anatomie der Willkür. Dt. Übers. Bln. 1990. – Hofmann, W.: Was ist S.? Heilbronn 1984.*

Stalino, früherer Name von ↑Donezk.

Stalinorgel, dt. Bez. für den im 2. Weltkrieg (erstmals 1941 bei Leningrad) von den sowjet. Streitkräften eingesetzten Raketenwerfer (russ. „Katjuscha"), mit dem bis zu 48 Geschosse in kurzer Folge abgefeuert werden konnten.

Stalinstadt ↑Eisenhüttenstadt.

Stall, Gebäude zur Unterbringung und Haltung von Nutztieren. Der S. soll sowohl die Gesundheit und Leistungsfähigkeit der Tiere gewährleisten als auch rationelles Füttern (bei Milchvieh auch Melken) und Entmisten (heute vielfach durch mechan. Vorrichtungen erreicht) erlauben. – Milchvieh ist meist im sog. **Anbinde-S.** untergebracht, bei dem die Tiere in Längsrichtung des S. nebeneinanderstehend vor dem Futtertrog angebunden sind. Zunehmend findet der **Laufstall** Verbreitung, in dem sich die Tiere frei bewegen können. Beim **Liegeboxen-Laufstall** sind Futterplatz und Melkstand getrennt von dem in einzelne Boxen unterteilten Liegeplatz angelegt. – Pferdeställe für Zuchtpferde sind in einzelne Boxen unterteilt; für Arbeitspferde sind die einzelnen Anbindestände meist nur durch sog. Flankierbäume abgegrenzt. Für Mastschweine findet in Kleinbetrieben die **dän.** Aufstallung mit Liege- und Kotfläche in den einzelnen Buchten, bei größeren Beständen der **Teil-** bzw. **Vollspaltenboden** (Betonbalken) Anwendung. Für Zuchtsauen kommen auch die Einzelaufstallung und die Anbindehaltung in Gebrauch. Bes. Vorkehrungen sind zur Aufzucht von Jungtieren erforderlich (z. B. Heizung). – Zur Haltung von Legehennen (sofern nicht Käfighaltung in „Legebatterien") werden größere Räume verwendet. – ↑ Massentierhaltung.

Stallbuch, das für den Viehbestand eines Tierhalters (v. a. in der Landw.) angelegte Buch oder Register, in das alle wichtigen Daten (u. a. Abstammung, Geburt, Herdbuchnummer, Deckdaten, Leistungen) für jedes Tier eingetragen werden; damit sind für den Tierhalter jederzeit alle Daten greifbar, die auch im Herdbuch vermerkt sind.

Stallhase, volkstüml. Bez. für ↑ Hauskaninchen.

Stallone, Sylvester Enzio [engl. 'stɛlo:n], * New York 6. Juli 1946, amerikan. Schauspieler, Filmproduzent, Szenarist. – Wurde mit der Titelrolle (auch Szenarium) des Boxers Rocky in John G. Avildsens gleichnamigen Film (1976) bekannt. – *Weitere Filme:* Paradise Alley (1978), Rocky II (1978), Rocky III (1981), First Blood, Rambo (1984), Rocky IV (1985), Over the Top (1986), Rambo II (1986), Rambo III (1988), Rocky V (1991).

Stam, Mart, eigtl. Martinus Adrianus S., * Purmerend 5. Aug. 1899, † Goldach (Kt. St. Gallen) 23. Febr. 1986, niederl. Architekt. – Mitarbeiter von A. Poelzig, M. Taut und Gastdozent am Bauhaus. Mitbegr. des ↑CIAM. 1930–34 in der UdSSR, seit 1953 endgültig in Amsterdam. Schuf bed. Bauten des Funktionalismus (u. a. Reihenhäuser in der Weißenhofsiedlung, Stuttgart, 1926/27; Hellerhofsiedlung, Frankfurt am Main, 1927–29).

Stambolić, Petar [serbokroat. 'stambɔlitɕ], * Brezova (Serbien) 12. Juli 1912, jugoslaw. Politiker (BdKJ). – 1945–48 Finanzmin., 1948–53 Min.präs. in Serbien; 1957–63 Präs. des Bundesparlaments, 1963–67 Min.-präs.; seit 1974 Mgl., 1982/83 Vors. des Staatspräsidiums.

Stamboliski, Alexandar [bulgar. stambo'lijski], * Slawowiza bei Pasardschik 1. März 1879, † ebd. 14. Juni 1923 (ermordet), bulgar. Politiker. – Ab 1908 Vors. des Bulgar. Bauernvolksbundes und Abg. der Nat.versammlung; 1915–18 inhaftiert; 1918 Um-

sturzversuch; ab 1919 Min.präs. (Anfänge von radikalen Reformen zugunsten der Bauern); 1923 durch Militärputsch gestürzt.

Stamen (Mrz. Stamina) [lat.], svw. ↑ Staubblatt.

Stamitz, Johann (tschech. Jan Stamic [tschech. 'stamits]), * Deutsch-Brod (= Havlíčkův Brod) 19. Juni 1717, † Mannheim 27. März 1757, böhm. Violinist und Komponist. – Kam 1741 als Violinist an den Mannheimer Hof, wo er ab 1750 als Musikdirektor bis zu seinem Tode wirkte; hervorragender Violinvirtuose und Orchestererzieher; gilt als Begründer der ↑ Mannheimer Schule. Mit seinen Kompositionen (74 Sinfonien, Orchestertrios, Konzerte, Kammermusik, geistl. Vokalwerke) schuf er zur Voraussetzungen für die Ausbildung des Wiener klass. Stils.

Stamm, in der *Botanik* Bez. für die verdickte und verholzte ↑ Sproßachse von Bäumen und Sträuchern.

♦ (Phylum) in der biolog., hauptsächlich der zoolog. Systematik Bez. für die zweithöchste (nach dem Reich) oder dritthöchste Kategorie (nach der S.gruppe bzw. dem Unterreich); S. des Tierreichs sind z. B. Ringelwürmer und Gliederfüßer.

♦ ethn. Einheit (Bez. heute noch v. a. für Naturvölker gebraucht), die Menschen gleicher Sprache und Kultur sowie mit gemeinsamem Siedlungsgebiet umfaßt.

♦ Grundbestandteil von Wörtern, an den andere Wortbestandteile angehängt werden können.

Stammaktie, die übl. Form einer ↑ Aktie (ohne Vorrechte).

Stammbaum, in der *Biologie* die bildl. Darstellung der natürl. Verwandtschaftsverhältnisse zw. systemat. Einheiten des Tierbzw. Pflanzenreichs in Gestalt eines sich verzweigenden Baums; davon abgeleitet allg. graph. Darstellung solcher Verhältnisse.

♦ in der *Genealogie* ↑ Stammtafel.

♦ in der *Bibel* ↑ Geschlechtsregister.

♦ in der *Linguistik* svw. ↑ Stemma.

Stammbaum Jesu, Bez. für die in Matth. 1, 2–17 und Luk. 3, 23–38 [unterschiedl.] aufgeführte Genealogie Josephs, des gesetzl. Vaters Jesu. Der S. J. gehört literarisch zu den Geschlechtsregistern, die in einer bestimmten Zahlensymbolik verfaßt sind; er kann also nicht als histor. Nachweis angesehen werden.

Stammbaumtheorie, in der Sprachwiss. Bez. für die Theorie der Entwicklung von Sprachen durch fortwährende Trennung und Aufspaltung in immer kleinere Einheiten. – Ggs. ↑ Wellentheorie.

Stammblütigkeit, svw. ↑ Kauliflorie.

Stammbuch, in der *Tierzucht* svw. ↑ Herdbuch.

♦ urspr. Verzeichnis aller Familienangehörigen; vom 16. Jh. bis ins 19. Jh. ein Album für handschriftl. Eintragungen von Verwandten und Freunden des Besitzers (heute als *Poesiealbum* [der Schulkinder] und *Gästebuch*). Die alte Bed. wurde auf das Familienbuch (↑ Personenstandsbücher) übertragen.

Stammeinlage ↑ Gesellschaft mit beschränkter Haftung.

Stämme Israels, die das [Gesamt]volk des (alten) Israel bildenden Volksgruppen bzw. Familienzusammenschlüsse. Sie treten von der ältesten Zeit an in der Zwölfzahl auf und werden auf Jakob (Israel) als ihren Ahnherrn zurückgeführt. Nach 1. Mos. 35, 23–26 lauten die Namen der Söhne Jakobs (also der **Stammväter** Israels): Ruben, Sim[e]on, Levi, J[eh]uda, Issachar, Zabulon, Josef, Benjamin, Dan, Naftali, Gad und As[ch]er.

Stammel, Joseph Thaddäus, ≈ Graz 9. Sept. 1695, † Admont 21. Dez. 1765, östr. Bildhauer. – In seinen volkstüml. Darstellungen lebt die Tradition alpenländ. Schnitzkunst fort. – *Werke:* Hochaltar in Sankt Martin in Graz-Straßgang (1738–40), Figuren in der Stiftsbibliothek in Admont (1760).

Stammeln, Sprachstörung; fehlerhafte Artikulation, bei der bestimmte Laute oder Lautverbindungen falsch gebildet **(Dyslalie),** durch andere ersetzt *(Paralalie)* oder (seltener) ausgelassen werden **(Mogilalie).** Häufigste Form des S. ist die fehlerhafte Bildung des S-Lauts **(Lispeln** oder **Sigmatismus),** daneben auch des R-Lauts **(Rhotazismus;** v. a. Ersetzung durch l, ch, h), des L-Lauts **(Lambdazismus;** statt l meist r, j, n) oder des K-Lauts **(Kappazismus;** statt k oder g meist t oder d). Ursachen sind anatom. Abweichungen der Sprechorgane, Schwerhörigkeit, psych. Störungen, geistige Behinderung, schlechte Sprachvorbilder. Als entwicklungsbedingtes Stadium tritt S. im Kleinkindalter auf.

Stammesentwicklung ↑ Entwicklung (in der Biologie).

Stammesherzogtum ↑ Herzog.

Stammesrechte, die ↑ germanischen Volksrechte.

Stammformen, Bez. für das ↑ Averbo, also für die Konjugationsformen des Verbs, von denen mit Hilfe von Endungen und Umschreibungen sämtl. anderen Formen abgeleitet werden können. Im Neuhochdt. sind 3 S. zu unterscheiden: Präsens (bzw. Infinitiv), (1. Person Singular) Präteritum und Partizip Perfekt, z. B. *rinne(n), rann, geronnen.*

Stammfunktion ↑ Integralrechnung.

Stammgut, etwa seit dem 14. Jh. Bez. für den Besitz adliger Fam., der unveräußerlich war und im Wege der Primogenitur im Mannesstamm ungeteilt vererbt wurde.

Stammhirn, svw. Hirnstamm (↑ Gehirn).

Stammkapital ↑ Gesellschaft mit beschränkter Haftung.

Stammkohl ↑ Gemüsekohl.

Stammler, Wolfgang, * Halle/Saale 5. Okt. 1886, † Hösbach (Landkr. Aschaffenburg) 3. Aug. 1965, dt. Germanist. – 1918 Prof. in Dorpat, 1924–36 in Greifswald, ab 1951 in Freiburg (Schweiz). Hg. bed. Standardwerke der Germanistik: „Reallexikon der dt. Literaturgeschichte" (1925 bis 1931; mit P. Merker), „Die dt. Literatur des MA. Verfasserlexikon" (5 Bde., 1933–55; Bd. 3–5 hg. von K. Langosch), „Dt. Philologie im Aufriß" (1952–56).

Stammtafel (Deszendenztafel), genealog. Tafel, die alle Söhne und Töchter der Ehen eines Geschlechtes erfaßt, nicht aber die Nachkommen der verheirateten Töchter; wird oft als **Stammbaum** bildlich dargestellt.

Stammväter, Bez. für die Häupter der zwölf Stämme Israels im A. T., nach denen die ↑ Stämme Israels benannt sind.

Stammwürzegehalt ↑ Bier.

Stamnos [griech.], altgriech. dickbäuchiges, zweihenkeliges Vorratsgefäß mit abgesetztem Hals.

Stamokap, Abk. für: **sta**atsmonopolistischer **Kap**italismus. – ↑ Staatskapitalismus.

Stampa, La [italien. „Die Presse"], italien. Tageszeitung, ↑ Zeitungen (Übersicht).

Stampfen, die Bewegung eines Schiffes um seine Querachse (abwechselndes Auf- und Abschwingen von Vor- und Achterschiff).

Stams, östr. Gem. im Oberinntal, Tirol, 1000 E. Zisterzienserstift mit roman. Klosterkirche (geweiht 1284, im 17. und 18. Jh. umgebaut), Grablege der Grafen von Görz-Tirol; Stiftsgebäude (17. und 18. Jh.); got. Pfarrkirche (1318 geweiht, innen barockisiert).

STAN, Abk. für: Stärke- und Ausrüstungsnachweisung, in der Bundeswehr Verzeichnis, das das Soll an Personal und Material festlegt.

Stancu, Zaharia [rumän. 'staŋku], * Salcia (Verw.-Geb. Teleorman), 7. Okt. 1902, † Bukarest 5. Dez. 1974, rumän. Schriftsteller. – Bäuerl. Herkunft; seine realist. [autobiograph.] Romane schildern die Entwicklung des rumän. Dorflebens („Barfuß", 1948; „Die Tochter des Tataren", 1963).

Stand, in Abgrenzung zu den Begriffen Klasse, Schicht, Kaste Bez. für die Gesamtheit der Mgl. einer abgeschlossenen gesellschaftl. Großgruppe in einem hierarchisch gegliederten Gesellschaftssystem (v. a. im Feudalismus), die sich durch ihre Abstammung (Geburt), ihre durch bes. Rechte, Pflichten, Privilegien und gesellschaftl. Funktion (Beruf) gekennzeichnete und gefestigte soziale Position (Rang), ihre Lebensführung und sittl.-moral. Anschauungen (Standesethik) von anderen Ständen abgrenzt. Die *ma. Ständeordnung* beruhte auf der grundlegenden Unterscheidung von Freien und Unfreien, Herrschenden und Dienenden. Auf dieser Basis wurden verschiedene hierarch., häufig dreigliedrige Ständemodelle entwickelt, z. B. 1. S. Klerus, 2. S. Adel, 3. S. „Volk". Im 19. Jh. kam die Bez. † vierter Stand für die Arbeiterschaft auf.

Standard [engl., eigtl. ↑ „Standarte, Fahne"], allg. Maßstab, Norm, Richtschnur; Leistungs-, Qualitäts-, Lebensführungsniveau.
◆ in der *Physik* svw. Normal (↑ Normale).
◆ bei Tieren ↑ Rassenstandard.

Standardabweichung (Streuung, mittlere Abweichung, mittlerer quadrat. Fehler), Formelzeichen σ, in der *Statistik* und *Wahrscheinlichkeitsrechnung* die Quadratwurzel aus der mittleren quadrat. Abweichung einer zufälligen Veränderlichen X von ihrem Mittelwert $\bar{X} = E(X)$:

$$\sigma = \sqrt{E[(X - \bar{X})^2]}.$$

Standardbicarbonat, die im Blut gelösten Alkalihydrogencarbonate (Natrium- und Kaliumhydrogencarbonat) sowie das primäre und sekundäre Natriumphosphat, die zus. als Puffer das Blut gegen Übersäuerung schützen, d. h. den pH-Wert des Blutes konstant halten.

Standard Elektrik Lorenz AG, Abk. SEL, dt. Unternehmen der Nachrichtentechnik, Sitz Stuttgart, entstanden 1958 durch Zusammenschluß; mehrheitlich im Besitz der niederl. Alcatel N. V.

Standardisierung, das Aufstellen von allgemein gültigen und akzeptierten festen Normen (Standards) zur Vereinheitlichung der Bez., Kennzeichnung, Handhabung, Ausführung u. a. von Produkten und Leistungen; in der Technik svw. ↑ Normung.

Standard Oil Company [engl. 'stændəd 'ɔɪl 'kʌmpənɪ] ↑ Exxon Corp.

Standard Oil Trust [engl. 'stændəd 'ɔɪl 'trʌst] ↑ Rockefeller, John Davison.

Standardpotential, svw. ↑ Normalpotential.

Standardsprache (Hochsprache, Gemeinsprache), die über Mundarten, Umgangssprache und Gruppensprachen stehende, allgemeinverbindl. (genormte) Sprachform. Sie wird v. a. in der Literatur, im wiss. Schrifttum, in Presse, Hörfunk und Fernsehen und in anderen öff. Bereichen verwendet.

Standardtänze, die neben den ↑ lateinamerikanischen Tänzen für den Turniertanz festgelegten Tänze: langsamer Walzer, Tango, Slowfox, Wiener Walzer und Quickstep.

Standardzeit (Normalzeit), die für ein bestimmtes Gebiet gültige, nicht unbedingt mit der zugehörigen ↑ Zonenzeit übereinstimmende Zeit mit einer festgelegten Differenz zur mittleren Greenwicher Zeit (Weltzeit); z. B. die mitteleurop. Zeit (MEZ).

Standarte [zu altfrz. estandart „Feldzeichen"], im MA fahnenartiges, auf einer Stange befestigtes Feldzeichen, um das sich das Heer sammelte; bis ins 20. Jh. [kleine viereckige] Fahne berittener Truppen; auch Hoheitszeichen von Staatsoberhäuptern.
◆ etwa einem Regiment entsprechender Verband in der (nat.-soz.) SA und der SS.

Standbein ↑ Kontrapost.

Standbild ↑ Statue.

Ständchen, Musikstück, das zu Ehren einer Person (der Geliebten) z. B. vor deren Haus aufgeführt wird. Seit Anfang des 17. Jh. bekannt, seit dem 19. Jh. auch Überschrift von Liedern, mehrstimmigen Gesängen und Instrumentalstücken. – ↑ Serenade.

Ständeklausel ↑ Drama.

Ständemehr, in der Schweiz bei Abstimmungen die Mehrheit der Kantone. Das S. muß bei Änderungen der BV neben dem *Volksmehr* vorliegen.

Stander [zu ↑ Standarte], 1. kleine dreieckige Flagge an der Mastspitze von Segelbooten zur Anzeige der scheinbaren Windrichtung (auch Verklicker gen.); 2. dreieckige Signal- oder Kommandoflagge auf Schiffen oder an Kfz zur Anzeige des Ranges einer mitfahrenden Person. Flaggen mit dreieckigem Einschnitt heißen Doppelstander.

Stander [niederdt.], kurzes [Draht]seil, dessen Enden durch Spleiß oder Muffung zu Augen gestaltet sind.

Ständer (Stator), in elektr. Maschinen der feststehende Teil (im Ggs. zum Läufer).

Ständerat, Bez. der dt. föderative Kammer der schweizer. Bundesversammlung sowie für deren Mitglieder.

Stander C, Bez. der dt. Ersatzhandelsflagge (bis 1950) nach dem Verbot der Hakenkreuzflagge durch die Alliierten 1945: die Signalflagge für den Buchstaben C (des internat. Signalflaggenalphabets; Farbenfolge: blau-weiß-rot-weiß-blau, waagerecht gestreift) in Doppelstanderform.

Ständerflechten (Basidiolichenes), artenarme, vorwiegend in den Tropen vorkommende Klasse der Flechten mit unscheinbarem Thallus aus Ständerpilzen und Blaualgen.

Ständerpilze (Basidiomyzeten, Basidiomycetes), Klasse der höheren Pilze mit rd. 30 000 Arten. Die S. haben ein umfangreiches Myzel, dessen Zellwände vorwiegend aus Chitin bestehen. Sie sind Fäulnisbewohner (Saprophyten) oder Parasiten vorwiegend an Pflanzen. Ihre Sporen (Basidiosporen) werden i. d. R. nach außen in charakterist. Fruchtkörpern auf Ständern (Basidien) gebildet. Neben anderen Merkmalen spielen für ihre systemat. Gruppierung die Basidientypen und Fruchtkörperformen die wichtigste Rolle. In die Unterklasse *Holobasidiomycetes* (ungeteilte Basidie) gehören u. a. ↑ Bauchpilze und ↑ Lamellenpilze, von denen zahlr. Hutpilze eßbar sind (z. B. Champignon, Pfifferling, Reizker, Steinpilz), andere dagegen sind hochgiftig (z. B. Fliegenpilz, Grüner Knollenblätterpilz). Zur Unterklasse *Phragmobasidiomycetes* (Basidien sind durch Längs- oder Querwände gegliedert) rechnet man neben ↑ Gallertpilzen und ↑ Ohrlappenpilzen die oft massenhaft auftretenden parasit. ↑ Brandpilze und ↑ Rostpilze. – Die S. sind weltweit verbreitet und zus. mit den Schlauchpilzen, niederen Pilzen (z. B. Algenpilze) und Bakterien maßgeblich an der Mineralisation beteiligt, die den Stoffkreislauf in der Biosphäre in Gang hält.

Standesamt, Amt zur Erledigung der im Personenstandsgesetz vorgesehenen Aufgaben, insbes. zur Führung der Personenstandsbücher.

Standesherren, 1815–1918 Bez. für die 1803/06 mediatisierten reichsfürstl. und reichsgräfl. Häuser; ihre Besitzungen bildeten *Standesherrschaften.* Ihnen waren zahlr. Privilegien (u. a. Zugehörigkeit zum Hochadel, eigener Gerichtsstand) zuerkannt.

Ständestaat, 1. Bez. für den europ. Staat des Spät-MA und der frühen Neuzeit, in dem die Stände Inhaber vom Staat unabhängiger Herrschaftsgewalt sind und selbst polit. Rechte haben; 2. im Rückgriff auf den histor. S. gegen Mitte des 19. Jh. entstandenes Konzept einer staatl. Ordnung, in der die Berufsstände als Vertreter der realen gesellschaftl. Interessen Träger des Staates sein sollten *(berufsständ. Ordnung).* Damit verfolgte das Konzept des S. die Auflösung der Parteiendemokratie. Österreich hatte 1934–38 eine diesem Konzept nahekommende Staatsform. Ständestaatl. Elemente hatten Portugal (Korporativkammer), Spanien (Cortes) und Italien (Korporationensystem).

Ständewesen, die europ. Staats- und Sozialordnung des Spät-MA und der frühen Neuzeit, die bestimmt war durch den sich in ständ. Repräsentativorganen (Landtag, Reichstag) manifestierenden Dualismus von Obrigkeit und Ständen. Die Stände waren Zwischengewalten, damit stand der größte Teil der Bev. zur staatl. Gewalt in einem bloß mittelbaren Verhältnis. **Standschaft** war Herrschaft, die sich aus Rechten unterschiedl. Herkunft zusammensetzte. Herrschaftsverträge garantierten ständ. Freiheitsrechte sowie ständ. Teilhabe an staatl. Herrschaft. Der Hausherrschaft kam in gewissem Sinne Modellcharakter zu (der Fürst als Hausvater). In der Begründung der Standschaft auf Eigentum an Grund und Boden erwies sich der Zusammenhang von Staats- und Sozialordnung. – Der entstehende moderne Staat beanspruchte das Monopol der Rechts- und Friedenswahrung für sich und unterschied sich vom Ständestaat durch die Souveränität, von J. Bodin 1576 als höchste und von den Gesetzen gelöste Gewalt gegenüber Bürgern und Untertanen definiert. Als Reaktion auf seine Etablierung erfolgte die Verfestigung des S. mit dem Ziel, die eigenen Rechte und die der Standesgenossen zu wahren.

📖 *Von der ständ. zur bürgerl. Gesellschaft.* Hg. v. Z. Batscha u. a. *Ffm. 1981. – Herrschaft u. Stand.* Hg. v. J. Fleckenstein. *Gött.* ²*1979.*

Standfigur, im Puppenspiel verwendete, aus dünnem Holz ausgesägte, bemalte und auf einem Standbrett befestigte Figur, die von der seitl. Kulisse her bewegt werden kann.

Standgeld, svw. ↑ Marktabgabe.

Standgetriebe ↑ Getriebe.

Ständige Konferenz der Kultusminister der Länder, svw. ↑ Kultusministerkonferenz.

Ständiger Internationaler Gerichtshof, internat. Gericht beim Völkerbund (1920–46) mit Sitz in Den Haag. Er war zuständig in völkerrechtl. Streitfragen, die ihm von den streitenden Parteien zur Entscheidung oder vom Völkerbund zur Abgabe eines Gutachtens vorgelegt wurden. 1946 durch den ↑ Internationalen Gerichtshof ersetzt.

Ständiger Schiedshof, von den Unterzeichnerstaaten der ↑ Haager Friedenskonferenzen ins Leben gerufene schiedsgerichtl. Einrichtung zur friedl. Regelung internat. Streitfälle; Sitz Den Haag.

Standlicht, von den Begrenzungsleuchten der ↑ Kraftfahrzeugbeleuchtung gelieferte schwächste Beleuchtungsstufe. Mit S. allein darf in Deutschland nicht gefahren werden.

Standlinie, in der *Navigation* eine [durch Peilung ermittelte] Linie, auf der sich das [peilende] Fahrzeug befindet; der Schnittpunkt zweier oder mehrerer S. ist der Standort.

Standort, der durch unmittelbare Abstands- und/oder Winkelbestimmung zu bekannten Orten, Richtungen oder Koordinatensystemen, durch Astronavigation, Funkpeilung u. a. ermittelte Aufenthaltsort eines Fahrzeugs oder Beobachters.

♦ nach dem 1. Weltkrieg an die Stelle von Garnison getretene Bez. für einen Ort, in dem Truppenteile, militär. Dienststellen, Einrichtungen oder Anlagen ständig untergebracht sind. Im *S.bereich* hat der *S.kommandant* bzw. der *S.älteste* militär. Befehlsbefugnis.

Standortverwaltung ↑ Wehrersatzwesen.

Standphoto, bei Filmaufnahmen eine Photographie, die Einrichtung, Kostümierung und Arrangement jeder Kameraeinstellung für weitere Dreharbeiten festhält.

Standrecht, Vorschriften, die der Exekutive (insbes. militär. Befehlshabern) gestatten, in Krisenzeiten für bestimmte Delikte in Schnellverfahren Strafgerichtsbarkeit auszuüben, v. a. die Todesstrafe zu verhängen und zu vollstrecken. S. widerspricht den Rechtsstaatsgrundsätzen des GG und darf in Deutschland nicht eingeführt werden.

Standspur (Standstreifen) ↑ Autobahn.

Standvögel, Vögel, die im Ggs. zu den ↑ Strichvögeln und ↑ Zugvögeln während des ganzen Jahres in der Nähe ihrer Nistplätze bleiben; z. B. Dompfaff, Haussperling, Amsel.

Standwaage, Halteteil beim Bodenturnen; der Turner steht auf einem Bein, das andere Bein, Oberkörper und Arme werden waagerecht gehalten.

Standzeit, die Zeitdauer, während der ein Werkzeug (bzw. eine Maschine) ohne Überschreiten des zulässigen Verschleißes oder ohne Nachschliff arbeiten kann.

Stanew, Emilijan [bulgar. 'stanɛf], * Tarnowo 14. Febr. 1907, † Sofia 15. März 1979, bulgar. Schriftsteller. – Mit Jagd- und Tiergeschichten („Wolfsnächte", 1943), Erzählungen aus dem Kleinstadtmilieu und Romanen bed. moderner bulgar. Autor.

Stanford, Sir (seit 1901) Charles Villiers [engl. 'stænfəd], * Dublin 30. Sept. 1852, † London 29. März 1924, ir. Komponist. – Seine Kompositionen (Orchesterwerke, Opern, Lieder) lassen neben ir.-nat. Elementen deutl. Bezüge zur kontinentalen Spätromantik erkennen.

Stanford University [engl. 'stænfəd ju:ni'vɜ:sɪtɪ], naturwiss. und geisteswiss. Universität in Palo Alto (Calif.), gegr. 1885; bed. Institute u. a.: Hoover Institution on War, Revolution and Peace, National Academy of Education.

Stange, Erich, * Schwepnitz (Landkr. Kamenz) 23. März 1888, † Kassel 12. März 1972, dt. ev. Theologe. – 1921–27 Sekretär von „Life and Work"; 1957 Initiator der Telefonseelsorge in der BR Deutschland.

Stange ↑ Geweih.

Stangenbohne ↑ Gartenbohne.

Stanimaka ↑ Assenowgrad.

Stanislaus, Name poln. Könige:

S. I. Leszczyński [poln. lɛʃ't͡ʃıiski], * Lemberg 20. Okt. 1677, † Lunéville 23. Febr. 1766, König (1704/06–09, 1733–36). – Unter schwed. Druck anstelle des Wettiners August II., des Starken, 1704 zum König gewählt, konnte sich aber nur bis zur Niederlage seines Protektors Karl XII. bei Poltawa (1709) auf dem Thron halten; wurde 1733 mit frz. und schwed. Unterstützung erneut König von Polen. Mußte im Poln. Thronfolgekrieg 1736 August III. von Polen-Sachsen weichen; 1738

mit den Hzgt. Lothringen und Bar abgefunden.

S. II. August (S. A. Poniatowski), * Wolczyn 17. Jan. 1732, † Petersburg 12. Febr. 1798, König (1764–95). – Günstling Katharinas II., d. Gr., und auf deren Betreiben 1764 zum König von Polen gewählt. Bemühte sich um eine polit. und wirtsch. Stabilisierung, konnte aber die Poln. Teilungen nicht verhindern und wurde noch vor der 3. Teilung 1795 zur Abdankung gezwungen.

Stanislaus Kostka (Stanisław K.), hl., * Rostow (Masowien) 28. Okt. 1550, † Rom 15. Aug. 1568, poln. Adliger. – 1564–67 Schüler am Wiener Jesuitenkolleg; floh, da sein Vater sich seinem Plan, in den Jesuitenorden einzutreten, widersetzte, zu Petrus Canisius nach Dillingen, der seine Ordenseignung prüfte und ihn nach Rom schickte; starb dort als Novize der Jesuiten an den Folgen seiner strapaziösen Flucht. Patron Polens und der studierenden Jugend. – Fest: 13. November.

Stanislawski, Konstantin Sergejewitsch, eigtl. K. S. Alexejew, * Moskau 17. Jan. 1863, † ebd. 7. Aug. 1938, russ. Schauspieler, Regisseur und Theaterwissenschaftler. – Gründete 1898 mit W. I. Nemirowitsch-Dantschenko das Moskauer Künstlertheater und leitete es bis zu seinem Tod. Mit seinen Inszenierungen, v. a. von Werken Tschechows, Gorkis und Ibsens, übte er großen Einfluß auf das sowjet. und internat. Theater aus; auch Operninszenierungen. Als Pädagoge und Theoretiker war S. mit seiner Methode (S.-System) richtungweisend; danach muß der exakte Vollzug äußerer („phys.") Handlungen mit dem intensiven Durchleben der Rolle und dem Eindruck von Natürlichkeit und Glaubhaftigkeit einhergehen; bed. Schriften zur Schauspielkunst.

Stanković, Borisav [serbokroat. ˌsta:ŋkovitɕ], * Vranje 22. März 1876, † Belgrad 22. Okt. 1927, serb. Schriftsteller. – Bedeutendster Stilist des serb. Realismus. Seine Romane, Novellen und Dramen schildern in leidenschaftlich impulsiver, oft mit lyr. Elementen vermischter und psychologisierender Prosa seine südserb. Heimat zur Zeit der Befreiung von den Osmanen.

Stanley [engl. stænlɪ], Sir (seit 1899) Henry Morton, eigtl. John Rowlands, * Denbigh (Clwyd) 28. Jan. 1841, † London 10. Mai 1904, brit. Forschungsreisender und Journalist. – Fand auf einer Suchexpedition (1869–71) den verschollenen D. Livingstone am 28. Okt. 1871 in Ujiji. 1874–77 bereiste er die Seen Z-Afrikas, gelangte zum Lualaba und erkundete den Kongo von den Livingstonefällen bis zur Atlantikküste. Im Auftrag des belg. Königs Leopold II. erforschte S. 1879–84 das Kongobecken.

S., Wendell Meredith, * Ridgeville (Ind.)

16. Aug. 1904, † Salamanca 15. Juni 1971, amerikan. Biochemiker. - Prof. in Berkeley; Arbeiten v. a. zur Virusforschung; 1935 gelang ihm die erste Isolierung eines Virus (Tabakmosaikvirus, TMV). S. vertrat die Ansicht, daß Krebs durch onkogene Viren ausgelöst wird. Für seine Virusuntersuchungen erhielt er 1946 (mit J. H. Northrop und J. B. Sumner) den Nobelpreis für Chemie.

Stanley [engl. 'stænlı] (früher Port Stanley), Hauptort der Falklandinseln, an der O-Küste von Ostfalkland, 1 240 E. Hafen, ☒. Nahebei Satellitenwarte. - Gegr. 1844.

Stanleyfälle [engl. 'stænlı] † Kongo (Fluß).

Stanley Pool [engl. 'stænlı 'pu:l] † Kongo (Fluß).

Stanleyville [frz. stanlɛ'vil] † Kisangani.

Stannate [lat.], die Salze der (hypothet.) Hexahydroxozinnsäure, $H_2[Sn(OH)_6]$, der Metazinnsäure, $H_2[SnO_3]$, sowie die sich vom Zinn(II)-hydroxid, $Sn(OH)_2$, ableitenden Salze; technisch wichtig ist z. B. das Kupferstannat, $Cu[Sn(OH)_6]$, zum Galvanisieren.

Stanniol [zu lat. stagnum (stannum) „Mischung aus Blei und Silber, Zinn"], dünne Zinnfolie für Verpackungszwecke; heute meist durch Aluminiumfolie ersetzt.

Stannum, lat. Name für † Zinn.

Stanowoigebirge [russ. stɐnɐ'vɔj], Gebirge in O-Sibirien, etwa 700 km lang, 100-180 km breit, bis 2 412 m hoch; Wasserscheide zw. Nordpolarmeer und Pazifik.

Stans, Hauptort des schweizer. Halbkantons Unterwalden nid dem Wald, am N-Fuß des Stanserhorns, 452 m ü. d. M., 6 200 E. Bau von Flugzeugen, landw. Maschinen und Traktoren, Skifabrik. - Entwickelte sich im 14. Jh. als Gerichts- und Behördensitz zum Hauptort des Halbkantons; nach Brand (1713) planmäßig wiederaufgebaut. - Frühbarocke Pfarrkirche (1642-47) mit roman. Turm, spätgot. Beinhaus (1559/60); ehem. Frauenkloster Sankt Clara (durch H. Pestalozzi seit 1798/99 Waisenhaus); Rathaus (1714/15) mit spätgot. Rundturm.

stante pede [lat. „stehenden Fußes"], sofort, unverzüglich.

Stanton, Elizabeth Cady [engl. 'stɑːntən, 'stæntən], * Johnstown (N. Y.) 12. Nov. 1815, † New York 26. Okt. 1902, amerikan. Frauenrechtlerin. - Juristin und Publizistin; kämpfte v. a. für das Frauenwahlrecht; organisierte 1848 den ersten Frauenrechtskongreß; 1869-90 Präs. der „National American Woman Suffrage Association".

Stanwyck, Barbara [engl. 'stænwɪk], eigtl. B. Ruby Stevens, * New York 16. Juli 1907, † Santa Monica (Calif.) 20. Jan. 1990, amerikan. Filmschauspielerin. - Vielseitige Darstellerin in Melodramen („Stella Dallas", 1937; „Die Dornenvögel", 1984), Western,

Filmkomödien und Kriminalfilmen („Die Frau ohne Gewissen", 1943).

Stanze [zu mittellat.-italien. stanza „Wohnraum" (der poet. Gedanken)], urspr. (seit Ende des 13. Jh.) italien. Strophenform aus 8 weibl. Elfsilblern (Reimschema: ab ab ab cc): die auch als *Oktave* oder *Ottaverime* bezeichnete vorherrschende Form in der klass. Epik Italiens (M. M. Boiardo, L. Ariosto, T. Tasso), im 14. und 15. Jh. für Drama und Lyrik übernommen. In Deutschland seit dem 17. Jh. verwendet (J. J. W. Heinse, Goethe, Schiller, die Romantiker, R. M. Rilke und D. von Liliencron).

Stanzen, Bez. für unterschiedl. Umformverfahren (v. a. von Blechen), die ohne wesentl. Änderung der Dicke des Materials zw. einem Oberwerkzeug (Stempel) und einem Unterwerkzeug (z. B. Schnittplatte beim S. von Löchern) erfolgen. - † Blechverarbeitung.

Stapel [niederdt.], (S.länge) die Länge der Fasern eines Textilrohstoffs.

Stapelfasern, Chemiefasern, die in Stücke bestimmter Länge zerschnitten sind und damit verspinnbar vorliegen (Ggs. Endlosfäden).

Stapelia [nach dem niederl. Botaniker J. B. van Stapel, † 1636] (Stapelie, Aasblume, Ordenskaktus, Ordensstern), Gatt. der Schwalbenwurzgewächse mit ca. 100 Arten v. a. in S- und SW-Afrika; stammsukkulente Pflanzen mit zahlr. vierkantigen, kakteenartigen Sprossen; 3-30 cm im Durchmesser, einem fünfarmigen Seestern ähnlich, meist trübrot oder bräunlich gefärbt; riechen unangenehm und locken Aasfliegen an.

Stapellauf, Zuwasserlassen des fertigen Schiffsrumpfes auf geneigten Ablaufbahnen. Der **Querablauf** wird für Schiffe mit geringer Längsfestigkeit und von Werften mit wenig Auslauf vor der Helling angewendet (v. a. Binnenschiffswerften). Der **Längsablauf** erfolgt auf zwei Ablaufbahnen, neuerdings auch auf einer Ablaufbahn mit zwei seitl. Stützbahnen. Zw. dem am Schiff befestigten Schlitten und der Ablaufbahn wird eine Schmierschicht aufgetragen. Die Bahnneigung liegt meist bei etwa 1:10, maximal bei 1:8. Die krit. Phase des S. ist der Zeitpunkt des Aufschwimmens; zu diesem Zeitpunkt treten die größten Biegespannungen im Boden und im Deck des Schiffes auf. - Vor dem S. wird die **Schiffstaufe** vollzogen, wobei eine Flasche Sekt gegen den Bug des Schiffes geschleudert wird.

Stapelrecht, im MA das Recht verschiedener Städte, durchziehende oder in gewissem Umkreis vorbeireisende fremde Kaufleute zu zwingen, ihre Waren eine Zeitlang in der Stadt zum Verkauf anzubieten.

Stapelspeicher, svw. † Keller.

Stapes [lat.] ↑ Steigbügel.

Stapesplastik [lat./griech.], hörverbessernde Operation bei funktionsuntüchtigem fixiertem Steigbügel; meistens durch Otosklerose, seltener durch entzündl. Prozesse verursacht. In das Mittelohr wird entweder aus Kunststoff bzw. Draht ein Steigbügelersatz eingebracht oder die Steigbügel-Fußplatte wird entfernt und durch ein Bindegewebstransplantat ersetzt.

Staphylea [griech.], svw. ↑ Pimpernuß.

Staphylokokken [griech.], Bakterien der Gatt. *Staphylococcus* mit drei Arten. Die unbewegl., kugeligen Zellen bilden traubige Aggregate. Die S. sind die am häufigsten vorkommenden Eitererreger und leben auf der Oberhaut von Warmblütlern. *Staphylococcus aureus* verursacht beim Menschen eitrige Abszesse (Staphylodermie) und Allgemeininfektionen (Blutvergiftung, Lungenentzündung) und ist die Ursache von infektiösem ↑ Hospitalismus. Enterotoxinbildende Stämme sind für Lebensmittelvergiftungen verantwortlich.

Star, Bez. für die einzelnen Vogelarten der Fam. ↑ Stare, v. a. für den einheim. Gemeinen Star.

Star [zu althochdt. staraplint „starrend blind"], Name verschiedener Augenkrankheiten, grauer Star (↑ Katarakt), grüner Star (↑ Glaukom).

Star [engl., eigtl. „Stern"], glanzvolle, sehr fähige und bewunderte Gestalt im öff. Leben; als **Starlet** bezeichnet man eine junge, auf S.ruhm hoffende Schauspielerin.

Stara planina, bulgar. Bez. für das Gebirge ↑ Balkan.

Stara Sagora, bulgar. Stadt am S-Fuß der östl. Sredna gora, 235 m ü. d. M., 156 400 E. Veterinärmedizin. Hochschule; histor. Museum; Zoo; Observatorium. Nahrungs- und Genußmittelind., Düngemittelfabrik, Maschinenbau. – In vorröm. Zeit **Beroia,** seit Trajan **Augusta Traiana** gen., unter osman. Herrschaft **Eski Zagra;** 1878 von den Osmanen zerstört; danach planmäßig wiederaufgebaut. – Reste eines röm. Stadttors und eines Hauses (4. Jh. n. Chr.) mit Fußbodenmosaik.

Starboot (Star), Kielboot für zwei Mann Besatzung. Länge 6,90 m, Breite 1,73 m, Tiefgang 1,01 m; Segelfläche 26 m²; Kennzeichen: ein Stern im Segel. Das S. ist die älteste internat. Einheitsklasse und zählt zu den olymp. Klassen.

Starčevokultur [serbokroat. 'sta:rtʃevɔ], eine der ältesten neolith. Kulturgruppen SO-Europas, ben. nach dem Fundort Starčevo (= Pančevo bei Belgrad); gekennzeichnet u. a. durch feste Holzbauten mit Lehmverputz, grobe Keramik mit Fingernagelverzierung und bemalte Keramik, stark stilisierte

Statuetten dickleibiger Frauen, vorwiegend Hockerbestattungen innerhalb der Siedlung.

Stare (Sturnidae), Fam. sperlings- bis dohlengroßer Singvögel mit über 100 Arten, v. a. in den Tropen und Subtropen der Alten Welt; meist gesellig lebende, häufig in Kolonien brütende Vögel, die sich v. a. von Insekten, Würmern, Schnecken und Früchten ernähren; Gefieder meist schwarz bis braun, oft metallisch glänzend; Flügel spitz auslaufend; vorwiegend Höhlenbrüter. – Zu den S. gehören u. a. ↑ Glanzstare, ↑ Madenhacker, **Beo** (Gracula religiosa; etwa 30 cm lang, mit gelbem Schnabel und leuchtendgelben Fleischlappen am Hinterkopf; in den Wäldern Ceylons bis Hainan), der **Gemeine Star** (Star i. e. S., Sturnus vulgaris) in Eurasien bis Sibirien; Gefieder auf schwarzem Grund grünlich und blau schillernd. In den Steppen SO-Europas und SW-Asiens kommt der etwa 22 cm lange **Rosenstar** (Pastor roseus) vor; mit Ausnahme des schwarzen Kopfes, schwarzen Schwanzes und der schwarzen Flügel rosarot.

Starez [russ. 'starits „der Alte"] (Mrz. Starzen), in der russ.-orth. Kirche der Beichtvater (Mönch) und geistl. Erzieher junger Mönche; im 19. Jh. auch geistl. Autorität für Laien.

Starfighter [engl. 'stɑ:faitə, eigtl. „Sternkämpfer"], ein mit einem Strahltriebwerk ausgerüstetes Kampfflugzeug, in unterschiedl. Versionen ab 1955 in Serienfertigung gebaut und in den Luftstreitkräften vieler Staaten eingeführt. Die von der Luftwaffe und den Marinefliegern der BR Deutschland geflogene Version F-104 G hatte v. a. in den ersten Einsatzjahren eine hohe Flugunfallrate. Der S. wurde bei den Streitkräften sukzessive durch die Kampfflugzeuge ↑ Phantom und ↑ Tornado ersetzt; 1991 außer Dienst gestellt.

Stargard i. Pom. (poln. Stargard Szczeciński), Stadt in Pommern, Polen, 35 km osö. von Stettin, 30 m ü. d. M., 69 000 E. Elektroind., Landmaschinenbau. – 1124 erstmals gen. Marktsiedlung; Mgl. der Hanse ab 1363. – Türme der ma. Stadtbefestigung, spätgot. Rathaus (16. Jh.), Marienkirche (13., 14./15. Jh.), Johanniskirche (15. Jh.).

Starhemberg ['ʃta:rəm...], oberöstr. Uradelsgeschlecht; nannte sich ab 1236 nach Burg S. bei Haag am Hausruck; 1643 Reichsgrafen, 1765 Reichsfürsten. Bed. Vertreter: **S.,** Ernst Rüdiger Graf von, * Graz 12. Jan. 1638, † Wesendorf (= Wien) 4. Jan. 1701, kaiserl. Feldmarschall. – Stadtkommandant von Wien während der osman. Belagerung (1683). **S.,** Ernst Rüdiger Fürst von (bis 1919), * Eferding 10. Mai 1899, † Schruns 15. März 1956, Politiker. – Mgl. in Selbstschutz- und Freikorpsverbänden seit 1918, Teilnahme am Hitlerputsch 1923; 1927 Beitritt zu den östr.

Heimwehren, deren Bundesführer ab 1930; 1930 kurze Zeit Innenmin., 1934–36 Vizekanzler, wurde 1934 Führer der Vaterländ. Front; trat für eine enge außenpolit. Anlehnung an Mussolini, gegen das nat.-soz. Deutschland ein, propagierte ein austrofaschist. System; im Mai 1936 entmachtet; lebte 1937–55 im Exil.

Starinen [russ.], volkstüml. Bez. für die russ. ↑ Bylinen, die von den „alten" (russ. star „alt") Zeiten berichten; verbreitet bes. im nördl. Rußland.

Stark, Johannes, * Schickenhof (Gem. Thansüß, Landkr. Amberg) 15. April 1874, † Traunstein 21. Juni 1957, dt. Physiker. – Prof. in Hannover, Aachen, Greifswald und Würzburg; 1933–39 Präs. der Physikal.-Techn. Reichsanstalt, 1934–36 auch der Dt. Forschungsgemeinschaft. Bed. Arbeiten zur elektr. Leitung in Gasen. Entdeckte 1905 den opt. Doppler-Effekt an Kanalstrahlen und 1913 den nach ihm benannten ↑ Stark-Effekt; Nobelpreis für Physik 1919.

Starkbier ↑ Bier.

Stärke (Amylum), von Pflanzen bei der Photosynthese gebildetes Polysaccharid, allg. Formel $(C_6H_{10}O_5)_n$, das aus zwei Komponenten besteht: zu 80–85% aus wasserunlösl. Amylopektin (mit verzweigten Kettenmolekülen aus Glucoseresten) und zu 15–20% aus wasserlösl. Amylose (mit schraubig gewundenen, unverzweigten Kettenmolekülen aus Glucoseresten). Die S. wird zu einem geringen Teil sofort in den pflanzl. Stoffwechsel eingeführt, zum größten Teil jedoch als Reservestoff in den Leukoplasten verschiedener Organe (Speichergewebe in Mark, Früchten, Samen, Knollen) in Form artspezifisch geformter S.körner abgelagert. S.gehalt einiger Pflanzenteile: Kartoffeln 17–24%, Weizen 60–70%, Roggen, Gerste, Hafer 50–60%, Mais 65–75%, Reis 70–80%. Die mit der Nahrung aufgenommene S. wird bei Mensch und Tier zunächst bis zu Glucose gespalten, in der Leber wird daraus wieder als Vorratsstoff ↑ Glykogen (tier. S.) aufgebaut. S. ist das wichtigste Nahrungsmittel-Kohlenhydrat; der menschl. Bedarf liegt bei 500g pro Tag. Daneben wird S. zur Gewinnung von Alkohol, in der Nahrungsmittelind. zur Herstellung von Nährmitteln und Lebensmittelzubereitungen sowie in der Technik wegen ihres Quell- und Klebevermögens zur Herstellung von Leimen, Klebstoffen und Textilappreturen verwendet. – Durch Erhitzen mit Wasser und anschließendes Trocknen vorbehandelte S. *(Quell-S.)* quillt im Ggs. zur unbehandelten S. schon in kaltem Wasser.

Stärkeeinheit, Abk. St. E., in der landw. Fütterungslehre eine Futterwerteinheit (1 S. entspricht der Energie 9 900 J). Ihr Zahlenwert gibt an, wieviel g reine Stärke beim aus-

gewachsenen Rind den gleichen Fettansatz bewirken wie 100 g des betreffenden Futtermittels.

Stark-Effękt [nach J. Stark], Aufspaltung der Spektrallinien eines Linienspektrums in eine Anzahl von Komponenten unter Einwirkung eines äußeren elektr. Feldes.

Stärkegranulose [dt./lat.], svw. ↑ Amylopektin.

Stärkegummi ↑ Dextrine.

starkes Verb ↑ schwaches Verb.

starke Wechselwirkung ↑ Wechselwirkung.

Stärkezellulose, svw. ↑ Amylose.

Starkgase ↑ Brenngase.

Starkstrom, bei der Energieversorgung angewendeter, nicht eindeutiger Begriff, der sich weniger auf die Stromstärke, sondern mehr auf Spannung (meist ab 110 V) oder Leistung bezieht.

Starkstromtechnik ↑ Elektrotechnik.

Stärkungsmittel (Kräftigungsmittel, Roboranzien, Tonikum), Mittel (Präparate) bestimmter Zusammensetzung, die neben Vitaminen und Arzneimitteln u. a. Glucose, Glycerophosphate, Lezithine und z. T. anabole Steroide bes. für den Aufbau und die Funktion der Organe enthalten; sie werden bei chron. Erkrankungen, in der Genesung und bei allg. schlechtem Gesundheitszustand angewendet.

Stärlinge (Icteridae), Fam. finken- bis krähengroßer Singvögel mit fast 100 Arten, bes. in N-Amerika; Körper meist schwarz befiedert, mit großen, gelb- bis rotgefärbten Flächen und länglichspitzem Schnabel; brüten in muldenförmigen Bodennestern oder in an Zweigenden hängenden Beutelnestern. – Neben dem **Reisstärling** (Dolichonyx oryzivorus; ♂ mit schwarzem Kopf und weißen Schultern; in S-Kanada und den nördl. USA) und der Gatt. **Trupiale** (Icterus; ♂ häufig gelb, orange und schwarz gefärbt) zählen zu den S. u. a. die **Kuhstärlinge** (Molothrus; starengroß; ♂ meist schwarz, ♀ braun; picken Ungeziefer von weidendem Vieh auf).

Starnberg, Krst. am N-Ende des Starnberger Sees, Bay., 618 m ü. d. M., 19 400 E. Verwaltungssitz des Landkr. S.; Bayer. Landesanstalt für Fischzucht; Württgaumuseum; Pendlerwohngemeinde von München. - 1244 erste Erwähnung der Burg S., Siedlung im 13. Jh. nachweisbar; seit 1912 Stadt. - Ehem. Schloß (16., 17. und 19. Jh.). **S.,** Landkr. in Bayern.

Starnberger See (Würmsee), See im bayr. Alpenvorland, 584 m ü. d. M., 57 km², 20 km lang, bis 4,7 km breit, bis 127 m tief.

Starogard Gdański [poln. sta'rɔgard 'gdaĩski] (dt. Preuß. Stargard), poln. Stadt am W-Rand der Weichsel-Nogat-Niederung, 200 m ü. d. M., 47 000 E. Elektro- und pharmazeut. Ind. – Im 8. Jh. slaw. Siedlung; gehörte 1309–1466 zum Gebiet des Dt. Ordens, erhielt 1348 Culmer Recht; 1772–1920 bei Preußen, seitdem polnisch. – Got. Pfarrkirche (14. Jh.); z. T. erhaltene ma. Stadtbefestigung.

Starost [russ., eigtl. „Alter"], im Moskauer Reich ein Gemeinde- bzw. Dorfvorsteher; in Polen Adliger, dem der König ein Lehnsgut verliehen hatte; 1919 39 in Polen Vorsteher einer Gemeinde.

Starr, Ringo [engl. stɑ:] ↑ Beatles.

Starrachse ↑ Fahrwerk.

Starre (Starrezustand), meist reversible Aufhebung verschiedener Lebensvorgänge unter dem Einfluß ungünstiger Umweltbedingungen, ohne daß der Tod eintritt. Es gibt u. a. Kälte-, Licht-, Trocken-, Gift-, Hunger-, Sauerstoffstarre.
◆ (Starrheit) in der *Psychologie* ↑ Rigidität.

starrer Körper, idealisierter makroskop. Körper, der aus ↑ Massenpunkten besteht, deren Abstände untereinander stets gleichbleiben. Da der s. K. seine Form unter dem Einfluß angreifender Kräfte nicht ändert, kann man den Angriffspunkt einer auf ihn wirkenden Kraft entlang ihrer Wirkungslinie verschieben, ohne daß sich dabei die Wirkung dieser Kraft auf den Körper selbst ändert.

Starrkrampf, svw. ↑ Wundstarrkrampf.

Starrluftschiff ↑ Luftschiff.

Stars and Stripes [engl. 'stɑ:z ənd 'straɪps „Sterne und Streifen"] ↑ Sternenbanner.

star-spangled banner, The [engl. ðə 'stɑ:ˌspæŋgld 'bænə „Das sternenbesäte Banner"], seit 1931 die Nationalhymne der USA, Text von F. S. Key, Melodie von J. S. Smith (* 1750, † 1836).

Start [zu engl. to start „losgehen"], allg. der Beginn, Anfang eines Unternehmens.
◆ im *Sport* Beginn eines Wettbewerbs, der meist durch ein visuelles (Flagge) oder akust. Zeichen (Schuß, Pfeifsignal) ausgelöst wird. Je nach Art des Wettbewerbs unterscheidet man den stehenden oder den *fliegenden S.,* bei dem die Teilnehmer schon vor dem Überqueren der S.linie in Bewegung sind. Ein zu frühes Lösen aus der S.position vor dem S.zeichen gilt beim stehenden S. als *Fehlstart.*
◆ in der *Technik* das Anlaufenlassen eines Motors, das Inbewegungsetzen eines Fahrzeugs, insbes. die Einleitung der Flugphase eines Flugzeugs *(Startvorgang)* oder einer Rakete.

START [engl. stɑ:t], Abk. für: Strategic Arms Reduction Talks [engl. strə'tiˈdʒɪk 'ɑ:mz rɪdʌkʃən 'tɔ:ks „Gespräche über den Abbau strateg. Rüstungen"], am 29. Juni 1982 in Genf begonnene Abrüstungsverhandlungen zw. den USA und der Sowjetunion. Im Unter-

schied zu SALT wurde bei START nicht nur eine Begrenzung, sondern eine Reduzierung der strateg. Kernwaffenpotentiale angestrebt. In dem am 31. Juli 1991 in Moskau unterzeichneten **START-Vertrag** verpflichteten sich beide Seiten, jeweils ein Drittel dieser Potentiale zu beseitigen.

Startautomatik, am Vergaser eines Kfz befindl. Einrichtung, die beim Kaltstart selbsttätig die *Starterklappe* mit Hilfe eines auf Temperaturunterschiede ansprechenden Bimetalles betätigt. Im kalten Zustand ist die Starterklappe durch eine Vorspannung des Bimetalles geschlossen und ermöglicht die Bildung eines fetten Kraftstoff-Luft-Gemisches für den Startvorgang. Wird das Bimetall erwärmt, öffnet sich die Starterklappe allmählich.

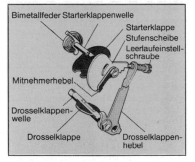

Bimetallfeder Starterklappenwelle
Starterklappe
Stufenscheibe
Leerlaufeinstellschraube
Mitnehmerhebel
Drosselklappenwelle
Drosselklappe
Drosselklappenhebel

Startautomatik mit Stufenscheibe zur Einstellregelung der Drosselklappe nach dem jeweiligen Stand der Starterklappe

Starter [engl.], Unparteiischer, der ein Rennen beginnen läßt und den Ablauf des Starts überwacht.
◆ svw. ↑ Anlasser.
◆ ↑ Leuchtstofflampen.

Starterklappe ↑ Choke, ↑ Startautomatik.

Startfenster, in der *Raumfahrt* Bez. für den Zeitraum (Tage oder Wochen), der für den Start eines Raumflugkörpers unter Berücksichtigung der antriebsenerget. Bedingungen bes. günstig ist bzw. praktisch ausschließlich gewählt werden kann.

Startreaktion ↑ Kettenreaktion.

Startsprung, im *Schwimmsport* Kopfsprung ins Wasser mit beim Absprung im Hüftgelenk gebeugtem Körper.

Start- und Landebahn (engl. Runway), befestigter (meist betonierter) und in Hauptwindrichtung liegender Geländestreifen auf Flughäfen; nach Länge, Breite und Tragfähigkeit internat. klassifiziert.

Startvergaser, bei manchen Vergasertypen ein im Nebenschluß zum ↑ Vergaser liegender Hilfsvergaser, der das zum Starten des Motors notwendige fette Gemisch liefert.

Starzen, Mrz. von ↑ Starez.

Stase (Stasis) [griech.], Stauung, Aufhören der Blutströmung in der Endstrombahn des Kreislaufsystems, verbunden mit Plasmaaustritt und Zusammenballung der roten Blutkörperchen, z. B. bei Entzündungen.

Stasi, Abk. für: ↑ Staatssicherheitsdienst.

Stasimon [griech. „Standlied"], das i. d. R. stroph., metrisch sehr variationsfähige Chorlied der griech. Tragödie.

Stassano-Ofen ↑ Schmelzöfen.

Staßfurt, Krst. an der Bode, Sa.-Anh., 64 m ü. d. M., 26 000 E. Salzlandtheater; Fernsehgeräte-, Sodawerk, Chemieanlagenbau, Nahrungsmittelind. – Frühma. Siedlung am Bodeübergang (805 bezeugt); im 11./12. Jh. Burg und Markt; 1180 erstmals Stadt genannt.

S., Landkr. in Sachsen-Anhalt.

Staßfurtit ↑ Boracit.

Staszic, Stanisław [poln. 'staʃits], *Schneidemühl 6. Nov. 1755, † Warschau 20. Jan. 1826, poln. Schriftsteller. – Einer der hervorragendsten Vertreter der poln. Aufklärung; organisierte das wiss. Leben in Polen.

State Department [engl. 'steɪt dɪ'pɑːtmənt], das Außenministerium der USA.

Statement [engl. 'steɪtmənt; lat.-engl.], öff. [polit.] Erklärung bzw. Verlautbarung.

Staten Island [engl. 'stætn 'aɪlənd], Insel an der W-Seite der Mündung des Hudson River, 150 km², Teil der Stadt New York, durch Brücken und Fähren mit Long Island und dem Festland verbunden.

Stater [griech.], 1. antike Gewichtseinheit, allg. das Doppelte, z. B. einer Drachme; 2. die Einheitsmünze der meisten griech. Währungssysteme, i. d. R. das Didrachmon, sowohl in Silber als auch in Gold, aber auch das Tetradrachmon (bes. in Athen und im Alexanderreich). Es gibt Bez. für Mehrfachwerte und Teilstücke beim griech. Gold-, nicht aber beim Silberstater.

Statik [zu griech. statikē̆ (téchnē) „die Kunst des Wägens"], Teilgebiet der *Mechanik;* Lehre vom Gleichgewicht der an einem ruhenden Körper angreifenden Kräfte und den dabei zu erfüllenden Gleichgewichtsbedingungen (im Ggs. zur ↑ Kinetik). Die S. der starren Körper spielt bes. in der Bautechnik eine bed. Rolle *(Bau-S.),* um aus den Belastungen eines Bauwerks Spannungen und Formänderungen von Bauteilen zu ermitteln.

Statio (Station) [lat.], in der altkirchl. Liturgie der Ort einer Gottesdienstl. Versammlung, dann diese Versammlung selbst **(Stationsgottesdienst).** In der liturg. Entwicklung wurde S. zur Bez. des bischöfl. Gottesdien-

stes, der die ganze Stadtgemeinde an einem Ort **(Stationskirche)** versammelt.

Station [lat.], Ort, an dem sich eine techn., wiss. o. a. Anlage befindet; Haltepunkt öff. Verkehrsmittel, Bahnhof.

◆ in der *Medizin:* räuml. und funktionelle Einheit in einem Krankenhaus, im allg. Untereinheit einer Abteilung. Der verantwortl. ärztl. Leiter ist der *Stationsarzt.*

stationär [lat.], allg. svw. bleibend, ortsfest, stillstehend.

◆ in der *Physik* zeitlich unveränderlich als Folge eines dynam., stat. oder statist. Gleichgewichts; z. B. ist in der *Hydromechanik* eine Strömung s., wenn ihr Geschwindigkeitsfeld zeitunabhängig ist.

◆ eine Krankenhausstation betreffend; z. B.: *s. Behandlung:* Behandlung mit ständigem Aufenthalt auf einer Krankenstation (im Ggs. zur ambulanten Behandlung).

stationärer Zustand, in der *statist. Mechanik* befindet sich ein Gas in einem s. Z., wenn das System trotz statist. Schwankungen immer wieder in ihn zurückkehrt; in der *Quantenmechanik* sind s. Z. die Lösungen der zeitunabhängigen Schrödinger-Gleichung.

◆ in der *Biologie* und *Biophysik* der bei Bestehen eines ↑ Fließgleichgewichts vorliegende Zustand eines offenen ↑ Systems.

Stationendrama, offene Form des Dramas, das im Ggs. zum aristotel. Drama aus einer lockeren Reihung von Einzelszenen (Stationen) besteht.

Stationsarzt ↑ Station.

Stationsgottesdienst ↑ Statio.

Stationskirche ↑ Statio.

Stationstasten, Druck- oder Sensortasten an Rundfunkempfängern, die es ermöglichen, einen einmal eingestellten Sender (v. a. UKW-Sender) ohne erneutes Suchen auf der Skala wieder einzustellen.

statisch, allg. svw. stillstehend, ruhend, unbewegt; die Statik betreffend. – Ggs. dynamisch.

statische Organe, svw. ↑ Gleichgewichtsorgane.

statischer Druck, der Druck in einem strömenden Medium, der auf eine sich mit der Strömung mitbewegende Fläche ausgeübt wird; ergibt zus. mit dem Staudruck den Gesamtdruck im strömenden Medium.

statischer Sinn, svw. ↑ Gleichgewichtssinn.

Statist [zu lat. stare „stehen"], Kleindarsteller textloser Nebenrollen, v. a. im Theater. Die Gesamtheit der Statisten bezeichnet man als **Statisterie.** – ↑ Komparse.

Statistik [zu lat. status „Stand, Zustand"], 1. (tabellarisch oder graphisch dargestellte) Ergebnisse von zahlenmäßigen Erfassungen bestimmter Sachverhalte (z. B. Bev.-, Ind.-, Landw.-, Verkehrs- und Preis-S.);

2. Teilgebiet der *angewandten Mathematik,* das sich mit der mathemat. Erfassung und Auswertung von Massenerscheinungen befaßt. Statist. Methoden beruhen auf der Erfahrung, daß bei gewissen Massenerscheinungen Gesetzmäßigkeiten nachweisbar sind, die für Einzelereignisse nicht formuliert werden können. Massenerscheinungen dieser Art werden *zufallsartig* genannt, da sie aus *zufälligen Ereignissen* (Ergebnisse von Versuchen, Beobachtungen, Experimenten, Proben) bestehen, die unter bestimmten Bedingungen eintreten können, aber nicht notwendigerweise eintreten müssen. Jede statist. Aussage ist mit einer zwar abschätzbaren, aber prinzipiell unvermeidl. Unsicherheit behaftet.

Die Aufgabe der **deskriptiven (beschreibenden) Statistik** ist es, eine Gesamtheit von Ereignissen nach bestimmten, ihr wesenseigenen Merkmalen *(Variablen)* aufzugliedern und deren Häufigkeitsverteilung zu beschreiben. Dazu werden empir. Daten in Tabellen und Kurven dargestellt, das in ihnen enthaltene Verteilungsgesetz herausgearbeitet und durch geeignete Zahlenwerte *(statistische Parameter)* gekennzeichnet; zu diesen gehören: *Positionsparameter* (kennzeichnen die Lage des Kollektivs; auch Mittelwerte gen.), *Dispersionsparameter* (kennzeichnen die Ausbreitung eines Kollektivs; auch Streuungsmaße gen.) sowie *Korrelationsparameter* (kennzeichnen das Maß der Abhängigkeit oder des Zusammenhangs von verschiedenen zufallsartig variierenden Merkmalen).

Die **analytische (beurteilende) Statistik** zieht auf Grund des statist. Materials Rückschlüsse auf die Grundgesamtheit, um z. B. *Prognosen* zu zukünftigen Ereignissen geben zu können. Dabei stützt sie sich auf bestimmte Vermutungen *(statistische Hypothesen)* über den Charakter der zugrundeliegenden Grundgesamtheit. Die auf diesen Hypothesen basierenden, mit Hilfe der ↑ Wahrscheinlichkeitsrechnung hergeleiteten Folgerungen werden *statist. Schlüsse* genannt. – Die S. findet heute in fast allen Wiss. Anwendung, insbes. in den Naturwiss., in der Technik sowie in den Wirtschafts-, Sozial- und Verhaltenswissenschaften.

📖 *Leiner, B.: Einf. in die S. Mchn. [4]1990. – Schlittgen, R.: Einf. in die S. Mchn. [2]1990. – Vry, W.: Grundll. der S. Ludwigshafen [2]1990. – Vogel, F.: Beschreibende u. schließende S. Mchn. [5]1989. – Kreyszig, E.: Statist. Methoden ... Gött. [7]1988. – Rüger, B.: Induktive S. Einf. f. Wirtschafts- u. Sozialwissenschaftler. Mchn. [2]1988.*

statistische Mechanik, Teilgebiet der Physik, ↑ Mechanik.

Statistisches Bundesamt ↑ Bundesämter (Übersicht).

Statius, Publius Papinius, * Neapolis (= Neapel) um 40, † ebd. um 96, röm. Dichter. – Neben Martial Hauptrepräsentant der röm. Poesie der Nachklassik. Sein lyr. Werk ist manieristisch, stark deskriptiv und elegant. Das düstere mytholog. Epos „Thebais" wendet die herkömml. ep. Kunstmittel ins Phantastische und Grausige. Gehörte zu den großen Vorbildern der lat. Lyrik und Epik in MA und Renaissance.

Stativ [zu lat. stativus „(fest)stehend"], verstellbare Halterungsvorrichtung für Laborgeräte, opt. Instrumente u. ä. Das zum Aufstellen photograph. Kameras verwendete S. ist meist ein ausziehbares Dreibein aus Leichtmetall, das ein Kugelgelenk oder einen Panoramakopf für die Befestigung der Kamera trägt.

Stato della Chiesa [italien. 'kjɛːza], svw. ↑ Kirchenstaat.

Statolithen [griech.], beim *Menschen* und bei *Tieren* die Schwerekörperchen in den ↑ Gleichgewichtsorganen.

◆ bei *Pflanzen* in der Wurzelhaube und bestimmten Zellschichten der Stengel vorkommende Stärkekörner, die mit dem Geotropismus (durch Schwerkraft bestimmter Tropismus) in Zusammenhang gebracht werden.

Stator [lat.], svw. ↑ Ständer.

Statozyste [griech.] ↑ Gleichgewichtsorgane.

Statthalter, ständiger Vertreter eines Staatsoberhaupts bzw. einer Reg. in einem bestimmten Teil des Staatsgebiets. Im *Dt. Reich* gab es 1879–1918 einen kaiserl. S. in Elsaß-Lothringen, nach 1933 ↑ Reichsstatthalter. In *Österreich* bis 1918 Bez. für den Leiter der obersten Verwaltungsbehörde **(Statthalterei)** der einzelnen Kronländer.

Statue [lat.], Standbild, Bildsäule (einer Einzelfigur); meist freistehendes Bildwerk eines Menschen oder auch eines Tieres.

Statuette [lat.-frz.], kleinere Statue, Einzelfigur oder Figurengruppe der Kleinplastik.

statuieren [lat.], festsetzen, bestimmen; *ein Exempel s.,* ein warnendes Beispiel geben.

Status [lat.], allg. svw. Zustand, Bestand; Stand.

◆ (sozialer S.) in der *Soziologie* Bez. für den Grad einer sozialen Wertschätzung (*hoher* oder *niedriger S.*) von sozialen Positionen bzw. Positionsmerkmalen, soweit diese eine soziale Bewertung der einzelnen im Sinne einer Einstufung nach Rang oder Prestige ermöglichen. Man unterscheidet *zugeschriebenen* (durch Geburt erhaltenen), *übertragenen* (Ehefrau eines hohen S. des Ehemanns) und *erworbenen* (durch Leistung erreichten) *Status*. Individuen, die einen bes. S. anstreben, umgeben sich mit für diesen S. typ. Besitzgegenständen, Titeln usw. (sog. *Statussymbole*).

Status nascendi [lat.], allg. svw. Entstehungszustand; in der Chemie Bez. für den bes. reaktionsfähigen Zustand chem. Elemente im Augenblick ihrer Freisetzung aus Verbindungen, wobei sie kurzzeitig atomar statt molekular vorliegen (ausgenommen Edelgase).

Status quo [lat.], der gegenwärtige Zustand; im *Völkerrecht* die gegebenen fakt. und rechtl. Verhältnisse, v. a. hinsichtlich der Grenzen und Einflußsphären.

Status quo ante [lat.], Zustand vor einem bestimmten Ereignis; *völkerrechtlich* der vor Beginn eines Krieges bestehende Zustand.

Statut [lat.], Satzung, [Grund]gesetz.

Statute mile [engl. 'stætjuːt 'maɪl] ↑ Mile.

Stau, allg. svw. Stillstand, Hemmung, z. B. Verkehrsstau.

◆ in der *Strömungslehre* Verzögerung einer Strömung in der Nähe eines ↑ Staupunktes, die stets mit einer Erhöhung des stat. Drucks verbunden ist.

◆ in der *Meteorologie* die Ansammlung von Luftmassen an einem Hindernis (Berg, Gebirge), an dem die Luft zum Aufsteigen gezwungen wird, wobei es zur Wolkenbildung und zu Niederschlägen kommt. Bei geeigneter Wetterlage fallen auf der Anströmseite der Gebirge, der *S.seite,* ergiebige *S.niederschläge (S.regen, Steigungsregen).*

Stauanlagen, svw. ↑ Stauwerke.

Staub, in der Atmosphäre verteilte feste Partikel in Form von Grob-S. (Durchmesser über 10 µm) oder feinsten Schwebstoffen (Aerosol), die sowohl aus natürl. (S.stürme, Wald- und Steppenbrände, Vulkanausbrüche, Erosion) als auch aus anthropogenen Quellen (industrielle Prozesse, Bergbau, Verbrennungsvorgänge) stammen. – ↑ Entstaubung.

◆ (kosm. S., interstellarer S.) ↑ interstellare Materie.

Staubbeutel ↑ Staubblatt.

Staubblatt (Stamen), zu einem ♂ Geschlechtsorgan umgebildetes Blattorgan in der Blüte der Samenpflanzen. Die Staubblätter der Nacktsamer sind meist schuppenförmig, die der Bedecktsamer gegliedert in den *Staubfaden* (Filament) und den an seiner Spitze stehenden *Staubbeutel* (Anthere), der meist aus zwei durch ein Konnektiv verbundenen Hälften (Theken) mit je zwei Pollensäcken (Mikrosporangien) besteht, in deren innerem Gewebe (Archespor) der Blütenstaub (Mikrosporen, Pollenkörner) gebildet wird.

Staubblüten, wenig gebräuchl. Bez. für Blüten, die nur Staubblätter haben.

Staubbrand, svw. ↑ Flugbrand.

Stäubegeräte, landw. Geräte (z. B. Trage- oder Anbaugeräte), mit denen durch einen Luftstrom staubförmige Pflanzenschutzmittel *(Stäubemittel)* ausgebracht werden.

Staubexplosion, durch Funken oder Reibungswärme ausgelöste rasche Verbrennungsreaktion fester, feinverteilter, brennbarer Substanzen (z. B. Holz-, Kork-, Zucker-, Kohlenstaub) im Gemisch mit Luft.

Staubfaden (Filament) ↑ Staubblatt.

Staubfließverfahren, svw. ↑ Wirbelschichtverfahren.

Staubgefäß, umgangssprachl. Bez. für das ↑ Staubblatt.

Staubhafte (Coniopterygidae), mit rd. 100 Arten weltweit verbreitete Fam. sehr kleiner Insekten (Ordnung Netzflügler), davon rd. zehn Arten einheimisch; 2–4 mm lang, 5–8 mm Flügelspannweite; Körper und Flügel von weißen, staubartigen Wachsausscheidungen bedeckt; fliegen nur selten.

Staubinhalationskrankheit, svw. ↑ Staublunge.

Staubkorn, in der graph. Technik eine feine Körnung, die durch leichtes Aufschmelzen von Asphaltpuder auf Druckplatten entsteht.

Staubläuse ↑ Rindenläuse.

Staublawine ↑ Lawine.

Stäublinge (Staubpilze, Lycoperdon), zur Ordnung der Bauchpilze gehörende, weltweit verbreitete Gatt. mit rd. 50 Arten; Fruchtkörper kugelig-birnenförmig; Außenwand mehlig oder warzig bestäubt oder rissig. Die dünne Innenwand öffnet sich, um die reifen staubartigen Sporen zu entlassen.

Staublunge (Staublungenerkrankung, Staubinhalationskrankheit, Pneumokoniose), Sammelname für alle krankhaften Veränderungen des Lungengewebes, die durch das Einatmen von Staubteilchen hervorgerufen werden. Das Einatmen zahlr. Metall-, Kalk- und Kohlenstäube führt meist zu einer unspezif. Ablagerung der Staubteilchen (Koniose) im lymphat. Gewebe, ohne im allg. Krankheitssymptome zu verursachen. Durch Einatmen von Quarz-, Asbest- und Talkumstäuben, die eine starke fibroplast. Reizwirkung auf das Lungengewebe ausüben, entsteht dagegen eine fortschreitende Lungenfibrose mit Emphysem, Rechtsvergrößerung des Herzens und Bronchitis. Die Lungenerkrankungen werden jeweils nach den auslösenden Stäuben bezeichnet: Silikose, Asbestose, Talkose. Es handelt sich i. d. R. um entschädigungspflichtige ↑ Berufskrankheiten.

Staubsauger, Elektrogerät zum Entstauben von Fußböden, Teppichen, Polstermöbeln u. a. Durch den mit Hilfe eines Gebläses in einem Staubbehälter (Filterbeutel) erzeugten Unterdruck werden Schmutzteilchen von der Staubdüse angesaugt und im Staubbehälter abgeschieden. Übl. Bauarten

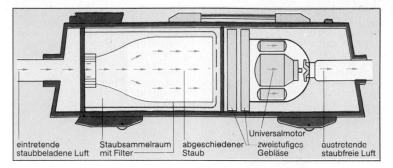

| eintretende staubbeladene Luft | Staubsammelraum mit Filter | abgeschiedener Staub | Universalmotor zweistufiges Gebläse | austretende staubfreie Luft |

Staubsauger

sind der *Hand-S.* sowie der *Boden-S.*, bei dem Staubbehälter, Gebläse und Antrieb in einem mit Rädern versehenen Gehäuse untergebracht sind.

Stauchen ↑ Kaltformung.

Stauchmoräne ↑ Gletscher.

Stauchung, in der *Technik* die durch Druckbeanspruchung in einer Richtung bewirkte Verformung eines festen Körpers (im Ggs. zur ↑ Kompression). – ↑ Dehnung.
◆ in der *Medizin* das mehr oder weniger plötzl. Zusammendrücken des Körpers oder einzelner Körperteile in Längsrichtung.

Staudamm ↑ Talsperre.

Stauden, ausdauernde Pflanzen mit meist stark entwickelten unterird. Sproßorganen (als Speicherorgane), deren meist krautige oberird. Sproßsysteme jährlich am Ende der Vegetationsperiode teilweise oder vollständig absterben. Der Neuaustrieb der Luftsprosse erfolgt aus den jeweils dicht über oder unter der Erdoberfläche liegenden Erneuerungsknospen.

Staudenmaier, Franz Anton, * Donzdorf (Landkr. Göppingen) 11. Sept. 1800, † Freiburg im Breisgau 19. Jan. 1856, dt. kath. Theologe. – Prof. für Dogmatik in Gießen und Freiburg; setzte v. a. dem Idealismus Hegels eine systemat. Sicht der Welt und der Heilsgeschichte entgegen.

Staudinger, Hermann, * Worms 23. März 1881, † Freiburg im Breisgau 8. Sept. 1965, dt. Chemiker. – Prof. in Karlsruhe, Zürich (ETH) und Freiburg; erforschte v. a. die makromolekularen Stoffe, wobei er zeigte, daß ihre Moleküle aus zahlr. kleinen Molekülеinheiten (Monomeren) zusammengesetzt sind. Er ermittelte die Beziehung zw. Viskosität und Molekulargewicht gelöster Polymere *(Staudinger-Index).* Für seine Arbeiten über Makromoleküle, die v. a. für die Entwicklung der Kunststoffe bed. sind, erhielt S. 1953 den Nobelpreis für Chemie.

Staudrucklog ↑ Log.

Staudruckmesser ↑ Prandtl-Rohr.

Staudt, Karl Georg Christian von, * Rothenburg ob der Tauber 24. Jan. 1798, † Erlangen 1. Juni 1867, dt. Mathematiker. – Prof. in Erlangen; lieferte eine Begründung der projektiven Geometrie, die frei von metr. Betrachtungen ist.

Staudte, Wolfgang, * Saarbrücken 9. Okt. 1906, † Žigrski vrh (Slowenien) 19. Jan. 1984, dt. Filmregisseur. – Ingenieur; Schauspieler u. a. bei M. Reinhardt und E. Piscator. Arbeitete bis 1955 für die DEFA, danach in der BR Deutschland, ab 1969 fast ausschließlich für das Fernsehen; bekannt wurde S. durch die Nachkriegsfilme „Die Mörder sind unter uns" (1946) und „Rosen für den Staatsanwalt" (1959). – *Weitere Filme:* Der Untertan (1951; nach H. Mann), Die Geschichte vom kleinen Muck (1953; nach W. Hauff), Der Seewolf (1971, Fernsehserie, nach J. London), Zwischengleis (1978), Der eiserne Gustav (1978/79, Fernsehserie), Die Pawlaks (1982, Fernsehserie).

stauen (verstauen), eine Ladung rutschfest und raumsparend in einem Fahrzeug (insbes. im Schiffsladeraum) unterbringen.

Staufen im Breisgau, Stadt am W-Rand des Südschwarzwalds, 290 m ü. d. M., 6 600 E. Festspiele (u. a. Musikwochen); Weinbau; Kunststoffwerk, Pelzverarbeitung, Herstellung physikal. und chem. Instrumente, Schnapsbrennerei. – 770 erstmals gen., um 1280 Stadtgründung. Die 1248 erstmals gen. Burg Staufen (im Kern 12. Jh.; seit 1606 Ruine) auf dem Berg *Stouven* war Mittelpunkt der gleichnamigen Herrschaft. – Spätgot. Martinskirche (15. Jh.); Renaissancerathaus (1546, später umgebaut).

Staufer (Hohenstaufen), schwäb. Adelsgeschlecht, dessen Anfänge in die 1. Hälfte des 11. Jh. zurückreichen. Als Stammsitz erscheint zunächst Büren (= Wäschenbeuren, Landkr. Göppingen); der Sohn Friedrichs von Büren (†um 1055), Friedrich I., wurde

1079 von Heinrich IV. als dessen Gefolgsmann und späterer Schwiegersohn zum Hzg. von Schwaben ernannt. Er erbaute auf dem Hohenstaufen der Fam. einen (neuen?) Stammsitz (Burg Stoph bzw. Stauf). Nach dem Aussterben der Salier 1125 fielen die sal. Hausgüter an die S.; Wahl und verwandtschaftl. Verbindung Kaiser ↑ Lothars III. mit den Welfen begründeten den stauf.-welf. Ggs.; 1138 konnte Konrad III. seine Wahl zum König durchsetzen. Unter Friedrich I. Barbarossa und Heinrich VI. gelangte die Dyn. auf den Höhepunkt ihrer Geltung. Der Erbanfall Siziliens und der Machtverfall des Königtums im stauf.-welf. Thronstreit (1198–1214/15) verlagerten das Schwergewicht in ihrer Herrschaft in den Normannenstaat; die glanzvolle Reg. Friedrichs II. konnte den Niedergang der Dyn. nicht verhindern. Mit der Enthauptung des letzten S., Konradin (1268), in Neapel starb das Geschlecht aus.

③ *Engels, O.: Die S. Stg. ⁴1988. – Die Zeit der S. Ausstellungskat. Stg. 1977. 4 Bde.*

Stauffacher, Rudolf, * um 1250, † um 1310, schweizer. Landamman. – 1275–86 und 1302–05 Landamman von Schwyz; wesentlich an der schweizer. Freiheitsbewegung beteiligt.

Stauffenberg, Schenken von, 1251 als Schenken der Grafen von Zollern erstmals gen. schwäb. Adelsgeschlecht; 1698 Reichsfreiherren, 1791 Reichsgrafen, 1874 bayr. Grafen; bis heute besteht die Linie S.-Amerdingen. – Bed. Vertreter:
S., Berthold Graf Schenk von, * Stuttgart 15. März 1905, † Berlin 10. Aug. 1944 (hingerichtet), dt. Widerstandskämpfer. – Jurist; hatte Kontakt zu Mgl. des späteren Kreisauer Kreises; als enger Vertrauter seines Bruders Claus an den Vorbereitungen des 20. Juli 1944 unmittelbar beteiligt; am 10. Aug. 1944 vom Volksgerichtshof zum Tode verurteilt.
S., Claus Graf Schenk von, * Schloß Jettingen (= Jettingen-Scheppach bei Günzburg) 15. Nov. 1907, † Berlin 20. Juli 1944 (erschossen), dt. Offizier und Widerstandskämpfer. – 1940–43 in der Organisationsabteilung des Generalstabs des Heeres. Elitär und konservativ eingestellt, aber auch sozialem Wandel aufgeschlossen, war S. von Hitlers Erfolgen zunächst beeindruckt. Wachsende Skepsis gegenüber der nat.-soz. Eroberungspolitik, Kritik an militär. Fehlern Hitlers und Empörung über den Terror in den besetzten Gebieten verdichteten sich 1942 in der Bereitschaft zum Umsturz. Schwere Verwundung in N-Afrika (April 1943); seit Okt. 1943 Stabschef beim Allg. Heeresamt, wurde S. zur treibenden Kraft der divergierenden Widerstandsgruppen. Als Oberst seit 1. Juli 1944 Stabschef beim Befehlshaber des Ersatzhee-

res, hatte er unmittelbar Zugang zu Hitlers Hauptquartier. Das Attentat auf Hitler führte er am 20. Juli 1944 selbst durch und flog dann nach Berlin, weil er für die techn. Leitung des Staatsstreichs unentbehrlich war. Nach dem Scheitern der Aktion wurde er standrechtlich erschossen.

staufische Kunst, die dt. Kunst während der Regierungszeit der Staufer (12./13. Jh.). In der **kirchl. Baukunst** sind für Köln und das Rheinland Lisenen, Blendnischen und Zwerggalerie am Außenbau, Nischen und Laufgänge im Innenraum charakteristisch (u. a. Sankt Aposteln in Köln), am Oberrhein und im Elsaß Doppelturmfassaden und sorgfältig behandeltes Quaderwerk, schwere, gedrungene Formen und Kreuzgewölbe (Murbach, Maursmünster, Schlettstatt, Worms), für Westfalen der Gewölbebau in breiter Proportionierung und der weitgehende Verzicht auf Schmuckformen (Soest, Sankt Patroklus) sowie die Entwicklung der Hallenkirche (Dome in Paderborn und Münster). Durch den Einfluß der frz. Gotik ist der Bruch mit örtl. Traditionen spürbar (Dome in Straßburg, Magdeburg, Halberstadt, Minden und Naumburg, Elisabethkirche in Marburg, Zisterzienserklöster Maulbronn, Eberbach im Rheingau). Die Staufer errichteten Pfalzen und Burgen (Trifels, Gelnhausen, Wimpfen), unter Friedrich II. v. a. in Apulien und Sizilien (Kastelle von Catania, Enna, Bari, Lucera, Castel del Monte). – **Skulptur:** Von den Kirchenausstattungen sind einige bed. Triumphkreuze des 13. Jh. erhalten (Halberstadt, Dom, um 1220?) sowie zahlr. Bronzekruzifixe. Die Formensprache der Figurenplastik des Straßburger Südquerhauses, des Bamberger Doms, des Naumburger Doms zeigt die Auseinandersetzung mit der frz. Kathedralplastik. Bed. Goldschmiedekunst des Rhein-Maas-Gebiets (Nikolaus von Verdun). – **Malerei:** Hervorragende Glasmalerei (u. a. Straßburger Münster; Erfurt, Barfüßerkirche), zahlr. Werke der Buchmalerei (u. a. Köln, Mainz, Bamberg, Regensburg, Salzburg sowie Sizilien, u. a. Messina). – Einen bes. Charakter trägt die s. K. aus dem Umkreis Friedrichs II. in Süditalien und Sizilien mit der Wiederbelebung von Elementen antiker Kunst; u. a. Kalksteinbüste von Barletta, Kopffragment vom Castel del Monte, Skulpturen für das Brückenkastell von Capua.
③ *Adam, E.: Baukunst der Stauferzeit. Bindlach 1990. – Stauferzeit: Gesch., Lit., Kunst. Hg. v. R. Krohn u. a. Stg. 1978.*

Staumauer ↑ Talsperre.
Staunässeböden ↑ Bodenkunde.
Staupe [niederl. „Krampf"] (Distemper), gefährl. ansteckende Viruserkrankung der Hunde (↑ Hundestaupe), Katzen (↑ Katzenstaupe), Pferde (↑ Pferdestaupe) u. a. Tiere.

Stäupen [niederdt.] ↑ Prügelstrafe.

Staupitz, Johann von, *Motterwitz (= Dürrweitzschen b. Leisnig [Sa.]) 1468/69, † Salzburg 28. Dez. 1524, dt. kath. Theologe. – Augustiner-Eremit, 1497 Prior in Tübingen, 1500 in München; 1503 vom sächs. Kurfürsten Friedrich dem Weisen zum Aufbau der Univ. nach Wittenberg berufen, dort erster Dekan der theolog. Fakultät; setzte 1512 Luther als seinen Nachfolger auf dem Lehrstuhl für Bibelwiss. ein.

Staupunkt, Punkt an der Oberfläche eines umströmten Körpers, in dem das vor ihm gestaute Medium in Ruhe ist.

Staurohr, rohrartiges Gerät mit einem angeschlossenen Druckmesser (Manometer) zur Bestimmung des Gesamtdrucks in einer Strömung; i. e. S. svw. ↑ Prandtl-Rohr.

Staurolith [griech.], monoklines (pseudorhomb.) Mineral von rötl. bis schwärzlichbrauner Farbe, glasglänzend, vielfach Mohshärte 7–7,5; Dichte 3,7–3,8 g/cm³. Vorkommen in metamorphen Gesteinen und lose in Seifen.

Stauropegialklöster, ostkirchl. Bez. für Klöster, die dem Patriarchen direkt unterstehen (Patriarchalklöster), weil bei ihrer Gründung der Patriarch das hl. Kreuz (griech. staurós) zur Einfügung in die Fundamente (griech. pēgnýnnai „errichten") sendet.

Staurothek [griech.], Behälter für eine Kreuzesreliquie; u. a. im Domschatz in Limburg a. d. Lahn (948–59).

Stausee, künstlich angelegter, seltener auch durch natürl. Vorgänge, z. B. durch Bergsturz oder Lavastrom, aufgestauter See. – Übersicht S. 90.

Staustrahltriebwerk, die einfachste Form eines Luftstrahltriebwerks (↑ Triebwerke). Ein S. wird von einem rohrförmigen Strömungskanal gebildet, der innen profiliert ist (enthält keine rotierenden Teile). Die dem Triebwerkseinlauf mit Fluggeschwindigkeit zuströmende Luft wird in einem Diffusor abgebremst, wodurch sie eine Druckerhöhung erfährt; in der Brennkammer wird dann durch Verbrennung eines in den Luftstrom eingespritzten Kraftstoffs (Kerosin) Energie zugeführt und die Temperatur des Luftstroms stark erhöht; in der Schubdüse wird dieser Luftstrom entspannt, wodurch die erhöhte Austrittsgeschwindigkeit erzeugt wird; diesem Impulsgewinn der durchströmenden Luft entspricht als Reaktionskraft der Triebwerksschub.

Stauungsleber, die Veränderungen der Leber bei Stauung durch Behinderung des venösen Abflusses (infolge lokaler Einengung der venösen Strombahn oder bei Herzinsuffizienz). Langanhaltende Stauung führt über die *chron. S.* (Zelluntergang, periphere

Verfettung) durch Bindegewebsvermehrung zur *chron. Stauungsinduration* (Leberumbau) und zur ↑ Leberzirrhose.

Stauungslunge (Lungenstauung), die Veränderungen der Lunge bei Druckerhöhung im kleinen Kreislauf infolge Insuffizienz des linken Herzens mit Kapillarerweiterung, Blutfülle und (bei längerem Bestehen) Bindegewebsvermehrung und Lungenstarre.

Stauungsniere, (Blut-S.) venöse Blutstauung in den Nieren infolge nachlassender Herzleistung; mit Schädigung des Nierenparenchyms bei gleichzeitiger Vermehrung des Bindegewebes verbunden.
◆ (Harnstauungsniere) svw. ↑ Hydronephrose.

Stauungspapille, nur mit Augenspiegel erkennbare Anschwellung oder Vorwölbung der Sehnervenpapille in der Netzhaut bei krankhaft erhöhtem Druck im Schädelinnern; tritt u. a. bei Hirntumor auf.

Stauwerke (Stauanlagen), Bauwerke, die den natürl. Wasserspiegel eines Gewässers durch Verringerung des Abflusses (Stau) anheben und meist eine Speicherung des Wassers für verschiedene wasserwirtsch. Bedürfnisse (Wasserkraftnutzung, Bewässerung, Schiffahrt, Wasserversorgung) betreffen. Man unterscheidet ↑ Wehre und ↑ Talsperren.

Stavanger, Hafenstadt in SW-Norwegen, 96 900 E. Hauptstadt des Verw.-Geb. Rogaland; luth. Bischofssitz; Fachhochschule, Theater, Bibliothek, Museen; Konservenind., Werft, graph. Betriebe, petrochem. Ind.; Verwaltungs- und Versorgungszentrum der norweg. Off-Shore-Ind.; internat. ⚓ Sola. – Im 11. Jh. erstmals erwähnt, wurde um 1125 Bischofssitz (1537–1684, erneut seit 1925 luth.). – Roman.-got. Domkirche (12./13. Jh.).

Stavelot [frz. sta'vlo] (Stablo), um 650 vom hl. Remaclus gegr. Benediktinerabtei im heutigen Belgien; eines der frühesten Zentren christl. Kultur in den Niederlanden mit bed. Klosterschule; 1796 Aufhebung des Klosters; Teile des Klosterbaus sind erhalten.

Stavenhagen, Fritz, *Hamburg 18. Sept. 1876, † ebd. 9. Mai 1906, dt. Schriftsteller und Journalist. – Gilt mit seinen (naturalist.) Dramen als Begründer des modernen niederd. Dramas; schrieb auch heitere Märchen, Volkskomödien und Erzählungen.

Stavenhagen (amtl. Reuterstadt S.), Stadt auf der Mecklenburg. Seenplatte, Meckl.-Vorp., 30 m ü. d. M., 9 200 E. Nahrungsmittelind. – Entstand im Schutz einer Burg wohl in der 1. Hälfte des 13. Jh.; 1260 erstmals als Stadt erwähnt. – Geburtshaus F. Reuters (heute Fritz-Reuter-Literaturmuseum).

Stawropol [russ. 'stavrɐpelj], Hauptstadt der Region S. in Rußland, 575 m ü. d. M.,

318 000 E. Hochschulen; Maschinenbau, chem., Nahrungsmittelind. – Gegr. 1777.
St. Cyr, Johnny [engl. snt'sɪə], eigtl. John Alexander St. C., * New Orleans 17. April 1890, † Los Angeles 17. Juni 1966, amerikan. Jazzmusiker (Banjospieler, Gitarrist). – Wirkte in verschiedenen Jazzgruppen in New Orleans sowie auf Flußdampfern, ab 1923 in Chicago; gilt als einer der bedeutendsten Banjospieler des New-Orleans-Jazz.

STD [engl. 'ɛsti:'di:] ↑ Geschlechtskrankheiten.
Steady state [engl. 'stɛdɪ 'stɛɪt], in der *Molekularbiologie* und *Biophysik* svw. ↑ Fließgleichgewicht.
Steady-state-Theorie [engl. 'stɛdɪ, 'stɛɪt] (Theorie des stationären Kosmos), in der *Kosmologie* Bez. für die Theorie eines sich ausdehnenden Weltalls ohne zeitl. Anfang und ohne zeitl. Ende, bei dem durch

Stauseen (Mitteleuropa; Auswahl)

	Wasserlauf bzw. Flußsystem	Inhalt (Mill. m³)	Zweck*	Lage
Aggerstausee	Agger – Sieg	19,3	E, R	Berg. Land
Baldeneysee	Ruhr	9,0	W, E	Stadt Essen
Bevertalsperre	Bever – Wipper – Wupper	23,7	E, R	Berg. Land
Biggestausee	Bigge – Lenne – Ruhr	171,8	E, R	Sauerland
Bleilochtalsperre	Saale	215,0	E, R	Vogtland
Borna, Speicheranlage	Pleiße – Weiße Elster	49,4	R, W	Leipziger Tieflandbucht
Dhünntalsperre	Dhünn	81,0	W	Berg. Land
Diemeltalsperre	Diemel	20,5	E, R, W	Sauerland
Edersee	Eder – Fulda	202,4	E, R	Kellerwald
Eibenstocktalsperre	Zwickauer Mulde	74,7	E, R	Westerzgebirge
Ennepetalsperre	Ennepe – Volme – Ruhr	12,6	E, W	Berg. Land
Forggensee	Lech	165,0	E, R	Lechvorberge
Genkelbachtalsperre	Genkel – Agger	8,2	R, W	Berg. Land
Hennetalsperre	Henne – Ruhr	38,4	E, R	Sauerland
Hohenwartetalsperre	Saale	182,0	E, R	Vogtland
Kerspestausee	Kerspe – Wipper – Wupper	15,5	W	Berg. Land
Lehnmühletalsperre	Wilde Weißeritz	21,8	R, W	Erzgebirge
Listertalsperre	Bigge – Lenne – Ruhr	22,0	E, R	Sauerland
Lünersee	Alvier – Ill	78,3	E	Vorarlberg
Möhnestausee	Möhne – Ruhr	134,5	E, R	Sauerland
Moserboden	Kapruner Ache – Salzach	88,0	E	Hohe Tauern
Odertalsperre	Oder – Rhume – Leine – Aller	30,0	E, R	Oberharz
Okertalsperre	Oker – Aller	47,4	W	Oberharz
Ottensteiner Stausee	Kamp – Donau	73,0	E, R	Waldviertel
Pöhltalsperre	Trieb – Weiße Elster	62,0	R, W	Vogtland
Rappbodetalsperre	Bode – Saale	109,0	E, R, W	Unterharz
Rurtalsperre Schwammenauel	Rur	205,5	E, R	Eifel
Saidenbachtalsperre	Flöha – Mulde	22,4	W	Erzgebirge
Schwarzenbachtalsperre	Schwarzenbach – Murg	14,3	E	Schwarzwald
Silvrettastausee	Ill	38,6	E	Vorarlberg
Sorpetalsperre	Sorpe – Röhr – Ruhr	70,0	E, R, W	Sauerland
Sösetalsperre	Söse – Rhume – Leine – Aller	25,5	E, R, W	Oberharz
Spremberg-Talsperre	Spree	42,7	R, W	Niederlausitz
Sylvensteinsee	Isar	104,0	E, R	Nördl. Kalkalpen
Urfttalsperre	Urft – Rur	45,5	E, R	Eifel
Vermuntstausee	Ill	5,3	E	Vorarlberg
Vogorno, Lago di	Verzasca – Lago Maggiore	84,4	E	Tessin
Wägitaler See	Wägitaler Aa – Zürichsee	76,1	E	Innerschweiz
Wasserfallboden	Kapruner Ache – Salzach	85,5	E	Hohe Tauern
Zervreilasee	Valserrhein – Vorderrhein	100,0	E	Adula-Alpen

* E = Energiegewinnung, R = Wasserstandsregulierung, W = Wasserversorgung

fortwährende Materieerzeugung eine gleichbleibende Massendichte vorliegt *(Steady state)*.

Steak [ʃteːk; island.-engl.], gebratene oder gegrillte Rindfleischscheibe, v. a. aus der Lende, z. B. Rumpsteak, Entrecôte, Chateaubriand.

Steamkracken ['stiːmkrækən; engl.], Aufspalten höhermolekularer Kohlenwasserstoffe in niedermolekulare durch hocherhitzten Wasserdampf bei der Erdölverarbeitung.

Stearin [zu griech. stéar „Fett, Talg"], aus den Fettsäuren Palmitinsäure und Stearinsäure bestehendes, wachsartiges Gemisch, das zur Kerzenherstellung und in der Seifen-, Gummi- und Textilind. verwendet wird.

Stearinsäure (Octadecansäure), farb- und geruchlose gesättigte Fettsäure, die als Glycerinester in zahlr. tier. und pflanzl. Fetten vorkommt, $CH_3 - (CH_2)_{16} - COOH$; techn. Bed. als ↑ Stearin und in der kosmet. und pharmazeut. Ind. zur Herstellung von Salbengrundlagen.

Steatit [griech.] (Speckstein), Mineral von meist weißer Farbe, dicht, Varietät des Talks; wird als Schneiderkreide, Isolierzuschlagsstoff in der Elektroind. sowie für Bildschnitzereien (Mohshärte 1) verwendet.

Steatom [griech.] (falsches Atherom), durch Verstopfung eines Talgdrüsenausführungsganges mit Stauung von Talgdrüsensekret entstehende prallelast. Zyste; meist im Bereich von Gesicht, Brust, Rücken.

Steatopygie [griech.], svw. ↑ Fettsteiß.

Stechapfel (Dornapfel, Stachelapfel, Datura), Gatt. der Nachtschattengewächse mit rd. 20 Arten in den trop. bis gemäßigten Gebieten; giftige Kräuter, Sträucher oder kleine Bäume mit großen Blättern, großen, trichterförmigen, oft stark duftenden Blüten und meist stachelige Kapselfrüchten. Urspr. in N-Amerika heimisch, heute weltweit verbreitet ist der einjährige **Gemeine Stechapfel** (Datura stramonium; mit aufrechten weißen, bis 10 cm langen Blüten und derbstachelige Kapseln). Seine Blätter und Samen enthalten Alkaloide (Hyoscyamin, Atropin, Scopolamin) und sind hochgiftig. Eine beliebte Kübelpflanze ist die ↑ Engelstrompete.

Stechborsten, die zu langen, nadelartigen Chitinbildungen umgewandelten Mundwerkzeuge der stechend-saugenden Insekten.

Stechdorn (Paliurus), Gatt. der Kreuzdorngewächse mit 7 Arten in W- und O-Asien und einer Art, dem ↑ Christdorn, im Mittelmeergebiet; sommergrüne Bäume oder Sträucher mit eiförmigen Blättern.

Stecheisen, svw. ↑ Beitel.

Stechen, beim *Kartenspiel* ↑ Stich.
◆ (Stichkampf) im *Sport* zusätzl. Wettbewerb, um einen unentschieden ausgegangenen Wettkampf zur Entscheidung zu bringen.

Stechfichte (Picea pungens), etwa 30–50 m hohe Fichtenart in den südl. Rocky Mountains; Nadeln spitz, 1,5–3 cm lang; Zapfen 8–10 cm lang, hellbraun. Als Park- und Gartenbäume sind v. a. die blaugrün benadelten Formen **(Blaufichte)** beliebt.

Stechfliegen (Stomoxydinae), rd. 50 Arten umfassende, fast ausschließlich in trop. Gebieten verbreitete Unterfam. etwa 3–9 mm langer Fichter Fliegen von stubenfliegenähnl. Aussehen, jedoch mit langem, waagrecht gehaltenem Stechrüssel und in Ruhe stärker gespreizten Flügeln; blutsaugende Insekten, z. T. auch Krankheitsüberträger. Bekannteste Art ist der weltweit verbreitete **Wadenstecher** (Stallfliege, Stomoxys calcitrans).

Stechginster (Stachelginster, Gaspeldorn, Ulex), Gatt. der Schmetterlingsblütler mit 15 Arten in W-Europa; Sträucher mit in scharfen Dornspitzen endenden Zweigen; Blüten gelb; Hülsenfrucht zweiklappig. Einheimisch ist der **Europ. Stechginster** (Ulex europaeus): mit 1–1,5 m hohen Zweigen, 6–12 cm langen Dornen, goldgelben Blüten und 1 cm langen, zottig behaarten Hülsen; auch Zierstrauch.

Stechimmen (Stechwespen, Aculeata), Gruppe der ↑ Taillenwespen; Legeröhre der ♀♀ in Verbindung mit Giftdrüsen zu einem Wehrstachel umgewandelt. Hierher gehören u. a. Bienen, Ameisen, Bienenameisen, Faltenwespen, Grabwespen und Wegwespen.

Stechmücken (Gelsen, Moskitos, Culicidae), weltweit, v. a. in den Tropen, verbreitete Fam. mittelgroßer, schlanker, langbeiniger Mücken mit rd. 2 500 Arten; ♀♀ mit langem Saugrüssel, z. T. Blutsauger und gefährl. Krankheitsüberträger (z. B. von Malaria, Gelbfieber); ♂♂ nehmen nur Wasser und Pflanzensäfte auf. Bei dem Einstich des ♀ wird Speicheldrüsensekret in die Wunde abgegeben (zur Verhinderung der Blutgerinnung); nach Anstechen eines Blutgefäßes pumpt eine bes. gestaltete Einrichtung des vorderen Verdauungstrakts das Blut in den Mitteldarm der Stechmücke, so daß der Hinterleib anschwillt und sich rötlich verfärbt. – Wichtige einheim. Gatt. sind die ↑ Stechmücken sowie die Gatt. *Culex* mit der etwa 1 cm langen, braunen, weiß geringelten **Gemeinen Stechmücke** (Hausmücke, Culex pipiens).

Stechpalme (Ilex), Gatt. der zweikeimblättrigen Pflanzenfam. *Stechpalmengewächse* (Aquifoliaceae) mit über 400 Arten, v. a. in den Tropen und Subtropen Asiens und Amerikas, wenige Arten in der gemäßigten Zone; immer- oder sommergrüne Bäume oder Sträucher mit oft dornig gezähnten Blättern; Frucht eine beerenartige Steinfrucht. Die bekannteste, in W-, im westl. M- und in S-Europa bis N-Afrika und Iran verbreitete Art ist die **Stecheiche** (S. im engeren Sinne,

Hülse, Hülsdorn, Ilex aquifolium), ein immergrüner Strauch oder kleiner Baum von 3–10 m Höhe mit derb ledrigen, dornig gezähnten Blättern; Blüten zweihäusig, weiß oder rötlich; Früchte korallenrot, 7–10 mm groß, giftig; zahlr. Gartenformen. – Als Nutzpflanze ist die ↑ Matepflanze von Bedeutung.

Stechrochen (Stachelrochen, Dasyatidae), Fam. vorwiegend nachtaktiver Rochen mit rd. 90 überwiegend marinen, bis etwa 3 m langen Arten im Flachwasser; Körper scheibenförmig, mit langem, peitschenförmigem Schwanz, auf dessen Oberseite ein Giftstachel sitzt, dessen Giftwirkung auch dem Menschen gefährlich werden kann; u. a. **Gewöhnl. Stechrochen** (Feuerflunder, Dasyatis pastinaca): im Atlantik und Mittelmeer; bis 2,5 m lang; Giftstachel auf der Schwanzmitte.

Stechuhr ↑ Arbeitszeitregistriergerät.

Stechwespen, svw. ↑ Stechimmen.

Stechwinde (Smilax), Gatt. der Liliengewächse mit rd. 300 Arten, v. a. in den Tropen; meist windende Pflanzen; Ranken und Zweige mehr oder weniger stachelig; Blüten klein. Mehrere Arten liefern die Sarsaparillwurzeln. Einige winterharte Arten sind als Gartenkletterpflanzen beliebt.

Steckbrief, auf Grund eines Haft- oder Unterbringungsbefehls erlassene kurze Beschreibung einer verdächtigen Person sowie der Tat, des Tatortes und der Tatzeit.

Steckdose, meist an oder in der Wand (**Aufputz-** bzw. **Unterputzsteckdose**) angebrachte Vorrichtung zum Anschließen von Geräten bzw. deren Zuleitungen an ein Verteilernetz, z. B. das Leitungsnetz der elektr. Hausinstallation, die Antennenleitung einer Gemeinschaftsantenne (**Antennensteckdose**). **Tischsteckdosen,** die über Kabel und Stecker an eine normale Wand-S. angeschlossen werden, besitzen meist 2–6 Anschlußmöglichkeiten.

Steckel, Leon[h]ard, * Kuihinin (Ungarn) 18. Jan. 1901, † Aitrang (Landkr. Ostallgäu) 9. Febr. 1971 (Eisenbahnunglück), dt. Schauspieler und Regisseur. – Spielte v. a. in Berlin; nach seiner Emigration (1933–53) am Schauspielhaus in Zürich (u. a. Uraufführungsinszenierungen von Brechts „Der gute Mensch von Sezuan", „Galileo Galilei"); 1957–59 Intendant der Freien Volksbühne in Berlin (Ost).

Steckenkraut (Ferula), Gatt. der Doldengewächse mit rd. 50 Arten in den Trockengebieten S-Europas, N-Afrikas sowie Vorder- und Z-Asiens; kahle, meist graugrüne, oft sehr hohe Stauden mit mehrfach gefiederten Blättern; Blüten gelb, in Dolden. Bekannt ist u. a. die **Moschuswurzel** (Ferula sumbul), deren Wurzeln in der Medizin als Tonikum und Stimulanz verwendet werden. Bis 5 m hoch wird der **Riesenfenchel** (Ferula

communis) aus dem Mittelmeergebiet; nicht winterharte Freilandzierpflanze.

Steckenpferd, aus einem Stecken mit Pferdekopf bestehendes Kinderspielzeug; in Nürnberger Spieltexten seit Ende des 16. Jh. belegt. In übertragener Bed. svw. ↑ Hobby.

Stecker, Vorrichtung an elektr. Leitungen, die eine leicht lösbare Verbindung zweier Leitungsteile gestattet. S. für den Anschluß (über eine Steckdose) an das Leitungsnetz (**Netzstecker**) sind mit zwei Kontaktstiften, bei S.kupplungen mit Kontakthülsen, und federnden Schutzkontakten (zur Herstellung einer leitenden Verbindung mit der Schutzerdung; **Schutzkontaktstecker, Schukostecker**) versehen. Die unterschiedl. Form der Netz-S. in den einzelnen Ländern und die damit verbundenen Schwierigkeiten für den Benutzer elektr. Geräte führten zu Bemühungen zur einheitl. Gestaltung bzw. Normung (**Eurostecker**).

Stecklinge (Schnittlinge) zur vegetativen Vermehrung von Pflanzen abgetrennte Teile, die durch Bildung von Adventivsprossen und -wurzeln zu neuen selbständigen Pflanzen heranwachsen.
◆ in der *Landw.* Bez. für die zur Samengewinnung vorgesehenen überwinternden Sämlinge zweijähriger Pflanzen, z. B. von Gemüsekohl und Zuckerrübe.

Steckmuscheln (Pinna), Gatt. längsgerippter, grauer bis brauner Muscheln mit meist großen, keilförmigen, am einen Ende stark konisch zugespitzten Schalenklappen, mit denen die Tiere mittels eines stark entwickelten ↑ Byssus im Meeressediment festgeheftet sind. Von den drei europ. Arten ist am bekanntesten die ausschließlich mediterrane **Große Steckmuschel** (Pinna nobilis): mit bis zu 80 cm langen Schalen; bildet Perlen; ihr Fleisch wird als Nahrungsmittel geschätzt.

Steckrübe, svw. ↑ Kohlrübe.

Steckschloß, kleines Sicherheitsschloß, das als zusätzl. Sicherung in ein Kastenschloß (↑ Schloß) eingesetzt werden kann.

Steckschlüssel (Einsteckschlüssel) ↑ Schraubenschlüssel.

Steckschuß, Schußverletzung, bei der das Geschoß im Körpergewebe steckenbleibt.

Stedingen, Marschengebiet nw. von Bremen. Die dort im 12./13. Jh. lebenden **Stedinger** waren freie Bauern fries.-niedersächs. Herkunft, die außer Grundzins und Zehnt keine Abgaben zahlten. In der Schlacht bei Altenesch (1234) verloren die S. ihre Freiheit.

Steele, Sir (seit 1715) Richard [engl. sti:l], ≈ Dublin 12. März 1672, † Carmarthen (Wales) 1. Sept. 1729, engl. Schriftsteller. – Ab 1709 (zus. mit J. Addison) Hg. der moral. Wochenschrift „The Tatler" sowie (ab 1711) der Wochenschrift „The Spectator", die 1713 von „The Guardian" abgelöst wurde; hatte großen Erfolg mit aufklärer. Schriften.

Steen, Jan, * Leiden 1625 oder 1626, □ ebd. 3. Febr. 1679, niederl. Maler. – Schüler von A. van Ostade und von J. van Goyen, dessen Tochter er 1649 heiratete. Malte v. a. Genrebilder des kleinbürgerl. niederl. Volkslebens. – Abb. Bd. 8, S. 143.

Steenbeck, Max, * Kiel 21. März 1904, † Berlin (Ost) 15. Dez. 1981, dt. Physiker. – Prof. in Jena und Leiter des Inst. für Magnetohydrodynamik der Akad. der Wiss. der DDR; Arbeiten u. a. über das Betatron, zur techn. Anwendung von Gasentladungen sowie zur Plasmaphysik.

Steensen, Niels ↑ Stensen, Niels.

Steenwijk [niederl. 'steːnwɛik], niederl. Stadt 11 km nnw. von Meppel, 20 900 E. Textil-, Möbel-, elektrotechn. u. a. Ind. – 1327 Stadtrecht, im 16. Jh. befestigt. – Grote Kerk (12. Jh.) mit 90 m hohem Turm; Onze-Lieve-Vrouwe-Kerk (15. Jh.); Giebelhäuser des 17. Jh.; Reste der Befestigungsanlagen.

Stefan von Perm, hl., * um 1345, † 26. April 1396, russ. Bischof. – Missionierte die Komi; 1382 deren erster Bischof; übersetzte kirchl. Werke in die Sprache der Komi, für die er ein Alphabet geschaffen hatte.

Stefan, Josef, * Sankt Peter (= Klagenfurt) 24. März 1835, † Wien 7. Jan. 1893, östr. Physiker. – Prof. in Wien; Arbeiten zur kinet. Gastheorie und zur Theorie der Wärme führten 1879 zur Entdeckung des nach ihm und L. Boltzmann ben. Strahlungsgesetzes (↑ Stefan-Boltzmannsches Gesetz), mit dessen Hilfe ihm u. a. die Berechnung der Oberflächentemperatur der Sonne gelang.

Stefan-Boltzmannsches Gesetz, von J. Stefan entdeckte und von L. Boltzmann theoretisch begr. Gesetzmäßigkeit für die reine Temperaturstrahlung eines Schwarzen Strahlers: Das gesamte Emissionsvermögen bzw. die Energiedichte u der Strahlung ist der 4. Potenz der absoluten Temperatur T proportional: $u = \sigma T^4$. Der Proportionalitätsfaktor σ wird als **Stefan-Boltzmannsche Konstante** bezeichnet; sie hat den Wert $5,669 \cdot 10^{-8}$ W/(m² K⁴).

Stefano da Verona (S. da Zevio), * Verona um 1374 oder 1375, † nach 1438, italien. Maler. – Mit zarten, poet. Werken Vertreter des Weichen Stils.

Stefano, Giuseppe Di, italien. Sänger, ↑ Di Stefano, Giuseppe.

Stefánsson, Davið [island. 'stɛːfaunsɔn], * Fagriskógur 21. Jan. 1895, † Akureyri 1. März 1964, island. Schriftsteller. – 1925–52 Bibliothekar in Akureyri; mit dem Volkslied verpflichteter Lyrik bed. Vertreter einer neuen island. Romantik; später auch sozialkrit. und religiöse Themen; Dramen mit Stoffen aus der Geschichte Islands.

Steffani, Agostino, * Castelfranco Veneto 25. Juli 1654, † Frankfurt am Main 12. Febr. 1728, italien. Komponist, Geistlicher und Diplomat. – Hofmusiker in München, 1680 zum Priester geweiht, ab 1688 Opernkapellmeister in Hannover, ab 1703 Regierungspräs. am Düsseldorfer Hof, ab 1709 wieder in Hannover. Komponierte rd. 15 italien. Opern, die für die norddt. Oper einflußreich waren; daneben etwa 90 Kammerduette sowie Kirchenmusik, u. a. „Stabat mater".

Steffen, Albert, * Wynau (Kt. Bern) 10. Dez. 1884, † Dornach 13. Juli 1963, schweizer. Schriftsteller. – Ab 1925 Präs. der Allg. Anthroposoph. Gesellschaft; Hg. der Zeitschrift „Das Goetheanum" (1921 ff.). Seine Romane, wie „Suchen nach sich selbst" (1931), „Oase der Menschlichkeit" (1954), sind bes. Dostojewski verpflichtet. Sein Hauptinteresse galt der Darstellung des Aufstiegs des Menschen zum Guten. In der Anthroposophie sah er eine wiss. Begründung seiner Bestrebungen.

Steffens, Henrik (Heinrich), * Stavanger 2. Mai 1773, † Berlin 13. Febr. 1845, dt. Naturphilosoph und Schriftsteller. – Seine Bekanntschaft mit Schelling, Goethe und A. W. von Schlegel machte ihn zum Vermittler des dt. Idealismus und der Romantik nach Dänemark. Schrieb auch Novellen mit meisterhaften Naturschilderungen.

S., Walter, * Aachen 31. Okt. 1934, dt. Komponist. – Neben Orchester-, Kammer- und Vokalmusik schrieb er u. a. die Opern „Eli" (nach N. Sachs, 1967), „Unter dem Milchwald" (nach D. Thomas, 1972) und „Grabbes Leben" (1986).

Steg, schmaler Fußweg, insbes. schmale Brücke für Fußgänger; übertragen: schmales Verbindungs- oder Zwischenstück (z. B. zw. den Fassungsrändern einer Brille). ♦ (italien. ponticello) bei Saiteninstrumenten eine Leiste oder kleine Platte aus Holz, auf der die Saite aufliegt.

Steger, Hugo, * Stein b. Nürnberg 18. April 1929, dt. Germanist. – 1964 Prof. in Kiel, seit 1968 in Freiburg; Arbeiten zur dt. Sprache und Literatur; Dudenpreis 1982. – *Werke:* Sprachraumbildung und Landesgeschichte im östl. Franken (1968), Anwendungsbereiche der Soziolinguistik (1982; Hg.).

Stegleitung ↑ Leitung (elektr. Leitung).

Stegmüller, Wolfgang, * Natters (bei Innsbruck) 3. Juni 1923, † München 1. Juni 1991, östr. Philosoph und Wiss.theoretiker. – Ab 1958 Prof. in München; wichtiger Vertreter der analyt. Philosophie und strukturalistisch orientierten Wiss.theorie. – *Werke:* Hauptströmungen der Gegenwartsphilosophie (4 Bde., 1952–87), Probleme und Resultate der Wiss.theorie und analyt. Philosophie

(4 Bde., 1969–73), Strukturtypen der Logik (1984).

Stegosaurier (Stegosauria) [griech.], ausgestorbene, vom unteren Jura bis zur unteren Kreide bekannte Unterordnung etwa 5–10 m langer Dinosaurier; pflanzenfressende, auf vier Beinen sich fortbewegende Kriechtiere mit sehr kleinem Schädel, relativ kurzen Vorderbeinen und hochgewölbtem Rücken, der in der Mitte zwei Längsreihen aufrichtbarer Knochenplatten aufwies; Schwanz mit langen Endstacheln.

Stegreif, frühere Bez. für Steigbügel; *aus dem S.* bedeutete urspr. „ohne vom Pferd zu steigen, unvorbereitet"; heute improvisierte Reden, Trink- und Tischsprüche.

Stegreifspiel, dramat.-szen. Improvisation ohne ausgeformte Textvorlage. Das S. gehört zu den Wurzeln des europ. Dramas. S. waren der vorliterar. Mimus, die kom. Einlagen des ma. geistl. Spiels, die Aufführungen der engl. Komödianten. – ↑ Commedia dell'arte, ↑ Wiener Volkstheater.

stehendes Gewerbe, jeder ↑ Gewerbebetrieb, der weder dem Reisegewerbe noch dem Marktverkehr zugehört. Die Aufnahme eines s. G. ist ebenso wie der Wechsel des Gewerbegegenstands anzeigepflichtig.

stehendes Heer ↑ Heer.

Steherrennen ↑ Radsport.

Stehr, Hermann, * Habelschwerdt 16. Febr. 1864, † Oberschreiberhau (Niederschlesien) 11. Sept. 1940, dt. Schriftsteller. – 1887–1915 Volksschullehrer; anknüpfend an die schles. Mystik stellte S. in Romanen („Der begrabene Gott", 1905) und Erzählungen Konflikte gottsuchender, gequälter und gläubiger Menschen dar; wurde von den Nationalsozialisten, zu denen er sich bekannte, als Künder der dt. Seele und völk. Erdverbundenheit gefeiert.

Steichen, Edward John (Eduard Jean) ['staɪkən], * Luxemburg 27. März 1879, † West Redding (Conn.) 25. März 1973, amerikan. Photograph und Maler luxemburg. Herkunft. – Ab 1880 in den USA; gründete 1902 eine Gruppe nonkonformist. Photographen, die „Photo-Secession" und eröffnete 1905 die „Little Galleries" (beide mit A. Stieglitz); führte die Porträt- und Modephotographie zu künstler. Höhe. 1947–62 Direktor der photograph. Abteilung im Museum of Modern Art (New York).

Steiermark, sö. Bundesland von Österreich, 16 387 km², 1,190 Mill. E (1990), Hauptstadt Graz.

Landesnatur: Die S. liegt weitgehend in den Ostalpen. Sie gliedert sich in Ober- und Mittel-S.; die Unter- oder Süd-S. gehört heute zu Slowenien. In der Ober-S. liegt im Nördl. Kalkalpen die höchste Erhebung, der Dachstein (2 995 m). Südl. des Ennstales liegen die Niederen Tauern und die Eisenerzer Alpen, südl. der oberen Mur die Gurktaler Alpen, südl. der Mur-Mürz-Furche das Steir. Randgebirge. Die Mittel-S. besteht aus der Abdachung des Steir. Randgebirges, d. h. dem stark zertalten Grazer Bergland sowie dem nach O anschließenden Joglland. Nur der SO des Landes wird von Tertiärablagerungen eingenommen (Osttteir. Hügelland, Grazer Becken und der östl. Teil des Weststeir. Hügellandes). Verbunden sind die beiden Längstalfurchen der Enns und Mur-Mürz über die Talwasserscheide des Schoberpasses (849 m). – Klimatisch liegt die S. im Übergangsbereich von Gebirgsklima zur pannon. Variante des kontinentalen Klimas.

Bevölkerung: Der SO ist mit einem dichten Siedlungsnetz überzogen, im Ggs. zum dünnbesiedelten Alpenraum. Höhere Bev.dichte gibt es v. a. im Obersteir. Ind.gebiet zw. Judenburg und Mürzzuschlag. In einigen steir. Grenzorten leben Slowenen.

Wirtschaft: In der Landw. ist die Viehzucht vorherrschend; Acker- und Gartenland liegt v. a. im Grazer Becken; Anbau von Weizen, Gerste, Mais, Gemüse, Futterpflanzen und Zuckerrüben; Tabak. Weinbau am Gebirgsrand im SO; bed. Obstbau bes. im O und SO. Mehr als die Hälfte der Landesfläche wird forstwirtsch. genutzt. Wichtigste Wirtschaftszweig sind Bergbau und Ind.; Eisenerze werden bei Eisenerz abgebaut, Magnesit im Raum Leoben, bei Triehen und Breitenau, Braunkohle u. a. im Raum Leoben-Judendorf, Salz im stein. Salzkammergut. Bed. Eisen-, Stahl-, Elektro-, Glas- und Holzind.; Fremdenverkehr.

Verkehr: Hauptverkehrsader ist die Mur-Mürz-Furche. Sie steht über den Semmering mit dem Wiener Becken in Verbindung, über den Schoberpaß mit dem Ennstal. Das Murquertal nach Graz wird durch die westl. von ihm verlaufende Autobahn entlastet. Wichtigste Eisenbahnlinie ist die steir. Abschnitt der Südbahn (Wien–Tarvis, Italien) mit Abzweig in Bruck an der Mur über Graz nach Maribor (Slowenien); ⚹ in Graz.

Geschichte: Um 1000 v. Chr. wanderten die Noriker ein, mit denen seit 225 v. Chr. die Taurisker verschmolzen; wurde um 45 n. Chr. die röm. Prov. Noricum. Ab 500 Einwanderung von Bayern in Noricum ripense, um 590 der Slowenen in Noricum mediterraneum (im 7./8. Jh. Errichtung des Hzgt. Karantanien [Kärnten, die Ober-S. und Teile der Unter-S.]); 772 bayrisch; von Karl d. Gr. dem Fränk. Reich angeschlossen. 894/907–955 zum großen Teil von den Ungarn besetzt; 976 wurde die Hzgt. Kärnten gebildet; die Steiermark unterstand seit etwa 1050 den Markgrafen aus dem Geschlecht der Traungauer (Stammsitz Steyr); 1180 wurden die Ober-

und die Mittel-S. mit dem Traungau zum Hzgt. S. vereinigt. 1479–90 in weiten Teilen von den Ungarn besetzt; ab 1471 und erneut 1529–1699 wiederholt von den Osmanen verwüstet. 1867–1918 Kronland der östr.-ungar. Monarchie; 1919/20 fiel der südl. Teil an Slowenien, das übrige Gebiet wurde Bundesland der Republik Österreich.

📖 *Held, H.: Kärnten u. S. Vom Großglockner zur Panon. Ebene. Köln. ^{3}1989. – Koren J./Attems, F.: Schlösser u. Burgen der S. Innsbr. 1986.*

steif, starr, fest, unbiegsam, ungelenk.

◆ *seemännisch* 1. straff gespannt; 2. große Stabilität besitzend (Ggs. von rank); 3. kräftig (auf den Wind bezogen), z. B. s. Brise.

Steifgras (Scleropoa), in W-Europa und im Mittelmeergebiet heim. Gatt. der Süßgräser; einjährige Pflanzen mit starren, niederliegenden oder aufsteigenden Halmen.

Steigbügel, (Stapes) bei Säugetieren (einschließl. Mensch) eines der drei Gehörknöchelchen (↑ Gehörorgan).

◆ Bügel aus Metall, den der Fuß des im Sattel sitzenden Reiters stützt. Die S. sind an beiden Seiten des Sattels an verstellbaren Bügelriemen befestigt.

Steigeisen, zehn- oder zwölfzackiges, unter den Schuhsohlen befestigtes Hilfsmittel des Bergsteigers v. a. für Eistouren.

◆ Stahlbügel als Steig- und Greifhilfe an der Wand z. B. von Schächten oder Kaminen.

◆ an die Füße anschnallbare, mit Spitzen versehene Stahlbügel zum Erklettern hölzerner Leitungsmasten.

steigender Guß ↑ Gießverfahren.

Steiger, Otto ['--], *Uetendorf (Kt. Bern) 4. Aug. 1909, schweizer. Schriftsteller. – Bekannt v. a. als Romanautor, u. a. „Sie tun, als ob sie lebten" (1942), „Porträt eines angesehenen Mannes" (1952), „Das Jahr mit elf Monaten" (1962), „Die Unreifeprüfung" (1984); auch Dramen, z. B. „Die Belagerung von X" (Kom., 1967) und Erzählungen („Vielleicht Patagonien", 1988).

S., Rod [engl. 'staɪɡə], *Westkampten (N. Y.) 14. April 1925, amerikan. Schauspieler. – Zunächst am Broadway; seit 1951 beim Film; spielte u. a. in „Die Faust im Nacken" (1954), „Doktor Schiwago" (1965, nach B. Pasternak), „Waterloo" (1970), „Zauberberg" (1982, nach T. Mann), „Mary's Nachbar" (1993).

Steiger, frühere, bereits im MA übl. Berufsbez. für Bergleute, die auch unter Tage Aufsichtsaufgaben durchführten.

Steigerung, svw. ↑ Komparation.

Steigerwald, Teil des fränk. Schichtstufenlandes zw. oberer Aisch im S und dem Main bei Haßfurt, überragt nach W in einer bis 200 m hohen Stufe die fränk. Gäuplatten; fällt nach O hin flach zur Rednitzfurche ab; im Hohenlandsberg 498 m hoch.

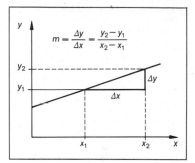

$$m = \frac{\Delta y}{\Delta x} = \frac{y_2 - y_1}{x_2 - x_1}$$

Steigung

Steigung, (Anstieg) allg. das Verhältnis der Höhendifferenz zweier auf einer ansteigenden Geraden liegender Punkte zu ihrem in der Horizontalen gemessenen Abstand; *mathematisch* der Tangens des Winkels, den die Tangente an eine ebene Kurve mit der positiven Richtung der x-Achse bildet. Ist $y = f(x)$ die Gleichung der Kurve, so ergibt sich die S. m in einem Punkt P_0 (x_0, y_0) als der Differentialquotient $m = (\mathrm{d}f/\mathrm{d}x)_{x_0} = f'(x_0)$ (↑ Differentialrechnung). Für eine Gerade der Form $y = ax + b$ ist die S. durch den Koeffizienten von x gegeben ($m = a$).

◆ ↑ Gewinde.

Steilfeuergeschütz ↑ Geschütze.

Steilrohrkessel ↑ Dampfkessel.

Stein, Charlotte von, geb. von Schardt, *Eisenach 25. Dez. 1742, †Weimar 6. Jan. 1827, Freundin Goethes. – Ab 1764 ⚭ mit dem herzogl. Stallmeister Friedrich Freiherr von S.; enges Freundschaftsverhältnis zu Goethe (1775–86).

S., Edith (Ordensname Teresia Benedicta a Cruce), *Breslau 12. Okt. 1891, †KZ Auschwitz 9. Aug. 1942, dt. Philosophin. – Aus orth. jüd. Familie; 1922 Übertritt zum Katholizismus; 1932 Dozentin am Inst. für wiss. Pädagogik in Münster, 1933 Karmelitin in Köln, seit 1938 in Echt (Niederlande). Versuchte eine Synthese der Husserlschen Phänomenologie mit der Seinslehre des Thomismus und der augustin. Metaphysik.

S., Gertrude [engl. staɪn], *Allegheny (Pa.) 3. Febr. 1874, †Paris 27. Juli 1946, amerikan. Schriftstellerin. – Aus wohlhabender dt.-jüd. Familie; verließ 1902 die USA; lebte meist in Paris, wo ihr Salon zum Treffpunkt avantgardist. Künstler (Picasso, Matisse, Bracque) wurde. Ihr Prosastil („Drei Leben", En., 1909) hatte starken Einfluß auf E. Hemingway, J. Dos Passos, S. Anderson, F. S. Fitzgerald, für die sie die Bez. „Lost generation" prägte. Bed. sind die „Autobiographie von

Alice B. Toklas" (1933) und ihre Poetik „Was ist engl. Literatur und andere Vorlesungen in Amerika" (1935).

S., Heinrich Friedrich Karl Reichsfrhr. vom und zum, * Nassau 25. Okt. 1757, † Cappenberg 29. Juni 1831, dt. Staatsmann und Reformer Preußens. – Aus reichsritterl. Geschlecht; trat 1780 in den preuß. Staatsdienst. Als preuß. Finanz- und Wirtschaftsmin. (1804–Jan. 1807) suchte S. den Staat für die Auseinandersetzung mit Napoleon I. vorzubereiten, wobei er wirtsch. und finanzpolit. Erfolge erzielte, in der Hauptsache jedoch, der Ersetzung der königl. Kabinettsreg. durch ein verantwortl. Ministerium, u.a. am altpreuß. Traditionalismus scheiterte. Nach dem Frieden von Tilsit wurde S. am 30. Sept. 1807 (bis Nov. 1808) als leitender Min. in die preuß. Reg. berufen. Unter ihm wurden grundlegende Reformen durchgesetzt (↑ preußische Reformen). Weitergehende Reformpläne (wie ländl. Selbstverwaltung und ständ. Volksvertretung) konnte S. nicht durchführen. Nach seiner Flucht vor Napoleon I. wurde er polit. Berater Zar Alexanders I.; er vermittelte das preuß.-russ. Bündnis (1813) und wurde Präs. der Zentralverwaltung für die durch die verbündeten Truppen besetzten Gebiete. Auf dem Wiener Kongreß Mgl. der russ. Delegation; zog sich 1815 ins Privatleben zurück und gründete 1819 die „Gesellschaft für ältere dt. Geschichtskunde", die die ↑ „Monumenta Germaniae historica" herauszugeben begann.

📖 Hubatsch, W.: Die S.-Hardenbergschen Reformen. Darmst. ²1989. – Ritter, G.: S. Eine polit. Biogr. Stg. 1981.

S., Horst, * Elberfeld (= Wuppertal) 2. Mai 1928, dt. Dirigent. – 1955–61 Dirigent an der Staatsoper in Berlin (Ost), 1963–70 Generalmusikdirektor und Operndirektor des Nationaltheaters in Mannheim, 1972–77 Generalmusikdirektor der Hamburg. Staatsoper, 1980–85 Leiter des Orchestre de la Suisse Romande in Genf, seitdem Leiter der Bamberger Symphoniker.

S., Johann Andreas, * Heidelsheim (= Bruchsal) 6. Mai 1728, † Augsburg 29. Febr. 1792, dt. Klavier- und Orgelbauer. – Ließ sich 1751 in Augsburg nieder, erbaute dort 1755–57 die Orgel der Barfüßerkirche, war danach fast ausschließlich als Klavierbauer tätig. Entwickelte vermutlich um 1755 die lange Zeit gebräuchl. „dt." oder „Wiener Mechanik" des Klaviers.

S., Karl Frhr. von S. zum Altenstein ↑ Altenstein, Karl Frhr. von Stein zum.

S., Lorenz von (seit 1868), * Borby (= Eckernförde) 15. Nov. 1815, † Weidlingau (= Wien) 23. Sept. 1890, dt. Staatsrechtler. – Ab 1846 Prof. in Kiel, ab 1855 Prof. in Wien. Sein Werk „Der Socialismus und Communis-

mus des heutigen Frankreichs" (1842) machte ihn breiteren Publikum in Deutschland bekannt. Theoret. Hauptwerk: „Die Verwaltungslehre" (8 Bde., 1865–84).

S., Peter, * Berlin 1. Okt. 1937, dt. Regisseur. – 1964/65 Regie- und Dramaturgieassistent an den Kammerspielen in München; S. setzte sich Ende der 60er Jahre für eine „demokrat. Praxis" am Theater (kollektive und wählbare Führung, Beteiligung aller Ensemblemitglieder an der Spielgestaltung, Reduzierung der Theaterbürokratie) ein. Seit 1970 Regisseur und bis 1985 auch künstler. Leiter der Berliner Schaubühne (↑ Schaubühne am Lehniner Platz); auch Film- und Fernsehinszenierungen. Seit 1992 Schauspieldirektor der Salzburger Festspiele.

S., William Howard [engl. staɪn], * New York 25. Juni 1911, † ebd. 2. Febr. 1980, amerikan. Biochemiker. – Erhielt mit C. B. Anfinsen und S. Moore für gemeinsame Forschungsarbeiten zur Aufklärung der molekularen Struktur und der Funktion des Enzyms Ribonuklease (↑ RNasen) 1972 den Nobelpreis für Chemie.

Stein, Gesteinsstück, Mineralstück.

◆ in der *Metallurgie* das sich bei der Gewinnung von Schwermetallen (v.a. Kupfer und Nickel) aus sulfid. Erzen bildende Zwischenprodukt (Gemisch) aus Metallsulfiden.

Steinacker, Peter, * Frankfurt am Main 12. Dez. 1943, dt. ev. Theologe. – Ab 1986 Prof. für Systemat. Theologie in Marburg; seit März 1993 Kirchenpräs. der Ev. Kirche in Hessen und Nassau.

Steinadler (Aquila chrysaëtos), bis 80 cm (♂) bzw. 90 cm (♀) langer, etwa 2 m spannender, ausgezeichnet segelnder Adler, v.a. in unzugängl. Hochgebirgslagen, in Steinwüsten und an Waldrändern NW-Afrikas, großer, nichttrop. Teile Eurasiens (in Deutschland nur noch in den Alpen wenige Paare, vom Aussterben bedroht) und N-Amerikas; vorwiegend dunkelbrauner Greifvogel mit (im erwachsenen Zustand) goldgelbem Hinterkopf und Nacken, gelber Wachshaut und gelben Zehen; bei Jungvögel Flügelunterseite weiß gefleckt; Schwanzunterseite weiß mit breiter, schwarzer Endbinde. – Der S. jagt Wildhühner und mittelgroße Säugetiere (z.B. Murmeltiere, Hasen, Füchse). Jedes S.paar baut mehrere Horste, die abwechselnd benutzt werden; sie stehen unter Naturschutz.

Steinamanger ↑ Szombathely.

Stein am Rhein, Bez.hauptort im schweizer. Kt. Schaffhausen, am rechten Ufer des Hochrheins, 402 m ü.d.M., 2600 E. Lederind., Herstellung von Kleinmöbeln, Textilien und Metallwaren; Fremdenverkehr. – Im Ortsteil Burg spätröm. Kastell **Tasgetium** aus der Zeit Diokletians. Der als

Marktflecken und Brückenkopf um eine Abtei (zw. 1007 und 1024 Markt- und Münzrecht) entstandene Ort wurde 1457 reichsfrei und kam nach dem Anschluß an Zürich (1484) zum Kt. Schaffhausen (1803). – Ehem. Benediktinerabtei Sankt Georgen mit frühroman. Kirche (um 1060) und spätgot. Klosterbauten. Rathaus (1539 und 1745/46), Fassadenmalerei im Stadtkern; oberhalb der Stadt Burg Hohenklingen (12. Jh.).

Steinarr, Steinn [isländ. 'steinar], eigtl. Aðalsteinn Kristmundsson, * Nauteyrarhreppur (Laugaland) 13. Aug. 1908, † Reykjavík 25. Mai 1958, isländ. Schriftsteller. – Exponent der neueren isländ. Lyrik; gehörte zu der Gruppe „atómskáld" („Atomdichter").

Steinau an der Straße, hess. Stadt an der oberen Kinzig, 175 m ü. d. M., 10 200 E. Marionettentheater, Museum; Seifen- und Waschmittelfabrikation, Textil-, Möbel-, chem., holzverarbeitende u. a. Ind. – Gehörte seit etwa 900 zur Abtei Fulda; erhielt 1290 Stadt- und Marktrecht. Vom 13. Jh. an von den Grafen von Hanau zum Verwaltungsmittelpunkt ausgebaut. – Ev. spätgot. Stadtpfarrkirche (1481–1511), ev. barocke Reinhardskirche (1724–31), Welsbergkapelle auf dem Friedhof (1616 und 1958); Schloß (1528–56), Brüder-Grimm-Gedenkstätte.

Steinbach, Erwin von † Erwin von Steinbach.

Steinbau, wie der Holzbau eine der ältesten Bauweisen. In frühen Kulturen (ägypt., kret.-myken., altamerikan., ind.) überwiegen Mauern aus großen Quadern, die meist ohne Mörtel aufeinandergefügt wurden. Der in Griechenland und Rom weiterentwickelte S. wurde seit dem MA auch nördl. der Alpen verwendet, zuerst vorwiegend für kirchl., seltener für profane Bauten. Der S. ermöglichte die Ausbildung der Wölbetechnik.

Steinbeck, John [Ernst] [engl. 'stainbek], * Salinas (Calif.) 27. Febr. 1902, † New York 20. Dez. 1968, amerikan. Schriftsteller. – Gelegenheitsarbeiter und Reporter; Kriegsberichterstatter im 2. Weltkrieg und in Vietnam. Haupttyp seiner sozialkrit. Romane und Erzählungen ist der entwurzelte und besitzlose Amerikaner. S. verband in seinen Werken einen determinist. Naturalismus mit Romantik und myst. Religiosität; ihr oft kritisierter Mangel an intellektueller Tiefe gibt jedoch vielen seiner Werke den Reiz ungekünstelter Einfachheit: „Eine Handvoll Gold" (R., 1929), „Stürm. Ernte" (R., 1936), „Früchte des Zorns" (R., 1939), „Jenseits von Eden" (1952). S. erhielt 1962 den Nobelpreis für Literatur. – *Weitere Werke:* Die wunderl. Schelme von Tortilla Flat (R., 1935), Von Mäusen und Menschen (R., 1937; Dr., 1937), Die Straße der Ölsardinen (R., 1945), Geld bringt Geld (R., 1961).

Steinbeere (Felsenbeere, Rubus saxatilis), 10–30 cm hohe Art der Gatt. Rubus in den Gebirgen Europas und Asiens; Stauden mit kleinen weißen Blüten in einer Rispe; Früchte aus wenigen glänzend roten, fade schmeckenden Steinfrüchtchen zusammengesetzt.

Steinbeißer (Cobitinae), Unterfam. überwiegend kleiner Schmerlen mit rd. 50 Arten in fließenden bis stehenden Süßgewässern mit sandigem Grund in Eurasien (einschl. der Sundainseln) und N-Afrika; Körper langgestreckt, mit sechs kurzen Barteln. – Zu dieser Gruppe gehören u. a. Schlammpeitzger, Dornaugen und die **Eurasische Steinbeißer** (S. im engeren Sinne, Steinpeitzger, Dorngrundel, Cobitis taenia): letzterer bis 12 cm lang; in Marokko, Europa und weiten Teilen Asiens; Körper grünlichbraun mit dunkler Fleckung am Rücken und je zwei Fleckenreihen längs der Körperseiten.

Steinberg, William [engl. 'stainbɔ:g], eigtl. Hans Wilhelm S., * Köln 1. Aug. 1899, † New York 16. Mai 1978, amerikan. Dirigent dt. Herkunft. – Leitete 1952–76 das Pittsburgh Symphony Orchestra und 1969–72 das Boston Symphony Orchestra.

Steinberger, Emil, schweizer. Kabarettist, † Emil.

S., Jack, * Bad Kissingen 25. Mai 1921, amerikan. Physiker dt. Herkunft. – 1950–71 Prof. an der Columbia University in New York; seit 1968 am Europ. Kernforschungszentrum (CERN) in Genf; Nobelpreis für Physik 1988 (zus. mit M. Schwartz und L. M. Lederman).

Steinbock, dt. Name für das Sternbild Capricornus, † Sternbilder (Übersicht).

Steinbock (Capra ibex), geselliges, in Hochgebirgen Eurasiens und NO-Afrikas lebendes, gewandt kletterndes und springendes Säugetier (Gatt. Ziegen); Länge etwa 1,1–1,7 m; Schulterhöhe rd. 0,6–1,0 m; Gewicht 35–150 kg; ♂ mit sehr großen, bis über 1 m langen, zurückgebogenen Hörnern, meist mit ausgeprägten Querwülsten, ♀ mit kleinen Hörnern; Färbung grau- bis gelb- oder dunkelbraun. – Man unterscheidet mehrere Unterarten, z. B. † Alpensteinbock, **Nubischer Steinbock** (Capra ibex nubiana; knapp 80 cm schulterhoch, auf der Arab. Halbinsel, in Israel und im nö. Afrika; mit auffallend schwarz-weiß gezeichneten Läufen und (beim ♂) langem Kinnbart. Im Kaukasus lebt der **Tur** (Capra ibex cylindricornis; Färbung rotbraun, Beine schwärzlich). Der **Sibir. Steinbock** (Capra ibex sibirica) kommt im Hochgebirge von Afghanistan bis O-Sibirien vor; größer als der Alpen-S.; mit schwärzl. Rückenstreif und längeren, weiter ausladenden, mit starken Querwülsten versehenen Hörnern.

Steinbohrer (Felsenbohrer, Saxicava), in allen Meeren verbreitete Gatt. etwa 1–5 cm langer Muscheln; Schalen kräftig, langgestreckt, an den Enden klaffend; Außenschicht dunkel- bis rotbraun, oft abgeblättert, mit konzentr. Leisten; Bohrmuscheln, die sich mechanisch in weiches Gestein einbohren können.

Steinbrech (Saxifraga), Gatt. der S.gewächse mit rd. 350 Arten, überwiegend in den Hochgebirgen der arkt. und der nördl. gemäßigten Zone und in den Anden; meist ausdauernde, häufig rasen- oder rosettenbildende Kräuter mit oft ledrigen oder fleischigen Blättern. Neben einer Reihe alpiner Arten kommt in Deutschland auf sandigen Wiesen der bis 40 cm hohe **Körnige Steinbrech** (Saxifraga granulata) vor; mit weißen, sternförmigen Blüten und nierenförmigen Grundblättern. Als Topfpflanze kultiviert wird der **Judenbart** (Rankender S., Saxifraga sarmentosa) aus O-Asien; mit nierenförmigen Blättern und fadenförmigen Ausläufern; Blüten weiß, in aufrechten Rispen.

Steinbrechgewächse (Saxifragaceae), Fam. der Zweikeimblättrigen mit rd. 700 Arten, meist in den gemäßigten Gebieten; überwiegend ausdauernde Kräuter oder Sträucher mit meist wechselständigen Blättern. Zu den S. gehören u. a. die Gatt. ↑ Steinbrech und ↑ Astilbe.

Steinbruch, im Tagebau betriebene Anlage zur Gewinnung nutzbaren Gesteins.

Steinbuch, Karl, * Stuttgart 15. Juni 1917, dt. Nachrichtentechniker und Informatiker. – Prof. in Karlsruhe und Leiter des dortigen Inst. für Nachrichtenverarbeitung und Nachrichtenübertragung. Bekannt wurde S. als gesellschaftskrit. Schriftsteller, der teils irrationalen Organisations- und Institutionsformen der modernen Gesellschaft durchleuchtet und Vorschläge zur Lösung kultur- und gesellschaftspolit. Probleme unterbreitet („Programm 2000", 1970; „Maßlos informiert", 1978; „Die desinformierte Gesellschaft", 1989).

Steinbüchel, Theodor, * Köln 15. Juni 1888, † Tübingen 19. Febr. 1949, dt. kath. Theologe und Philosoph. – Prof. in Gießen, München und Tübingen; begründete in seinen moraltheolog. Werken unter dem Einfluß der Wertethik M. Schelers und der Dialektik G. W. F. Hegels eine Zusammenschau von Personalismus und christl. Moral mit Betonung von Freiheit und Verantwortung (u. a. in „Die philosoph. Grundlegung der kath. Sittenlehre", 1938–51).

Steinburg, Landkr. in Schleswig-Holstein.

Steinbutte (Scophthalmidae), Fam. etwa 0,1–2 m langer Knochenfische (Ordnung Plattfische) an den Küsten des N-Atlan-

tiks (einschl. Nebenmeere); im Unterschied zu den meisten Schollen Augen auf der linken Körperseite; geschätzte Speisefische, z. B. der bis 70 cm lange, schwarzbraun und hell marmorierte **Glattbutt** (Scophthalmus rhombus) und der **Steinbutt** (Scophthalmus maximus), bis 1 m lang; an den Küsten Europas und N-Afrikas; Körperumriß fast kreisrund.

Steindattel (Seedattel, Meerdattel, Lithophaga mytiloides), bis 8 cm lange, braune, dattelförmige Muschel im Mittelmeer und an der span. Atlantikküste; bohrt sich mit Hilfe von auf dem Mantelrand und den Siphonen liegenden Säuredrüsen in Kalkgesteine ein.

Stein der Weisen (Lapis philosophorum), seit der Spätantike Bez. für die wichtigste Substanz der Alchimie, mit deren Hilfe unedle Stoffe in edle (Gold, Silber) verwandelt werden sollten; bei den Arabern auch als Allheilmittel und Lebenselixier aufgefaßt.

Steindruck, svw. ↑ Lithographie.

Steineibe (Stielfruchteibe, Podocarpus), Gatt. der Steineibengewächse (Podocarpaceae; Fam. der Nadelhölzer) mit rd. 80 Arten in den Tropen und Subtropen; immergrüne Bäume, seltener Sträucher, mit breit-nadelförmigen oder auch lanzenförmigen Blättern; Blüten ein- oder zweihäusig; Samenhülle den Samen bei der Reife einschließend, daher eine „Frucht" ähnlich. Viele Arten liefern Nutzholz, einige Arten sind Zierpflanzen.

Steineiche (Quercus ilex), immergrüner, bis 20 m hoher Baum des Mittelmeergebiets; Blätter ledrig, 3–7 cm lang, ganzrandig oder gezähnt bis stachelig gesägt, oberseits dunkelgrün, glänzend, unterseits weißfilzig; Eicheln 2–3 cm lang, vom Becher halb umgeben; Holz sehr hart.

Steiner, Franz Baermann, * Prag 12. Okt. 1909, † Oxford 27. Nov. 1952, östr. Lyriker. – Emigrierte während des NS nach Großbritannien; beschäftigte sich intensiv mit der Dichtung des Orients und der Naturvölker.

S., Jakob, * Utzenstorf (Kt. Bern) 18. März 1796, † Bern 1. April 1863, schweizer. Mathematiker. – Autodidakt; ab 1834 Prof. in Berlin; einer der Begründer der synthet. Geometrie, gab zahlr. geomet. Konstruktionen an und formulierte den nach ihm ben. Lehrsatz der Mechanik (↑ Steinerscher Satz).

S., Jörg, * Biel (BE) 26. Okt. 1930, schweizer. Schriftsteller. – Lehrer; Verf. von Romanen, u. a. „Strafarbeit" (1962), „Ein Messer für den Fritz" (1964) und Erzählungen („Fremdes Land", 1989), in denen er, Reales und Phantast. vermischend, v. a. jugendl. Außenseiter darstellt; auch Lyrik, Essays, Hörspiele, Filmdrehbücher und Bilderbücher.

S., Rudolf, * Kraljevica (Kroatien) 27. Febr. 1861, † Dornach 30. März 1925, östr. Anthroposoph. – Studium der Mathematik und Naturwiss.; schloß sich 1902 der Theosoph. Gesellschaft an; 1913 trennte er sich von ihr und gründete gleichzeitig die Anthroposoph. Gesellschaft und das Goetheanum († Anthroposophie). S. übte einen weitreichenden Einfluß auf das allg. Kulturleben aus. Bis heute wirken neben der Anthroposoph. Gesellschaft und den Waldorfschulen Inst. für heilpädagog. Therapieformen (u. a. † Eurythmie) auf anthroposoph. Grundlage. – *Werke:* Die Philosophie der Freiheit (1894), Goethes Weltanschauung (1897), Das Christentum als myst. Tatsache (1902), Theosophie (1904), Die Geheimwiss. im Umriß (1910).

Steiner Alpen, Gruppe der Südl. Kalkalpen südl. der Karawanken, Slowenien, im Grintavec 2 558 m hoch.

Steinernes Meer, verkarsteter Hochgebirgsstock in den Nördl. Kalkalpen, über den die dt.-östr. Grenze verläuft; in der Schönfeldspitze 2 653 m hoch.

Steinscher Satz [nach Jakob Steiner], Lehrsatz der Mechanik: Das Trägheitsmoment J_A eines starren Körpers der Masse *m* um die Drehachse *A* ergibt sich aus dem Trägheitsmoment J_S um die dazu parallele, durch den Schwerpunkt *S* gehende Drehachse gemäß $J_A = J_S | m a^2$, wobei *a* der senkrechte Abstand der beiden Achsen ist.

Steinert, Otto, * Saarbrücken 12. Juli 1915, † Essen 3. März 1978, dt. Photograph. – Bis 1948 Arzt; ab 1959 Prof. für Photographie an der Folkwang Hochschule Essen; Begründer der „subjektiven Photographie". Gründer und Kurator der „Fotograf. Sammlung im Museum Folkwang"; Hg. der Bildbände „subjektive fotografie" I und II (1952; 1955), „Selbstportraits" (1961).

Steine und Erden, natürlich vorkommende, technisch wichtige Minerale und Gesteine, die von der *Industrie der S. u. E.* zu Keramik, Glas, Baustoffen, Bindemitteln usw. verarbeitet werden; z. B. Glas- und Formsand, Ton, Kaolin, Kalkstein, Kies.

Steinfeld, Teil der Gemeinde Kall, Kr. Euskirchen, NRW. Ehem. Prämonstratenserabtei (seit 1923 Salvatorianerkolleg) mit roman. Kirche (1142 ff.; spätgot. Gewölbemalerei, Barockausstattung, u. a. Orgel).
S., sw. Teil des Wiener Beckens.

Steinfliegen (Uferfliegen, Uferbolde, Plecoptera), mit rd. 2 000 Arten v. a. in den gemäßigten Zonen verbreitete Ordnung sehr urspr., bereits aus dem Perm bekannter Insekten von 3,5–30 mm Länge (darunter rd. 100 einheim. Arten); meist graubraune Tiere mit zwei Paar großen, häutigen, in Ruhe flach auf den Rücken gelegten Flügeln, fadenförmigen Fühlern und zwei langen Schwanzborsten. Die Larven sind abgeflacht und haben auch zwei Schwanzborsten. Sie leben in Fließgewässern und ernähren sich von Algen

oder Kleintieren. Die Entwicklung verläuft über eine vollkommene Metamorphose.

Steinfrucht, Schließfrucht, deren reife Fruchtwand in einen inneren, den Samen enthaltenden *Steinkern* und einen äußeren, entweder fleischig-saftigen (Kirsche, Pflaume) oder ledrig-faserigen (Wal- und Kokosnuß) Anteil differenziert ist. – † Fruchtformen.
◆ (Steinkind, Lithopädion) in der *Medizin* Verkalkung der abgestorbenen Leibesfrucht.

Steinfurt, Krst. im Münsterland, NRW, 30 100 E. Abt. der Fachhochschule Münster; Textil-, metallverarbeitende und Tabakind. – 1975 aus den Gem. **Burgsteinfurt** und **Borghorst** entstanden. Burgsteinfurt entstand bei der 1129 erstmals erwähnten Burg Stenrode; 1347 Stadtrechtsverleihung. Borghorst entwickelte sich um ein 968 gegr. Damenstift, 1512 als Wigbold bezeichnet, 1550 Stadterhebung. – In Burgsteinfurt Wasserburg (12./13. und 16.–18. Jh.), Pfarrkirche (15. Jh.), Rathaus (1561), Häuser des 17. und 18. Jahrhunderts.
S., Kreis in Nordrhein-Westfalen.

Steingaden, Gem. 20 km nö. von Füssen, Bay., 763 m ü. d. M., 2 400 E. Roman. Kirche (1176 geweiht) der ehem. Prämonstratenserabtei, aus dem Innern barockisiert (17. und 18. Jh.); nahebei die † Wies.

Steingarnele † Garnelen.

Steingarten, Gartenanlage für Felsbzw. Alpenpflanzen; mit Steinen, oft mit Trockenmauern oder Felsgruppen, auf Humus über Geröll und Steinschutt. – † Alpinum.

Steingut † Keramik.

Steinhäger ⓦ [nach der Gem. Steinhagen, NRW], zweifach destillierter Wacholderbranntwein mit mindestens 38 Vol.-% Alkoholgehalt.

Steinhauerlunge, speziell bei Steinbrechern und Steinbearbeitern auftretende † Staublunge.

Steinheil, Carl (Karl) August Ritter von (seit 1868), * Rappoltsweiler (Oberelsaß) 12. Okt. 1801, † München 12. Sept. 1870, dt. Physiker und Astronom. – Ab 1832 Prof. in München, wo er 1854 eine opt. Werkstätte gründete; S. war ein hervorragender Konstrukteur opt., astronom. und elektr. Instrumente
S., Hugo Adolph, * München 12. April 1832, † ebd. 4. Nov. 1893, dt. Optiker. – Sohn von C. A. Ritter von S.; übernahm die von seinem Vater gegr. Werkstätte; berechnete und konstruierte Objektive, u. a. das erste Weitwinkelobjektiv und den ersten † Aplanaten.

Steinheim, Salomon Ludwig, * Bruchhausen (= Höxter) 6. Aug. 1789, † Oberstrass (= Zürich) 18. Mai 1866, dt. Arzt und jüd. Religionsphilosoph. – In „Die Offenbarung nach dem Lehrbegriffe der Synagoge"

(1835–65) bemüht er sich, die jüd. Glaubenslehre als exakte Wiss. zu definieren. Sowohl die jüd. Reformbewegung als auch die Orthodoxie lehnten S. jedoch ab.

Steinheim an der Murr, Stadt 4 km nö. von Marbach, Bad.-Württ., 200 m ü. d. M., 9 500 E. Urmensch-Museum; Möbelind. – Entwickelte sich bei einem fränk. Königshof des 6. Jh.; 832 erstmals erwähnt; seit 1955 Stadtrecht. – In pleistozänen Schottern wurde 1933 der Schädel des zur ↑ Präsapiensgruppe gehörenden *Steinheimmenschen* gefunden. – Roman.-got. Pfarrkirche; Fachwerkrathaus (1686).

Steinheimer Becken, um 100–120 m eingetieftes rundl. Becken von 3,5 km Durchmesser im O-Teil der Schwäb. Alb, im Albuch; durch Meteoriteneinschlag entstanden. Meteorkrater-Museum im Ortsteil Sontheim der Gem. Steinheim am Albuch (8 100 E).

Steinhoff, Hans, *Pfaffenhofen 10. März 1882, †1945 (Flugzeugabsturz), dt. Regisseur. – Seit 1922 beim Film („Der falsche Dimitri"); drehte als überzeugter Nationalsozialist seit 1933 propagandist. Filme: „Hitlerjunge Quex" (1933), „Der alte und der junge König" (1935), „Tanz auf dem Vulkan" (1938), „Die Geierwally" (1940), „Ohm Krüger" (1941).

S., Johannes, *Bottendorf bei Artern (Unstrut) 15. Sept. 1913, †Bonn 21. Febr. 1994, dt. General. – Jagdflieger im 2. Weltkrieg; 1960–63 Vertreter der BR Deutschland im NATO-Militärausschuß; Inspekteur der Bundesluftwaffe 1966–70; 1971–74 Vors. des NATO-Militärausschusses.

Steinholz, wärmedämmender Estrich aus ↑ Magnesitbinder und Füllstoffen (z. B. Sägemehl, Korkschrot).

Steinhuder Meer, See nw. von Hannover, rd. 30 km², bis 2,8 m tief, jedoch schwankender Wasserstand. Auf einer Untiefe im See wurde während des Siebenjährigen Krieges die Festung Wilhelmstein erbaut.

Steinhuhn ↑ Feldhühner.

Steinhummel ↑ Hummeln.

Steinige Tunguska, rechter Nebenfluß des Jenissei, im Mittelsibir. Bergland, 1 865 km lang.

Steinigung, die Hinrichtung eines Verurteilten durch Steinwürfe, z. B. in islam. Ländern bei Ehebruch.

Steinitz, Wilhelm, *Prag 14. Mai 1836, †New York 12. Aug. 1900, östr. Schachspieler. – Erster Schachweltmeister (1886–94).

Steinkauz ↑ Eulenvögel.

Steinkistengrab (Steinkiste) ↑ Megalithgrab.

Steinkjer [norweg. ˌstɛinɕɔr], Hauptstadt des norweg. Verw.-Geb. Nord-Trøndelag am inneren Ende des Drontheimfjords, 20 400 E. Holzverarbeitende Ind., Transformatoren-

bau. – Gegr. 1857; im 2. Weltkrieg zu 80 % zerstört, modern wieder aufgebaut.

Steinklee (Melilotus), Gatt. der Schmetterlingsblütler mit rd. 25 Arten im gemäßigten und subtrop. Eurasien und in N-Afrika wie Äthiopien; meist ein- oder zweijährige Kräuter mit dreizählig gefiederten Blättern; Blüten gelb oder weiß, in achselständigen, oft langen, vielblütigen Trauben; in Deutschland u. a. der gelbblühende, nach Honig duftende, 30–100 cm hohe **Echte Steinklee** (Melilotus officinalis), der bis 1,5 m hohe, ebenfalls gelbblühende **Hohe Steinklee** (Melilotus altissimus) und der weißblühende, bis 1,25 m hohe **Weiße Steinklee** (Bucharaklee, Melilotus albus); Ruderalpflanze.

Steinkohle, durch weitgehende ↑ Inkohlung aus Pflanzen entstandene, harte, schwarze Kohle. Man unterscheidet nach steigendem Gesamtkohlenstoffgehalt folgende S.arten: *Flammkohle, Gasflammkohle, Gaskohle, Fettkohle, Eßkohle, Magerkohle* und *Anthrazit.* – S. ist ein wichtiger Brennstoff und chem. Rohstoff. – ↑ Bergbau, ↑ Kohle.

Die S.förderung in der BR Deutschland ging von 88,8 Mill. t (1985) auf 70,2 Mill. t (1990) zurück.

Steinkohleneinheit, Einheitenzeichen SKE, als Wärmeinheit von 1 kg Steinkohle mit dem mittleren Heizwert von 29 300 kJ (= 7 000 kcal) definierte techn. Energieeinheit; 10³ SKE werden auch mit 1 SKE (Tonnen S.) bezeichnet. – Die Verwendung der S. ist in Deutschland im amtl. und geschäftl. Verkehr gesetzlich nicht mehr zulässig.

Steinkokos, svw. ↑ Coquilla.

Steinkorallen (Madreporaria), Ordnung der Korallen (Unterklasse Hexakorallen) mit rd. 2 500 Arten in allen Meeren trop. bis gemäßigter Regionen; vorwiegend stockbildende, in den Tropen meist prächtig gefärbte Hohltiere mit kleinen Polypen; scheiden an der Fußscheibe stets ein Kalkskelett ab (Riffbildung).

Steinkrabben (Lithodidae), Fam. krabbenähnl. Krebse (v. a. kalten Meeren) mit Merkmalen von Einsiedlerkrebsen; Panzerlänge bis über 20 cm. Am bekanntesten ist der im N-Pazifik vorkommende **Kamtschatkakrebs** (Königskrabbe, Paralithodes camtschatica): ♀♀ sehr viel kleiner als die bis 8 kg schweren ♂♂; wird auf seinen Wanderungen zur Fortpflanzungszeit gefangen; das konservierte Fleisch kommt als *Crabmeat* in den Handel.

Steinkraut (Steinkresse, Schildkraut, Alyssum), mit rd. 100 Arten in M-Europa und vom Mittelmeergebiet bis Z-Asien verbreitete Gatt. der Kreuzblütler; Kräuter oder Halbsträucher; Stengel und Blätter oft mit sternförmigen Haaren besetzt und dadurch graufilzig; meist gelbe, in Trauben stehende Blüten; Schötchenfrüchte.

Steinkrebs (Astacus torrentium), mit rd. 8 cm Körperlänge kleinste Art der ↑Flußkrebse in klaren Gebirgsbächen in Europa.

Steinkresse, svw. ↑Steinkraut.

Steinkühler, Franz, * Würzburg 20. Mai 1937, dt. Gewerkschafter. – Werkzeugmacher; seit 1951 Mgl. der SPD; seit 1962 hauptamtlich bei der IG Metall, 1983–86 Zweiter, 1986–93 Erster Vors. der IG Metall (Rücktritt wegen umstrittener Insider-Aktiengeschäfte).

Steinl, Matthias, * Landsberg a. Lech oder Weilheim i. OB um 1644, † Wien 18. April 1727, östr. Baumeister und Bildhauer. – Gab der östr. Barockarchitektur entscheidende Impulse; schuf Teile der Stiftskirche in Zwettl-Niederösterreich (1722–27, zus. mit J. Munggenast), Altäre (Hochaltar der Stiftskirche in Klosterneuburg, 1714 bzw. 1724–28), Kanzeln, Reliefs und Statuen; Reiterstatuetten Leopolds I., Josephs I. und Karls VI. (Elfenbein, alle Wien, Kunsthistor. Museum).

Steinläufer (Lithobiomorphan), mit über 1 000 Arten weltweit verbreitete Ordnung der ↑Hundertfüßer von 3 bis rd. 50 mm Körperlänge; ähneln den ↑Skolopendern, Rumpf mit nur 15 Beinpaaren; erstes Beinpaar zu Kieferfüßen umgestaltet, mit starken Giftklauen; letztes Beinpaar stark verlängert und kräftig bestachelt. Einheimisch ist der bis 32 mm lange **Braune Steinläufer** (Gemeiner Steinkriecher, Lithobius forficatus). unter Steinen und v. a. morschem Holz; nachtaktiv.

Steinleiden, svw. ↑Lithiasis.

Steinlen, Théophile Alexandre [frz. stɛn-'lɛn], * Lausanne 10. Nov. 1859, † Paris 14. Dez. 1923, frz. Graphiker schweizer. Herkunft. – Mitarbeiter zahlr. satir. Zeitschriften, v. a. mit Druckgraphiken und Plakate, z. T. im Jugendstil; auch Maler.

Steinlinde (Phillyrea), Gatt. der Ölbaumgewächse mit vier Arten, verbreitet vom Mittelmeergebiet bis nach Kleinasien und zum Kaukasus; immergrüne Sträucher mit kleinen, weißen, wohlriechenden, in achselständigen Büscheln stehenden Blüten; typisch für die Macchie.

Steinmarder (Hausmarder, Martes foina), über fast ganz Europa (mit Ausnahme des N) und weite Teile Asiens verbreiteter Marder; Länge etwa 40–50 cm; Schwanz rd. 25 cm lang; dunkelbraun mit weißem, hinten gegabeltem Kehlfleck (im Ggs. zum Edelmarder); dämmerungs- und nachtaktives Raubtier; frißt hauptsächlich Mäuse und Ratten.

Steinmeteorite ↑Meteorite.

Steinmetz, Charles Proteus, urspr. Karl August Rudolf S., * Breslau 9. April 1865, † Schenectady (N. Y.) 26. Okt. 1923, dt.-amerikan. Elektrotechniker. – Emigrierte 1889 in die USA, wo er Prof. in Schenectady wurde. Gab eine Theorie der magnet. Hysterese, vereinfachte die Behandlung von Wechselstromvorgängen durch Verwendung von komplexen Zahlen und erfand das Dreileitersystem für Wechselstrom (Drehstrom).

S., Sebald Rudolph, * Breda 6. Dez. 1862, † Amsterdam 5. Dez. 1940, niederl. Ethnologe und Soziologe. – 1908–33 Prof. in Amsterdam; stark sozialdarwinistisch geprägte vergleichende ethnolog. Studien; versuchte, ethnograph. Betrachtungsweisen bei der Untersuchung europ. Gesellschaften anzuwenden.

Steinmetzzeichen, vereinzelt schon im Altertum, in Europa von der Mitte des 12. bis Anfang des 16. Jh. allg. vom jeweiligen **Steinmetz,** der die [Natur]steine für anspruchsvolle Bauten bearbeitete (schnitt, polierte), z. T. zugleich auch als Bildhauer und Baumeister tätig war, angebrachtes monogrammartiges oder geometr. Zeichen, das ihm von seiner Bauhütte bei der Gesellenprüfung verliehen wurde (Meisterzeichen sind umrandet); diente v. a. für Lohnabrechnungen; auch Gütezeichen.

Steinmetzzeichen aus dem Speyerer Dom (12. Jh.; 1), dem Straßburger Münster (13. Jh.; 2), dem Ulmer Münster (15. Jh.; 3), aus Groß-Sankt-Martin in Köln (12. Jh.; 4), aus dem Wormser Dom (12. Jh.; 5) und der Gelnhausener Pfalz (12. Jh.; 6)

Steinmispel (Zwergmispel, Steinquitte, Quittenmispel, Cotoneaster), Gatt. der Rosengewächse mit knapp 100 Arten im gemäßigten Asien, vereinzelt auch in Europa und N-Afrika; immer- oder sommergrüne Sträucher mit kleinen, meist rötlichen oder weißen Blüten. In Deutschland kommen drei Arten vor, u. a. die bis 1,5 m hohe **Gemeine Steinmispel** (Cotoneaster integerrima) mit unterseits stark filzigen Blättern, kleinen, blaßroten Blüten und purpurroten Früchten.

Steinnelke (Waldnelke, Dianthus sylvestris), in den Alpen und in S-Europa heimische, dicht rasig wachsende, mehrjährige Nelkenart mit nur 1–2 mm breiten, hell- oder bläulichgrünen Blättern und rosafarbenen Blüten, die auf 5–40 cm hohen Stengeln stehen; in Deutschland nur in den Allgäuer Alpen.

Steinnußpalme, svw. ↑ Elfenbeinpalme.

Steinobst, Bez. für Obstsorten aus der Gatt. Prunus (v. a. Kirsche, Pflaume, Mirabelle, Reneklode, Pfirsich, Aprikose), deren Früchte einen Steinkern enthalten.

Steinoperation, chirurg. Eingriff bei Steinleiden, v. a. bei Harn-, Nieren- oder Gallensteinen. Die älteste S. ist der *Steinschnitt,* bei dem man von außen her die Harnblase, das Nierenbecken oder die Gallenblase öffnet. – ↑ Lithotripsie.

Steinpeitzger ↑ Steinbeißer.

Steinpicker ↑ Panzergroppen.

Steinpilz (Eichpilz, Edelpilz, Herrenpilz, Boletus edulis), bekannter Röhrling der Laub- und Nadelwälder mit mehreren schwer unterscheidbaren Unterarten; Hut bis 35 cm breit, anfangs weißlich, später leber-, nußoder schwarzbraun, gelegentlich auch grau oder rot getönt; Oberhaut glatt oder feinrunzelig, bei feuchtem Wetter etwas schmierig; Röhrchen unter dem Hut sehr fein, zuerst weiß, im Alter gelblich- bis olivgrün, leicht abtrennbar; Stiel anfangs rundlich, weiß, sehr dick, später bis 30 cm langgestreckt, mit weißen, erhabenen Adern auf hellbraunem bis weißem Untergrund; Fleisch rein weiß, auch beim Anschneiden nie blau werdend; geschätzter Speisepilz.

Steinquitte, svw. ↑ Steinmispel.

Steinrötel (Monticola), Gatt. häufig farbenprächtiger Drosseln (Unterfam. Schmätzer) mit rd. 10 Arten in Eurasien und Afrika, darunter der fast 20 cm lange **Steinrötel** (Monticola saxatilis): v. a. in warmen, sonnigen Gebirgslagen und in Steppen der subtrop. Regionen Eurasiens; ♂ mit blauem Kopf und Vorderrücken, ebensolcher Kehle, orangeroter Unterseite und rostrotem Schwanz.

Steinsalz (Halit), meist farbloses, sonst durch Verunreinigungen gefärbtes kub. Mineral (Mohshärte 2, Dichte 2,1 g/cm³), NaCl, das als Meeres- und Salzseesediment meist im Wechsel mit Anhydrit und Gips in fast allen geolog. Formationen vorkommt und bergmännisch abgebaut wird; gereinigt kommt es als Kochsalz sowie als Rohstoff für die chem. Ind. in den Handel.

Steinsame (Lithospermum), mit rd. 50 Arten in Eurasien, N- und S-Amerika verbreitete Gatt. der Rauhblattgewächse; Kräuter, z. T. auch Halbsträucher und Sträucher, mit glocken- oder trichterförmigen Blüten in verschiedenen Farben und mit Nüßchenfrüchten. Einheimisch sind u. a. ↑ Ackersteinsame und **Echter Steinsame** (Lithospermum officinale), eine 30–100 cm hohe Staude mit grünlichgelben Blüten.

Steinsburg, auf dem *Kleinen Gleichberg* bei Römhild (Thür.) gelegene vorgeschichtl. Befestigungsanlage mit Wallmauern aus Basaltgestein, deren älteste in der Urnenfelderzeit entstanden; in der Besiedlungsphase der späten La-Tène-Zeit erweitert; Besiedlung bis ins 1. Jh. v. Chr.; heute Freilichtmuseum mit histor. und geolog. Lehrpfaden.

Steinschlag, das Herabstürzen von Gesteinsstücken im Gebirge; Hänge und Felswände mit häufigem S. werden durch sog. **Steinschlagrinnen** zerfurcht.

Steinschloßgewehr ↑ Gewehr.

Steinschmätzer (Oenanthe), Gatt. vorwiegend weiß, schwarz, hellbräunlich und ockerfarben gefärbter Drosseln (Unterfam. Schmätzer) mit 17 Arten in Eurasien (eine Art in N-Amerika), darunter der **Euras. Steinschmätzer** (Oenanthe oenanthe); in felsigen und steppenartigen Landschaften NW-Afrikas, Eurasiens, Alaskas und Grönlands; bis 15 cm lang.

Steinschneidekunst (Glyptik, Lithoglyptik), die Herstellung von **Gemmen,** d. h. mit Relief verzierter Steine; solche mit Hochrelief heißen **Kameen,** die mit vertieftem Relief **Intaglien.** Von Hand geschnitten wird jedoch nur der Speckstein, während die härteren Materialien – Halbedelsteine, Edelsteine, Glas – mit speziellen Bohrern bearbeitet und geschliffen werden. – Die ältesten ägypt. Werke sind Intaglien, die als Siegel dienten (Altmesopotamien, Ägypten). Im antiken Griechenland wurden Schmuckintaglien hoch geschätzt. Kameen kamen in hellenist. Zeit auf und waren auch in der röm. Kaiserzeit sehr beliebt (Schmuck, Prunkgefäße). Meist aus mehrschichtigem Sardonyx geschnitten, zeigen sie i. d. R. helle Figuren vor dunklem Grund. Im MA gab es in karoling. Zeit Bergkristallschnitte; im Umkreis des ital. lien. Hofes Friedrichs II. entstanden Sardonyx-Kameen (bei denen dunkle Figuren vor hellem Grund stehen), in Frankreich im 13./14. Jh. Intaglien. Im 15. und 16. Jh. waren der Hof Lorenzos (I) de' Medici und der Hof Rudolphs II. Zentren der S.; im 18. Jh. stellte man bevorzugt Bildnisse her (Intaglien).

⊞ *Matthews, D. M.: Principles of Composition in Near Eastern Glyptic of the later Second Millenum BC.* Gött. 1990. – *Moortgat, A.: Vorderasiat. Rollsiegel.* Bln. ³1988. – *Furtwängler, A.:*

*Die antiken Gemmen. Lpz. 1900. 3 Bde.
(Neudr. Osnabrück 1985).* – Kris, E.: *Die Mei-
sterwerke u. Meister der S. in der italien. Renaissance. Wien; Mchn. 1979.* – Vollenweider,
M. L.: *Die S. u. ihre Künstler in spätrepubli-
kan. u. augusteischer Zeit. Baden-Baden
1966.* – Smith, G. F. H.: *Gemstones. London
[13]1958.*

Steinschneider, Moritz, *Proßnitz
(= Prostějov) 30. März 1816, † Berlin 24. Jan.
1907, dt. Orientalist. – Mitbegr. der Wiss.
vom Judentum; zeigte die vielfältigen Verbindungen zw. jüd., islam. und ma.-christl. Kultur auf.

Steinseeigel (Paracentrotus lividus),
etwa 4–5 cm großer, häufigster Seeigel im Atlantik und Mittelmeer; Färbung goldbraun
bis violett oder schwarz; Stacheln dichtste-
hend, mäßig lang; nagt in Kalk- oder Sand-
steinfelsen halbkugelförmige Höhlungen, in
denen er sich festsetzen kann.

Steinsperling (Petronia petronia), fast
15 cm langer, oberseits graubrauner, dunkel
gestreifter, unterseits hellerer Sperling, v. a.
an felsigen Berghängen, an Ruinen und in
Städten der Mittelmeerländer und Asiens; ♂
und ♀ mit undeutl. gelbl. Kehlfleck.

Steintäschel (Aethionema), Gatt. der
Kreuzblütler mit rd. 40 Arten, überwiegend
im östl. Mittelmeergebiet; Kräuter, Stauden
oder Halbsträucher; in Deutschland (Alpen
und Voralpen) nur das 30–60 cm hohe **Fel-
sen-Steintäschel** (Aethionema saxatile) mit
schmalen, blaugrünen Blättern, rötl. oder
weißen Blüten und ringsum mit breiten Flügeln versehenen Schötchen.

Steinthal, Hajim (Heymann), *Gröbzig
16. Mai 1823, † Berlin 14. März 1899, dt.
Sprachforscher und Philosoph. – Ab 1863
Prof. in Berlin; Wegbereiter der Betrachtung
von Sprache als psycholog. Objekt. – Werke:
Die Sprachwiss. Wilh. v. Humboldt's und die
Hegel'sche Philosophie (1848), Der Ursprung
der Sprache ... (1851), Charakteristik der
hauptsächlichsten Typen des Sprachbaues
(1860).

Steinwälzer (Arenariinae), Unterfam.
der Strandvögel (Fam. Regenpfeifer) mit drei
Arten, v. a. an steinigen Meeresküsten der
Nordhalbkugel; wälzen bei der Nahrungssu-
che Steine um, die mitunter schwerer sind als
sie selbst. In Deutschland nur der **Gewöhnli-
che Steinwälzer** (Arenaria interpres): fast 25
cm lang, im Brutkleid (♂ und ♀) rostbraune
Oberseite, gelbe Beine, weiße Unterseite und
weißer Kopf mit schwarzer Zeichnung, die
auf Brust und Oberseite übergeht; im Winter
oberseits graubraun, unterseits weiß.

Steinway & Sons [engl. 'staɪnweɪ ənd
'sɒnz], amerikan. Klavierfabrik in New York
mit Filialen in London (seit 1875) und Hamburg (seit 1880); gegr. 1853 in New York von

Steinschneidekunst. Gemme mit
den Porträts Kaiser Claudius', seiner
Gemahlin Agrippina der Jüngeren,
des Feldherrn Gajus Julius Caesar
Germanicus und seiner Gattin
Agrippina der Älteren; um 49 (Wien,
Kunsthistorisches Museum)

Heinrich Engelhard Steinweg (* 1797, † 1871,
ab 1854 anglisiert zu Henry E. Steinway;
↑ Grotrian-Steinweg); 1972 der CBS (Columbia Broadcasting System, Inc., New York)
eingegliedert.

Steinweichsel, svw. ↑ Felsenkirsche.

Steinwert, Johann, dt. Schriftsteller,
↑ Johann von Soest.

Steinwild (Fahlwild), wm. Bez. für den ♂
und ♀ Steinbock.

Steinwolle (Gesteinsfasern, Gesteins-
wolle), aus einem Glasfluß, der durch
Schmelzen von flußmittelreichen Gesteinen
erzeugt wird, mittels Verblasens durch Platin-
düsen hergestellte Mineralfasern; hochhitze-
beständiges und feuerfestes Isoliermaterial
und Schalldämmstoff.

Steinzeit, nach dem Dreiperiodensystem
älteste und längste (mindestens 2 Mill. Jahre)
Periode der Menschheitsgeschichte, in der
die wichtigsten Werkzeuge aus Stein hergestellt wurden; vielfach gegliedert in Paläoli-
thikum, Mesolithikum und Neolithikum mit
jeweils weiteren Untergliederungen.

Steinzellen (Sklereiden), bes. in Nuß-
schalen, in den Steinkernen der Steinfrüchte
und in verschiedenen Früchten (v. a. in der
Quitte) vorkommende tote, sehr druckfeste
Sklerenchymzellen mit stark verdickten,
meist verholzten Zellwänden.

Steinzertrümmerung, svw. ↑ Lithotripsie.

Steinzeug, Sammelbez. für *Grob-S.*
(bräunl. oder grauer Scherben) und *Fein-S.*

(↑ Keramik). – Rhein. Feinsteinzeugprodukte spielten in Europa vom Ende des 15. bis Anfang des 17. Jh. eine führende Rolle (Krüge und Flaschen, insbes. sog. Schnellen und Bartmannskrüge), im 17. Jh. herrschte Ware aus dem fränk. Creußen (bis 1732), im 18. Jh. aus Bunzlau und Freiburg in Schlesien vor, bis um 1760 das cremefarbige *Wedgwood-S.* aus England alles übrige verdrängte.

steirische Phase [nach der Steiermark] ↑ Faltungsphasen (Übersicht).

Steirisches Randgebirge, Teil der Zentralalpen, umfaßt im S, W und N das mittelsteir. Hügelland mit dem Grazer Becken im Zentrum. Das St. R. gliedert sich (von S) in Bacher, Poßruck, Koralpe, Packalpe, Stubalpe, Gleinalpe und die Fischbacher Alpen; im Ameringkogel bis 2 184 m hoch.

Steirisch-Niederösterreichische Kalkalpen, zusammenfassende Bez. für den östlichsten Teil der Nördl. Kalkalpen, im Hochschwab 2 278 m hoch, erstrecken sich östl. vom Pyhrnpaß bis Wien.

Steiß, hinteres (kaudales) Rumpfende der Vierfüßer, das sich meist in einem Schwanz fortsetzt; beim Menschen und den anderen Primaten bildet das ↑ Steißbein den Skelettanteil.

Steißbein (Os coccygis), bei Menschenaffen und beim Menschen ausgebildeter, auf das Kreuzbein folgender letzter Abschnitt der Wirbelsäule (Skelettrest des Schwanzes) aus mehr oder weniger miteinander verschmolzenen, rückgebildeten Wirbeln *(Steiß[bein]wirbel).* Beim Menschen besteht das S. aus drei bis fünf Wirbelkörperrudimenten, von denen die letzten knorpelig bleiben können.

Steißfleck, svw. ↑ Mongolenfleck.

Steißfüße, svw. ↑ Lappentaucher.

Steißhühner (Tinamiformes), über 40 Arten umfassende Ordnung bis rebhuhngroßer Bodenvögel in Z- und S-Amerika; äußerlich hühnerartige Vögel mit schwach entwickelten Flügeln. – Zu den S. gehört u. a. das etwa 40 cm lange **Pampashuhn** (Rhynchotus rufescens).

Stek [niederdt.], seemännisch svw. ↑ Knoten.

Stele [griech.], freistehende aufrechte Platte, meist aus Stein, mit Inschriften und Reliefs, diente u. a. als Grab-, Weihe-, Urkunden- und Grenzstein, Siegesdenkmal, Kultobjekt. Seit dem 3. Jt. v. Chr. in Ägypten und in Mesopotamien; berühmt die ↑ Geierstele oder die Gesetzes-S. des babylon. Königs ↑ Hammurapi. Griech. S. sind seit archaischer Zeit, zuerst aus Mykene, bekannt, seit dem 6. Jh. v. Chr. zeigen sie menschl. Figuren als Flachrelief. Die Kunst der Grab-S. erreichte in Athen des 5. und 4. Jh. mit als Nische gebildeten breiten Steinen mit fast vollplast. Reliefs (Figur des Verstorbenen u. a.) ihren

Höhepunkt. Die Entwicklung endete mit dem Gesetz gegen Gräberluxus (317 v. Chr.). Zahlr. sind S. im etrusk. Italien und später in den röm. Provinzen. Die altamerikan. Kulturen kannten ebenfalls die S., z. T. als datierte Monumente.

Stele von Lemnos, die 1885 bei dem Dorf Kaminia auf der griech. Insel Lemnos (↑ Limnos) gefundene Stele mit der Reliefdarstellung eines Kriegers auf der Vorderseite; sie zeigt zwei [Grab]inschriften in archaischer griech. Schrift (um 600 bzw. 550 v. Chr.), beide in nichtgriech. Sprache, die meist *Tyrsenisch* genannt wird; einzelne Passagen und Formen zeigen Übereinstimmungen mit dem Etruskischen.

Stella, Frank [engl. 'stelə], * Malden (Mass.) 12. Mai 1936, amerikan. Maler. – Mit streng geometr. Bildern bed. Vertreter der Farbfeldmalerei; seit 1975 v. a. farbige Aluminiumreliefs.

Stellage [...'la:ʒə; niederl.], Gestell, Ständer.

Stella polaris [lat.], svw. ↑ Polarstern.

Stellarstatistik ↑ Astronomie.

Stelleinrichtung ↑ Regelung.

Stellenwertsystem (Positionssystem), ein durch die arab. Ziffern ermöglichtes Zahlensystem, bei dem der Wert einer Ziffer außer von ihrem Eigenwert (Ziffernwert) auch von ihrer Stellung innerhalb der Zahl abhängt, z. B. steht in der Dezimalzahl 54 die erste Ziffer für $5 \cdot 10 = 50$, die zweite für $4 \cdot 1 = 4$.

Steller, Georg Wilhelm, eigtl. G. W. Stoeller, * Windsheim (= Bad Windsheim) 10. März 1709, † Tjumen 12. Nov. 1746, dt. Naturforscher. – Ab 1737 Teilnahme an der Großen Nord. Expedition V. J. Berings („Beschreibung von dem Lande Kamtschatka", hg. 1774); 1741/42 reiste er nach Alaska; 1742–44 erneut in Kamtschatka. In dem Werk „Ausführl. Beschreibung von besondern Meerthieren" (hg. 1753) nennt er u. a. auch die von ihm 1741 entdeckte Stellersche Seekuh.

Stellersche Seekuh [1741 von G. W. Steller entdeckt] ↑ Gabelschwanzseekühe.

Stellglied ↑ Regelung.

Stellgröße ↑ Regelung.

Stelling [niederdt.], seemännisch für: 1. an Tauen hängendes Brett oder Holzgerüst für Arbeiten an der Außenhaut eines Schiffes; 2. einfache Gangway.

Stellknorpel, paariger Kehlkopfknorpel.

Stellprobe, vorbereitende Theaterprobe, bei der die Verteilung der Figuren auf den Bühnenraum sowie Auf- und Abgänge festgelegt werden.

Stellung, ausgebauter und befestigter Standort militär. Einheiten im Gelände.

Stellungsempfindung, svw. ↑ Lagesinn.

Stellungsisomerie ↑ Isomerie.

Stellungskrieg, Bez. für eine Kriegführung, bei der sich 2 Heere in befestigten Dauerstellungen gegenüberliegen; meist nach unentschiedenem ↑ Bewegungskrieg; gewann Bed. im 1. Weltkrieg.

Stellvertretung, rechtsgeschäftl. Handeln einer geschäftsfähigen Person *(Vertreter)* im Namen einer anderen *(Vertretener)* für diese, d. h. für fremde Rechnung, mit dem Ziel, daß die rechtl. Wirkungen letztere treffen sollen *(direkte, offene, unmittelbare S., §§ 164 ff. BGB)*. Das Handeln im eigenen Namen für fremde Rechnung *(indirekte, mittelbare S.,* z. B. Kommissionär) ist keine S. in diesem Sinne. Voraussetzungen für eine wirksame S. sind *Vertretungswille* des Vertreters, *Vertretungsmacht* (beruht entweder auf Gesetz *[gesetzl. S.]* oder wird durch Vollmacht erteilt *[gewillkürte S.]*) sowie Zulässigkeit der S. (unzulässig z. B. bei Testamentserrichtung). Handelt der Vertreter ohne die erforderl. Vertretungsmacht, so ist das abgeschlossene Rechtsgeschäft so lange schwebend unwirksam, bis der Vertretene es genehmigt. Wird die Genehmigung verweigert, so ist der Vertreter grundsätzlich zur Erfüllung eines von ihm abgeschlossenen Vertrages oder zum Schadenersatz verpflichtet.

Stellwerk ↑ Eisenbahn.

Stelzen (Motacillidae), mit rd. 50 Arten fast weltweit in Gras- und Sumpflandschaften sowie an Flußufern und in Felsgebieten verbreitete Fam. 12–23 cm langer Singvögel; schlanke, relativ langschwänzige Tiere. – Man unterscheidet die beiden Gruppen ↑ Pieper und *Motacilla* (Eigentl. S.; gegenüber den Piepern bunteres Gefieder und längerer Schwanz). Zu den letzteren gehören u. a. die ↑ Bachstelze und die bis über 15 cm lange **Schafstelze** (Wiesen-S., Motacilla flava); ♂ mit Ausnahme des blaugrauen Kopfes oberseits olivgrün, unterseits gelb; auf Wiesen und Äckern N-Afrikas, Eurasiens und Alaskas.

Stelzenläufer ↑ Säbelschnäbler.

Stelzer-Motor [nach dem dt. Erfinder F. Stelzer, * 1934], ein neuartiger, in doppelter Weise nach dem Zweitaktverfahren arbeitender Freikolbenmotor mit zwei Brennräumen und einem doppelt wirkenden Mehrstufenkolben, dessen aus dem Motorblock herausragende Endstufen als eigtl. Arbeitskolben in den Brennräumen gleiten, während eine mittlere Kolbenstufe sich in einer zw. diesen liegenden Vorverdichtungskammer bewegt und sie unterteilt. Dadurch wird erreicht, daß bei der etwa 5 000- bis 10 000mal in der Minute erfolgenden Hin- und Herbewegung des Kolbens in jedem Arbeitstakt gleichzeitig Frischgasgemisch für den einen Brennraum angesaugt und bereits angesaugtes Frischgasgemisch für den anderen Brennraum komprimiert und dann in diesen hineingedrückt wird. Die aus dem S.-M. herausgleitenden Kolbenenden ermöglichen die direkte Abnahme der Leistung. Sind die Kolbenenden als Zylinderpumpen ausgebildet, kann der Motor mehrere Hydromotoren oder Hubzylinder antreiben (z. B. in Baumaschinen). In der Verdichterausführung sind die Kolbenenden so gestaltet, daß sie ohne Ventile Druckluft erzeugen können. Wenn der Motor als Generator arbeitet, schwingt der verlängerte Kolben in Elektrowicklungen, wodurch Wechselstrom erzeugt wird.

Stelzfuß (Watbein), in der *Anatomie* Beinform der Vögel, bei der das Schienbein über der Ferse unbefiedert ist.

◆ in der *Tiermedizin* angeborene oder erworbene krankhafte Gliedmaßenstellung bei Pferd und Rind, bei der die Zehenknochen steil gestellt sind, so daß es im Fesselgelenk zum Überkippen nach vorn *(Überköten)* kommen kann.

Stelzmann, Volker, * Dresden 5. Nov. 1940, dt. Maler und Graphiker. – 1963/68 Studium in Leipzig, 1982 Professur; 1987 wurde er Gastprof. in Frankfurt am Main und 1988 Prof. an der Hochschule der Künste in Berlin. Ausgehend von Anregungen der Kunst der 1920er Jahre, schuf er formprägnante, stark farbige Gemälde zu Zeitproblemen; verarbeitete auch Anregungen altdt., barocker sowie manierist. Kunst; umfangreiches Radierwerk.

Stelzmücken (Sumpfmücken, Limonidae), Fam. der Mücken mit zahlr. schlanken, langbeinigen Arten bes. in Gewässernähe; tanzen oft in Schwärmen, manche Arten schon an milden Wintertagen *(Wintermükken)*.

Stelzvögel (Schreitvögel, Ciconiiformes), seit dem Eozän bekannte, heute mit über 100 Arten weltweit v. a. an Ufern und in Sümpfen verbreitete Ordnung meist langbeiniger und langhalsiger Vögel. – Zu den S. gehören Reiher, Schuhschnäbel, Störche und Ibisse.

Stelzwurzeln (Stützwurzeln), starke, den Stamm seitlich abstützende, sproßbürtige Luftwurzeln an der Stammbasis von Mangrove- und Schraubenbaumarten.

Stemma [griech.-lat.] (Stammbaum), (Baumgraph) Mittel der Sprachwiss. zur Beschreibung der Satzstruktur; besteht aus Knoten, die sprachl. Einheiten oder Klassen von Einheiten (Kategorien) symbolisieren, und aus Kanten (Ästen), die syntakt. Beziehungen ausdrücken. Die Kategoriensymbole im S. können auf die Satzkette projiziert werden (gestrichelte Kanten). Wird das S. in der

↑ Konstituentenanalyse verwendet, charakterisieren die Kanten hierarchisch gestufte Teil-Ganzes-Beziehungen, z. B.:

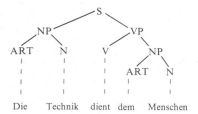

Die Technik dient dem Menschen

(S = Satz, NP = Nominalphrase, VP = Verbalphrase, ART = Artikel oder Pronomen, N = Substantiv, V = Verb).
◆ textkrit. Hilfsmittel, das die Abhängigkeiten von unterschiedl. Überlieferungsträgern eines Werkes (auch eines Stoffes oder Themas) in zumeist graph. Form darstellt.

Stemmeisen, svw. ↑ Beitel.

Stemmle, R[obert] A[dolf], * Magdeburg 10. Juni 1903, † Baden-Baden 24. Febr. 1974, dt. Schriftsteller, Filmregisseur und -produzent. – Drehbuchautor, u. a. „Reifende Jugend" (1933), „Glückskinder" (1936), „Quax, der Bruchpilot" (1941), „Affäre Blum" (1948); schrieb Theaterstücke, Romane, in den 60er Jahren v. a. Drehbücher für Fernsehfilme.

Stemmschwung, im Skisport Grundschwung [zur Richtungsänderung]; wird mit dem Ausstemmen eines Skis eingeleitet. Nach Heranziehen des anderen Skis wird eine parallele Skiführung bis zur Beendigung der Richtungsänderung beibehalten.

Stempel, Vorrichtung zum Abdrucken oder Einprägen *(Präge-S.)* kurzer Hinweise, spezieller [stets in gleicher Form benötigter] Angaben, Daten u. ä. (in Form von Schriftzeichen) und/oder bestimmter graph. Darstellungen. Die reliefartig auf einer meist ebenen Fläche angeordneten Zeichen werden mit Hilfe eines mit **Stempelfarbe** getränkten Kissens *(S.kissen)* eingefärbt und geben beim Stempeln das Druckbild auf die Unterlage ab. Spezial-S. besitzen verstellbare Drucktypen und können so für unterschiedl. Angaben verwendet werden.

Geschichte: Bereits im Alten Orient wurden Siegelstempel sowie aus Holz oder Ton gefertigte S. zum Einprägen des Herstellerzeichens auf Tonziegel verwendet. In Ägypten stempelte man zur Zeit der 26. Dynastie Silberbarren und garantierte damit Qualität und Gewicht. Im Röm. Reich waren Staats- und Legionseigentum durch S. gekennzeichnet. Vom 16. Jh. an begannen Notare Urkunden, die nicht gesiegelt zu werden brauchten, mit ei-

nem S.abdruck des Notariatszeichens zu versehen. Maximilian I. ließ sich einen Vollziehungs-S. für Urkunden anfertigen; darauf geht die gestempelte Wiedergabe von Unterschriften zurück.
◆ der Oberteil eines ↑ Gesenks.
◆ im *Bergbau* ↑ Grubenausbau.
◆ (Pistillum) das aus einem oder mehreren Fruchtblättern gebildete, in Fruchtknoten, Griffel und Narbe gegliederte ♀ Geschlechtsorgan in der Blüte der Samenpflanzen.

Stempelakte (engl. Stamp Act), 1765 unter G. Grenville erlassenes brit. Steuergesetz, durch das erstmals eine direkte Besteuerung (kostenpflichtiger Stempel) von Dokumenten und Druckschriften aller Art in den nordamerikan. Kolonien eingeführt wurde; 1766 aufgehoben.

Stempelfarbe ↑ Stempel.

Stempelschneider, Graveur, der v. a. auf Münzen und Medaillen spezialisiert ist; graviert die Prägestempel (Eisen- bzw. Stahlstempel, im Altertum auch Kupfer- und Bronzestempel).

Stempelsteuer, Steuer, die durch Kauf von *Steuermarken* entrichtet wird.
◆ Sondersteuer für die Presse (die einzelnen Zeitungsexemplare wurden bei der Entrichtung der Steuer im Titelkopf gestempelt); im 18./19. Jh. neben Zensur und Kautionszwang effektivstes Mittel staatl. Restriktion auf dem Pressesektor.

Stempeluhr, svw. Stechuhr (↑ Arbeitszeitregistriergerät).

Stendal [...da:l, ...dal], Krst. und Hauptort der Altmark, Sa.-Anh., 33 m ü. d. M., 50 700 E. Winckelmann-Museum; Theater; Tiergarten. Maschinenbau, Lebensmittelind.; nahebei Kernkraftwerk (seit 1990 Baustopp). – Im Anschluß an die bei einer Siedlung im 12. Jh. erbaute Burg entstand um 1160 eine Marktsiedlung mit Magdeburger Recht, 1258–1309 Sitz der brandenburg. Askanier; Mgl. der Hanse 1359–1518; war Hauptort der Altmark, reichste Stadt der Mark Brandenburg und bis 1488 führend bei den märk. Städtebünden. – Zahlr. got. Backsteinbauten aus dem 14. und 15. Jh., u. a. der Dom Sankt Nikolaus mit bed. Glasmalereien, die Pfarrkirchen Sankt Marien, Sankt Jakobi, Sankt Petri, Sankt Katharinen und Sankt Annen, das Rathaus mit Roland (Kopie) vor der Gerichtslaube, Tangermünder und Uenglinger Tor.

S., Landkr. in Sachsen-Anhalt.

Stendelwurz, (Breitkölbchen, Kukkucksblume, Waldhyazinthe, Platanthera) Gatt. der Orchideen mit mehr als 50 Arten, v. a. in N-Amerika; Stauden mit ungeteilten Knollen; Blüten mit ungeteilter Lippe und langem Sporn; in Deutschland zwei Arten, darunter die recht häufige **Zweiblättrige Sten-**

delwurz (Platanthera bifolia) mit weißen, nach Hyazinthen duftenden Blüten, mit langer, schmaler zugespitzter Lippe.
◆ (Serapias) Orchideengatt. mit zehn Arten im Mittelmeergebiet; Blüten mit zu einem Helm verwachsenen äußeren Blütenhüllblättern; Lippe lang und zungenförmig.

Stendhal [frz. stɛ̃'dal], eigtl. Marie Henri Beyle, *Grenoble 23. Jan. 1783, †Paris 23. März 1842, frz. Schriftsteller. – Offizier, nahm am Rußlandfeldzug Napoleons I. teil; lebte 1814–21 in Mailand; Pseudonym nach J. J. Winckelmanns Geburtsort Stendal. Neben kunst-, musik- und literaturkrit. Abhandlungen, Essays, Reiseberichten und Tagebüchern umfaßt sein Werk Romane (u. a. „Rot und Schwarz", 1830; „Die Kartause von Parma", 1839; „Lucien Leuwen", hg. 1855, unvollendet) und Novellen („Renaissance-Novellen", hg. 1855) von weltliterar. Rang; aus literaturhistor. Sicht gehört S. zu den Begründern des europ. ↑ Realismus, der in den „Bekenntnissen eines Egotisten" (1832) eine Philosophie des Ichkults entwickelte. – *Weitere Werke:* Über die Liebe (Studie, 1822), Racine und Shakespeare (1823–25), Das Leben des Henri Brulard (Autobiogr., hg. 1890, unvollendet).

Stendhal (1839/40)

Stenge, dem [Unter]mast eines Schiffes aufgesetzte Verlängerung.

Stengel, die gestreckte ↑ Sproßachse krautiger Samenpflanzen. – Ggs. ↑ Stamm.

Steno, Nicolaus [dän. 'sde:no] ↑ Stensen, Niels.

Stenodịctya [griech.], ausgestorbene, nur aus dem Oberkarbon in Frankreich bekannte Gatt. von Urflügelinsekten.

Stenoglọssa [griech.], svw. ↑ Schmalzüngler.

Stenogrạmm [griech.], Bez. für die Niederschrift eines Diktats, einer Rede usw. in ↑ Stenographie.

Stenographie [griech., zu stenós „eng"]

(Stenografie, Kurzschrift), eine aus einfachen Zeichen gebildete Schrift, die schneller als die traditionelle „Langschrift" geschrieben werden kann. Eine moderne S. ist eine Buchstabenschrift, enthält aber auch Elemente der Silbenschrift und Wortschrift (festgelegte „Kürzel"). Zusätzl. Kürze wird dadurch gewonnen, daß bestimmte Laute oder Lautgruppen symbolisiert oder völlig weggelassen werden. – Für die S. gibt es drei wesentl. Anwendungsbereiche: 1. „Notizschrift" für private Aufzeichnungen („Konzeptschrift"); 2. „Berufsschrift" zum Notieren von Anweisungen, zur Niederschrift von Diktaten; 3. „Verhandlungs-S." („Redeschrift", „Debattenschrift") zur wörtl. Aufnahme von Reden in Parlamenten, bei Kongressen u. a. Man unterscheidet geometr. und kursive S.systeme. Geometr. Systeme reihen Striche, Bögen und Kreise in verschiedener Größe und Stellung aneinander; bei kursiven Systemen haben die Abstriche im allg. eine einheitl. Schreibrichtung.

Geschichte: Eine S. gab es schon im Altertum, z. B. die Tachygraphie bei den Griechen, die Tironischen Noten bei den Römern. Im MA ging die Kenntnis dieser Schriften verloren. Der Engländer T. Bright (*1551, †1615) schuf 1588 das erste neuzeitl. S.system. J. Willis veröffentlichte 1602 die erste Buchstabenkurzschrift, er erfand auch das Wort „Stenographie". Als F. X. Gabelsberger 1834 sein kursives System veröffentlichte, begann sich auch in Deutschland die S. durchzusetzen. Es wurden weitere kursive Systeme erdacht (W. Stolze, 1841; F. Schrey, 1887); die sog. Stenotachygraphie und die Nationalstenographie wurden entwickelt. 1897 entstand das Einigungssystem Stolze-Schrey. 1924 wurde die **„Dt. Einheitskurzschrift"** (DEK) geschaffen, ein Kompromißsystem mit überwiegend Gabelsbergerschen Zeichen und überwiegend Stolze-Schreyscher Systemstruktur; 1936 und 1968 erfolgten Systemrevisionen. Die Einteilung in drei Stufen (Verkehrsschrift, Eilschrift, Redeschrift) entspricht den drei Anwendungsbereichen. Neben der Handstenographie gibt es Stenographiermaschinen.

📖 *Willimsky, R.:* Steno – Dt. Einheitskurzschrift/Verkehrsschrift. Karlsruhe ³1987. – *Haeger, F.: Gesch. der Einheitskurzschrift.* Wolfenbüttel ²1972.

stenohalin [griech.], empfindlich gegen Änderungen des Salzgehalts; von vielen Wassertieren und -pflanzen gesagt, die einen nur engen Toleranzbereich gegenüber dem Salzgehalt des Wassers aufweisen.

stenök (stenözisch) [griech.], nur unter ganz bestimmten, eng begrenzten, gleichbleibenden Umweltbedingungen lebensfähig; von Tier- und Pflanzenarten mit geringer ökolog. Potenz gesagt; z. B. Ren, Lama, Grottenolm. – Ggs. ↑ euryök.

Stenokardie [griech.], svw. ↑ Angina pectoris.

Stenokorie [griech.], svw. ↑ Miose.

stenophag [griech.], in bezug auf die Nahrung entweder einseitig spezialisiert (monophag) oder lediglich innerhalb einer Gruppe chemisch sehr ähnl. Substanzen bzw. einander verwandtschaftlich sehr nahestehende Wirte auswählend (oligophag); von Tieren, v. a. vielen Insekten, gesagt. – Ggs. ↑ euryphag bzw. ↑ polyphag.

Stenose [griech.], angeborene oder erworbene Verengung von Hohlorganen, Gefäßen oder Öffnungen (z. B. Darm, Arterie, Magenausgang).

Stenothorax [griech.], enger, schmaler Brustkorb.

Stensen, Niels [dän. 'stɛnsən] (Steensen, Stenson), latinisiert Nicolaus Steno, * Kopenhagen 11. Jan. 1638, † Schwerin 5. Dez. 1686, dän. Arzt, Theologe und Naturforscher. – Zunächst Leibarzt Großherzog Ferdinands II. in Florenz; 1672–74 Anatomieprof. in Kopenhagen; trat 1667 vom ev. zum kath. Bekenntnis über, wurde 1677 Apostol. Vikar der Nord. Missionen. – Entdeckte u. a. den Ausführungsgang der Ohrspeicheldrüse (1664) und erkannte das Herz als reines Muskelorgan. – S. ist einer der Begründer der Geologie und der Paläontologie. Er beschrieb bereits 1669 die Entstehung der Schichtgesteine durch Sedimentation (in Wasser) und formulierte als erster das Grundgesetz der Stratigraphie (↑ Geochronologie).

stentando (stentato) [italien.], musikal. Vortragsbez.: zögernd, schleppend.

Stentor, griech. Held aus der „Ilias", dessen Stimme so laut war wie die von 50 Männern; daher die sprichwörtl. *Stentorstimme.*

Stenvert, Curt, eigtl. Curt Steinwendner, * Wien 7. Sept. 1920, östr. Maler, Objekt- und Filmkünstler. – Gestaltete aus Alltagsgegenständen surreale Objektmontagen; seit den 70er Jahren „kybernet. Malerei" und Experimente zur Darstellung von Bewegung und Veränderung.

Stenzler, Adolf Friedrich, * Wolgast 9. Juli 1807, † Breslau 27. Febr. 1887, dt. Indologe. – Ab 1833 Prof. in Breslau; einer der Begründer des Sanskritstudiums in Deutschland; mit seinen Textausgaben von ind. Dramen schuf S. auch die ersten festen Grundlagen für das Prakritstudium.

Stephan, Name von Päpsten:
S. I., † Rom 2. Aug. 257, Papst (seit 12. Mai 254). – Römer; brach im Ketzertaufstreit mit den Kirchen Afrikas und Kleinasiens.
S. II. (III.), † Rom 26. April 757, Papst (seit

26. März 752). – Realisierte den Bund des Papsttums mit den Franken; 754 erneute Königssalbung Pippins III., d. J.; Pippin begründete durch Schenkung an den hl. Petrus 756 den Kirchenstaat.
S. IX. (X.), † Florenz 29. März 1058, vorher Friedrich von Lothringen, Papst (seit 3. Aug. 1057). – Bruder Herzog Gottfrieds II. von Lothringen; seit 1050 als Diakon, Bibliothekar und Kanzler der röm. Kirche in Rom; 1054 einer der päpstl. Gesandten in Konstantinopel zur Abwendung des ↑ Morgenländischen Schismas; Vertreter der frühen Phase der gregorian. Reform.

Stephan, Name von Herrschern:
Moldau:
S. der Große, * Borzeşti (= Gheorghe Gheorghiu-Dej) 1433, † Suceava 2. Juli 1504, Fürst (seit 1457). – Versuchte die Unabhängigkeit seines Landes nach allen Seiten zu sichern; 1473–89 Krieg gegen das Osman. Reich, das ihn schließlich zur Tributzahlung zwang; förderte die kulturelle und wirtsch. Entwicklung seines Landes.
Polen:
S. IV. Báthory [ungar. 'ba:tori], * Szilágysomlyó (= Şimleu Silvaniei) 27. Sept. 1533, † Grodno 12. Dez. 1586, König (seit 1575). – Aus ungar. Magnatengeschlecht; 1571 von den siebenbürg. Ständen zum Fürsten erhoben. 1575 zum poln. König gewählt, 1576 gekrönt; kämpfte 1578–82 im Bunde mit Schweden gegen Rußland und gewann einen Teil Livlands zurück.
Serbien:
S. Dušan [serbokroat. ˌduʃan] (S. D. Uroš IV.), * um 1308, † 20. Dez. 1355, König (seit 1331), Kaiser (Zar) der Serben und Griechen (seit Ende 1345). – Schuf ein serb.-griech. Großreich (bis 1343 Eroberung Albaniens, bis Ende 1345 Makedoniens, um 1347/48 endgültige Eroberung von Epirus, 1348 Thessaliens); ließ sich 1346 zum Kaiser krönen.
Ungarn:
S. I., der Heilige (ungar. István I.), * um 975, † Esztergom 15. Aug. 1038, König (seit 1001). – Schwager Kaiser Heinrichs II.; zog zahlr. Deutsche in sein Land, z. T. mit Gewalt, christianisierte; ließ sich 1001 mit der ↑ Stephanskrone krönen. S. richtete eine (Grafschafts-)Verwaltung nach fränk. Vorbild ein und gründete das Erzbistum Esztergom; 1087 heiliggesprochen (Schutzheiliger Ungarns; Fest: 16. Aug. [bis 1970: 2. Sept.], in Ungarn: 20. Aug.).

Stephan ↑ Stephanus, hl.

Stephan, Heinrich von (seit 1885), * Stolp 7. Jan. 1831, † Berlin 8. April 1897, Organisator des dt. Postwesens. – 1870 Generalpostmeister des Norddt. Bundes, 1876 des Dt. Reiches, 1880 Staatssekretär des Reichspostamtes und 1895 Staatsminister. Seine Leistungen bestehen in der vorbildl. Entwicklung des dt. Postwesens: u.a. Vereinigung von Post- und Telegrafenwesen, Einführung des öff. Fernsprechverkehrs (1863–77), der Postkarte (1870), Rohrpost (1876) u.a.; 1874 Initiator der Gründung des ↑ Weltpostvereins.

S., Rudi, * Worms 29. Juli 1887, ✕ bei Tarnopol 29. Sept. 1915, dt. Komponist. – Schüler u.a. von B. Sekles; erregte mit klanglich und formal eigenwilligen Kompositionen, u.a. der Oper „Die ersten Menschen" (1914) und „Musik für Orchester" (1912), Aufsehen.

Stephan Harding ↑ Harding, Stephan, hl.

Stephansdom, Metropolitankirche Wiens (seit 1722, Bischofskirche seit 1469); nach dem 2. Weltkrieg vollständig erneuert. Von einem spätroman. Bau, der 1258 abbrannte, wurde das Westwerk mit den Heidentürmen und dem Riesentor beibehalten; 1304–1440 wurde der dreischiffige got. Hallenchor erbaut, 1350 ff. das dreischiffige got. Langhaus aus 4 Jochen in Form einer Staffelhalle (Steildach) mit Netzgewölben (1446 ff.). Querhaus mit 2 Türmen, von denen nur der südl. vollendet wurde (1433; „Hoher Turm"). In der architekton. Gestaltung wie in der Bauplastik sind Zusammenhänge mit der Prager Dombauhütte zu erkennen; erhalten u.a. die Kanzel von A. Pilgram (1514/15).

Stephanskrone, urspr. von Papst Silvester II. 1001 Stephan I., dem Heiligen, von Ungarn verliehene Krone, die 1270 entführt und von Stephan V. (☒ 1270–72) durch die heut noch erhaltene S. (1945–78 in den USA) ersetzt wurde. Sie besteht aus zwei ungar. Frauenkronen (12./13. Jh.) und einzelnen byzantin. Bestandteilen (1074/77).

Stephansson, Stephan Guðmundsson [engl. stɛfnsn], eigtl. Stefán Guðmundur Guðmundarsson, * Kirkjuböll (Skagafjörður) 3. Okt. 1853, † Markerville (Alberta) 10. Aug. 1927, isländ.-kanad. Dichter. – Wanderte 1873 nach Kanada aus; bezieht sich in lyr. Landschaftsschilderungen auf das Heroische der isländ. Sagas und der „Edda"; im 1. Weltkrieg entschiedener Pazifist.

Stephanus (Stephan), hl., einer der sieben „Diakone" der Apostelgeschichte (Apg. 6, 1–8, 2). – Gehörte wohl zu den „Hellenisten" in der Urgemeinde, die mit den „Hebräern" über die Frage der Fortgeltung des jüd. Gesetzes in Streit lagen, in dessen Folge S. als erster Christ das Martyrium erlitt (Erzmärtyrer). – Fest: 26. Dezember.

Stephen Langton [engl. 'sti:vn 'læŋtən] ↑ Langton, Stephen.

Stephens, James [engl. sti:vnz], * Dublin 2. Febr. 1882, † London 26. Dez. 1950, ir. Schriftsteller. – Autodidakt; 1911 Mitbegr. der „Irish Review". In seinen lyr. und erzäh-

lenden Dichtungen, u.a. „Götter, Menschen, Kobolde" (R., 1912), „Die Halbgötter" (R.,1914), mischen sich Realistik, groteske Phantastik und märchenhafte, oft myst. Motive.

Stephenson, George [engl. sti:vnsn], * Wylam (Northumberland) 9. Juni 1781, † Chesterfield 12. Aug. 1848, brit. Ingenieur. – Sohn eines Bergmanns; Autodidakt; konstruierte als Maschinist einer Kohlengrube bei Newcastle upon Tyne ab 1813 Dampflokomotiven, deren erste 1814 zum Kohlentransport eingesetzt wurde. Mit der Dampflokomotive „Locomotion" wurde am 27. Sept. 1825 die erste zur Personenbeförderung dienende Eisenbahnlinie zw. Stockton und Darlington eröffnet (Streckenlänge 39 km; Geschwindigkeit bis zu 24 km/h). Gründete 1823 eine Lokomotivfabrik in Newcastle upon Tyne. 1829 wurde S. Sieger des Lokomotivrennens von Rainhill mit der „Rocket", der Urform der späteren Dampflokomotiven. In der Folgezeit war S. als Berater an zahlr. Eisenbahnprojekten im In- und Ausland tätig. Zu seinen Mitarbeitern zählte sein Sohn *Robert S.* (* 1803, † 1859) sowie sein Neffe *Georg Robert S.* (* 1819, † 1905).

Steppe, in außertrop. kontinentalen Trockengebieten vorherrschende, baumlose Vegetationsformation, die v.a. aus dürreharten Gräsern gebildet wird, denen Halbsträucher, Stauden, Kräuter, bei ausreichender Niederschlagsmenge auch Sträucher beigemischt sind. Die sog. **Waldsteppe** ist das Übergangsgebiet von der S. zum geschlossenen Wald, in dem Grasland und Waldinseln mosaikartig, jedoch scharf voneinander getrennt, ineinandergreifen.

steppen, Stoff- oder Lederlagen [mit Doppelsteppstich] zusammennähen.

steppen [engl.] ↑ Steptanz.

Steppenadler (Aquila rapax), bis 75 cm langer, dunkelbrauner Adler, v.a. in Steppen und Halbwüsten SO-Europas bis Z-Asiens sowie Indiens und großer Teile Afrikas; brütet in einem Horst am Boden.

Steppenducker, svw. Kronenducker (↑ Ducker).

Steppenelch (Breitstirnelch, Alces latifrons), ausgestorbener, lediglich aus dem älteren und mittleren Pleistozän Europas bekannter Vorfahre des Elchs; großes Säugetier mit schaufelartigem Geweih, dessen Stangen jedoch relativ kurz waren (nach Funden bis zu 2 m Spannweite).

Steppenfuchs, svw. Korsak (↑ Füchse).

Steppenheide, strauch- und baumarme Fels- und Trockenrasengesellschaft meist flachgründiger, kalkreicher Standorte in warmtrockenen Binnenlandschaften M-Europas.

Steppenhuhn ↑ Flughühner.

Steppenigel **110**

Steppenigel (Langohrigel, Hemiechinus), Gatt. nachtaktiver ↑Igel (Unterfam. Stacheligel) mit nur zwei kleinen, etwa 20 cm langen Arten, verbreitet v. a. in Steppen und wüstenartigen Landschaften N-Afrikas und SW-Asiens bis SO-Europas.
Steppeniltis ↑Iltisse.
Steppenkatze, svw. ↑Manul.
◆ Sammelbez. für eine Gruppe etwa 50–70 cm langer (einschl. Schwanz 1 m erreichender) Unterarten der ↑Wildkatze in Steppen, Buschdickichten und wüstenartigen Landschaften SW- bis Z-Asiens; Fell dicht und weichhaarig, auf hell sandfarbenem bis gelblichgrauem Grund dunkel gefleckt; stets ohne schwarzen Aalstrich.
Steppenkerze (Lilienschweif, Steppenlilie, Eremurus), Gatt. der Liliengewächse mit etwa 30 Arten in den Steppen von W- und M-Asien; Stauden mit kurzem Rhizom und schmalen Blättern; Blüten weiß, gelb oder rosafarben, glockig oder sternförmig in langer, reichblühender Traube an einem bis 3 m hohen Schaft; auch Zierpflanzen.
Steppenkunst ↑skythische Kunst.
Steppenmurmeltier (Bobak), ein in O-Europa und M-Asien heim. ↑Murmeltier.
Steppenpaviane, svw. ↑Babuine.
Steppenraute (Peganum), Gatt. der Jochblattgewächse mit 6 Arten, verbreitet von den Steppen des westl. und östl. Mittelmeergebiets bis in die Wüstengebiete Z-Asiens. Die bekannteste Art ist **Peganum harmala** (S. im engeren Sinne, Harmalraute, Syr. Raute), ein 30–40 cm hohes Kraut mit großen, langgestielten Blüten. Die Samen enthalten ↑Alizarin und die Samenschale das Alkaloid ↑Harmin.
Steppenrind (Podol. Steppenrind), v. a. zur Arbeitsleistung und Fleischerzeugung gehaltene Rasse des Hausrinds in O- und SO-Europa ist Z-Asien, bes. in der östl. Ukraine, in Ungarn und Rumänien; etwa 500 kg schwere, spätreife Tiere mit nach vorn geschwungenen Hörnern; meist silber- bis dunkelgrau.
Steppenwolf [engl. 'stɛpənwʊlf], amerikan. Rockmusikgruppe, die aus der 1965 begr. kanad. Gruppe „Sparrows" entstand; benannte sich 1967 nach dem gleichnamigen Roman von H. Hesse; erfolgreich mit Hardrock bei sozial- und kulturkrit. Texten; löste sich 1972 auf; 1974 wiedergegründet.
Steptanz [zu engl. step, eigtl. „Schritt"] (engl. Tap dance), Tanz, bei dem der Rhythmus durch schnellen Bewegungswechsel zw. Hacken und Spitzen (steppen) der mit Stepeisen versehenen Schuhe akzentuiert wird.
Stepun, Fedor, * Moskau 19. Febr. 1884, † München 23. Febr. 1965, russ.-dt. Kulturphilosoph und Schriftsteller. – An der Februarrevolution 1917 beteiligt; emigrierte 1922; ab 1926 Prof. für Soziologie in Dresden; 1937 Berufsverbot; 1947 Prof. für russ. Geistesgeschichte in München. Verfaßte Romane wie „Die Liebe des Nikolai Pereslegin" (1928) sowie Lebenserinnerungen („Vergangenes und Unvergängliches", 3 Bde., 1947–50).
Ster [griech.-frz.], svw. ↑Raummeter.
Steradiant [griech./lat.], Einheitenzeichen sr, SI-Einheit des Raumwinkels. Ein Raumwinkel, dessen Scheitelpunkt im Mittelpunkt einer Kugel vom Radius R liegt und der aus der Kugeloberfläche eine Fläche der Größe R^2 ausschneidet, hat die Größe 1 sr.
Sterbebuch ↑Personenstandsbücher.
Sterbebüchlein ↑Ars moriendi.
Sterbegeld, Geldleistung, die die durch die Bestattung eines Verstorbenen entstandenen Aufwendungen ersetzen soll; das S. ist eine Leistung der Sozialversicherung, kann aber auch als privater Versicherung, von Gewerkschaften und Berufsorganisationen gezahlt werden oder tariflich vereinbart sein. Das S. wird bei Personen, die nach dem 1.1. 1989 in die Krankenversicherung eingetreten sind, nicht mehr gezahlt (§§ 58,59 SGB V).
Sterbehilfe, 1. Hilfe im Sterben (sog. Leidhilfe) ohne lebensverkürzendes Risiko; sie soll einem unheilbar schwerkranken Menschen einen schmerzgelinderten Tod ermöglichen. 2. Hilfe zum Sterben durch lebensverkürzende, aktive Handlungen oder durch Unterlassen lebensfördernder Handlungen (Sterbenlassen). Der Bereich zulässiger S. ist auch rechtlich umstritten.
Sterben, Vorgang des Erlöschens der Lebensfunktionen bis zum Eintritt des Todes. Neuere Möglichkeiten der Medizin (bes. auf dem Gebiet der künstl. Aufrechterhaltung von Atmung und Kreislauf) haben nicht nur rechtl. Fragen aufgeworfen, z. B. im Bereich der Organentnahme, sie haben gewissermaßen auch das S. verändert. Der neue Wissenschaftszweig, der sich mit dem S. befaßt, wird als ↑Sterbensforschung (Thanatologie) bezeichnet. – Aus Berichten von Menschen, die bereits klinisch tot waren und wiederbelebt wurden, läßt sich nach R. Moody folgende Erlebnisreihe für die Minuten zw. Herzstillstand und Reanimation festhalten: Der Sterbende, der oft noch hört, wie er für tot erklärt wird, empfindet in sich in der Regel einen sog. Ich-Austritt. Er nimmt sich sozusagen außerhalb seines eigenen Körpers als – zunächst aufgeregter, dann ruhiger – Beobachter wahr. Er spürt keinen Schmerz, vielmehr ein angenehmes, wohliges Gefühl.
Blumenthal-Barby, K.: Betreuung Sterbender. Bln. ⁴1991. – Kübler-Ross, E.: Interviews mit Sterbenden. Dt. Übers. Gütersloh ¹⁵1990. – Bartholomäus, L.: Ich möchte an der Hand eines Menschen sterben. Mainz-Weisenau

[6]1990. – Piper, H. C.: Gespräche mit Sterbenden. Gött. [4]1990.

Sterbensforschung (Thanatologie), interdisziplinäres Forschungsgebiet, das sich mit den Fragen des ↑ Sterbens und des ↑ Todes befaßt. Diese das Menschsein grundlegend berührenden Fragen werden von medizin. und psycholog. wie auch von jurist., philosoph. und theolog. Seite aufgeworfen (z. B. klin. Tod, Todeserklärung, Reanimation, Sterbehilfe, Sterbeerlebnisse, Glaube an ein Leben nach dem Tod).

Sterbesakramente, in der kath. Liturgie die Sakramente der Buße, Eucharistie und v. a. der Krankensalbung, mit denen Kranke und Sterbende versehen werden sollen.

Sterbetafel ↑ Lebenserwartung.

Sterbeurkunde ↑ Personenstandsurkunden.

Sterbewahrscheinlichkeit ↑ Lebenserwartung.

Sterbhaupt, svw. ↑ Besthaupt.

Stereo [griech.] (Stereotypplatte) ↑ Drukken (Buchdruck).

stereo..., Stereo... [zu griech. stereós „starr"], Bestimmungswort von Zusammensetzungen mit der Bed. „fest, massiv; räumlich, körperlich".

Stereoagnosie, svw. ↑ Tastblindheit.

Stereochemie (Raumchemie), Teilgebiet der Chemie, das sich mit der räuml. Anordnung der Atome bzw. Atomgruppen in einem Molekül, ihren Abständen und Bindungswinkeln sowie den daraus folgenden chem. und physikal. Eigenschaften der Verbindungen befaßt. Die Erscheinung, daß sich Moleküle nur durch die räuml. Anordnung ihrer Atome bzw. Atomgruppen unterscheiden, wird als **Stereoisomerie,** die betreffenden Moleküle als *Stereoisomere* bezeichnet (↑ Isomerie). Bei aliphat. und cycl. Verbindungen mit drehbaren Einfachbindungen tritt **Rotationsisomerie** *(Dreh-, Torsions-, Konformationsisomerie)* auf, wobei diejenige Anordnung (Konformation) bestimmter Atome bzw. Atomgruppen im Molekül energetisch bevorzugt ist, bei der sich diese nicht direkt, sondern gestaffelt gegenüberliegen.

Geschichte: Die S. organ. Verbindungen wurde 1874 von J. H. van't Hoff und J. A. Le Bel mit dem Modell der Tetraederanordnung der Valenzen des Kohlenstoffs begründet; die S. anorgan. Verbindungen geht auf die Koordinationslehre von A. Werner (1893) zurück.

Stereognosie, die Fähigkeit, Gegenstände durch Betasten, ohne Zuhilfenahme der Augen, zu erkennen. – Ggs. ↑ Tastblindheit.

Stereoisomerie, ↑ Isomerie, ↑ Stereochemie.

Stereokamera ↑ photographische Apparate.

Stereoluftbildauswertung ↑ Photogrammetrie.

Stereometrie [griech.], Teilgebiet der euklid. Geometrie, in dem insbes. die Eigenschaften dreidimensionaler geometr. Körper untersucht werden.

Stereophonie [griech.], elektroakust. Schallübertragungsverfahren, durch das bei

Stereophonie. Blockschaltbild eines Stereodecoders mit nachgeschalteten Niederfrequenzverstärkern R = rechts; L = links

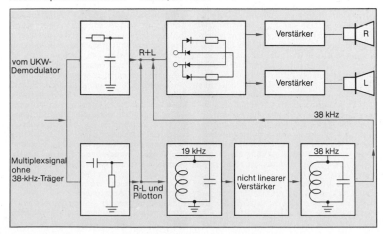

der Wiedergabe mit Hilfe von Lautsprechern bzw. Kopfhörern ein räuml. Höreindruck hervorgerufen wird, der dem unmittelbaren Eindruck am Aufnahmeort weitgehend entspricht. Dabei wird die Tatsache ausgenutzt, daß für ein „räuml. Hören" im wesentlichen die an beiden Ohren auftretenden Intensitäts- und Laufzeitunterschiede der eintreffenden Schallwellen maßgebend sind. Die stereophon. Übertragung kann so erfolgen, daß die Beziehung zw. dem Ort der Schallquelle und dem Schallaufnahmeorgan möglichst erhalten bleibt (kopfbezogene Übertragung). Dabei wird als Aufnahmeorgan die Nachbildung eines [Zuhörer]kopfes verwendet, die an der Stelle der Ohren Mikrophone mit einer dem menschl. Hörorgan entsprechenden Richtcharakteristik enthält *(Kunstkopf-S.)*. Ein solches Verfahren erfordert die Wiedergabe mit Hilfe von Kopfhörern.

Eine ideale raumbezogene Übertragung wäre gegeben, wenn vor der Schallquelle eine sehr große Anzahl unterschiedlich gerichteter Mikrophone aufgestellt wäre, denen bei der Wiedergabe eine gleiche Anzahl gerichteter Lautsprecher entsprechen müßte. Dies ist praktisch nicht zu verwirklichen. Man beschränkt sich meist auf die zweikanalige Übertragung *(Zweikanal-S.)*, wobei zusätzlich die Verträglichkeit (Kompatibilität) mit einer einkanaligen Wiedergabe (Monophonie; mit einkanaligen Hörfunkgeräten bzw. Plattenspielern) gewährleistet sein muß. Diese Forderung ist erfüllbar, wenn man bei der Aufnahme möglichst nur die Intensitätsunterschiede zur Erzeugung des stereophonen Eindrucks ausnutzt *(Intensitäts-S.)*. Bei der *Hörfunk-S. (Hochfrequenz-S.)* werden Summen- und Differenzsignal in Form des sog. **Multiplexsignals** einer UKW-Trägerfrequenz (als Frequenzmodulation) aufmoduliert. Dabei stellt das Summensignal den Hauptkanal dar; es kann von jedem Monoempfänger empfangen werden. Die Stereoinformation wird in Form des Differenzsignals einem Hilfsträger aufmoduliert. Der Stereoempfänger unterscheidet sich von gewöhnl. Empfängern durch ein zusätzl. Multiplexteil, den [Stereo]decoder, der das Multiplexsignal decodiert und die beiden Seiteninformationen zwei getrennten Verstärkern zuführt, die ihrerseits die beiden Lautsprecher[gruppen] speisen. Um eine möglichst günstige stereophon. Wiedergabe zu erreichen, sollten die Lautsprecher etwa in Kopfhöhe des Hörers angebracht werden und zus. mit dem Kopf des Hörers etwa ein gleichseitiges Dreieck bilden. – Ein dem unmittelbaren Höreindruck weitgehend entsprechender Höreindruck läßt sich nur erreichen, wenn zusätzlich die Anforderungen der ↑ High-Fidelity erfüllt sind. Dies gilt auch für Speicher- und Wie-

dergabeverfahren bzw. Abspielgeräte von Stereoschallplatten (↑ Schallplatte) und Stereotonbandaufnahmen (sie enthalten die Informationen des rechten und linken Kanals auf zwei getrennten Spuren). – Wesentlich aufwendiger ist die vierkanalige Übertragung, die ↑ Quadrophonie.

◫ *Tillmann, P.: So machen Sie mehr aus Ihrer Stereoanlage. Ravensburg 1985. – Schöler, F.: High-Fidelity-Technik f. Aufsteiger. Rbk. Neuaufl. 1981. – Schöler, F.: High-Fidelity-Technik f. Einsteiger. Rbk. Neuaufl. 1981. – Knobloch, W.: Kleine HiFi-Stereo-Praxis. Mchn. 1980.*

Stereophotographie [griech.], photograph. Verfahren zur Aufnahme und Wiedergabe von Bildern, die bei der Betrachtung einen dreidimensionalen Raumeindruck vermitteln (↑ Stereoskopie). Als Aufnahmegeräte dienen meist **Stereokameras** mit zwei Objektiven. Unbewegte Objekte können auch mit konventionellen Kameras aufgenommen werden, die mittels eines Stereoschiebers entsprechend der Basislänge horizontal verschoben werden. **Stereovorsätze** (Prismenvorsätze), die vor das Objektiv gesetzt werden, bilden die beiden Halbbilder nebeneinander auf dem Film ab.

Stereoselektivität, die Erscheinung, daß bei chem. Reaktionen von zwei mögl. Stereoisomeren bevorzugt eines gebildet wird, z. B. bei Polymerisationen; wird ausschließlich ein Stereoisomer gebildet, spricht man von **Stereospezifität** (z. B. enzymat. Reaktionen).

Stereoskop [griech.], opt. Gerät, das der Betrachtung gezeichneter oder photographierter Stereobildpaare einen räuml. Bildeindruck vermittelt; jedem Auge wird nur eines der Einzelbilder (Halbbilder) angeboten.

Stereoskopie [griech.], Verfahren zur Erzeugung und Wiedergabe eines räuml. Bildeindrucks nach dem Prinzip des stereoskop. Sehens. Je zwei stereoskop. Bilder, sog. Halbbilder, müssen von zwei um eine bestimmte Strecke verschobenen Punkten aus aufgenommen und den Augen einzeln dargeboten werden. Ein Raumeindruck ergibt sich durch die *Querdisparation* (Breitenverschiebung auf den Netzhäuten) und ist störungsfrei nur möglich, wenn die Winkeldifferenz zw. den Sehstrahlen der beiden Beobachtungspunkte bei konstanter Akkommodation 70 Bogenminuten nicht übersteigt. Stereobetrachtungen ermöglichen z. B. das ↑ Anaglyphenverfahren und das ↑ Stereoskop (nur für Einzelbetrachter); die Stereoprojektion mit polarisiertem Licht erfordert Spezialbrillen mit ankreuzten Analysatoren.

stereoskopisch, räumlich, körperlich erscheinend, dreidimensional wiedergegeben.

stereoskopisches Sehen, svw. räumliches ↑ Sehen.

Stereospezifität [griech./lat.] ↑ Stereoselektivität.

stereotaktische Operation, Gehirnoperation, bei der mit Hilfe eines am Kopf des Patienten befestigten Zielgerätes eine Sonde oder Elektrode durch eine kleine, in den knöchernen Schädel gebohrte Öffnung unter Schonung benachbarter empfindl. Strukturen (Gehirngewebe, Gefäße) und computertomograph. Kontrolle zu einer tiefliegenden Hirnbahn oder einem Nervenkern vorgeschoben wird, die aus therapeut. Gründen unterbrochen oder ausgeschaltet werden sollen. Mit dem stereotakt. Zielgerät kann mit größter Genauigkeit jeder Punkt im Gehirn angezielt werden. Mit Hochfrequenzstrom (zur Ausschaltung bestimmter Hirnfunktionen) oder durch Implantation radioaktiver Isotope (zur Strahlentherapie von Hirntumoren) wird dann eine genau lokalisierte Läsion gesetzt.

stereotyp [griech.], 1. mit feststehender Schrift gedruckt; 2. feststehend, unveränderlich; 3. ständig [wiederkehrend]; leer, abgedroschen.

Stereotypie [griech.], Verfahren zur Anfertigung von Druckplattenduplikaten für den Hochdruck; ermöglicht den Druck großer Auflagen (z. B. für Zeitungen) sowie den Nachdruck ohne Neusatz.

◆ bestimmte, sich nahezu identisch wiederholende, meist ohne Situationsbezug auftretende Bewegungsfolge oder sprachl. Äußerung; beim Menschen bes. in der Kindheit. – Krankhaft tritt S. z. B. bei Schizophrenie oder nach Gehirnverletzungen auf.

Stereovorsatz ↑ Stereophotographie.

steril [lat.], keimfrei (z. B. von Verbandszeug).

◆ unfruchtbar (im biolog. Sinne: Ggs. fertil).

◆ im übertragenen Sinn: geistig unfruchtbar; nicht schöpferisch; ohne Kreativität.

Sterilanzien [lat.], v. a. in der Schädlingsbekämpfung benutzte Substanzen zur Unfruchtbarmachung durch energiereiche Strahlung oder chem. Wirkung (↑ Chemosterilanzien).

Sterilisation [lat.], Keimfreimachung von Operationsinstrumenten, Wäsche u. a. durch verschiedene Verfahren, z. B. durch Erhitzen auf Temperaturen über 100 °C im Sterilisator (↑ Autoklav).

◆ beim Menschen und bei Tieren das Unfruchtbarmachen durch Unterbinden der Samenstränge bzw. Eileiter, wobei (im Ggs. zur ↑ Kastration) der Sexualtrieb erhalten bleibt. **Recht:** Gesetzlich geregelt (durch das Gesetz über die freiwillige Kastration und andere Behandlungsmethoden vom 15.8.1969) ist lediglich die Kastration des Mannes und die

Durchführung anderer ärztl. Behandlungen (bei Mann oder Frau), die möglicherweise zur Unfruchtbarkeit führen, wenn es sich um eine „gegen die Auswirkungen eines abnormen Geschlechtstriebes gerichtete Behandlung" handelt. In diesen Fällen ist die Unfruchtbarmachung bei Einwilligung des Betroffenen, der mindestens 25 Jahre alt sein (bei Kastration des Mannes) und über mögl. Folgen u. a. belehrt worden sein muß, erlaubt, wenn sie nach den Erkenntnissen der medizin. Wissenschaft durchgeführt wird, um beim Betroffenen schwerwiegende Krankheiten oder seel. Leiden zu verhüten, zu heilen oder zu lindern. In allen anderen (gesetzlich nicht geregelten) Fällen hängt es von den Umständen des Einzelfalles ab, ob eine S. rechtmäßig ist.

Sterilisator [lat.], Apparatur, in der eine Sterilisation vorgenommen wird; häufig ein ↑ Autoklav.

Sterilisieren [lat.] ↑ Konservierung.

◆ unfruchtbar machen (↑ Sterilisation).

Sterilität [lat.], in der *Mikrobiologie, Medizin* und *Lebensmitteltechnik* die Keimfreiheit, d. h. das Freisein von lebenden Mikroorganismen (einschl. Sporen) in oder auf einem Material, Gegenstand, Substrat u. a.; der medizin. Fachbegriff ist die ↑ Asepsis.

◆ (Unfruchtbarkeit) in der *Biologie* und *Medizin* die Unfähigkeit, Nachkommen oder eine Befruchtung zu erzeugen (Ggs. ↑ Fertilität, Fruchtbarkeit). Als natürl. Ursache gelten Krankheiten und Mißbildungen der Geschlechtsorgane, Hormonstörungen, Mutationen, chem. und chromosomale Unterschiede und Unverträglichkeiten zw. den Gameten sowie beim Menschen auch psych. Störungen (↑ Impotenz). Außerdem ist es möglich, S. künstlich herbeizuführen (↑ Sterilisation).

Sterine [griech.] (Sterole), zu den ↑ Steroiden gehörende einwertige Alkohole mit 27 bis 29 Kohlenstoffatomen. S. kommen in allen tier. (*Zoosterine,* z. B. ↑ Cholesterin) und pflanzl. (*Phytosterine;* bei Pilzen *Mykosterine,* z.B. das ↑ Ergosterin) Zellen vor.

sterische Hinderung [griech./dt.], die Verminderung der chem. Reaktionsfähigkeit einer funktionellen Gruppe eines Moleküls durch benachbarte Molekülteile, die die funktionelle Gruppe räumlich abschirmen.

Sterke [niederdt.], svw. ↑ Färse.

Sterkfontein [afrikaans 'stɛrkfɔntəjn], Ort in S-Transvaal, Republik Südafrika; Fundort von Urmenschenresten.

Sterkobilin [lat.] ↑ Gallenfarbstoffe.

Sterkuliengewächse [lat./dt.] (Stinkbaumgewächse, Sterculiaceae), Pflanzenfam. der Zweikeimblättrigen mit rd. 1 000 Arten, überwiegend in den Tropen; Bäume, Sträucher oder Kräuter; Blüten meist in komplizierten Blütenständen; Früchte verschieden, häufig in Teilfrüchte zerfallend. Die wichtigsten Gatt. sind Stinkbaum, Kakaobaum und Kolabaum.

Sterl, Robert, * Großdobritz bei Dresden 28. Juni 1867, † Naundorf bei Wehlen (Sa.) 18. Jan. 1932, dt. Maler und Graphiker. – Lehrte 1904–32 an der Dresdner Kunstakad. Bed. Vertreter des dt. Impressionismus; neben Bildnissen und Landschaften bestimmen v. a. Motive der Arbeitswelt und der Musik sein Schaffen.

Sterlet [russ.] (Acipenser ruthenus), rd. 1 m langer, schlanker Stör in Gewässern O-Europas, oberseits grünlichgrauer bis -brauner, unterseits gelblich- bis rötlichweißer Süßwasserfisch; Schnauze lang und spitz, mit vier Bartfäden; Speisefisch.

Sterling [ˈʃtɛrlɪŋ, engl. ˈstəːlɪŋ] (ältere Bez. Esterling; frz. auch esterlin), engl. Silbermünze, Sonderform des Penny, geprägt 1180 bis ins 16. Jh. – ↑ Pfund, ↑ Pfund Sterling.

Sterlingblock ↑ Währungsblock.

Sterling-Silber [engl. ˈstəːlɪŋ], Silberlegierung mit einem Feingehalt von mindestens 925.

Stern, Carola, eigtl. Erika Zöger, geb. Assmush, * Ahlbeck 14. Nov. 1925, dt. Publizistin. – Autorin grundlegender Arbeiten über die Machtstrukturen in der DDR („Die SED", 1954; „Ulbricht", 1963); 1961 Mitbegr. und in den 70er Jahren Vors. der Dt. Sektion von Amnesty International. Mithg. des „Lexikons zur Geschichte und Politik im 20. Jh." (1971) sowie der polit.-literar. Zeitschrift „L 76 – Für Demokratie und Sozialismus" (seit 1976; seit 1980 u. d. T. „L 80"); verfaßt auch biograph. Werke („Ich möchte mir Flügel wünschen. Das Leben der Dorothea Schlegel", 1990).

S., Daniel, Pseud. der frz. Schriftstellerin Marie Gräfin d' ↑ Agoult.

S., Horst, * Stettin 24. Okt. 1922, dt. Journalist und Schriftsteller. – Wurde populär durch die Fernsehserie „Sterns Stunde" (ab 1969). Seit etwa 1970 zunehmend für den Natur- und Umweltschutz engagiert.

S., Isaac [engl. stəːn], * Kremenez (Geb. Tarnopol) 21. Juli 1920, amerikan. Violinist russ. Herkunft. – Tritt als einer der besten zeitgenöss. Geiger seit 1937 in den Musikmetropolen der Welt auf; 1961 begründete er mit dem Cellisten L. Rose (* 1918) und dem Pianisten E. Istomin (* 1925) ein Trio.

S., Otto, * Sohrau (= Żory, Woiwodschaft Katowice) 17. Febr. 1888, † Berkeley (Calif.) 17. Aug. 1969, dt.-amerikan. Physiker. – Prof. in Rostock, Hamburg und in Pittsburgh (Pa.); entdeckte 1920/21 (zus. mit W. Gerlach) die Richtungsquantelung von Silberatomen im Magnetfeld (↑ Stern-Gerlach-Versuch) und wies 1929 die Materiewellenbeugung von

Wasserstoff- und Heliummolekülstrahlen an Natriumchloridkristallen nach; 1943 Nobelpreis für Physik.

S., Robert A. M. [engl. stəːn], * New York 23. Mai 1939, amerikan. Architekt. – Führender Vertreter der ↑ Postmoderne. Kombiniert abstrahierte, historisierende Architekturelemente mit Zitaten histor. und zeitgenöss. Architekten (u. a. Point West Office Building in Framingham [Mass.], 1983–85).

S., William, * Berlin 29. April 1871, † Durham (N. C.) 27. März 1938, dt. Psychologe und Philosoph. – Prof. in Breslau und Hamburg; emigrierte 1933 in die USA und lehrte dort an der Harvard und der Duke University. In bewußter Abhebung vom Behaviorismus unternahm er den Versuch einer Synthese von experimenteller und verstehender Psychologie. Er stellte die Konvergenztheorie (↑ Konvergenz) auf, prägte die Bez. Intelligenzquotient und begründete die ↑ differentielle Psychologie. – *Werke:* Person und Sache. System der philosoph. Weltanschauung (1906), Die differentielle Psychologie in ihren method. Grundlagen (1911), Die psycholog. Methode der Intelligenzprüfung (1912), Allg. Psychologie auf personalist. Grundlage (1935).

Stern, 1948 von H. Nannen gegr. dt. Illustrierte.

Stern, allg. Bez. für jedes leuchtende Objekt an der Himmelssphäre außer dem Mond. Man unterscheidet *Wandel-S.* (↑ Planeten) und *Fix-S.* (die Sterne i. e. S.), meist sehr große, aus sich selbst leuchtende Gaskugeln hoher Temperatur, die auch in den größten Spiegelteleskopen nur als punktförmige Lichtquellen auszumachen sind. Der physikal. Zustand eines S. wird durch die der Beobachtung zugänglichen *Zustandsgrößen* beschrieben (Radius, Masse, mittlere Dichte, Leuchtkraft, Spektralklasse, Temperatur, mittlere Energiefreisetzung und Rotationsperiode), die in Zustandsdiagrammen, z. B. dem ↑ Hertzsprung-Russell-Diagramm, dargestellt werden. Die Mehrzahl der S., die sog. *Hauptreihen-S.,* ist der Sonne in Aufbau, Masse und Dichte sowie in der Energieerzeugung ähnlich. Es gibt aber auch einige extreme S.typen, z. B. ↑ Riesensterne und ↑ Zwergsterne, die in ihren Zustandsgrößen stark von denen der Sonne abweichen. Die Radien können zw. 2 000 Sonnenradien und wenigen Kilometern liegen, die Massen zw. fünfzigfacher Sonnenmasse und ihrem 100. Teil. Die hohen Dichtewerte der weißen Zwerge werden von denen der ↑ Neutronensterne und der ↑ schwarzen Löcher noch weit übertroffen. Neben den S. mit [quasi] konstanten Zustandsgrößen gibt es auch solche mit period. oder einmaligen Änderungen einzelner oder mehrerer Zustandsgrößen, die ↑ Veränderlichen. – S. kommen auch als [um einen gemeinsamen Schwerpunkt rotierende] Doppel-S. und Mehrfachsysteme vor. – S. entstehen beim ↑Gravitationskollaps von diffusen, interstellaren Gas- und Staubwolken, sofern die zum Wolkenzentrum gerichteten Gravitationskräfte größer als die nach außen gerichteten Druckkräfte sind. Es ist anzunehmen, daß es zu Kondensationen innerhalb von Materiewolken kommt, die dann – auf Grund der Gravitation – durch Kontraktion zur Bildung sog. *Proto-S.* führen. Die entstehende Wärme kann nur noch bedingt nach außen abgeführt werden, die Temperatur steigt an, bis es im Inneren der Gaswolke zur Zündung einer Kernfusion kommt, die bei Temperaturen von 10 Mill. bis 100 Mill. K abläuft. Der S. erreicht das Hauptreihenstadium, das er mit dem Ende der Wasserstoffusion wieder verläßt. Die weitere Entwicklung ist stark von der Masse und chem. Zusammensetzung des S. abhängig. Es wechseln neue Kernfusionen mit Phasen der Kontraktion und Hüllenexpansion bis der S. in extreme Zustände seiner Materie übergeht. Die abgeworfenen, wasserstoffreichen Hüllen sind als planetar. Nebel bekannt. Je nach verbleibender Masse können S. auch als Neutronen-S. oder als schwarze Löcher enden. – ↑Astronomie, ↑Kosmologie.

📖 Baker, D./Hardy, D. A.: *Der Kosmos-S.führer. Dt. Übers. Stg. ⁵1990. – Kippenhahn, R.: Hundert Milliarden Sonnen. Geburt, Leben u. Tod der Sterne. Mchn. ⁴1989. – Widmann, W./Schütte, K.: Welcher S. ist das? 60 S.karten ... Stg. ²³1986. – Roth, G.D.: Sterne u. S.bilder. Mchn. ²1985.*

◆ religiöses, mag. oder polit. Symbol (meist fünfzackig), u. a. als Freiheitssymbol (z. B. Sternenbanner der USA), der rote S. als kommunist. Symbol, der ↑Davidstern. Der fünfzackige S. gilt (mit der Spitze nach oben) als Symbol für Spirituelles, Licht und Bildung sowie (mit der Spitze nach unten) als Symbol für Hexerei und schwarze Magie (Pentagramm); der sechszackige S. (Hexagramm) ist das Symbol der Schöpfung und ein beliebtes Motiv der Volkskunst *(Sechs-S.).*

sternal [griech.], *Medizin:* zum Brustbein gehörend, auf das Brustbein bezogen.

Sternalpunktion, Punktion des Brustbeins zur Entnahme von Knochenmark für hämatolog. Untersuchungen.

Sternanis (Illicium), einzige Gatt. der Illiziumgewächse mit mehr als 40 Arten in SO-Asien, Japan, im südl. N-Amerika, in W-Indien und Mexiko; Sträucher oder kleine Bäume mit immergrünen, durch Öldrüsen durchsichtig punktiert erscheinenden Blättern. Bekannt ist der **Echte Sternanis** (Illicium verum), ein in S-China und Hinterindien heimischer kleiner Baum; Blüten außen rosafar-

ben, innen rot. In Japan und Korea heimisch ist der **Japan.** S**ternanis** (Illicium anisatum) mit einzelnen, grünlichgelben Blüten. Die Rinde dient zur Herstellung von Weihrauch.

Sternassoziation, lockere Ansammlung gemeinsam entstandener junger Sterne einer bestimmten Spektralklasse.

Sternberg, Alexander von ['––], Pseud. des dt. Schriftstellers Alexander Freiherr von ↑Ungern-Sternberg.

S., Josef von ['––, engl. 'stɔːnbɔːg], eigtl. J. S., *Wien 29. Mai 1894, †Los Angeles-Hollywood 22. Dez. 1969, amerikan. Filmregisseur östr. Herkunft. – Ab 1901 in den USA; 1904 Rückkehr nach Wien; 1908 endgültige Auswanderung. Entdecker und Regisseur von M. Dietrich („Der blaue Engel", 1930; „Die blonde Venus", 1932). – *Weitere Filme:* Die Heilsjäger (1925), Unterwelt (1927), Die Docks von New York (1928), Eine amerikan. Tragödie (1931), Die Saga von Anatahan (1953).

Sternberg, Krst. am Sternberger See (4 km²), Meckl.-Vorp., 37 m ü. d. M., 5 300 E. Holzind., Ziegelei. – Im 13. Jh. gegründet. – Frühgot. Stadtkirche (13. Jh.).

S., Landkr. in Mecklenburg-Vorpommern.

Sternberger, Dolf, *Wiesbaden 28. Juli 1907, † Frankfurt am Main 27. Juli 1989, dt. Publizist und Politikwissenschaftler. – 1934–43 Redakteur der „Frankfurter Zeitung", Hg. der Zeitschriften „Die Wandlung" (1945–49) und „Die Gegenwart" (1950–58); Mitbegr. der „Polit. Vierteljahresschrift"; 1955–72 Prof. in Heidelberg; 1964–70 Präs. des P.E.N.-Zentrums der BR Deutschland; schrieb u. a. „Grund und Abgrund der Macht" (1961), „Heinrich Heine und die Abschaffung der Sünde" (1972), „Drei Wurzeln der Politik" (1978).

Sternbilder, auffällige Konfigurationen hellerer Sterne, die sich zu einprägsamen Figuren verbinden lassen und seit frühester Zeit phantasievoll zu Bildern ergänzt wurden. Für die *Astronomie* sind die S. seit 1928 festgelegte Himmelsareale, deren Grenzen durch Stunden- und Deklinationskreise bestimmt sind, wobei im wesentlichen die alten Konstellationen beibehalten wurden. 30 S. befinden sich nördl. des Himmelsäquators, 11 beiderseits von ihm und 47 auf der südl. Himmelskugel. – Die S.namen der nördl. (sichtbaren) Himmelshalbkugel entstanden etwa seit dem 4. Jh. v. Chr. und sind vielfach aus der griech. Mythologie zu erklären; die S.namen des südl. Himmels wurden größtenteils während der Entdeckungsfahrten gebildet und entstanden zumeist aus der seemänn. Begriffswelt. – ↑Tierkreiszeichen. – Übersicht und Karten S. 118–120.

Stern der Weisen (Stern von Bethlehem, Dreikönigsstern), nach Matth. 2,2 und 9 eine Himmelserscheinung, die die Heiligen ↑ Drei Könige zur Verehrung Jesu nach Bethlehem führte; heute als kerygmat. Ergänzung zur Kindheitsgeschichte Jesu gedeutet.

Sterndeutung ↑Astrologie.

Sterndolde (Sternblume; Strenze, Astrantia), Gatt. der Doldengewächse mit 9 Arten in Europa und W-Asien; Stauden mit doldenförmigen Blüten. Von den zwei einheim. Arten kommt die **Große Sterndolde** (Astrantia major) in Schluchtwäldern und auf Bergwiesen in S-Deutschland vor.

Stern-Dreieck-Anlauf, der Anlauf eines elektr. Antriebes mit Drehstrom-Asynchronmotor, wobei der Motor erst in Sternschaltung, anschließend in Dreieckschaltung an einem Netz mit Dreiphasenstrom betrieben wird.

Sterne, Laurence [engl. stəːn], * Clonmel (Tipperary) 24. Nov. 1713, † London 18. März 1768, engl. Schriftsteller. – 1738–58 Pfarrer; bedeutendster engl. Erzähler zw. Aufklärung und Empfindsamkeit; Wiedergabe feinster psycholog. Nuancen, v. a. in der fiktiven Autobiographie „Das Leben und die Ansichten Tristram Shandys" (1760–67), in der S. Traditionen des Romans in Frage stellte und damit zum Vorläufer des experimentellen Romans wurde: An die Stelle äußerer Handlung tritt der Bewußtseinsinhalt des Ich-Erzählers, der ironisch über die Niederschrift seiner Autobiographie reflektiert. In „Yoricks empfindsame Reise durch Frankreich und Italien" (1768) spielt S. mit dem Genre der Reiseliteratur. S. beeinflußte u. a. Diderot, Goethe und Jean Paul.

Sternenbanner (engl. Stars and Stripes), seit 1777 die Flagge der USA; besteht aus 50 weißen Sternen (seit 1960; ein Stern für jeden Staat) auf blauem Grund und einem Feld von 13 (roten und weißen) Streifen (ein Streifen für jeden Gründungsstaat).

Sternfahrt, kaum noch ausgetragene Rallye mit verschiedenen Ausgangspunkten, aber gemeinsamem Ziel.

Stern-Gerlach-Versuch, von O. Stern und W. Gerlach 1921 durchgeführter Versuch zum Nachweis des magnet. Moments des Elektrons und der Richtungsquantelung von Drehimpulsen. In einem inhomogenen Magnetfeld wird ein Atom- bzw. Molekülstrahl in so viele Teilstrahlen gleicher Intensität aufgespalten, wie das magnet. Moment der betreffenden Atome (Moleküle) Einstellmöglichkeiten zum Magnetfeld besitzt.

Sterngewölbe ↑Gewölbe.

Sterngiraffe ↑Giraffen.

Sterngladiole (Abessinische Gladiole, Acidanthera bicolor), in Äthiopien heim. Schwertliliengewächs der Gatt. Acidanthera; mit schmalen, schwertförmigen Blättern; Blüten in sehr lockerer, wenigblütiger Ähre,

weiß, innen purpurfarben gefleckt. Beliebte Garten- und Schnittblume ist v. a. *Acidanthera bicolor var. murielae* mit größeren, kastanienrot gefleckten Blüten.

Sternhaufen, Ansammlung von Sternen; man unterscheidet ↑ offene Sternhaufen, ↑ Sternassoziationen und ↑ Kugelsternhaufen.

Sternheim, Carl, * Leipzig 1. April 1878, † Basel 3. Nov. 1942, dt. Dramatiker und Erzähler. – Sohn eines Bankiers; gründete 1908 in München [mit F. Blei] die Zeitschrift „Hyperion"; ab 1912 in der Schweiz, in Belgien, den Niederlanden, in Dresden, am Bodensee, in Berlin, danach in Brüssel. S. karikiert in seinen grotesk-expressionist. satir. Werken (einige seiner für die Entwicklung der modernen Komödie bed. Stücke waren bis 1918 und während des NS verboten) die philisterhafte bürgerl. Gesellschaft der Wilhelmin. Ära, v. a. in der „Aufsteiger"-Komödien-Trilogie „Die Hose", „Der Snob" (beide 1914), „1913" (1915); er preist andererseits den Willen zur selbstherrl. Verwirklichung des Individuums („Tabula rasa", Schsp., 1916); schrieb auch expressionist. Erzählungen („Chronik von des 20. Jh. Beginn", 1918), Romane („Europa", 1920) sowie Essays. – *Weitere Werke:* Die Kassette (Kom., 1912), Bürger Schippel (Kom., 1914), Manon Lescaut (Schsp., 1921), Der Nebbich (Kom., 1922).

Sternjasmin (Schnabelsame, Trachelospermum), mit rd. 20 Arten von O-Indien bis Japan verbreitete Gatt. der Hundsgiftgewächse; Lianen mit gegenständigen Blättern und weißen, gelbl. oder dunkelroten Blüten in Scheindolden.

Sternkaktus (Astrophytum), Gatt. der Kakteen mit vier Arten in Mexiko; flachkugelige bis zylindr. Kakteen mit oft ausgeprägten Rippen; Blüten trichterförmig, gelb beschuppt und meist wollig behaart. Beliebt sind die als ↑ Bischofsmütze bezeichneten Arten.

Sternkarten (Himmelskarten), kartographische Darstellung von Teilen des Himmelsgewölbes, in der die Sterne [und Sternsysteme] nach Position und Helligkeit in Form kleiner Kreisscheiben wiedergegeben und Sternhaufen, extragalakt. Sternsysteme u. a. durch bes. Symbole gekennzeichnet sind. Heute ist v. a. der vom Mount-Palomar-Observatorium auf photograph. Wege hergestellte Palomar-Sky-Atlas (1 758 Karten, die rd. $^3/_4$ der gesamten Sphäre erfassen) ein wichtiges Hilfsmittel der astronom. Arbeit. – Bei drehbaren S. läßt sich mit Hilfe einer kreisförmigen oder ellipt. Vignette der zu einem bestimmten Zeitpunkt sichtbare Himmelsausschnitt einstellen.

Geschichte: Vorläufer der S. sind die meist kreisförmigen bildl. Darstellungen des Himmels, die für astrolog. Zwecke etwa seit hellenist. Zeit üblich waren. Die ersten neuzeitl. S. stammen von C. Heinfogel und A. Dürer (1515). Neue Sternkataloge verwertete erstmals J. Bayer in seinem Atlas „Uranometria" (1603). Bed. Sternatlanten für den wiss. Gebrauch stammen von J. Hevelius (1690), J. Flamsteed (1720), J.G. Doppelmayr (1742), J.E. Bode (1801) und K.L. Harding (1822). Seit etwa 1900 setzten sich zunehmend die (erstmals von M. Wolf) mit Hilfe der Himmelsphotographie erstellten S. durch.

Sternkataloge, systematisch geordnete Verzeichnisse von Sternen oder bes. Sterngruppen mit spezif. Angaben. Man unterscheidet neben einfachen **Sternverzeichnissen,** bei denen die Positionen nur so genau angegeben sind, daß jeder Stern eindeutig bestimmt ist, die **Durchmusterungen,** die alle Sterne bis zu einer bestimmten Grenzhelligkeit erfassen, die **Positionskataloge** mit größtmöglicher Genauigkeit der Angabe der astronom. Koordinaten der aufgeführten Sterne, die daraus gewonnenen **Fundamentalkataloge,** die **Helligkeitskataloge,** die **Spektralkataloge** mit Angaben über Sternspektren und Spektralklassen, außerdem spezielle S. nur mit Angaben über Parallaxen oder Radialgeschwindigkeiten, über Doppelsterne, Veränderliche oder Sternhaufen, über Nebel und Galaxien oder über Radioquellen.

Sternkult, svw. ↑ Astralmythologie.

Sternkunde, svw. ↑ Astronomie.

Sternkurve, svw. ↑ Astroide.

Sternleeren, auf Grund der Absorption durch die ↑ interstellare Materie als dunkle Löcher oder Leeren erscheinende Gebiete im Band der Milchstraße.

Sternmiere (Sternkraut, Stellaria), Gatt. der Nelkengewächse mit rd. 100 weltweit verbreiteten Arten; Pflanzen mit niederliegenden, aufsteigenden oder dichtrasigen, zuweilen kletternden Stengeln, meist schmalen Blättern und kleinen Blüten. In Deutschland kommen acht Arten vor, u. a.: **Vogelmiere** (Mäusedarm, Stellaria media), mit eiförmigen Blättern und kleinen, weißen Blüten, ein verbreitetes Wildkraut; **Große Sternmiere** (Stellaria holostea), mit lanzenförmigen Blättern und weißen Blüten.

Sternmotor, ein Mehrzylinderverbrennungsmotor, dessen Zylinder in einer senkrecht zur Kurbelwellenachse liegenden Ebene sternförmig angeordnet sind (v. a. als Flugmotoren verwendet).

Sternmulle (Sternnasenmaulwürfe, Condylurinae), Unterfam. der Maulwürfe mit der einzigen Art **Condylura cristata** im östl. N-Amerika; Länge (ohne Schwanz) etwa 10–13 cm; an der Rüsselspitze ein sternförmiges Gebilde nackter, fingerförmiger Fortsätze als Tastorgan.

Sternopagus [griech.], Doppelmißbildung mit Verschmelzung der Paarlinge im Bereich der Brustbeine.

Sternphotometrie, svw. Astrophotometrie (↑ Photometrie).

Sternpopulation ↑ Population.

Sternrochen ↑ Rochen.

Sternschaltung, elektr. Schaltung zur Verkettung dreier [um 120° gegeneinander phasenverschobener] Wechselspannungen (↑ Drehstrom).

Sternschnecken (Anthobranchia), Ordnung schalenloser Meeresschnecken; mit rückenständiger, rosettenförmiger Kieme; u. a. **Warzige Sternschnecke** (Archidoris tuberculata), bis 10 cm lang, mit braunen bis violetten Flecken auf gelb. bis ockerfarbenem Grund; in der Nordsee, im Nordatlantik und Mittelmeer vorkommend.

Sternseher ↑ Himmelsgucker.

Sternsinger, als Heilige Drei Könige mit Alben, Kronen und anderen königl. Zeichen verkleidete Gruppe von Jugendlichen oder Kindern, die zum Abschluß der Weihnachtszeit am Abend oder Vorabend des Dreikönigstages oder an darauffolgenden Sonntag von Haus zu Haus zieht, Lieder über die Geschichte der 3 Weisen singt **(Sternsingen)** und um Geschenke bittet.

Sternspannung, svw. Phasen- oder Strangspannung (↑ Drehstrom).

Sternsystem (Galaxie), Ansammlung von etwa 100 Mill. bis 200 Mrd. Sternen und großen Mengen interstellarer Materie, die kosmogonisch und dynamisch eine Einheit bilden. Das S., dem die Sonne und alle mit bloßem Auge sichtbare Sterne angehören, ist das ↑ Milchstraßensystem; das dem Milchstraßensystem am nächsten gelegene S. ist der Andromedanebel.

Nach ihrem Aussehen werden die S. in verschiedene Typen und Unterklassen eingeteilt. **Elliptische Nebel** weisen einen sehr steilen Anstieg der Dichte zum Zentrum hin auf und einen gleichmäßigen Abfall nach außen. Sie zeigen keine inneren Strukturen und enthalten kein oder nur wenig interstellares Gas; ihre Sterne sind sehr alt, die Gesamtmasse beträgt etwa 10^9 Sonnenmassen. – Viele S. sind **Spiralnebel,** bei denen zwei oder mehrere Spiralarme um einen zentralen Kern gewunden sind. Sie werden unterteilt in *normale Spiralnebel* (Typen Sa–Sc, je nach Größe des Kerns) und *Balkenspiralen* (Typen SBa–SBc, je nach Form des Balkens). – Bei den **irregulären Sternsystemen** fehlt eine deutlich ausgeprägte Symmetrieebene und das typ. Aussehen einer Rotationsfigur. Zu ihnen gehören die beiden Magellanschen Wolken. Die irregulären Nebel haben wolkenartige Strukturen und enthalten oft viel interstellare Materie sowie junge Sterne. Viele S. schließen sich

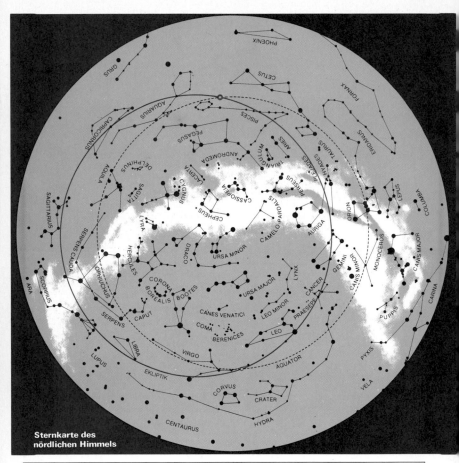

Sternkarte des
nördlichen Himmels

Sternbilder					
Name	Abk.	dt.	Name	Abk.	dt.
Andromeda[1]	And ...	Andromeda	Cancer[1]	Cnc .∴.	Krebs
Antlia	Ant....	Luftpumpe	Canes Venatici[1]..	CVn ...	Jagdhunde
Apus...........	Aps ...	Paradiesvogel	Canis Maior	CMa ..	Großer Hund
Aquarius[2].......	Aqr....	Wassermann	Canis Minor[1]....	CMi ...	Kleiner Hund
Aquila[2].........	Aql....	Adler	Capricornus	Cap ...	Steinbock
Ara............	Ara....	Altar	Carina	Car ...	Kiel des Schiffes
Aries[1]	Ari	Widder	Cassiopeia[1]	Cas ...	Kassiopeia
Auriga[1].........	Aur ...	Fuhrmann	Centaurus	Cen ...	Kentaur
Bootes[1]........	Boo ...	Bärenhüter	Cepheus[1]	Cep ...	Kepheus
Caelum	Cae ...	Grabstichel	Cetus[2]..........	Cet	Walfisch
Camelopardalis[1]	Cam...	Giraffe	Chamaeleon	Cha ...	Chamäleon

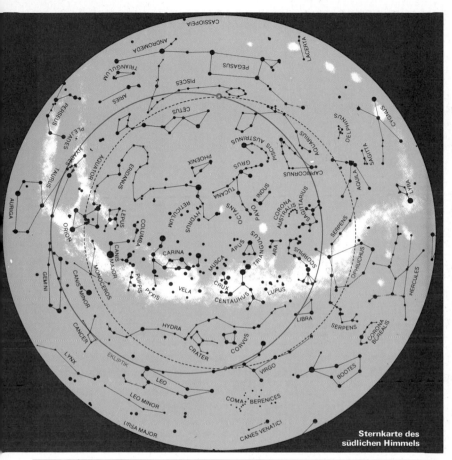

Sternkarte des südlichen Himmels

Sternbilder (Fortsetzung)					
Name	Abk.	dt.	Name	Abk.	dt.
Circinus	Cir	Zirkel	Dorado	Dor	Schwertfisch
Columba	Col	Taube	Draco[1]	Dra	Drache
Coma Berenices[1]	Com	(Haupt)haar der Berenike	Equuleus[1]	Equ	Füllen
			Eridanus	Eri	Fluß Eridanus
Corona Australis	CrA	Südliche Krone	Fornax	For	Chemischer Ofen
Corona Borealis	CrB	Nördliche Krone	Gemini[1]	Gem	Zwillinge
Corvus	Crv	Rabe	Grus	Gru	Kranich
Crater	Crt	Becher	Hercules[1]	Her	Herkules
Crux	Cru	Kreuz (des Südens)	Horologium	Hor	Pendeluhr
Cygnus[1]	Cyg	Schwan	Hydra[2]	Hya	Weibl. oder Nördl.
Delphinus[1]	Del	Delphin			Wasserschlange

Sternbilder (Fortsetzung)

Name	Abk.	dt.	Name	Abk.	dt.
Hydrus.........	Hyi....	Männl. od. Südl. Wasserschlange	Puppis.........	Pup ...	Hinterteil des Schiffes
Indus..........	Ind....	Inder	Pyxis..........	Pyx....	Schiffskompaß
Lacerta[1].......	Lac....	Eidechse	Reticulum......	Ret....	Netz
Leo[2]..........	Leo ...	Löwe	Sagitta[1]........	Sge....	Pfeil
Leo Minor[1].....	LMi...	Kleiner Löwe	Sagittarius......	Sgr....	Schütze
Lepus..........	Lep ...	Hase	Scorpius........	Sco....	Skorpion
Libra	Lib....	Waage	Sculptor........	Scl	Bildhauerwerkstatt
Lupus..........	Lup ...	Wolf	Scutum[2]........	Sct	(Sobieskischer) Schild
Lynx[1]..........	Lyn ...	Luchs			
Lyra[1]..........	Lyr....	Leier	Serpens (Caput)[2]	Ser	(Kopf der) Schlange
Mensa	Men...	Tafelberg	Serpens (Cauda)[2]	Ser	(Schwanz der) Schlange
Microscopium ..	Mic ...	Mikroskop			
Monoceros[2].....	Mon...	Einhorn	Sextans[2]........	Sex....	Sextant
Musca	Mus...	Fliege	Taurus[1]	Tau ...	Stier
Norma	Nor ...	Winkelmaß	Telescopium	Tel	Fernrohr
Octans	Oct....	Oktant	Triangulum[1]	Tri	Dreieck
Ophiuchus[2].....	Oph ...	Schlangenträger	Triangulum		
Orion[2]	Ori	Orion	Australe......	TrA ...	Südl. Dreieck
Pavo	Pav....	Pfau	Tucana........	Tuc ...	Tukan
Pegasus[1].......	Peg ...	Pegasus	Ursa Maior[1].....	UMa ..	Großer Bär
Perseus[1].......	Per....	Perseus	Ursa Minor[1]	UMi...	Kleiner Bär
Phoenix........	Phe ...	Phönix	Vela	Vel	Segel des Schiffes
Pictor.........	Pic	Malerstaffelei	Virgo[2].........	Vir	Jungfrau
Pisces[2]	Psc	Fische	Volans	Vol	Fliegender Fisch
Piscis Austrinus	PsA ...	Südl. Fisch	Vulpecula[1]......	Vul	Füchschen

Lage des Sternbildes am Himmel: [1] befindet sich am nördl. Himmel; [2] teilweise am nördl. bzw. südl. Himmel; Sternbilder, die unbezeichnet sind, befinden sich am südl. Himmel

zu *Galaxienhaufen* zus., die auf Grund ihrer ungleichmäßigen Verteilung sog. *Superhaufen* bilden. Ein Teil der S. zeigt starke Kernaktivitäten, wie Explosionen und Materieauswurf (↑ Radiogalaxie, ↑ Quasar).
Die Entfernungen der S. bestimmt man aus Helligkeitsmessungen einzelner Objekte (wie Kugelhaufen oder helle Sterne). Der in den Spektren der Galaxien auftretende ↑ Hubble-Effekt läßt sich als Expansion des Weltalls interpretieren.
📖 *Scheffler, H./Elsässer, H.: Bau u. Physik der Galaxis.* Mhm. [2]*1991. – Ferris, T.: Galaxien. Dt. Übers. Basel u.a.* [5]*1990. – Taylor, R.J.: Galaxien. Aufbau u. Entwicklung. Dt. Übers. Wsb. 1986. – Mitton, S.: Die Erforschung der Galaxien. Dt. Übers. Bln. u.a. 1978.*

Sterntag, die Zeit zw. zwei aufeinanderfolgenden oberen Durchgängen (Kulminationen) des Frühlingspunktes durch den Meridian. Der als Einheit der **Sternzeit** verwendete S. hat eine Länge von 0,99727 mittleren Sonnentags; er ist also 3 min 56,6 s kürzer als ein mittlerer Sonnentag.
Sterntaucher ↑ Seetaucher.
Sternum [griech.], svw. ↑ Brustbein.

Stern von Bethlehem, svw. ↑ Stern der Weisen.
Sternwarte (astronom. Observatorium), mit astronom. Geräten und Anlagen ausgerüstete Einrichtung zur Beobachtung des Sternhimmels bzw. einzelner Gestirne. S. werden heute vorwiegend in größerer Entfernung von Ballungsgebieten auf Bergen oder Hochflächen errichtet, um Streulicht zu vermeiden und meteorologisch günstigere Bedingungen zu gewährleisten. Neben den rein wiss. Forschungsstätten gibt es die sog. **Volkssternwarten,** die v.a. der Vermittlung astronom. Kenntnisse an breite Bev.kreise dienen.
Geschichte: Bereits die Babylonier hatten zur Beobachtung der Sterne eingerichtete Plätze. Die ersten größeren S. wurden im arab. Kulturraum gebaut, u.a. 829 n.Chr. in Bagdad, 1000 n.Chr. in Kairo. Die letzten großen S. ohne opt. Fernrohre waren der T. Brahe auf der Insel Ven errichteten S. Uranienborg (1576) und Sternenburg (1586) sowie die noch im 18.Jh. in Indien gebauten steinernen S. Wesentl. Aufschwung nahm der Bau von S. nach Erfindung des Fernrohrs: Zw. 1642 und 1700 entstanden die S. von Kopenhagen, Pa-

ris, Greenwich und Berlin. Der Beobachtung im opt. Bereich dienen in neuerer Zeit v. a. in großen Kuppelbauten installierte ↑ Spiegelteleskope. – Abb. S. 123.

📖 *Meier, L.: Eingefangene Himmelserscheinungen. Lpz. 1991. – Müller, P.: S. in Bildern. Bln. 1991. – Planetarien u. S. Bearb. v. K. Stoklas. Stg. ²1989. – Marx, S./Pfau, W.: S. der Welt. Freib. 1980.*

Sternwinde (Quamoclit), Gatt. der Windengewächse mit wenigen Arten in Indien und im trop. Amerika; windende Kräuter mit einfachen, herzförmigen oder fiederteiligen Blättern und roten oder gelben Blüten in wenigblütigen Dolden oder Trauben.

Sternwolken, bes. hell leuchtende Gebiete im Band der Milchstraße, die aus einer großen Anhäufung schwacher Sterne bestehen.

Sternwürmer, svw. ↑ Igelwürmer.

Steroide [griech.], natürlich vorkommende (heute auch synthetisch hergestellte) Verbindungen, die aus Molekülen bestehen, in denen Cyclopentanoperhydrophenanthren *(Gonan, Steran)* das Grundgerüst bildet. Zu den S. gehören die S.hormone (Geschlechtshormone und Nebennierenrindenhormone), einige Glykoside (z. B. die Digitalisglykoside), die Sterole, die Gallensäuren, die Vitamine der D-Gruppe sowie einige Alkaloide.

Sterole, svw. ↑ Sterine.

Sterzing (italien. Vipiteno), Stadt in Südtirol, Italien, im oberen Eisacktal, 948 m ü. d. M., 5300 E. Museen; Holz-, Textilind., Landmaschinenbau, Kunststoffverarbeitung, Fremdenverkehr. – 1181 erstmals erwähnt; 1296 Stadt gen. – Maler. Stadtbild mit spätgot. Bürgerhäusern und Laubengängen. Spätgot. Spitalkirche zum Hl. Geist (Ausmalung um 1420), spätgot. Rathaus (1524), spätgot. Stadtturm (unteres Geschoß 1468); südl. von S. spätgot. Pfarrkirche mit Madonna des Sterzinger Altars von H. Multscher (1456–59).

Sterzinsky, Georg, * Warlack (Ostpr.) 9. Febr. 1936, dt. kath. Theologe. – Seit 1960 Priester; 1981–89 Generalvikar des Apostol. Administrators für das Kirchengebiet Erfurt–Meiningen; seit 1989 Bischof von Berlin; 1991 Ernennung zum Kardinal.

Stethaimer, Hans, † nach 1459, dt. Baumeister und Steinmetz. – Führte u. a. den von Hans von Burghausen (vermutlich sein Vater, auch Hans Stethaimer d. Ä. gen.) um 1380 begonnenen Bau der Stadtpfarrkirche Sankt Martin in Landshut nach dessen Tod (1432) weiter und schuf wahrscheinlich den bed. Hochaltar (um 1424) sowie die Steinkanzel (1422); knüpfte an die Parlertradition an.

Stethoskop [zu griech. stēthos „Brust" und skopeīn „betrachten"] (Höhrrohr), Instrument zur ↑ Auskultation; das S. ist ein Y-förmiger Schlauch; zwei Enden sind mit Ohrstücken besetzt, das Einzelende läuft in ein glockenförmiges oder mit einer Membran bestücktes Rundteil aus.

stetige Teilung ↑ Goldener Schnitt.

Stetigkeit, eine Funktion $f(x)$ ist an der Stelle x_0 stetig, wenn 1. der Funktionswert $f(x_0)$ existiert; 2. die Funktion für $x \to x_0$ einen eindeutigen Grenzwert hat; 3. Grenzwert und Funktionswert an der Stelle x_0 gleich sind:

$$\lim_{x \to x_0} f(x_n) = f(x_0).$$

Ist f an jeder Stelle eines Intervalls I stetig, so heißt f stetig auf I.

Stettenheim, Julius, * Hamburg 2. Nov. 1831, † Berlin 30. Okt. 1916, dt. Schriftsteller. – Journalist; zuerst in Berlin, zeitweise in Hamburg tätig, wo er 1862 das humorist. Blatt „Die Wespen" gründete. Schrieb zeitkrit. Humoresken, Satiren und Parodien.

Stettin (poln. Szczecin), Stadt in Polen, am westl. Mündungsarm der Oder, 5–151 m ü. d. M., 409 500 E. Hauptstadt der Woiwodschaft S.; kath. Bischofssitz; Univ. (1985 gegr.); medizin. Akad., mehrere Hochschulen; Museen, mehrere Theater, Philharmonie; mit dem Außenhafen ↑ Swinemünde größter poln. Ostseehafen; Werften, Maschinen-, Kfz- und Motorradbau; Hüttenwerk, chem., Papier- sowie Textilind.; ⚓.

Geschichte: Seit der 2. Jh. besiedelt; entwickelte sich im 11. Jh. zur Hauptstadt Pommerns; mit der alten Wendensiedlung, der späteren Altstadt, wuchsen 2 daneben angelegte dt. Marktsiedlungen rasch zus.; erhielt 1237/43 Magdeburger Stadtrecht; Mgl. der Hanse etwa seit 1278; 1630–32 von den Schweden befestigt; 1713/20 an Preußen, 1724–40 zur Festung ausgebaut; 1806–13 von frz. Truppen besetzt; im 2. Weltkrieg stark zerstört. Kam 1945 unter poln. Verwaltung. Seine Zugehörigkeit zu Polen wurde 1990 durch den dt.-poln. Grenzvertrag anerkannt.

Bauten: Schloß der Hzg. von Pommern (v. a. 16. Jh.; wieder aufgebaut; jetzt Kulturhaus), got. Jakobikirche und Johanniskirche (beide 14. Jh.); Hafentor (18. Jh.).

Stettiner Haff, Haff an der Odermündung, Polen und Deutschland (Meckl.-Vorp.), 687 km², 50 km O–W- und 25 km N–S-Erstreckung, bis 9 m tief, durch die Inseln Usedom und Wollin von der Ostsee getrennt.

Stettinius, Edward Reilly [engl. stəˈtɪnɪəs], * Chicago 22. Okt. 1900, † Greenwich (Conn.) 31. Okt. 1949, amerikan. Industrieller und Politiker. – Zählte als Außenmin. 1944/45 zu den maßgebl. Beratern Roosevelts (u. a. bei der Jalta-Konferenz), wesentlich beteiligt an der Gründung der UN (1945/46 amerikan. Chefdelegierter).

Steuart

Steuart (Stewart), Sir James [engl. stjʊət], ab 1733 Sir J. S. Denham, * Edinburgh 21. Okt. 1712, † ebd. 26. Nov. 1780, brit. Nationalökonom. – Nahm 1745/46 an der jakobit. Rebellion teil, lebte nach der Niederlage bis 1763 im Exil. In seinem Werk, das als Höhepunkt und Abschluß der Theorie des Merkantilismus gilt, liefert S. wertvolle Aussagen u. a. zur Geld- und Bevölkerungstheorie († Malthusianismus).

Steuben, Friedrich Wilhelm von, * Magdeburg 17. Sept. 1730, † Oneida County (N. Y.) 28. Nov. 1794, amerikan. General dt. Herkunft. – 1764–75 Hofmarschall des Fürsten von Hohenzollern-Hechingen; ging 1777 nach Amerika, trat dort in die Armee G. Washingtons ein und sorgte als Generalmajor und Generalinspekteur erfolgreich für Organisation, Ausbildung und Disziplin der amerikan. Truppen; trug im Verlauf des Nordamerikan. Unabhängigkeitskrieges erheblich zum Sieg über das brit. Heer bei.
S., Fritz, eigtl. Erhard Wittek, * Wongrowitz (= Wągrowiec, Woiwodschaft Piła) 3. Dez. 1898, † Pinneberg 4. Juni 1981, dt. Schriftsteller. – Schrieb zahlr. populäre Kinder- und Jugendbücher, v. a. um den Shawneehäuptling Tecumseh („Der Fliegende Pfeil", 1930; „Der rote Sturm", 1931; „Der Strahlende Stern", 1934; „Tecumsehs Tod", 1939).

Steuer ↑ Steuern.

Steuerbemessungsgrundlage, die der Ermittlung der Steuerschuld im Steuerfestsetzungsverfahren († Steuern) zugrundeliegende phys. oder monetäre Größe.

Steuerberatung, geschäftsmäßige Hilfeleistung in Steuersachen, d. h. Beratung, Vertretung sowie Beistand bei der Bearbeitung der Steuerangelegenheiten und bei Erfüllung der steuerl. Pflichten; wird durchgeführt von zugelassenen Steuerberatern, Steuerbevollmächtigten und S.gesellschaften.

Steuerbescheid ↑ Steuern (Steuerfestsetzungsverfahren).

Steuerbilanz, aus der Handelsbilanz abzuleitende Bilanz für die Ermittlung des steuerpflichtigen Gewinns einer Periode, wobei für die Aufstellung der S. im Unterschied zur Handelsbilanz auch Mindestwertvorschriften bestehen, um einen zu niedrigen Gewinnausweis zu verhindern.

Steuerbord, rechte Schiffsseite (vom Heck aus gesehen) mit grüner Schiffsseitenlaterne. – ↑ Backbord.

Steuerdestinatar [dt./lat.] ↑ Steuern (Begriffe).

Steuererklärung, von den in den Steuergesetzen näher bestimmten oder von der Finanzbehörde dazu aufgeforderten Personen abzugebende Darstellung der Vermögens- und Einkommensverhältnisse zur Festsetzung der Steuerschuld.

Steuererlaß ↑ Steuern (Steuerfestsetzungsverfahren).

Steuerermittlungsverfahren ↑ Steuern (Steuerfestsetzungsverfahren).

Steuerfahndung, Maßnahmen der Finanzbehörden zur Aufdeckung unbekannter Steuerfälle, von Steuerstraftaten und -ordnungswidrigkeiten.

Steuerfestsetzungsverfahren ↑ Steuern.

Steuerflucht, Übertragung von Vermögen ins Ausland durch Verlegung des Wohn- oder Unternehmenssitzes in einen Staat mit niedrigerer Besteuerung (sog. Steueroase). Durch das Außensteuerreformgesetz vom 8. 9. 1972 († Doppelbesteuerung) werden mißbräuchl. Vorteile durch S. begrenzt.

Steuergefährdung ↑ Steuern (Steuerrecht).

Steuerharmonisierung, internat. Vereinheitlichung der Steuersysteme zur Vermeidung von Wettbewerbsverzerrungen (z. B. innerhalb der EU).

Steuerhinterziehung ↑ Steuern (Steuerrecht).

Steuerinzidenz ↑ Steuerüberwälzung.

Steuerkarte (Lohnsteuerkarte), zur Berechnung der Lohnsteuer von der zuständigen Gemeindebehörde ausgestellte amtl. Urkunde; enthält alle für die Besteuerung des Arbeitnehmers wesentl. Angaben und bildet damit die Grundlage für den Steuerabzug vom Arbeitslohn (Quellenabzugsverfahren).

Steuerlast ↑ Steuern (Begriffe).

Steuermann, Eduard, * Sambor bei Lemberg 18. Juni 1892, † New York 11. Nov. 1964, amerikan. Pianist poln. Herkunft. – Schüler von F. Busoni und A. Schönberg; unterrichtete u. a. an der Juilliard School of Music in New York. S. war ein meisterhafter Interpret moderner Klaviermusik, v. a. von A. Schönberg.

Steuern, Abgaben, die öff.-rechtl. Gemeinwesen natürl. und jurist. Personen zwangsweise (im Unterschied zu öff. Erwerbseinkünften und Krediten) und ohne Anspruch auf eine spezielle Gegenleistung (im Unterschied zu öff. Gebühren und Beiträgen) zur Deckung des Finanzbedarfs der öff. Körperschaften auferlegen. Das Recht, S. zu erheben, die Regelung der Kompetenzen zw. verschiedenen öff. Körperschaften und die Verteilung des Steueraufkommens zw. ihnen († Finanzausgleich) sind Gegenstand der † Finanzverfassung. – In bes. Fall ist dabei das den Kirchen vom Staat verliehene Steuererhebungsrecht († Kirchensteuer).
Zur Erklärung und Begründung des Rechtes auf Erhebung von S. sind von der Finanzwiss. verschiedene **Steuerrechtfertigungslehren** entwickelt worden. Die wichtigsten sind: 1. die *Äquivalenztheorie* (Interessentheorie), nach

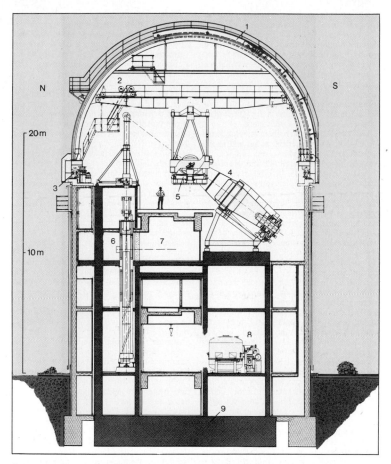

Sternwarte. Längsschnitt durch das Kuppelgebäude des 2,2-Meter-Spiegels des Max-Planck-Instituts für Astronomie, Heidelberg, auf dem Calar Alto, der höchsten Erhebung der Sierra de los Filabres in der spanischen Provinz Almería. 1 Kuppel mit Kuppelspalt, 2 Kuppelkran, 3 Kuppelrad, 4 Spiegelteleskop, 5 2,2-m-Spiegel, 6 Coudé-Spektrograph, 7 Coudé-Labor, 8 Verspiegelungsanlage mit Einrichtung zur Hochvakuumerzeugung, 9 erdbebensichere Betonkonstruktion (zur Vermeidung von Erschütterungen an den optischen Geräten völlig vom eigentlichen Kuppelgebäude getrennt)

der die private Steuerleistung als Äquivalent staatl. Leistungen anzusehen ist; 2. die *Assekuranztheorie* (Versicherungstheorie), nach der die private Steuerleistung als Beitrag für den öff. Schutz der Person und des Eigentums gilt; 3. die *Opfertheorie,* nach der jeder Bürger sich durch persönl. Opfer entspre-

chend seiner Leistungsfähigkeit an der Erfüllung der Gemeinschaftsaufgaben beteiligt und die Existenz und Entwicklung des Staates sichert.
Begriffe: Die (natürl. oder jurist.) Person, der nach dem Willen des Gesetzgebers die aus der Besteuerung resultierende Belastung

(Steuerlast) zugedacht ist, bezeichnet man als *Steuerdestinatar.* Derjenige, der letzten Endes tatsächlich die aus der Besteuerung resultierende Ökonom. Einbuße erleidet, der *Steuerträger,* muß jedoch, a. wegen der ↑ Steuerüberwälzung, keineswegs mit diesem Steuerdestinatar oder mit dem durch Gesetz zur Steuerleistung Verpflichteten *(Steuersubjekt)* identisch sein. Derjenige, der die S. entrichtet *(Steuerzahler),* ist i. d. R. identisch mit dem Steuersubjekt (Ausnahme z. B.: Quellenabzugsverfahren bei der Lohnsteuer).

Einteilung: S. lassen sich unter verschiedenen Gesichtspunkten einteilen, wobei häufig das Unterscheidungskriterium und die Zuordnung im einzelnen umstritten sind. Häufigste Unterscheidung ist die in direkte und indirekte S.; unter dem Gesichtspunkt der Steuerüberwälzung lassen sich *direkte S.* so definieren, daß bei ihnen eine Identität von Steuerzahler und Steuerdestinatar gegeben ist (z. B. bei der ↑ Einkommensteuer), andernfalls handelt es sich um *indirekte S.* (z. B. die Mehrwertsteuer [↑ Umsatzsteuer]). Weiter lassen sich S. nach dem Zweck einteilen in solche, die primär fiskal. Zwecken dienen *(Finanz-S.)* und solche, die mit dem Ziel erhoben werden, ein bestimmtes Verhalten der Besteuerten hervorzurufen, das aus ordnungspolit. Erwägungen heraus erwünscht ist *(Ordnungs-S.).* Aus den unterschiedl. Erhebungsberechtigten gemäß der Finanzverfassung ergibt sich eine Unterteilung in Bundes-, Landes- und Gemeindesteuern. Nach dem Steuergegenstand *(Steuerobjekt)* läßt sich v. a. eine Einteilung in ↑ Besitzsteuern, ↑ Verkehrsteuern und ↑ Verbrauchssteuern vornehmen. Schließlich wird nach der Ermittlung der Steuerschuld unterschieden in S., bei denen die persönl. Verhältnisse des Steuerpflichtigen (z. B. Familienstand bei der Lohnsteuer) berücksichtigt werden *(Personen-S.* bzw. *Personal-S.),* und in S., bei denen die Ermittlung der Steuerschuld nur nach objektiven Gesichtspunkten an einen Gegenstand oder Sachverhalt (z. B. Halten eines Hundes bei der Hundesteuer) geknüpft ist *(Objektsteuer).* Eine Vielzahl von S. mit geringem Aufkommen werden zusammenfassend als *Bagatell-S.* bezeichnet.

Steuerrecht: Das allg. Steuerrecht ist v. a. in der ↑ Abgabenordnung als dem Mantelgesetz des Steuerrechts geregelt. Das bes. Steuerrecht besteht aus den die einzelnen S. betreffenden Regeln, wobei für fast jede Steuer ein bes. Gesetz besteht. Die Entscheidung von Streitigkeiten im Bereich des Steuerrechts obliegt der ↑ Finanzgerichtsbarkeit. Das sich auf Verstöße gegen die Steuer- und Zollgesetze beziehende *Steuerstrafrecht* ist ebenfalls v. a. in der Abgabenordnung geregelt, wobei das StGB, die StPO, das GerichtsverfassungsG

und andere allg. Gesetze auch für das Steuerstrafrecht gelten, sofern nichts anderes bestimmt ist. Zentraldelikt der Steuerstraftaten ist die *Steuerhinterziehung,* d. h. die vorsätzl. Vereitelung der rechtzeitigen Festsetzung der S. in voller Höhe *(Steuerverkürzung),* z. B. durch unvollständige oder unrichtige Angaben. *Steuerordnungswidrigkeiten,* für die auch das Gesetz über Ordnungswidrigkeiten gilt, sind v. a. die leichtfertige Steuerverkürzung und das Ermöglichen von Steuerverkürzung durch vorsätzl. oder fahrlässiges Ausstellen falscher Belege oder unrichtiges Verbuchen *(Steuergefährdung).*

Steuerfestsetzungsverfahren: Die Feststellung, ob und in welcher Höhe eine Steuerschuld besteht, erfolgt durch *Steuerveranlagung* auf der Grundlage der ↑ Steuererklärung. Die Feststellung der Besteuerungsgrundlagen, die, wenn sie durch die Finanzbehörde nicht zu ermitteln oder zu berechnen sind, geschätzt werden, ist entweder im *Steuerbescheid* mit enthalten oder ergeht in einem Feststellungsbescheid, der für alle Folgebescheide als Grundlagenbescheid maßgebend ist. Nach Abschluß des *Steuerermittlungsverfahrens* als Feststellung des Steueranspruchs wird die Steuerschuld durch den Verwaltungsakt im *Steuerbescheid* festgestellt. Ausnahmen bestehen bei der Steueranmeldung und der Verwendung von Steuerzeichen; hier ist eine Steuerfestsetzung nur erforderlich, wenn das Finanzamt von dem vom Steuerpflichtigen selbst berechneten Betrag abweichen will. Während und nach dem Steuerfestsetzungsverfahren besteht die Möglichkeit, S., deren Erhebung nach Lage des einzelnen Falles unbillig wäre, niedriger festzusetzen und Besteuerungsgrundlagen unberücksichtigt zu lassen *(Steuererlaß).*

Geschichte: Die Entstehung des Steuerwesens ist eng verbunden mit der Herausbildung des Staates und der erforderl. Deckung seines Finanzbedarfes, urspr. insbes. für Verwaltung, Heer, Hofhaltung. Dabei wandelte sich im Zusammenhang mit dem Entwicklungsstand der Wirtschaft die Form der S. von der urspr. vorherrschenden *Naturalsteuer* (S. in Form von Naturalien, z. B. Getreide) mit der Entwicklung der Geldwirtschaft zur Steuer in Geldform. Bereits die altoriental. Staaten entwickelten erste Steuersysteme und beeinflußten damit auch das Steuerwesen der späteren antiken Staaten. Dabei wurden S. längere Zeit nicht regelmäßig erhoben, sondern nur als außerordentl. Leistungen der Bürger für bestimmte Zwecke in Notzeiten. Im antiken Rom wurde die Deckung des Finanzbedarfs durch Kriegsbeute und Tributzahlungen unterworfener Völker erst in der Kaiserzeit in nennenswertem Umfang durch steuerähnl. Abgaben ergänzt. Zur Einführung

Steuereinnahmen des Bundes, der Länder und der Gemeinden
(in Mill. DM)

Kassenmäßige Steuereinnahmen	1970[1]	1980[1]	1985[1]	1990[1]	1992[2]	1993[2]
Insgesamt	152 555	369 519	437 199	549 667	731 730	749 119
davon Gemeinschaftssteuern	99 949	267 300	324 067	402 617	529 021	558 090
Bundessteuern	27 396	46 053	55 036	65 839	105 093	93 758
Landessteuern	9 591	16 072	18 475	25 368	32 963	34 720
Gemeindesteuern	15 679	35 491	39 621	48 640	56 911	55 311
ausgewählte Steuerarten:						
Lohn- u. Einkommensteuer	51 087	148 355	176 198	214 109	288 853	291 221
Umsatz-(Mehrwert-)steuer	26 791	52 851	51 428	77 12	117 274	174 491
Körperschaftssteuer	8 716	21 323	31 836	30 090	31 184	27 830
Mineralölsteuer	11 512	21 351	24 521	34 621	55 166	56 300
Kraftfahrzeugsteuer	3 830	6 585	7 350	8 314	13 317	14 058
Gewerbesteuer	10 728	27 090	30 759	38 796	44 848	42 266

[1] Alte Bundesländer, [2] gesamtes Bundesgebiet
Quelle: Statistisches Jahrbuch für die Bundesrepublik Deutschland (mehrere Jahrgänge)

fester Ertrags- und Kopf-S. kam es unter Kaiser Augustus. Im MA standen Einnahmen aus Grundbesitz, Regalien und Zöllen im Vordergrund. Erste Versuche, eine Reichssteuer einzuführen, wie z. B. den Gemeinen Pfennig (Kombination von Kopf- und Vermögenssteuer) im 15. Jh., scheiterten in Deutschland an der Schwäche der Zentralgewalt. Dagegen entwickelte sich in England und Frankreich zu dieser Zeit bereits ein Steuersystem. In England überwogen dabei die indirekten S. (Verbrauchsbesteuerung), doch wurden auch direkte S. in Form einer Fenstersteuer (1696) bzw. Haussteuer (1747) erhoben. In Deutschland entwickelte sich zuerst in den Städten ein Steuersystem, dessen Anfang v. a. die Umlegung der an den jeweiligen Landesherren abzuführenden Pauschalsteuer stand. Im 19. Jh. setzte sich schließlich die weit überwiegende Deckung des staatl. Finanzbedarfs durch in Geld zu entrichtende S. endgültig durch. Mit dem seither stark gestiegenen Umfang der Aufgaben des Staates hat sich nicht nur das Steueraufkommen relativ zum Volkseinkommen wesentlich erhöht *(Steuerquote);* auch sind Höhe, Zielsetzung und Art der Besteuerung *(Steuerpolitik)* zu den Wirtschaftsprozeß stark beeinflussende Faktoren geworden, die als wichtige Instrumente der Finanz- und Wirtschaftspolitik eingesetzt werden.

    Tipke, K./Lang, J.: Steuerrecht. Köln [13]*1991. – Schneidewind, G./Schiml, K.: Alles über S. von A–Z. Mchn.* [8]*1990. – Westermayer, H.: ABC des östr. Steuerrechts. Wien 1989. – Arndt, H. W.: Grundzüge des Allg. Steuerrechts. Mchn. 1988.*

Steueroasen, Länder mit ungewöhnlich niedrigen Steuersätzen. – ↑ Steuerflucht.
Steuerobjekt ↑ Steuern (Einteilung).
Steuerordnungswidrigkeiten ↑ Steuern (Steuerrecht).
Steuerpächter ↑ Steuerverpachtung.
Steuerpflichtiger, derjenige, der durch die Steuergesetze auferlegte Verpflichtungen (nicht nur Steuerzahlung) zu erfüllen hat.
Steuerrecht ↑ Steuern.
Steuerrechtfertigungslehren ↑ Steuern.
Steuerreform, umfassende Änderung der Struktur der Abgaben durch eine Änderung des Steuerrechts zur Vereinfachung des Steuersystems, zur anderen Verteilung der Steuerlast oder Neuregelung der Verteilung des Steueraufkommens. Die S. ist zu unterscheiden von der Änderung der Finanzverfassung (↑ Finanzreform), in der Praxis jedoch häufig mit einer solchen verbunden.
Steuersäule ↑ Lenkung.
Steuersäumnis, nicht fristgerechte Entrichtung einer fälligen Steuer oder einer zurückzuzahlenden Steuervergütung. Für jeden angefangenen Monat der S. nach Ablauf des Fälligkeitstages, frühestens jedoch nach sechs Tagen, ist ein **Säumniszuschlag** zu entrichten.
Steuerschuldner, der gesetzlich zur Entrichtung der Steuer Bestimmte.
Steuerstrafrecht ↑ Steuern (Steuerrecht).
Steuersubjekt ↑ Steuern (Begriffe).
Steuerträger ↑ Steuern (Begriffe).
Steuerüberwälzung, Umverteilung der Steuerlast im Marktprozeß, in deren Er-

gebnis die belastende Wirkung der Steuer *(Steuerinzidenz)* ganz oder teilweise vom Steuerpflichtigen auf den Steuerträger übertragen wird. So wird z. B. die Mehrwertsteuer (↑ Umsatzsteuer) von Stufe zu Stufe weiter „überwälzt" bis zum Endverbraucher.

Steuerung, allg. die Einstellung, Erhaltung oder Veränderung der Zustände eines Systems durch externe Festlegung einer oder mehrerer das Verhalten des Systems bestimmender Größen ohne Rückkopplung. In techn. Systemen beeinflussen eine oder mehrere Eingangsgrößen (z. B. Druck, Temperatur) eine oder mehrere Ausgangsgrößen (z. B. Drehzahl, Energie). Im Ggs. zur ↑ Regelung wirken die Ausgangsgrößen nicht auf die Eingangsgrößen zurück (offener Wirkungskreis).

◆ in der *Datenverarbeitung* ↑ Steuerwerk.

◆ Vorrichtung zur Führung eines Fahrzeugs, eines Flugkörpers u. a. auf einem bestimmten Kurs bzw. zur gezielten Änderung der jeweiligen Fahrt- bzw. Flugrichtung.

Steuerveranlagung ↑ Veranlagung.

Steuerverkürzung ↑ Steuern (Steuerrecht).

Steuerverpachtung, Verpachtung des Rechts zur Erhebung und zum Einzug der Steuern an private Einzelpersonen oder Gesellschaften **(Steuerpächter);** bes. ausgeprägt im Altertum und Mittelalter.

Steuerwerk (Leitwerk), Bestandteil des Prozessors eines Datenverarbeitungssystems. Während das *interne (zentrale) S.* als Programmsteuerung der ↑ Zentraleinheit v. a. der Befehlsausführung dient, regelt das *externe S.* die Ein-Ausgabe-Steuerung für die Datenübertragung zw. der Zentraleinheit und peripheren Geräten, die wiederum über eigene S., die Gerätesteuerungen, verfügen.

Steuerzahler ↑ Steuern (Begriffe).

Steven [niederdt.], Bauteil, das den Schiffskörper vorn (Vor-S.) und hinten (Achter-S., Ruder-S., Schrauben-S.) abschließt. Früher ein starker Holzbalken, heute aus Platten geschweißt oder aus Stahlguß.

Stevenage [engl. 'sti:vnɪdʒ], engl. ↑ New Town 47 km nördl. von London, Gft. Hertfordshire, 74 400 E. – Gegr. 1946 unter Einbezug der Landstadt S.; u. a. elektron. und Flugzeugind.; zahlr. Forschungseinrichtungen.

Stevens [engl. sti:vnz], George, * Oakland (Calif.) 8. Dez. 1904, † Lancaster (Calif.) 8. März 1975, amerikan. Kameramann und Filmregisseur. – Thematisch vielseitige Produktionen, z. B. Filmkomödien („Die Frau, von der man spricht", 1942), Melodramen („Ein Platz an der Sonne", 1951), Western („Mein großer Freund Shane", 1953) sowie zeitkrit. Filme („Das Tagebuch der Anne Frank", 1959).

S., Siaka Probyn, * Moyamba (Südprovinz) 24. Aug. 1905, † Freetown 29. Mai 1988, sierraleon. Politiker. – 1943–58 Generalsekretär der Bergarbeitergewerkschaft; 1951–57 Mgl. des Legislativrates; Führer des All People's Congress (gegr. 1960); 1967 Premiermin. (durch Militärputsch gestürzt), erneut 1968–71 ; 1971–85 Präs. der Republik.

S., Wallace, * Reading (Pa.) 2. Okt. 1879, † Hartford (Conn.) 2. Aug. 1955, amerikan. Lyriker. – Jurist; seine Gedichte vermitteln mit hoher Wortkunst Farben, Klänge und flüchtige Eindrücke; auch Essays zur zeitgenöss. Dichtung.

Stevenson [engl. sti:vnsn], Adlai Ewing, * Los Angeles 5. Febr. 1900, † London 14. Juli 1965, amerikan. Politiker (Demokrat. Partei). – Gouverneur von Illinois 1949–53; scheiterte 1952 und 1956 als demokrat. Präsidentschaftskandidat an der Popularität Eisenhowers; 1961–65 Botschafter bei den UN.

S., Robert Louis, * Edinburgh 13. Nov. 1850, † Haus Vailima bei Apia (Westsamoa) 3. Dez. 1894, schott. Schriftsteller. – Urspr. Journalist; lebte ab 1890 auf Samoa; neuromant.-exot. Erzähler, der in der Abenteuererzählung „Die Schatzinsel" (1883) den pikaresken Roman durch eindringl. psycholog. Skizzierung künstlerisch verfeinerte. Von E. A. Poe beeinflußt ist die unheiml. Erzählung „Der seltsame Fall des Doctor Jekyll und des Herrn Hyde" (1886). Schrieb auch Romane mit Stoffen aus der schott. Geschichte; zum Spätwerk gehören die Südsee-Erzählungen, darunter „Das Flaschenteufelchen" (1892).

Stevin, Simon [niederl. stə'vi:n], gen. Simon von Brügge, * Brügge 1548, † Leiden oder Den Haag zw. dem 20. Febr. und dem 18. April 1620, niederl. Mathematiker und Ingenieur. – Ab 1593 Berater des Prinzen Moritz von Oranien in mathemat. und physikal. Angelegenheiten; beeinflußte wesentlich die Einführung des Dezimalsystems.

Steward ['stju:ərt, engl. stjʊəd; zu altengl. stigweard „Hauswart"] (weibl.: **Stewardeß** ['stju:ərdɛs]), Bedienungspersonal in Verkehrsmitteln (v. a. Schiff, Flugzeug, Bus).

Stewart [engl. stjʊət], Douglas, * Eltham (Neuseeland) 6. Mai 1913, † 1985, austral. Schriftsteller und Literaturkritiker neuseeländ. Herkunft. – Lebte seit 1938 in Australien; schrieb v. a. bühnenwirksame Versdramen.

S., James, * Indiana (Pa.) 20. Mai 1908, amerikan. Schauspieler. – Bekannter Hollywoodstar; spielte v. a. in Filmkomödien („Mr. Smith geht nach Washington", 1939), Western („Der Mann, der Liberty Valance erschoß", 1961) und (Hitchcock-)Thrillern („Das Fenster zum Hof", 1954; „Der Mann, der zuviel wußte").

S., Sir James Denham ↑ Steuart, Sir James Denham.

S., Mary, geb. Rainbow, * Sunderland 17. Sept. 1916, engl. Schriftstellerin. – Verf. abenteuerl.-spannender Unterhaltungsromane, u. a. „Tag des Unheils" (1983).

S., Roderick David („Rod"), * London 10. Jan. 1945, brit. Rockmusiker (Gesang). – Seit den 60er Jahren als Folk- und Bluessänger in verschiedenen Gruppen tätig, zuletzt bei den „Faces"; daneben Solokarriere als Interpret eigener wie fremder Kompositionen.

Stewart Island [engl. 'stjʊət 'aɪlənd], südlichste der drei Hauptinseln Neuseelands, vor der S-Küste der Südinsel und von dieser durch die Foveauxstraße getrennt, 1 746 km², bis 980 m hoch, Hauptort Oban.

Steyler Missionare (eigtl. Gesellschaft des Göttl. Wortes, lat. Societas Verbi Divini, Abk. SVD), 1875 von A. Janssen in Steyl (Prov. Limburg, Niederlande) gegründete Kongregation für Mission und Seelsorge, v. a. in nichtchristl. Ländern *(Steyler Missionswerk).*

Steyler Missionsschwestern (eigtl. Missionsgenossenschaft der Dienerinnen des Hl. Geistes, lat. Congregatio Missionalis Servarum Spiritus Sancti, Abk. SSpS), 1889 von A. Janssen gegründet.

Steyr ['ʃtaɪər], oberöstr. Stadt an der Enns, 310 m ü. d. M., 41 300 E. Stadttheater; Höhere Techn. Bundeslehranstalt; Kfz-Ind., Herstellung von Wälz- und Kugellagern, Musikinstrumenten, Schmuckwaren u. a. – Entstand um die 980 erstmals erwähnte Burg Stirapurch; 1252 Civitas gen. – Barockschloß Lamberg (nach 1727 ff.); Rokokorathaus (1765–78); spätgotische Stadtpfarrkirche (1443 ff.), ehem. Dominikanerkirche, Michaelskirche (beide 17. Jh.), Wallfahrtskirche zum göttl. Christkindl (1702–25); Innerberger Stadel (1612; heute Städt. Museum); Stadttore (15.–17. Jh.).

Steyr-Daimler-Puch AG ['ʃtaɪər], östr. Unternehmen der Kfz-Ind., Sitz Steyr; entstanden 1939 durch Fusion.

StGB, Abk. für: Strafgesetzbuch.

Stibium, svw. ↑ Antimonwasserstoff.

Stibnit, svw. ↑ Antimonit.

Stich, Michael, * Pinneberg 18. Okt. 1968, dt. Tennisspieler. – Gewann 1991 das Turnier von Wimbledon und als Mgl. der dt. Mannschaft 1993 den Davis-Pokal.

Stich, graph. Blatt in Grabsticheltechnik, z. B. Kupferstich, Stahlstich, Kaltnadelarbeit.
♦ beim Nähen und Sticken die Art der Fadenführung; zu den verschiedenen Zier-S. ↑ Stickerei.
♦ (S.höhe, Pfeil[höhe]) im *Bauwesen* die Höhe des Scheitelpunktes eines Bogens oder Gewölbes über der Verbindungslinie bzw. -ebene der Kämpfer.
♦ in der *Hüttentechnik* der [einmalige] Durchgang des Walzgutes durch die Walzen.

♦ beim *Kartenspiel* die bei einer Runde ausgespielten Karten, die demjenigen Spieler zufallen, der den höchsten Wert ausgelegt hat.

Sticharion (Stoicharion) [griech.], liturg. Gewand in den oriental. Riten, das der ↑ Albe im röm. Ritus entspricht.

Stichbahn, von einer durchgehenden Strecke abzweigende, in einem Kopfbahnhof endende Eisenbahnstrecke.

Stichbandkeramik ↑ bandkeramische Kultur.

Stichel, svw. ↑ Grabstichel.
♦ im Laufe des Altpaläolithikums entwickeltes prähistor. Steinwerkzeug (v. a. zur Herauslösung von Splittern und Spänen aus Knochen und Holz) mit meißelartiger Schneide.

Stichelhaare, svw. ↑ Grannenhaare.

Stichflamme, gebündelte spitze Flamme; entsteht bei Verbrennung von unter hohem Druck ausströmenden brennbaren Gasen oder durch kräftige Sauerstoffzufuhr in eine Flamme.

stichisch [griech.], in der Metrik Bez. für die fortlaufende Aneinanderreihung formal gleicher Verse *(monostichisch),* im Ggs. zur paarweisen Zusammenfassung verschieden gebauter Verse *(distichisch).*

Stichkampf, in verschiedenen Sportarten Entscheidungskampf für gleichplazierte Teilnehmer.

Stichlinge (Gasterosteidae), Fam. etwa 4–20 cm langer Knochenfische mit wenigen Arten in Meeres-, Brack- und Süßgewässern der Nordhalbkugel; Körper schlank, schuppenlos, mit Knochenplatten, 2–17 freistehenden Stacheln vor der Rückenflosse und sehr dünnem Schwanzstiel; ♂♂ treiben Brutpflege. Hierher gehört u. a. der 10–20 cm lange **Seestichling** (Meerstichling, Spinachia spinachia; an den Küsten W- bis N-Europas, auch in der Ostsee).

Stichloch, verschließbare Öffnung in metallurg. Öfen, durch die das flüssige Metall abgezogen wird.

Stichomantie [griech.], Wahrsagung aus einer [mit Messer oder Nadel] zufällig aufgeschlagenen Buchstelle; vom MA bis zur Neuzeit meist aus der Bibel.

Stichometrie [griech.], in der Antike Verszählung und damit Feststellung des Umfangs eines literar. Werkes (die Summe der Verse wurde am Schluß der Papyrusrollen vermerkt); diente zum Schutz gegen unerlaubte Interpolationen und zur Festlegung des Lohnes für den Schreiber.

Stichomythie [griech.], im [barocken] Versdrama verwendete Form des längeren Dialogs, bei dem die zum Ausdruck innerer Erregung auf je einen Vers komprimierten Reden und Gegenreden einander abwechseln.

Stichprobe (Sample), durch ein Auswahlverfahren gewonnene Teilmenge einer statist. Grundgesamtheit. Der Vorteil der Erhebung einer S. (Teilerhebung) liegt in der durch den geringeren Umfang der Erhebung bedingten Kosten- und Zeitersparnis, der Nachteil im Auftreten von zufälligen Fehlern, die aber z. T. quantifizierbar sind. Bei der **Repräsentativerhebung** wird die Teilmasse derart ausgewählt, daß sie als „Repräsentant" der Gesamtmasse gelten kann („**Repräsentativität**"). An Auswahlverfahren kommen v. a. in Betracht: Quotaverfahren, Zufallsauswahl und die geschichtete Auswahl. Das **Quotaverfahren** ist die gezielte Auswahl des zu befragenden Personenkreises nach bestimmten Merkmalen (z. B. Alter, Beruf), die in der ausgewählten Gruppe ebenso häufig auftreten sollen wie in der Grundgesamtheit, wobei die Kenntnis der Verteilung der Merkmale in der Grundgesamtheit Voraussetzung für die Anwendung ist. Bei der **Zufallsauswahl** (Randomverfahren) erhält jeder in die S. einzubeziehende Fall die gleiche Chance, erfaßt zu werden. Bei sehr heterogener Grundgesamtheit wird die einfache Zufalls-S. durch eine **geschichtete Stichprobe** ersetzt, d. h. die Grundgesamtheit wird in sinnvolle „Schichten" eingeteilt, aus denen jeweils eine S. gezogen wird. Die **Klumpenstichprobe** ist eine Form der S., bei der die Untersuchungseinheiten einer Grundgesamtheit, in Gruppen („Klumpen") aufgeteilt, vorliegen.

Stichtag, als maßgeblich für Berechnungen, Erhebungen, Rechtsverhältnisse u. ä. festgelegter Termin.

Stichwahl ↑ Wahlen.

Stickelberger, Emanuel, * Basel 13. März 1884, † Sankt Gallen 16. Jan. 1962, schweizer. Schriftsteller. – Verf. quellengetreuer geschichtl. Romane zur Reformationszeit und zum Humanismus, u. a. „Konrad Widerhold" (1917), „Holbein-Trilogie" (1942 bis 1946), „Das Wunder von Leyden" (1956).

Stickerei, mit der Hand oder neuerdings oft mit Maschinen auf Geweben (seltener auf Leder u. a.) ausgeführte Verzierungen. Zahlr. Arten werden nach der Art des Stichs unterschieden, z. B. Kreuzstich-, Plattstich-, Strichstich-, Steppstich-, Kettenstich-, Schlingstich-S. u. a. Bes. Gruppen bilden u. a. die Loch-S. (Richelieu-, Hedebo-S.) und die Durchbruch-S. in verschiedenen Variationen und Bez. (z. B. Hardanger-, Toledo-, hess. Weiß-S.) oder die Spitzen-S. (deren unbestickten Teile ausgeschnitten werden). Oft wird S. auch nach dem Stoff oder dem Fadenmaterial benannt (Leinen-S., Gold-, Seiden-S.). S.arbeiten dienten lange Zeit bevorzugt kirchl. Zwecken, auch kostbar bestickte Krönungsmäntel sind überliefert. Um 1500 verbreitete sich die Leinen-S. in den bürgerl.

Häusern; S. waren v. a. in Volkstrachten im 19. Jh. verbreitet.

Stickhusten, svw. ↑ Keuchhusten.

Stickmaschinen, unterschiedlich arbeitende Maschinen zur halb- oder vollmechan. Anfertigung von Stickereien. **Handstickmaschinen** arbeiten mit einem Faden und zweispitzigen Nadeln. **Schiffchenstickmaschinen** arbeiten nach dem Zweifadensystem mit Nadel und Schiffchen (Prinzip der Nähmaschine); zur Musterbildung wird eine Lochkarten- oder Lochbandsteuerung angewendet. Bei **Kettenstich-** oder **Kurbelmaschinen** wird der zu bestickende Stoff der Vorlage entsprechend hin- und herbewegt. **Mehrkopf-Stickautomaten** haben nach dem Prinzip der Nähmaschine arbeitende, gekoppelte Stickköpfe, die mit Hilfe von Lochkarten oder -bändern gesteuert werden.

Stickoxide, svw. ↑ Stickstoffoxide.

Stickoxydul, veraltet für ↑ Lachgas.

Stickstoff, chem. Symbol N (von lat. Nitrogenium); gasförmiges Element aus der V. Hauptgruppe des Periodensystems der chemische Elemente, Ordnungszahl 7, relative Atommasse 14,0067, Schmelzpunkt $-209,86\,°C$, Siedepunkt $-195,8\,°C$. S. ist ein farb-, geruch- und geschmackloses, reaktionsträges, ungiftiges, in Form zweiatomiger Moleküle, N_2, vorliegendes Gas. Mit 78,09 Vol.-% ist S. das häufigste Element der Erdatmosphäre. Chemisch gebunden kommt es als ↑ Natriumnitrat und als ↑ Kalisalpeter vor. In Organismen ist S. v. a. in Proteinen und Nukleinsäuren enthalten; er kann von Pflanzen und Tieren nur in Form von S.verbindungen aufgenommen werden. S. wird durch fraktionierte Destillation von Luft gewonnen und kommt in grünen Stahlflaschen in den Handel. Er wird in großen Mengen zur Herstellung wichtiger S.verbindungen (wie Ammoniak, Salpetersäure, Kalk-S. und Nitriden) und zur Düngemittel-Ind. verwendet; daneben dient er wegen seiner Reaktionsträgheit als (bedingt) inertes Schutzgas; flüssiger S. wird als Kühlmittel verwendet.

Geschichte: S. wurde von mehreren Chemikern unabhängig voneinander entdeckt: von M. W. Lomonossow (1756), C. W. Scheele (1770), J. Priestley (1770), H. Cavendish (1772) und D. Rutherford (1772). S. erhielt (1787 von A. L. de Lavoisier) seinen Namen nach der Eigenschaft, die Verbrennung nicht zu unterhalten (zu „ersticken").

📖 *Mundo, K./Weber, W.: Anorgan. S.-Verbindungen. Mchn. 1982.*

Stickstoffassimilation ↑ Assimilation.

stickstofffixierende Bakterien (Stickstoffbakterien), Bakterien, die mittels eines Multienzymsystems Luftstickstoff zu Ammonium (NH^+_4) reduzieren. S. B. leben teils frei in Böden und Gewässern (z. B. Azotobacter), teils in Symbiose mit Pflanzen (↑ Knöllchenbakterien der Hülsenfrüchtler, ↑ Strahlenpilze bei Erlen und Sanddorn). Der Stickstoffgewinn pro ha und Jahr beträgt bei Hülsenfrüchtlern mit Wurzelknöllchen 100–200 kg.

Stickstoffkreislauf, die zykl. Umsetzung des Stickstoffs und seiner Verbindungen (v. a. Aminosäuren und Proteine) in der Natur. Der elementare Luftstickstoff kann nur von einigen frei im Boden oder symbiontisch lebenden Mikroorganismen (↑ Knöllchenbakterien) gebunden und nach deren Absterben dem Boden in Form organ. Stickstoffverbindungen zugeführt werden. Die höheren Pflanzen nehmen über die Wurzeln die im Bodenwasser gelösten Nitrate (bzw. Ammoniumverbindungen) auf und legen den Stickstoff während der assimilator. Nitratreduktion und der anschließenden reduktiven Aminierung in den Aminogruppen der Proteine und anderen Verbindungen fest. Tiere decken ihren Bedarf an Stickstoffverbindungen durch Aufnahme pflanzl. Proteins und bauen es in körpereigenes Protein oder andere Stickstoffverbindungen um. Gleichzeitig scheiden Tiere reichlich Stickstoff mit dem Harn (Harnstoff) oder Kot wieder aus. Durch diese tier. Exkremente, aber ebenfalls durch tote Tiere, Pflanzen oder abgeworfene Pflanzenteile und in sehr geringem Umfang auch durch elektr. Entladungen in der Atmosphäre gelangen Stickstoffverbindungen auf natürl. Wege in den Boden, wo sie von Bakterien stufenweise zu Nitraten oxidiert werden (↑ Nitrifikation).

Stickstoffoxide (Stickoxide), die Verbindungen des Stickstoffs mit Sauerstoff. Die wichtigsten S. sind **Distickstoff[mon]oxid,** N_2O, (↑ Lachgas). **Stickstoffmonoxid,** NO, ist ein farbloses, giftiges Gas, das bei der Herstellung von Salpetersäure als Zwischenprodukt auftritt. **Distickstofftrioxid,** N_2O_3, ist eine nur bei tiefen Temperaturen beständige Flüssigkeit, die sich oberhalb 0 °C zu Stickstoffmonoxid und Stickstoffdioxid zersetzt. **Stickstoffdioxid,** NO_2, das bei Normaltemperatur als Distickstofftetroxid, N_2O_4, vorliegt, ist ein braunrotes, giftiges, oxidierend wirkendes Gas, das der Hauptbestandteil der aus rauchender Salpetersäure entweichenden, sog. nitrosen Gase ist. **Distickstoffpentoxid,** N_2O_5, eine farblose, kristalline Substanz, bildet mit Wasser Salpetersäure und ist als deren Anhydrid anzusehen. *Toxikolog. Bed.* haben v. a. das Stickstoffmonoxid und das Stickstoffdioxid (zusammenfassend auch als NO_x bezeichnet). Bei allen Verbrennungsvorgängen wird v. a. NO emittiert, das an der Luft zu NO_2 reagiert. Aus NO_2 kann sich Salpetersäure bilden, die mit an der Entstehung

des ↑ sauren Regens beteiligt ist. Unter dem Einfluß von Sonnenlicht können die schädl. ↑ Photooxidanzien entstehen. – Der MAK-Wert für Stickstoffdioxid wurde auf 9 mg/m³ festgelegt.
⚟ *Koldar, J.: S. u. Luftreinhaltung. Bln. 1990.*

Stickstoffwasserstoffsäure (Azoimid), HN_3, farblose, stechend riechende, sehr unbeständige, giftige Flüssigkeit; ihre Salze heißen Azide.

Stictomys [griech.] ↑ Pakas.

Stiefel, Michael ↑ Stifel, Michael.

Stiefel, Schuhwerk, das Knöchel oder Wade bedeckt, mitunter auch bis über die Knie hinaufreicht *(Kanonenstiefel).*

Stieff, Hellmuth, * Deutsch Eylau 6. Juni 1901, † Berlin-Plötzensee 8. Aug. 1944 (hingerichtet), dt. General und Widerstandskämpfer. – Ab 1938 im Generalstab des Heeres; beschaffte den Sprengstoff für das Attentat vom 20. Juli 1944.

Stiefgeschwister ↑ Geschwister.

Stiefkinder, die Kinder des anderen Ehegatten.

Stiefmütterchen (Wildes S., Feld-S., Acker-S., Viola tricolor), formenreiche Sammelart der Gatt. Veilchen im gemäßigten Europa und in Asien, meist auf Äckern und Wiesen; einjähriges oder ausdauerndes, 5–30 cm hohe Kraut; Blüten gestielt, meist bunt, blauviolett, gelb und weiß, selten einfarbig gelb mit bläul. Sporn; Frucht eine dreiklappige Kapsel. Zur Züchtung der **Gartenstiefmütterchen** (Pensée; mit samtartigen, ein- oder mehrfarbigen, auch gefleckten, gestreiften, geflammten oder geränderten Blüten) wurde neben dieser Art auch das **Gelbe Veilchen** (Viola lutea; mit gelben, violetten und orangefarbigen Blüten; auf Gebirgswiesen in M- und W-Europa) verwendet.

Stiege, östr. svw. Treppe *(Stiegenhaus,* Treppenhaus), ansonsten svw. einfache, schmale Treppe; Leiter.
♦ ↑ Puppe.

Stieglitz, Alfred, * Hoboken (N. J.) 1. Jan. 1864, † New York 13. Juli 1946, amerikan. Photograph. – Gründete 1902 mit E. J. Steichen die Gruppe „Photo-Secession"; 1902–16 Hg. der Zeitschrift „Camera Work". Zu seinen besten Bildern zählen die 400 Aufnahmen von seiner Frau, der Malerin Georgia O'Keefe (* 1887, † 1986).

Stieglitz [slaw.] (Distelfink, Carduelis carduelis), bis 12 cm langer Finkenvogel, v. a. von Wiesen, in lichten Auenwäldern, Parkanlagen und Gärten NW-Afrikas, Europas, SW- und Z-Asiens; eingebürgert in Australien, Neuseeland und in den USA; vorwiegend Sämereien und Knospen fressender Singvogel; nistet auf Bäumen; Teilzieher, dessen nördl. Populationen bis in die Mittelmeerländer ziehen.

Stielaugenfliegen (Diopsidae), Fam. der Fliegen mit rd. 150, etwa 1 cm langen Arten, v. a. in den Tropen Asiens und Afrikas; stielförmige Kopfseiten, an deren Ende Augen und Fühler sitzen.

Stieleiche ↑ Eiche.

Stieler, Adolf, * Gotha 26. Febr. 1775, † ebd. 13. März 1836, dt. Kartograph. – Hg. von Atlanten; berühmt v. a. sein „Handatlas über alle Theile der Erde ...“ (50 Blätter, 1817–23) sowie seine Schulatlanten.

S., Caspar (Kaspar) von (seit 1705), * Erfurt 2. Aug. (25. März?) 1632, † ebd. 24. Juni 1707, dt. Dichter und Sprachforscher. – Mgl. der „Fruchtbringenden Gesellschaft“. In seinem Werk „Der Teutschen Sprache. Stammbaum und Fortwachs ...“ (1691) verzeichnete er den Wortschatz seiner Zeit; Verf. der Gedichtsammlung „Die Geharnschte Venus ...“ (1660 unter dem Pseud. Filidor der Dorfferer erschienen); schrieb auch geistl. Lieder, stilist., grammatikal. und lexikal. Handbücher. Seine „Dichtkunst“ wurde erst 1887 entdeckt.

S., Joseph Karl, * Mainz 1. Nov. 1781, † München 9. April 1858, dt. Maler. – Seit 1820 Hofmaler Ludwigs I. in München; malte konventionell idealisierende Porträts (Goethe, 1828, München, Bayer. Staatsgemäldesammlungen; 36 Frauenporträts, sog. Schönheitsgalerie, Schloß Nymphenburg).

S., Karl, * München 15. Dez. 1842, † ebd. 12. April 1885, bayr. Mundartdichter. – Mitarbeiter des Wochenblatts „Fliegende Blätter“ in München; schrieb humorvolle Dichtungen in oberbayr. Dialekt, Reisebeschreibungen und Gedichte in hochdt. Sprache.

Stieltjes, Thomas Joannes [niederl. 'sti:ltjəs], * Zwolle 29. Dez. 1856, † Toulouse 31. Dez. 1894, niederl. Mathematiker. – 1877–83 an der Leidener Sternwarte tätig, ab 1886 Prof. in Toulouse. Arbeiten zur Analysis, zur Funktionen- und Zahlentheorie.

Stier, Christoph, * Magdeburg 7. Jan. 1941, dt. ev. Theologe. – Seit 1984 Landesbischof der Ev.-Luth. Landeskirche Mecklenburgs.

Stier ↑ Sternbilder (Übersicht).

Stier ↑ Bulle.

Stierkampf (span. Corrida de toros, portugies. Tourada), Schaukampf von Menschen gegen Stiere in der Arena. Die klass. span. Form des S., die mit dem Tod des Tieres endet, gibt es auch in S-Frankreich und Lateinamerika; daneben (in Portugal fast ausschließlich) wird er in unblutiger Form ausgeübt. Die span. Stierkämpfe finden von Ostern bis Oktober an allen Sonn- und Feiertagen statt. Nach dem feierl. Einzug der Stierkämpfer wird der Stier zu Beginn des Kampfes von Helfern *(Peones)* mit der *Capa,* einem roten Mantel, gereizt. Im darauffolgenden Lanzenkampf wird der angreifende Stier vom berittenen *Picador* durch Stiche in den Nacken geschwächt, dann setzen die *Banderilleros* die *Banderillas* in den Nacken des Tieres; dem somit aufs äußerste gereizten Stier tritt der *Torero* (in der Endphase *Matador* gen.) mit einem 90 cm langen Stoßdegen und der *Muleta* (einem an einem Stock befestigten roten Tuch) entgegen, mit der er ihn zu einer bestimmten Reihe von Passagen *(Pases)* veranlaßt. Im letzten Kampfabschnitt hat der Matador das Tier von vorn durch einen Degenstoß *(Estocada)* zw. die Schulterblätter zu töten. Falls dies nicht gelingt, tötet er den Stier durch den Gnadenstoß *(Descabello).* Ein S. dauert etwa eine halbe Stunde; bei einer Veranstaltung werden im allg. 6 Stierkämpfe ausgetragen.

📖 *Hensel, G./Lander, H.: S. in Wort u. Bild. Darmst. ²1979.*

Stierkopfhaie (Hornhaie, Doggenhaie, Schweinshaie, Heterodontidae), Fam. der Haifische im Pazif. und Ind. Ozean; Fische mit plumpem Körper, breitem Kopf, abgerundeter Schnauze und Pflasterzähnen; vor den beiden Rückenflossen je ein großer Stachel. Bes. in den Gewässern um Australien kommt der bis 1,5 m lange **Doggenhai** (Heterodontus philippi) vor; am Kopf und Vorderkörper braungestreift.

Stierkult, kult. Verehrung des Stiers als göttl. Symbol auf Grund seiner Stärke, Wildheit und Zeugungskraft. Charakteristisch hierfür war die altägypt. Verehrung des Apisstiers. Die rituelle Tötung des Stiers war Höhepunkt der Kultfeiern für ↑ Mithras; Stierblut wurde in den Mysterien der ↑ Kybele verwendet. Als bevorzugtes Opfertier v. a. für den Wettergott galt der Stier in Mesopotamien, Syrien und Kleinasien sowie in der kanaanäischen Umwelt des A. T. (↑ Goldenes Kalb).

Stiernstedt, Marika [schwed. ˌʃæːrnstet], * Stockholm 12. Jan. 1875, † Tyringe 25. Okt. 1954, schwed. Schriftstellerin. – In 2. Ehe ∞ mit L. Nordström; 1931–43 Vorsitzende des schwed. Autorenvereins; ihre Unterhaltungsromane behandeln vorwiegend Frauenschicksale, u. a. „Fräulein Liwin“ (1925), „Attentat in Paris“ (1942).

Stifel (Stiefel, Styfel), Michael, * Esslingen am Neckar um 1487, † Jena 19. April 1567, dt. Mathematiker und ev. Theologe. – Zunächst Mönch, schloß sich 1522 Luther an; ab 1559 ev. Prediger und Prof. für Mathematik in Jena. In seinem Hauptwerk „Arithmetica integra“ (1544) erkannte er negative Zahlen als Gleichungskoeffizienten an und behandelte komplizierte Wurzelausdrücke.

Stift, im kath. Kirchenrecht ein mit einer ↑ Stiftung ˌdotiertes (ausgestattetes) Kollegium von kanonisch lebenden Klerikern (**Stiftsherren** oder ↑ Kanoniker) mit der Aufgabe des Chordienstes an der Stiftskirche, d. h. an der Domkirche eines Bistums (**Domstift, Hochstift**) oder an einer anderen Kirche (**Niederstift, Kollegiatstift**); der Klerus des S. ist wie das S. mit bes. Vorrechten ausgestattet (↑ Domfreiheit); die klösterl. Bez. ↑ Münster wurde auf das S. übertragen (S.kirche = Münsterkirche); innerhalb des S. bildet das **Stiftskapitel** die rechtl. Gemeinschaft seiner vollberechtigten Mgl. (Kapitularkanoniker oder Kapitulare im Unterschied zu den einfachen Kanonikern). Zu den S. gehören auch zahlr. klösterl. Gründungen, auch Frauenklöster, die in der Reformation vielfach in **Damenstifte** umgewandelt wurden; auch Bez. für geistl. Fürstentümer (↑ Hochstift; das Territorium eines Erzbistums hieß **Erzstift**, das eines geistl. Kurfürstentums **Kurstift**).

Stift, Maschinenelement zur Verbindung, Sicherung und Zentrierung von Maschinenteilen. **Zylinderstifte** dienen als Verbindungs- und Befestigungs-S., als Niet-S. und Scher-S. oder paarweise als **Paßstifte** zur Lagefixierung zweier Maschinenteile gegeneinander; **Kegelstifte** können zur Zentrierung und Befestigung von Maschinenteilen verwendet werden. **Kerbstifte** besitzen längs ihres zylindr. Schafts 3 um 120° versetzte Kerben, sie ergeben eine rüttelfeste Verbindung.

Stifter, Adalbert, * Oberplan (= Horní Planá, Südböhm. Bez.) 23. Okt. 1805, † Linz 28. Jan. 1868 (wahrscheinlich Selbstmord), östr. Schriftsteller. – Für die östr. Literatur des 19. Jh. neben Grillparzer bedeutendster Erzähler. Aus kleinbürgerl. Verhältnissen; wollte urspr. Landschaftsmaler werden; ab 1850 Schulinspektor in Linz. Einflüsse der Romantik, Jean Pauls und J. F. Coopers spiegeln bes. die Landschaftsbeschreibungen in den ersten der 6 Novellenbände „Studien" (1844–50) wider; v.a. „Das Heidedorf", „Der Hochwald", „Die Narrenburg" und „Abdias" sind klass. Beispiele deutschsprachiger Novellendichtung. Mit den Erzählungen in „Die Mappe meines Urgroßvaters" (sog. „Studienmappe") wandelte sich S. zum Dichter der Ruhe, der Ordnung und des Maßes. Sein eth. und ästhet. Programm, formuliert als „sanftes Gesetz", ist die Verwirklichung der „Vernunftwürde des Menschen, seiner Vervollkommnungsfähigkeit und der erzieher. Wirkung der Kunst"; z. B. „Bunte Steine" (1853; darin u.a. „Bergkristall"), „Erzählungen" (hg. 1869; darin u.a. „Der Waldbrunnen", „Der fromme Spruch", „Der Kuß von Sentze"). Seine Romane („Der Nachsommer", 1857; „Witiko", 1865–67) wurden erst nach 1918 rezipiert. „Die Mappe meines Urgroßvaters" (sog. „letzte Mappe", die letzte von 4 Fassungen dieser Erzählung als Roman angelegt) blieb unvollendet (gedruckt 1939).

📖 *Schoenborn, P. A.: A. S. – Leben u. Werk. Mchn. 1991. – Baumer, F.: A. S. Mchn. 1989. – Sichelschmidt, G.: A. S. Leben u. Werk. Mchn. 1988. – Naumann, U.: A. S. Stg. 1979.*

Stifterfigur, in der ma. Kunst, Renaissance- und Barockkunst die Darstellung des Auftraggebers eines kirchl. Bauwerks oder Ausstattungsstückes.

Stifterreligion, Bez. für eine Religion, die auf einen historisch greifbaren Religionsstifter zurückgeführt werden kann (z. B. Judentum, Buddhismus, Christentum, Islam).

Stifterverband für die Deutsche Wissenschaft e. V., 1920 gegr. und 1949 wiedererrichtete Gemeinschaftsaktion (gemeinnütziger Verein) der dt. Wirtschaft zur Förderung der Wiss. aus Förderbeiträgen; Sitz Essen; ihm gehören rd. 5 000 Mgl. (Firmen, Verbände, Einzelpersonen) an. Der Verein unterstützt die Selbstverwaltungsorganisationen der Wiss. sowie Forschungsprojekte zur Lösung von Strukturproblemen im Wiss.- und Bildungsbereich; er fördert die Errichtung von Stiftungen im Dienste der Wiss. und verwaltet unselbständige Stiftungen.

Stiftsherr ↑ Stift.

Stiftshütte (Bundeszelt), seit Luther gebräuchl. Bez. für das altisraelit. Heiligtum, eigtl. „Zelt der Begegnung"; zunächst Wanderheiligtum der Stämme, dann das zentrale Wohnheiligtum, das durch Gottes ständige Gegenwart ausgezeichnet ist (Allerheiligstes).

Stiftskapitel (Kollegiatkapitel) ↑ Stift.

Stiftung, Sondervermögen, das gemäß dem Willen eines Stifters selbständig verwaltet und zur Förderung eines bestimmten Zweckes verwendet wird; auch Bez. für den Vorgang der Widmung des Vermögens zu diesem Zweck. Man unterscheidet selbständige, nämlich als jurist. Personen rechtsfähige, und unselbständige S., und unter den ersteren wiederum *Stiftungen des Privatrechts* (§§ 80 ff. BGB) und *Stiftungen des öff. Rechts* (landesrechtlich geregelt; sind einem öff. Zweck gewidmet). Die rechtsfähige private S. entsteht durch einen rechtsgeschäftl. Akt des Stifters und die nach freiem Ermessen zu erteilende staatl. Genehmigung. Sie untersteht einer weitgehenden Rechtsaufsicht des Staates. Die unselbständige S. hat in der Praxis größere Bed. erlangt: sie beruht auf einem Vertrag des Stifters mit einem bereits vorhandenen Rechtsträger, der das ihm übertragene Vermögen treuhänderisch verwaltet und entsprechend dem Willen des Stifters verwendet. – Die S. im *kath. Kirchenrecht* (Fundation) hat weitgehend die gleiche Rechtsstruktur wie die bürgerl. Rechts. Sie ist die histor. Grundlage für die Entstehung der verschiedenen Arten von Stiften sowie deren ökonom. Absicherung. Daneben gibt es zahlr. S., deren Erträge ausschließlich religiösen bzw. karitativen Zwecken dienen *(fromme S.).* – Im *ev. Kirchenrecht* ist die Regelung des S.rechts je nach Landeskirche verschieden; sie erfolgt z.T. noch nach Rechtssatzungen aus der Zeit des †landesherrlichen Kirchenregiments.

Stiftung Deutsche Sporthilfe, 1967 gegr. Einrichtung zur ideellen und materiellen Förderung von Spitzensportlern in der BR Deutschland, Sitz Frankfurt am Main.

Stiftung F.V.S. zu Hamburg, 1931 von dem Kaufmann Alfred Toepfer (* 1894) gegr. Stiftung mit Sitz in Hamburg. Stiftungszweck ist die Förderung kultureller, wiss. und humanitärer Leistungen in Europa durch Verleihung von Preisen (u. a. Gottfried-von-Herder-Preis, Hansischer Goethe-Preis, Robert-Schuman-Preis, Shakespeare-Preis) sowie durch Vergabe von Stipendien. Bes. gefördert wurden die Natur- und Denkmalschutz sowie die Bewahrung und Einrichtung von National- und Naturparks. Die Abkürzung F.V.S. ist nicht auflösbar.

Stiftung Mitbestimmung †Hans-Böckler-Stiftung.

Stiftung Preußischer Kulturbesitz, 1957 durch Bundesgesetz errichtete Stiftung des öff. Rechts mit Sitz in Berlin (West), zur Pflege und Fortentwicklung des ehem. preuß. Kulturbesitzes in Berlin. Die durch die Nachkriegsereignisse getrennten Teile der ehem. staatl. preuß. Sammlungen (u. a. Staatl. Museen, Staatsbibliotheken, Geheimes Staatsarchiv, Iberoamerikan. Inst., Staatl. Inst. für Musikforschung) wurden 1990 wieder zusammengeführt. Die S. P. K. übernahm lt. Einigungsvertrag die vorläufige Trägerschaft.

Stiftung Volkswagenwerk, 1961 von der BR Deutschland und dem Land Niedersachsen gegr. privatrechtl. Stiftung zur Förderung von Wiss. und Technik in Forschung und Lehre, Sitz Hannover. Die Förderungsmittel stammen v. a. aus den Zinsen des Stiftungskapitals, dem Anspruch auf Dividende am Aktienbesitz des Bundes und des Landes Niedersachsen am Volkswagenwerk.

Stiftung Warentest, staatl. unterstütztes, 1964 mit Mitteln des Bundes gegr. Warentestinstitut, Sitz Berlin; hat die Aufgabe, die Verbraucher über Qualität von Waren und Dienstleistungen anhand objektiver Merkmale zu informieren.

Stiftung Weimarer Klassik, 1991 errichtete Stiftung öffentl. Rechts (Träger: Bundesreg., Land Thüringen und Stadt Weimar); Trägerin der vorher in den † Nationalen Forschungs- und Gedenkstätten der klassischen deutschen Literatur in Weimar (Abk. NFG), zusammengefaßten Einrichtungen.

Stiftzahn (Stiftkrone), Zahnersatz, bei dem der künstl. Zahn mit Hilfe eines Stiftes im Zahnwurzelkanal verankert ist.

Stigler, George [engl. 'staɪglə], * Renton (Washington) 17.Jan. 1911, † Chicago 2. Dez. 1991, amerikan. Wirtschaftswissenschaftler. – Vertreter der Chicagoer Schule; untersuchte u. a. die Funktionsweise der Märkte, den Einfluß der Gesetzgebung auf die Märkte sowie weitere Fragen im Grenzbereich zw. Wirtschafts- und Rechtswissenschaft; erhielt 1982 den sog. Nobelpreis für Wirtschaftswissenschaften.

Stigma [griech. „Stich, Punkt, Brandmal"] (Mehrzahl Stigmen), in der *Biologie* a) Flügel- oder Randmal *(Ptero-S.),* auffälliger Chitinfleck an den Flügeln vieler Insekten (z. B. Libellen, Hautflügler, Wanzen); b) Tracheenöffnung der Spinnen, Tausendfüßler und Insekten.
◆ in der *Zoologie* bei Einzellern svw. Augenfleck (↑ Auge).
◆ in der *kath. Kirche* das bei Stigmatisierten auftretende Wundmal.
◆ in der *Geschichte* bei den Griechen und Römern das Brandmal, das Sklaven für Vergehen aufgebrannt wurde; übertragen: etwas, das jemanden deutlich (in einer negativ beurteilten Weise) kennzeichnet.

Stigmatisation [griech.], das Auftreten äußerlich sichtbarer, psychogen bedingter Körpermerkmale (z. B. Hautblutungen) bei hyster. Personen. – Im *theolog.* Sinn das plötzl. Auftreten der Leidensmale Jesu am Leib eines lebenden Menschen, oft begleitet von ekstat. oder visionärem Verhalten (nicht selten klischeehaft), von parapsycholog. Phänomenen sowie Nahrungs- und Schlaflosigkeit. Der erste geschichtlich belegte Fall von S. ist der des Franz von Assisi.

Stigmen, Mrz. von ↑ Stigma.

Stijl-Gruppe [niederl. stɛil], niederl. Künstlergruppe, gegr. 1917 von den Malern P. Mondrian und T. van Doesburg, den Architekten J. J. P. Oud und G. Rietveld, dem Bildhauer G. Vantongerloo u.a., benannt nach ihrer von T. van Doesburg herausgegebenen Monatsschrift „De Stijl". Fundamentalbegriff des neuen Stils war „elementare Gestaltung". Zuerst in der Malerei erfolgte unter Ablehnung jeder Naturwiedergabe eine Reduktion auf eine geometr. Formsprache, d. h. die Grundelemente der Senkrechten und Waagerechten, die Grundfarben Rot, Blau und Gelb und die Nichtfarben Schwarz, Weiß, Grau. Die „plast. Architektur" (van Doesburg, C. van Eesteren) wird bestimmt durch Raumbeziehungen rechteckiger Flächen zueinander und zum unendl. Raum, unterstützt von den Grundfarben. Die Entwicklung kub. Baukörper erreichte eine grundlegende formale Umgestaltung der europ. Architektur. „De Stijl" beeinflußte die Entwicklung der bildenden Künste auf allen Gebieten.

Stil [zu lat. stilus „Stiel, Griffel, Schreibart"], allg. Begriff zur unterscheidenden Kennzeichnung spezif. Haltungen und Äußerungen von einzelnen Personen oder Gruppen (Völker, Stände, Generationen, soziale Schichten) in einem bestimmten Bezugsrahmen histor. oder gattungsbezogener Normen. In den Bereichen Literatur, bildende Kunst, darstellende Künste und Musik versteht man unter S. besondere, unverwechselbare Grundmuster, die das Kunstschaffen von Völkern bzw. kulturellen Regionen *(National-* oder *Regional-S.),* histor. Zeitabschnitten *(Epochen-S., Leit-S.),* einzelnen Künstlern *(Personal-* oder *Individual-S.)* und die Ausprägungsformen bestimmter Werktypen *(Gattungs-S.)* oder einzelner Kunstprodukte *(Werk-S.)* kennzeichnen. Seit dem 19.Jh. versucht die S.forschung, anhand anschaul. formaler Merkmale, Stile histor.-deskriptiv und vergleichend zu erfassen, doch bleibt der S.begriff problematisch. Für den S.begriff grundlegend wurden die Annahme ästhetisch sinnvoller Entwicklungsprozesse und die (Entstehung, Blüte, Verfall) und die Hypothese der gesetzmäßigen Abfolge stilist. Grundtendenzen („klassisch" und „manieristisch").
◆ ↑Sprachstil.
Stilanalyse ↑Stilistik.
Stilb [griech.], Einheitenzeichen sb, gesetzlich nicht mehr zugelassene photometr. Einheit der Leuchtdichte: 1 sb = 1 cd/cm^2.
Stilben [griech.] (1,2-Diphenyläthylen), $C_6H_5-CH=CH-C_6H_5$, ungesättigter, in zwei stereoisomeren Formen (cis- und trans-S.) vorkommender Kohlenwasserstoff. S.derivate dienen u.a. als Farbstoffe, opt. Aufheller.
Stilblüte, mißlungene, doppelsinnige sprachl. Äußerung, die durch das Weglassen eines Wortes, eines Relativsatzes, falsche oder ungewöhnl. Wortstellung und Wortwahl usw. eine unbeabsichtigte kom. Wirkung auslöst.
Stilbruch, Durchbrechung einer Stilebene, z. B. durch Einmischung von Wörtern aus einer anderen, höheren oder tieferen Stilschicht oder durch unpassende Bildlichkeit.
Stilbühne ↑Theater.
Stilett [lat.-italien.], kleiner Dolch mit dreikantiger Klinge.
Stilettfliegen (Luchsfliegen, Therevidae), weltweit verbreitete Fam. der Fliegen mit rd. 700 etwa 5–15 mm langen Arten (davon etwa 60 einheimisch); Körper schlank, dunkel gefärbt, meist dicht gold- oder silberglänzend behaart.
Stilfser Joch ↑Alpenpässe (Übersicht).
Stilicho, Flavius, *um 365, †Ravenna 22. Aug. 408, röm. Feldherr und Staatsmann vandal. Abstammung. – Nach Theodosius' I.

Tod (395) im Weström. Reich Regent für Honorius; mußte nach Kämpfen gegen die Westgoten in Thessalien dem Oström. Reich die Diözesen Makedonien und Dakien überlassen; in M-Italien wehrte er 406 die Germanen unter Radagais ab; siegte 402 und 403 über Alarich; das Bündnis mit diesem führte zu seiner Absetzung und Hinrichtung.
Stilisierung [lat.], allg. svw. 1. abstrahierende, auf wesentl. Grundzüge reduzierte Darstellung, 2. Nachahmung eines Stilideals oder -musters.
◆ in der *Kunst* die Umformung des naturgegebenen Vorbilds nach formalen Prinzipien im Sinne einer Schematisierung, Rhythmisierung oder geometr. Vereinfachung, insbes. typisch für das Ornament.
Stilistik [lat.], als Wiss. vom [literar.] Stil 1. Theorie des literar. Stils; 2. Analyse und Beschreibung gleichzeitig oder nacheinander auftretender Stile (deskriptive bzw. histor.-deskriptive S. bzw. *Stilanalyse);* 3. Anleitung zu einem vorbildl. [Schreib]stil *(normative S.).* Die S. ist Nachfolgerin der Rhetorik, deren literar. Theorie bis ins 18.Jh. Bestand hatte. Die neu sich bildende S. hat als zentrale Kategorie den „Ausdruck"; sie bezieht sich auf die Natur des Autors und Faktoren wie Nation, Gruppe, Gesellschaft und Zeit. Die *histor.-deskriptive genet. S.* strebt über die Individualstile zu Synthesen als National- und Epochenstile. Den genet. Aspekt verdrängte später der Nachweis der Einheit von Form und Gehalt; der Stil wird Ausgangspunkt der werkimmanenten Interpretation. Ähnl. Ziele (unter Verzicht auf den Intuitionismus dieser Richtung) verfolgt die auf dem Schichtenmodell des Kunstwerks basierende *funktionale S.* Die *soziologisch orientierte S.* sucht Stil und Inhalt, Stil und äußere Wirklichkeit dialektisch zu vermitteln; die vom Strukturalismus ausgehende *linguistisch orientierte S.* bestimmt stilist. Momente als Konstanten innerhalb der Architektur des Sprachsystems.
Still, Clyfford [engl. stil], *Grandin (N.-Dak.) 30. Nov. 1904, †New York 23.Juni 1980, amerikan. Maler. – Vertreter des abstrakten Expressionismus; überdimensionale Bilder mit zentralen dunklen Farbflächen, die erst an den Rändern durch splittrige Farbflächen gebrochen werden.
Stille, Hans, *Hannover 8. Okt. 1876, †ebd. 26. Dez. 1966, dt. Geologe. – Prof. in Hannover, Leipzig, Göttingen und Berlin; grundlegende Arbeiten über die geotekton. Gliederung der Erdgeschichte.
Stilleben, in der Malerei die Darstellung unbewegter („stiller") Gegenstände wie Blumen, Früchte, Wildbret, Gefäße und Musikinstrumente, die außerhalb ihres gewöhnl. Zusammenhanges nach dekorativen, symbol. oder formal-kompositor. Gesichtspunkten

Stilleben. Willem C. Heda, Stilleben mit Schinken, Römer und Bierglas; 1635 (München, Alte Pinakothek)

angeordnet werden. – Stillebenartige Kompositionen finden sich in der altröm. (pompejan.) Wandmalerei, auch in der frühchristl. und byzantin. Kunst. Als Bestandteil größerer Darstellungen gewann das S. in der abendländ. Malerei des 15. Jh. zunehmend an Gewicht (Jan van Eyck, Meister von Flémalle). Das älteste datierbare S. als selbständiges Tafelbild ist ein Jagd-S. von I. de' Barbari (1504). Meister des S. waren in Italien Caravaggio, in Spanien F. de Zurbarán; ihre größte Bed. gewann die Gattung jedoch in den Niederlanden während des 17. und bis ins 18. Jh. u. a. als Ausdruck diesseitiger Sinnlichkeit und Hinweis auf deren Vergänglichkeit (Vanitasmotive: Totenkopf, Stundenglas u. a.). Hauptmeister waren W. Kalf, W. C. Heda, J. van Huysum, W. van Aelst, P. Claesz. In Deutschland schloß sich G. Flegel an. Einen späten Höhepunkt der S.malerei in niederl. Tradition bedeutet das Werk des Franzosen J.-B. Chardin. Im 18. und 19. Jh. als niedere Gattung abgewertet, wurde das S. bei P. Cézanne und danach bei den Kubisten, Vertretern der Pittura metafisica und der Neuen Sachlichkeit sowie bei den Surrealisten (u. a. J. Miró) wieder ein wichtiges Thema. 📖 *Grimm, C.: S. Meister der europ. S.malerei des 17. u. 18. Jh. Stg. 1988. – Bergström, I., u. a.: S. Stg. 1979.*

stille Feiung ↑ Feiung.
stille Gesellschaft, Gesellschaft, bei der sich eine natürl. oder jurist. Person an dem Handelsgewerbe eines anderen in der Weise beteiligt, daß seine Vermögenseinlage in das Vermögen des Inhabers des Handelsgeschäfts übergeht und er am Gewinn des Handelsgewerbes beteiligt ist (§§ 230 ff. HGB). Bei der s. G. trifft den stillen Gesellschafter keine Haftung; er riskiert nur seine Einlage.

Stillegung, die Einstellung der Nutzung von techn. Anlagen, die an sich noch gebrauchsfähig sind. Bei der S. von Gruben wird auch von **Auflassung** gesprochen.
Stillen (Brusternährung), Ernährung des Säuglings mit ↑ Muttermilch. In der Norm gilt eine *Stilldauer* von 4–6 (höchstens 8) Monaten als zweckmäßig. Der erste Stillversuch soll schon kurz nach der Geburt erfolgen. Beim S. soll der Säugling nicht länger als 12–15 Minuten angelegt werden. Manchmal ist das S. durch flache oder hohle Brustwarzen behindert. Bekommt das Kind in solchen Fällen nicht genügend Milch, kann ein Saughütchen Abhilfe schaffen, oder die Milch wird abgepumpt.
Stiller, Klaus, * Augsburg 15. April 1941, dt. Schriftsteller. – Vertreter der experimentellen Dokumentarliteratur und gesellschaftskrit. Sprachkritik; u. a. „H. Protokoll" (1970; Montage von Hitler-Texten), „Tagebuch eines Weihbischofs" (1972), „Die Faschisten – Italien. Novellen" (1976), „Traumberufe" (Texte, 1977), „Das heilige Jahr" (R., 1986).
S., Mauritz, eigtl. Moses S., * Helsinki 17. Juli 1883, † Stockholm 18. Nov. 1928, schwed. Filmregisseur. – Exponent des Stummfilms; verfilmte u. a. Romane von S. Lagerlöf („Herrn Arnes Schatz", 1919, „Johan", 1921; „Gösta Berlings Saga", 1924). Entdecker von Greta Garbo, mit der er 1925 nach Hollywood ging; nach Mißerfolgen 1927 Rückkehr nach Schweden. – *Weitere Filme:* Sangen om den eldröda bloman (= Das Lied von der purpurroten Blume, 1919), Satirikon (1920).
stille Reserven, svw. stille ↑ Rücklagen.
Stiller Ozean ↑ Pazifischer Ozean.
stille Wahl in der Schweiz die Erlangung von Mandaten ohne Urnengang, v. a. wenn die Zahl der Kandidaten der Zahl der Mandate entspricht.
Stillhalteabkommen, allg. eine Übereinkunft zw. Gläubiger und Schuldner über die Stundung von Krediten. – I. e. S. Bez. für das *Basler Abkommen* vom 19. Aug. 1931, mit dem sich die ausländ. Gläubigerbanken zur Stundung der dt. Banken und Firmen gewährten kurzfristigen Kredite bereit erklärten; endgültige Regelung im ↑ Londoner Schuldenabkommen von 1953.
Stilling, Heinrich, dt. Schriftsteller. ↑ Jung-Stilling, Johann Heinrich.
Stillingfleet, Edward [engl. 'stɪlɪŋfliːt], * Cranborne (Dorset) 17. April 1635, † Westminster (= London) 27. März 1699, engl. anglikan. Theologe. – Ab 1689 Bischof von Worcester; bed. Kanzelredner; versuchte in seinem Werk „Irenicum" (1659), v. a. die Presbyterianer durch Verzicht der anglikan. Kirche auf die göttl. und apostol. Rechte ihrer Kirchenverfassung zu gewinnen.

Still-Syndrom [engl. stɪl; nach dem brit. Kinderarzt Sir G. F. Still, *1868, †1941], im Kindesalter auftretende chron. Polyarthritis mit häufig periodisch auftretenden Fieberschüben, Lymphknotenschwellung, Leber- und Milzvergrößerung; die Ursache ist unbekannt.

Stilmöbel, Bez. für in neuerer Zeit hergestellte Möbel, die alte Möbel imitieren.

Stilo, Lucius Aelius S. Praeconinus ↑ Aelius Stilo Praeconinus.

Stilus [lat. „Stiel, Griffel"], im antiken Schriftwesen der aus Metall oder Knochen bestehende, etwa 15–20 cm lange, unten spitze Griffel zum Schreiben auf der Wachstafel. Mit dem platten oberen Ende konnte der Eintrag wieder getilgt werden.

Stimmapparat (Stimmorgan), die Stimme (z. B. in Form des Gesangs, des Sprechens) als charakterist. Lautäußerung vieler Tiere und des Menschen hervorbringendes Organ bzw. Organsystem. Der S. ist entweder als Blasorgan ausgebildet, und zwar meist in Verbindung mit Resonanzhöhlen (z. B. Mund-, Nasen- und Rachenhöhle, Schallblasen, Kehlsäcke), wobei Membranen bzw. Stimmbänder durch strömende Luft in Schwingungen gebracht werden (bei dem mit einer Glottis ausgestatteten Kehlkopf), oder er fungiert als ein durch Muskelbewegungen in Aktion gesetztes Trommelorgan oder auch Zirporgan.

Stimmbandentzündung (Chorditis), Infektion der Stimmbänder; entweder in der Folge eines Nasen-Rachen-Katarrhs und mit Heiserkeit, Trockenheitsgefühl, Hustenreiz und Schmerzen verbunden *(akute S.)* oder durch chron. Entzündung der oberen Luftwege, bes. bei behinderter Nasenatmung *(chron. S.)*.

Stimmbänder ↑ Kehlkopf.

Stimmbandlähmung, svw. ↑ Kehlkopflähmung.

Stimmbögen (Krummbügel, Bügel), U-förmig oder kreisrund gebogene Rohrstücke zur Verlängerung der Schallröhre von Naturhörnern oder -trompeten, mit denen die Stimmung des Instruments verändert werden kann.

Stimmbruch (Mutation, Mutierung, Stimmwechsel), das Tieferwerden (um etwa eine Oktave) der Stimmlage in der Pubertät beim männl. Geschlecht; wird hervorgerufen durch das Wachstum des Kehlkopfs und die dadurch bedingte Verlängerung der Stimmbänder.

Stimme, im *physiolog.* Sinn die durch einen ↑ Stimmapparat hervorgebrachte Lautäußerung mit einem bestimmten Klangcharakter (und Signalwert im Dienste der Kommunikation mit Artgenossen oder mit anderen Lebewesen). Bei vielen Tieren und beim Menschen wird die den Stimmapparat durchströmende Luft beim Ausatmen durch die schwingungsfähigen Gebilde, v. a. die Stimmbänder im Kehlkopf und die Resonanzhöhlen des Stimmapparats unter- und oberhalb der Stimmritze, zu Schallschwingungen angeregt. Die Tonhöhe kann durch mehr oder weniger starkes Anspannen der Stimmbänder kontinuierlich verändert werden; die Klangfarbe der Laute ist durch Änderung von Form und Größe der Resonanzhöhlen regulierbar. Bei der Bildung der Vokale sind die Stimmbänder die eigentl. Schallquelle, während bei der Bildung der stimmlosen Konsonanten und beim Flüstern die Stimmbänder unbeteiligt sind.

◆ in der *Musik* der von einem Musiker auszuführende Vokal- oder Instrumentalpart, später auch der für diesen gesondert notierte Part, d. h. Stimmheft oder -buch; auch satztechn. Bez. (Ober-, Mittel-, Unter-, Füll-S.). – Bei Streichinstrumenten Bez. für den ↑ Stimmstock (auch „Seele"); bei der Orgel svw. ↑ Register.

Stimme Amerikas, amerikan. Rundfunksender, ↑ Voice of America.

Stimmenkauf und -verkauf, die aktive bzw. passive Bestechung Stimmberechtigter; bei polit. Wahlen und Urwahlen der Sozialversicherung als Wählerbestechung nach §§ 108 b,d StGB strafbar.

Stilleben. Joan Miró, Der Tisch: Stilleben mit Kaninchen; 1920 (Privatbesitz)

Stimmer, Tobias, *Schaffhausen 17. April 1539, †Straßburg 4. Jan. 1584, schweizer. Maler, Zeichner und Holzschnittmeister der Renaissance. – Neben Wand- und Fassadenmalereien (Haus zum Ritter in Schaffhausen) und Glasmalerei schuf er die Malereien der Astronom. Uhr im Straßburger Münster (1571–74). Zahlr. Zeichnungen für den Holzschnitt, u. a. „Bibl. Historien" (1576) und Bildnisse berühmter Gelehrter für Reußners „Contrafacturbuch" (1587).

Stimmführung, in der musikal. Satzlehre das Fortschreiten der Einzelstimmen in einer mehrstimmigen Komposition, unter Berücksichtigung eines log. Verlaufs und der harmon. Verhältnisse.

Stimmgabel, Gerät zur Bestimmung einer Tonhöhe, speziell des ↑Kammertons. Die S. hat die Form einer Gabel mit zwei Zinken in längl. U-Form. Beim Anschlag schwingen die Zinken gegensinnig und ergeben einen klaren, obertonarmen Ton.

Stimmhaftigkeit (Sonorität), Eigenschaft von Sprachlauten, bei deren Erzeugung die Stimmbänder des Kehlkopfes schwingen. Dem entspricht akustisch ein period. Verlauf des Schallsignals. In der Phonologie ist S. ein distinktives (unterscheidendes) Merkmal der Phoneme. Stimmlosigkeit wird im allg. negativ als Abwesenheit von S. bestimmt.

Stimmlage, die nach ihrem Tonhöhenumfang unterschiedenen Bereiche der menschl. Singstimme, eingeteilt in Sopran (Umfang [a] $c^1 - a^2$ [c^3, f^3]), Mezzosopran (g–g^2 [b^2]), Alt (a–e^2 [f^2, c^3]), Tenor (c–a^1 [c^2]), Bariton (A–e^1 [g^1]) und Baß (E–d^1 [f^1]). Für die *Stimmgattung* sind außer der S. bzw. dem Umfang auch Klangfarbe und Stimmstärke maßgeblich.

Stimmlosigkeit ↑Stimmhaftigkeit.

Stimmorgan, svw. ↑Stimmapparat.

Stimmrecht, allg. das Recht, an einer Abstimmung oder an Wahlen teilzunehmen. – Für Deutschland ↑Wahlrecht; zum *schweizer. Verfassungsrecht* ↑Abstimmung. Nach dem *Zivilrecht* steht jedem Mgl. einer Gesellschaft das Recht zu, in der Mgl.versammlung bei den zu fassenden Beschlüssen mitzustimmen. Im *Aktienrecht* wird das S. nicht nach Köpfen, sondern nach Aktiennennbeträgen ausgeübt. Das S. kann durch Festsetzung eines Höchstbetrages beschränkt werden (S.beschränkung).

Stimmritze ↑Glottis, ↑Kehlkopf.

Stimmritzenkrampf (Glottiskrampf, Laryngospasmus), Anfall von krampfhafter Verengung oder Verschließung der Stimmritze mit Atemnot oder Atemstillstand, Blauwerden (Zyanose), Angst und Schweißausbruch, meist bei nervaler Übererregbarkeit und bei Tetanie im Kindesalter.

Stimmritzen-Verschlußlaut (Glottalstop, Knacklaut, Glottisverschluß), Laut, bei dessen Artikulation die Stimmritze (Glottis) zunächst geschlossen ist; bei ihrer plötzl. Öffnung entweicht die angestaute Luft mit einem leichten „Knack" [']; im Deutschen kommt der S. bes. am Wort- oder Silbenanfang vor einem Vokal, z. B. Acker ["akər].

Stimmschlüssel, Werkzeug zum Stimmen von Saiteninstrumenten, deren Wirbel keinen Griff haben (z. B. Klavier, Zither).

Stimmstock, 1. Stäbchen im Innern des Resonanzkörpers von Streichinstrumenten, das die Schwingungen von der Decke zum Boden und umgekehrt überträgt (auch *Stimme* oder *Seele* genannt); 2. bei besaiteten Tasteninstrumenten dasjenige Bauteil, in das die Wirbel eingeschraubt sind.

Stimmton (Normalton), der durch eine bestimmte Frequenz (Schwingungszahl) definierte Ton, nach dem Instrumente eingestimmt werden. Der örtlich, zeitlich und nach Gattungen (Opern-, Kammer-, Chor- oder Kapell-, Kornetton) stark differierende S. konnte erst durch die Erfindung der Stimmgabel vereinheitlicht werden. – ↑Kammerton.

Stimmung, in der *Musik* die theoret. und prakt. Festlegung der absoluten und relativen Tonhöhe. Die S. von Instrumenten und der auf ihnen gespielten Musik hängt zunächst von der absoluten Tonhöhe ab, die heute im allg. durch die Frequenz des ↑Kammertons a^1 festgelegt ist. Darüber hinaus hängt die S. vom System der von einem Instrument spielbaren und durch ein Musikstück geforderten Tonhöhenverhältnisse, den relativen Tonhöhen, ab. Dieses System der relativen Tonhöhen ist von der absoluten Tonhöhe unabhängig und legt lediglich die Menge aller mögl. musikal. Intervalle fest. Die S. der meisten Blasinstrumente (Ausnahme u. a. Posaune) und der gestimmten Schlaginstrumente wird überwiegend durch den Instrumentenbau bestimmt und kann nur geringfügig vom Spieler beeinflußt werden. Saiteninstrumente können vor jedem Spiel (z. B. Gitarre, Violine) oder in größeren Zeitabständen (z. B. Klavier, Harfe) gestimmt werden. – In der **reinen Stimmung** sollen die Dreiklänge auf dem Grundton, der Unter- und der Oberquinte „rein" sein; die Frequenzen der Dreiklangstöne (etwa c–e–g, f–a–c und g–h–d) verhalten sich wie 4 : 5 : 6. Dadurch sind alle diaton. Töne einer Tonart festgelegt; auf einem „rein" gestimmten Tasteninstrument erklingt jede andere Tonart unrein. Das Spielen in allen Tonarten ermöglichte seit dem 18. Jh. die **temperierte Stimmung** (Temperatur), die auf einer physikalisch gleichmäßigen Zwölfteilung der reinen Oktave beruht. Die Pythagoras zugeschriebene **pythagoreische Stimmung** gewinnt die 12

Intervalle der Oktave durch Aneinanderreihung von 12 reinen Quinten und Reduzierung auf eine Oktave. Dabei ergibt sich infolge des pythagoreischen ↑ Kommas eine geringfügige Abweichung gegenüber dem Ausgangston. Während im Bereich der tonalen Musik des Abendlands die temperierte S. als der bestmögl. Kompromiß angesehen werden muß, ist sie die notwendige Voraussetzung der atonalen Musik. Die Zwölftontechnik kann beispielsweise nur in temperierter S. realisiert werden. In der elektron. Musik werden neue temperierte S. ausprobiert, z. B. feinere Unterteilungen der Oktave oder gleichmäßige Unterteilungen beliebiger Intervalle (z. B. die Unterteilung von zwei Oktaven plus Terz [gemäß dem Frequenzverhältnis 1 : 5] in 25 gleiche Intervalle in K. Stockhausens „Studie II", 1954). Das heute bekannteste Beispiel für den Umstand, daß das Problem der musikal. S. für verschiedene Musikkulturen unterschiedl. Bed. hat, ist die *Blue note* der afroamerikan. Musik. Sie ist unverzichtbarer Bestandteil der Musikpraxis, obgleich sie nicht als Tonhöhe aus einer festen S. ableitbar ist. – Darüber hinaus ist sie ein Beispiel für den Zusammenhang von musikal. S. und der durch Musik beim Menschen ausgelösten „Stimmung", die immer wieder von der Musiktheorie behandelt wurde.
ⓌHusmann, H.: *Einf. in die Musikwiss.* Hg. v. R. Schaal. Wilhelmshaven ³1980. – Barbour, J. M.: *Tuning and temperament.* East Lansing (Mich.) ²1953.
◆ Gefühlslage, die als länger andauernder Gemütszustand (im Ggs. zum Affekt) dem Erleben eine bes. Gefühlsfärbung vermittelt. S. wechselt in Abhängigkeit v. a. von der körperl. und seel. Gesamtverfassung eines Individuums und von dessen äußeren Lebensumständen. Als „Lebensgrundstimmung" ist sie Teil des Persönlichkeitsgefüges.

Stimmwechsel, svw. ↑ Stimmbruch.

Stimmzug, ausziehbarer Röhrenteil an Blasinstrumenten zur Veränderung (Korrektur) der Stimmung.

Stimson, Henry Lewis [engl. stɪmsn], *New York 21. Sept. 1867, †Huntington (N. Y.) 20. Okt. 1950, amerikan. Politiker (Republikan. Partei). – Jurist; 1911–13 Kriegsmin.; 1929–33 Außenmin.; suchte mit der **Stimson-Doktrin** (1932 gegebene Absichtserklärung der USA, Situationen, Verträge und Abkommen, die unter Verletzung des Briand-Kellogg-Paktes zustande gekommen seien, nicht mehr anzuerkennen) die jap. Expansion einzudämmen; 1940–45 erneut Kriegsminister.

Stimulanzien [lat.] (Stimulantia), anregende, vorwiegend antriebsteigernde Mittel (Reizmittel, Drogen, Pharmaka).

Stimulation (Stimulierung) [lat.], Reizung, Anregung, und zwar entweder durch ↑Stimulanzien oder durch bes. Erlebnisse bzw. Vorstellungen *(psych. Stimulation).*

stimulieren [lat.], anregen, [an]reizen, ermuntern.

Stimulus [lat.], Reiz, Anreiz, Antrieb.

Stinde, Julius, Pseudonym Alfred de Valmy u. a., *Kirchnüchel (Landkr. Plön) 28. Aug. 1841, †Olsberg (Hochsauerlandkreis) 5. Aug. 1905, dt. Schriftsteller. – Verf. humorvoll-iron. Romane aus dem Kleinbürgermilieu Berlins („Die Familie Buchholz", 1884–86); auch Volksstücke, Humoresken, Novellen.

Sting [engl. stɪŋ], eigtl. Gordon Matthew Sumner, *Wallsend 2. Okt. 1951, brit. Rockmusiker (Sänger, Bassist, Songschreiber) und Schauspieler. – Begann 1977 in der Gruppe „The Police", seit 1985 Solokarriere. Mit seinen Songs, in denen sich moderner Jazz und Rockelemente, aber auch Funk und Reggae mischen, hat er die Pop-Musik der 80er Jahre nachhaltig beeinflußt. Spielte in New York am Theater und wirkte auch in Filmen mit.

Stinkandorn (Ballota), mit 25 Arten in Europa und Kleinasien bis zum Iran verbreitete Gatt. der Lippenblütler; behaarte Kräuter oder Stauden mit herzfömigen, gesägten Blättern und rötl. Blüten. Die einzige einheim. Art ist die bis 1 m hohe **Schwarznessel** (Ballota nigra); mehrjährige, unangenehm riechende Pflanze mit dunkellilafarbenen Blüten in Hecken und auf Schuttplätzen.

Stinkasant (Teufelsdreck, Asant, Asa foetida), nach Knoblauch riechender eingetrockneter (in Form von Körnern oder Klumpen vorliegender) Milchsaft aus der Wurzel einiger in den Salzsteppen Irans und Afghanistans heim. Steckenkrautarten. – S. war schon den alten Indern und Ägyptern bekannt und galt im Altertum als vielseitig wirksames Arzneimittel; im Orient war er auch Gewürz. Die Araber führten die Droge in den mitteleurop. Arzneischatz ein.

Stinkbaum (Sterculia), Gatt. der Sterkuliengewäche mit rd. 200 Arten in den Tropen; oft mächtige Bäume mit holzigen Balgfrüchten und häufig unangenehm riechenden Blättern und Blüten. Einige Arten liefern Nutzholz.

Stinkdrüsen, der Haut eingelagerte Drüsen (oft ↑ Afterdrüsen) bei manchen Tieren (z. B. bei Wanzen, Schaben, beim Stinktier); sie sondern bei Bedrohung des Tiers zur Abwehr ein stark und unangenehm riechendes Sekret ab.

Stinkmorchel (Aasfliegenpilz, Gichtmorchel, Phallus impudicus), von Juni an in Gärten und Wäldern vorkommender Rutenpilz; Fruchtkörper in jungem Zustand als weißliches, kugel- bis eiförmiges Gebilde

(Hexenei, Teufelsei). Bei der Reife platzt die äußere Hülle an der Spitze auf, und es entsteht ein poröser, hohler, kegelförmiger Stiel, auf dessen Spitze fingerhutförmig der Hut sitzt; dieser ist außen mit der dunkelolivfarbenen, klebrigen Sporenmasse bedeckt, die einen widerl., aasartigen Geruch ausströmt.

Stinknase ↑ Ozaena.

Stinktiere (Skunks, Mephitinae), Unterfam. der Marder mit neun Arten in N-, M- und S-Amerika; Körperlänge etwa 25–50 cm; Schwanz halb- bis knapp körperlang, buschig; Körper plump, Kopf spitzschnauzig; Fell langhaarig, meist schwarz mit weißen Streifen oder mit Fleckenreihen; Stinkdrüsen am After sehr stark entwickelt, sondern ein stark und anhaltend riechendes Sekret ab.

Stinkwanze (Grüne S., Faule Grete, Palomena prasina), 11–14 mm lange, grüne, während der Überwinterung braune oder rotbraune Schildwanze in Europa und Vorderasien; Larven saugen bes. an Himbeeren und hinterlassen oft einen widerl. Geruch.

Stinnes, Hugo, * Mülheim a. d. Ruhr 12. Febr. 1870, † Berlin 10. April 1924, dt. Industrieller. – Enkel von Mathias S.; Bed. Vertreter der dt. Montanindustrie; MdR (Dt. Volkspartei) 1920–23; baute den S.-Konzern zum größten dt. Unternehmen aus.

S., Mathias, * Mülheim a. d. Ruhr 4. März 1790, † ebd. 16. April 1845, dt. Industrieller. – Ab 1808 Ruhrschiffer in Mülheim; begann als erster die Schleppschiffahrt auf dem Rhein. S. ist Gründer der Unternehmungen, aus denen später der S.-Konzern hervorging.

Stinnes-Konzern, dt. Unternehmensgruppe der Montanindustrie und der Schiffahrt; unter H. Stinnes eine der größten dt. Unternehmensgruppen. 1924/25 nach Liquiditätsschwierigkeiten zur Hälfte an ausländ. Gläubiger verkauft. Gegenwärtig besteht noch die Stinnes AG als Großhandelsunternehmen mit zusätzl. Aktivitäten im Verkehrs- und Dienstleistungsbereich; sie ist fast vollständig Eigentum der VEBA AG.

Stinte [niederdt.] (Osmeridae), Fam. kleiner, silberglänzender, heringförmiger Fische mit rd. zehn Arten im N-Pazifik und N-Atlantik; steigen auch in Süßgewässer auf, z. B. der **Europäische Stint** (Stint, Seestint, Spierling, Osmerus eperlanus), der von der W- und N-Küste Europas in Flußunterläufe und Binnenseen wandert; wird bis 30 cm lang. S. haben wirtsch. Bed. (v. a. zur Futtermittel- und Trangewinnung).

Stipeln [zu lat. stipula „Halm"], svw. ↑ Nebenblätter.

Stipendium [lat.], Studenten, Doktoranden und jungen Wissenschaftlern gewährte Geldleistung, mit der Studium, Promotion, Habilitation, Auslandsaufenthalte oder bestimmte Forschungsvorhaben z. T. finanziert werden. S. werden von Staat und Kirche, von Stiftungen der Industrie, Gewerkschaften u. a. Institutionen vergeben. – ↑ Studienförderung; ↑ Ausbildungsförderung.

Stipes [lat.], der Unterbau des Altars, meist mit einem Antependium.

Stirling [engl. 'stə:lɪŋ], James, * Garden (Central Region, Schottland) 1692, † Edinburgh 5. Dez. 1770, schott. Mathematiker. – Führte Newtons Untersuchungen über Reihenentwicklungen und Interpolationen in seinem Werk „Methodus differentialis" (1730) weiter. Dort gab er auch die nach ihm ben. ↑ Stirlingsche Formel an.

S., James, * Glasgow 22. April 1926, † London 25. Juni 1992, brit. Architekt. – Seine Bauten verbinden eine funktionsgerechte räuml. Gliederung mit Motiven und Formen aus der Baugeschichte; 1956–63 Zusammenarbeit mit James Gowan (* 1923), ab 1971 mit Michael Wilford (* 1938). – *Werke:* Histor. Institut der Univ. in Cambridge (1964–67), Neue Staatsgalerie in Stuttgart (1978–84), Clore Gallery in London (Erweiterungstrakt der Tate Gallery, 1982–87), Umbau der Albert Docks in Liverpool in eine Zweigstelle der Tate Gallery (1982–88), Wiss.zentrum in Berlin (1980–88), Gebäude der B. Braun AG in Melsungen (1992 vollendet).

Stirling [engl. 'stə:lɪŋ], schott. Stadt am Forth, 38 600 E. Verwaltungssitz des Verw.-Geb. Central Region; Univ. (gegr. 1967); Kunstgalerie, Museum; u. a. Landmaschinenbau, Düngemittelind., Gummi- und Isolierstoffind.; Flußhafen. – 1119 Stadtrecht. Im MA im Wechsel mit Edinburgh schott. Hauptstadt. – Schloß Stirling Castle (v. a. Renaissance).

Stirling-Motor [engl. 'stə:lɪŋ; nach dem schott. Geistlichen R. Stirling * 1790, † 1878] (Heißgasmotor), periodisch arbeitende Wärmekraftmaschine (Kolbenkraftmaschine), die als Antriebsmittel eine abwechselnd stark erhitzte und abgekühlte, von zwei Kolben hin- und hergeschobene Gasmenge benutzt und die zugeführte Wärmeenergie in mechan. Energie umwandelt. Die benötigte Wärme wird in einer Brennkammer außerhalb des Zylinders erzeugt (ergibt weniger giftige Abgase als andere Verbrennungsmotoren). – Der S.-M. wurde wegen seines geringen therm. Wirkungsgrades (etwa 3 %) von den Otto- und Dieselmotoren verdrängt. Die weiterentwickelten S.-M. (Wirkungsgrade um 30 %) werden als Fahrzeugantrieb erprobt.

Stirlingsche Formel [engl. 'stə:lɪŋ; nach dem Mathematiker J. Stirling], Näherungsformel zur Berechnung der ↑ Gammafunktion $\Gamma(z)$ für großes Argument z bzw. der Fakultät $n!$ für große positive Zahlen:

$$n! \approx n^n e^{-n} \sqrt{2\pi n}\,.$$

Stirn (Frons), bei Wirbeltieren (einschl. des Menschen) über den Augen gelegene, von zwei Schädelknochen (Frontalia) bzw. dem Stirnbein geformte Gesichtspartie.

Stirnbein (Frontale, Os frontale), der bei vielen Reptilien, manchen Affen und beim Menschen als einheitl. Deckknochen in Erscheinung tretende vordere Teil des Schädeldachs im Anschluß an das paarige Scheitelbein; Verwachsungsprodukt aus zwei (bei den übrigen Wirbeltieren, manchmal auch beim Menschen noch vorhandenen) Schädelknochen (Frontalia); bildet die knöcherne Grundlage der Stirn. Zwei Erhebungen auf dem S. bilden beim Menschen die Stirnhöcker.

Stirner, Max, eigtl. Johann Kaspar Schmidt, * Bayreuth 25. Okt. 1806, † Berlin 26. Juni 1856, dt. philosoph. Schriftsteller. – Lehrer und Journalist in Berlin. In seinem Werk „Der Einzige und sein Eigentum" (1845) denkt S. einen extremen Egoismus (eth. Solipsismus) zu Ende, der jegl. Autorität negiert. Vom theoret. Anarchismus, dem S. nahesteht, unterscheidet er sich durch Ablehnung einer allg. Humanität und Verwerfung jedes Ideals.

Stirnhöhle ↑ Nasennebenhöhlen.

Stirnhöhlenentzündung (Sinusitis frontalis), die akute, chron.-eitrige oder chron.-serös-polypöse Entzündung der Stirnhöhle.

Stirnlappenbasilisk (Federbuschbasilisk, Basiliscus plumifrons), bis 70 cm langer, sehr langschwänziger und langbeiniger Leguan auf Bäumen an Flußufern Costa Ricas; Körper grün mit hellgrünen und bläulichweißen Flecken und (bei den ♂♂) kleinem Hautlappen vor dem großen „Kopfhelm" sowie mit hohem Kamm auf dem Rücken und der Vorderhälfte des Schwanzes.

Stirnmauer, svw. ↑ Schildmauer.

Stirnnaht ↑ Schädelnähte.

Stirnradgetriebe ↑ Getriebe (Rädergetriebe).

Stirnwaffenträger (Pecora), Teilordnung der Wiederkäuer, umfaßt mit rd. 140 Arten den überwiegenden Teil der Hornhufer; fast stets (zumindest die ♂♂) mit Geweih oder Hörnern. Man unterscheidet vier Fam.: Hirsche, Giraffen, Gabelhorntiere und Rinder.

St. John, J. Hector [engl. snt'dʒɔn], Pseud. des Schriftstellers Michel Guillaume Jean de ↑ Crèvecœur.

Stoa [griech.], von Zenon von Kition um 300 v. Chr. gegründete, nach ihrem Versammlungsort, der *Stoa Poikile* (Säulenhalle an der Agora Athens), benannte griech. Philosophenschule, die bis zur Mitte des 3. Jh. n. Chr. bestand. Der sog. *älteren S.* (Zenon, Kleanthes, Chrysippos u. a.) stehen die *frühe* bzw.

mittlere S. (Panaitios, Poseidonios) und die *kaiserzeitl. S.* (Seneca d. J., Epiktet, Mark Aurel u. a.) gegenüber, die sich jedoch nur geringfügig unterscheiden. – Die ältere S. versteht sich als Erneuerung und legitime Fortsetzung der Sokratik und setzt sich kritisch und polemisch mit der Akademie und dem Peripatos auseinander. – Strikter Rationalismus, kosmolog. Monismus, eth. Rigorismus und erkenntnistheoret. Materialismus sind für die S. kennzeichnend. Oberste Maxime der Ethik, die im Mittelpunkt steht, ist die Forderung, in Übereinstimmung mit sich selbst und mit der Natur zu leben und Neigungen und Affekte als der Vernunft zuwiderlaufend und die Einsicht behindernd zu bekämpfen (Apathie). Aus der Vorstellung eines ewigen, absolut gültigen Weltgesetzes des Logos entwickelt die S. eine umfassende [kosmopolit.] Staats- und Rechtslehre; das darin enthaltene Staats- und Naturrecht hat die Rechtstheorie und Theologie nachhaltig beeinflußt. – Die Bed. der nur fragmentarisch überlieferten Logik der S., die auch Grammatik und Rhetorik umfaßt, wurde erst im 19. Jh. wieder erkannt.

📖 *Busch, T./Weinkauf, W.: Die S. Augsburg 1990. – Pohlenz, M.: Die S. Gesch. einer geistigen Bewegung. Gött. ⁶1984–90. 2 Bde. – Forschner, M.: Die stoische Ethik. Stg. 1981.*

Stirling-Motor. Längsschnitt durch einen Einzylinder-Stirling-Motor mit Rhombengetriebe

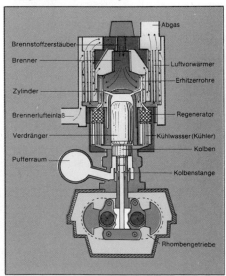

Abgas

Brennstoffzerstäuber

Brenner

Luftvorwärmer

Erhitzerrohre

Zylinder

Brennerlufteinlaß

Regenerator

Verdränger

Kühlwasser (Kühler)

Kolben

Pufferraum

Kolbenstange

Rhombengetriebe

Stobbe, Dietrich, *Weepers (= Wieprz bei Allenstein) 25. März 1938, dt. Politiker. – 1973–77 Senator für Bundesangelegenheiten in Berlin (West); 1977–81 (Rücktritt) dort Regierender Bürgermeister; ab 1977 Mgl. des SPD-Vorstandes, 1979–81 Landesvors. der SPD in Berlin (West); wurde 1983 MdB.

Stöberhunde, fährtenlaute (folgen laut bellend einer frischen Wildfährte) Jagdhunde, die bei der Jagd im Schußbereich der Flinte suchen und das Wild aus Dickungen und Deckungen heraustreiben. Zu den S. zählen v. a. die Spaniels und der Dt. Wachtelhund.

Stochastik [griech.], in der Statistik die mit wahrscheinlichkeitstheoret. Methoden vorgenommene Untersuchung zufälliger Ereignisse (z. B. von Stichproben).

stochastische Ereignisse (statist. Ereignisse), zufallsabhängige Ergebnisse von statist. Erhebungen (Versuchen), Werte von Zufallsgrößen u. a., denen sich bei einer hinreichend großen Anzahl von Versuchen bzw. Beobachtungen bestimmte Wahrscheinlichkeiten zuordnen lassen.

stochastische Musik, von I. Xenakis seit 1957 so benannte Kompositionstechnik, die auf der Grundlage der statist. Wahrscheinlichkeitstheorie und auf den Gesetzen der Kettenreaktion basiert.

stochastischer Prozeß (Zufallsprozeß), ein beliebiger, nicht völlig determinierter Vorgang, der sich durch eine von der Zeit t [oder einem anderen Parameter] abhängige Zufallsgröße $X(t)$ beschreiben läßt und den Verlauf einer statist. Schwankungen unterliegenden [physikal.] Größe kennzeichnet.

stochastische Systeme, in der Kybernetik Systeme, bei denen die Beziehung zw. einer beeinflussenden Eingangsgröße und der Systemantwort (Ausgangsgröße) Zufallscharakter besitzt und der Übergang in einen neuen Zustand jeweils nur mit einer gewissen Wahrscheinlichkeit erfolgt.

Stöchiometrie [zu griech. stoicheîon „Grundstoff, Element"], die Lehre von der mengenmäßigen Zusammensetzung chem. Verbindungen und der mathemat. Berechnung chem. Umsetzungen. Die drei Grundgesetze der S. sind: 1. das *Gesetz der konstanten Proportionen,* d. h., jede Verbindung enthält ihre Elemente in einem bestimmten, konstanten Massenverhältnis; 2. das *Gesetz der multiplen Proportionen* **(Daltonsches Gesetz),** d. h., die Massenverhältnisse zweier sich zu verschiedenen chem. Verbindungen vereinigender Elemente stehen im Verhältnis einfacher ganzer Zahlen zueinander; 3. das *Gesetz der äquivalenten Proportionen,* d. h., Elemente vereinigen sich im Verhältnis bestimmter Verbindungsgewichte (Äquivalentgewichte) oder ganzzahliger Vielfacher.

stöchiometrische Formel ↑chemische Formeln.

Stock, (Stubben) der nach dem Fällen zurückbleibende Teil des Baums.
◆ ↑Tierstock.
◆ (Bienen-S.) ↑Imkerei.
◆ vom Nebengestein steilwandig abgesetzte Gesteinsmasse, z. B. Salzstock.

Stockach, Stadt in Oberschwaben, Bad.-Württ., 470 m ü. d. M., 13 300 E. Fastnachtmuseum im Schloß Langenstein; Textil-, Elektro-, Metallwaren-, Maschinenbauind., Aluminium-Umschmelzwerk. – 1150 erstmals erwähnt; 1283 als Stadt bezeichnet; im 16. Jh. Gerichts- und Verwaltungsmittelpunkt.

Stockanker ↑Ankereinrichtung.

Stockausschlag, an der Rinde von Baumstümpfen aus schlafenden Knospen oder aus Adventivknospen am Übergang zw. Rinde und Holzkörper gebildete Sprosse. Starken S. bilden z. B. Birke, Eiche, Hainbuche, Linde und Ulme; Nadelhölzer zeigen diese Eigenschaft dagegen nur selten.

Stockente ↑Enten.

Stöcker, Helene, *Elberfeld (= Wuppertal) 13. Nov. 1869, † New York 24. Febr. 1943, dt. Frauenrechtlerin, Sexualreformerin und Pazifistin. – 1905 Mitbegr. des Bundes für Mutterschutz und Sexualreform; aktiv in der Dt. Friedensgesellschaft und in der Internationale der Kriegsdienstgegner publizistisch tätig; emigrierte 1933 in die Schweiz, lebte seit 1941 in den USA.

Stöcker ↑Stachelmakrelen.

Stockerau, niederöstr. Stadt 20 km nw. von Wien, 175 m ü. d. M., 12 500 E. Sitz und Archiv der Internat. Lenau-Gesellschaft; Maschinen-, Anlagen- und Fahrzeugbau, Textil- und chem. Ind. – 1012 erstmals gen., 1465 Markt- und 1893 Stadtrecht. – Frühklassizist. Pfarrkirche (1777) mit barockem Turm, barockes Rathaus (ehem. Puchheimsches Schloß, 17. Jh.).

Stock Exchange [engl. 'stɔk ɪks'tʃɛɪndʒ], urspr. Name der Londoner Börse, heute generell engl. Bez. für eine Effektenbörse.

Stockfisch, im Freien auf Holzgestellen getrockneter, ausgenommener und geköpfter Fisch. Als S. geeignet sind v. a. Dorschfische und Plattfische. S. enthalten am Ende der Trocknung nur 12–15 % Wasser und müssen vor dem Verbrauch gewässert werden. Haupterzeuger ist Norwegen, daneben Island, Japan und Korea. – ↑Klippfisch.

Stockflecke, durch Schwärzung von Schimmelpilzen, z. T. auch von Bakterien auf feuchte Textilien, auf Papier, Pergament oder Holz entstehende teils bräunl. oder grauschwarze Flecke mit muffigem Geruch.

Stockhaar, aus mittellangen Grannenhaaren und dichter Unterwolle gebildetes Haarkleid bei Hunden.

Stockhausen, Karlheinz, *Mödrath (= Kerpen) 22. Aug. 1928, dt. Komponist. – Studierte u. a. bei H. Schroeder, F. Martin, O. Messiaen, D. Milhaud; seit 1963 künstler. Leiter des Studios für elektron. Musik beim WDR in Köln; 1971–77 Prof. für Komposition an der Kölner Musikhochschule. – S. war maßgebend an vielen Entwicklungen der Neuen Musik beteiligt – als Komponist, Lehrer, Interpret und Theologe (Ges. Schriften u. d. T. „Texte", bisher 6 Bde., 1963–84). Sein Ausgangspunkt war die Idee einer strikten Durchorganisation des musikal. Materials in punktueller (u. a. „Kontra-Punkte" für 10 Instrumente, 1952/53; „Klavierstücke I–IV", 1952/53) oder statist.-serieller Technik (u. a. „Gruppen" für 3 Orchester, 1955–57) oder elektron. Musik („Gesang der Jünglinge", 1955/56). Immer stärker bezog S. dann den Zufall (↑ Aleatorik) und die eigenschöpfer. Tätigkeit des Interpreten in seine Werke ein (u. a. „Klavierstück XI", 1956); so v. a. auch in vielen live-elektron. Stücken („Kontakte" für elektron. Klänge, Klavier und Schlagzeug, 1959/60; „Mikrophonie I" für Tamtam, 2 Mikrophone, 2 Filter und Regler, 1964; „Mikrophonie II" für Chor, Hammondorgel und 4 Ringmodulatoren 1965). Seit den späten 1960er Jahren zerfallen Material und Musiksprache zugunsten mystizist. Konzeptionen, oft unter Einschluß von Räumlichem und Szenischem, elektron. und konkreter Musik, u. a.: „Hymnen" (1966/67), „Aus den sieben Tagen", 15 Kompositionen für Ensemble (1968); „Mantra" für 2 Pianisten (1970); „Trans" für Orchester und Tonband (1971); „Sirius" für elektron. Klänge, Trompete, Sopran, Baßklarinette, Baß (1975–77); „Jubiläum" für Orchester (1977); „Michaels Reise um die Erde" für Trompete und Orchester (1978); Opernzyklus „Licht" („Donnerstag", 1981; „Samstag", 1984; „Montag", 1988).

Stockholm, Hauptstadt Schwedens und des Verw.-Geb. S., an beiden Ufern des Ausflusses des Mälarsees in einen Arm der Ostsee sowie auf einigen Inseln, 674 000 E (1990), Groß-S. 1,6 Mill. E (1990). Residenz des schwed. Königs, Sitz der Reg., des Parlaments, eines luth. und eines röm.-kath. Bischofs; Reichsarchiv, mehrere Theater, über 50 Museen, u. a. Nationalmuseum, Freilichtmuseum Skansen; Univ. (gegr. 1877), TH, Handels-, medizin., Musik-, Sport-, Kunsthochschule; internat. Inst. für Energie und Humanökologie. Observatorium; botan. Garten; Sitz der Nobelstiftung; Messestadt; größte schwed. Ind.stadt mit Metallind., Maschinen-, Fahrzeug- und Schiffbau, Papier- und graph., Textil- und Bekleidungs-, chem. und Nahrungsmittelindustrie. Der Hafen wird im Winter durch Eisbrecher offengehal-

ten; Fährverbindungen mit Finnland, Danzig und St. Petersburg; Ausgangspunkt zahlr. Eisenbahnlinien ins Hinterland; U-Bahn, internat. ⊠ Arlanda.

Geschichte: Das 1252 erstmals belegte S. geht der Sage nach auf Birger Jarl (1250–66 Regent) zurück, es wurde als Handelsplatz gegründet. Der Sieg des Dänenkönigs Christian II. über den schwed. Reichsverweser Sten Sture d. J. führte zum „Stockholmer Blutbad" (1520). Nach Eroberung durch Gustav I. (1523) häufig Residenz der schwed. Könige; seit 1634 Hauptstadt Schwedens; im 17. Jh. rasches Wachstum (u. a. Kriegshafen in Skeppsholm, 1630). Der **Friede von S.** (1. Febr. 1720) beendete im 2. Nord. Krieg die Kampfhandlungen zw. Schweden und Preußen, das Vorpommern zwischen Oder und Peene mit Stettin, Usedom und Wollin erhielt. Unter König Gustav III. (⌂ 1771–92) wurde S. auch zum bed. kulturellen Mittelpunkt. Östermalm wurde ab 1866 planmäßig bebaut. In Djurgården entstand ab 1930 ein neuer Stadtteil.

Bauten: Bed. Kirchen sind die Storkyrka (13., 14./15. und 18. Jh.), die Riddarholmskirche (13. Jh.; mehrfach erneuert), die Tyska kyrka (Dt. Kirche, 1638–42); Königl. Schloß (nach 1697) mit prunkvoller Innenausstattung; Riddarhus (Ritterhaus, 1641–74). Im 19. Jh. entstanden das Nat.museum u. a. öff. Gebäude, im 20. Jh. das Rathaus, die Königl. Bibliothek, das Dramat. Theater sowie Satellitenstädte. – Das westl. von S. auf der Insel Lovö gelegene Schloß Drottningholm sowie die zugehörigen Anlagen wurden von UNESCO zum Weltkulturerbe erklärt. – Abb. S. 142.

S., Verw.-Geb. im östl. Mittelschweden, umfaßt die östl. Bereiche der histor. Prov. Uppland und Södermanland, 6 488 km², 1,6 Mill. E (1990), Hauptstadt Stockholm.

Stockholm International Peace Research Institute [engl. 'stɔkhoum ɪntə-'næ∫ənəl 'pi:s ri'sɜ:t∫ 'ɪnstɪtju:t „Internat. Friedensforschungsinstitut Stockholm"], Abk. SIPRI, 1966 als Stiftung vom schwed. Parlament gegr. Institution; veröffentlicht u. a. das SIPRI-Jahrbuch, das die internat. Rüstungsentwicklung laufend dokumentiert.

Stocklack ↑ Schellack.

Stockmalve (Eibisch, Althaea), Gatt. der Malvengewächse mit 25 Arten im gemäßigten Eurasien; stark behaarte Kräuter oder Stauden mit handförmig geteilten Blättern und einzeln oder in Trauben stehenden, großen radiären Blüten. Bekannte Arten sind die bis 3 m hohe **Stockrose** (Roter Eibisch, Althaea rosea) mit verschiedenfarbigen Blüten in bis 1 m langer Ähre und der **Echte Eibisch** (Althaea officinalis), eine bis 1,5 m hohe Staude mit weißen oder rosafarbenen Blüten.

Stockholm. Insel Riddarholm mit der
Riddarholmskirche (rechts)

Stockmaß, Abk. Stm., bei Haussäuge-
tieren die mit dem Meßstock gemessene
größte Rumpfhöhe (Widerristhöhe).

Stockpunkt, Temperatur, bei der eine
zähe Flüssigkeit so viskos wird, daß sie gerade aufhört zu fließen.

Stockpuppe ↑ Stabpuppe.

Stockrose ↑ Stockmalve.

Stockschilling ↑ Prügelstrafe.

Stockschwämmchen (Laubholz-
schüppling, Kuehneromyces mutabilis), sehr
häufiger, v. a. im Herbst auf Laubholzstub-
ben büschelig wachsender Lamellenpilz; Hut
3–7 cm breit, bräunlichgelb mit heller Mitte
und dunklerer Randzone, in feuchtem Zustand zimtfarben; Lamellen zimtbraun, Stiel
schuppig, mit hautartigem, kleinem Ring;
Speisepilz.

Stockton [engl. 'stɔktən], kaliforn. Stadt
am San Joaquin River, 149 800 E. Sitz eines
kath. und eines anglikan. Bischofs; Univ.
(gegr. 1852); Hafen. – Gegr. 1847 als **Tule-
borg** (auch als **New Albany** bekannt); seit
1849 heutiger Name; Versorgungszentrum
für Goldsucher 1848–50.

Stockton-on-Tees [engl. 'stɔktən ɔn
'tiːz] ↑ Teesside.

Stoecker, Adolf ['ʃtœkər], * Halberstadt
11. Nov. 1835, † Bozen 7. Febr. 1909, dt. So-
zialpolitiker. – 1874–90 Hof- und Domprediger in Berlin; übernahm 1877 die Leitung der
Berliner Stadtmission mit dem Ziel, das Pro-
letariat für die Kirche zu gewinnen; gründete
1878 die Christl.-soziale Arbeiterpartei, deren
monarch.-nationalist. Ausrichtung kaum Wi-
derhall in der Arbeiterschaft fand; durch seinen Antisemitismus wirkte er stärker auf den
Mittelstand. 1879–98 Mgl. des preuß. Abg.-
hauses, 1881–93 und 1898–1908 MdR
(Deutschkonservative Partei). S. gründete
1890 den Ev.-sozialen Kongreß, den er 1896
wegen des Ggs. zu F. Naumann verließ.

Stoff, in der *Chemie* jede in Form von
Elementen, Verbindungen oder Gemischen
vorliegende Materie unabhängig vom Aggregatzustand.

◆ in der *Philosophie* svw. ↑ Materie.

◆ aus Garnen durch Weben (auch Wirken
oder Stricken) hergestelltes flächiges Erzeug-
nis, das meist in Form aufgerollter Bahnen in
den Handel kommt. S. werden nach Zusammensetzung der Garne, Art der Herstellung
und Verwendungszweck unterschieden.

Stoffdruck (Textildruck, Zeugdruck),
Aufbringen von ein- und mehrfarbigen Mustern auf die Oberfläche von Textilien. Das
älteste Verfahren ist der ↑ Handdruck. Später
folgte der *Reliefdruck,* bei dem die Farben mit
Hilfe von Druckwalzen mit erhabenen
Druckformen auf die Textilien aufgebracht
werden. Vertiefte Druckformen wurden erstmals bei dem *Plattendruck* verwendet. Aus
diesem Verfahren entwickelte sich der *Rou-
leauxdruck (Walzendruck),* bei dem die Farben mit Hilfe gravierter Walzen (die Druckfarben haften nur an den gravierten Stellen)
auf den Stoff übertragen werden. Aus dem
Spritzdruck, bei dem die Druckfarben auf die
mit Schablonen teilweise abgedeckten Gewebe gesprüht wurden, entwickelte sich der
heute für den S. bedeutungsvolle Siebdruck.
Daneben gibt es bes. kunstgewerbl. Druck-
bzw. Färbeverfahren (↑ Batik).

Stoffkonstante, svw. ↑ Materialkonstante.

Stoffmenge (Teilchenmenge), Formelzeichen *n*, in der *Chemie* Basisgröße des Internat. Einheitensystems; festgelegt als die durch die ↑Avogadro-Konstante N_A dividierte Anzahl *N* gleichartiger in einem Stoff vorhandener Teilchen (Atome, Ionen, Moleküle): $n = N/N_A$. SI-Einheit der S. ist das ↑Mol.

Stoffwechsel (Metabolismus), die Gesamtheit der biochem. Vorgänge, die im pflanzl., tier. und menschl. Organismus oder in Teilen davon ablaufen und dem Aufbau, Umbau und der Erhaltung der Körpersubstanz sowie der Aufrechterhaltung der Körperfunktionen dienen. Die S.prozesse verbrauchen Energie, die durch Abbau zelleigener Substanzen exergon (energiefreisetzend, katabolisch) im Vorgang der ↑Dissimilation gewonnen wird. Die durch die Dissimilation verbrauchten Substanzen und die für Aufbau und Wachstum erforderl. Zellsubstanzen werden durch endergone (energieverbrauchende, anabol.) Reaktionen im Vorgang der ↑Assimilation ersetzt. – Sämtl. Körpersubstanzen werden im S. aus den Elementen Kohlenstoff (C), Sauerstoff (O), Wasserstoff (H), Stickstoff (N), Schwefel (S), Natrium (Na), Kalium (K), Calcium (Ca), Magnesium (Mg), Chlor (Cl), Eisen (Fe), Kupfer (Cu), Mangan (Mn), Zink (Zn), Kobalt (Co), Jod (J) und Phosphor (P) synthetisiert. Je nach der Herkunft der Elemente C, N und S in der organ. Substanz werden Organismen mit zwei S.typen unterschieden: die autotrophen (sich ausschließlich von anorgan. Substanzen ernährenden) und die heterotrophen (auf organ. Nahrung angewiesene) Organismen. – Die S.vorgänge laufen als extra- oder intrazelluläre, biochemisch durch Enzyme gesteuerte Reaktionen ab. Praktisch lassen sich alle S.vorgänge nach Funktionskreisen in Assimilation, Ernährung, Atmung, Verdauung, Resorption und Exkretion unterteilen. Generell unterschieden werden der **Baustoffwechsel** (Anabolismus, heute meist Assimilation gen.) vom *Energie-* oder **Betriebsstoffwechsel**, der auch als Katabolismus bzw. Dissimilation bezeichnet wird und die beiden Vorgänge der inneren Atmung und der Gärung umfaßt. Die einzelnen abbauenden und aufbauenden S.wege sind durch reversible Reaktionen miteinander verknüpft. Oftmals wird daher für die zw. Stoffaufnahme und -abgabe liegenden S.prozesse der Begriff des **Intermediärstoffwechsels** (innerer S., Zwischen-S.) benutzt.
Nach den im S. umgesetzten Substanzen unterscheidet man: den aufbauenden **Kohlenhydratstoffwechsel** (mit Photosynthese, Chemosynthese, Glykogenie und Gluconeogenese) und den abbauenden Kohlenhydrat-S. (mit Glykolyse und Zitronensäurezyklus), den Fett-, den Eiweiß-, den Nukleinsäure- und den Mineralstoffwechsel. Eine zentrale Stelle im S.geschehen nehmen die an der Phosphorylierung der Substrate beteiligten ↑Adenosinphosphate (als sog. Phosphatpumpe bezeichnet) ein.

Unter **Fettstoffwechsel** *(Lipid-S.)* versteht man die Vorgänge zum Auf- und Abbau von Fetten oder fettartigen Substanzen im Organismus. Diese Substanzen gelangen in Form von Chylomikronen, als ungebundene Moleküle oder an Plasmaeiweiße als Trägerstoffe gekoppelt (d. h. als Lipoproteide) auf dem Blut- oder Lymphweg zu den Orten des Fett-S. (Leber, Körperfettgewebe). – Der *Fett-S. i. e. S.* umfaßt den S. der Neutralfette und der Fettsäuren. Etwa 60% der v. a. mit der Nahrung aufgenommenen Neutralfette werden als Depotfett (Energiereserve, Wärmeschutz) abgelagert. Der Rest wird zur Synthese von komplexeren Lipiden verwendet bzw. in der Leber durch Lipasen in Glycerin und Fettsäuren gespalten. Der Abbau der Fettsäuren erfolgt durch Betaoxidation und mehrere Zwischenreaktionen bis zu Acetyl-Koenzym A (Acetyl-CoA) bzw. bei Fettsäuren mit einer ungeraden Anzahl von Kohlenstoffatomen bis zu Propionyl-CoA. Über Acetyl-CoA können aus den Fettsäuren Kohlenhydrate oder Aminosäuren aufgebaut werden, umgekehrt aber auch Fettsäuren aus Kohlenhydraten und Eiweiß entstehen; ebenso erfolgen der Abbau der Fette zu Kohlendioxid und Wasser sowie die Ketogenese (Bildung von Ketonkörpern) über Acetyl-CoA. – Der *Fett-S. i. w. S.* umfaßt den S. der komplexen Lipide, d. h. der Phospholipide, Glykolipide, Karotinoide und des Cholesterins, in dem die Fettsäuren als Ausgangsmaterial dienen. Dieser eigentl. *Lipid-S.* wird wesentlich durch Hormone wie Thyroxin, Insulin, Adrenalin, die Glukokortikoide, das adrenokortikotrope Hormon, Somatotropin und die Geschlechtshormone beeinflußt. Thyroxin erhöht den Fettumsatz und führt so zu einer Erniedrigung der Gesamtlipide, bes. des Cholesterins und der Karotinoide im Blut. Insulin bewirkt die vermehrte Umwandlung von Kohlenhydraten in Fettsäuren und hemmt deren Abbau; außerdem beschleunigt es die Aufnahme und Verwertung der im Blut zirkulierenden freien Fettsäuren durch das Fettgewebe. Das Somatotropin beschleunigt den Abbau der Fette; Adrenalin führt zu einer Mobilisierung des Depotfetts, verstärkt die Spaltung der Neutralfette und bewirkt somit einen erhöhten Blutplasmaspiegel an Neutralfetten, freien Fettsäuren und Glycerin. Die Glukokortikoide beeinflussen die Verlagerung der Lipide aus dem Depot des Fettgewebes in die Leber und steigern den Fettabbau. Die Geschlechtshormone haben

Edmund Stoiber

bes. Bed. für die Lokalisierung der Fettdepots. – Bei Pflanzen (außer Mikroorganismen) sind die Fette ausschließlich Reservestoffe, die bei Bedarf im ↑ Glyoxylsäurezyklus abgebaut werden.

Unter **Eiweißstoffwechsel** versteht man die Gesamtheit aller biolog. Vorgänge und biochem. Umsetzungen, die den Auf- und Abbau von Proteinen bei Pflanzen und Tieren sowie beim Menschen betreffen. Die biolog. Proteinbiosynthese erfolgt in den Zellen des Organismus aus Aminosäuren. Der Abbau der (mit der Nahrung aufgenommenen) Proteine geschieht bei Tieren und beim Menschen im Magen-Darm-Trakt durch eiweißspaltende Enzyme (Proteasen) bis hin zu den resorptionsfähigen Aminosäuren.

Der **Nukleinsäurestoffwechsel** *(Nukleotid-S.)* umfaßt die ↑ DNS-Replikation und die Biosynthese von RNS. Der Abbau der Nukleinsäuren erfolgt bei pflanzl. und tier. Organismen über die DNasen und RNasen. Das Endprodukt ist bei allen Tieren und beim Menschen Harnsäure.

Der **Mineralstoffwechsel** umfaßt die chem. Umsetzungen der Mineralstoffe und Spurenelemente. Bei Tieren und beim Menschen wird er hormonal durch Mineralokortikoide geregelt. Bei Pflanzen fehlt eine derartige Regelung; sie können die Mineralstoffe nur relativ selektiv aufnehmen und/oder ausscheiden. – Für die Lebensfunktionen sind v. a. der Natrium-, Kalium- und Calcium-S. (Kalk-S.) bedeutend; bes. ist die Erregbarkeit des tier. und menschl. Organismus ursächlich mit einem Natrium-Kalium-Ungleichgewicht verbunden. Das Kalium ist verantwortlich für die Erregbarkeit der Nerven und Muskeln. Die Calciumionen sind ein wichtiger Faktor bei enzymat. Reaktionen und mitverantwortlich für die Permeabilität der Zellmembranen. Außerdem steuern sie über die Beeinflussung des Erregungsablaufs die Nervenfunktion und die Muskelkontraktilität.

🕮 *Mengel, K.: Ernährung u. S. der Pflanzen. Jena* [7]*1991. – Klinger, R.: S. u. Energieumsatz. Mhm. 1990. – Kinzel, H.: S. der Zelle. Stg.* [2]*1989. Cleffmann, G.: S.physiologie der Tiere. Stg.* [2]*1987.*

Stoffwechselkrankheiten, Krankheiten, die durch Stoffwechselstörungen bedingt sind und/oder mit Stoffwechselstörungen einhergehen, z. B. Fettsucht, Gicht, Diabetes mellitus.

Stoiber, Edmund, * Oberaudorf (bei Kufstein) 28. Sept. 1941, dt. Politiker (CSU). – Jurist; seit 1974 MdL in Bayern; 1978–83 Generalsekretär der CSU; leitete 1982–86 als Staatssekr., danach bis 1988 als Staatsmin. die bayr. Staatskanzlei, war 1988–93 bayr. Innenmin., wurde 1993 zum Min.präs. Bayerns gewählt.

Stoiker [griech.], Anhänger der ↑ Stoa.

Stoizismus [griech.], nach der griech. Philosophenschule ↑ Stoa ben. Position, die insbesondere durch die Haltung der Gelassenheit, der Freiheit von Neigungen und Affekten sowie durch ethischen Rigorismus gekennzeichnet ist.

Stoke-on-Trent [engl. 'stoʊk ɔn 'trɛnt], engl. Stadt in den West Midlands, 252 400 E. Polytechn. Hochschule, Museen; Mittelpunkt der Potteries, Herstellung von Kacheln, Porzellanwaren, Steingut; Eisen- und Stahlind., Gießereien, Maschinenbau, Reifenherstellung. – Seit 1910 Stadtgrafschaft.

Stoker, Bram [engl. 'stoʊkə], eigtl. Abraham S., * Dublin 1847, † London 20. April 1912, ir. Schriftsteller. – Welterfolg hatte sein Vampirroman „Dracula" (1897; ↑ Dracula).

Stokes, Sir (seit 1889) George Gabriel [engl. stoʊks], * Skreen (Sligo) 13. Aug. 1819, † Cambridge 1. Febr. 1903, brit. Mathematiker und Physiker. – Lieferte wichtige Beiträge zur Analysis (↑ Stokesscher Integralsatz) und zur mathemat. Physik. Seine physikal. Forschungen betrafen v. a. die Hydrodynamik und die Optik (↑ Stokessches Fluoreszenzgesetz).

Stokesscher Integralsatz [engl. stoʊks; nach Sir G. G. Stokes], mathemat. Lehrsatz, der die Darstellung eines Oberflächenintegrals über ein Flächenstück *F* durch ein über die Randkurve *C* erstrecktes Kurvenintegral (und umgekehrt) gestattet.

Stokessches Fluoreszenzgesetz (Stokessche Regel) [engl. stoʊks; nach Sir G. G. Stokes], ein bei fast allen Fluoreszenz- und Phosphoreszenzvorgängen gültiges Gesetz, nach dem kein Licht emittiert wird, das kurzwelliger als die erregende Strahlung ist.

STOL ↑ Flugzeug (Flugzeugkunde).

Stola [griech.-lat.], schalartiger Umhang; urspr. Übergewand der Römerin.

◆ Teil der ↑ liturgischen Gewänder; etwa 2,5 m langer, 5–8 cm breiter Stoffstreifen.

Stolberg/Harz (amtl. Kurort Thomas-Müntzer-Stadt S./H.), Stadt im S-Harz, Sa.-Anh., 300–450 m ü. d. M., 1 800 E. Fremdenverkehr. – Um 1200 bei einer Burg entstanden, vor 1300 Stadtrecht. – Schloß (1201–10, im 16. Jh umgebaut); spätgot. Pfarrkirche Sankt-Martin (bed. Ausstattung); Rathaus (1455–82) Alte Münze (1535; Thomas-Müntzer-Gedenkstätte und Museum); zahlr. Fachwerkhäuser.

Stolberg (Rhld.), Stadt am N-Rand der Eifel, NRW, 185 m ü. d. M., 55 700 E. Blei-, Messing-, Zink- und Glaserzeugung, chem., pharmazeut., Elektro-, Textil-, Maschinenbau-, Kleineisen-, Möbel- und Nahrungsmittelind. – Entstand bei der 1118 erwähnten Burg, besaß schon im 14. Jh. Werkstätten zur Eisenbearbeitung und Hüttenwerke; im 17./18. Jh. führend in der Messingverarbeitung in Europa; seit 1856 Stadt. – Die Burgruine wurde 1888 ff. schloßartig ausgebaut, 1951–53 nach Kriegsschäden restauriert.

Stolberg-Stolberg, Christian Reichsgraf zu, * Hamburg 15. Okt. 1748, † Schloß Windebye bei Eckernförde 18. Jan. 1821, dt. Schriftsteller. – Bruder von Friedrich Leopold S.-S.; Mgl. des „Göttinger Hains"; Bekanntschaft mit Goethe und J. K. Lavater. Schrieb Singspiele, patriot. Lieder und Liebeslyrik; Verf. bed. Übersetzungen aus dem Griechischen und Lateinischen.

S.-S., Friedrich Leopold Reichsgraf zu, * Bramstedt (= Bad Bramstedt) 7. Nov. 1750, † Schloß Sondermühlen bei Osnabrück 5. Dez. 1819, dt. Schriftsteller. – Mgl. des „Göttinger Hains"; Beziehungen zu Goethe und J. K. Lavater, später zu J. G. Hamann, F. H. Jacobi und J. G. Herder; 1789–91 dän. Gesandter in Berlin. S.-S. vertrat zunächst freiheitl.-demokrat. Ideale, stand später der polit. und kirchl. Reaktion nahe; 1800 Übertritt zum Katholizismus. Schrieb anfangs pathet.-patriot. Lyrik; zeitweise enge dichter. Zusammenarbeit mit seinem Bruder; schrieb auch Reiseberichte, kirchenhistorische Schriften; Übersetzungen v. a. antiker Literatur.

Stolczer, Thomas ↑ Stolzer, Thomas.

Stoll, Karlheinz, * Dörfel (Nordböhm. Bez.) 12. Juni 1927, † 25. Jan. 1992, dt. ev. Theologe. – 1979–90 Bischof des Sprengels Schleswig und gleichzeitig Vors. der Kirchenleitung der Nordelb. ev.-luth. Kirche; 1982–90 auch Leitender Bischof der VELKD.

Stollberg, Landkr. in Sachsen.

Stollberg/Erzgeb., Krst. am N-Rand des Erzgebirges, Sa., 414 m ü. d. M., 12 000 E. Metallwaren- und elektrotechn. Ind., Maschinenbau. – Unterhalb der Burg Hoheneck (Ende 12. Jh.) nach 1300 entstanden, 1343 Stadt. – Spätgot. Marienkirche (12.–15. Jh.), Jakobikirche (1653–59).

Stollen ↑ Lederherstellung.
Stollen [eigtl. „Pfosten, Stütze"] ↑ Stollenstrophe.
◆ Tunnel geringen Querschnitts; entweder Hilfsbauwerk (z. B. beim Tunnelbau) oder dauerndes Bauwerk (z. B. Druck-S. eines Wasserkraftwerks). Im *Bergwesen* ein leicht ansteigender Grubenbau, der von einem Hang aus in den Berg vorgetrieben wird.
◆ runde Leichtmetall-, Kunststoff- oder Lederteile an der Sohle von Fußballschuhen, um diese rutschfest zu machen.
◆ (Stolle) als Laib gebackener Kuchen; beim *Christstollen* mit Korinthen, Zitronat, Mandeln u. a.

Stollenholz (Stollen), Kantholz, das als Vollholz für tragende Teile von Möbeln und bei Rahmenkonstruktionen (z. B. für Türrahmen) verwendet wird.

Stollenschrank, halbhohes Möbelstück des 15. und 16. Jh. (Niederrhein, Westfalen, Flandern) mit offenem Untergestell.

Stollenstrophe, im dt. Minnesang Kanzonenstrophe, bestehend aus dem in 2 musikalisch und metrisch gleichgebauten **Stollen** gegliederten Aufgesang und dem metrisch und musikalisch abweichenden Abgesang; gängigste Strophenform des MA und der frühen Neuzeit.

Stolo (Stolon, Mrz. Stolonen) [lat.], in der *Botanik* svw. ↑ Ausläufer.
◆ in der *Zoologie* die bei Moostierchen und einigen Nesseltierpolypen (Hydrozoen und Scyphozoa) auftretenden, der ungeschlechtl. Fortpflanzung dienenden, wurzelartig im oder auf dem Substrat wachsenden Ausläufer, an denen neue Tiere ausknospen.

Stolp (poln. Słupsk), Stadt in Pommern, Polen, 22 m ü. d. M., 96 000 E. Hauptstadt der Woiwodschaft Słupsk; PH, Museen; Theater; Metallverarbeitung, Leder-, Möbel- und Nahrungsmittelind., 18 km nnw. von S. das Seebad **Stolpmünde** (17 000 E) mit Fischereihafen. – 1236 Ersterwähnung; erhielt 1310 lüb. Recht, 1368 Münzrecht; wurde 1382 Mgl. der Hanse und konnte im 15. Jh. seinen Handel bis nach Flandern ausdehnen. – Im 2. Weltkrieg stark zerstört. Von der ma. Stadtbefestigung sind 2 Tore erhalten; wiederaufgebaut wurde die Marienkirche (13.–15. Jh.); Renaissanceschloß (16. Jh.; Museum).

Stolpe, Manfred, * Stettin 16. Mai 1936, dt. Politiker. – Jurist; Jan. 1982–Okt. 1990 Präs. des Konsistoriums der Ev. Landeskirche Berlin-Brandenburg (seit Dez. 1982 auch stellv. Vors. des Bundes der Ev. Kirchen in der DDR); seit 1990 Mgl. der SPD, seit 1. Nov. 1990 Min.präs. von Brandenburg. – Abb. S. 146.

S., Sven, * Stockholm 24. Aug. 1905, schwed. Schriftsteller und Literaturkritiker. – Verf. religiöser Romane, u. a. „Im Wartezimmer des

Manfred Stolpe

Todes" (1930), „Frau Brigitta lächelt" (1955); „Königin Christine von Schweden" (Biogr., 1960); auch Essayist.

Stolpen, Stadt im Lausitzer Bergland, Sa., 320 m ü. d. M., 2 000 E. Erholungsort; Bau von Großkochanlagen, Metallwarenherstellung. - Die auf hohem Basaltfelsen gelegene Burg (12. Jh., ausgebaut 15./16. Jh.; Museum, z. T. Ruine) diente mehrfach als Staatsgefängnis, u. a. für die Mätresse Augusts II., Gräfin Cosel.

Stolper, Armin, * Breslau 23. März 1934, dt. Schriftsteller. - Trat vor allem mit Theaterstücken hervor, die Konflikte in alternativen Entscheidungssituationen untersuchen („Zeitgenossen", 1969; „Lausitzer Trilogie", 1980); schreibt auch Essays, Erzählungen („Die Karriere des Seiltänzers", 1979); und Gedichte („Weißer Flügel schwarz gerändert", 1982).

Stolpmünde ↑ Stolp.

Stolte, Dieter, * Köln 18. Sept. 1934, dt. Publizist. - Seit 1976 Programmdirektor beim ZDF, seit 1982 dessen Intendant.

Stoltenberg, Gerhard, * Kiel 29. Sept. 1928, dt. Politiker (CDU). - Historiker; 1957–71 MdB; 1965 Direktor im Krupp-Konzern; 1965–69 Bundesmin. für wiss. Forschung; 1969–Okt. 1990 stellv. Bundesvors. der CDU; 1954–57 und 1971–82 MdL, 1971–82 Min.präs. und 1971–89 Landesvors. der CDU in Schl.-H.; 1982–April 1989 Bundesmin. der Finanzen; April 1989–März 1992 Bundesverteidigungsminister.

S., Thorvald, * Oslo 8. Juli 1931, norweg. Politiker (Arbeiterpartei). - Jurist; seit 1959 im diplomat. Dienst; 1979–81 Verteidigungs-, Febr.–Okt. 1987 und wieder seit Nov. 1990 Außenmin.; Jan.–Okt. 1990 Hoher Flüchtlingskommissar der UN.

Stoltzer (Stolcer, Scholczer), Thomas, * Schweidnitz zw. 1480 und 1485, † Ofen ([?] = Budapest) 1526, dt. Komponist. - Kompo-

nierte überwiegend geistl. Werke, u. a. Messen (ohne Credo), Motetten zum Proprium missae, 15 lat. und 4 dt. Psalm-Motetten (seine bedeutendsten Werke), Hymnen, geistl. und weltl. dt. Lieder.

Stolypin, Pjotr Arkadjewitsch [russ. sta-'lipin], * Dresden 14. April 1862, † Kiew 18. Sept. 1911 (ermordet), russ. Politiker. - Ab 1906 Innenmin. und Min.präs.; suchte durch rücksichtslose Polizeiherrschaft die Wirren der Revolution von 1905 zu überwinden; führte eine grundlegende Agrarreform durch, die unter Zerschlagung der alten russ. Dorfgemeinde (Mir) die Voraussetzung für das Entstehen selbständiger Einzelbauern schaffen sollte. Fiel einem Attentat der Sozialrevolutionäre zum Opfer.

Stolz, Robert, * Graz 25. Aug. 1880, † Berlin (West) 27. Juni 1975, östr. Operettenkomponist. - Komponierte über 60 Operetten, darunter „Venus in Seide" (1932), sowie über 100 Filmmusiken, u. a. „Zwei Herzen im Dreivierteltakt" (1930), „Ich liebe alle Frauen" (1935) und über 2 000 Lieder.

Stolze, Wilhelm, * Berlin 20. Mai 1798, † ebd. 8. Jan. 1867, dt. Stenograph. - Veröffentlichte 1841 ein Stenographiesystem; 1897 entstand aus den Systemen von S. und F. Schrey das „Einigungssystem S.-Schrey", das neben dem System Gabelsberger Grundlage der dt. Einheitskurzschrift wurde (↑ Stenographie).

Stölzel (Stöltzel, Stölzl), Gottfried Heinrich, * Grünstädtel bei Schwarzenberg (Erzgebirge) 13. Jan. 1690, † Gotha 27. Nov. 1749, dt. Komponist. - Ab 1719 Hofkapellmeister in Gotha; verbindet in seinen Werken italien. galanten Stil mit dt. polyphoner Satztechnik; schrieb u. a. Opern, Kantaten, Oratorien, Passionen, Messen sowie Instrumentalwerke.

Stoma (Mrz. Stomata) [griech.], in der *Zoologie* svw. ↑ Mund.
◆ in der *Botanik* ↑ Spaltöffnungen.
◆ in der *Chirurgie* eine operativ hergestellte

Gerhard Stoltenberg

Öffnung eines Hohlorgans zur Körperoberfläche, z. B. ↑ Kunstafter.

Stomachika [griech.] (Magenmittel), Mittel, die den Appetit und die Verdauung anregen und fördern; v. a. Bittermittel.

Stomachus [griech.], svw. ↑ Magen.

Stomata, Mrz. von Stoma.

Stomatitis [griech.], Entzündung der Mundschleimhaut, die katarrhalisch mit Rötung und Schwellung *(S. simplex)* oder geschwürig (*S. ulcerosa,* Mundfäule) ablaufen kann. In Verbindung mit eitrig-geschwürigem Schleimhautzerfall besteht übler Mundgeruch und starke Schmerzhaftigkeit bei Nahrungsaufnahme. Ursachen sind mangelnde Mundhygiene (↑ Zahnpflege), Zahnsteinansatz, sanierungsbedürftiges Gebiß, Allgemeinerkrankungen mit herabgesetzter Abwehrlage, chron. Vergiftungserscheinungen und spezif. Infektionen. *S. aphthosa* oder *herpetica* ist durch kleine, grauweiße, von rotem Hof umgebene, bei Berührung sehr schmerzhafte Flecken gekennzeichnet, die bei Kindern (bes. während der Pubertät), aber auch bei Erwachsenen (v. a. bei Frauen) auftreten.

Stomatologie [griech.], Lehre von den Krankheiten der Mundhöhle.

Stomp [engl. stɔmp; engl.-amerikan., eigtl. „das Stampfen"], im 19. Jh. Bez. für einen afroamerikan. Tanz; später ein spezif. Gestaltungsmittel des traditionellen Jazz, bei dem dem melod. Ablauf ein konstantes rhythm. Muster zugrunde gelegt wird.

Stone [engl. stoʊn], Irving, eigtl. I. Tannenbaum, * San Francisco 14. Juli 1903, † Los Angeles 25. Aug. 1989, amerikan. Schriftsteller. – Verf. von romanhaften Biographien; schrieb u. a. „Vincent van Gogh" (1934), „Michelangelo" (1961), „Der Seele dunkle Pfade" (1971; über S. Freud), „Der griech. Schatz. Das Leben von Sophia und Heinrich Schliemann" (1975), „Die Tiefen des Ruhms" (1985; über C. Pissarro).

S., Oliver, * New York (N. Y.) 15. Sept. 1946, amerikan. Regisseur. – Schrieb Drehbücher, u. a. für „Midnight Express" (1978, Regie: A. Parker), „Das Jahr des Drachens" (1985, Regie: M. Camisso); Debüt als Regisseur (mit eigenen Drehbüchern) mit „Salvador" (1985). – *Weitere Filme:* Platoon (1986), Wall Street (1987), Geboren am 4. Juli (1989), The Doors (1990), John F. Kennedy (1991).

S., Richard, * London 30. Aug. 1913, † Cambridge 6. Dez. 1991, brit. Nationalökonom. – Prof. in Cambridge (seit 1955); erhielt für seine Forschungsarbeiten auf dem Gebiet der volkswirtsch. Gesamtrechnung 1984 den sog. Nobelpreis für Wirtschaftswissenschaften.

Stonehenge [engl. 'stoʊnˈhɛndʒ], vorgeschichtl. Steinkreisanlage (Kromlech) in der Salisbury Plain, S-England, 12 km nördl. von Salisbury. – Am besten erhaltene Megalith-

anlage aus dem 3./2. Jt.; das größte prähistor. Steindenkmal Europas; S. I bestand aus einem äußeren Ringgraben mit innerem Wall (Durchmesser etwa 110 m); S. II wurde aus bis zu 20 m hohen, aufrechtstehenden Steinblöcken errichtet: 2 konzentr. Steinkreise und die „avenue" (Länge etwa 2 km) von S. zum Avon; S. III ist die heute noch sichtbare Anlage; die aufrechtstehenden Steine wurden oben durch Querblöcke verbunden (Trilithen); besitzt im Zentrum einen „Altarstein", umgeben von einer hufeisenartigen Anlage aus Blausteinen, die von 2 Steinkreisen eingeschlossen ist; einige Steine weisen eingravierte Darstellungen auf. Die Konzeption der Anlage und die bes. Stellung einzelner Steine zum jeweiligen Sonnenstand lassen vermuten, daß hier z. B. zur Sonnenwende kult. Handlungen stattfanden. S. wurde von der UNESCO zum Weltkulturerbe erklärt.

Stony Brook ['stoʊnɪ 'bruːk] ↑ Princeton.

Stopfbuchsdichtung   ↑ Dichtung (Technik).

stopfende Mittel, svw. ↑ Antidiarrhoika.

Stopfenwalzverfahren ↑ Walzen.

Stopfhacken ↑ Hacken.

Stopfmittel, svw. ↑ Antidiarrhoika.

Stoph, Willi, * Berlin 9. Juli 1914, dt. Politiker. – Maurer, Bautechniker; seit 1931 Mgl. der KPD, 1946–Dez. 1989 der SED, seit 1950 Mgl. ihres ZK, seit 1953 des Politbüros; 1952–55 Innen-, 1956–60 Verteidigungsmin., 1964–73 und 1976 bis Nov. 1989 (Rücktritt) Vors. des Min.rates; 1973–76 Vors. des Staatsrates der DDR. Gegen S. wurden mehrere Ermittlungsverfahren eingeleitet, u. a. wegen des Schießbefehls an der ehem. innerdt. Grenze (seit Mai 1991 inhaftiert).

Stoppard, Tom [engl. 'stɔpəd], urspr. Thomas Straussler, * Zlín 3. Juli 1937, engl. Dramatiker und Drehbuchautor tschech. Herkunft. – Mit seinem umfangreichen Werk bed. Vertreter des satirisch-absurden Theaters, u. a. „Rosenkranz und Güldenstern sind tot" (1967; 1990 von S. verfilmt), „Der wahre Inspektor Hound" (1968), „Akrobaten" (1972), „Hapgood" (1988).

Stoppel, den man beim Schnitt von Getreide, Ölfrüchten u. a. über dem Boden verbleibende kurze Rest des Pflanzenstengels.

Stoppelfeld, das abgemähte Feld.

Stoppelrübe, svw. Wasserrübe (↑ Rübsen).

Stopper, seemännisch für die Haltevorrichtung für belastete Trossen oder Ketten.

Stoppuhr, ein v. a. zur Messung kurzer Zeitstrecken verwendetes mechan. oder elektr. [Kurz]zeitmeßgerät, mit dem sich der Zeitunterschied zweier aufeinanderfolgender Ereignisse (Signale) im allg. auf Zehntel- oder Hundertstelsekunden bzw. Zehntel-

oder Hundertstelminuten genau messen und festhalten läßt.

Stop time [engl. 'stɔp 'taɪm], rhythm. Gestaltungsmittel des traditionellen Jazz, bei dem einzelne Taktwerte (i. d. R. die Eins) von der gesamten Gruppe synchron akzentuiert und die Pausen durch den improvisierenden Solisten überbrückt werden.

Stör ↑ Störe.

Stora Sjöfallet [schwed. ˌstuːra ˈʃøːfalət], nordschwed. Nat.park, in dem die gleichnamigen Wasserfälle des Stora Luleälv zw. zwei Gebirgsseen liegen.

Storax [lat.] (S.balsam, Styrax), Sammelbez. für mehrere aromatisch riechende, v. a. aus Zimtsäure, Zimtsäureestern, Alkoholen und Vanillin bestehende Balsame, die aus der Rinde des Styraxbaumes gewonnen und in der Parfümind. verwendet werden.

Storaxbaum, svw. ↑ Styraxbaum.

Storch, Anton, * Fulda 1. April 1892, † ebd. 26. Nov. 1975, dt. Gewerkschafter und Politiker. – In der Bizone 1947–49 für die CDU Mgl. des Wirtschaftsrates; 1949–65 MdB (CDU); 1949–57 Bundeswirtschaftsmin.; 1958–65 MdEP.

S., Nikolaus, gen. Pelargus, † München (?) 1525 (nach 1536?), dt. täufer. Laienprediger. – Tuchmacher; predigte apokalyptisch nach angebl. Visionen in Zwickau (zus. mit Thomas Müntzer); von Luther ab 1522 bekämpft (Zwickauer Propheten).

Störche (Ciconiidae), Fam. bis etwa 1,4 m hoher, schlank gebauter und weiß gefiederter Stelzvögel mit annähernd 20 Arten, v. a. in ebenen, feuchten Gegenden der gemäßigten und warmen Regionen; gut segelnde, hochbeinige und langhalsige Vögel, die sich v. a. von Fröschen, Kleinsäugern, Eidechsen und Insekten ernähren; Schnabel sehr lang. S. können lediglich klappern und zischen. Sie fliegen (im Unterschied zu den Reihern) mit ausgestrecktem Hals (Ausnahme: Marabus). S. errichten umfangreiche Reisighorste auf Bäumen oder am Boden, einige Arten auch auf Hausdächern und Felsen. Sie können über 20 Jahre alt werden. – Zu den S. gehören u. a. ↑ Nimmersatte, ↑ Marabus und der bis 1,1 m lange, über 2 m spannende **Weiße Storch** (Hausstorch, Ciconia ciconia); weiß mit schwarzen Schwungfedern; v. a. in feuchten Landschaften Europas, NW-Afrikas, Kleinasiens sowie M- und O-Asiens; baut seinen Horst auf Bäumen und Dächern, brütet 3–6 Eier aus. In Wäldern, Auen und Sümpfen großer Teile Eurasiens und S-Afrikas kommt der etwa 1 m lange **Waldstorch** (Schwarzstorch, Ciconia nigra) vor; oberseits bräunlichschwarz, unterseits weiß; mit rotem Schnabel und roten Beinen; baut sein Nest meist auf hohen Bäumen. Der schwarz und weiß gefärbte **Sattelstorch** (Ephippiorhyn-

chus senegalensis) ist rd. 1,3 m hoch; in Sümpfen und an Seen des trop. Afrika; am Schnabel ein sattelförmiger Aufsatz. Die Arten der Gatt. **Klaffschnäbel** kommen in sumpfigen und wasserreichen Landschaften des trop. Afrika, Indiens und SO-Asiens vor; bei geschlossenem Schnabel klaffen die beiden Schnabelhälften in der Mitte auseinander. An Flußufern und Sümpfen S-Mexikos bis Argentiniens lebt der etwa hausstorchgroße, vorwiegend weiße **Jabiru** (Jabiru mycteria); mit schwarzem Kopf und Oberhals und rosafarbenem Halsring.

Geschichte: Der Hausstorch gilt seit alters als Glücksbringer. Im Volksglauben gelten S. auch als Kinderbringer, die die Mütter ins Bein beißen (**Klapperstorch**).

Storchschnabel (Schnabelkraut, Geranium), Gatt. der S.gewächse mit rd. 300 Arten, überwiegend in den gemäßigten Gebieten; Kräuter oder Stauden mit gezähnten, gelappten oder geschlitzten Blättern, meist mit Nebenblättern; Blüten zu 1–2, gestielt, mit fünfblättriger Krone, radiär-symmetrisch; Teilfrüchte mit verlängertem Fortsatz („Granne"), der sich bei der Reife spiralig zusammenrollt und dabei den Samen ausschleudert. Die häufigsten der 15 einheim. Arten sind das 20–50 cm hohe **Ruprechtskraut** (Stinkender S., Geranium robertianum); mit kleinen, rosafarbenen Blüten von widerl. Geruch; in Wäldern, an Mauern und in Felsspalten; und der 30–60 cm hohe **Waldstorchschnabel** (Geranium silvaticum); mit im oberen Teil drüsig behaartem Stengel und rotvioletten Blüten.

Storchschnabel, svw. ↑ Pantograph.

Storchschnabelgewächse (Geraniaceae), Pflanzenfam. mit knapp 800 Arten in 11 Gatt. v. a. in den gemäßigten Gebieten der Erde; meist Kräuter oder Halbsträucher; Blüten überwiegend in achselbürtigen Blütenständen, meist radiär und fünfzählig. Die wichtigsten Gatt. sind Reiherschnabel und Storchschnabel. Als Zierpflanzen bekannt sind Arten der Gatt. Pelargonie.

Stord [norweg. stuːr, sturd], Insel in W-Norwegen, 241 km², bis 703 m ü. d. M. Zentrum ist **Leirvik** mit Freilichtmuseum und der größten norweg. Werft.

Store [stoːr, engl. stɔː], engl. Bez. für Vorrat[sraum], Lager, Laden.

Store [ʃtoːr, stoːr; lat.-frz.], durchsichtiger Fenstervorhang mit Kantenabschluß.

Störe (Knorpelganoiden, Knorpelschmelzschupper, Chondrostei), seit der Oberkreide bekannte Überordnung bis fast 9 m langer, spindelförmiger Knochenfische in den Meeren (z. T. auch in Süßgewässern) der Nordhalbkugel; Schwanzflosse asymmetrisch; Haut nahezu schuppenlos (↑ Löffelstöre) oder mit fünf Reihen großer Knochenschilde (Echte S.); Schädel setzt sich in einem mehr oder minder verlängerten Fortsatz (Rostrum) fort; um die unterständige Mundöffnung stehen vier Barteln; Maul meist zahnlos; Nahrung wird durch kräftiges Einsaugen der Beutetiere aufgenommen. Die meisten Arten (rd. 25) gehören zu den **Echten Stören** (Rüssel-S., *Acipenseridae*): etwa 1,5–8,5 m lang; wandern häufig zum Laichen bis in die Oberläufe der Flüsse, u. a. der bis über 3 m lange **Gemeine Stör** (Balt. S., *Acipenser sturio*); an der sibir. und europ. Küste des Atlantiks und seiner Nebenmeere; Rükken blaugrau bis grünlich, Seiten silbergrau, Unterseite weißlich; Schnauze relativ breit und kurz; Speisefisch (↑ Kaviar).

Storey, David Malcolm [engl. 'stɔːrɪ], *Wakefield (Yorkshire) 13. Juli 1933, engl. Schriftsteller. – Beschäftigt sich in seinen Werken v. a. mit Fragen der Bewahrung persönl. Integrität in der modernen Leistungsgesellschaft. – *Werke:* Leonard Radcliffe (R., 1963), Zur Feier des Tages (Dr., 1969), Heim (Dr., 1970), Die Umkleidekabine (Dr., 1972), Saville (R., 1976), The March on Russia (Dr., 1989).

Störfall, in der *Reaktortechnik* übl. Bez. für ein Ereignis, bei dessen Eintreten der Betrieb einer kerntechn. Anlage oder auch die Tätigkeit von Personen an ihr nicht fortgeführt werden kann, für dessen sicherheitstechn. Beherrschung die Anlage jedoch ausgelegt ist bzw. Schutzvorkehrungen getroffen wurden. – ↑ GAU, ↑ Tschernobyl.

Storm, Theodor, * Husum 14. Sept. 1817, † Hademarschen (= Hanerau-Hademarschen, Landkr. Rendsburg-Eckernförde) 4. Juli 1888, dt. Dichter. – 1843–52 Rechtsanwalt (von den Dänen amtsenthoben) in Husum; dort ab 1874 Oberamtsrichter. Als Lyriker und Erzähler Exponent des poet. Realismus. Unmittelbarkeit des Gefühls und Musikalität der Sprache kennzeichnen die einem humanist. Gesellschaftsbild verpflichteten Gedichte sowie das Erzählwerk, das von der schwermütigen Erinnerungsnovelle („Im Saale", 1848) über die lyr. Stimmungsnovelle („Immensee", 1851), die realist. Schicksalsnovelle („Der Schimmelreiter", 1888) bis zur archaisierenden Chroniknovelle („Aquis submersus", 1877) reicht. S. gilt als hervorragender Vertreter der Novellistik, die nicht ohne Auswirkungen z. B. auf T. Mann und R. M. Rilke blieb. – *Weitere Werke:* Der kleine Häwelmann (1851), Pole Poppenspäler (1875), Carsten Curator (1881).

Stormarn, Landkr. in Schleswig-Holstein.

stornieren [italien.], einen Auftrag (Bestellung, Vertrag) rückgängig machen. Das Recht der Bank, irrtüml. Gutschriften zu s., wird als **Stornorecht** bezeichnet.

Stornoway [engl. 'stɔːnəwɛɪ], schott. Stadt auf der Hebrideninsel Lewis with Harris, 5 500 E. Hauptstadt des Verw.-Geb. Western Isles; Tweedind.; Hafen, Werft für Off-shore-Anlagen; ⚓.

Störpegel, in der *Elektronik* statist. Mittelwert eines [Rausch]untergrundes, über den sich ein Signal herausheben muß, um verstärkt oder nachgewiesen werden zu können.

Störstelle, Stelle in einem [Halbleiter]kristall, in der eine Abweichung vom regelmäßigen Kristallgitterbau vorliegt. Man unterscheidet *Eigen-S.* durch ↑ Fehlordnung gittereigener Atome, wie Leerstellen (Gitterlücken), und *Fremd-S.*, diese sind mit Fremdatomen besetzte Gitterplätze *(Substitutions-S.)* oder Zwischengitterplätze.

Storstrøm [dän. 'sdoːʁsdrœm'], Meerenge zw. den dän. Inseln Seeland und Falster, 3–7 km breit, überbrückt (3 211 m lange Eisenbahn- und Straßenbrücke).

Störtebeker, Klaus, Seeräuber, ↑ Vitalienbrüder.

Storting [norweg. ˌstuːrtiŋ; eigtl. „große Zusammenkunft"], Name des norweg. Parlaments (seit 1814).

Störung, in *Physik* und *Technik* kurzzeitige oder ständige Beeinflussung [des Zustandes] eines physikal. oder techn. Systems infolge äußerer Kräfte oder durch Wechselwirkung mit anderen Systemen; in der *Astronomie* auch Bez. für die Abweichung eines Planeten von der Ellipsenbahn infolge der Gravitationswirkung eines anderen Planeten.
♦ in der *Meteorologie* Bez. für ein [wanderndes] ↑ Tiefdruckgebiet oder für die Fronten eines Tiefs *(S.linien),* deren Durchzug das „schöne Wetter" stört.
♦ in der *Geologie* svw. ↑ Verwerfung.

Störung der Totenruhe, die unbefugte Wegnahme von Leichen, Leichenteilen oder Asche Verstorbener, beschimpfender Unfug an Leichen (sog. ↑ Leichenschändung) sowie die Zerstörung oder Beschädigung von Beisetzungsstätten (Grabschändung); nach § 168 StGB mit Freiheitsstrafe bis zu drei Jahren oder mit Geldstrafe bedroht.
In *Österreich* und in der *Schweiz* bestehen dem dt. Recht ähnl. Regelungen.

Störungstheorie, Methode zur näherungsweisen Bestimmung der Dynamik physikal. Systeme, die unter dem Einfluß einer geringen Störung stehen. S. werden v. a. in der Himmelsmechanik und Quantentheorie angewendet.

Story [engl. 'stɔːrɪ; zu griech.-lat. historia „Erzählung"], Geschichte, Erzählung.

Storz, Gerhard, * Rottenacker (Alb-Donau-Kreis) 19. Aug. 1898, † Leonberg 30. Aug. 1983, dt. Literaturhistoriker, Schriftsteller und Politiker. – 1958–64 Kultusmin. von

Baden-Württemberg; seit 1964 Prof. in Tübingen; bed. Untersuchungen zur dt. Klassik und Romantik, v. a. zu Schiller; auch Erzähler und Essayist. Erhielt 1966 den Dudenpreis. **S.,** Oliver, *Mannheim 30. April 1929, dt. Schriftsteller. – Sohn von Gerhard S.; 1960–64 Fernsehdramaturg. Schreibt Fernsehspiele, u. a. „Der Tod des Camillo Torres" (1977); auch Prosa, u. a. „Lokaltermin" (En., 1962), „Nachbeben" (R., 1977), „Die Nebelkinder" (R., 1986).
Stoß, Veit, *Horb am Neckar (?) um 1448, †Nürnberg 22. Sept. 1533, dt. Bildhauer, Kupferstecher und Maler. – Nach Wanderjahren ließ er sich zunächst in Nürnberg nieder, lebte ab 1477 in Krakau und kehrte 1496 nach Nürnberg zurück. Sein erstes gesichertes Werk, der Hochaltar der Marienkirche in Krakau (1477–89), weist S. bereits als einen der bedeutendsten Künstler der Spätgotik aus. Die monumentale geschnitzte Figurengruppe des Marientodes zeigt bewegte Umrisse, aufgewühlte Faltengebung, erregte Gebärdensprache und beseelte Physiognomien. In den Spätwerken tritt eine Beruhigung der Formen ein. 1517/18 entstand für Sankt Lorenz in Nürnberg der Englische Gruß (eine freiplast. Darstellung der Verkündigung, umrahmt von einem fast 4 m hohen Rosenkranz). Sein letztes Werk, der Bamberger Altar (1520–23; Dom, unvollendet) strahlt Ruhe und Harmonie aus. – *Weitere Werke:* Marmorgrabplatte für König Kasimir IV. (1492; Krakau, Dom); 3 Sandsteinreliefs mit Passionsszenen (1499; Nürnberg, Sankt Sebald); hl. Andreas (1505–07; ebd.), Kruzifix (1520; ebd.), vier Tafelgemälde mit Szenen der Kilianslegende (1502–04; Münnerstadt, Pfarrkirche).
📖 Stuhr, M.: *Der Krakauer Marienaltar von V. S.* Lpz. 1991. – Sello, G./Hirmer, A.: *V. S.* Mchn. 1988. – *V. S. in Nürnberg.* Hg. v. German. *Nationalmuseum, Nürnberg. Mchn. 1983.* – Kępiński, Z.: *V. S. Dt. Übers. Düss. Neuaufl. 1982.*
Stoß, der im allg. nur kurz dauernde Zusammenprall zweier oder mehrerer sich relativ zueinander bewegender Körper, die dabei ihre Geschwindigkeit nach Größe und Richtung ändern. Beim *vollkommen elast. S.* gilt neben dem †Impulssatz der Energieerhaltungssatz, wobei die gesamte kinet. Energie der [beiden] Körper vor und nach dem S. gleich ist.
Beim *vollkommen unelast. S.* wird ein Teil der kinet. Energie der S.partner in Wärme umgewandelt. Die infolge des S. eintretende Deformation bleibt erhalten, und beide Körper bewegen sich nach dem S. zus. mit einer gemeinsamen Geschwindigkeit weiter. Der S. mikrophysikal. Teilchen spielt als Streuung

in der Kern- und Elementarteilchenphysik eine große Rolle († Compton-Effekt). Auf den Stößen von Gasmolekülen basiert die † kinetische Gastheorie.
◆ ebene Flächen, an denen 2 zu verbindende Bauteile aneinanderstoßen, z. B. der Schienenstoß.
◆ im *Bergbau* 1. eine schmale, abbauwürdige Lagerstätte; 2. die seitl. Begrenzungsfläche eines Grubenbaus bzw. dessen Kopfbegrenzungsfläche, an der die Gewinnung erfolgt.
Stoßanregung † Anregung.
Stoßdämpfer (Schwingungsdämpfer), allg. Vorrichtung zur Dämpfung mechan. Schwingungen an Maschinen, v. a. aber die zw. Fahrgestell oder Fahrzeugaufbau und Radaufhängung parallel zur Federung eines Fahrzeugs angeordnete Vorrichtung zur Dämpfung der durch Bodenunebenheiten eingeleiteten Schwingungen des Federsystems. Beim *hydraul. S.,* bei dem die Schwingungsenergie durch Reibung einer Flüssigkeit in Wärme überführt wird, ist die vorwiegend verwendete Form der *Teleskop-S.,* am häufigsten als *Zweirohrdämpfer* gebaut wird. Dieser besteht im wesentl. aus einem Arbeitszylinder, in dem ein Arbeitskolben, der über eine Kolbenstange mit der Karosserie verbunden ist, auf- und abgleiten kann. Den Arbeitszylinder umgibt ein 2. Zylinder, der als Vorratsbehälter für das Hydrauliköl dient und mit der Radaufhängung über Metall-Gummi-Gelenklager verbunden ist. Bei Bewegung des von Flüssigkeit umgebenen und mit engen Bohrungen sowie Ventilen versehenen Arbeitskolbens wird die Flüssigkeit durch die Bohrungen und Ventile gedrückt und erwärmt sich (auf 60–90 °C); die Wärme wird nach außen abgegeben. Bis zu 50 % größere Kolben lassen sich beim *Einrohrdämpfer* unterbringen, wodurch die Innendrücke geringer werden. Außerdem ist die Wärmeabfuhr besser als beim Zweirohrdämpfer. Bei einem funktionell einfachen, doch wirkungsvollen Einrohrdämpfer ist im unteren Teil des Arbeitsraumes ein Gas unter einem Druck von etwa 2,5 MPa enthalten und über einen abgedichteten Trennkolben vom ölgefüllten Arbeitsraum getrennt. Dieser Gasraum gleicht die durch das Ein- oder Austauchen der Kolbenstange und durch die Änderung der Öltemperatur bedingte Volumenänderung des Arbeitsraumes aus *(Gasdruckstoßdämpfer).*
📖 Reimpell, J. C.: *Fahrwerktechnik. Würzburg* ²1989.
Stößel, meist zylinderförmiges Bauteil zur Übertragung von stoßartigen Bewegungen von einem Maschinenelement auf ein anderes.
Stoßen, Verfahren der spanenden Bearbeitung zur Herstellung von Nuten und Profi-

len an schwer zugängl. Stellen eines Werkstücks.

◆ Disziplin im ↑ Gewichtheben.

Stoßfaktor, svw. ↑ Ausgleichszahl.

Stoßgebet, kurzes Gebet zur inneren Sammlung, u. a. in plötzl. Gefahr.

Stoßheber, svw. ↑ hydraulischer Widder.

Stoßionisation, die Ionisation von Atomen oder Molekülen eines Gases durch Stöße mit Elektronen oder Ionen, wobei die Ionisierungsenergie durch die kinet. Energie der stoßenden Teilchen aufgebracht wird.

Stoßstange, quer am Rahmen bzw. an der Karosserie eines Kraftfahrzeugs vorn und hinten angebrachtes, gewölbtes Blech- oder Kunststoffteil zum Schutz der Karosserie vor leichteren Stößen.

Stoßtaucher, Vögel, die sich mehr oder weniger senkrecht ins Wasser stürzen, um ihre Beute (meist Fische) mit dem Schnabel zu packen. S. sind u. a. viele Wassereisvögel, die meisten Seeschwalben und der Meerespelikan.

Stoßtherapie, Form medikamentöser Behandlung bei der ein Arzneimittel (z. B. Vitamin D) in seiner Gesamtdosis auf einmal gegeben wird.

Stoßtrupp, Gruppe bes. ausgerüsteter Soldaten für Angriffsunternehmungen mit begrenztem Ziel.

Stoßverbreiterung (Druckverbreiterung), durch Stöße zw. den elektromagnet. Strahlung emittierenden Teilchen (Atome, Moleküle) verursachte Verbreiterung von Spektrallinien; nimmt mit wachsendem Druck stark zu.

Stoßwelle (Schockwelle), eine insbes. in Gasen infolge abrupter Druckänderung auftretende starke ↑ Druckwelle (Verdichtungswelle) mit senkrechter Stoßfront, an der der Druck plötzlich auf ein Maximum ansteigt und dahinter sehr stark abnimmt. S. breiten sich mit Schall- bzw. Überschallgeschwindigkeit aus. Sie entstehen z. B. bei plötzl. Bewegung eines Kolbens in einem gasgefüllten Zylinder, bei Explosionen oder Überschallströmungen. Bei hoher ↑ Mach-Zahl der S., d. h. starkem Druckanstieg, ergibt sich hinter der Stoßfront eine so große Temperaturerhöhung, daß das gasförmige Ausbreitungsmedium dadurch ionisiert wird (↑ Plasma).

Stoßwellenlithotripsie ↑ Lithotripsie.

Stoßwellenrohr ↑ Windkanal.

Stoßzahl, svw. ↑ Ausgleichszahl.

Stoßzahn, wurzelloser, ständig nachwachsender Schneidezahn im Oberkiefer mancher Säugetiere; bei Elefanten und beim ausgestorbenen Mammut in Zweizahl, beim Narwal in Einzahl (Vorbild für die Einhornsage). Afrikan. Elefanten haben S. in beiden Geschlechtern, indische nur im männl. Geschlecht und Ceylonelefanten keine.

Stottern (Dysphemie), mehrfache Unterbrechung des Redeflusses durch unkoordinierte Bewegungen der Atmungs-, Stimm- und Artikulationsmuskulatur. S. ist die häufigste Sprachstörung im Kindesalter (etwa 1 % der Kinder stottern). Gehäuft tritt S. im 3. und 4. Lebensjahr auf, wenn die Denkgeschwindigkeit schneller ist als die Entwicklung der Sprechfähigkeit. – Nicht selten tritt S. verstärkt bei Anwesenheit bestimmter Personen oder unter Streß auf. Bei länger anhaltendem S. ist eine psycholog. und logopäd. Beratung bzw. Behandlung angezeigt.

Stout, Rex [engl. staʊt], *Noblesville (Ind.) 1. Dez. 1886, †Danbury (Conn.) 27. Okt. 1975, amerikan. Schriftsteller. – Schrieb ab 1927 Detektivgeschichten, deren Hauptfigur, Detektiv Nero Wolfe, weltbekannt wurde.

Stowe, Harriet Beecher [engl. stoʊ], geb. Beecher, *Litchfield (Conn.) 14. Juni 1811, †Hartford (Conn.) 1. Juli 1896, amerikan.

Stoßdämpfer. a Einrohrdämpfer (1 Dichtung, 2 Kolbenstange, 3 Kolben mit Ventilen, 4 Arbeitszylinder, 5 Trennkolben, 6 Gas); b Zweirohrdämpfer (1 Ringgelenk, 2 Kolbenstangendichtung, 3 Schutzrohr, 4 Kolbenstange, 5 Ölvorratsraum, 6 Kolbenventil, 7 Arbeitszylinder, 8 Arbeitsraum, 9 Behälterrohr, 10 Bodenventil)

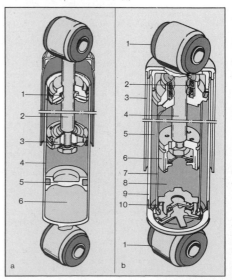

Schriftstellerin. – Lehrerin; schrieb den gegen die Sklaverei gerichteten Roman „Onkel Toms Hütte" (1852); auch religiös und frauenrechtlerisch engagierte Romane.

StPO, Abk. für: Strafprozeßordnung.

Straaten, Werenfried van [niederl. 'straːtə], gen. „Speckpater", * Mijdrecht (Niederlande) 17. Jan. 1913, belg. kath. Theologe. – Prämonstratenser; organisierte ab 1948 Hilfsaktionen für dt. Flüchtlinge und Hungernde in aller Welt und gründete 1953 den ↑ Internationalen Bauorden.

Strabismus [griech.], svw. ↑ Schielen.

Strabo, Walahfrid, dt. Theologe und Schriftsteller, ↑ Walahfrid Strabo.

Strabon (lat. Strabo), * Amaseia (= Amasya) um 63 v. Chr., † nach 26 n. Chr., griech. Geograph und Geschichtsschreiber. – Seine „Geographika" in 17 Büchern, die im wesentlichen erhalten sind, beinhalten u. a. erstmals eine ausführl. Darstellung Britanniens und Germaniens. Seine histor. Werke gingen verloren.

Strabotomie [griech.], Schieloperation, operative Korrektur einer Fehlstellung der Augen (dabei wird i. d. R. der zu kurze Augenmuskel durchtrennt und verlagert oder der zu lange Augenmuskel verkürzt).

Strachey, Lytton [engl. 'streɪtʃɪ], * London 1. März 1880, † Inkpen (Berkshire) 21. Jan. 1932, engl. Schriftsteller. – Führendes Mgl. der Bloomsbury group; schrieb formvollendete, stilistisch hervorragende Romane und romanhafte Biographien („Queen Victoria", 1921), in denen er histor. Charaktere ironisierend und unheroisch darstellt.

Strack, Hermann Lebrecht, * Berlin 6. Mai 1848, † ebd. 5. Okt. 1922, dt. ev. Theologe und Orientalist. – Prof. in Berlin; begr. dort 1883 das Institutum Judaicum; zahlr. Werke zum A. T. und zur semit. Philologie, u. a. „Einleitung in Talmud und Midrasch" (1887), „Kommentar zum N. T. aus Talmud und Midrasch" (4 Bde., 1922; mit P. Billerbeck).

Straddle [engl. strædl; eigtl. „das Spreizen der Beine"], Hochsprungtechnik: der Absprung erfolgt mit dem der Latte näheren Bein, der Körper „wälzt" sich zuerst mit Schwungbein, Kopf, Schulter und Arm über die Latte. Brust und Sprungbeinseite folgen mit einer Drehung um die Längsachse bei fast völlig gestrecktem Körper nach; Landung zuerst auf dem Schwungbein und der Hand der Schwungbeinseite.

Stradella, Alessandro, * Montefestino bei Neapel 1. Okt. 1644, † Genua 25. Febr. 1682 (ermordet), italien. Komponist. – Komponierte Opern, Oratorien (u. a. „San Giovanni Battista", 1675), Kantaten, Triosonaten und Concerti grossi, die zu den frühesten der Gatt. gehören.

Stradivari, Antonio, latinisiert Antonius Stradivarius, * Cremona 1644 (1648 oder 1649?), † ebd. 18. Dez. 1737, italien. Geigenbauer. – Schüler von N. Amati; entwickelte eine eigene Geigenform, deren bedeutendste Instrumente (breit, vollendete Proportionen, goldgelber Lack, großer Ton) in die Zeit von 1700 bis 1720 datiert werden und ihm den Ruf eines der größten Meister der Geigenbaukunst eintrugen. Von seinen Instrumenten sind etwa 540 Violinen sowie 50 Violoncelli und 12 Violen erhalten.

Straelen ['ʃtraːlən], Stadt im Niederrhein. Tiefland, NRW, 35 m ü. d. M., 12 600 E. Erwerbsgartenbau (Unterglaskulturen) mit bed. Auktionen. – 1064 erstmals erwähnt; seit 1387 Festung; seit 1428 als Stadt bezeichnet. – Got. Pfarrkirche Sankt Peter und Paul (14. Jh.); Haus Caen, eine im Kern ma. Wasserburg, Herrenhaus (17. Jh.).

Strafanstalten, veraltete Bez. für Justizvollzugsanstalten (↑ Strafvollzug).

Strafantrag, Erklärung des in seinen Rechten Verletzten, daß er die Strafverfolgung wegen einer Straftat wünsche. Für den S. ist bei ↑ Antragsdelikten Prozeßvoraussetzung. Antragsberechtigt sind: der Verletzte, der nächste Angehörige, wenn der Verletzte vor Ablauf der Antragsfrist (3 Monate ab Kenntnis von Tat und Täter) stirbt und die Strafverfolgung nicht dem erklärten Willen des Verletzten widerspricht, sowie der Dienstvorgesetzte für bestimmte Delikte innerhalb des öff. Dienstes (§ 77 StGB). Der S. ist bei einem Gericht oder der Staatsanwaltschaft schriftlich oder zu Protokoll, bei einer anderen Behörde (Polizei) schriftlich zu stellen; er kann bis zum Verfahrensende zurückgenommen werden. Der S. ist zu unterscheiden von der ↑ Strafanzeige.

Strafanzeige, Mitteilung des Verdachts einer Straftat, die von jedermann bei der Polizei, der Staatsanwaltschaft oder beim Amtsgericht schriftlich oder mündlich erstattet werden kann. Eine Pflicht zur Erstattung einer S. besteht nur ausnahmsweise bei Kenntnis davon, daß bestimmte schwere Straftaten (z. B. Mord) drohen (↑ Strafantrag).

Strafarrest, im WehrstrafG i. d. F. vom 24. 5. 1974 für militär. Straftaten angedrohte kurze Freiheitsstrafe von zwei Wochen bis zu sechs Monaten Dauer.

Strafaufhebungsgründe, nach der Begehung einer Straftat auftretende Umstände, die eine bereits begründete Strafbarkeit rückwirkend aufheben, z. B. ↑ Rücktritt (Rücktritt vom Versuch), Begnadigung, ↑ Amnestie.

Strafaufschub, vorläufiger Aufschub der Vollstreckung einer Geld- oder Freiheitsstrafe, z. B. wenn dem Verurteilten oder seiner Familie durch den sofortigen Vollzug der

Strafe erhebl., außerhalb des Strafzwecks liegende Nachteile drohen sowie bezüglich einer Freiheitsstrafe – zeitlich unbefristet – u. a. bei Geisteskrankheit, Vollzugsuntauglichkeit, drohender Lebensgefahr; auch aus vollzugsorganisator. Gründen möglich.

Strafausschließungsgründe, in der Person des Täters liegende, zur Tatzeit gegebene Umstände (z. B. ↑Strafvereitelung zugunsten eines Angehörigen), die eine Bestrafung ausschließen, obwohl an sich eine strafbare Handlung vorliegt.

Strafaussetzung (S. zur Bewährung), die Aussetzung der Vollstreckung einer Freiheitsstrafe gegen den Verurteilten. Bei einer Verurteilung zur Freiheitsstrafe von nicht mehr als einem Jahr, ausnahmsweise von bis zu zwei Jahren, kann das Gericht die S. im Urteil aussprechen, wenn zu erwarten ist, daß der Verurteilte sich schon die Verurteilung zur Warnung dienen lassen und künftig auch ohne die Einwirkung des Strafvollzugs keine Straftaten mehr begehen wird (§ 56 StGB). Die **Bewährungszeit** beträgt 2–5 Jahre. Die S. ist i. d. R. mit Auflagen und Weisungen verbunden. Ferner kann das Gericht den Verurteilten für die Dauer der Bewährungszeit der Aufsicht und Leitung eines Bewährungshelfers unterstellen (im Jugendstrafrecht stets vorgesehen). Nach Ablauf der Bewährungszeit wird die Strafe erlassen, wenn sich kein Anlaß zum Widerruf der S. ergeben hat. Eine gerichtl. S. ist auch bei einem *Strafrest* zulässig, wenn zwei Drittel einer zeitigen Freiheitsstrafe, mindestens jedoch 2 Monate, verbüßt sind und es verantwortet werden kann, zu erproben, ob der Verurteilte außerhalb des Strafvollzugs keine Straftaten mehr begehen wird (§ 57 StGB). Eine S. des Strafrestes schon nach Verbüßung der Hälfte einer zeitigen Freiheitsstrafe kann das Gericht unter bestimmten Voraussetzungen in Ausnahmefällen anordnen. An keinerlei gesetzl. Voraussetzung ist die sog. *bedingte S.* (Strafentlassung) gebunden, die im Gnadenweg erfolgt (↑Gnadenrecht).

strafbare Handlung ↑Straftat.

Strafbefehlsverfahren, ein nur bei Vergehen zulässiges summar. Strafverfahren, bei dem der Richter (Amtsgericht) die Strafe (keine Freiheitsstrafe) auf Grund des durch die Staatsanwaltschaft und die Polizei ermittelten Beweismaterials auf Antrag der Staatsanwaltschaft ohne gerichtl. Hauptverhandlung in einem **Strafbefehl** festsetzt (§§ 407 ff. StPO). Das S. steht unter dem Vorbehalt, daß der Beschuldigte nicht innerhalb von 2 Wochen nach der Zustellung Einspruch einlegt, wodurch das normale Urteilsverfahren mit den gewährleisteten Verteidigungsmöglichkeiten eingeleitet wird. Gegen Jugendliche darf ein Strafbefehl nicht erlassen werden.

Strafe, im *Strafrecht* Rechtsnachteile, die bei Straftaten angedroht werden (Kriminal-S.). Haupt-S. des StGB sind heute nur noch die **Freiheitsstrafe** und die **Geldstrafe.** Ferner gibt es im Wehrstrafrecht den ↑Strafarrest und im Jugendstrafrecht die ↑Jugendstrafe. Die früheren unterschiedl. Arten der Freiheits-S. (Zuchthaus, Gefängnis, Einschließung und Haft) sind 1970 zugunsten der *Einheits-S.* abgeschafft worden; man unterscheidet jetzt nur noch die zeitige (1 Monat bis 15 Jahre) und die lebenslange Freiheitsstrafe. Die Geld-S. wird nach dem ↑Tagessatzsystem in Tagessätzen bemessen. Geld- und Freiheits-S. können, v. a. bei auf persönl. Bereicherung gerichteten Taten, auch nebeneinander verhängt werden. Das StGB (§§ 38 ff.) kennt außer diesen Haupt-S. als einzige Neben-S. noch das Fahrverbot und als Nebenfolgen einer Straftat den Verlust der Amtsfähigkeit, der Wählbarkeit und der Stimmrechts. Nicht zu den S. werden die ↑Maßregeln der Besserung und Sicherung gerechnet. **Strafrechtstheorien** *(Straftheorien):* Die *absoluten Straftheorien* (Kant, Hegel) sehen den Sinn der S. in der Vergeltung, durch die der Täter entsprechend dem Maß seiner Schuld Gerechtigkeit für seine Tat widerfahren soll. Demgegenüber stellen die relativen Straftheorien (P. J. A. von Feuerbach, F. von Liszt) Gedanken der *Generalprävention* (allg. Abschreckung mögl. Täter durch Strafdrohungen, die durch Verurteilung und Vollzug in ihrer Ernsthaftigkeit bekräftigt werden) und der *Spezialprävention* (Abschreckung eines bestimmten Täters vor künftiger Kriminalität, v. a. Rückfallkriminalität) in den Vordergrund. Die moderne Strafrechtswiss. und Rechtsprechung folgen überwiegend der *Vereinigungstheorie,* die auch im StGB zumindest ihren Anklang gefunden hat. Danach soll die S. sowohl dem Schuldausgleich und der Sühne für begangenes Unrecht als auch general- und spezialpräventiven Zielen dienen und die elementaren Werte schützen. Neben dem Kriminal-S. gibt es in zahlr. Rechtsgebieten strafähnl. Sanktionen.

📖 *Katzorke, K. D.: Die Verwirklichung des staatl. Strafanspruchs.* Ffm. 1989. – *Kaufmann, A.: Schuld u. S.* Köln ²1983. – *Neumann, U./Schroth, U.: Neuere Theorien v. Kriminalität u. S.* Darmst. 1980. – *Müller-Dietz, H.: Grundfrage des strafrechtl. Sanktionssystems.* Hamb. 1979.

◆ in der *Pädagogik* Mittel zur Erreichung eines Erziehungsziels; ihre Wirkung ist nicht sicher und kann auch in verschiedenen Formen von Fehlanpassung und seel. Schäden auftreten. Als erstrebenswert gilt eine möglichst repressionsarme Erziehung. Entwürdigende Erziehungsmaßregeln, z. B. übermäßige körperl. Züchtigung, sind unzulässig (§ 1631

II BGB); weitergehende Verbote (auch seel. Mißhandlung) werden diskutiert.

Strafford, Thomas Wentworth [engl. 'stræfəd], Earl of S. (seit 1640), * London 13. April 1593, † ebd. 12. Mai 1641 (hingerichtet), engl. Staatsmann. – Setzte sich als Unterhaus-Mgl. (1614–28) zunächst für die Rechte des Parlaments ein; seit 1628 Baron, trat er in den Dienst Karls I.; provozierte als Statthalter von Irland (1633–40) den ir. Aufstand von 1641; führte 1640 das königl. Heer gegen die aufständ. Schotten. 1641 durch das Lange Parlament des Hochverrats angeklagt.

Strafgefangener ↑ Strafvollzug.

Strafgerichtsbarkeit ↑ Strafverfahren.

Strafgesetzbuch (Abk. StGB) ↑ Strafrecht.

Strafhaftentschädigung, svw. ↑ Haftentschädigung.

Strafkammer, Spruchkörper für Strafsachen beim Landgericht. Die **kleine Strafkammer** entscheidet in der Besetzung von einem Berufsrichter und zwei ↑ Schöffen über die Berufung gegen Urteile des Einzelrichters beim Amtsgericht sowie des Schöffengerichts. Die **große Strafkammer** (drei, soweit nicht als Schwurgericht tagend, sowie in gewöhnl. Fällen zwei Berufsrichter und zwei Schöffen) entscheidet in 1. Instanz über Verbrechen, die nicht in die Zuständigkeit des Amtsgerichts bzw. des Oberlandesgerichts fallen oder die wegen ihrer Bed. vor der großen S. zur Anklage gebracht werden.

Strafklageverbrauch, Bez. für die negative Sperrwirkung eines materiell rechtskräftigen (↑ Rechtskraft) Sachurteils (nicht des Prozeßurteils, ↑ Urteil), wonach eine erneute Strafverfolgung gegen denselben Täter wegen derselben Straftat unzulässig ist. Dieser Grundsatz der Einmaligkeit der Strafverfolgung ist durch Art. 103 Abs. 2 GG verfassungsrechtlich abgesichert.

Strafmandat, umgangssprachl. Bez. für den Bußgeldbescheid (↑ Bußgeld).

Strafmilderungsgründe ↑ Strafzumessung.

Strafmündigkeit ↑ Deliktsfähigkeit.

Strafprozeß ↑ Strafverfahren.

Strafprozeßordnung (Abk. StPO) ↑ Strafverfahren.

Strafrahmen ↑ Strafzumessung.

Strafraum ↑ Fußball.

Strafrecht, die Gesamtheit der Rechtsnormen, die regeln, welches Verhalten der Gesetzgeber zum Schutz wichtiger Gemeinschaftsgüter und zur Sicherung eines gedeihl. Zusammenlebens in der staatl. Gemeinschaft verbietet und welche Sanktionen für verbotswidriges Verhalten drohen *(materielles Strafrecht)*. Zum S. i. w. S. gehört auch das Strafverfahrensrecht *(formelles Strafrecht,* ↑ Strafverfahren). Gesetzl. Grundlage des (zum öff.

Recht gehörenden) materiellen S. (**Hauptstrafrecht**) ist das *Strafgesetzbuch* (StGB) vom 15. 5. 1871 i. d. F. vom 10. 3. 1987. Sein „Allg. Teil" regelt die allg. Voraussetzungen und Folgen der Straftat, sein „Bes. Teil" normiert die einzelnen, mit Strafe bedrohten Handlungen und die jeweils vorgesehenen Strafrahmen. Wichtige Grundsätze des S. sind das Schuldprinzip (schuldangemessene Bestrafung, lat.: nulla poena sine culpa [„keine Strafe ohne Schuld"]) sowie das Analogie- und das Rückwirkungsverbot (lat.: nullum crimen sine lege [„kein Verbrechen ohne Gesetz"]). Vom Haupt-S. ist das Neben-S., für das der Allg. Teil des StGB gilt, zu unterscheiden. Das **Nebenstrafrecht** setzt sich aus zahlr. Strafnormen in SpezialG zus.: z. B. Betäubungsmittel-, Straßenverkehrs-, Wehrstraf- und WirtschaftsstrafG. Dem Ziel der verfassungsrechtlich gebotenen Resozialisierung des Täters dienen die durch die *S.reform* modernisierte System der Strafen und Maßregeln der Besserung und Sicherung sowie die Vollzugsziele des Strafvollzugs. Im ↑ Jugendstrafrecht sind bes. Strafen und Maßnahmen vorgesehen, die eine erzieher. Beeinflussung ermöglichen sollen.

Der **Geltungsbereich** des S. erstreckt sich auf Taten, die im Inland bzw. auf einem dt. Schiff oder einem dt. Luftfahrzeug begangen werden. Für im Ausland begangene Taten gilt das dt. S. nur in gesetzlich bes. geregelten Fällen, insbes. wenn die Tat gegen wichtige inländ. (z. B. bei Hochverrat) oder internat. geschützte (z. B. bei Geldfälschung) Rechtsgüter verstößt. Das bundesdt. S. gilt fort. Einigungsvertrag seit dem Beitritt mit bestimmten Ausnahmen (z. B. § 175 StGB homosexuelle Handlungen in den neuen Bundesländern). Einige Normen des S. der DDR gelten hier jedoch fort (z. B. §§ 153–155 StGB unzulässige Schwangerschaftsunterbrechung). Das S. ist seit Beginn des 20. Jh. Gegenstand zahlr. Reformversuche gewesen, um die jeweils geltenden Straftatbestände und Strafdrohungen den Erfordernissen der Kriminalpolitik, den Erkenntnissen der Strafrechtswiss. und den sich wandelnden gesellschaftl. Anschauungen über Recht und Unrecht anzupassen.

In *Österreich* ist das S. im StGB vom 23. 1. 1974 geregelt, in der *Schweiz* das StGB vom 21. 12. 1937, das 1942 in Kraft trat (mehrfach geändert). In beiden Ländern gibt es zahlr. strafrechtl. Nebengesetze. In der Grundkonzeption und in zahlr. Einzelheiten entsprechen diese Vorschriften dem dt. Strafrecht.

📖 *Schönfelder, H.:* Dt. Gesetze. Mchn. [71]1991. – *Otto, H.: Grundkurs S.* Bln. [3]1991. – *Wessels, J.: S.* Hdbg. [13-20]1990. 3 Bde. – *Blei, H.: S. Bes. Teil 1.* Mchn. [9]1990. – *Blei, H.:*

S. Bes. Teil 2. Mchn. ⁵1990. – Blei, H.: S. Allg. Teil. Mchn. ¹⁰1989. – Maurach, R./Zipf, H.: S. Hdbg. ⁷1987–89.2 Teilbde. – Naucke, W.: S. Eine Einf. Ffm. ⁵1987. – Schmidt, E.: Einf. in die Gesch. der dt. S.pflege. Gött. ³1965. (Nachdr. 1983).

Strafrechtstheorien (Straftheorien) ↑ Strafe.

Strafregister, svw. ↑ Bundeszentralregister.

Strafregisterbescheinigung ↑ Führungszeugnis.

Strafsachen, die Verfahren gegen einen einer Straftat Beschuldigten.

Strafsenat, für Strafsachen (v. a. Revisionen) zuständiger Spruchkörper beim Bundesgerichtshof und bei den Oberlandesgerichten (je nach dem Gegenstand des Verfahrens mit 3 oder 5 Berufsrichtern besetzt). – ↑ ordentliche Gerichtsbarkeit.

Strafstoß, beim Fußball als **Elfmeter** bekanntes Ahnden einer Regelwidrigkeit (Foul, Handspiel) der verteidigenden Mannschaft im eigenen Strafraum. Dabei stößt ein gegner. Spieler den Ball von der S.marke gegen das ausschließlich vom Torwart verteidigte Tor.

Straftat, tatbestandsmäßige, rechtswidrige und schuldhafte (und damit strafbare) Handlung. Tatbestandsmäßig ist eine ↑ Handlung im Strafrecht dann, wenn sie sämtl. subjektiven und objektiven Tatbestandsmerkmale (↑ Tatbestand) einer Strafnorm erfüllt. Rechtswidrigkeit ist immer dann gegeben, wenn dem Handelnden nicht im Einzelfall ausnahmsweise ein Rechtfertigungsgrund (Notwehr, Einwilligung des Verletzten) zur Seite steht. Ferner muß der Täter schuldhaft, also vorsätzlich oder zumindest fahrlässig, gehandelt haben, d. h. Schuld- oder Strafausschließungsgründe dürfen nicht gegeben sein. Eine S. kann sowohl durch aktives Tun als auch durch ein pflichtwidriges Unterlassen begangen werden (↑ Unterlassungsdelikt). Das dt. Strafrecht kennt zwei Arten von S., nämlich *Verbrechen* (Strafdrohung: mindestens 1 Jahr Freiheitsstrafe) und *Vergehen* (alle übrigen Straftaten).

Straftilgung, die Löschung einer Eintragung im ↑ Bundeszentralregister über Verurteilungen, die nach bestimmten, gesetzlich geregelten Tilgungsfristen (5, 10 und 15 Jahre gemäß BundeszentralregisterG i. d. F. vom 21. 9. 1984) zu geschehen hat. Die S. hat zur Folge, daß die Tat und die Verurteilung dem Betroffenen nicht mehr vorgehalten und zu seinem Nachteil verwertet werden darf (Ausnahmefälle sind gesetzlich geregelt), der Betroffene sich also als „unbestraft" bezeichnen darf.

Strafunterbrechung, die während des Vollzugs einer Freiheitsstrafe von der Straf-

vollstreckungsbehörde (i. d. R. die Staatsanwaltschaft) angeordnete Unterbrechung der Vollstreckung einer Freiheitsstrafe wegen einer den Strafvollzug unmöglich machenden Krankheit des Verurteilten.

Strafvereitelung, Straftat, die begeht, wer absichtlich oder wissentlich verhindert, daß ein anderer der gesetzl. Strafe oder den ↑ Maßregeln der Besserung und Sicherung unterworfen oder der Vollstreckung eines Strafurteils zugeführt wird (§ 258 StGB). Die S. des Täters selbst sowie die S. zugunsten eines Angehörigen ist straffrei.

Strafverfahren, förml. Verfahren zur Ermittlung von Straftaten und zur Durchsetzung des staatl. Strafanspruchs. Gesetzl. Grundlage für das Strafverfahren sind v. a. die *Strafprozeßordnung* (StPO) vom 1. 2. 1877 i. d. F. der Bekanntmachung vom 7. 4. 1987 und das ↑ Gerichtsverfassungsgesetz. Letzteres regelt insbes. die Organisation der *Strafgerichtsbarkeit,* also der im erst-, berufungs- und revisionsinstanzl. Bereich zur Aburteilung von Straftaten zuständigen Gerichte. Demgegenüber finden sich in der StPO die maßgebl. Vorschriften über den Ablauf des eigentl. S. sowie über die Rechte und Pflichten der Beteiligten. Das erstinstanzl. Verfahren verläuft in 3 Abschnitten: Vor- oder Ermittlungsverfahren, §§ 151–177 StPO, Zwischenverfahren, §§ 199–212 b StPO, Hauptverfahren, §§ 213–295 StPO. Herr des *Ermittlungsverfahrens* ist der Staatsanwalt. Sobald er von einer Straftat erfährt – zumeist durch Anzeige der Polizei –, hat er den Sachverhalt zu erforschen und die nötigen Ermittlungen zu veranlassen oder vorzunehmen. Bes. schwerwiegende Ermittlungsmaßnahmen (u. a. Haftbefehl, Beschlagnahme, Durchsuchung) bedürfen grundsätzlich einer richterl. Anordnung. Läßt das Ermittlungsergebnis eine Verurteilung erwarten, muß der Staatsanwalt je nach Schwere und Bed. des Falles Anklage beim zuständigen Amts- oder Landgericht (große Strafkammer, Schwurgericht) oder – vornehmlich bei Staatsschutzdelikten – beim Oberlandesgericht erheben. Nur in Ausnahmefällen kann er hiervon absehen. Ist keine Verurteilung zu erwarten, wird das Verfahren eingestellt. Dem Verletzten steht dann das Klageerzwingungsverfahren offen (§ 172 StPO). Im *Zwischenverfahren* entscheidet das Gericht über die Eröffnung des Hauptverfahrens. Nach Erlaß des Eröffnungsbeschlusses kann die Anklage nicht mehr zurückgenommen werden. Kern des *Hauptverfahrens* ist die öff. Hauptverhandlung **(Strafprozeß i. e. S.).** Sie beginnt mit der Vernehmung des Angeklagten zu seinen persönl. Verhältnissen. Danach verliest der Staatsanwalt den Anklagesatz und der Angeklagte erhält Gelegenheit, sich zur Sache zu

äußern. In der nachfolgenden Beweisaufnahme werden die Zeugen und Sachverständigen gehört, Urkunden verlesen und der ↑ Augenschein eingenommen. Nach Abschluß der Beweisaufnahme plädieren der Staatsanwalt, Verteidiger und Angeklagter. Der Angeklagte hat in jedem Falle das letzte Wort. In der geheimen Urteilsberatung wird auf Grund des Ergebnisses der Hauptverhandlung über Schuld oder Unschuld und über die zu verhängenden Sanktionen beraten und abgestimmt. Danach wird das Urteil öffentlich verkündet und mündlich begründet. Schriftl. Urteilsbegründung folgt später. Rechtsmittel sind ↑ Berufung und ↑ Revision. Sie können vom Angeklagten oder von der Staatsanwaltschaft eingelegt werden. Die durch eine Straftat Verletzten können sich mit einer ↑ Nebenklage am Strafverfahren beteiligen oder ↑ Privatklage erheben. Im *Sicherungsverfahren* werden Maßregeln der Besserung und Sicherung gegen schuldunfähige Täter angeordnet. Leichtere Straftaten können ohne mündl. Verhandlung im ↑ Strafbefehlsverfahren geahndet werden.
In *Österreich* ist das S. in der StPO vom 23. 5. 1873 i. d. F. des am 1. 1.1975 in Kraft getretenen StrafprozeßanpassungsG von 1974 geregelt. Sie entspricht in ihren wesentl. Grundsätzen der dt. StPO. Eine Besonderheit ist jedoch das Verfahren des Geschworenengerichts (↑ Schwurgericht). – In der *Schweiz* fällt das S.recht in die Gesetzgebungszuständigkeit der einzelnen Kantone. Einheitlich geregelt ist lediglich der Bundesstrafprozeß.
📖 *Kleinknecht, T./Meyer, K.: Strafprozeßordnung. Mchn.* [40]*1991. – Roxin, C.: S.recht. Mchn.* [22]*1991. – Weiland, B.: Einf. in die Praxis des S. Mchn. 1988.*

Strafverfolgung, die Verfolgung einer Straftat bei Vorliegen des Verdachts einer strafbaren Handlung durch die Staatsanwaltschaft, u. U. auf Grund eines ↑ Strafantrags. Die S. wird gemäß §§ 78 ff. StGB durch Verjährung ausgeschlossen (**Strafverfolgungsverjährung**). Die Verjährungsfristen betragen zw. 3 und 30 Jahren. Völkermord und Mord verjähren nicht mehr. Die S.verjährung beginnt mit dem Tage, an dem die Handlung begangen worden ist bzw. bei Erfolgsdelikten mit dem Erfolgseintritt (wenn dieser maßgebend ist), bei Dauerdelikten mit der Beseitigung des rechtswidrigen Zustands und bei fortgesetzter Handlung mit dem Ende des letzten Handlungsteils. Die S.verjährung ist von der *Strafvollstreckungsverjährung* (§ 79 StGB) zu unterscheiden, die die Vollstreckung einer rechtskräftig verhängten Strafe oder Maßnahme nach Ablauf bestimmter Verjährungsfristen (3–25 Jahre) ausschließt. Nach dem *östr.* StGB verjähren mit lebenslanger Freiheitsstrafe bedrohte strafbare

Handlungen nicht, im übrigen betragen die Verjährungsfristen 1 bis 20 Jahre. Das *schweizer.* StGB kennt Verjährungsfristen zw. 5 und 20 Jahren.

Strafversetzung, im *Disziplinarrecht* die Versetzung in ein Amt derselben Laufbahn, das ein geringeres Endgrundgehalt aufweist.

Strafverteidiger ↑ Verteidiger.

Strafvollzug, die Art und Weise der Durchführung von freiheitsentziehenden Kriminalsanktionen (Freiheitsstrafen, Maßregeln der Besserung und Sicherung), soweit diese in *Justizvollzugsanstalten* (frühere Bez. Strafanstalten, Gefängnisse) stattfindet. Zu unterscheiden ist der Begriff des S. von dem der **Strafvollstreckung.** Unter Strafvollstreckung i. e. S. versteht man lediglich das Verfahren von der Rechtskraft des Urteils bis zum Strafantritt sowie die anschließende generelle Überwachung der Durchführung angeordneter Straffolgen (hierfür ist grundsätzlich die Staatsanwaltschaft zuständig). Nach dem **Strafvollzugsgesetz** (StVollzG) vom 16.3.1976 soll der Strafgefangene im Vollzug der Freiheitsstrafe fähig werden, künftig in sozialer Verantwortung ein Leben ohne Straftaten zu führen. Die hierzu erfordel. Fähigkeiten durch Bildung, Ausbildung und Arbeit zu entwickeln, ist die wesentl. Aufgabe des Strafvollzugs. Sie wird dadurch erschwert, daß die im StVollzG ebenfalls vorgeschriebene Aufgabe, den Schutz der Allgemeinheit vor weiteren Straftaten zu gewähren, traditionell insbes. als Auftrag zu ausbruchsicherer Unterbringung der Strafgefangenen in geschlossenen Anstalten verstanden wird. Die hierdurch bewirkten massiven Unterschiede in den Lebensbedingungen innerhalb und außerhalb des S. (etwa im Bereich der persönl. Beziehungen, der Arbeits- und Versorgesituation) erschweren die Erreichung des Vollzugszieles erheblich und sind auch durch die im StVollzG vorgesehene Möglichkeit des offenen Vollzugs sowie weitere Lockerungen (Außenbeschäftigung, Freigang, Urlaub) nur unzureichend kompensierbar.
Der *östr.* und der *schweizer.* S. entspricht in seinen Grundsätzen dem dt. Recht.
📖 *Theissen, R.: Ehrenamtl. Mitarbeit im S. der BR Deutschland. Godesberg 1990. – Neumann, K. D./Weirauch, W.: Strafprozeß– S.–Resozialisierung. Flensburg 1989.*

Strafvollzugsgesetz ↑ Strafvollzug.

Strafzumessung, richterl. Entscheidung zur Bestimmung der im Einzelfall angemessenen Strafe für den Verstoß gegen eine Norm des Strafrechts. Innerhalb des durch die verletzte Strafvorschrift eröffneten gesetzl. *Strafrahmens* setzt das Gericht eine Strafe fest, deren Höhe sich insbes. nach dem Ausmaß der Schuld des Täters zu richten hat

(§ 46 StGB). Bei der S. müssen alle Umstände, die für oder gegen den Täter sprechen (**Strafzumessungstatsachen**) berücksichtigt werden, also u. a. die Beweggründe und Ziele des Täters, die aus der Tat sprechende Gesinnung und der zu ihrer Begehung aufgewendete Wille, das Maß der Pflichtwidrigkeit, die Art der Tatausführung und die verschuldeten Auswirkungen der Tat, das Vorleben des Täters, seine persönl. und wirtsch. Verhältnisse, sein Verhalten nach der Tat und sein Bemühen um Wiedergutmachung. Eine Unterschreitung des gesetzl. Strafrahmens ist dem Richter bei bes., in der Tat oder in der Person des Täters liegenden Umständen *(mildernde Umstände, Strafmilderungsgründe)* gestattet (z. B. bei einem im Versuchsstadium steckengebliebenen Delikt), teilweise auch gesetzlich vorgeschrieben (z. B. bei Beihilfe).
In *Österreich* und der *Schweiz* gilt im wesentlichen dem dt. Recht Entsprechendes.

Strahl, Rudi, * Stettin 14. Sept. 1931, dt. Schriftsteller. – Meistgespielter Komödienautor in der ehem. DDR („In Sachen Adam und Eva", 1970; „Ein irrer Duft von frischem Heu", 1975, als Film 1977; „Arno Prinz von Wolkenstein", 1977). Schreibt auch Prosa.

Strahl, in der *Mathematik* die Menge aller derjenigen Punkte einer Geraden, die auf ein und derselben Seite eines Punktes dieser Geraden (dem Anfangspunkt des S.) liegen. ◆ in der *Physik* und *Technik* Bez. für jeden gerichteten (gewöhnlich sich geradlinig ausbreitender), räumlich begrenzter, kontinuierl. Materie- oder Energiestrom, z. B. ein Flüssigkeits-, Elektronen- oder Lichtstrahl.

Strahlantrieb, die Erzeugung von Vortriebskräften (Schub) bei [Luft]fahrzeugen mit Hilfe von Strahltriebwerken.

Strahldichte (Strahlungsdichte, Strahlungsintensität), Zeichen *L*, der auf den Raumwinkel dΩ und die wirksame Fläche dA cos ε der strahlenden Fläche bezogene Strahlungsfluß dΦ, d. h. $L = d^2\Phi/(dA \cos\varepsilon \, d\Omega)$.

Strahlenbehandlung, svw. ↑ Strahlentherapie.

Strahlenbiologie (Radiobiologie), Arbeitsrichtung der *Biophysik* bzw. *Radiologie,* die sich mit den Wirkungen ionisierender Strahlung auf alle Formen des Lebens, bes. auf den Menschen beschäftigt. Wichtigste Anwendungsgebiete der S. sind der ↑ Strahlenschutz und die ↑ Strahlentherapie.

Strahlenbündel, Gesamtheit von [Licht]strahlen, die eine beliebig geformte Blende durchsetzen. Gehen sie alle von einem Punkt aus oder zielen in einen Punkt, so liegt ein *homozentr. S.* vor, auch als **Strahlenbüschel** bezeichnet. Befindet sich das Zentrum im Unendlichen, so liegt ein *Parallel-S.* vor.

Strahlenchemie, Teilgebiet der Chemie, das sich mit den chem. Wirkungen radioaktiver Strahlen und Röntgenstrahlen auf Materie beschäftigt.

Strahlendetektor (Strahlungsdetektor), strahlungsempfindl. Teil eines Strahlenmeß- bzw. -überwachungsgerätes (z. B. Ionisationskammer oder Zählrohr), in dem die einfallende Strahlung infolge von Ionisation oder innerem Photoeffekt elektr. Strom- oder Spannungsimpulse erzeugt, die vom Gerät analysiert werden (↑ Impulshöhenanalysator) oder ein Alarmsignal auslösen.

Strahlendosis ↑ Dosis, ↑ Strahlenschutz.

Strahlenflosser (Stachelflosser, Aktinopterygier, Actinopterygii, Acanthopterygii), Unterklasse der Knochenfische, bei denen das basale Skelett der paarigen Flossen so weit verkürzt ist, daß die Flossen nur noch von Flossenstrahlen getragene Hautfalten darstellen. Mit Ausnahme der Quastenflosser und Lungenfische sind alle rezenten Arten der Knochenfische Strahlenflosser.

Strahlengang, Verlauf der Lichtstrahlen in einem opt. System, v. a. der Verlauf bestimmter Strahlen zur Bildkonstruktion bei opt. Abbildungen.

Strahlengenetik, Forschungsrichtung innerhalb der Genetik, die sich mit den Wirkungen ionisierender Strahlen auf das Erbgut befaßt. Diese führen in den Keimzellen zu einer dosisproportionalen Erhöhung der Mutationsrate. Da die meisten Mutationen negative Auswirkungen auf Nachkommen haben, muß das genet. Material des Menschen möglichst vor Straleneinwirkungen geschützt werden. Die S. wird jedoch in der Pflanzenzüchtung angewendet.

Strahlenkarzinogenese, durch Einwirken ionisierender Strahlung (auch kleine Dosen) verursachte Krebsentstehung (sog. Strahlenkrebs), z. B. Leukämie, Bronchialkrebs. Charakteristisch ist eine lange Latenzzeit. Als Mechanismen der S. werden u. a. die Aktivierung onkogener Gene bzw. Viren, Veränderungen der Immunitätslage und Mutationen diskutiert.

Strahlenkatarakt (Strahlenstar), Strahlenschädigung der Augenlinse nach Einwirkung ionisierender Strahlung bzw. Infrarotstrahlung. Die Latenzzeit beträgt etwa 1 bis 8 Jahre. Bei medizin. Bestrahlung im Kopfbereich müssen die Augen mit einem strahlenabsorbierenden Stoff abgedeckt werden; bei Gefährdung am Arbeitsplatz (Glasbläser, Walzwerker u. a.) ist das Tragen von Bleiglasbrillen erforderlich.

Strahlenkater, im Verlauf einer Strahlentherapie oder kurz nach einer Ganzkörperbestrahlung auftretende Allgemeinreaktionen des Körpers; gekennzeichnet v. a. durch Erbrechen und Kopfschmerzen.

Strahlenkonservierung ↑ Konservierung.

Strahlenkrankheit, svw. ↑ Strahlensyndrom.

Strahlenkunde, svw. ↑ Radiologie.

Strahlenmeßgerät, i. e. S. svw. ↑ Dosimeter; i. w. S. jedes einen ↑ Strahlendetektor enthaltende Gerät zur Messung sehr energiereicher Strahlung.

Strahlenoptik ↑ Optik.

Strahlenparadiesvögel ↑ Paradiesvögel.

Strahlenpilze (Aktinomyzeten, Actinomycetales), Ordnung von v. a. im Boden lebenden Bakterien: grampositive, teilweise säurefeste Zellen, die zu Hyphen und Myzelien auswachsen können; haben charakterist. Oberflächen- und Substratmyzelien mit typ. erdig-muffigem Geruch; zahlr. Arten liefern Antibiotika, einige rufen Strahlenpilzkrankheiten hervor.

Strahlenpilzkrankheit (Aktinomykose), beim Menschen seltene, durch den Strahlenpilz Actinomyces israelii hervorgerufene Infektionskrankheit, die bes. im Gesicht und am Hals zu Gewebeverhärtung, eitriger Einschmelzung, Fistelbildung und Hautverfärbung führt. Eine intensive chirurg., physikal. und medikamentöse Behandlung ist notwendig. – S. tritt auch bei Haustieren, bes. beim Rind, auf.

Strahlenraum, bei opt. Abbildungen der gesamte Raum zw. Objekt und Bild, der von den abbildenden Strahlen durchlaufen wird.

Strahlenrisiko, Gefahr einer Schädigung eines bestrahlten Patienten durch die verabfolgte Strahlendosis. Die Wahrscheinlichkeit einer Schädigung steigt mit der Höhe der Strahlendosis.

Strahlensame (Heliosperma), Gatt. der Nelkengewächse mit 7 Arten in den Alpen und auf dem Balkan, in Deutschland nur eine Art; Stauden mit schmalen, linealförmigen Blättern; Blüten in lockeren Trugdolden, weiß oder rötlich, mit gezähnten Kronblättern. Der **Alpen-Strahlensame** (Heliosperma alpestre) ist eine beliebte Zierpflanze für Steingärten.

Strahlensätze, Lehrsätze der Elementargeometrie: 1. Werden zwei von einem Punkt ausgehende Strahlen von parallelen Geraden geschnitten, so sind die Verhältnisse

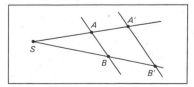

entsprechender Strecken auf den Strahlen gleich: $\overline{SA} : \overline{SA'} = \overline{SB} : \overline{SB'}$ und so verhalten sich 2. die Abschnitte auf den Parallelen wie die entsprechenden Abschnitte auf den Strahlen (die hierbei stets den Strahlanfangspunkt S enthalten müssen): $\overline{AB} : \overline{A'B'} = \overline{SA} : \overline{SA'}$.

Strahlenschäden ↑ Strahlenschutz.

Strahlenschutz, Gesamtheit der Maßnahmen gegen Strahlenschäden, die durch Absorption ionisierender Strahlung, wie Alpha-, Beta- und Gammastrahlung radioaktiver Substanzen, Röntgenstrahlung und Höhenstrahlung, im menschl. Körper, in der Umwelt und in Materialien verursacht werden können. Der S. umfaßt insbes. die Überwachung von Personen, die in Kernkraftwerken und Beschleunigeranlagen beschäftigt sind bzw. mit radioaktiven Stoffen umgehen. Nach den Bestimmungen der **Strahlenschutzverordnung** der BR Deutschland vom 13. 10. 1976 (i. d. F. vom 30. 6. 1989) darf die auf den Menschen wirkende Strahlendosis (↑ Dosis) bestimmte Toleranzwerte nicht überschreiten. Maßgebend für die Strahlenbelastung von Personen ist die in Sievert (Sv; früher in Rem) gemessene Äquivalentdosis, die gegenüber der absorbierten Dosis oder Energiedosis die unterschiedl. biolog. Wirkung der verschiedenen Strahlenarten durch Einbeziehung des relativen biolog. Wirksamkeit als Bewertungsfaktor berücksicht. Eine über nur kurze Zeitdauer abgegebene Dosis von 5–10 Sv ruft z. B. Hautrötungen hervor, während Dosen von 30 bis 50 Sv tödlich wirken können. Da bereits wesentlich geringere Dosen über lange Zeiträume zu Schädigungen der strahlungsempfindl. Keimdrüsen führen können, wurden in der S.VO S.grenzwerte für die Körperdosis (Personendosis) festgelegt. Für Personen, die z. B. im außerbetriebl. Überwachungsbereich arbeiten, dürfen die Strahlenbelastungen nicht mehr als 1,5 mSv pro Jahr betragen. Demgegenüber steht die von der Höhenstrahlung und der natürl. Umgebungsstrahlung verursachte natürl. Strahlenbelastung, die 1 bis 4 mSv pro Jahr ausmacht. Im Vergleich zu den für die Ganzkörperdosen gültigen Toleranzwerte liegen diese für Teilkörperdosen (Extremitäten, Haut, Knochen oder einzelne Organe) wesentlich höher.

Die Intensität ionisierender Strahlung kann durch Blei- oder Betonwände abgeschwächt werden. Für mit normalen Röntgenröhren erzeugte Röntgenstrahlen genügen bereits einige Millimeter Blei, zum Schutz gegen die Strahlung von Kernreaktoren bedarf es meterdicker Wände aus Schwerspatbeton. Übl. Strahlungsüberwachungsgeräte sind die ↑ Dosimeter, aber auch chem. Präparate und Gläser, die sich bei Bestrahlung verfärben.

Für genauere Messungen werden normale Strahlungsmeßgeräte (Zählrohre, Szintillationszähler u. a.) verwendet, die im Bereich starker Strahlungsquellen als sog. Monitoren fest installiert sind und bei Gefahr automatisch eine Alarmvorrichtung auslösen.

Strahlenschäden (Bestrahlungsschäden) sind 1. unerwünschte, jedoch noch zu tolerierende Nebenwirkungen einer ↑ Strahlentherapie; diese umfassen je nach verabfolgter Strahlendosis Hautreizungen, Strahlenkater, -dermatitis, Schädigungen von empfindl. Organen, die im Bestrahlungsfeld liegen (z. B. Harnblase, Schleimhaut des Magen-Darm-Traktes, Harnleiter, Lunge). Strahlenschäden sind in Ausmaß und Schwere abhängig von der Intensität, der Dauer und der Qualität der Strahlentherapie; 2. akzidentielle (zufällige) Einwirkung von ionisierenden Strahlen auf den gesamten Körper und ihre Folgeerscheinungen, z. B. durch freiwerdende Kernenergie bei Kernreaktorunfällen.

Je nach Gesamtdosis und Entfernung zum Strahlungsherd lassen sich folgende Strahlenschäden angeben:

Grenzdosis (250 mSv), bei der klin. Schäden erkennbar werden; vollständige Heilung ist zu erwarten.

Krit. Dosis (1 Sv), bei der das Strahlensyndrom nach einem symptomfreien Intervall von einigen Tagen auftritt: Blutarmut, Infektanfälligkeit, Blutungen, Schädigungen der Magen-Darm-Schleimhaut (Erbrechen, Durchfälle, Geschwüre); eine vollständige Heilung ist möglich.

Mittelletale Dosis (4 Sv), schweres Strahlensyndrom mit Todesfällen in 50 % (durch totales Knochenmarkversagen, Gehirn- und Herz-Kreislauf-Schäden).

Letale Dosis (5–30 Sv), mit sicherer Todesfolge innerhalb von 1 bis 2 Wochen. Strahlendosen über 30 Sv; Tod innerhalb von 3 Tagen.

Bei Heilungen sind bleibende Defekte möglich (z. B. Schädigung der Erbanlagen mit Chromosomenanomalien, erhöhtes Risiko einer Leukämie u. a.), bes. bei Strahlendosen zw. 1 und 4 Sv.

Die Strahlenschäden in Festkörpern sind meist mit dauerhaften Eigenschaftsveränderungen verbunden, z. B. mit Erhöhung der Festigkeit und Härte; sie beruhen v. a. auf einer durch die Bestrahlung erzeugten strukturellen Fehlordnung sowie auf starken örtl. Temperaturerhöhungen.

📖 *Fritz-Niggli, H.: Strahlengefährdung/S. Bern* [3]*1991. – Witt, E./Jäger, E.: S.verordnung. Köln* [7]*1990. – S. in der nuklearmedizin. Diagnostik. Hg. v. W. Börner u. a. Stg. 1990. – Lengfelder, E.: Strahlenwirkung–Strahlenrisiko. Landsberg 1990. – Petzold, W./Krieger,*

H.: Strahlenphysik, Dosimetrie u. S. Stg. Bd. 1: [2]*1988, Bd. 2: 1989. – Radiologie u. S. Hg. v. E. Willich u. a. Bln.* [4]*1988. – Kiefer, H./Koelzer, W.: Strahlen u. S. Bln.* [2]*1987. – Farrenkopf, H./Farrenkopf, D.: S. in der Feuerwehr. Stg.* [5]*1984.*

Strahlenstar, svw. ↑ Strahlenkatarakt.

Strahlenstürme (Gammastrahlenbursts), plötzlich auftretende kosm. Gammastrahlenpulse (Bursts), die bis zu einigen Sekunden dauern und Energien von 0,1 bis zu einigen MeV freisetzen. Mögl. Quellen für S. sind rotierende ↑ Neutronensterne mit starken Magnetfeldern.

Strahlensyndrom (Strahlenkrankheit), nach Ganzkörperbestrahlung auftretende Kombination von Strahlenreaktionen, bes. am Verdauungskanal (Erbrechen, Durchfälle, Wasser- und Mineralverlust) und am Knochenmark (Störung der Blutzellbildung, Blutungsneigung, Infektionsbereitschaft). Wird das *akute S.* überlebt, können nach einer monate- bis jahrelangen Latenzzeit chron. Strahlenschäden (z. B. Strahlenkatarakt, sog. Strahlenkrebs) auftreten. – ↑ Strahlenschutz (Strahlenschäden).

Strahlentherapie (Strahlenbehandlung), i. w. S. die therapeut. Anwendung von Strahlen in der Medizin (z. B. Mikrowellen, Kurzwellen, Infrarot-, Ultraviolettbestrahlung; ↑ Elektrotherapie); i. e. S. als Teilgebiet der Radiologie die Anwendung von ionisierender Strahlung zur Behandlung gut- und bösartiger Erkrankungen allein oder kombiniert mit chirurg. und chemotherapeut. Maßnahmen. Anwendung finden v. a. konventionelle (bis 300 kV) und ultraharte Röntgenstrahlen (bei der *Röntgentherapie*) und die Strahlen radioaktiver Stoffe, unter Ausnutzung der biolog. und physikal. Wirkung dieser Strahlen. Man unterscheidet *interne S.* (Einbringen von strahlenden Substanzen in Körperhöhlen oder -gewebe) und *externe* bzw. *perkutane S.* (Bestrahlung von außen mit Röntgenstrahlen). Es gilt, den Tumor mit hoher Dosis zu bestrahlen, um die regenerative Kraft des benachbarten Gefäßbindegewebes zu erhalten. Dies wird erreicht, indem mehrere sich kreuzende, durch das Zielvolumen (Herd) gehende Strahlenkegel angewendet werden (Bewegungs-, Kreuzfeuerbestrahlung); bei der Gegenfeldbestrahlung (von 2 sich gegenüberliegenden Feldern aus) wird eine gleichmäßige Dosisverteilung im Tumorgebiet erzielt; die Stehfeldbestrahlung ist durch ein feststehendes Einstrahlfeld gekennzeichnet. Die S. wird im allg. fraktioniert durchgeführt, d. h. die erforderl. Gesamtdosis wird auf einen Zeitraum von 5–6 Wochen verteilt, um eine höhere Schädigung des Tumorgewebes zu erreichen. Je nach Lage des

Zielvolumens zur Körperoberfläche wird zw. *Oberflächen-*, *Halbtiefen-* und *Tiefenbestrahlung* unterschieden.

Die **Hochvolttherapie** (Supervolttherapie, Megavolttherapie, ultraharte Röntgentherapie, Hochenergie-S.) mit Strahlenenergien über 1 MeV und großer Tiefenwirkung wird mit Photonen (ultraharte Röntgen- oder Gammastrahlen) oder mit Elektronen durchgeführt, zu deren Erzeugung Beschleunigeranlagen (Kreis- oder Linearbeschleuniger) oder Kobaltbestrahlungsgeräte (↑ Telecurietherapie) verwendet werden. Mit der *Photonenstrahlung* (ultraharte Röntgenstrahlung, Gammastrahlen) kann ein tiefliegender Tumor zielsicher, konzentriert und damit hocheffektiv erreicht werden. Im Unterschied zur konventionellen Röntgentherapie liegt hier das Dosismaximum in der Tiefe, so daß die darüberliegende Haut weitgehend geschont wird. Bevorzugtes Einsatzgebiet der *Elektronenstrahlung* sind der Oberflächen- und Halbtiefenbereich (z. B. Tumoren des Gesichts, Kehlkopfkarzinome), da sie im Vergleich zur ultraharten Röntgenstrahlung ein weniger tief gelegenes Dosismaximum ausbildet und eine begrenzte Reichweite besitzt. Die tieferen Gewebeschichten werden weitgehend geschont. Daneben wird auch *Neutronen-* (besitzt eine höhere relative biolog. Wirkung auf bestimmte Tumorzellen) sowie *Protonen-* und *Pionenstrahlung* eingesetzt. Die beiden letzteren sind bes. zur S. kleiner Tumoren im Körperinneren geeignet; sie geben im Zielgebiet (Tumor) ihre gesamte Energie unter Entlastung tieferer Körperabschnitte ab.

Die **Fernbestrahlung** ist ein Verfahren der Röntgenbestrahlung (meist Großfeld- oder Ganzkörperbehandlung) mit einem Fokus-Haut-Abstand von mehr als 1 Meter. Bei der **Kontaktbestrahlung** liegt der Strahler (Radioisotop) unmittelbar dem Tumorgewebe an; es wird nur ein kleiner Raum bestrahlt. ▣ *Pötter, R.: S. bei malignen Tumoren im Kindes- u. Jugendalter. Bln. 1990. – Scherer, E./Sack, H.: S. Stg. ⁴1989.*

Strahlentierchen (Radiolarien, Radiolaria), mit rd. 5 000 Arten in allen Meeren verbreitete Klasse sehr formenreicher, meist mikroskopisch kleiner Einzeller (Stamm Wurzelfüßer); Zellkörper meist kugelig, bildet aus Kieselsäure oder Strontiumsulfat häufig kugel- oder helmförmige Gehäuse, die mit zahlr. Öffnungen durchsetzt sind. Die S. ernähren sich entweder von Mikroorganismen, die an ihren fadenförmigen, durch die Gehäuseöffnungen gestreckten Scheinfüßchen haften bleiben, oder durch Symbiose mit Algen (Zooxanthellen). Die Fortpflanzung erfolgt ungeschlechtlich durch Zweiteilung oder geschlechtlich durch Bildung von Schwärmern. Die Anhäufung der Gehäuse abgestorbener S. führt zu ↑ Radiolarienschlamm.

Strahlenwaffen, konzipierte bzw. in Entwicklung befindliche Waffensysteme, die hochenerget. Strahlung (Laser- oder Partikelstrahlen) zur Bekämpfung feindl. Ziele, v. a. Raketen und Satelliten, einsetzen.

Strahlenwirkung, durch Absorption ionisierender Strahlung entstandene Veränderung in lebenden Organismen. Kennzeichnend ist, daß sehr kleine Energiemengen große Wirkungen entfalten können. Die *direkte biolog. S.* besteht in Veränderungen von Molekülen in Schlüsselposition, z. B. von Genen oder Enzymen, durch unmittelbare Energieübertragung. Die *indirekte biolog. S.* trifft zunächst andere Moleküle, z. B. die des Wassers, die durch Ionisation und Radikalbildung als Energiezwischenträger Reaktionen an wichtigen Systemen auslösen. Beim Menschen muß zw. genet. (↑ Strahlengenetik) und somat. S. unterschieden werden. Letztere, die dosisabhängig oder zufallsbedingt auftreten, äußern sich u. a. in Funktionsänderungen, Zelltod, Entzündungserscheinungen oder -hemmung oder Schmerzlinderung. Bestimmte S., wie der Untergang von Tumorgewebe und dessen Ersatz durch eine Narbe, sind das Ziel der ↑ Strahlentherapie.

Strahler (Strahlungsquelle), jeder Körper, der (insbes. elektromagnet.) Strahlung aussendet, z. B. Lichtquelle, radioaktive Substanz als Alpha-, Beta- oder Gamma-S., Glühkathode als Elektronen-S.; auch jede techn. Vorrichtung, die Strahlung aussendet (z. B. Lampe, Antenne, Sender).

Strähler, svw. ↑ Strehler.

Strahlflugzeug, umgangssprachlich für durch Luftstrahltriebwerk[e] angetriebenes Flugzeug.

Strahlkies ↑ Markasit.

Strahlläppen, Oberflächenbearbeitung eines Werkstücks mit Hilfe eines scharfen Flüssigkeitsstrahls (meist Wasser), dem fein-körnige Strahlmittel (Siliciumcarbid, Korund, Quarz u. a.) beigegeben sind.

Strahlpumpe ↑ Pumpen.

Strahlrohr, das rohrförmige Endstück von Schlauchleitungen, Beregnungsanlagen, Spritz- und Sprühgeräten u. a.

Strahlruder, Steuervorrichtungen von Raketen und Senkrechtstartern, deren Wirkungsweise auf der gerichteten Impulserteilung durch aus Steuerdüsen ausströmende Gase beruht.

Strahlstein (Aktinolith), zu den monoklinen Hornblenden zählendes, durch größere Mengen an Fe^{2+}-Ionen dunkelgrün gefärbtes Mineral der Strahlsteingruppe, $Ca_2Fe_5[OH|Si_4O_{11}]_2$. Mohshärte 5,5–6; Dichte 3,1–3,3 g/cm³.

Strahlstrom (Jetstream), sehr starker, relativ schmaler Luftstrom, der entlang einer horizontalen Achse in der oberen Troposphäre oder unteren Stratosphäre konzentriert ist. Ein S. ist Tausende von Kilometern lang, Hunderte von Kilometern breit und einige Kilometer tief. Vielfach werden Windgeschwindigkeiten von mehr als 200 km/h beobachtet, die Höchstwerte liegen bei über 600 km/h. Zwei markante S.systeme treten auf jeder Halbkugel der Erde auf: 1. der **Subtropenjet** über dem subtrop. Hochdruckgürtel etwa längs der Linie Bermudainseln – Kanar. Inseln – N-Afrika – Persischer Golf – Indien – S-China und über den Pazifik nach Kalifornien; 2. der **Polarfrontjet,** der S. der gemäßigten Breiten, dessen Lage eng mit derjenigen der Polarfront († Polarfronttheorie) gekoppelt ist. Beide S.systeme werden durch den Austausch von unterschiedlich temperierten Luftmassen aus den verschiedenen Breitenzonen der Erde hervorgerufen und sind wegen ihrer sehr hohen Windgeschwindigkeiten und wegen der häufig in ihrer Nähe beobachteten, gefährl. Clear-Air-Turbulenz von großer Bed. für die Luftfahrt in Höhen von rd. 9 000 – 12 000 m.

Strahltriebwerke, Bez. für alle Triebwerke, bei denen die für den Antrieb benötigte Kraft (Schub) durch gerichtetes Ausstoßen von Masseteilchen (in Form eines Abgasstrahls) erfolgt; Hauptformen: Luftstrahltriebwerk († Triebwerke) und Raketentriebwerk († Raketen).

Strahlung, freier, d. h. ungeleiteter Energietransport durch Wellen oder Teilchen im Raum. Man unterscheidet zw. Wellen- und Korpuskular-S. († Welle-Teilchen-Dualismus). Bei einer *Wellen-S.,* wie z. B. der elektromagnet. S., erfolgt die Ausbreitung in Form von † Wellen. Eine *Korpuskular-S. (Partikel-* oder *Teilchen-S.),* wie die radioaktive S. oder die Höhen-S., besteht aus schnellbewegten Teilchen, z. B. Elektronen, Ionen.

Strahlungscharakteristik (Richtcharakteristik, Strahlungsdiagramm), der Absatzstrahlung elektromagnet. oder akust. Energie der räuml. Verlauf der Feldstärke bzw. Strahlungsenergie in Abhängigkeit von der Ausstrahlungsrichtung und der Entfernung von der Strahlenquelle (z. B. einer Antenne).

Strahlungsdetektor, svw. † Strahlendetektor.

Strahlungsdruck, der von einer Strahlung beim Auftreffen auf einen Körper auf diesen ausgeübte, in Ausbreitungsrichtung der Strahlung wirkende Druck, insbes. der Lichtdruck.

Strahlungsfrost, bei klarem und heiterem Wetter auftretender, durch den Wärmeverlust der Erdoberfläche infolge großer Ausstrahlung verursachter Frost.

Strahlungsgesetze, physikal. Gesetze, die einen Zusammenhang zw. der Temperatur eines strahlenden Körpers und der Energie bzw. der Frequenz der ausgesandten elektromagnet. Strahlung beschreiben. Zu den S. gehören u. a. das † Kirchhoffsche Strahlungsgesetz, das † Stefan-Boltzmannsche Gesetz und das † Plancksche Strahlungsgesetz.

Strahlungsgürtel † Van-Allen-Gürtel.

Strahlungsheizkörper † Heizung.

strahlungsloser Übergang, Übergang eines mikrophysikal. Systems aus einem angeregten Zustand in einen energetisch tiefer gelegenen Zustand oder umgekehrt, wobei die Energiedifferenz nicht als Photon emittiert oder absorbiert wird; in Festkörpern kann diese z. B. durch Phononen ausgeglichen werden.

Strahlungsquanten, svw. † Photonen.

Strahlungstheorie, die auf P. A. M. Dirac und E. Fermi zurückgehende quantenfeldtheoret. Behandlung des elektromagnet. Strahlungsfeldes, das an eine quantenmechanisch beschriebene Materie (Atome, Moleküle u. a.) angekoppelt ist.

Strahlungsthermometer, svw. † Pyrometer.

Strahlungsverbrechen † Sprengstoff- und Strahlungsverbrechen.

Strahlungswetter, eine Wetterlage, die im wesentlichen durch Strahlungsvorgänge geprägt ist. S. herrscht in einem Hochdruckgebiet: Am Tag erwärmt sich die Luft bei ungehinderter Sonneneinstrahlung sehr stark, bei Nacht kühlt sie durch Wärmeausstrahlung des Bodens gegen den wolkenlosen Himmel kräftig ab. Im Winter sinkt dann die Temperatur der bodennahen Luftschichten häufig so weit ab, daß sich Nebel *(Strahlungsnebel)* bildet; oft liegt dann tage- bis wochenlang eine Nebel- oder Wolkendecke über der Ebene, die von der schwachen Wintersonne nicht aufgelöst werden kann, während gleichzeitig auf den Bergen bei Sonnenschein relativ hohe Lufttemperaturen herrschen.

Straight-run-Benzin [engl. 'streɪtrʌn] † Benzin, † Erdöl.

Straits Settlements [engl. 'streɪts 'setlmənts], die ehem. brit. Niederlassungen (seit 1826) an der Malakkastraße: Singapur, Malakka und Penang; bis 1867 Brit.-Indien angegliedert, dann eigene Kronkolonie, die 1946 aufgelöst wurde. Malakka und Penang kamen zur Malaiischen Union, Singapur wurde brit. Kronkolonie.

Stralsund ['--, -'-], kreisfreie Stadt und Krst. am Strelasund, Meckl.-Vorp., 74 000 E. Fachhochschule, Museen, Meeresmuseum mit Meeresaquarium, Theater; Seehafen; Werft, Maschinenbau, Fischverarbeitung. Über den Rügendamm (2,45 km) mit der Insel Rügen verbunden.

Geschichte: Urspr. slaw. Siedlung, Stadtgründung durch den Fürsten von Rügen um 1200 (1234 lüb. Recht); trat 1283 dem Bündnis Lübecks mit Rostock und Wismar bei (das als Keimzelle der Hanse angesehen werden kann); entwickelte sich zum wirtsch. Mittelpunkt des westl. Pommern; fiel 1648 an Schweden, 1815 an Preußen. – 1370 wurde der **Friede von Stralsund** von der Hanse und Dänemark geschlossen, durch den sich die Hanse die Handelsvormacht im N sicherte. **Bauten:** Zahlr. Zeugnisse der Backsteingotik; nach dem 2. Weltkrieg wieder aufgebaut bzw. restauriert u. a. Nikolaikirche (um 1270 ff.), Marienkirche (nach 1382–1473), Jakobikirche (14./15. Jh.); ehem. Dominikanerkloster Sankt Katharinen (15. Jh., Museum); Rathaus (13. Jh.) mit prachtvoller Fassade (15. Jh.); zahlr. Bürgerhäuser (15. – 18. Jh.). **S.,** Landkr. in Mecklenburg-Vorpommern.

Stramin [niederl., zu lat. stamineus „voll Fäden, faserig"], siebartiges Gewebe in Leinwandbindung mit jeweils zwei nebeneinanderliegenden Kett- und Schußfäden; für Stikkereien.

Stramm, August, * Münster 29. Juli 1874, ✕ in der Polesje 1. Sept. 1915, dt. Lyriker und Dramatiker. – 1914 Postdirektor im Reichspostministerium. Als Expressionist Mitarbeiter an H. Waldens Zeitschrift „Der Sturm"; Vertreter eines „verkürzten Sprachstils" und Schöpfer neuer semant. und syntakt. Dimensionen für die Lyrik („Die Menschheit", hg. 1917; „Tropfblut", hg. 1919). S. verzichtete im Drama auf Kausalität und Psychologie, v. a. in „Rudimentär" (1914).

Strand, Paul [engl. strænd], * New York 16. Okt. 1890, † Orgeval (Frankreich) 31. März 1976, amerikan. Photograph und Dokumentarfilmer. – Engagierter Vertreter des Neuen Realismus sowohl in der Photographie als auch im Film (drehte 1934 im Auftrag der mex. Regierung den sozialkrit. Film „Netze" [mit F. Zinnemann u. a.] über das Leben armer mex. Fischer); gründete 1937 die Dokumentarfilmgesellschaft „Frontier films".

Strand, flacher, überwiegend aus Sand oder Geröll aufgebauter Küstenbereich, der wenigstens zeitweise über dem Wasserspiegel liegt.

Strandauster, svw. Sandklaffmuschel († Klaffmuscheln).

Strandberg, Karl Vilhelm August [schwed. ‚strandbærj], Pseud. Talis Qualis, * Stigtomta (Södermanland) 16. Jan. 1818, † Stockholm 5. Febr. 1877, schwed. Dichter. – Vertreter der politisch akzentuierten nachromant. Lyrik, der einem schwärmer. Skandinavismus und den Freiheitsidealen der Studenten Ausdruck verlieh.

Stranddistel † Mannstreu.

stranden, an einer Untiefe, Klippe oder an der Küste auf Grund laufen und festliegen (gesagt von Schiffen); übertragen svw. scheitern, ohne Erfolg bleiben.

Strandflieder † Widerstoß.

Strandflöhe (Talitridae), Fam. bis 3 cm langer Krebse (Ordnung Flohkrebse) mit zahlr. Arten in trop. und gemäßigt warmen Meeres-, Brack- und Süßgewässern sowie auf bzw. in feuchten Sandstränden. Am bekanntesten sind der etwa 2 cm große **Küstenhüpfer** (Orchestia gammarellus) und der bis 1,5 cm lange **Strandhüpfer** (Gemeiner Strandfloh, Sandhüpfer, Talitrus saltator); Körper seitlich stark zusammengedrückt; springt bis 30 cm weit.

Strandgerste † Gerste.

Strandgrundel (Strandküling, Pomatoschistus microps), bis 5 cm langer Knochenfisch (Fam. Meergrundeln) in der Ostsee, bes. im Brackwasser, auch im Süßwasser; Schwarmfisch.

Strandgut, Gegenstände, die von der See aus auf den Strand getrieben werden oder auf offener See treiben; bei Bergung besteht gegenüber den Strandbehörden Anzeige- und Ablieferungspflicht.

Strandhafer (Helmgras, Sandrohr, Ammophila), Gatt. der Süßgräser mit drei Arten an den Küsten Europas, N-Afrikas und N-Amerikas; in Deutschland einheimisch ist der **Gemeine Strandhafer** (Ammophila arenaria), eine 0,6– 1 m hohe, weißlichgrüne, lange Ausläufer bildende Pflanze mit steif aufrechten Stengeln, an den Seiten her eingerollten Blättern und dichter gelber Ährenrispe.

Strandhüpfer † Strandflöhe.

Strandigel, svw. † Strandseeigel.

Strandkiefer † Kiefer.

Strandkrabbe (Carcinus maenas), in gemäßigten und warmen Meeren beider Hemisphären weit verbreitete Krabbe, häufigste Krabbe in der Nordsee; Rückenpanzer 5,5 (♀) bis 6 cm (♂) breit; olivgrün bis bräunlich, Unterseite oft rötlich; stets seitwärts laufendes Tier, das sich v. a. von Weichtieren, Flohkrebsen, Würmern und kleinen Fischen ernährt.

Strandkresse (Lobularia), Gatt. der Kreuzblütler mit nur wenigen Arten im Mittelmeergebiet. Die Art **Duftsteinrich** (Lobularia maritima), ein behaarter rasenbildender Halbstrauch mit duftenden weißen Blüten, wird in Deutschland als einjährige Gartenzierpflanze kultiviert.

Strandküling, svw. † Strandgrundel.

Strandläufer (Calidris), Gatt. meisenbis amselgroßer, relativ kurzbeiniger Schnepfenvögel mit rd. 20 Arten, v. a. an Meeres- und Süßwasserstränden N-Eurasiens und N-Kanadas (nichtbrütende Tiere auch an der dt. Nordseeküste); trippelnd laufende Watvögel mit oberseits vorwiegend grauem oder braunem bis rostrotem, unterseits weißl. Gefieder. Zu den S. gehört u. a. der häufig an der Nord- und Ostsee überwinternde, etwa 20 cm lange **Meerstrandläufer** (Calidris maritima), oberseits überwiegend grau, unterseits weiß; Beine und Schnabelwurzel gelb.

Strandlinie, die Linie, bis zu der normalerweise die Wirkung von Wellen und Brandung reicht.

Strandnelke, svw. ↑ Grasnelke.

Strandnelkengewächse, svw. ↑ Bleiwurzgewächse.

Strandroggen ↑ Haargerste.

Strandsalzmiere ↑ Salzmiere.

Strandschnecken (Littorinidae), Fam. der Schnecken, v. a. in den Gezeitenzonen der nördl. Meere, v.a. in den Gezeitenzonen der nördl. Meere; Gehäuse dickwandig, kugel- bis kegelförmig, mit hornigem Deckel; wichtigste Gatt. **Littorina,** zu der 6 Arten in europ. Meeren gehören; Gehäuse bis 4 cm lang, Algenfresser.

Strandsee ↑ Küste.

Strandseeigel (Strandigel, Psammechinus miliaris), bis etwa 4 cm großer, abgeflachter, grünl. Seeigel im nördl. Atlantik sowie in der Nord- und westl. Ostsee.

Strandsegeln, dem Eissegeln ähnl. Geschwindigkeitswettbewerbe mit drei- oder vierrädrigen Segelwagen auf Sandpisten oder Sandstränden. Die unterschiedlich konstruierten Fahrzeuge haben genormte Segelflächen.

Strandversetzung ↑ Küstenversatz.

Strangeness [engl. 'streɪndʒnɪs, zu lat. extraneus „fremd"] (Seltsamkeit, Fremdheitsquantenzahl), Quantenzahl zur Klassifizierung von Elementarteilchen. Die S. ist eine Erhaltungsgröße (wie z. B. Ladung, Parität); sie hat den Wert $S = 0$ bei Nukleonen, Leptonen und Pionen, $S = 1$ bei K^+- und K^0-Mesonen, $S = -1$ bei den Λ- und Σ-Hyperonen. $S = -2$ beim Ξ-Hyperon, $S = -3$ beim Ω^--Hyperon und ist entgegengesetzt gleich groß bei den zugehörigen Antiteilchen. Elementarteilchen, deren S. ungleich Null ist, werden als **strange particles** bezeichnet.

Strangguß ↑ Gießverfahren.

Strängnäs [schwed. 'strɛŋnɛːs], schwed. Stadt am S-Ufer des Mälarsees, 12 000 E. Luth. Bischofssitz; photochem., pharmazeut. und Betonind. – Der alte Handelsplatz S. wurde um 1080 Bischofssitz. Die Siedlung entwickelte sich um die Domkirche und wurde 1336 Stadt. – Domkirche (1291 geweiht); Roggeborg (Bischofsburg des 15. Jh.; jetzt Museum); Grassegård (typ. Stadthof des 17. Jh.).

Strangpressen, in der *Metallverarbeitung* ein Warmformverfahren, bei dem ein auf Preßtemperatur erwärmter Metallblock in den zylinderförmigen Aufnehmer ei-

ner Presse gegeben und mittels Stempeldrucks durch eine mit dem gewünschten Profil versehene Matrize zu Voll- oder Hohlstangen gepreßt wird. Zur Erzeugung von Hohlprofilen, z. B. beim **Rohrstrangpressen,** wird der Block vorher gelocht und das Metall mittels eines am Preßstempel angebrachten Dorns durch den verbliebenen Raum zw. Matrizenöffnung und Dorn hindurchgepreßt.
◆ ↑ Kunststoffverarbeitung.

Strangspannung ↑ Drehstrom.

Strangulation [lat.], Abdrosselung der Luftröhre bzw. Kompression der Halsschlagader durch Zupressen des Halses (z. B. bei Erdrosselung, Erwürgen oder Erhängen).
◆ Abschnürung bzw. Abklemmung von Darmabschnitten (z. B. bei Brucheinklemmung).

Strangurie [griech.], Harnzwang; schmerzhaftes Wasserlassen v. a. bei Entzündungen von Harnröhre und Harnblase.

Stranitzky, Josef Anton [...ki], * Knittelfeld (?) um 1676, † Wien 19. Mai 1726, östr. Volkskomödiant. – Ab 1706 leitete S. eine eigene Truppe in Wien; Begründer der Altwiener Volkskomödie und des wiener. Hanswurst. Der Stoff seiner ↑ Haupt- und Staatsaktionen, von denen 14 erhalten sind, ist v. a. zeitgenöss. italien. Opern entlehnt.

Strapaze [zu italien. strapazzare „überanstrengen"], Anstrengung, Mühe; **strapaziös,** ermüdend, beschwerlich.

Strasberg, Lee [engl. 'stræsbə:g], * Budzanów (= Budanow, Gebiet Tarnopol) 17. Nov. 1901, † New York 17. Febr. 1982, amerikan. Regisseur östr. Herkunft. – Gründete 1930 das avantgardist. Group Theatre in New York, das er bis 1937 leitete; schloß sich 1950 dem „Actors' Studio" an.

Strasburg, Krst. am N-Rand der Uckermark, Meckl.-Vorp., 66 m ü. d. M., 8 900 E. Zuckerfabrik, Maschinenbau. – Gegr. vor 1250; 1277 erstmals bezeugt. – Got. Stadtkirche (13.–15. Jh.).
S., Landkr. in Mecklenburg-Vorpommern.

Strasburger, Eduard, * Warschau 1. Febr. 1844, † Bonn 19. Mai 1912, dt. Botaniker. – Prof. in Jena und Bonn; bed. Arbeiten zur Zytologie, bes. über „Zellbildung und Zellteilung" (1875); auch wichtige Beiträge zur Gewebelehre der Pflanzen. 1894 begründete er (mit F. Noll u. a.) das „Lehrbuch der Botanik für Hochschulen".

Straß [nach dem frz. Juwelier G. F. Stras, * 1701, † 1773], stark lichtbrechendes Bleiglas für Edelsteinimitationen; bes. von Diamanten.

Straßburg, Gottfried von ↑ Gottfried von Straßburg.

Straßburg, östr. Stadt in Kärnten, im Gurktal, 158 m ü. d. M., 2 600 E. Fremdenverkehr. – Bei einer 1147 errichteten Burg entstanden. 1200 erstmals als Markt gen.; um 1210 erweitert, 1402 Stadtrecht. – Große Wehranlage der ehem. Bischofsburg (v. a. 16. und 17. Jh.) mit roman. Doppelkapelle (12. Jh.; barockisiert).

S. (amtl. Strasbourg [frz. stras'bu:r]), frz. Stadt im Unterelsaß, an der Mündung der Ill in den Rhein, 252 000 E. Hauptstadt der Region Elsaß, Verwaltungssitz des Dep. Bas-Rhin; kath. Bischofssitz; Sitz des Europarats; Gesamtuniv.; zahlr. Forschungsinst., u. a. Kernforschungszentrum mit Versuchsreaktor, Rechenzentrum; Observatorium; Internat. Inst. für Menschenrechte; mehrere bed. Museen; Theater, Oper; Musikfestspiele. Der autonome Rheinhafen ist Ausgangspunkt von Rhein-Rhone- und Rhein-Marne-Kanal; Erdölraffinerien, petrochem. Ind., Walzwerke, Metallverarbeitung. Nahrungsmittel- und Brauereiind., Holzverarbeitung, chem., Elektronik-, Gerberei- und Bekleidungsind.; Europ. Messe; Fremdenverkehr; ⚓ Entzheim.

Geschichte: Das röm. **Argentorate** entstand um 16 n. Chr. als Legionslager, aus dem sich eine bed. Handelsstadt entwickelte; seit etwa

Straßburger Meister. Ecclesia und Synagoge; nach 1230, ehemals am Querhausportal des Straßburger Münsters, heute im Frauenhaus-Museum

370 eine der stärksten Befestigungen Obergermaniens; ein Hauptort der sweb. Triboker; 498 zum Fränk. Reich; seit dem Ende des 6. Jh. **Strateburgum** (auch: **Stratisburgo**); Bistum seit dem 4. Jh. bezeugt; fiel 843 an Lotharingien (Lothringen), mit diesem 870 an das Ostfränk. Reich (später Hl. Röm. Reich); erstes Stadtrecht um 1150; 1262 Reichsstadt. 1332 gewannen die Zünfte ein Mitspracherecht in der Verwaltung; ab 1381 Mgl. des Rhein. Städtebundes; seit dem 14. Jh. Mittelpunkt der Mystik (Meister Eckhart, J. Tauler) und eines Humanismus mit nat. Gepräge (u. a. J. Wimpfeling). Seit 1523 setzte sich unter dem Einfluß von M. Bucer und W. Capito die Reformation durch. 1531 Beitritt zum Schmalkald. Bund; 1681 im Zuge der Reunionen Ludwigs XIV. von frz. Truppen besetzt, wurde 1682 Hauptstadt der Prov. Elsaß bzw. des neugeschaffenen Dep. Bas-Rhin (1790); 1871–1918 Hauptstadt des dt. Reichslandes Elsaß-Lothringen; 1940–44 dt. Besatzung; seit 1949 Sitz des Europarats, seit 1958 im Wechsel mit Luxemburg Tagungsort des Europ. Parlaments.

Bauten: Trotz Zerstörungen im 2. Weltkrieg hat S. zahlr. histor. Bauten bewahrt; berühmt ist v. a. das ↑Straßburger Münster. Got. Thomaskirche (um 1200–14. Jh.) mit Grabmal des Marschalls Moritz von Sachsen und Sarkophag des Bischofs Adeloch (um 1130), got. Simultankirche Alt-Sankt-Peter (1328 ff.), Frauenhaus, ein Baukomplex aus Gotik und Renaissance (1347 und 1579–85; Museum), ehem. bischöfl. Palais Château des Rohan (1730–42; Museum), barockes Rathaus (1730), zahlr. Bürgerhäuser, u. a. Kammerzellsches Haus (Fachwerkbau von 1589 über Steingeschoß von 1467), z. T. maler. Straßenbilder (Petite-France); Europahaus (1977). Das histor. Zentrum der Stadt wurde von der UNESCO zum Weltkulturerbe erklärt.

📖 *Lienhard, M./Willer, J.: S. u. die Reformation.* Kehl ²1983. – *S.* Mchn. ³1983. – *Nonn, H.: Strasbourg et sa communauté.* Paris 1982. – *Forstmann, W., u. a.: Der Fall der Reichsstadt S. u. seine Folgen.* Bad Neustadt 1981.

S., Bistum, seit dem 4. Jh. bezeugt; bis 1801 Suffraganbistum von Mainz, dann von Besançon, seit 1871 exemt; im MA reichstes Domkapitel Deutschlands.

  Straßburger Eide (14. Febr. 842), von Nithard überlieferter Bündnisschwur Karls des Kahlen und Ludwigs (II.) des Deutschen gegen ihren Bruder Lothar I. in althochdt. und altfrz. Sprache.

  Straßburger Meister (Meister der Straßburger Ecclesia und Synagoge), dt. Bildhauer des 13. Jh. – Meister einer Bildhauerwerkstatt, die aus Chartres kam, in Burgund gearbeitet hatte und ab etwa 1225 am Straß-

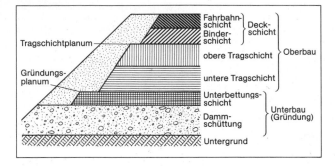

Straße. Straßenbau: Schichten des
Unter- und Oberbaus

burger Münster tätig war. Die Tympana am
Portal des südl. Querhauses mit Marientod
und -krönung, der Weltgerichtspfeiler im
südl. Querhaus sowie die Figuren der Ecclesia und der Synagoge am Portal (Originale im
Frauenhaus-Museum) gehören zu den bedeutendsten bildhauer. Werken der Gotik (Früh-
gotik).
    Straßburger Münster, Bischofskirche
in Straßburg. Sie steht auf den Grundmauern
einer dreischiffigen otton. Basilika mit Querhaus, Chor und Westbau (1015 ff.; Krypta erhalten). Der Chor und Teile des Querhauses
sind spätromanisch, beim südl. Querhaus
wird ab 1220 frz. got. Einfluß spürbar; das
1275 vollendete Langhaus zeigt das frz. got.
Kathedralsystem mit Arkadengeschoß, ver-
glastem Triforium und riesigen Obergaden-
fenstern. Der Entwurf (Riß B) der W-Fassade
(1276; Autorenschaft umstritten) wurde von
Erwin von Steinbach bis zur Balustrade oberhalb der beiden Untergeschosse ausgeführt
(mit Portalen, der großen Rose, dem vorgelegten Stab- und Maßwerk); 1399–1419
durch U. von Ensingen weitergeführt. Nur
der nördliche der beiden Türme wurde vollendet (1419–39). Bed. Werke stauf. Bildhau-
erkunst (↑ Straßburger Meister) und Glasmalerei des 12.–15. Jahrhunderts.
    Straßburger Relation, bei ihrer Ent-
deckung 1876 so benannte Zeitung; 1609 von
J. Carolus in Straßburg gedruckt; gilt als eine
der ältesten gedruckten dt. Zeitungen.
    Straße [zu lat. strata (via) „gepflasterter
Weg, Heerstraße"], befestigter Verkehrsweg
für nicht schienengebundene Landfahr-
zeuge. – Je nach Lage werden unterschieden
Stadt-S. (innerhalb bebauter Gebiete [weitere
Unterteilung in Stadtautobahn, Schnellver-
kehrs-S., Hauptverkehrs-S., Verkehrs-S.,
Sammel-S. und Anlieger-S.]) und Land-S.
(außerhalb bebauter Gebiete). Nach dem

Träger der Baulast werden die Land-S. eingeteilt in: Bundes-S. (Bundesautobahn [↑ Auto-
bahnen], ↑ Bundesfernstraßen), Staats-S.,
Kreis-S., Gemeinde-S. und Privatstraßen.
Der *Ausbaustandard* der S. richtet sich nach
Art und Ausmaß des Verkehrs und wird
durch Querschnitt, Linienführung, Art und
Abstand der Knotenpunkte, Zufahrtsmög-
lichkeiten, Qualität der Fahrbahnkonstruktion und Ausstattung des S.raumes bestimmt.
Aus dem vorgegebenen Daten, dem vorgesehenen Ausbaustandard und der in der Straßenverkehrs-Zulassungs-Ordnung (StVZO)
festgelegten Höchstbreite der Fahrzeuge von
2,50 m ergibt sich durch Addition von Bewe-
gungs- und Sicherheitsraum eine Fahrspur-
breite zw. 3,25 m und 3,75 m. Durch Addition
der vorgesehenen Anzahl der Fahrspuren
(bei Autobahnen bis zu 4 je Richtung), der
Randstreifenbreiten, befestigten Seitenstreifen (Standspur), unbefestigten Seitenstreifen
(Bankett), Mittelstreifen ergibt sich die *Quer-
schnittsbreite* der Straße. Die *Kronenbreite*
wird durch die Außenkante der Bankette bestimmt. Der **Straßenbau** ist die Fertigung der
S. auf dem anstehenden Boden (Untergrund),
mit geschütteten Dämmen als *Unterbau*
(Gründung), der eigtl. Straßenkonstruktion
(Tragschichten der Fahrbahndecke und befestigte Randstreifen) als *Oberbau* sowie den
Nebenanlagen (Böschungen, Entwässerungs-
gräben). Durch maschinelles Verdichten
sucht man Setzungen des Bodens bei un-
gleichmäßiger Belastung zu vermeiden.
Reicht die maschinelle Verdichtung nicht
aus, wird der nichttragende Untergrund mit
Bindemitteln oder Grobkorn (Schotter) stabilisiert. Auf das Gründungsplanum wird die
elast. untere Tragschicht aufgebracht. Die
obere Tragschicht ist härter und soll zus. mit
der harten Fahrbahndecke eine hinreichende
Lastverteilung bewirken. *Baustoffe* für den
Oberbau sind gebrochenes Felsgestein, unge-
brochenes Gesteinsmaterial oder Rundkorn,
S.teer, Bitumen, Zement und Kunststoffe. Bei

Deckschichten dient Bitumen als Bindemittel; es zeichnet sich durch große Plastizitätsspannen und hohen Erweichungspunkt aus. Kunststoffe, v. a. Epoxidharze, dienen als Bindemittel von Mineralstoffen für Ausbesserungen von Betonfahrbahndecken und als schnellhärtende Einpreßmasse unter Betonfahrbahnplatten. – *Fahrbahndecken* (obere Deckschicht) werden heute als bituminöse Decken (Schwarzdecken) aus Gußasphalt oder Asphaltmakadam (Gemisch aus grobkörnigem Gestein und bituminösen Bindemitteln) ausgeführt. Asphaltmakadamdecken eignen sich bes. dort, wo noch mit Nachverdichtung im Unterbau und Untergrund unter dem Verkehr gerechnet werden muß. Gußasphalt bildet eine weitgehend hohlraumfreie S.decke, durch seine Fließfähigkeit beim Einbau wird eine weitgehend ebene Fahrbahnoberfläche erreicht. Zementbetondecken haben als Vorteile hohe Lebensdauer, gleichbleibend hohe Ebenheit infolge geringer und gleichmäßiger Abnutzung, hohe Festigkeit bei jeder Witterung und Temperatur sowie große Tragfähigkeit. Nachteile sind die lange Herstellungs- und Erhärtungszeit (etwa 21 Tage). Die Gesamtdicke einer ausreichend frostsicheren modernen Fahrbahnkonstruktion beträgt 60 cm bis 70 cm.
Für die Planung und den Bau von Bundes-S. und Landes-S. sind S.bauämter zuständig; sie betreuen i. d. R. 2 bis 3 Landkreise. Ihnen angegliedert sind die S.meistereien, die ständig für den ordnungsgemäßen Zustand der S. zu sorgen, Verkehrszeichen aufzustellen und Ausbesserungsarbeiten durchzuführen haben. Die Kreis-S. werden i. d. R. von den Kreisbauämtern gebaut und unterhalten. Ab einer Größe von etwa 20 000 E haben die Gemeinden eigene Tiefbauämter, die für den Gemeindestraßenbau zuständig sind.
Geschichte: Planmäßig und systematisch wurden S. erstmals in den Hochkulturen des alten Orients (v. a. als Heer-S.) und in China angelegt. In Griechenland hatten die hl. Straßen, eine Art Spur-S. mit in die Fahrbahn eingehauenen Radspuren, bes. Bedeutung. Die Römer, deren S. vorbildlich angelegt waren, übernahmen diese Spur- u. z. T. in den Stadtstraßen. Nach dem Zerfall des Röm. Reiches dienten die S. dem allg. Verkehr, bis sie durch mangelnde Pflege unbrauchbar wurden. Die folgenden S. waren meist befestigte Wege. Erst mit der wachsenden Bed. der Postbeförderung im 16./17. Jh. besserten sich die Verhältnisse. Im 18. Jh. wurden in Frankreich Fachschulen für den Wege- und Brückenbau gegründet. Den nach wiss. Grundsätzen ausgeführten S.bau gibt es erst Ende des 18. Jh.; Napoleon I. ließ zahlr. National-S. über längere Strecken schnurgerade bauen. Die Makadam-S. wurde um 1810, die Beton-S. um

1828, die Asphalt-S. um 1848 entwickelt. Die bereits im Altertum bekannte Pflasterung wurde weitgehend verbessert. – 1926 begannen die Planungen für die Autobahn Hamburg–Frankfurt–Basel (↑ Autobahn). Die Maschinisierung im S.bau führte zu selbstfahrenden S.deckenfertigern.
Die erste S.beleuchtung scheint Antiochia in Syrien gehabt zu haben, wo um 450 n. Chr. Fackeln in den S. angebracht wurden. Die S. röm. Städte wurden durch Öllampen in Geschäften und über Hauseingängen verhältnismäßig gut ausgeleuchtet. Erstmals in London (1814) wurde Gasbeleuchtung verwendet, 1825 erhielten Hannover, 1826 Berlin ihre erste Gasbeleuchtung; ab 1877 wurden die S. in Paris, ab 1882 in Berlin mit elektr. Bogenlampen ausgestattet.
📖 *Straßenbau A–Z. Bearb. von H. Kühn u. W. Goerner. Bonn ohne Jahr (Stand 1990). – Kreiss, B.: Straßenbau u. Straßenunterhaltung. Bielefeld ²1989. – Straßenbau heute. Hg. v. Bundesverband der Dt. Zementindustrie. Heft 1: Vollpracht, A., u. a.: Betondecken. Düss. ³1986. – Baufachkunde. Tl. 3: Richter, D.: Straßen- u. Tiefbau. Stg. ⁴1985. – Betonfahrbahnen. Bearb. v. F. Breckner. Stg. 1985. – Schneider, Hans C.: Altstraßenforschung. Darmst. 1982. – Hdb. des Straßenbaus. Hg. v. B. Wehner, u. a. Bln. 1977–79. 3 Bde.*

Straßenbahn (Tram[bahn]), elektrisch betriebenes, schienengebundenes Personenbeförderungsmittel im Stadt- und Vorortverkehr, dessen Gleise (Regelspur 1 435 mm, Meterspur 1 000 mm) in die Straßenflächen verlegt sind bzw. auf einem eigenen Bahnkörper oder auch unterirdisch (bei Unterpflasterbahnen) verlaufen. Die Entwicklung im S.fahrzeugbau führte von zweiachsigen Trieb- und Beiwagen über den Vierachser zum vier- bis zwölfachsigen *Gelenkstraßenbahnwagen* mit getrennten Ein- und Ausstiegen. Zum *Antrieb* dienen Gleichstromreihenschlußmotoren mit einer Leistung von 60 bis 75 kW. Die Energie (Spannung 500–750 V) wird mittels Scherenstromabnehmer der Oberleitung entnommen und über die geerdeten Schienen abgeführt. Zum Bremsen werden die Motoren als Generatoren geschaltet. Die Bremsausrüstung moderner Fahrzeuge besteht aus einer druckluftbetätigten Klotz- oder Scheibenbremse und aus einer unmittelbar auf die Schienen wirkenden Magnetschienenbremse.
Geschichte: Die ersten S. waren Pferdebahnen (1832 New York, 1854 Paris; in Deutschland: u. a. 1865 Berlin, 1872 Leipzig, Frankfurt am Main, Hannover und Dresden). Dampf-S. wurden in Deutschland ab 1877 (Kassel) auf einzelnen Vorort- und Überlandlinien eingerichtet. 1879 wurde zur Berliner Gewerbeausstellung die erste elektr. Bahn

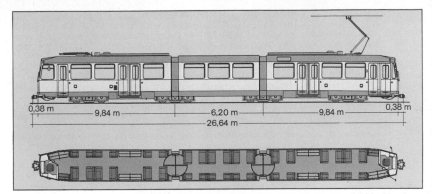

Straßenbahn. Form und Maße eines modernen achtachsigen
Straßenbahnzuges mit 54 Sitz- und 86 Stehplätzen

nach Plänen von W. von Siemens vorgeführt,
doch soll bereits 1874 C. Field in New York
eine elektr. S. erprobt haben. Die erste für
längere Zeit eingesetzte elektr. S. (mit Strom-
zuführung über die Schienen) wurde 1881 in
Lichterfelde bei Berlin als Entwicklung von
W. von Siemens in Betrieb genommen. Allg.
durchsetzen konnte sich der elektr. S.betrieb
erst, nachdem 1885 der Stangenstromabnehmer und 1889 der Bügelstromabnehmer erfunden worden waren. 1890 wurde in Bremen
(erstmals in Deutschland) eine S.linie mit
Oberleitung und Stangenstromabnehmer in
Betrieb genommen.
📖 *Mäurich, G., u.a.: Straßenbahnen. Bln.*
²1990. – Freese, J.: Vom Dampfwagen zur
S-Bahn. Aachen 1990.
Straßenbaumaschinen, Sammelbez.
für die speziell beim Straßenbau eingesetzten
Baumaschinen. Dazu gehören: 1. die **Erdbau-
maschinen** für größere Erdbewegungen und
die Planumsfertiger; 2. die **Verdichtungsge-
räte** und **-maschinen** zur Verdichtung und
Glättung des Untergrundes bzw. der verschiedenen Schichten des Unterbaus und der
Fahrbahnkonstruktion; 3. **Straßenbaumaschinen zur Schwarzdeckenherstellung:** Splitt- und
Schotterverteiler, Aufbereitungsanlagen für
das bituminöse Mischgut, der eigtl. Schwarz-
deckenfertiger zum Verteilen und anschließenden Verdichten der Asphaltmasse; 4.
**Straßenbaumaschinen zur Betondeckenher-
stellung:** Betonmischanlagen und -verteiler,
die eigtl. Betondeckenfertiger zum Verteilen,
Verdichten, Einebnen und Glätten des Be-
tons sowie die Fugenschneider.
Straßendorf ↑ Dorf.
Straßenkarten, spezielle Verkehrskar-
ten mit Angaben u.a. über Entfernungen,
Steigungen, Gefälle und Autofähren.

Straßenlage, zusammenfassende Bez.
für die Faktoren, die das Fahrverhalten eines
Kfz gegenüber den während der Fahrt auf
das Kfz einwirkenden Momenten bestimmen.
Straßenmarkt, breite, als Markt benutzte Straße in west- und mitteleurop. Städten, Ausgangsbasis für den übrigen Stadt-
grundriß.
Straßen-OZ ↑ Oktanzahl.
Straßenradsport ↑ Radsport.
Straßentheater, auf Plätzen oder Straßen von [Laien]gruppen aufgeführtes Thea-
terspiel, das häufig politisch engagiert ist und
agitator. Charakter hat. – ↑ Theater.
Straßen- und Wegerecht, Gesamtheit der Vorschriften, die die Rechtsverhältnisse an den Straßen, Wegen und Plätzen
(öff. Straßen) regeln, die dem öff. Verkehr
dienen; zu unterscheiden vom ↑ Straßenverkehrsrecht.
Straßenverkehr, i.w.S. jede Benutzung öff. Straßen, wobei jedoch unter S. fast
immer die Benutzung durch Kfz verstanden
wird. Zu unterscheiden ist nach dem Zweck
der Nutzung zw. Güter- und Personenver-
kehr, nach der Entfernung zw. Fern- und
Nahverkehr, nach dem Träger zw. Indivi-
dual- und öff. Verkehr. Die Straße ist im
Zuge der Ind.entwicklung zum bedeutendsten Verkehrsträger geworden. Wichtigste
Probleme des S. liegen in einem hohen Energieverbrauch, einer starken Umweltbelastung
und beträchtl. Unfallrisiken.
Straßenverkehrsgefährdung, Beeinträchtigung der Sicherheit des Straßenver-
kehrs, z.B. durch Führen eines Fahrzeuges
trotz (z.B. durch Alkoholgenuß verursachter)
Unfähigkeit, das Fahrzeug sicher zu führen.
Die S. (§§ 315 b–d, 316 StGB) ist als konkre-
tes ↑ Gefährdungsdelikt nur strafbar bei kon-

kret nachgewiesener Gefährdung von Leib oder Leben eines anderen oder fremder Sachen von bed. Wert. Sie wird mit Freiheitsstrafe bis zu 5 Jahren oder Geldstrafe geahndet.

Straßenverkehrsgesetz, Abk. StVG, ↑ Straßenverkehrsrecht.

Straßenverkehrshaftung, Ersatzpflicht des Kraftfahrzeughalters bzw. des Fahrers für Schäden, die bei dem Betrieb eines Kfz entstanden sind. Die S. ist gegenüber dem allg. Haftungsrecht verschärft. So haftet der Halter für Personen- und Sachschäden, auch ohne daß ihn ein Verschulden trifft, sofern der Unfall nicht durch ein sog. unabwendbares Ereignis verursacht worden ist (§ 7 StVG). Der Fahrer haftet nur im Falle seines Verschuldens (§§ 823 ff. BGB, § 18 StVG). Der Halter ist zum Abschluß einer Kfz-Haftpflichtversicherung (↑ Haftpflichtversicherung) verpflichtet.

Straßenverkehrs-Ordnung, Abk. StVO, ↑ Straßenverkehrsrecht.

Straßenverkehrsrecht, die Gesamtheit der Vorschriften, die die Benutzung der öff. Straßen, Wege und Plätze zu Zwecken des Verkehrs regeln. Rechtsquellen sind im wesentlichen das *Straßenverkehrsgesetz* (StVG) vom 19. 12. 1952, die *Straßenverkehrs-Ordnung* (StVO) vom 16. 11. 1970 und die *Straßenverkehrs-Zulassungs-Ordnung* (StVZO) i. d. F. vom 28. 9. 1988. Das StVG enthält Bestimmungen über die ↑ Zulassung von Kfz, die ↑ Fahrerlaubnis und deren Entziehung sowie über das ↑ Verkehrszentralregister. Die StVZO regelt die Zulassung von Personen und Fahrzeugen zum Verkehr auf öff. Straßen, die Pflichtversicherung und die Bau- und Betriebsvorschriften. Die StVO stellt Verkehrsregeln auf und enthält u. a. den Grundsatz der ständigen Vorsicht und gegenseitigen Rücksicht für die Teilnahme am Straßenverkehr.

Straßenverkehrs-Zulassungs-Ordnung, Abk. StVZO, ↑ Straßenverkehrsrecht.

Strasser, Gregor, * Geisenfeld bei Manching 31. Mai 1892, † Berlin 30. Juni 1934 (ermordet), dt. Politiker. – Bruder von Otto S.; 1921–32 Mgl. der NSDAP, nahm 1923 am Hitlerputsch teil; MdR 1924–33; baute nach Wiedergründung der NSDAP 1925 die Parteiorganisation in Norddeutschland (1925 Gauleiter), bes. in Preußen, auf; 1926/27 Reichspropagandaleiter, 1928–32 Reichsorganisationsleiter; geriet als Exponent des „sozialrevolutionären" Flügels der NSDAP in Ggs. zu Hitler; beim sog. Röhm-Putsch ermordet.

S., Otto, * Windsheim (= Bad Windsheim) 10. Sept. 1897, † München 27. Aug. 1974, dt. Politiker und Publizist. – Kam, urspr. SPD-Mgl., 1924/25 durch seinen Bruder Gregor S.

zur NSDAP (Mgl. 1925–30); vertrat als Mitbegr. und Leiter des Berliner Kampfverlages (ab 1926) publizistisch eine eigene antikapitalist. Konzeption des NS im Ggs. zur Partei und später auch zu seinem Bruder; gründete 1930 die „Kampfgemeinschaft revolutionärer Nationalsozialisten" (↑ Schwarze Front) und setzte die Agitation gegen Hitler nach 1933 vom Ausland aus fort; bis 1955 im Exil.

Straßmann, Friedrich (Fritz) Wilhelm, * Boppard 22. Febr. 1902, † Mainz 22. April 1980, dt. Chemiker. – Ab 1935 Mitarbeiter des Kaiser-Wilhelm-Inst. für Chemie in Berlin, ab 1953 Direktor des Max-Planck-Inst. für Chemie in Mainz; war als Mitarbeiter O. Hahns 1938 an der Entdeckung der Kernspaltung beteiligt, wofür er 1966 mit O. Hahn und Lise Meitner den Enrico-Fermi-Preis erhielt.

Stratas, Teresa [engl. 'strætəs], eigtl. Anastasia Strataki, * Toronto 26. Mai 1938, kanad. Sängerin (Sopran) griech. Abkunft. – Bed. Opernsängerin, v. a. des italian. Fachs und Mozarts; auch Konzertsängerin.

Stratege [griech.], Feldherr, Heerführer; auch Bez. für jemanden, der nach einem genauen Plan handelt, um ein Ziel zu erreichen.

Strategen [griech.], 1. in Athen seit Kleisthenes ein Kollegium von 10 Feldherren, das zunächst unter dem (nur nominellen) Oberkommando des ↑ Polemarchen stand, dann den Oberbefehl wechselweise innehatte; durch ihre Wiederwählbarkeit konnten sie großen Einfluß auf die Politik gewinnen (z. B. Perikles); 2. in hellenist. Staaten Statthalter mit auch zivilen Funktionen.

Strategic Arms Limitation Talks [engl. strə'ti:dʒɪk 'ɑ:mz lɪmɪ'teɪʃən 'tɔ:ks „Gespräche über die Begrenzung strateg. Rüstungen"] ↑ SALT.

Strategic Arms Reduction Talks [engl. strə'ti:dʒɪk 'ɑ:mz rɪdʌkʃən 'tɔ:ks „Gespräche über den Abbau strateg. Rüstungen"] ↑ START.

Strategic Defense Initiative [engl. strə'ti:dʒɪk di'fens ɪ'nɪʃɪətɪv, „Strategische Verteidigungsinitiative"] ↑ SDI.

Strategie [griech.], allg. der Entwurf und die Durchführung eines Gesamtkonzepts, nach dem der Handelnde ein bestimmtes Ziel zu erreichen sucht, im Unterschied zur Taktik, die sich mit den Einzelschritten befaßt; i. e. S. und urspr. die Kunst der Kriegsführung. Der Begriff S. wurde im 18. Jh. geläufig. Als erster Vertreter moderner S. gilt König Friedrich II. von Preußen (Grundsätze: ständiges Bestreben, die Initiative zu behalten; Angriff erst auf den einen, dann auf den anderen Gegner; Sammeln der eigenen Übermacht an den entscheidenden Punkten; Vermeiden lange hingezogener Kriege). In der Folgezeit war die S. von Mathematik und Topographie geprägt. Frz. Revolution und Napoleon I. suchten mit dem Einsatz der Massenheere den Sieg wieder in der Schlacht. An der Napoleon. Kriegsführung entwickelte C. P. G. von Clausewitz seine bis heute fortwirkenden strateg. Theorien. Er betonte den engen Zusammenhang von Kriegsführung und Politik, der dann in A. Graf von Schlieffens S. der Vernichtung und im Schlieffenplan verlorenging. Nach dem 1. Weltkrieg hob G. Douhet die kriegsentscheidende Rolle der offensiv eingesetzten Luftwaffe hervor. Im 2. Weltkrieg erfaßte S. alle Lebensbereiche und fand auf der Ebene internat. Beziehungen statt. Nach dem 2. Weltkrieg erweiterte sich der Begriff der S.: Neben die Kunst der Kriegsführung (↑nukleare Strategie) trat die Kunst der Kriegsvermeidung. – Strateg. Theorie und S.forschung spielen v. a. in der amerikan. Politikwiss. eine große Rolle; wichtige Vertreter sind u. a. H. Kahn und H. A. Kissinger. – ↑Militärgeschichte.

strategische Waffen, in Abhängigkeit vom jeweiligen Stand der Technik und Strategie definierte Kategorie von Waffen; derzeit 1. nukleare Sprengköpfe ab einer bestimmten Größe (meist 1 MT); 2. Trägerwaffen zum Transport nuklearer Sprengköpfe über größere Distanz (Interkontinentalraketen, strateg. Bomber); 3. Abwehrsysteme, die der eigenen Atomstreitmacht eine vom Gegner nicht beantwortbare Erstschlagkapazität verschaffen. Über die Begrenzung und Reduzierung der s. W. ↑SALT, ↑START.

Stratford-upon-Avon [engl. 'strætfəd ə'pɒn 'eɪvən], engl. Stadt am Avon, Gft. Warwick, 20 900 E. Shakespeare-Centre, Royal Shakespeare Theatre (jährl. Festspiele von März bis Okt.), Shakespeare-Inst. (der Univ. Birmingham angeschlossen); Gemäldegalerie, Museum. – 691 erstmals erwähnt; kam 1553 an den engl. König, der das Stadtrecht bestätigte. – Holy Trinity Church (12.–15.Jh.) mit dem Grab Shakespeares; zahlr. Fachwerkhäuser, u. a. Shakespeares Geburtshaus, Harvardhaus.

Strathclyde [engl. stræθ'klaɪd], Region in Schottland, 13 856 km², 2,31 Mill. E (1989). Verw.-Sitz Glasgow; umfaßt den sw. Teil der Grampian Mountains, die mittelschott. W-Küste und als Kernraum den stark verstädterten W-Teil der mittleren Lowlands.

Stratifikation (Stratifizierung) [lat.], schichtenweises Einlagern von Samen oder Früchten in feuchtem Sand oder Torf bei niedrigen Temperaturen zur Verkürzung der Zeit der Samenruhe.

Stratifikationsgrammatik, grammat. Analyse, die von einer Gliederung der Sprache in unterschiedl. Schichten (Strata) ausgeht. Man unterscheidet semem., lexem., morphem. und phonem. Schichten. Ziel ist

die Überführung der semem. [Inhalts]schicht in die phonemische [Ausdrucks]schicht.

Stratigraphie [lat./griech.], Teilgebiet der *Geologie,* untersucht die räuml. und zeitl. Aufeinanderfolge von Gesteinsschichten und geolog. Systemen sowie ihren Gesteins- und Fossilinhalt.
◆ in der *Archäologie* Untersuchung der Abfolge der Kulturschichten bei der Ausgrabung; bei Gräberfeldern mit deutl. Belegungsrichtung spricht man von *horizontaler* Stratigraphie.

Stratokumulus ↑Wolken.

Straton von Lampsakos, * Lampsakos um 340, † Athen 270 oder 269, griech. Philosoph. – Seit 288/287 Leiter des ↑Peripatos. In seinen Schriften setzt S. den von Aristoteles eingeleiteten Prozeß der philosoph. und wiss. Detailforschung fort. In seiner konsequenten Hinwendung zur Beobachtung, zum Experiment und zur Naturerklärung, die sich nur auf das „Wie" des Geschehens bezieht, nimmt er wesentl. Kriterien des neuzeitl. Wissenschaftsverständnisses vorweg.

Stratosphäre [lat./griech.]   ↑Atmosphäre.

Stratum [lat.], in der Anatomie: Zellage, Gewebeschicht, z. B. S. corneum (Hornschicht der Oberhaut).

Stratus [lat.] (Schichtwolke) ↑Wolken.

Straub, Agnes, * München 2. April 1890, † Berlin 8. Juli 1941, dt. Schauspielerin. – Spielte ab 1909 in Wien, dann u. a. in Heidelberg, Bonn, Königsberg (Pr) und ab 1916 in Berlin; leitete ab 1936 das Agnes-S.-Theater; Darstellerin herber Frauengestalten.
S., Jean-Marie [frz. stro:b], * Metz 8. Jan. 1933, frz. Filmregisseur. – Dreht in Zusammenarbeit mit seiner Frau Danièle Huillet (* 1936) Filme von bed. künstler. Niveau, in denen die Musik eine zentrale Rolle spielt. – *Filme:* Chronik der Anna Magdalena Bach (1967), Othon ... (1970; nach P. Corneille), Moses und Aron (1974; Verfilmung der Oper von A. Schönberg), Von der Wolke zum Widerstand (1979; nach Texten von C. Pavese), Klassenverhältnisse (1983; nach Kafkas Roman „Der Verschollene"), Der Tod des Empedokles (1987; nach F. Hölderlin), Antigone (1991; nach Sophokles, Hölderlin, Brecht).
S., Johann Baptist, * Wiesensteig (Landkr. Göppingen) 1704, † München 15. Juli 1784, dt. Bildhauer des Rokoko. – In Wien ausgebildet, seit 1735 in München. Schuf Altäre für die Pfarrkirche Sankt Michael in München-Berg am Laim (1743–67), für die Abteikirche in Schäftlarn (1755–64) und für die Benediktinerklosterkirche in Ettal (1757–62).

Straube, Karl, * Berlin 6. Jan. 1873, † Leipzig 27. April 1950, dt. Organist, Orgellehrer und Chorleiter. – Ab 1902 Organist an der Leipziger Thomaskirche; 1918–39 auch

Thomaskantor, 1919–48 Leiter des Kirchenmusikal. Inst. der Ev.-Luth. Landeskirche. Erwarb sich große Verdienste um Pflege und Erneuerung des Orgelspiels.

Straubing, Stadt im Gäuboden, Bay., 331 m ü. d. M., 40 100 E. Verwaltungssitz des Landkr. S.-Bogen; bischöfl. Studienseminar; Stadt- und Gäuboden-Museum; Markt- und Verarbeitungsort für die Agrarprodukte des Umlandes; Maschinenbau, Elektro-, Textil- und holzverarbeitende Ind., Brauereien, Großziegeleien; ♨. – Reiche vorgeschichtl. Funde u. a. aus der frühen Bronzezeit (Straubinger Kultur) und aus röm. Zeit; wohl zur Zeit Domitians Bau des Kohortenkastells **Sorviodurum** mit Zivilsiedlung; 233 zerstört; seit 1110 Markt, 1218 zur Stadt erhoben; 1353–1425 Residenz des bayer. Teil-Hzgt. S.-Holland, auch später häufig Residenz. – Roman. Pfarrkirche Sankt Peter (12. Jh.) mit bed. Portalskulptur, 3 spätgot. Friedhofskapellen, spätgot. Jakobskirche (1415 ff.; barokkisiert), spätgot. Karmelitenkirche (1371 bis 1466; barockisiert), barocke Ursulinenkirche der Brüder Asam (1736 ff.); got. Schloß (1356 ff.); Stadtturm (1316 ff.); zahlr. Bürgerhäuser mit Laubengängen und Barockfassaden; Reste der ma. Stadtbefestigung.

Straubing-Bogen, Landkr. in Bayern.

Straubinger Kultur, nach mehreren Gräberfeldern mit Flachhockern bei Straubing ben. frühbronzezeitl. Kulturgruppe S-Bayerns, gekennzeichnet durch reichen Kupferschmuck, Kupferwaffen sowie Keramik, die aus der späten Glockenbecherkultur abzuleiten ist.

Strauch, Benedikt, * Frankenstein in Schlesien 12. März 1724, † Sagan 19. Okt. 1803, dt. kath. Theologe. – Augustiner-Chorherr; Hg. der ersten vollständigen dt. Schulbibel (1776).

Strauch (Busch, Frutex), Holzgewächs, das sich vom Boden an in mehrere, etwa gleich starke Äste aufteilt, so daß es nicht zur Ausbildung eines Hauptstammes kommt.

Strauchbohne (Straucherbse, Taubenerbse, Cajanus), Gatt. der Schmetterlingsblütler mit der einzigen Art **Cajanus cajan;** bis 4 m hoher Halbstrauch mit gelben oder rotgelben Blüten in lockeren Trauben; Hülsen dicht behaart, mit drei bis acht erbsengroßen Samen. – Die S. wird heute fast ausschließlich in Indien angebaut.

Strauchflechten † Flechten.

Strauchpappel (Lavatere, Lavatera), Gatt. der Malvengewächse mit rd. 25 Arten, v. a. im Mittelmeergebiet; Kräuter, Sträucher oder Bäume mit meist behaarten, mehr oder weniger gelappten Blättern; Blüten einzeln, achselständig oder in endständigen Trauben, purpurrot bis blaß rosafarben. Neben der einjährigen **Sommer-Strauchpappel** (Sommerlavatere, Lavatera trimestris) mit großen rosafarbenen Blüten wird auch die staudige **Thüringer Strauchpappel** (Lavatera thuringiaca) mit blaßroten Blüten als Zierpflanze kultiviert.

Straus, Oscar, * Wien 6. März 1870, † Bad Ischl 11. Jan. 1954, östr. Komponist. – Emigrierte 1938 in die USA; 1948 Rückkehr nach Wien; schrieb v. a. Operetten, u. a. „Ein Walzertraum" (1907), „Liebeszauber" (1916), sowie Filmmusiken, u. a. zu M. Ophüls' „Reigen" (1950).

Strausberg, Stadt am Straussee, Brandenburg, östl. von Berlin, 60 m ü. d. M., 28 500 E. Hydraulikmaschinenbau; Ausflugsgebiet. – Als Marktsiedlung gegr., erhielt 1268 Stadtrecht. – Pfarrkirche Sankt Marien (13. und 15. Jh.), Reste der Stadtmauer (13. Jh.).

Strauß, östr. Musikerfamilie im 19. und beginnenden 20. Jh.; am bekanntesten:
S., Johann (Vater), * Wien 14. März 1804, † ebd. 25. Sept. 1849, Komponist. – 1824/25 in der Kapelle seines Freundes J. Lanner; ab 1825 eigenes Orchester, ab 1835 Wiener Hofballdirektor; machte den Walzer gesellschaftsfähig; komponierte mehr als 150 Walzer sowie Quadrillen, Galopps, Polkas und Märsche („Radetzkymarsch", 1848).
S., Johann (Sohn), * Wien 25. Okt. 1825, † ebd. 3. Juni 1899, Komponist. – Wurde mit seiner 1844 gegr. Kapelle in kurzer Zeit zum internat. berühmten „Walzerkönig", 1863–70 war er Hofballdirektor. Von den 16 Operetten sind „Die Fledermaus" (1874), „Eine Nacht in Venedig" (1883) und „Der Zigeunerbaron" (1885) seine größten Erfolge. Neben Quadrillen, Polkas, Märschen und anderen Kompositionen standen die Walzer im Vordergrund, am bekanntesten: „An der schönen blauen Donau" (1867), „Geschichten aus dem Wienerwald" (1868), „Wiener Blut" (um 1871), „Frühlingsstimmen" (um 1882) und „Kaiserwalzer" (1888).
S., Josef, * Wien 22. Aug. 1827, † ebd. 21. Juli 1870, Komponist. – Bruder von Johann S. (Sohn); komponierte nahezu 300 Walzer, Polkas (u. a. „Pizzicato-Polka" mit seinem Bruder Johann), Mazurkas und Quadrillen, am bekanntesten sind die „Dorfschwalben aus Österreich".

Strauß, Botho, * Naumburg 2. Dez. 1944, dt. Schriftsteller. – 1971–75 Dramaturg (bei P. Stein) an der Schaubühne am Halleschen Ufer in Berlin (West); seit der 2. Hälfte der 1970er Jahre einer der meistgespielten dt. Bühnenautoren; schreibt auch Prosa; seine Theaterstücke thematisieren in bruchstückhaften Handlungszusammenhängen mit Mitteln der Bewußtseinsmontage (u. a. Vermischung verschiedener Wahrnehmungsebenen, groteske Verzerrung alltägl. Banalitäten) den Vertrauensverlust von Sprache und Kommunikation. Sein 1993 entstandener Essay „Anschwellender Bocksgesang" trug ihm bei der Kritik den Ruf ein, politisch neuerdings rechtslastig zu sein ein. Erhielt 1989 den Georg-Büchner-Preis. – *Dramen:* Hypochonder (1972), Bekannte Gesichter, gemischte Gefühle (1974), Trilogie des Wiedersehens (1976), Groß und klein (1978), Kalldewey, Farce (1981), Der Park (1983), Die Zeit und das Zimmer (1988), Schlußchor (1991), Das Gleichgewicht (1993). *Prosa:* Marlenes Schwester (En., 1975), Rumor (R., 1980), Der junge Mann (R., 1984), Niemand anderes (1987), Fragmente der Undeutlichkeit (1989), Beginnnlosigkeit (1992), Wohnen Dämmern Lügen (1994).

S., David Friedrich, * Ludwigsburg 27. Jan. 1808, † ebd. 8. Febr. 1874, dt. ev. Theologe. – 1832–35 Philosophierepetent am Tübinger Stift; nach Erscheinen seines Erstlingswerkes „Das Leben Jesu, kritisch betrachtet" (1835) der Repetentenstelle enthoben; dann freier Schriftsteller und Gymnasialprofessor in Ludwigsburg. Mit dem „Leben Jesu" stellte S. die † Leben-Jesu-Forschung auf ein histor.-krit. Fundament. Mit der krit. Analyse des christl. Dogmas („Christl. Glaubenslehre ...", 1840/41) versuchte S. dann den Nachweis, Glaubensvorstellungen seien ohne inhaltl. Veränderungen nicht in philosoph. Begrifflichkeit umzusetzen; an ihre Stelle setzte er deshalb das philosoph. Wissen, das er („Der alte und der neue Glaube", 1872) zu einer neuen, nun endgültig dem Christentum widersprechenden Glaubenslehre erweiterte.

S., Emil, * Pforzheim 31. Jan. 1866, † Freiburg im Breisgau 10. Aug. 1960, dt. Schriftsteller. – Freundschaft mit M. Halbe, R. Dehmel, G. Hauptmann; unterstützte später den nat.-soz. „Kampfbund für dt. Kultur" (während des NS zahlr. Ehrungen). Bekannt wurde der Schülerroman „Freund Hein" (1902). Neuromant. Harmonisierung des Volkslebens und Traditionsbewußtsein gegen den „Wertezerfall" bestimmen die Themen zwischen „Kampf" und „Bewährung" v. a. in „Das Riesenspielzeug" (R., 1935); auch Novellen und Dramen.

S., Franz Josef, * München 6. Sept. 1915, † Regensburg 3. Okt. 1988, dt. Politiker. – 1945 Mitbegr. der CSU, 1949–52 deren Generalsekretär, 1952–61 stellv. Vors., seit 1961 Vors.; 1948/49 Mgl. des Frankfurter Wirtschaftsrats; 1949–78 MdB; 1953–55 Bundesmin. für bes. Aufgaben, 1955/56 für Atomfragen. Leitete als Verteidigungsmin. ab 1956 den Aufbau der Bundeswehr (Rücktritt 1962 wegen der Spiegel-Affäre); 1963–66 Vors. der CSU-Landesgruppe im Bundestag; 1966–69 Bundesfinanzmin.; innerhalb der Opposition seit 1971 finanzpolit. Sprecher.

Konnte sich immer auf die Geschlossenheit der CSU stützen; seit Nov. 1978 Min.präs. von Bayern; trat nach Bildung der christl.-liberalen Reg. unter H. Kohl (1982) nicht in die Bundesreg. ein, entwickelte jedoch starke polit. Eigeninitiativen bes. im außen- und deutschlandpolit. Bereich.

Franz Josef Strauß

Strauß [griech.-lat.] (Afrikan. S., Struthio camelus), bis fast 3 m hoher, langhalsiger und langbeiniger, flugunfähiger Vogel, v. a. in Halbwüsten, Steppen und Savannen Afrikas südl. der Sahara; an schnelles Laufen angepaßter Laufvogel (Höchstgeschwindigkeit 50 km/h), der gesellig lebt und sich vorwiegend von Blättern, Früchten und Kleintieren ernährt; Kopf klein, Beine stark bemuskelt, an den Füßen nur die dritte und vierte Zehe entwickelt; Gefieder des ♂ schwarz mit weißen Schmuckfedern an Flügeln und Schwanz *(„S.federn")*, die bei der Balz durch Abspreizen der Flügel dem einfarbig graubraunen ♀ gezeigt werden. Die bis 1,5 kg schweren Eier werden v. a. vom ♂ bebrütet. Die Jungen werden erst nach 3–4 Jahren geschlechtsreif. **Geschichte:** Im alten Ägypten waren die Federn des S. Attribut der Göttin Maat. Nur der Pharao und die Mitglieder seiner Familie durften sich mit ihnen schmücken. Im 19. Jh. spielten *S.federn* in der Mode eine große Rolle. Deshalb wurden S. in S.farmen gezüchtet, von denen die erste 1838 in S-Afrika angelegt wurde. – Nicht der Realität entspricht, daß der S. bei Gefahr seinen Kopf in den Sand steckt (sog. *Vogel-S.-Politik*).

Strauss, Richard, * München 11. Juni 1864, † Garmisch-Partenkirchen 8. Sept. 1949, dt. Komponist und Dirigent. – Ab 1898 Kapellmeister an der Berliner Oper (1908 Generalmusikdirektor); 1919–24 neben F. Schalk Leiter der Wiener Staatsoper. Ab 1925 lebte er als freischaffender Komponist und Konzertdirigent. – Sein vielseitiges Schaffen ist ein Abschluß des klass.-romant. Tradition.

Im Mittelpunkt steht bis 1905 die brillant instrumentierte und charakterisierende sinfon. Programmusik in der Nachfolge von H. Berlioz und F. Liszt, u. a.: „Aus Italien" (1886), „Don Juan" (1888), „Macbeth" (1888, 1890), „Tod und Verklärung" (1889), „Till Eulenspiegels lustige Streiche" (1895), „Also sprach Zarathustra" (1896), „Eine Alpensinfonie" (1915). Die 15 Opern zeigen sehr verschiedenartige Gattungsmerkmale, Typen, Formen und Konzeptionen. In Zusammenarbeit mit H. von Hofmannsthal gelang S. mit den epochemachenden Einaktern „Salome" (1905) und „Elektra" (1909) der Durchbruch zu einem neuen, über R. Wagner hinausweisenden Typus. Weitere bed. Werke sind die Opern „Der Rosenkavalier" (1911), „Ariadne auf Naxos" (1912), „Die Frau ohne Schatten" (1919), „Arabella" (1933), „Die schweigsame Frau" (1935), „Friedenstag" (1938), „Daphne" (1938), „Die Liebe der Danae" (1940) und das Konversationsstück für Musik „Capriccio" (1942). S. komponierte ferner Ballette, Fest- und Militärmusik, Konzerte, Chöre, Kammer- und Klaviermusik, Lieder. ⏍ *Krause, E.: R. S. Mchn. 1988. – Trenner, F: R. S. Werkverzeichnis. Mchn. 1985. – Hartmann, R.: R. S. Die Bühnenwerke v. der Uraufführung bis heute. Mchn. 1980. – Mann, W.: Die Opern v. R. S. Dt. Übers. Mchn. 1969.*

Straußfarn (Trichterfarn, Matteuccia), Gatt. der Tüpfelfarngewächse mit nur wenigen Arten in der nördl. gemäßigten Zone; Blätter gefiedert (Wedel), verschiedengestaltig; Fiedern der sterilen Blätter gelappt, die der sporangientragenden Blätter ganzrandig und an der Spitze eingerollt. Die einzige einheim. Art ist der **Deutsche Straußfarn** (Matteuccia struthiopteris) mit bis 1,5 m hohen, trichterförmig angeordneten, sterilen Blättern.

Straußgras (Agrostis), Gatt. der Süßgräser mit rd. 200 Arten, v. a. im gemäßigten Bereich der N-Halbkugel und in den Gebirgen der Tropen; einjährige oder ausdauernde Gräser mit flachen oder borstenförmigen Blättern; Ährchen einblütig, meist in zierl., stark verzweigten, pyramiden- oder eiförmigen Rispen. Von den in Deutschland vorkommenden sechs Arten sind häufig das 10–60 cm hohe **Rote Straußgras** (Agrostis tenuis) und das als gutes Futtergras geschätzte, lange oberird. Ausläufer bildende **Weiße Straußgras** (Agrostis stolonifera). In den Hochgebirgen Europas ist das 20–30 cm hohe **Alpen-Straußgras** (Agrostis alpina) verbreitet. Das ebenfalls heim., bis 1,5 m hohe **Fioringras** (Großes S., Agrostis gigantea) wird häufig als Rasengras verwendet.

Strauß und Torney, Lulu von, * Bückeburg 20. Sept. 1873, † Jena 19. Juni 1956, dt. Schriftstellerin. – Seit 1916 ∞ mit dem Verleger E. Diederichs; anknüpfend an die Balladentradition von M. Graf von Strachwitz und T. Fontane, behandelte sie [auch in Romanen und Novellen] v. a. histor. Stoffe, Sagenmotive und Anekdoten, in die sie gelegentlich sozialkrit. Aspekte integrierte.

Straußwirtschaft, durch Zweige (Strauß, Busch, Besen) gekennzeichneter, nicht ganzjährig geöffneter Ausschank eines Winzers; in Österreich entspricht der S. der *Buschenschank.*

Strawberry ['strɔ:bərɪ] ↑ Portsmouth.

Strawinsky, Igor, * Oranienbaum (= Lomonossow) 17. Juni 1882, † New York 6. April 1971, amerikan. Komponist russ. Herkunft. – Ab 1903 Schüler von Rimski-Korsakow. Die von dessen Einfluß geprägte Orchesterfantasie „Feu d'artifice" (1908) veranlaßte Sergei Diaghilew, S. für seine „Ballets Russes" komponieren zu lassen, u. a. „Der Feuervogel" (1910), „Petruschka" (1911), „Le sacre du printemps" (1913). Ab 1910 lebte S. v. a. in der Schweiz, ab 1920 in Frankreich, ab 1939 in Kalifornien. Auf vielen internat. Konzerttourneen interpretierte er seine Werke als Dirigent und Pianist. – S. umfangreiches, stilistisch vielfältiges Werk umfaßt alle Bereiche der Komposition; einen Schwerpunkt bilden Bühnenwerke, v. a. Ballette. In seiner „russ. Periode" entwickelte er einen folkloristisch getönten Stil mit motor. Rhythmik und kurzgliedriger, oft diaton. Motivik. Epochemachend mit ihrer Trennung der musiktheatral. Elemente und parodist. Verwendung traditioneller Musiktypen wirkten dann u. a. die Ballett-Burleske „Renard" (1922) und „Die Geschichte vom Soldaten" (1918). Hier wie in späteren Werken bezog S. Elemente des Jazz ein. Unter frz. Einfluß ging er um 1920 zu einem neoklassizist. Stil über mit musikalisch weitreichenden Auswirkungen; hierher gehören u. a. die Ballette „Pulcinella" (Musik nach Pergolesi, 1920), „Les noces" (1923), „Apollon musagète" (1928), „Le baiser de la fée" (1928), „Jeu de cartes" (1937); die Opera buffa „Mavra" (1922), das Opern-Oratorium „Oedipus rex" (konzertant 1927, szen. 1928); die „Symphonies d'instruments à vent" (1920), das „Concerto en ré für Violine und Orchester" (1931), die „Psalmensinfonie" (1930); „Messe" (1944–48); „Canticum sacrum" (1945). Hier verwendet S. ausgiebig Modelle aus verschiedenen musikhistor. Epochen und Stilen in antiromant., auf Objektivität und Ordnung zielender Gesinnung. Eine Art Abschluß dieser Periode ist die Oper „The rake's progress" (1951). In seinem häufig von religiösen Stoffen bestimmten Spätwerk benutzte S. dann eine auf Reihenstrukturen basierende Technik, ohne aber die Tonalität preiszugeben, u. a. in der „Cantata" (1952), den „Threni" (1957/58), der

Kantate „A sermon, a narrative, and a prayer" (1960/61), dem musikal. Spiel „The flood" (1962), dem Ballett „Agon" (1957), den Sologesängen „In memoriam Dylan Thomas" (1954) und „Abraham and Isaac" (1962/63), „Elegy for J. F. K." (1964).
⊞ *Karallus, M.: I. S. – Der Übergang zur seriellen Kompositionstechnik. Tutzing 1986. – I. S. Hg. v. H.-K. Metzger u. R. Riehn. Mchn. 1984. – Dömling, W.: I. S. Rbk. 1982. – Hirsbrunner, T.: I. S. in Paris. Laaber 1982. – Lindlar, H.: Lübbes S.-Lex. Bergisch Gladbach 1982.*

Strawson, Peter Frederick [engl. strɔ:sn], * London 23. Nov. 1919, brit. Philosoph. – Seit 1968 Prof. in Oxford; führender Vertreter der analyt. Philosophie; gab in der Weiterentwicklung des linguist. Phänomenalismus wichtige Anregungen zur empir. Begründung der modernen Linguistik. – *Werke:* Einzelding und log. Subjekt (1959), The bounds of sense (1966), Subject and Predicate in Logic and Grammar (1974), Naturalism and Skepticism (1985), Analyse et Metaphysique (1985).

Štrbské Pleso [slowak. 'ʃtrpskɛ: 'plɛsɔ] (dt. Tschirmer See), ostslowak. Höhenluftkurort, ČSFR, in der Hohen Tatra, 1 355 m ü. d. M.; 1 000 E. Wintersport- und Touristenzentrum am gleichnamigen Karsee (19,8 ha, 20 m tief).

Stream of consciousness [engl. 'stri:m əv 'kɔnʃəsnıs „Bewußtseinsstrom"], von dem amerikan. Philosophen und Psychologen William James (* 1842, † 1910), Bruder von H. James, mit Bezug auf E. Dujardins Roman „Geschnittener Lorbeer" (1888) geprägte Bez. für eine Erzähltechnik, die anstatt äußeren, in sich geschlossenen Geschehens die scheinbar unmittelbaren, unkontrollierten, sprunghaften und assoziativen Bewußtseinsvorgänge von Romanfiguren wiedergibt, ohne daß diese auf einen bestimmten Handlungszusammenhang ausgerichtet sind. Diese Darstellungstechnik wurde, oft unter Verwendung von Formen des ↑ inneren Monologs, bestimmend für die Romanstruktur des 20. Jh., u. a. bei J. Joyce, M. Proust, V. Woolf, W. Faulkner, A. Döblin.

Streb, im *Bergbau* schmaler, verhältnismäßig langer Abbauraum von geringer Höhe, auf einer Längsseite vom ↑ Stoß, auf der anderen vom ↑ Alten Mann begrenzt.

Strebe, schräg verlaufendes Konstruktionselement zur Aussteifung oder zur Ableitung von Kräften.

Strebepfeiler ↑ Strebewerk.

Streber (Aspro streber), etwa 12–18 cm langer, nachtaktiver Barsch im Stromgebiet der Donau; Körper spindelförmig langgestreckt, gelbbraun, mit vier bis fünf dunklen Querbinden und dünnem, langem Schwanzstiel.

Strebewerk, Gesamtheit des konstruktiven Verspannungssystems zur Ableitung der Gewölbeschübe, insbes. in der kirchl. Baukunst der Gotik. Die Gewölbeschübe werden mittels *Strebebögen* zu den *Strebepfeilern* am Außenbau geleitet, die sie auf die Fundamente übertragen. Strebepfeiler können auch eingezogen sein (im Innenbau).

Strebewerk des Kölner Doms

Strecke, in der *Geometrie* die Gesamtheit der Punkte des kürzesten Verbindungsweges zw. zwei festen Punkten A und B einer Ebene bzw. des Raumes; mathematisch symbolisiert durch $\overline{AB}$.
◆ im *Bergwerk* ein der Zu- bzw. Abfuhr von Rohstoffen, Material und Wettern sowie der Fahrung dienender horizontaler Grubenbau.
◆ wm. Bez. für 1. die Stückzahl des bei einer Jagd oder in einem Distrikt während eines Jahres erlegten Wildes; 2. das zum Beendigung einer Jagd auf der Erde niedergelegte Wild.

Streckenflug ↑ Segelflugsport.

Streckenmessung ↑ Längenmessung.

Streckenvortrieb, der vorwärtsschreitende Ausbau einer Strecke im Bergwerk.

Streckerspinnen (Kieferspinnen, Tetragnathidae), mit über 450 Arten fast weltweit verbreitete Fam. meist radförmige, zarte Netze webender Spinnen; Körperform auffallend langgestreckt. S. nehmen bei Gefahr eine sog. *Streckstellung* ein (zwei Beinpaare nach vorn, zwei nach hinten).

Streckmetall, aus Stahlblech durch Stanzen und anschließendes Auseinanderziehen hergestelltes Metallgitter, das zur Bewehrung von Beton, als Putzträger u. a. dient.

Streckmuskeln (Extensoren), Muskeln, die in einem Gelenk eine Streckbewegung durchführen; Gegenbewegung ↑ Beugemuskeln.

Strecktaue, bei schwerem Seegang über die freien Decks eines Schiffs gespannte Sicherheitstaue zum Festhalten; dem gleichen Zweck dienen Handläufe an Außen- und Innenwänden.

Streckung, (Höhenverhältnis) das Verhältnis von Höhe zu mittlerer Breite eines Segels.

◆ in der *Mathematik* Koordinatentransformation, bei der die Koordinaten bzw. die Ortsvektoren mit einer positiven reellen Zahl $r > 1$ multipliziert werden.

Streckungswachstum, bei Pflanzen im Ggs. zum embryonalen Wachstum (Wachstum durch Zellvermehrung, v. a. in den Vegetationspunkten von Sproß und Wurzel) das nur auf Volumenvergrößerung durch Wasseraufnahme und Vakuolenbildung sowie auf plast. Zellwanddehnung beruhende, durch Pflanzenhormone gesteuerte Wachstum im Bereich der wenige Millimeter langen Streckungszonen, wodurch die pflanzl. Organe ihre definitive Länge erreichen.

Streckverband ↑ Extensionsverband.

Streckwerk (Strecke), in der Spinnereitechnik verwendete Maschine, in der offene oder vorgedrehte Faserbänder gestreckt, verfeinert und parallelisiert werden; sie besteht aus mehreren hintereinanderliegenden Walzenpaaren.

Streep, Meryl [engl. stri:p], eigtl. Mary Louise S., *Bernardsville (N. J.) 22. April 1949, amerikan. Schauspielerin. – Beeindruckt durch ihre differenzierende Darstellungskunst, u. a. in den Filmen „Holocaust" (Fernsehserie, 1978), „Kramer gegen Kramer" (1979), „Die Geliebte des frz. Leutnants" (1981), „Sophies Entscheidung" (1982), „Jenseits von Afrika" (1986), „Der Tod steht ihr gut" (1992), „Das Geisterhaus" (1993), „Am wilden Fluß" (1994).

Streeruwitz, Ernst, bis 1919 Ernst Ritter von Streer, *Mies 23. Sept. 1874, †Wien 19. Okt. 1952, österreich. Politiker. Offizier; gehörte der Christlichsozialen Partei (CP) an und war nach dem 1. Weltkrieg einer der führenden Industriellen Österreichs. Von Mai bis Sept. 1929 Bundeskanzler, legte S. das Hauptgewicht auf die Wirtschafts- und Handelspolitik.

Street Band [engl. 'stri:t 'bænd; engl.-amerikan.] (Marching Band), im frühen Jazz Bez. für die bei Straßenumzügen, Hochzeiten und Beerdigungen spielenden Kapellen.

Street cry [engl. 'stri:t krai], afroamerikan. Gesangsform, die in Intonation und emotionaler Tongestik Einfluß auf den Blues hatte.

Streeton, Sir (seit 1937) Arthur [stri:tn], *Mount Duneed (Victoria) 8. April 1867, †Olinda (Victoria) 1. Sept. 1943, austral. Maler und Graphiker. Einer der bedeutendsten austral. Impressionisten, malte v. a. Landschaften und Stilleben.

Strehla, Stadt auf einer Hochterrasse über der Elbe, Sa., 120 m ü. d. M., 4 300 E. Steingut-, Klebstoffwerk. – Neben einer Burg des späten 10. Jh. um 1200 entstanden, 1210 erstmals als Stadt gen. – Spätgot. Stadtkirche (15./16. Jh.) mit Kanzel aus farbiger Keramik (1565); Schloß (15./16. Jh.).

Strehlenau, Franz Nikolaus Niembsch, Edler von, östr. Dichter, ↑ Lenau, Nikolaus.

Strehler, Giorgio, *Barcola (= Triest) 14. Aug. 1921, italien. Regisseur und Kritiker. – Gründete 1947 mit P. Grassi das ↑ Piccolo Teatro della Città di Milano; inszenierte v. a. Stücke von Goldoni, Shakespeare, Tschechow und Brecht. Nach seiner Trennung vom Piccolo Teatro (1968) gründete S. eine eigene Schauspielgruppe. Seit 1972 leitet er wieder das Piccolo Teatro, 1983–90 war S. Direktor des Pariser Europatheaters; auch Operninszenierungen an der Mailänder Scala und bei den Salzburger Festspielen.

Strehler (Strähler), Werkzeug zur Gewindeherstellung, dessen einzelne Schneidzähne am rotierenden Werkstück hintereinander mit zunehmender Schnittiefe angreifen.

Streichbaum ↑ Weben.

Streichen, die als Abweichung von der Nordrichtung in Grad angegebene Richtung der Schnittfläche einer geneigten geolog. Schichtfläche mit der Horizontalen. Das mit dem ↑ Geologenkompaß gemessene S. dient zus. mit dem ↑ Fallen zur Raumlagebestimmung.

Streicher, Johann Andreas, *Stuttgart 13. Dez. 1761, †Wien 25. Mai 1833, dt. Klavierbauer. – Begleitete 1782 seinen Freund F. Schiller auf dessen Flucht von Stuttgart nach Mannheim („Schiller-Biographie", 1974 hg. von H. Kraft); 1794 heiratete er *Nanette Stein* (*1769, †1833), die Tochter des Klavierbauers J. A. Stein, und verlegte die Steinsche Werkstatt nach Wien, die ab 1802 als „Nanette S., née Stein" firmierte.

S., Julius, *Fleinhausen bei Augsburg 12. Febr. 1885, †Nürnberg 16. Okt. 1946 (hingerichtet), dt. Politiker. – Agitierte ab 1919 in Nürnberg für völk. Organisationen, trat mit seinen Anhängern 1922 zur NSDAP über und war maßgeblich am Hitlerputsch 1923 beteiligt; 1928–40 NSDAP-Gauleiter in Franken, 1933–45 MdR; einer der fanatischsten und zügellosesten Propagandisten des Antisemitismus (seit 1923 Hg. des Hetzblattes „Der Stürmer"); 1940 von allen Parteiämtern beurlaubt; 1946 vom Internat. Militärgerichtshof zum Tode verurteilt.

Streichgarn, aus kurzem, grobem Fasermaterial (Wolle u. a. feine Tierhaare, Baumwolle, synthet. Fasern) hergestelltes, schwach gedrehtes Garn, das wegen der geringeren Drehung fülliger als Kammgarn ist und ein besseres Wärmehaltevermögen zeigt.

Streichholz, svw. ↑ Zündholz.

Streichinstrumente, Musikinstrumente, die mit einem ↑ Bogen angestrichen werden. Mit der Violinfamilie bilden sie den Grundbestand des europ. Orchesters.

Streichquartett, kammermusikal. Ensemble aus zwei Violinen, Viola und Violoncello sowie eine Komposition für diese Besetzung. Das S. löste nach der Mitte des 18. Jh. die ↑ Triosonate ab. Vorläufer im vierstimmigen Streicherspiel waren seit Ende des 17. Jh. aufkommende konzertierende Sätze für einfache oder mehrfache Besetzung. Begründer der Gattung war J. Haydn, dessen erste 12 S. op. 1 und 2 (entstanden vor 1759) noch dem fünfsätzigen Divertimento nahestanden, bevor in den nachfolgenden Quartetten und v. a. in den 6 Quartetten op. 33 (1781) mit ihrer individualisierten Satz- und Themencharakteristik, motiv. Arbeit und polyphonen Ausweitung der Homophonie die klassische Ausformung erreicht wurde. Eine Differenzierung des Haydnschen Quartettsatzes erfolgte in den S. von W. A. Mozart und L. van Beethoven. Die Auseinandersetzung mit dem Vorbild Beethovens kennzeichnet die Werke F. Schuberts, F. Mendelssohn Bartholdys, R. Schumanns, J. Brahms' und M. Regers und vielfach auch der ost- und nordeurop. Komponisten, u. a. P. I. Tschaikowski, B. Smetana, A. Dvořák, L. Janáček. Bei C. Debussy und M. Ravel ist der Sonatensatz mit impressionist. Koloristik erfüllt. Höchste Ausdrucksintensität und ein Wille zu neuer konstruktiver Formgebung charakterisiert die S. von B. Bartók und A. Schönberg, A. Webern und A. Berg.

Streifenbachling (Rivulus strigatus), bis 3,5 cm langer Eierlegender Zahnkarpfen in den fließenden Süßgewässern Boliviens und N-Brasiliens (bes. im mittleren Amazonasgebiet); ♂ prächtig bunt; ♀ blasser; Warmwasseraquarienfisch.

Streifenbarbe ↑ Meerbarben.

Streifenbuntbarsch (Aequidens portalegrensis), bis 25 cm langer Buntbarsch in Süßgewässern S-Brasiliens und Paraguays; Körper seitlich zusammengedrückt, bläulich-, braun- bis rötlichschimmernd, mit breiter, dunkler Längsbinde auf den Körperseiten und dunklem Fleck an der Schwanzwurzel; ♂ und ♀ zur Laichzeit oft ganz schwarz; Warmwasseraquarienfisch.

Streifenfarn (Asplenium), weltweit verbreitete Gatt. der Tüpfelfarngewächse mit rd.

700, teilweise epiphytisch lebenden Arten; Blätter einfach, gefiedert oder geteilt, gabelnervig. Von den elf einheim. Arten sind am bekanntesten der **Braune Streifenfarn** (Asplenium trichomanes) mit schwarzbraunen Blattstielen, der auf Kalkfelsen der Alpen vorkommende **Grüne Streifenfarn** (Asplenium viride) mit grünen Blattstielen, die ↑ Mauerraute und der auf Bäumen siedelnde **Nestfarn** (Asplenium nidus) mit lanzenförmigen, pergamentartigen Blättern.

Streifenflur ↑ Flurformen.

Streifengans ↑ Gänse.

Streifengnu ↑ Gnus.

Streifenhörnchen, längsgestreifte, bes. in Asien, N-Amerika und Afrika beheimatete Nagetiere (Fam. Hörnchen), die häufig vom Menschen gehalten werden; z. B. Burunduk, Chipmunks und **Rotschenkelhörnchen** (Funisciurus); letztere mit rd. 15 Arten (Länge: 15–20 cm) in Afrika, südl. der Sahara.

Streifenhyäne ↑ Hyänen.

Streifenkörper (Corpus striatum), graue Kerngebiete des Endhirns der Säugetiere (einschl. des Menschen), die die Muskelbewegungen dämpfen.

Streifenrost, eine v. a. auf Weizen, Gerste, Roggen auftretende Rostkrankheit (↑ Gelbrost).

Streifenschakal ↑ Schakale.

Streifenskunk (Mephitis mephitis), einschl. des buschig behaarten Schwanzes bis 70 cm langes, vorwiegend schwarzes Raubtier (Unterfam. Stinktiere; v. a. in buschreichen Landschaften N-Kanadas bis Mexikos; nachtaktives Tier mit breitem, weißem Längsstreif auf dem Nacken, der sich auf dem Vorderrücken in zwei weiße Bänder gabelt.

Streifenwanzen (Graphosoma), Gatt. rot-schwarz längsgestreifter Schildwanzen mit 7 Arten in Eurasien, davon zwei einheimisch: **Graphosoma lineatum** (8–12 mm lang; nördl. bis zum Harz) und **Graphosoma semipunctatum** (10–13 mm lang).

Streik, allg. die zeitweilige Verweigerung eines geschuldeten od. übl. Verhaltens als Mittel zur Durchsetzung von Forderungen oder als Ausdruck eines Protests (z. B. Hunger-S. von Gefängnisinsassen; Sitz-S. zur Blockade des Verkehrs oder eines Eingangs). I. e. S. des Arbeitsrechts ist S. als Form des Arbeitskampfes die vorübergehende kollektive Arbeitsniederlegung (**Ausstand**) durch Arbeitnehmer zur Durchsetzung von Forderungen, die sich auf Entlohnung oder Arbeitsbedingungen beziehen. Polit. S., z. B. ein sog. polit. Massen-S. oder die Lähmung des gesamten Wirtschaftslebens durch einen General-S., um bestimmte Entscheidungen staatl. Organe zu erzwingen, sind in Deutschland nur in Ausübung des Widerstandsrechts im Sinne des GG erlaubt.

Voraussetzung für die Zulässigkeit eines S. im arbeitsrechtl. Sinne ist, daß er von einer tariffähigen Vereinigung durchgeführt wird, ein durch Tarifvertrag regelbares Ziel verfolgt, nicht gegen die Friedenspflicht († Tarifvertrag) verstößt und den Gegner nicht unangemessen schädigt. Demnach sind ohne Gewerkschaft von Arbeitnehmern unmittelbar durchgeführte Arbeitsniederlegungen **(wilde Streiks)** unzulässig. Generell kein S.recht haben nach vorherrschender, jedoch umstrittener Meinung Richter und Beamte im öff. Dienst. Vor Beginn eines S. ist zunächst eine **Urabstimmung** der betroffenen Gewerkschaftsmitglieder vorgesehen, zu der erst aufgerufen werden darf, wenn die Wege für eine gütl. Einigung ausgeschöpft und die Verhandlungen für gescheitert erklärt sind. Noch während der Laufzeit des Vertrages bzw. während der Verhandlungen sind kurze (i. d. R. bis zu 2 Stunden) **Warnstreiks** zulässig. Der S. kann in allen Betrieben des S.gegners durchgeführt werden oder sich nur gegen bes. wichtige Betriebe richten **(Schwerpunktstreiks).** Während des S. ruhen die Arbeitsverhältnisse der S.teilnehmer. Der Streikende hat keinen Anspruch auf Lohn oder Gehalt, auch nicht auf Arbeitslosengeld. Gewerkschafts-Mgl. erhalten S.unterstützung von der Gewerkschaft. – † Aussperrung.
Geschichte: Nach vereinzelten Arbeitsniederlegungen in Manufakturen zu Beginn der Neuzeit führten im 19. Jh. die Arbeitsniederlegungen von Industriearbeitern zur Gründung von Gewerkschaften. In Deutschland ist das Wort S. [eingedeutscht aus engl. to strike work „die Arbeit streichen", d. h. niederlegen] zum ersten Mal 1884 belegt, der Ausdruck S.brecher 1896. Waren S. zunächst generell strafbar, wurde diese Bestimmung im Zuge der Legalisierung der Gewerkschaften liberalisiert. Das GG der BR Deutschland gewährleistet das Recht der Arbeitnehmervereinigungen, zur Verbesserung der Arbeits- und Wirtschaftsbedingungen Arbeitskämpfe durchzuführen.

⎚ *Gandecki, C.: Schadensbegrenzung im Arbeitskampfrecht. Ffm. 1991. – Bieback, K. J./Zechlin, L.: Ende des Arbeitskampfes? Hamb. 1989. – Zöllner, W.: Arbeitsrecht. Mchn. ³1983. – Weigand, H./Wohlgemuth, H. H.: Arbeitskampf. S. u. Aussperrung in der BR Deutschland. Köln 1980.*

Streisand, Barbra [engl. 'straɪsənd], eigtl. Barbara Joan S., * New York 24. April 1942, amerikan. Sängerin, Schauspielerin und Regisseurin. – Star in den (mit ihr auch verfilmten) Musicals „Funny girl" (1964/1968) und „Hello Dolly" (1967/69). – *Weitere Filme:* Is' was, Doc? (1972), Was, du willst nicht? (1979), Yentl (1984), Nuts ... Durchgedreht (1987), Herr der Gezeiten (1992).

Streitaxt, prähistor. Form einer Axt aus Stein oder Metall, die als Waffe gedient haben muß; namengebend für die Streitaxtkulturen als Oberbegriff für eine Reihe vorgeschichtl. europ. Kulturen, die steinerne, z. T. auch kupferne Streitäxte verwendeten.

Streitberg, Wilhelm, * Rüdesheim am Rhein 23. Febr. 1864, † Leipzig 19. Aug. 1925, dt. Indogermanist. – Prof. in Freiburg (Schweiz), Münster, München und Leipzig; bed. Arbeiten zum Germanischen und v. a. zum Gotischen, ferner zur Geschichte und Methodik der indogerman. Sprachwissenschaft.

Streitgedicht, Gedicht, in dem verschiedene (meist 2) Personen, personifizierte Gegenstände oder Abstraktionen eine Auseinandersetzung führen. Wegen der Dialogform wird für das S. oft auch die Bez. **Streitgespräch** gebraucht; in Deutschland im späten MA bes. ausgeprägt.

Streitgegenstand, der im Zivilprozeß geltend gemachte *prozessuale Anspruch,* der sich nach herrschender Auffassung aus dem Klageantrag und dem Klagegrund ergibt. Er ist u. a. maßgebend dafür, worauf sich die Klage erstreckt, in welchem Umfang die gerichtl. Entscheidung in Rechtskraft erwächst, ob das angerufene Gericht für die Entscheidung zuständig ist. Der S. ist entscheidend für die Höhe des † Streitwertes.

Streitgenossenschaft (subjektive Klagenhäufung), im Zivilprozeß eine Mehrheit von Personen, die gemeinsam klagen oder verklagt werden können. Bei der einfachen S. liegt lediglich eine äußere Zus.fassung mehrerer Prozesse vor. Jeder Streitgenosse ist unabhängig. Bei der notwendigen (bes., qualifizierten) S. hingegen kann gegenüber allen Streitgenossen nur eine einheitl. Entscheidung ergehen.

Streithilfe † Nebenintervention.

streitige Gerichtsbarkeit, Teil der † ordentlichen Gerichtsbarkeit.

Streitschrift (Kampfschrift), Form der publizist. Angriffsliteratur, mit der in aktuelle, meist wiss. Auseinandersetzungen eingegriffen wird. Im Ggs. zum † Pamphlet ist die S. meist sachbezogen.

Streitverfahren, svw. † Erkenntnisverfahren.

Streitwagen, Wagenform des Altertums für Krieg, Jagd und sportl. Wettkämpfe. – Schwerfällige, vierrädrige und zweirädrige (Scheibenräder) S. wurden bereits von den Sumerern im 3. Jt. v. Chr. verwendet; seit um 1600 v. Chr. gab es den leichten zweirädrigen (Speichenräder) S. bei Churritern, Hethitern, Kassiten, Hyksos. Die S. wurden von allen Hochkulturen übernommen. Ihr Besitz sicherte militär. Überlegenheit und war Basis der Herrschaft über andere Völker.

Streitwert, im Zivilprozeß und in verwandten Verfahrensarten der in Geld ausgedrückte Wert des Streitgegenstandes. Nach dem S. bemessen sich die sachl. Zuständigkeit der ordentl. Gerichte, die Zulässigkeit von Rechtsmitteln sowie die Höhe der Gerichts- und Anwaltsgebühren.

Strelasund, Meeresstraße der Ostsee zw. der vorpommerschen Küste bei Stralsund und der Insel Rügen.

Strelitzen [russ.], von Zar Iwan IV. Wassiljewitsch von Rußland geschaffene, mit Feuerwaffen ausgerüstete Elitetruppe. Die S., anfangs aus der freien Bev. rekrutiert, mußten lebenslänglich und erblich dienen. Nach einem u. a. durch schlechte Entlohnung ausgelösten S.aufstand (1698) löste Peter I. die Truppe gewaltsam auf; viele S. wurden hingerichtet.

Strelitzia, svw. ↑ Strelitzie.

Strelitzie (Strelitzia) [nach Charlotte Sophia Prinzessin von Mecklenburg-Strelitz, * 1744, † 1818], Gatt. der Bananengewächse mit vier Arten in S-Afrika; bis 5 m hohe, am Grunde verholzende Gewächse mit sehr großen, ledrigen, längl.-eiförmigen oder lanzenförmigen Blättern; Blüten prächtig, weiß und blau, von einer kahnförmigen, rötl. oder grünen Blütenscheide umgeben. Die bekannteste Art ist die 1–2 m hohe **Paradiesvogelblume** (Papageienblume, Strelitzia reginae), deren Blüten von einer grünen, rot gerandeten Blütenscheide umgeben sind; äußere Blütenhüllblätter orangefarben, die inneren sind zu einem blauen, die Staubblätter und den Griffel einschließenden, pfeilförmigen Organ umgebildet.

Streptococcus [griech.] ↑ Streptokokken.

Streptodermie [griech.], durch eiterbildende Streptokokken hervorgerufene Hauterkrankung, z. B. ↑ Impetigo.

Streptokokken [griech.], Bakterien der Gatt. Streptococcus mit rd. 20 Arten aus der Gruppe der Milchsäurebakterien. S. gehören z. T. zur normalen Flora der Schleimhäute des Nasen-Rachen-Raums und des Darms (↑ Enterokokken), z. T. sind sie auch Eitererreger und Erreger verschiedener Infektionskrankheiten (u. a. Sepsis, Mittelohrentzündung). Streptococcus lactis, Streptococcus cremoris und Streptococcus thermophilus spielen in der Milchwirtschaft als Säureweker oder Starterkultur sowie bei der Herstellung von Gärfutter eine wichtige Rolle.

Streptokokkenfieber, svw. ↑ rheumatisches Fieber.

Streptokokkenmastitis, svw. ↑ gelber Galt.

Streptolysine [griech.], von krankheitserregenden Streptokokken gebildete Exotoxine.

Streptomyces [griech.], artenreiche Gatt. der Streptomyzeten, die zahlr. Antibiotikabildner (Streptomyzin u. a.) enthält.

Streptomyzeten (Streptomycetaceae) [griech.], Fam. der Strahlenpilze. Die pilzartigen Kolonien dieser Bakterien bestehen aus einem Substratmyzel und einem Oberflächenmyzel mit Konidienketten. Die S. sind überall verbreitete Bodenbewohner. – ↑ Streptomyces.

Streptomyzin (Streptomycin) [griech.], Antibiotikum, das von dem Strahlenpilz Streptomyces griseus gebildet wird und v. a. gegen gramnegative Kokken und Bakterien, bes. gegen Tuberkelbakterien wirksam ist. Therapeutisch wird S. wegen seiner erhebl. Nebenwirkungen (bes. auf den Gleichgewichts- und Hörnerv) fast nur noch in Kombination mit anderen Tuberkulostatika bei Tuberkulose verwendet.

Stresa, italien. Kurort am W-Ufer des Lago Maggiore; 5 100 E. – Auf der Konferenz von S. (11.–14. April 1935) vereinbarten Frankreich, Großbritannien und Italien ein gemeinsames Vorgehen gegen das Dt. Reich, nachdem Hitler durch die Einführung der allg. Wehrpflicht den Versailler Vertrag gebrochen hatte. Die sog. *S.front* zerfiel noch im gleichen Jahr infolge der brit. und frz. Interessen gefährdenden Annexion Äthiopiens durch Italien.

Stresemann, Erwin, * Dresden 22. Nov. 1889, † Berlin 20. Nov. 1972, dt. Ornithologe. – Prof. in Berlin; Arbeiten zur Tiergeographie, zur Systematik und Ökologie der Vögel und zur Geschichte der Ornithologie.

S., Gustav, * Berlin 10. Mai 1878, † ebd. 3. Okt. 1929, dt. Politiker. – Nationalökonom; Syndikus des von ihm mitgegründeten Verbandes sächs. Industrieller (1902–18) und führend im Bund der Industriellen (seit; schloß sich 1903 der Nationalliberalen Partei an (1907–12 und 1914–18 MdR); übernahm 1917 den Fraktionsvorsitz; vertrat als Mgl. des Alldt. Verbandes im 1. Weltkrieg eine extensive Annexionspolitik im W und O sowie das Ziel eines „Siegfriedens"; hatte 1917 wesentl. Anteil am Sturz des Kanzlers Bethmann Hollweg; gründete 1918 die Dt. Volkspartei (in Konkurrenz zur linksliberalen DDP); übernahm als Mgl. der Weimarer Nationalversammlung und MdR (1920–29) 1920 den Fraktionsvorsitz und führte seine Partei – obwohl eigtl. Monarchist – aus realpolit. Gründen zur Mitarbeit auf dem Boden der Weimarer Reichsverfassung. Als Reichskanzler und Außenmin. (Aug.–Nov. 1923) erreichte S. eine relative Stabilisierung der Weimarer Republik mit der Niederschlagung der bayr. Staatsstreichpläne und der Absetzung der sozialdemokrat.-kommunist. Reg. in Sachsen (Reichsexekution) und schuf gemeinsam mit Finanzmin. H. Luther die Voraussetzung für die Sanierung der Währung (Rentenmark) und die Überwindung der Ruhrbesetzung. Nach dem Sturz seiner Reg. war S. bis zu seinem Tod Außenmin. wechselnder Kabinette und sah in der Verständigung mit Großbritannien und Frankreich die beste Möglichkeit, den Versailler Vertrag im Rahmen eines kollektiven Sicherheitssystems zu revidieren (deshalb Abschluß des Dawesplanes 1924, der Locarno-Verträge 1925, Eintritt Deutschlands in den Völkerbund 1926). S. erhielt 1926 zus. mit A. Briand den Friedensnobelpreis.

⊞ *Stresemann, W.: Mein Vater G. S. Bln. 1990. – Sternburg, W. v.: G. S. Ffm. 1990. – G. S. Hg. v. W. Michalka u. M. M. Lee. Darmst. 1982. – Eschenburg, T./Frank-Planitz, U.: G. S. Stg. 1978.*

Stresemann, nach G. Stresemann benannter, offzieller Anzug; besteht aus schwarzgrau gestreifter, umschlagloser Hose, schwarzem Sakko und grauer Weste.

Streß [engl., zu distress „Qual, Erschöpfung"], von H. Selye 1936 geprägter Begriff für ein generelles Reaktionsmuster, das Tiere und Menschen als Antwort auf erhöhte Beanspruchung zeigen. Die Belastungen **(Streßfaktoren, Stressoren)** können physikal. (Kälte, Hitze, Lärm), chem. (Schadstoffe, Drogen), medizin. (Infektionen) oder psych. Art (Isolation, Prüfungen, Leistungsdruck in der Schule oder in der Berufswelt) sein. Die dadurch ausgelösten Körperreaktionen umfassen eine über den Hypothalamus im Zwischenhirn ausgelöste Überfunktion der Nebennieren (erhöhter Tonus des sympath. Nervensystems, Ausschüttung von Adrenalin, Vergrößerung der Nebennierenrinde mit erhöhter Kortikosteroidproduktion) und Schrumpfung des Thymus und der Lymphknoten. Wird dabei die physiolog. Reaktionsbreite des Organismus überschritten, führen die S.faktoren zum sog. **Distreß,** der einen krankheitsbegünstigenden Wert hat; häufig entstehen Magengeschwüre, Bluthochdruck oder Herzinfarkt. Ein gewisses Maß an S. *(Eustreß)* ist lebensnotwendig.

♦ einseitig wirksamer Druck bei tekton. Vorgängen.

Streßinkontinenz ↑Harninkontinenz.

Stressoren [engl.] ↑Streß.

Stretch [engl. strɛtʃ „strecken, dehnen"], Textilien mit hohem Elastizitätsverhalten und guter Rückformeigenschaft (z. B. Feinstrümpfe).

Stretta (Stretto) [italien.], in der Fuge die ↑Engführung; in Arie, Opernfinale oder Konzertstück der effektvolle, oft auch im Tempo beschleunigte Abschluß.

stretto [italien.], musikal. Vortragsbez.: gedrängt, eilig, lebhaft.

Streu, der gesamte im Wald anfallende Bestandsabfall (Laubstreu, Nadelstreu).

♦ (Einstreu) meist getrocknetes Stroh, das dem Vieh im Stall als Lager dient.

Streufrüchte ↑Fruchtformen.

Streulage, svw. ↑Gemengelage.

Streuli, Hans, * Richterswil 13. Juli 1892, † Aarau 23. Mai 1970, schweizer. freisinniger Politiker. – 1953–59 Bundesrat, schuf als Leiter des Finanz- und Zolldepartements eine moderne Finanzordnung; 1957 Bundespräsident.

Streulicht, das an kleinen Teilchen (Staubpartikel, Gasmoleküle) durch ↑Streuung aus seiner urspr. Richtung abgelenkte Licht (↑Tyndall-Effekt). In der geometr. Optik wird auch das nicht regulär reflektierte Licht (z. B. an mangelhaft polierten Glasflächen) als S. bezeichnet.

Streusalz, gemahlenes Steinsalz, das als Auftaumittel (Tausalz) zum Entfernen von Schnee und Eis v. a. auf Verkehrswegen verwendet wird. Durch den jahrelangen Einsatz von S. und eine damit einhergehende Versalzung der Böden, Auswaschung von Nährstoffionen, Bodenverdichtung und Erhöhung des pH-Werts wurde die Nährstoffaufnahme der Pflanzen gestört. Auch durch Spritzwasser, Wasserentzug im Wurzelbereich und ein Überangebot an Natrium und Chlorid wurden die Pflanzen geschädigt (bes. Straßenbäume in Städten). Der zunehmende Einsatz von abstumpfenden Streumitteln (Granulat, Splitt, Sand), ausgenal dosierte Streumengen u. a. sollen zur Senkung des S.verbrauchs beitragen.

Streuselkuchen, Hefekuchen, dessen Belag aus Fett, Zucker und Mehl geknetet und dann zerbröselt wird.

Streusiedlung, urspr. Bez. für eine räuml. Konzentration von Einzelhöfen, heute auch für lockere Gruppensiedlungen.

Streuspannung ↑Streuung (magnet. Streuung).

Streustrahlung ↑Streuung.

Streuströme, svw. vagabundierende ↑Erdströme.

Streuung, Ablenkung eines Teils einer gebündelten Teilchen- oder Wellenstrahlung aus seiner urspr. Richtung beim Durchgang durch Materie infolge Stoßes bzw. Beugung an einem Streuzentrum, z. B. einem Atom oder einem Atomkern. Die diffus in die verschiedenen Richtungen gestreute Strahlung **(Streustrahlung)** bzw. die Gesamtheit der von den einzelnen Streuzentren ausgehenden Kugelwellen **(Streuwellen)** geht der primären Strahlung verloren, wodurch diese in ihrer Intensität geschwächt wird. Die Wechselwirkung der Strahlung mit einem einzelnen Streuzentrum wird als *Einzel-S.* bezeichnet; erfahren die Teilchen in einer dickeren Mate-

rieschicht nacheinander an verschiedenen Streuzentren mehrere Einzel-S., so liegt eine *Mehrfach-* bzw. *Vielfach-S.* vor. Bei *elast. S.* tritt außer der Änderung des Impulses kein Energieaustausch zw. Teilchen und Streuzentrum auf, während bei *inelast. S.* von der Strahlung Energie zur Anregung, Ionisation usw. an das Streuzentrum abgegeben wird (↑ Mie-Streuung, ↑ Rayleigh-Streuung).
◆ bei elektr. und magnet. Feldern die Erscheinung, daß Feldlinien auf unerwünschten Wegen verlaufen *(Streufluß)*. Das entsprechende Feld wird *Streufeld* genannt, der damit verbundene Spannungsabfall *Streuspannung*.
◆ in der *Statistik* die durch die ↑ Streuungsmaße definierte Abweichung.
◆ in der *Schießlehre* die Abweichung der aus einer Waffe abgefeuerten Geschosse von der theoret. Flugbahn; hervorgerufen v. a. durch Temperaturveränderungen in der Waffe, unterschiedl. Reibung der Geschosse im Lauf sowie durch wechselnde Lufteinflüsse auf die Geschoßbahn.
◆ (Generalisierung, Generalisation) in der *Medizin* die Ausbreitung einer zunächst örtlich begrenzten Erkrankung auf den ganzen Organismus oder auf ein Organsystem.

Streuungsmaße, statist. Kenngrößen, die ein Maß für die Streuung von Merkmalen einer Grundgesamtheit bzw. Stichprobe (um einen Mittelwert) darstellen. Man unterscheidet *lagetyp. S.* wie Spannweite (Differenz zw. höchstem und niedrigstem Wert) und *rechner. S.* wie mittlere lineare und mittlere quadrat. Abweichung (↑ Standardabweichung).

Streuvels, Stijn [niederl. 'strø:vəls], eigtl. Frank Lateur, * Heule (= Kortrijk) 3. Okt. 1871, † Ingooigem (= Anzegem) 15. Aug. 1969, fläm. Schriftsteller. – Bedeutendster Erzähler Flanderns; Autodidakt; entwickelte einen eigenen Stil und eine eigene, westflämisch geprägte Sprache. Seine Prosa gibt eine exakte Beschreibung der Leidenschaften und Handlungsmotive einfacher Menschen; bed. v. a. „Der Flachsacker" (R., 1907), „Die Männer im feurigen Ofen" (Nov., 1926).

Streymoy [färöisch 'strɛːimɔːi], eine der Hauptinseln der ↑ Färöer.

Striae ['ʃtriːæ; lat.] streifenförmig bis flekkenförmig umschriebene, zunächst blaurötl., später weißl. Hautatrophien durch Zerreißen der elast. Fasern, v. a. im Bereich des Unterbauchs, der Hüften und der Brüste; Ursachen sind u. a. Fettsucht und hormonale Einwirkungen (z. B. Schwangerschaftsnarben).

Strich, (naut. S.) in der *Seefahrt* früher übl. Einheit für den ebenen Winkel, definiert als der 32. Teil eines Vollwinkels (360°), d. h. 1 S. = 11,25°. Heute (z. B. bei Ruderkommandos) meist durch Gradangaben ersetzt.
◆ in der *Mineralogie* ↑ Strichprobe.

Strichätzung, nach einer Strichzeichnung (ohne Halbtöne) hergestellte Original-Hochdruck-Druckplatte, bei der die (zeichnungsfreien) Zwischenräume chemisch oder elektrolytisch vertieft wurden.

Strichcode (Balkencode) [...koːt], zum maschinellen Lesen verwendeter Code, bestehend aus unterschiedlich starken, parallel verlaufenden Strichen verschiedener Abstände. Die in einem S. umgesetzten Informationen können über einen Zeichenleser (z. B. Scanner) erfaßt und direkt einem Computer zugeleitet werden. Der S. wird bes. zur Artikelnumerierung in der Konsumgüterind. verwendet. In Europa wurde dafür das ↑ EAN-System eingeführt.

Strichdünen ↑ Dünen.

Strichkürettage ↑ Ausschabung.

Strichloden ↑ Loden.

Strichprobe, zur Bestimmung von Mineralen verwendete Untersuchungsmethode, bei der durch Reiben des Minerals auf einem unglasierten Porzellantäfelchen eine farblose (weiße) oder farbige strichförmige Reibspur (der *Strich*) auftritt, deren Farbe *(Strichfarbe)* häufig von der Mineralfarbe abweicht.

Strichpunkt, svw. ↑ Semikolon.

Strichvelours [və'luːr, veˈluːr] ↑ Velours.

Strichvögel, Übergangsformen zw. Stand- und Zugvögeln, die nach der Brutzeit meist schwarmweise in weitem Umkreis umherschweifen (z. B. Bluthänfling, Grünling, Goldammer, Stieglitz).

Strickarbeit, mit Stricknadeln hergestellte Handarbeit, bei der die Maschen einer Reihe nacheinander entstehen. Das Maschenbild läßt sich durch Wechsel der Maschengrundformen u. a. variieren, die Fasson wird v. a. durch Auf- und Abnehmen bestimmt. – Moorgräberfunde lassen annehmen, daß die Stricktechnik schon früh bekannt war. Beweise stammen erst aus dem 13. Jh. (Italien). Maschinen-S. werden mit Flach- oder Rundstrickmaschinen hergestellt (↑ Maschenwaren).

Stricker, der, † um 1250, mittelhochdt. Dichter und Fahrender aus Franken. – Schrieb den Roman aus dem Artuskreis „Daniel vom blühenden Tal" (um 1235/1240) sowie novellistisch-anekdotenähnliche satir., schwankhafte Verserzählungen (↑ Bispel), die er zu einer selbständigen Literaturgatt. erhob. „Die Schwänke des Pfaffen Amis" (um 1230) waren die erste Schwanksammlung in dt. Sprache.

Stricklava ↑ Lava.

Strickleiternervensystem, svw. ↑ Bauchmark.

Strickmaschinen, meist industriell verwendete Maschinen zur Herstellung von ↑ Maschenwaren, v. a. von Ober- und Untertrikotagen, Strümpfen, Schals, Handschuhen usw. Bei der **Flachstrickmaschine** sind die Zungennadeln parallel zueinander in einem Nadelbett angeordnet. Sie werden durch ein Schloß betätigt, das in einem bewegl. Schlitten befestigt ist, der geradlinig über die gesamte Nadelreihe hin- und herbewegt wird. Die **Rundstrickmaschine** (zur Herstellung v. a. von nahtlosen, schlauchförmigen Gestricken) hat mindestens einen Nadelzylinder, an dem die Zungennadeln in Nadelnuten parallel zueinander kreisförmig angeordnet sind. Bei der Maschenbildung werden die Zungennadeln durch den Nadelzylinder umschließende Strickschlösser in ihrer Längsachse auf- und abbewegt. – Bei modernen S. wird die das Strickmuster bestimmende Stellung der Zungennadeln im Nadelbett bzw. am Nadelzylinder meist mittels Lochbändern gesteuert.

Stridor [lat.], pfeifendes Atemgeräusch bei Verengung der oberen Luftwege, z. B. bei Krupp oder Stimmritzenkrampf.

Stridulationsorgane [lat./griech.] (Zirporgane), der Lauterzeugung dienende Einrichtungen bei Insekten; funktionieren durch Gegeneinanderstreichen von Kanten, Leisten und dergleichen (*Stridulation*; z. B. bei Grillen und Feldheuschrecken anzutreffen).

Striegel [zu lat. strigilis „Schabeisen"], in der Tierpflege Putzgerät in Form einer Eisenblechplatte mit gezähnten Querrippen und Holzgriff zum Vorreinigen grob verschmutzter Stellen der Haardecke von Pferden und Rindern.

Striezel [östr.], Hefegebäck in Zopfform.

Strigel, Bernhard, * Memmingen 1460(?), † ebd. vor dem 4. Mai 1528, dt. Maler. – Der süddt. Spätgotik im Detailrealismus und in der Figurenanordnung verhaftet. Malte neben zahlr. Altarbildern v. a. Porträts.
S., Ivo, * Memmingen 1430, † ebd. 1516, dt. Bildhauer. – Unterhielt in Memmingen seit den 1480er Jahren eine Werkstatt, die zahlr. Altäre für Graubünden schuf, u. a. für Disentis (1489, heute Pfarrkirche, restauriert 1971–80, Flügelgemälde von seinem Sohn Bernhard).

strikt (strikte) [zu lat. strictus „dicht, straff, eng"], streng, genau, pünktlich.

Striktur [lat.], erhebl. Verengung eines Hohlorgans (z. B. der Speiseröhre) nach Entzündung, Verätzung, Geschwürbildung.

Strindberg, August [′ʃtrɪntbɛrk, schwed. ˌstrɪndbærj], * Stockholm 22. Jan. 1849, † ebd. 14. Mai 1912, schwed. Dichter und Maler. – Bedeutendster schwed. Dramatiker, der im Naturalismus in Schweden einleitete; als Vorläufer und Wegbereiter des Expressionismus durch seine z. T. surrealist. und episierende Darstellungsweise von großem Einfluß

auf die Dramatik des 20. Jh. Seine harte Kindheit schilderte er in dem Romanzyklus „Der Sohn einer Magd" (1886–1909); war nach abgebrochenem Studium Lehrer, Schauspielschüler, Journalist, Bibliothekar; 1894–96 in Paris; Anfälle von Verfolgungswahn verursachten eine schwere weltanschaul. Krise („Inferno", Tagebuch, 1897); ab 1899 endgültig in Stockholm; gründete 1907 in Stockholm mit dem schwed. Theaterleiter August Falck (* 1882, † 1932) das „Intime Theater", für das S. seine ausdrucksstarken Kammerspiele (u. a. „Gespensersonate", 1907; „Scheiterhaufen", 1907) schrieb. Sein erster großer Erfolg war der satir. Gegenwartsroman „Das rote Zimmer" (1879) über das krisengeschüttelte Schweden, der mit dem Roman „Die got. Zimmer" (1904) fortgesetzt wurde. Aus der seel. Zerrissenheit nach Auflösung seiner 3. Ehe erwuchsen u. a. das „Okkulte Tagebuch" (hg. 1977) und die Novelle „Heiraten" (1884). Die künstlerisch herausragenden Dramen sind „Fräulein Julie" (1888), „Nach Damaskus" (1898–1904), „Totentanz" (1901), „Ein Traumspiel" (1902). – Die v. a. gegen die Ästhetik der Neuromantik gerichteten „Reden an die schwed. Nation" (1911 ff.) wurden in der *Strindbergfehde* heftig von konservativer Seite bekämpft.

📖 *Schütze, P.: A. S. Rbk.* 1990. – *Krippendorff, E.: Polit. Interpretation. Ffm.* 1989. – *Enquist, P. O.: S. Ein Leben. Neuwied* 1985. – *Lagercrantz, O.: S. Dt. Übers. Ffm.* 1980.

stringendo [strɪn′dʒendo; italien.], Abk. string., musikal. Vortragsbez.: allmählich schneller werdend.

Stringensemble [engl./frz. ′strɪŋ ã′sãːbəl], ein spezielles elektron. Tasteninstrument, das den Klang von Streichinstrumenten und Streichorchestern nachahmt. Es wird meist in Verbindung mit einer Elektronenorgel oder einem Synthesizer verwendet. – ↑ elektronische Musikinstrumente.

stringent [lat.], bündig, streng, logisch zwingend.

Stringenz [lat.], die Beweiskraft (z. B. eines Arguments), das Stringentsein.

Stringocephalus [lat./griech.], ausgestorbene, nur aus dem Mitteldevon bekannte Gatt. etwa 5–8 cm großer Armfüßer; mit stark gewölbten, dickschaligen Klappen. Das *S. burtini* ist ein wichtiges Leitfossil für das obere Mitteldevon (Stringocephalenkalk).

Stripfilm (Strippingfilm) [engl.], ein in der Reproduktionstechnik verwendeter Spezialfilm, dessen lichtempfindl. photograph. Schicht sich als feines Häutchen von der Filmunterlage abziehen läßt, so daß unterschiedl. Bildteile durch Aufbringen (**Strippen**) auf transparentes Trägermaterial zusammenmontiert werden können.

Stripping [engl.] ↑ Venenstripping.

Stripping reaction [engl. 'strɪpɪŋ rɪ'æk-ʃən], svw. ↑ Abstreifreaktion.

Striptease [engl. 'strɪptiːz; zu engl. to strip „ausziehen" und to tease „necken"], erotisch stimulierende Entkleidungsvorführung, v. a. in Varietés oder Nachtlokalen.

strisciando [strɪ'ʃando; italien.], musikal. Vortragsbez.: schleifend.

Strittmatter, Erwin, * Spremberg 14. Aug. 1912, † Schulzenhof (bei Dollgow, Kr. Gransee) 31. Jan. 1994, dt. Schriftsteller. – Schrieb in bildkräftiger Sprache aus genauer Kenntnis des Dorfmilieus, der Arbeiter- und Kleinbürgerwelt mit Humor und Phantasie v. a. Entwicklungsromane wie „Ochsenkutscher" (R., 1950), „Der Wundertäter" (R., 3 Bde., 1957–80), „Ole Bienkopp" (R., 1960), „Der Laden" (R., 3 Bde., 1983–92); auch Dramen und Kurzprosa („Meine Freundin Tina Babe. Drei Nachtigall-Geschichten", 1977; „Selbstermunterungen" 1981; „Grüner Juni", E., 1985; „Vor der Verwandlung", Aufzeichnungen, hg. 1995).
S., Thomas, * St. Georgen (Schwarzwald) 18. Dez. 1961, dt. Schriftsteller. – Wurde v. a. durch Gegenwartsdramen in der Tradition des Volkstheaters bekannt („Der Polenweiher", 1983; „Viehjud Levi", 1984; „Untertier", 1991); arbeitete für Film und Fernsehen, schreibt auch Prosa („Rabe Baikal", R., 1990).

Strobilanthes [griech.], Gatt. der Akanthusgewächse mit rd. 200 Arten im trop. Asien und auf Madagaskar; Sträucher oder Halbsträucher mit oft bunten Blättern und violetten, blauen oder weißen Blüten in dichten Ähren. Einige Arten sind Zierpflanzen.

Strobochromatographie [zu griech. stróbos „Wirbel"], photograph. Verfahren zur Aufzeichnung einzelner Bewegungsphasen eines bewegten Objekts, das hierzu bei geöffnetem Kameraverschluß in regelmäßigen Zeitabständen mit einem Blitzlicht angeleuchtet wird. Durch die Mehrfachbelichtung entsteht auf einem Bild eine Folge von Momentaufnahmen des Bewegungsablaufs.

Stroboskop [zu griech. stróbos „Wirbel" und skopeïn „betrachten"], Gerät zur Bestimmung der Frequenz und zur Beobachtung der einzelnen Phasen period. Bewegungen. Das **Lichtblitzstroboskop** sendet in konstanten Zeitabständen Lichtblitze aus. Stimmt deren Frequenz mit der des angeblitzten Vorgangs überein (oder ist sie ein ganzzahliges Vielfaches oder ein ganzzahliger Teil davon), so scheint die period. Vorgang stillzustehen. Bei geringfügig niedrigerer Blitzfrequenz scheint der Vorgang verlangsamt abzulaufen (erlaubt die Beobachtung seiner Einzelphasen); bei geringfügig höherer Bildfrequenz scheint er rückwärts abzulaufen (**stroboskop. Effekt;**

z. B. das Rückwärtsdrehen von Fahrzeugrädern im Film).

Stroessner, Alfredo ['ʃtrœsnɔr], * Encarnación 3. Nov. 1912, paraguayischer General und Politiker. – 1953 Oberbefehlshaber der Streitkräfte; 1954–89 diktatorisch regierender Staatspräsident.

Stroganow, russ. Händler-, Industriellen- und Großgrundbesitzerfam., als deren Stammvater *Anikita S.* (* 1497, † 1570) gilt. Die S. betrieben in großem Umfang Landw., Salz- und Erzgewinnung, bauten Städte und Festungen und erschlossen neue Gebiete im Ural und in Sibirien. Ihre von Zar Iwan IV. Wassiljewitsch gewährten Privilegien wurden 1722 aufgehoben. Als bed. Mäzene unterhielten sie u. a. Werkstätten für Ikonenmalerei, in denen ein Stil entwickelt wurde, der sich durch dekorative, miniaturhafte, detailreiche Komposition, poesievolle Bildsprache, Betonung graph. Elemente sowie eine gedämpfte, nuancenreiche Farbpalette auszeichnet (sog. **Stroganowschule**).

Stroh, die trockenen Blätter und Stengel von gedroschenem Getreide, Hülsenfrüchtlern oder Öl- und Faserpflanzen.

Strohblume (Helichrysum), Gatt. der Korbblütler mit rd. 500 (außer in Amerika) weltweit verbreiteten Arten; Kräuter, Halbsträucher oder Sträucher mit ganzrandigen Blättern; Blütenköpfchen einzeln oder doldentraubig; Hüllblätter mehrreihig, dachziegelartig angeordnet, trockenhäutig, oft gefärbt. Am bekanntesten sind die einheim. **Sandstrohblume** (Sonnengold, Helichrysum arenarium; weißwollig-filzig behaart; mit kugeligen Blütenköpfchen in Doldentrauben; zahlr. gold- oder zitronengelbe, trockenhäutige Hüllblätter, Blüten goldgelborange) und die in Australien heim. **Gartenstrohblume** (Helichrysum bracteatum; mit bis 8 cm breiten Köpfchen und verschiedenfarbigen Hüllblättern).

Strohblumen, svw. ↑ Immortellen.

Stroheim, Erich, Pseud. E. von S., E. S. von Nordenwald, * Wien 22. Sept. 1885, † Maurepas (Dep. Yvelines) 12. Mai 1957, amerikan. Filmschauspieler und -regisseur östr. Herkunft. – Ab 1906 in den USA, Regiearbeit ab 1918; das Unvermögen, seine künstler. Vorstellungen auf kommerzielle Maßstäbe zu übertragen, führte (trotz der hervorragenden Gestaltung von Charakteren, sozialen Gefügen und erot. Szenen) zu einer wesentl. Verkürzung seiner [überlangen] gesellschaftskrit.-realist. Stummfilme wie „Blinde Ehemänner" (1918), „Närr. Frauen" (1921), „Karussell/Rummelplatz des Lebens", „Das goldene Wien" (1922), „Gier nach Geld" (1923). Nach 1933 (ab 1936 in Frankreich) nur noch Schauspieler („Boulevard der Dämmerung", 1950).

Strohgäu, zentraler Teil des Neckarbeckens um Ludwigsburg, Leonberg und Vaihingen an der Enz; fruchtbare Ackerbaulandschaft.

Strohmann, Person, die unter ihrem Namen für jemand anderen handelt.

Strohwitwer, Bez. für einen Mann, dessen Frau verreist ist (eigtl. der „auf dem [Bett]stroh Alleingelassene").

Strohzellstoff ↑ Zellstoff.

Strom, (elektr. Strom) Bewegung elektr. Ladungsträger in metall. Leitern, Halbleitern, Flüssigkeiten (Elektrolyten) und Gasen in einer Vorzugsrichtung. Die konventionelle, willkürlich festgelegte S.richtung verläuft vom (positiven) Plus- zum (negativen) Minuspol, entgegengesetzt zum Elektronenstrom. Werden die Ladungsbewegungen durch elektr. Felder verursacht, spricht man von **Leitungsströmen,** werden sie durch nichtelektr. Kräfte (z. B. Luftströmungen) hervorgerufen, liegen **Konvektionsströme** vor. Während sich die Ladungsträger beim ↑ Gleichstrom im Mittel konstant in eine Richtung bewegen, führen sie beim ↑ Wechselstrom Schwingungen aus. Mit einem elektr. S. ist stets ein Magnetfeld und zumeist auch eine Wärmewirkung (Joulesche Wärme) verbunden.
◆ Bez. für einen größeren ↑ Fluß.
◆ durch Fließ- oder Gleitvorgänge entstandener geolog. Körper, z. B. Lavastrom.

Stroma [griech. „Decke, Lager"], (Grundgewebe) in der *Anatomie* das bindegewebige Stützgerüst in einem Organ (oder Tumor).
◆ bei einigen *Schlauchpilzen* (z. B. Mutterkornpilz) vorkommender, plektenchymat., harter, artspezifisch geformter Myzelkörper, der mehrere Fruchtkörper umschließt.

Stromabnehmer, bei elektr. Triebfahrzeugen Vorrichtung zur Stromzufuhr; bei Oberleitungszufuhr werden *Rollen-* oder *Schleif-S., Bügel-* oder *Scheren-S.,* bei Stromschienenzufuhr *Gleitschuhe* benutzt.

Stromanker ↑ Ankereinrichtung.

Stromanthe [griech.], Gatt. der Marantengewächse mit 13 Arten im trop. S-Amerika; Stauden mit großen, bunten Blättern und großen Blütenständen mit lebhaft gefärbten Tragblättern.

Stromatolithen [griech.], Kalkausscheidungen primitiver Algen oder Bakterien, zählen zu den ältesten Lebensspuren der Erde.

Stromatoporen (Stromatoporoidea) [griech.], fossile Ordnung der Nesseltiere vom Kambrium bis zur Kreide; sonderten ein kalkiges Skelett unregelmäßiger Krusten oder Kleinriffe bis 2 m Durchmesser ab.

Stromberg, Stadt am O-Rand des Soonwaldes, Rhld.-Pf., 234 m ü.d. M., 2 300 E. Nahrungsmittelind., Metallverarbeitung,

Fremdenverkehr. – Neben der 1056 erwähnten Stromburg (heute *Fustenburg* gen.) entstanden; Stadtrechte im 13. Jh., erneuert 1857. – Ruinen der 1689 zerstörten Burg, ev. spätbarocke Pfarrkirche, kath. neugot. Pfarrkirche.

S., Wallfahrtsort, ↑ Oelde.

S., isolierter Keuperhöhenzug nördl. der Enz, zw. Bretten und Besigheim, bis 477 m ü.d. M.; Weinbau.

Stromboli, eine der Lipar. Inseln, Italien, 12,2 km², 926 m hoch; von einem einzigen, noch aktiven Vulkankegel gebildet.

Stromdichte, das Produkt aus der Dichte einer strömenden Substanz und der Strömungsgeschwindigkeit; die *elektr. S.* in einem Leiter ist gleich dem Quotienten aus Stromstärke und Leiterquerschnitt.

Stromentwendung ↑ Energieentziehung.

Strömer (Laugen, Friedfisch, Leuciscus agassizi), bis 25 cm langer, gestreckter Karpfenfisch im Oberlauf von Rhein und Donau; silbrig mit schwärzlichgrauem Rücken und (an den Körperseiten) blaurot glänzender Längsbinde.

Stromerzeuger, Anlage, auch Unternehmen, zur Erzeugung elektr. Energie.

Stromkreis, Weg des elektr. Stroms von einer Stromquelle über Leiter zurück zur gleichen Stromquelle.

Stromlaufplan ↑ Netzwerk.

Strömling (Balt. Hering), kleinwüchsige, bis 20 cm lange Rasse des Atlant. Herings in der östl. Ostsee.

Stromlinien, gedachte Linien, deren Tangenten in jedem Punkt mit der Richtung der jeweiligen Strömungsgeschwindigkeit zusammenfallen.

Stromlinienform, eine strömungstechnisch günstige Körperform, die den Strömungswiderstand verringert.

Strommarke, Stromein- bzw. Stromaustrittsstelle an der Haut nach Elektrounfall durch lokale Verbrennung.

Strommesser, Gerät zur Messung der elektr. Stromstärke (z. B. Amperemeter).

Stromquelle, Anordnung, die durch eine elektromotor. Kraft Ladungen trennt und damit eine elektr. Spannung *(Spannungsquelle)* bzw. einen elektr. Strom hervorruft. Nach dem Prinzip der Ladungstrennung unterscheidet man *chem., mechan.* bzw. *induktive* (z. B. Generator) und *therm. Stromquellen.*

Stromrichter, Sammelbez. für Gleichrichter, Wechselrichter, Umrichter und stat. Umformer, sowohl für die Geräte und Schaltungen als auch für die Bauelemente, die zur Umformung der elektr. Energie dienen.

Stromschiene, svw. ↑ Sammelschiene.
◆ unter Spannung stehende Schiene, über die

einem elektr. Schienenfahrzeug der Betriebs-
strom zugeführt wird. – ↑ Stromabnehmer.

Stromschnelle (Katarakt), Flußstrecke,
in der wegen Verengung des Flußbettes oder
plötzl. Gefälles das Wasser meist reißend
fließt.

Stromstärke, allg. die Menge einer strömenden Substanz je Zeit, insbes. ist die *elektr.
S.* der Quotient aus der in der Zeitdauer dt
fließenden elektr. Ladung (Elektrizitäts-
menge) dQ und der Zeitdauer dt: $I = dQ/dt$.
Ihre SI-Einheit ist das ↑ Ampere.

Stromstrich, in einem fließenden Gewässer die Verbindungslinie der Punkte
der größten Fließgeschwindigkeit. Der S.
schwingt in Flußkrümmungen stark gegen
die Außenseite aus.

Strom- und Schiffahrtspolizei, Poli-
zeibehörden des Bundes; die *Strompolizei* hat
die Aufgabe, die Wasserstraßen in einem für
die Schiffahrt erforderl. Zustand zu halten,
die *Schiffahrtspolizei,* die durch die Schiffahrt
selbst entstehenden, bes. die Sicherheit und
Leichtigkeit des Verkehrs betreffenden Gefahren abzuwehren.

Strömung, Bewegung von Flüssigkeiten
und Gasen. Bleibt die S.geschwindigkeit zeitlich unverändert, so liegt eine *stationäre,* andernfalls eine *instationäre S.* vor. Als *inkom-
pressibel* bezeichnet man S. nicht zusammen-
drückbarer Medien (praktisch z. B. alle tropf-
baren Flüssigkeiten). Sie werden im Ggs. zu
kompressiblen S., die Gegenstand der ↑ Gasdynamik sind, in der ↑ Hydrodynamik behandelt. Das strömende Medium kann sich in
Schichten als ↑ laminare Strömung bewegen
oder bei der krit. ↑ Reynolds-Zahl in eine tur-
bulente (wirbelige) S. übergehen. – ↑ Strömungslehre.

Strömungsablösung, svw. ↑ Grenz-
schichtablösung.

Strömungsenergie, Bewegungsenergie der Masse eines strömenden flüssigen
oder gasförmigen Mediums.

Strömungsgetriebe, svw. ↑ Strömungswandler.

Strömungskupplung (hydraul. Kupplung, hydrodynam. Kupplung, Flüssigkeits-
kupplung, Turbokupplung, Föttinger-Kupp-
lung), Kupplung, bei der die Strömungsenergie eines flüssigen Mediums (meist Öl) zur
Übertragung des Drehmoments von der An-
triebs- auf die Abtriebswelle benutzt wird. In
einem Pumpenrad (treibender Teil) wird mechan. Leistung durch Beschleunigung der
Flüssigkeit (meist Öl) in hydraul. Leistung
umgeformt und diese in einer Turbine (getrie-
bener Teil) wieder in mechan. Leistung zu-
rückverwandelt. Wirkungsgrad bis 98%, kein
Verschleiß. – ↑ automatisches Getriebe.

Strömungslehre, Teilgebiet der Mechanik, Lehre von der Bewegung flüssiger

und gasförmiger Medien. Strömungsvor-
gänge von Flüssigkeiten und nicht zu stark
verdünnten Gasen lassen sich als Kontinua
auffassen (↑ Kontinuumsmechanik) und werden in der S. phänomenologisch, d. h. nur mit
den makroskopisch in Erscheinung tretenden
und meßbaren physikal. Größen (z. B. Druck,
Dichte, Geschwindigkeit) beschrieben. Die S.
beschäftigt sich sowohl mit der reibungsbe-
hafteten ↑ Strömung als auch mit der ↑ Poten-
tialströmung. Die Bewegung inkompressibler
Medien wird in der ↑ Hydrodynamik und der
↑ Aerodynamik behandelt, die den kompressiblen Medien in der ↑ Gasdynamik.

Strömungssinn, die Fähigkeit im Wasser lebender Tiere, mit Hilfe spezif. (Seiten-
linienorgane der Fische und Amphibienlar-
ven) oder unspezif. (druckempfindl. Haare
bei Wasserinsekten) mechan. Sinnesorgane
Strömungen wahrzunehmen.

Strömungssonden, Vorrichtungen zur
Messung von Druck, Geschwindigkeit, Richtung oder Temperatur in einer Strömung,
z. B. ↑ Pitot-Rohr, ↑ Prandtl-Rohr.

Strömungswandler (Strömungsgetriebe, Drehmomentwandler, Föttinger-Ge-
triebe, hydrodynam. Getriebe), Flüssigkeits-
getriebe, bei dem die Drehmomentübertra-
gung von der Antriebs- auf die Abtriebswelle
durch die dem flüssigen Medium (meist Öl)

Strömungswandler. Anordnung der
Schaufeln des Pumpen- und
Turbinenrades mit Darstellung der
Ölstromrichtung (schwarze Pfeile; 1).
Die Schnittdarstellung (2) verdeutlicht
die Richtungsänderung des Ölstroms
am Leitrad, die eine Drehmoment-
vergrößerung am Turbinenrad bewirkt

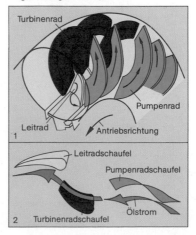

Turbinenrad
Pumpenrad
Leitrad
Antriebsrichtung
1
Leitradschaufel
Pumpenradschaufel
2   Turbinenradschaufel   Ölstrom

von der Antriebsseite her erteilte und auf die Abtriebsseite sich auswirkende Bewegungsenergie bei gleichzeitiger Wandlung der Größe des Drehmoments erfolgt. Für diesen Zweck besitzt der S. zusätzlich zu dem *Pumpenrad* und der *Turbine* (↑Strömungskupplung) noch ein feststehendes *Leitrad*, durch das die Drehmomentenvergrößerung an der Abtriebswelle ermöglicht wird.

Strömungswiderstand, die vom strömenden Medium auf einen umströmten Körper ausgeübte Kraft in Strömungsrichtung.

Stromversorgung (Elektrizitätsversorgung, Elektroenergieversorgung), Sammelbez. für Erzeugung, Fortleitung und Verteilung sowie Abrechnung von Elektroenergie; i. e. S. Bau und Betrieb der Kraft- und Umspannwerke sowie der Verbund- und Verteilernetze. Von den Kraftwerken wird fast ausschließlich Drehstrom erzeugt und zur Minderung der Übertragungsverluste bei großen Entfernungen mit Hilfe von Transformatoren auf Übertragungsspannungen von 400 bis 750 kV umgespannt. Bei sehr hohen Spannungen wird auch *Hochspannungsgleichstromübertragung* (HGÜ) von über 1 000 kV angewendet. In *Hauptumspannwerken* wird auf 220 oder 110 kV und in *Umspannwerken* nahe den Ind.anlagen und Wohngebieten auf die Verteilerspannungen von 60 bis 10 kV, in *Ortsnetzumspannstationen* auf 220/380 V transformiert. Durch Ring- und Verbundnetze wird eine höhere Betriebssicherheit gewährleistet. Verlustarme Energiewege zu den Verbrauchern werden vom Lastverteiler oder auch mit Prozeßrechnern ermittelt.

📖 *Meyer, H.-J.: S. für die Praxis.* Würzburg 1989. – *Heuck, K.: Elektr. Energieversorgung.* Wsb. 1983. – *Flosdorff, R./Hilgarth, G.: Elektr. Energieverteilung.* Stg. ⁴1982.

Stromwärme ↑Joulesches Gesetz.

Strontianit [nach dem schott. Ort Strontian], farbloses oder weißes bis graues rhomb. Mineral; nadelig, auch strahliges Aggregat, $SrCO_3$; Mohshärte 3,5; Dichte $3,7 g/cm^3$. Vorkommen in hydrothermalen Gängen und als Kluftfüllung.

Strontium [nach dem schott. Ort Strontian], chem. Element aus der II. Hauptgruppe des Periodensystems der chem. Elemente, Ordnungszahl 38, relative Atommasse 87,62, Dichte 2,54 g/cm³, Schmelzpunkt 769 °C, Siedepunkt 1 384 °C. S. ist ein silberweißes bis graues, in seinen Verbindungen zweiwertig vorliegendes Leichtmetall und wie alle Erdalkalimetalle sehr reaktionsfähig. In der Natur kommt es nur gebunden vor; wichtige Minerale sind ↑Strontianit und ↑Zölestin. Gewisse techn. Bed. haben S.oxid zur Herstellung von Spezialgläsern und S.nitrat, das für Feuerwerkskörper zur Erzielung leuchtend roter Flammen ver-

wendet wird. S. wird leicht an Stelle von Calcium in die Knochensubstanz eingebaut und ist deshalb wegen seiner langen Halbwertszeit (28,1 Jahre) ein gefährl. radioaktives Folgeprodukt von Kernwaffenexplosionen. – S. wurde 1793 von M. H. Klaproth entdeckt und erstmals 1808 von H. Davy dargestellt.

Strontiummethode, svw. ↑Rubidium-Strontium-Methode.

Strophanthin [griech.], Sammelbez. für mehrere, v. a. in Strophanthusarten vorkommende Glykoside, die bei intravenöser Injektion als rasch und kurz wirkende Herzglykoside bei akuter Herzinsuffizienz verwendet werden (früher dienten sie auch als Pfeilgifte). Therapeutisch wichtig sind v. a. das aus *Strophanthus gratus* und dem ostafrikan. Ouabaio-Baum gewonnene *g-S.* **(Ouabain)** und das aus Strophanthus kombe gewonnene *k-Strophanthin.*

Strophanthus [griech.], Gatt. der Hundsgiftgewächse mit 50 Arten in den trop. Gebieten Afrikas und Asiens; Lianen mit glockenförmigen Blüten und Balgfrüchten. Die Samen enthalten giftige, herzwirksame Glykoside (↑Strophanthine).

Strophe [griech. „Wendung"], Verbindung mehrerer Verszeilen zu einer Einheit, die thematisch selbständig (stroph. Gedicht) sein kann oder mit anderen S. eine thematisch mehr oder weniger geschlossene S.reihe, einen Zyklus oder ein Gedicht bilden kann. Konstituierend sind bei antiken S.formen bestimmte quantitierende Versgruppen (alkäische S., sapphische S., asklepiadeische S.), im MA und in der Neuzeit meist bestimmte Reimschemata (Kanzonen-S.). *Freie S.* sind metrisch nicht vorgeschriebene Verseinheiten. Die Syntax kann gelegentlich eine S.grenze überspringen **(Strophensprung).** S. finden sich v. a. in der Lyrik, auch in der Epik (z. B. „Nibelungenlied"), selten im Drama.

Strophicus [griech.-lat.], ma. Notenzeichen, ↑Neumen.

Strossmajer, Josip Juraj (Joseph Georg Strossmayer) [ˈʃtros...], * Osijek 4. Febr. 1815, † Dakovo 8. April 1905, kroat. kath. Theologe. – 1851 Apostol. Administrator für Serbien; ermöglichte 1867 die Gründung der kroat. Akad. der Wiss., 1874 den Univ. Zagreb; 1860–73 Führer der kroat. Volkspartei im ungar. Landtag; widersetzte sich bis 1872 dem Unfehlbarkeitsdogma.

Štrougal, Lubomir [tschech. ˈʃtrougal], * Veselí nad Lužnicí bei Tábor 19. Okt. 1924, tschechoslowak. Politiker. – Seit 1945 Mgl. der KPČ, seit 1958 des ZK; 1961–65 Innenmin., wurde 1968 stellv. Min.präs. und Mgl. des Parteipräsidiums; als Gegner des „Prager Frühlings" Jan. 1970–88 Min.präs. (Rücktritt); im Febr. 1990 aus der KPČ ausgeschlossen.

Stroux, Karlheinz [ʃtroks], *Hamborn (= Duisburg) 25. Febr. 1908, † Düsseldorf 2. Aug. 1985, dt. Regisseur. – 1928–31 Schauspieler und Regisseur in Berlin und Wien. Nach 1945 in Heidelberg, Darmstadt, Wiesbaden und Berlin. 1955–72 Generalintendant des Düsseldorfer Schauspielhauses; inszenierte sowohl klass. als auch moderne Stücke (u. a. 1953 dt. Erstaufführung von S. Becketts „Warten auf Godot"; 1965 Uraufführung von E. Ionescos „Hunger und Durst").

Strozzi, seit dem 13. Jh. belegtes florentin. Patriziergeschlecht. Als Bankiers zu großem Reichtum gelangt (der *Palazzo S.* wurde 1489 durch *Filippo S. d. Ä.* [* 1428, † 1491] begonnen), bed. als polit. Gegner der Medici.

Strozzi, Bernardo, *Genua 1581, † Venedig 2. Aug. 1644, italien. Maler. – Seit 1630 in Venedig, wo er in bibl. Szenen, Allegorien und Bildnissen v. a. venezian. und fläm. Einfluß zu einem koloristisch effektvollen maler. Vortrag verband.

Strubberg, Friedrich Armand, Pseud. Armand, *Kassel 18. März 1806, † Gelnhausen 3. April 1889, dt. Schriftsteller. – 1826–29 und 1837–54 in Texas; später Anwalt Kurfürst Friedrich Wilhelms von Hessen. Schrieb mehr als 40 abenteuerl. Reiseromane.

Struck, Karin, *Schlagtow (= Groß Kiesow bei Greifswald) 14. Mai 1947, dt. Schriftstellerin. – Kam 1953 in die BR Deutschland; Verf. autobiograph. Bekenntnisliteratur wie „Klassenliebe" (R., 1973), „Mutter" (R., 1975), „Lieben" (R., 1977). – *Weitere Werke:* Trennung (E., 1978), Finale (R., 1984), Glut und Asche (E., 1985), Bitteres Wasser (R., 1988), Blaubarts Schatten (R., 1991).

Strudel, in die Tiefe ziehender Wasserwirbel.
◆ östr. Spezialität; hauchdünn ausgezogener Teig wird mit einer Füllung (Äpfel, Rosinen oder Nüsse, Mohn, Quark u. a.) gebacken und warm oder kalt serviert.

Strudeltopf, Vertiefung in einer Flußbettsohle, an Küsten oder in Gletschern, entstanden durch strudelnd bewegte Gerölle.

Strudelwürmer (Turbellaria), mit rd. 3 000 Arten weltweit v. a. in Meeres-, Brack- und Süßgewässern verbreitete Klasse etwa 0,05 bis maximal 60 cm langer Plattwürmer; sie teils von Mikroorganismen, teils räuberisch ernährende Tiere mit dichtem, häufig den ganzen Körper bedeckendem Wimperkleid, mit dessen Hilfe sie sich schwimmend fortbewegen; verschiedene Arten können auch kriechen. – Zu den S. gehören u. a. die Planarien und Acoela.

Strudengau, 25 km lange Engtalstrecke der Donau in Österreich, zw. Dornach und Ybbs an der Donau.

Strudler, meist festsitzende Tiere, die durch Wimpern- oder Gliedmaßenbewegun-

gen einen Wasserstrom in die Mundöffnung hinein erzeugen und sich damit kleine, im Wasser schwebende Organismen und organ. Substanzen als Nahrung zuführen; z. B. Wimpertierchen, Schwämme, Röhrenwürmer, Rankenfüßer, Muscheln und Manteltiere.

Struensee, Johann Friedrich Graf von (seit 1771) [ˈʃtruːənze:, dän. ˈsdruːənsə], *Halle/Saale 5. Aug. 1737, † Kopenhagen 28. April 1772 (hingerichtet), dän. Staatsmann dt. Herkunft. – 1769 Hofarzt des geisteskranken dän. Königs Christian VII.; als Günstling der Königin Karoline Mathilde 1771 zum Geheimen Kabinettsmin. ernannt; führte Reformen im Sinn des aufgeklärten Absolutismus durch, wurde jedoch im Jan. 1772 gestürzt.

Strugazki, Arkadi Natanowitsch, *Batumi 28. Aug. 1925, † Moskau 14. Okt. 1991, russ. Schriftsteller. – Verfaßte zus. mit seinem Bruder *Boris Natanowitsch S.* (* 1933) Science-fiction, insbes. Romane und Erzählungen, in denen spannend gestaltete Sujets mit zeitnahen moral. und philosoph. Fragen verknüpft sind, u. a. „Der ferne Regenbogen" (E., 1964), „Montag beginnt am Samstag" (R., 1965), „Die zweite Invasion" (En., dt. Auswahl 1973), Ein Käfer im Ameisenhaufen (R., 1990).

Struktur [zu lat. structura „ordentl. Zusammenfügung, Ordnung"], wissenschafts- und bildungssprachl. Begriff, allg. gebraucht für Aufbau, Gefüge, z. w. im Rahmen eines als geordnet aufgefaßten Ganzen.
◆ in der *Kybernetik* die Gesamtheit der Kopplungen bzw. Beziehungen zw. den Elementen eines Systems. Die innerhalb dieser Menge zulässigen S.muster werden durch S.regeln, z. B. der Algebra, Logik oder Linguistik festgelegt.
◆ in der *Mathematik* eine Menge mit einem System von Relationen und Operationen beliebiger endl. Stellenzahl, das in einer Menge bzw. zw. Mengen durch grundlegende Axiome festgelegt ist. Spezielle S. sind die *algebraischen S.,* in denen nur Operationen, und die *Relationale,* in denen nur Relationen vorhanden sind.
◆ in *Naturwiss.* und *Technik* der auf Grund bestimmter Gesetzmäßigkeiten gegebene räuml. Aufbau eines Materials, z. B. die S. der Materie, der Atomkerne usw.
◆ in der *Petrographie* ↑ Gefüge.
◆ in der *Philosophie* regelhafter Zusammenhang von Teilen, die in einem abgeschlossenen Ganzen einen einheitl. Zweck dienen und in ihren Einzelfunktionen für das Ganze bed. und von diesem her begreifbar sind.
◆ in der *Psychologie* bauplanmäßiges Wirkgefüge geistig-seel. Anlagen (Begabung, Charakter, gemüthafte Dispositionen) bei individueller oder typolog. Verschiedenheit.
◆ in der *Soziologie* ↑ Gesellschaft.

Strukturalismus [lat.-frz.], allg. eine wiss. Betrachtungsweise, nach der sich wesentl. Erscheinungen der untersuchten Einzelphänomene erst aus ihrer Einbettung in einen Zusammenhang erkennen lassen.
◆ Sprachtheorie, die Sprachen als strukturierte Systeme von Zeichen auffaßt und exakte Methoden zu ihrer Beschreibung entwickelt. – Die europ. *Richtung des S.* geht auf F. de ↑Saussure zurück, der den Gegenstandsbereich der Linguistik mittels Dichotomien (Gegensatzpaare) neu definierte: Sprache wird nicht mehr als Ergebnis histor. Entwicklung (Diachronie) gesehen, sondern als Zusammenwirken gleichzeitiger Einheiten (Synchronie). Sie ist nicht zu fassen im konkreten individuellen Sprechen (Parole), sondern als überindividuelles System von Werten, das als soziale Institution in einer Sprachgemeinschaft gilt (Langue). Die Struktur der Langue wird bestimmt durch die willkürl. und konventionelle Beziehung zw. Ausdruck (Bezeichnendes) und Inhalt (Bezeichnetes), die das sprachl. Zeichen konstituiert, durch paradigmat. Beziehungen zw. Zeichen, die gegeneinander austauschbar sind, und durch syntagmat. Beziehungen zw. Zeichen, die nebeneinander vorkommen. Der Ansatz Saussures wurde v. a. von der Prager Schule und von der Kopenhagener Schule (↑Glossematik) aufgegriffen und weiterentwickelt. Auch der von L. Bloomfield in den 1920er Jahren begründete *amerikan. S.* beschreibt Sprache als synchrones System. Sein Gegenstand ist jedoch die beobachtbare gesprochene Sprache, v. a. die noch unerforschten Sprachen der Indianer und anderer Völker ohne schriftl. Überlieferung. Er entwickelt exakte Analysemethoden, um aus einem Korpus von Äußerungen ohne Rückgriff auf die Bed. dieser Äußerungen die Grammatik einer Sprache zu ermitteln. Diese Methoden haben zum Ziel, Äußerungen in sich wiederholende gleiche Teile zu segmentieren, die Teile nach ihrer Distribution zu klassifizieren. Segmentierung und Klassifikation haben eine Grammatik zum Ergebnis, die die Formen strukturell (nach Klassenzugehörigkeit und Distribution) beschreibt, ihre Bed. jedoch als nicht beobachtbar unberücksichtigt läßt. Die Verdienste des S. liegen v. a. in der Erkenntnis der Systemhaftigkeit der Sprachen und in der Entwicklung theoretisch fundierter Analysemethoden.
📖 *Albrecht, J.: Europ. S. Tüb. 1988. – Fietz, L.: S. Tüb. 1982.*
◆ Methode der *Ethnologie,* die versucht, die Sprachsysteme, die sozialen Ordnungen, Religionen und Mythologien aller Völker auf kleinste Einheiten, d. h. ihre zu allen Zeiten gleiche Struktur, zurückzuführen. Der S. wurde v. a. von C. Lévi-Strauss ausgearbeitet und zielt letztlich auf den Nachweis einer Fundamentalstruktur, die allen Hervorbringungen des menschl. Geistes zugrundeliegt.
◆ *Architektur:* Bestrebungen niederl. Architekten (P. Blom, H. Hertzberge, F. van Klingeren) seit etwa 1958, die wiss.-theoret. Denkmethode des S. in ein baul. Konzept zu fassen. Gestützt auf die Theorien von C. Lévi-Strauss und auf die Kenntnis früher Kulturen erklären sie den Raster im konstruktiv-kleinteiligen wie im städtebaul. Maßstab zum Grundmuster aller Bautätigkeit. Multifunktionalität der Einzelräume und rohbauartige Ausführung der Entwürfe sollen die Möglichkeit einer späteren Gebäudeerweiterung offenhalten und dem Nutzer individuelle Freiheit in der Ausgestaltung geben.
📖 *Lüchinger, A.: S. in Architektur u. Städtebau. Stg. 1981.*
Strukturböden ↑Solifluktion.
strukturell-funktionale Theorie, eine der soziolog. Theorien über Struktur und Funktion sozialer Systeme, von T. Parsons entwickelt und dem Funktionalismus verpflichtet; versucht die Funktionsbedingungen des sozialen Gesamtsystems zu erkennen und zu erfüllen, um dieses im Gleichgewichtszustand zu halten und zu erhalten. Alles, was den Bestand eines Systems schädlich ist, wird *Dysfunktion* genannt. Jede soziale Handlung wird sowohl von der Position des Handelnden als wie auch von ihrer Funktion für das Gesamtsystem bestimmt. Die individuellen Handlungen sind durch die im Sozialisationsprozeß verinnerlichten kulturellen Wertsymbole und -maßstäbe und aus ihrer Einbettung in institutionalisierte Verhaltens- und Beziehungsmuster, das „soziale System", bestimmt.
Strukturfaktor, die Intensität eines an einer Elementarzelle eines Kristallgitters gebeugten Röntgen- oder Teilchenstrahls.
Strukturformel ↑chemische Formeln.
Strukturgene, Abschnitte auf der DNS, die entsprechend ihrem genet. Informationsgehalt in Proteine (meist Enzyme) „übersetzt" werden.
Strukturgeschichte, Forschungsrichtung in der Geschichtswiss., die die Ereignisse, Verlaufstypen und Prozesse von den polit.-sozialen Bauformen her zu erklären sucht.
Strukturgewebe, zusammenfassende Bez. für Textilgewebe mit hervortretenden Oberflächenmuster.
Strukturisomerie, svw. Konstitutionsisomerie (↑Isomerie).
Strukturkrise, Rückgang der Produktion und i. d. R. auch der Beschäftigtenzahl in einem bestimmten Produktionszweig über einen längere Zeitraum hinweg, der durch eine nachhaltige Verlagerung der Nachfrage auf andere Güter verursacht ist. Beispiel für eine S. in der BR Deutschland war die durch

wachsenden Anteil des Erdöls am Energieverbrauch hervorgerufene Krise des Kohlenbergbaus in den 1960er Jahren.

Strukturkrisenkartell, rechtlich zulässiger Sonderfall der Bildung eines Kartells durch von einer Strukturkrise betroffene Unternehmen, durch das die Kapazitäten in dem betreffenden Produktionszweig unter Berücksichtigung der Gesamtwirtschaft und des Gemeinwohls an die reduzierte Nachfrage angepaßt werden sollen.

Strukturplan für das Bildungswesen, 1970 vorgelegte Empfehlung der Bildungskommission des Dt. Bildungsrates zur Neuordnung des Schulwesens; empfahl statt der bisherigen vertikalen Gliederung des Schulwesens eine horizontale Gliederung in 4 Bereiche: 1. *Elementarbereich* für drei- bis vierjährige Kinder; 2. *Primarbereich* mit der in Eingangsstufe und Grundstufe gegliederten Grundschule bei einer Vorverlegung des Einschulungsalters in das vollendete 5. Lebensjahr und der als Bindeglied zum Sekundarbereich dienenden Orientierungsstufe (5. und 6. Schuljahr); 3. *Sekundarbereich,* unterteilt in die Sekundarstufen I und II; 4. *Bereich der Weiterbildung.*

Strukturpolitik, Gesamtheit der wirtschaftspolit. Maßnahmen eines Staates zur Gestaltung der Wirtschaftsstruktur. *Regionale S.* unterstützt durch Maßnahmen der Investitionsförderung (z. B. steuerl. Vergünstigungen) die Ansiedlung von Industrien in bestimmten Fördergebieten. *Sektorale S.* bewirkt durch Subventionen und Steuervergünstigungen den Erhalt bestimmter Wirtschaftszweige, erleichtert Strukturanpassungen und fördert zukunftsträchtige Technologien bzw. Wirtschaftszweige.

Strukturresonanz, svw. ↑ Mesomerie.

Strukturtauben, durch charakterist. Gefiederstrukturen ausgezeichnete Haustaubenrassen, z. B. **Perückentaube** (mit mächtigem, kugeligem Federbausch, der den Kopf und den Hals bis zur Brust umschließt) und **Pfautaube** (beim Imponiergehabe bilden die gespreizten Schwanzfedern ein Federrad).

Struma, Zufluß des Ägäischen Meeres, entspringt im Witoscha (Bulgarien), mündet in den Strymon. Golf (Griechenland); 408 km lang, davon 118 km in Griechenland.

Struma [lat.], svw. ↑ Kropf.

Strumektomie [lat./griech.], die operative Entfernung von größeren Anteilen der erkrankten (vergrößerten) Schilddrüse.

Strumica [makedon. 'strumitsa], Stadt in Makedonien, an der S., einem Nebenfluß der Struma, 262 m ü. d. M., 23 000 E. Tabak- und Baumwollverarbeitung. – Ruinen einer Siedlung mit Nekropole aus röm. Zeit; Reste einer ma. Befestigung; Stephanskirche (14. Jh. ?).

Strümpell, Adolf von (seit 1893), *Gut Neu-Autz (Kurland) 26. Jan. 1853, † Leipzig 10. Jan. 1925, dt. Neurologe. – Prof. in Leipzig, Erlangen, Breslau und Wien; Arbeiten bes. zur Neuropathologie, daneben zur Anästhesie und zur Physiologie des Schlafs. S. gilt als Mitbegründer der Neurologie.

Strumpfbandfisch (Lepidopus caudatus), bis etwa 2 m langer Knochenfisch im Mittelmeer und östl. Atlantik; Körper bandförmig, mit sehr langer Rücken- und kleiner Schwanzflosse.

Strumpfbandnattern (Thamnophis), Gatt. der Echten Nattern mit zahlr., 50–150 cm langen Arten, verbreitet von S-Kanada bis Mexiko; schlank, viele Arten mit drei hellen Längsstreifen; lebendgebärend.

Strümpfe, handgestrickte oder maschinell hergestellte Fuß- und Beinbekleidung; *Söckchen* und *Socken* reichen über die Knöchel, *Waden-* und *Knie-S.* reichen bis zu den Waden bzw. Kniekehlen, *lange S.* bedecken auch die Oberschenkel; *Strumpfhosen* reichen bis zur Taille (in den 1960er Jahren in der Damenmode aufgekommen). – In früher Zeit dienten Bein- und Fußbinden als Schutz, in der Spätantike kamen bis an die Knie reichende, genähte S. auf, die in die geistl. Tracht übernommen wurden. In der abendländ. Mode gab es im 12. Jh. strumpfähnl. Beinlinge (↑ Hose). Mit der Kniehose kamen kürzere S. auf, die in der 2. Hälfte des 16. Jh. auch aus Seide gefertigt wurden. Nachdem 1589 der Engländer W. Lee eine Strickmaschine erfunden hatte, wurden S. mehr und mehr maschinell hergestellt, ab 1870 auch nahtlos. Die S. waren früher meist weiß. In der 2. Hälfte des 19. Jh. wurden in der Damenmode schwarze S. eingeführt, seit den 1920er Jahren meist in hellen bräunl. Farbtönen, hauchdünn aus vollsynthet. Kunstfasern; gegenwärtig in vielen Farben und Musterungen.

Struve ['ʃtruːvə, engl. 'struːvɪ] (russ. Struwe), Astronomenfamilie; bed. Vertreter:

S., Friedrich Georg Wilhelm von (seit 1862), *Altona (= Hamburg) 15. April 1793, † Petersburg 23. Nov. 1864, russ. Astronom und Geodät dt. Herkunft. – 1817–34 Direktor der Sternwarte in Dorpat und 1834–62 der von ihm aufgebauten Sternwarte in Pulkowo; widmete sich bes. der Doppel- und Mehrfachsternen und bestimmte 1836/37 den Höhenunterschied zw. Kasp. und Schwarzem Meer.

S., Hermann von, *Pulkowo (= St. Petersburg) 3. Okt. 1854, † Bad Herrenalb 12. Aug. 1920, dt. Astronom. – Sohn von Otto Wilhelm von S.; Direktor der Sternwarten in Königsberg (Pr) und ab 1904 in Berlin; schuf die moderne Theorie der Bewegung der Saturnsatelliten.

S., Otto, * Charkow 12. Aug. 1897, † Berkeley (Calif.) 6. April 1963, amerikan. Astronom russ. Herkunft. – Enkel von Otto Wilhelm von S.; wanderte 1921 in die USA aus (1927 eingebürgert); arbeitete an verschiedenen Observatorien in den USA zu Radialgeschwindigkeiten und Sternrotationen, über Doppelsternsysteme, Sternentwicklung, interstellare Materie und Radioquellen; bekannt ist sein Lehrbuch „Astronomie" (1959).

S., Otto Wilhelm von, * Dorpat 7. Mai 1819, † Karlsruhe 16. April 1905, balt. Astronom und Geodät. – Sohn von Friedrich Georg Wilhelm von S.; als Nachfolger seines Vaters 1862–69 Direktor der Sternwarte in Pulkowo (= St. Petersburg); untersuchte insbes. die Bewegung des Sonnenssystems sowie Sternparallaxen.

Struve, Gustav von, * München 11. Okt. 1805, † Wien 21. Aug. 1870, dt. Politiker. – Rechtsanwalt und Publizist; entwickelte sich im Vormärz zum radikalen Demokraten. Im Vorparlament 1848 scheiterte er mit seinem föderativen republikan. Verfassungsentwurf. Am Aprilaufstand F. Heckers (1848) führend beteiligt; im Maiaufstand 1849 aus der Haft befreit; 1851–63 im Exil in den USA.

Struwe ↑ Struve (Astronomenfamilie).

Strychnin [griech.], giftiges, farblose, schwer wasserlösl. Kristalle bildendes Alkaloid aus den Samen des Brechnußbaumes, $C_{21}H_{22}O_2N_2$; lähmt bei Säugetieren und beim Menschen hemmende Synapsen, so daß es schon bei geringen Reizen zu heftigen Krämpfen kommt.

Strychnos [griech.], Gatt. der Loganiengewächse mit rd. 150 Arten in den Tropen; Bäume, Sträucher oder Lianen mit häutigen oder ledrigen Blättern; Blüten in Trugdolden oder Trauben stehend. Zur Gatt. S. gehören zahlr. durch Alkaloide giftige Arten, z. B. der Brechnußbaum, aus dessen Samen ↑ Strychnin gewonnen wird. Mehrere in S-Amerika heim. Arten liefern Kurare.

Stuart ['ʃtuːart, 'stuː:..., engl. stjʊət] (Steuart, Stewart), schott. Geschlecht, dessen Anfänge bis ins 11. Jh. zurückzuführen sind; benannte sich nach dem Amt des Steward („Seneschall"). Seit 1371 (beginnend mit Robert II.) auf dem schott. Thron, gelangten die S. 1603 mit dem Sohn Maria Stuarts, Jakob I. (VI.), auf Grund von Erbansprüchen aus der Ehe Jakobs IV. mit M. Tudor auch in den Besitz der Krone von England. Nach dem Sturz der Dyn. 1688/89 (Vertreibung und Absetzung Jakobs II.) wurde die kath. Linie der S. 1701 endgültig von der Thronfolge ausgeschlossen und starb 1807 aus. Die prot. Tochter Jakobs II. Anna (⚭ 1702–1714) war die letzte S. auf dem engl. Thron.

Stuart [engl. stjʊət], Francis, * in Queensland (Australien) 29. April 1902, ir. Schrift-

steller. – Behandelt in seinen Romanen zeitgenöss. Existenzprobleme, oft unter religiösen Aspekten, u. a. „Der weiße Hase" (1936), „Karfreitag nach Ostern" (1951), „Memorial" (1973), „The abandoned snail" (1987).

S., Ian, schott. Schriftsteller, ↑ MacLean, Alistair.

Stuartkragen, nach der schott. Königin Maria Stuart benannter großer, hochstehender Kragen; oft aus Spitze.

Stubaier Alpen, stark vergletscherter Teil der Zentralalpen zw. Ötztal und Wipptal (Österreich und Italien), im Zuckerhütl 3 507 m hoch.

Stubben [niederdt.] ↑ Stock.

Stubbenkammer, Steilküste im NO der Insel Rügen, im Königsstuhl 119 m hoch.

Stubbins, Hugh Asher [engl. 'stʌbɪnz], * Birmingham (Ala.) 11. Jan. 1912, amerikan. Architekt. – 1939–45 Assistent bei W. Gropius; errichtete funktional-ästhet. Bauten, u. a. Kongreßhalle in Berlin (1957, 1980 teilweise eingestürzt, 1986 wiederaufgebaut).

Stubbs, George [engl. stʌbz], * Liverpool 25. Aug. 1724, † London 10. Juli 1806, engl. Maler. – Studien menschl. und tier. Anatomie in der Tradition der Renaissance (Leonardo); bed. Tiermaler, v. a. Pferdebilder.

Stubenfliege, (Große S., Gemeine S., Musca domestica) v. a. in menschl. Siedlungen weltweit verbreitete, etwa 8 mm lange Echte Fliege; Körper vorwiegend grau mit vier dunklen Längsstreifen auf der Rückenseite des Thorax; sehr lästiges, als Krankheitsübertrager bekanntes Insekt, dessen ♀ jährlich bis zu 2 000 Eier an zerfallenden organ. Substanzen ablegt, wo sich auch die Larven entwickeln.

◆ (Kleine S., Hundstagsfliege, Fannia canicularis) 4–6 mm lange Blumenfliege; unterscheidet sich von der Großen S. außer durch die geringere Größe u. a. durch gelbl. Flecken am Hinterleib.

Stüber, Groschenmünzen, Ableitungen des niederl. Stüvers: 1. ostfries. Silbermünze, geprägt 1561–1823; 2. niederrhein. Silbermünze, seit 1821 außer Kurs.

Stuccolustro [italien.], Technik zur Herstellung glänzender Fresken. Auf den noch feuchten Grund wird ein Gemisch von Kalk, Marmormehl und ölhaltiger Seife aufgetragen, die Farben (Kalkseifenlösung und kalkechte Pigmente) werden auf den feuchten Grund aufgetragen; sobald sie angetrocknet sind, bügelt man das Gemälde mit einem Spezialbügeleisen sehr heiß.

Stuck, Franz von (seit 1906), * Tettenweis (Landkr. Passau) 23. Febr. 1863, † München 30. Aug. 1928, dt. Maler. – Mitbegr. der Münchner Sezession und Lehrer an der Akademie (u. a. von Kandinsky und Klee); mytholog. und symbolist. Themen („Die

Stuck. Detail des Stucks in der
Sakristei der Schloßkirche in
Friedrichshafen von Johann Schmuzer;
zwischen 1697 und 1701

Sünde", 1893, München, Neue Pinakothek);
bed. die Stuckvilla (1898 vollendet) mit eigenen Graphiken, Plastiken und Möbeln.
    Stuck [zu italien. stucco mit gleicher
Bed.], Gemisch aus S.gips (↑Gips), Kalk,
Sand und Wasser, das sich feucht leicht formen läßt, bald aber sehr hart wird. Flacher
Decken-S. in Innenräumen kann ausschließlich aus Gips bestehen, der mit Wasser oder
Leimwasser angerührt wird; für voluminöse
S.arbeiten wird außer Gips auch Kalk und
Sand zugesetzt. Der S. wird mit der Hand frei
modelliert oder in Einzelteilen in Formen ge-
gossen und dann zusammengesetzt.
Stuckarbeiten waren schon im Altertum be-
kannt. In Ägypten und Kreta überzog man
Ziegelwände mit S. und bemalte sie. Bei
griech. Tempeln diente er der Verbesserung
der Detailformen. Die Römer schätzten S.de-
kor, der in Vorderasien weiter tradiert wurde
(Ktesiphon) und in der ganzen islam. Welt
Verbreitung fand (Alhambra in Granada). Ins
Abendland gelangte die S.technik im MA
über Byzanz. In der Renaissance Neubelebung des röm. S.reliefs (Loggien Raffaels im
Vatikan; Villa Madama). Diese neue Dekora-
tion verbreitete sich in ganz Europa. Im Barock war der S. unentbehrlich für die Gestaltung von Innenräumen: u. a. weiße Fruchtge-
hänge, Girlanden, Putten oder Trophäen; im
18. Jh. farbig gefaßt und flacher gearbeitet
(Bandelwerk, Rocaille); auch große S.altäre
mit Säulen und Figuren. In Süddeutschland
erlebte die Stuckierung ihre letzte große Blüte
(Wessobrunner Schule).

📖 *Beard, G.: S. Die Entwicklung der plast. De-
koration. Herrsching 1988. – Grzimek, W.: Dt.
S.plastik, 800–1300. Bln. (West) 1975.*
    Stücke, im *Bankwesen* die auf bestimmte
Nennbeträge lautenden Wertpapiere.
    Stückelung, im *Münzwesen* 1. die Auf-
teilung der jeweils maßgebl. Gewichtseinheit
(Mark, Zollpfund usw.) auf die einzelnen
Münzsorten; 2. die Einrichtung des Geldsy-
stems nach Wertstufen (Schaffung von Mehr-
fach- und Teilwerten der Hauptgeldeinheit).
◆ bei der Ausgabe von *Wertpapieren* die Aufteilung einer Emission auf die Nennbeträge
der einzelnen, auf Teilbeträge lautenden
Wertpapiere.
    Stucken, Eduard, * Moskau 18. März
1865, † Berlin 9. März 1936, dt. Schriftsteller. – Von der Neuromantik beeinflußte
Hauptwerke sind ein Dramenzyklus mit Themen aus der Gralssage (7 Dramen, 1902–16)
und das Romanepos „Die weißen Götter"
(1918–22), das die Eroberung Mexikos durch
die Spanier und die untergehende Kultur der
Azteken schildert; auch Gedichte, Erzählungen sowie sprachwiss. Abhandlungen.
    Stuckenschmidt, Hans Heinz, * Straß-
burg 1. Nov. 1901, † Berlin (West) 15. Aug.
1988, dt. Musikkritiker und Musikforscher. –
1948–67 Prof. für Musikgeschichte an der TU
in Berlin; Schriften v. a. zur Neuen Musik,
u. a. „A. Schönberg" (1951), „Schöpfer der
Neuen Musik" (1958), „Die großen Komponisten unseres Jh." (Bd. 1, 1971), „Die Musik
eines halben Jh. 1925–75" (1976).
    Stückgeldakkord ↑Akkordarbeit.
    Stuckgips ↑Gips.
    Stückgut, im *Frachtverkehr* ein Ladungs-
gut in Einzelverpackung (im Ggs. z. B.
zur Wagenladung oder zum Massengut bei
Schiffsfracht).

Stückkauf ↑ Spezieskauf.

Stückkosten (Einheitskosten), die auf die Leistungseinheit bezogenen durchschnittl. Kosten.

Stücklen, Richard, * Heideck 20. Aug. 1916, dt. Politiker (CSU). – Elektroingenieur; 1949–90 MdB; 1957–66 Bundesmin. für das Post- und Fernmeldewesen (führte in dieser Zeit die Postleitzahl ein); 1967–76 Vors. der CSU-Landesgruppe im Bundestag; 1976–79 und 1983–90 Vizepräs., 1979–83 Präs. des Dt. Bundestages.

Stücklohn, Arbeitsentgelt, das nach der Anzahl der erbrachten Leistungseinheiten bemessen wird.

Stuckmarmor (Scagiola), zur Nachahmung des Marmors v. a. in Barock und Rokoko verwendete gefärbte Stuckmasse aus Stuckgips, Kalk, Sand (z. T. Marmor oder Alabaster), kalkechten Pigmenten, Lederleim, Wasser; wird mit heißer Maurerkelle geglättet und nach dem Abbinden poliert. Bei **Stuckmarmorintarsien** wird die noch feuchte S.schicht ausgeschnitten und mit S.scheiben wieder ausgelegt. – ↑ Stuccolustro.

Stückmaß ↑ Maß (Übersicht).

Stücknotierung, in DM pro Stück an der Börse festgestellter Kurs (seit 1969 in der BR Deutschland offiziell eingeführt).

Stückschuld ↑ Spezieschuld.

Stückzeitakkord ↑ Akkordarbeit.

Stuckmarmor. Altarmensa mit
Stuckmarmorintarsien
von Johann Michael Fischer.
Ursprünglich Gaibacher Schloß,
heute in der Schloßkapelle
von Pommersfelden; 1736

stud., Abk. für lat.: studiosus (↑ Student); stets mit Bez. der Disziplin verwendet, z. B. stud. jur. (Student der Rechtswissenschaft).

Student [zu lat. studere „sich bemühen"], der zu einer wiss. Ausbildung ordentlich eingeschriebene Besucher einer ↑ Hochschule. Mit der Einschreibung (Immatrikulation) wird der S. Mgl. der Hochschule und der ↑ Studentenschaft. Er erhält damit die Rechte zum Besuch von Lehrveranstaltungen, zur Nutzung der Hochschuleinrichtungen, zu bes. finanziellen und sozialen Leistungen (↑ Ausbildungsförderung), zur Mitwirkung in der Hochschulselbstverwaltung, zur Teilnahme am S.austausch, und entsprechend seinem Studium zu Prüfungen, die ihm nach Bestehen einen akadem. Titel oder den Zugang zu weiteren Ausbildungsgängen (z. B. Lehrerreferendariat) ermöglichen. Gleichzeitig ist der S. jedoch auch zur Einhaltung bestimmter Verhaltens- und Ordnungsvorschriften verpflichtet. Mit der Exmatrikulation enden diese Rechte und Pflichten.

Studentenausschuß, Selbstverwaltungsorgan der student. Interessenvertretung an Hochschulen. – ↑ Studentenschaft.

Studentenaustausch, von Staaten, Austauschdiensten oder einzelnen Hochschulen organisierter Auslandsaufenthalt von Studierenden. In Deutschland ist der Deutsche Akademische Austauschdienst e. V. (Abk. DAAD) die wichtigste Organisation.

Studentenbewegung, Sammelbez. für die etwa ab 1960 in verschiedenen Ländern aufgetretenen und Anfang der 1970er Jahre abgeklungenen Unruhen unter Studenten mit polit. Aktionen an den Hochschulen, die sich zunächst v. a. gegen schlechte Studienbedin-

gungen, bald aber gegen polit. und soziale Verhältnisse schlechthin richteten. In den USA unterstützte die S. die Bürgerrechtsbewegung und wandte sich gegen den Vietnamkrieg, in der BR Deutschland manifestierte sie sich v. a. in der ↑ außerparlamentarischen Opposition.

Studentenblume, svw. ↑ Sammetblume.

Studentengemeinden, auf dem Personalprinzip beruhender Zusammenschluß ev. bzw. kath. Studenten an Univ. und Hochschulen zu einer selbständigen Gemeinde mit einem **Studentenpfarrer** als ihrem Leiter.

Studentenröschen, svw. Sumpfherzblatt (↑ Herzblatt).

Studentenschaft, die Gesamtheit der an einer Hochschule immatrikulierten ↑ Studenten. Die Verwaltung student. Angelegenheiten (z. B. in Studentenwerken und Selbsthilfeeinrichtungen) und die Mitwirkung an der Hochschulselbstverwaltung ist nach Landesrecht unterschiedlich ausgeprägt. Die bes. Studentenvertretungen (Allgemeiner Studentenausschuß, Studentenparlament) sind z. T. noch als teilrechtsfähig verfaßte S. erhalten, in den Ländern Bayern, Bad.-Württ. und Berlin jedoch durch die Landeshochschulgesetze abgeschafft. Dort können die Interessen der Studenten nur noch in den gesamtuniversitären Gremien wahrgenommen und vertreten werden. In den übrigen Ländern ist der **Allgemeine Studentenausschuß** (ASTA) als Exekutivorgan der S. tätig. Sein vom **Studentenparlament** gewählter Vorstand beruft Referenten für bestimmte Sachgebiete. Auf Fachbereichsebene und Fakultätsebene gibt es die sog. ↑ Fachschaften.
Geschichte: Im Gefolge des Freiheitskampfes gegen Napoleon I. schlossen sich liberal.-nat. Studenten in ↑ Burschenschaften zusammen, um für polit. Zielsetzungen (Einheit Deutschlands, Presse-, Rede- und Versammlungsfreiheit) einzutreten. Um die Jh.wende richtete die S. ihr Interesse bes. auf Facharbeit und Selbsthilfeeinrichtungen nur vereinzelt auf allg. polit. Belange. 1933 erfolgte die Auflösung der S. und die Gleichschaltung im „Nat.-soz. Dt. Studentenbund" (NSDStB). Erst 1949, nach Wiedergründung der S. in den einzelnen Besatzungszonen, wurden die S. zum Verband Dt. S. (VDS) zusammengeschlossen. In den 1960er Jahren nahmen die S. im Zuge der außerparlamentar. Opposition dann ein – wegen ihres Status als Zwangskörperschaft – rechtlich umstrittenes allgemeinpolit. ↑ Mandat wahr. Durch die nach dem ↑ Hochschulrahmengesetz von 1976 gestalteten Landeshochschulgesetze bleibt den S. aber die Wahrnehmung des allgemeinpolit. Mandats verwehrt.
In *Österreich* ist die S. eine Körperschaft des

öff. Rechts, der alle Studenten mit östr. Staatsbürgerschaft angehören. In der *Schweiz* unterliegen die S. – wie die Hochschulen – der kantonalen Gesetzgebung; zugleich sind sie im Verband der Schweizer S. (VSS) zusammengeschlossen.

Studenten-Weltbund (Christl. S.-W.), svw. ↑ World's Student Christian Federation.

Studentenwerk, Einrichtung an Hochschulen im Rahmen der ↑ Studienförderung, die aus student. Selbsthilfeeinrichtungen hervorgegangen ist; heute meist als eingetragener Verein oder Anstalt des öff. Rechts geführt. Zuständigkeiten von S. sind Errichtung und Unterhaltung von Studentenwohnheimen und Mensen, die Verwaltung von Stipendienmitteln (↑ Ausbildungsförderung) und die Interessenwahrung der Studenten im sozialen Bereich.

studentische Verbindungen (Korporationen), von Traditionen v. a. aus dem 18. und 19. Jh. geprägte Gemeinschaften von (meist männl.) Studenten (und [berufstätigen] Akademikern). Feste *Institutionen* sind der Konvent, die Kneipe, Vortragsabende sowie das alljährl. Stiftungsfest mit ↑ Kommers, für schlagende Verbindungen außerdem der Pauktag (↑ Mensur). Es gibt farbentragende (↑ Couleur) und nichtfarbentragende (sog. schwarze) student. Verbindungen. Die Mgl. sind zuerst *Füchse*, nach 2 Semestern sind sie vollberechtigte *Burschen*, im 5. Semester *Inaktive* und nach dem Examen *Alte Herren.* Den aktiven Bund *(Aktivitas)* leiten gewählte ↑ Chargen unter Vorsitz des *Sprechers* oder *Seniors*; ein *Fuchsmajor* erzieht die Füchse. Das Verhalten in der s. V. und in der Öffentlichkeit regelt der ↑ Komment.
Geschichte: Aus den Landsmannschaften entstanden im Laufe des 18. Jh. feste Korps, die sich gegen die student. Orden durchsetzten. Aus der nat. Bewegung des 19. Jh. entstanden Burschenschaften und seit 1840 Turner- und Sängerschaften sowie musikal., wiss. und kath. Verbindungen. Nach 1934 erfolgte ihre Auflösung und Gleichschaltung in den Nat.-soz. Dt. Studentenbund (NSDStB), dem aber nur Teile der s. V. folgten. Nach 1950 wurden die s. V. wiedergegründet; sie haben heute an Hochschulen nur noch geringe Bedeutung.

studentische Vereinigungen, Zusammenschlüsse von Studenten zur Wahrung ihrer Interessen, zur Vertretung ihrer sozialen, wirtsch., fachl., kulturellen und polit. Belange und zur Durchführung internat. Beziehungen. Es gibt u. a. den polit. Parteien nahestehende s. V. (Ring Christl.-Demokrat. Studenten [RCDS], Juso-Hochschulgruppe, Liberaler Hochschulverband [LHV]) sowie religiöse s. V., u. a. die Ev. und die Kath. ↑ Studentengemeinde.

Studie [lat.], allg. svw. Entwurf, kurze Vorarbeit zu einem größeren Werk.

Studienberatung, an Hochschulen eingerichtete Beratung von Studenten, die den Studierenden erste Orientierungshilfen *(Eingangsberatung),* aber auch Unterstützung während des Studiums *(Begleitberatung)* und bei Versagen *(Krisenberatung)* anbietet.

Studienförderung, die finanziell-materielle Unterstützung von Studenten v. a. durch Stipendien und Darlehen, bes. unter Aspekten des sozialen Ausgleichs, der Sicherung der Chancengleichheit und der Begabtenförderung, sowie durch das ↑ Studentenwerk. S. wird nach unterschiedl. Kriterien von Bund und Ländern, Hochschulen, bes. Stiftungen, einzelnen Ind.betrieben, kirchl. Stellen u. a. gewährt. In der BR Deutschland wird v. a. unterschieden zw. einer S. nach dem Bundesausbildungsförderungsgesetz (↑ Ausbildungsförderung) und einer Studien- bzw. Promotionsförderung durch Begabtenförderungswerke, die vom Bundesministerium für Bildung und Wiss. finanziell unterstützt werden (z. B. die ↑ Studienstiftung des deutschen Volkes e. V.).

Studienkolleg, seit 1959 Einrichtung an den meisten Hochschulen der BR Deutschland, die ausländ. Studenten in einem einjährigen Vorbereitungskurs zur sprachl. und fachl. Hochschulreife führen soll.

Studienprofessor ↑ Professor.

Studienrat, Amtsbez. für den Inhaber eines Lehramtes (Beamter auf Lebenszeit) an weiterführenden Schulen (v. a. Gymnasien und berufsbildenden Schulen). Nach Abschluß des 2. Staatsexamens wird der **Studienreferendar** zum **Studienrat zur Anstellung** ernannt, bevor er als S. bestätigt wird. Der S. an berufsbildenden Schulen muß vor dem 1. Staatsexamen zusätzlich ein 1½jähriges Praktikum absolvieren. Beförderungsstellen sind der **Oberstudienrat,** der **Studiendirektor** und der **Oberstudiendirektor** (Schulleiter).

Studienreform ↑ Hochschulpolitik (Hochschulreform).

Studienstiftung des deutschen Volkes e. V., 1925 gegr., 1934 aufgelöste und 1948 wiedererrichtete Einrichtung der ↑ Ausbildungsförderung mit dem Zweck, das Studium überdurchschnittl. Begabter zu fördern; Sitz Bonn. Die Fördermittel stammen v. a. vom Bund, von den Ländern und vom ↑ Stifterverband für die dt. Wissenschaft.

Studio [lat.-italien.], 1. Künstlerwerkstatt, Atelier; 2. Aufnahmeraum (Film, Fernsehen, Rundfunk, Schallplatten); 3. Versuchsbühne (modernes Theater); 4. Übungsraum (u. a. für Tänzer); 5. Einzimmerappartement.

Studion-Kloster, berühmtes, Johannes dem Täufer geweihtes Kloster, 463 im Südwestzipfel Konstantinopels durch den Konsul Studios gegr.; ging nach dem Zusammenbruch des Byzantin. Reiches (1453) unter.

Studiten, 1. die Mönche des ↑ Studion-Klosters; 2. die nach dem Vorbild des Studion-Klosters 1900 in der ehem. Erzdiözese Lemberg gegr. ukrain.-unierte Mönchsgemeinschaft; nach dem 2. Weltkrieg nach Kanada (Woodstock [Ontario]) verlegt.

Studium [lat.], allg. das wiss. Erforschen eines Sachverhaltes; i. e. S. die Ausbildung an einer ↑ Hochschule. Das Hochschulrahmengesetz definiert S. als Vorbereitung auf ein berufl. Tätigkeitsfeld mit dem Ziel, den Studenten Kenntnisse, Fähigkeiten und Methoden so zu vermitteln, daß sie zu wiss. Arbeit, wiss. krit. Denken und zu verantwortl. Handeln befähigt werden. Voraussetzung für das S. ist die Hochschulreife. Das S. wird durch die Studienordnung und die Prüfungsordnungen geregelt. – ↑ Numerus clausus.

Studium generale (Generalstudium) [lat.], im MA Bez. für die Univ. als die mit Privilegien (u. a. Promotionsrecht, Gerichtsbarkeit) ausgestattete, allen Nationen zugängl. Hochschule, im Ggs. zum **Studium particulare** als der Hochschule mit regionaler Bed. und ohne bes. Vorrechte; heute Bez. für Vorlesungen und Seminare zur Einführung in Disziplinen, die nicht dem eigtl. Fachgebiet des Studierenden gehören.

Study, Eduard [...di], * Coburg 23. März 1862, † Bonn 6. Jan. 1930, dt. Mathematiker. – Grundlegende Arbeiten zur projektiven Geometrie *(Studysche Strahlengeometrie)* und zur Theorie der geometr. Invarianten.

Stufe, Abschnitt einer ↑ Treppe; auch Bez. für einen Abschnitt oder Teil u. a. eines Vorgangs oder einer [techn.] Vorrichtung.
♦ in der *Geomorphologie* Gelände-S. der Erdoberfläche, z. B. Bruch-, Schichtstufe.
♦ in der *Musik* Bez. für den Tonort der Töne einer diaton. Tonleiter.

Stufenausbildung, Bez. des ↑ Berufsbildungsgesetzes von 1969 für ein neues Gliederungsprinzip der Ausbildungsberufe. In der ersten Stufe *(berufl. Grundbildung)* sollen Grundfertigkeiten und -kenntnise vermittelt werden; in der darauf aufbauenden Stufe *(allg. berufl. Fachbildung)* soll die Ausbildung für mehrere Fachrichtungen gemeinsam fortgeführt werden. Am Ende dieser Stufe – etwa nach 2 Jahren – steht der erste berufsqualifizierende Abschluß, an den sich in der 3. Stufe eine spezielle Fachausbildung für einen Beruf anschließt, i. d. R. 9–12 Monate.

Stufenbarren ↑ Barren.

Stufenbezeichnung, in der Musik die Symbolisierung der Akkorde nach den einzelnen Stufen der Tonleiter durch röm. Ziffern, auch mit Zusatzziffern für Umkehrungen, Septakkorde, Alterationen usw.

Stufenlinse, svw. † Fresnel-Linse.

Stufenrakete, svw. Mehrstufenrakete († Rakete).

Stufenwinkel † Schnittwinkel.

Stuhl, Einzelsitz, dessen Sitzfläche auf einem Rahmen auf (meist vier) Stützen ruht, das hintere Stützenpaar ist zur Lehne verlängert, teilweise sind Armstützen angebracht. Moderne Stahlrohr- oder Formholz-S. haben statt der 4 Stützen Kufen. – Vorläufer sind der † Faltstuhl und speziell der Kastensitz. Der eigtl. S. entstand in Italien im 16. Jh. Der einfache Brett-S. (Brettschemel, Stabelle) hat leicht nach außen gestellte gedrechselte, eingepflockte Beine und meist eine Lehne oft mit Greifloch und blieb bis ins 18. Jh. typ. Bauernmöbel. Seit der Renaissance gibt es Prunk-S. auch im profanen Bereich (früher nur als Thronsitze). Polsterung oder Rohrgeflecht verlangten eine Rahmenkonstruktion. Seit dem 18. Jh. sind die Beine nicht mehr gedrechselt, sondern schmal, oftmals geschweift. Neben den noch heute gebräuchl. Variationen von Polster-S., Armlehn-S., Polstersessel entstanden zahlr. Spezialstühle, heute werden neue Designs dank der neuen Materialien möglich. – Abb. S. 194/195.

◆ svw. † Kot.

Stuhlentleerung (Stuhlgang, Defäkation), die Ausscheidung von v. a. unverdaul., nicht aus dem Darm resorbierten, unlösl. Stoffen (Ballaststoffe) durch die Afteröffnung nach außen. Die unverdaul. Reste der intrazellulären Verdauung werden ebenfalls über den Darmtrakt ausgeschieden. Die S. ist ein reflektor., willkürlich kontrollierbarer Vorgang, der nach sog. großen Dickdarmbewegungen durch die Füllung des Mastdarms eingeleitet wird. Der dadurch ausgelöste Stuhldrang wird von Dehnungsrezeptoren in der Darmwand über afferente Nerven zum Sakralmark vermittelt, dessen Reflexzentrum unter der Kontrolle des Großhirns steht. – Stuhlverstopfung kann sich entwickeln, wenn der Defäkationsreflex öfter willkürlich unterdrückt wird.

Stühlingen, Stadt an der Wutach, an der dt.-schweizer. Grenze, Bad.-Württ., 430 bis 720 m ü. d. M., 4800 E. Nahrungsmittel-, Textilind., Schrauben- und Polstermöbelfabrik. Luftkurort. – Dorf S. (heute „Unterstadt") 1093 erstmals erwähnt, 1262 neben der Burg angelegte Stadt (Verlust des Stadtrechts 1935, Wiederverleihung 1950). – Spätbarocke Pfarrkirche (1785 ff., klassizist. Ausstattung), barocke Kapuzinerkirche (1667 und 1738); Schloß Hohenlupfen (Neubau 1620–33).

Stuhlweißenburg † Székesfehérvár.

Stuhlzäpfchen † Suppositorium.

Stuka ['ʃtuːka, 'ʃtʊka], Kurzbez. für das bes. im 2. Weltkrieg eingesetzte Sturzkampfflugzeug (insbes. vom Typ Junkers Ju 87).

Stukkator [italien.], Künstler, der künstler. Stuckarbeiten *(Stukkatur)* herstellt († Stuck).

Stüler, Friedrich August, * Mühlhausen 28. Jan. 1800, † Berlin 18. März 1865, dt. Architekt. – Ausgehend vom Klassizismus Schinkels waren seine öff. Bauten (Neues Museum in Berlin, 1843–55 [im Wiederaufbau]; Nat.galerie in Berlin, Entwurf 1862–65, 1866–76 von H. Strack ausgeführt) klassizistisch streng strukturiert; als Vertreter des Historismus verwandte er dabei v. a. Renaissancedekor; baute die Burg Hohenzollern (1850–57) wieder auf.

Stulpe, breiter Aufschlag an der Kleidung, auch bei Stiefeln (Stulpenstiefel).

Stülpnagel, Karl-Heinrich von, * Darmstadt 2. Jan. 1886, † Berlin-Plötzensee 30. Aug. 1944 (hingerichtet), dt. General. – Ab 1938 im Heeresgeneralstab; leitete 1940 die dt.-frz. Waffenstillstandskommission; Febr. bis Nov. 1941 Oberbefehlshaber der 17. Armee; Febr. 1942 bis zum 20. Juli 1944 Militärbefehlshaber in Frankreich; ab 1938 im Widerstandskreis um L. Beck, organisierte für den 20. Juli 1944 den Umsturzversuch in Paris; vom Volksgerichtshof zum Tode verurteilt.

Stülpnasenotter (Vipera latasti), bis 60 cm lange Viper in trockenen, von Felsen durchsetzten Gebieten SW-Europas und NW-Afrikas; Schnauzenspitze nach oben gebogen; Rücken grau (♂), braun oder rötl.-braun (♀), mit wellenförmigem Band aus dunkelbraunen, schwarz gerandeten Rauten; Flanken jederseits mit einer Reihe dunkler Flecken; Unterseite grau oder gelblich, dunkel gesprenkelt; Giftschlange.

Stülpner, Karl, * Scharfenstein (Erzgebirge) 30. Sept. 1762, † ebd. 24. Sept. 1841, sächs. Volksheld. – Soldat; wurde 1794–1800 als Anführer einer Wildschützenschar im Erzgebirge bzw. durch Einzelaktionen zum legendären Anwalt der Armen gegen die Willkür der Obrigkeit; wurde nie gefaßt; 1813 begnadigt.

Stumm, Karl Ferdinand, Freiherr von S.-Halberg (seit 1888), * Saarbrücken 30. März 1836, † Schloß Halberg bei Saarbrücken 8. März 1901, dt. Unternehmer und Politiker. – Begründer des S.-Konzerns; 1867–81 und ab 1889 MdR; hatte großen Einfluß auf die v. a. gegen die Gewerkschaften und die SPD gerichtete Innenpolitik Wilhelms II. („Ära S.").

Stummabstimmung (Stillabstimmung, Muting), bei Rundfunkempfängern z. T. vorhandene Abstimmöglichkeit für den UKW-Bereich, wodurch das Rauschen unterdrückt wird, das beim Einstellen eines Senders zw. den einzelnen Stationen auftritt; hierbei werden auch schwach einfallende Sender nicht mehr hörbar.

1 2 3

Stuhl. 1 Stuhl aus Buchenholz, Norddeutschland, 1. Hälfte 18. Jh.
(Frankfurt am Main, Museum für Kunsthandwerk); 2 Stuhl mit
seidendamastbezogener Sitzplatte, Holland, um 1750 (München, Bayerisches
Nationalmuseum); 3 Stuhl aus Nußholz, Süditalien, Ende 18. Jh. (Frankfurt am
Main, Museum für Kunsthandwerk)

Stummelaffen (Colobus), Gatt. der
Schlankaffen mit drei Arten in den Wäldern
des trop. Afrika (darunter die als *Guerezas*
bezeichneten zwei Arten Colobus abyssinicus
und Colobus polykomos), Länge 50–80 cm,
mit etwa ebenso langem Schwanz; Daumen
rückgebildet; baumbewohnende Blattfresser.

Stummelfüßer (Onychophora), seit
dem Kambrium bekannter, heute mit rd. 70
Arten in feuchten Biotopen der Tropen und
südl. gemäßigten Regionen verbreiteter
Stamm der Gliedertiere; Körper 1,5–15 cm
lang, wurmförmig, eng geringelt, entweder
dunkelgrau bis braunrot (Fam. *Peripatidae*)
oder blaugrün gefärbt (Fam. *Peripatopsidae*);
mit 14–43 Paar Stummelfüßen mit chitinigen
Klauen; nachtaktive Tiere mit Wehrdrüse,
die ein schleimiges, an der Luft sofort klebrig
werdendes Sekret absondert.

Stummelfußfrösche (Stummelfußkrö-
ten, Atelopodidae), Fam. sehr kleiner bis mittelgroßer Froschlurche mit über 30 Arten;
auffällig gelb, rot und schwarz gefärbt;
Gliedmaßen meist lang und dünn, innere
oder die beiden innersten Zehen teilweise
oder völlig rückgebildet. Zu den S. gehört
u. a. die in SO-Brasilien vorkommende,
leuchtend gelbe, etwa 2 cm große **Sattelkröte**
(Brachycephalus ephippium), mit kreuzför-
miger Knochenplatte in der Rückenhaut.

Stummelschwanzagutis (Dasy-
procta), Gatt. vorwiegend tagaktiver Nagetiere (Fam. Agutis) mit sieben Arten in M-
und S-Amerika (mit Ausnahme des S); Länge

40 bis 60 cm; Schwanz stummelförmig; graben Erdbaue; am bekanntesten der † Guti.

Stummfilm, erste Entwicklungsstufe des
† Films.

Stummheit † Mutismus.

Stumpen, eine an beiden Enden stumpf
abgeschnittene, gleichmäßig dicke, runde
oder viereckig gepreßte Zigarre.

Stumpf, Carl, * Wiesentheid (Landkr.
Kitzingen) 21. April 1848, † Berlin 25. Dez.
1936, dt. Philosoph und Psychologe. – Prof.
in Würzburg, Prag, Halle, München, ab 1894
in Berlin; 1898–1924 Hg. der „Beiträge zur
Akustik und Musikwiss.". Analysierte in seinem Hauptwerk „Tonpsychologie" (2 Bde.,
1883–90) das hörpsycholog. Phänomen der
Verschmelzung simultan erklingender Intervalle.

S., Johannes, * Mülheim (= Köln) 6. April
1862, † Berlin 18. Nov. 1936, dt. Maschinen-
bauingenieur. – Ab 1896 Prof. in Berlin; entwickelte u. a. 1908 die Gleichstrom-Dampf-
maschine.

Stumpf, Rest einer Pflanze, insbes. eines
Baumes.

Stumpfdeckelmoose (Amblystegia-
ceae), Fam. der Laubmoose mit 15 Gatt. und
rd. 240 Arten in den gemäßigten Zonen der
Erde und in trop. Hochgebirgen; auf Grund
der überwiegend zweizeiligen Verzweigung
und Beblätterung fiederblattähnl. Aussehen;
Sporenkapsel mit stumpfkegelförmigem Dek-
kel. Bekannte heim. Gatt. sind das mit vier
Arten vertretene **Stumpfdeckelmoos** (Ambly-

Stuhl. Links: Stuhl der ägyptischen Prinzessin Sitamun, einer Tochter
Amenophis' III.; 14. Jh. v. Chr.; rechts: Gerrit Thomas Rietfeld,
„Rot-Blau-Stuhl", 1918 (München, Die Neue Sammlung)

stegium) und das **Spießmoos** (Acrocladium)
mit zugespitzten Stämmchen.

stumpfer Winkel, ein Winkel, der größer als 90° und kleiner als 180° ist.

Stumpfnasenaffe (Tibetlangur, Rhino-
pithecus roxellanae), kräftiger, langhaariger
Schlankaffe in Bergwäldern und Bambus-
dickichten SO-Asiens; Schwanz körperlang;
Nase aufgebogen.

Stunde, Zeiteinheit, Einheitenzeichen h,
bei Angabe des Zeitpunktes (Uhrzeit) hoch-
gesetzt, ^{h}; 1 h = 60 min = 3 600 s.

Stundenbücher (Livres d'heures), Ge-
betbücher für Laien mit Texten für die einzelnen Stundengebete (Horen). Für die Kunstgeschichte wurden v. a. die niederl.-frz. S. des
14./15. Jh. wichtig, mit Miniaturen ausgestattet u. a. von den Brüdern von ↑ Limburg.

Stundengebet, in der kath. Kirche dem
Klerus für bestimmte Stunden vorgeschriebe-
nes (Offizium) privates bzw. liturg. Gebet der
ganzen Kirche, zusammengestellt im Brevier.
Das S. gilt als Erfüllung des bibl. Gebots vom
„immerwährenden Beten". – Der *Inhalt* des
S. sind Psalmen, Schriftlesung und Gesänge
(z. B. Hymnen). Das S. setzt sich zus. aus den
(meist nach den Tagesstunden benannten)
Horen: Matutin („Mette", Morgengebet um
Mitternacht), Laudes (Lobgebet), Prim (Gebet zur 1. Stunde [Arbeitsbeginn]), Terz (zur
3. Stunde), Sext (zur 6. Stunde), Non (zur
9. Stunde), Vesper (Abendgebet zum Abschluß des Arbeitstages), Komplet „Vollendung", das eigtl. Nachtgebet). – Das 2. Vatikan. Konzil griff in die geschichtlich ge-
wachsene Gestalt des S. ein, indem es seine
Struktur vereinfachte, die Landessprachen

zuließ und die Gebetsverpflichtung erleich-
terte.

Stundenglas ↑ Sanduhr.

Stundenkreis, jeder auf der Himmelskugel von Pol zu Pol verlaufende größte
Kreis, der auf dem Himmelsäquator senkrecht steht; der **Stundenwinkel** ist der Winkel
zw. dem Meridian und dem S. eines Gestirns,
gemessen auf dem Himmelsäquator in Stunden, Minuten und Sekunden. – ↑ astronomi-
sche Koordinatensysteme.

Stundung, Vereinbarung, durch die der
Gläubiger dem Schuldner einen späteren
Zeitpunkt für die Erbringung der Leistung
einräumt als den vertraglich oder gesetzlich
vorgesehenen.

Stuntman [engl. 'stʌntmən; engl.-ameri-
kan., zu stunt „Kunststück, Trick"], Schauspieler, der sich [in Film und Fernsehen] auf
gefährl., akrobat. Leistungen spezialisiert hat
und anstelle des eigtl. Darstellers [als Double]
bei riskanten Szenen eingesetzt wird.

Stupa [Sanskrit], buddhist. Sakralbau zur
Aufbewahrung von Reliquien eines Buddhas
oder Heiligen. In der Spätzeit entstanden
auch Votiv-S. ohne Reliquien. Der S. besteht
aus einer vom Grabhügel abgeleiteten massiven Halbkugel mit Reliquienkammer, die von
einer Balustrade mit zentralem Mast und
mehreren übereinanderliegenden Ehren-
schirmen bekrönt wird. Die Bestandteile des
S. symbolisieren das Weltei mit Weltberg und
Weltachse und die Götterwelten. Die ältesten
erhaltenen S. aus dem 5. und 3. Jh. v. Chr.
(Bauten König Aschokas in Sarnath und San-
chi) wurden später mehrfach ummantelt. Mit
dem Buddhismus kam der S.bau frühzeitig

nach Sri Lanka (hier als *Dagoba* bezeichnet), SO-Asien (u. a. Birma, Indonesien *[Tjandi]*), O-Asien *(Pagode)* und Z-Asien (Nepal, Tibet *[Tschorten]*).

stupend [lat.], erstaunlich.

stupid (stupide) [lat.], stumpfsinnig, beschränkt; **Stupidität,** Beschränktheit.

Stupor [lat.], völlige körperl. und geistige Regungslosigkeit. S. kommt u. a. bei endogener Depression oder als abnorme Reaktion im Rahmen einer Schrecksituation vor.

Stuppach, Ort in der Gem. Bad Mergentheim; in einer Kapelle der kath. Pfarrkirche die berühmte Altartafel „Maria mit Kind" von M. Grünewald (um 1519).

Štúr, L'udovít [slowak. ʃtuːr], * Uhrovec (bei Trenčín) 29. Okt. 1815, † Modern (bei Preßburg) 12. Jan. 1856, slowak. Schriftsteller. – 1848 Führer des slowak. Aufstandes; war um die Erhebung des mittelslowak. Dialekts zur Schriftsprache bemüht; verfaßte v. a. romant.-patriot. Gedichte.

Sturges, John [engl. 'stɔːdʒɪs], * Oak Park (Ill.) 3. Jan. 1910, † San Luis Obispo (Calif.) 18. Aug. 1992, amerikan. Filmregisseur. – Drehte u. a. klass. Western wie „Zwei rechnen ab" (1957), „Der letzte Zug von Gun Hill" (1958), „Die glorreichen Sieben" (1960); bes. bekannt wurde sein Film „Gesprengte Ketten" (1962) über den Ausbruch alliierter Kriegsgefangener aus einem dt. Lager. – *Weitere Filme:* Stadt in Angst (1954), Der alte Mann und das Meer (1958, nach E. Hemingway).

Stürgkh, Karl Graf, * Graz 30. Okt. 1859, † Wien 21. Okt. 1916, östr. Politiker. – Jurist; ab 1890 Abg. im Reichsrat und im steir. Landtag. 1908 Unterrichtsmin., 1911–16 östr. Min.präs.; regierte autoritär mit Notverordnungen; wurde von F. Adler erschossen.

Sturlunga saga, Sammelwerk, das die isländ. Geschichte von etwa 1120–1264 behandelt, ben. nach dem führenden Geschlecht des isländ. Freistaates im 13. Jh., den Sturlungar. Die einzelnen Teile der S. s. sind unterschiedl. Alters und wurden um 1300 notdürftig zusammengefügt; wichtige Quelle für die Geschichte Islands im MA.

Sturluson, Snorri † Snorri Sturluson.

Sturm, Anton, * bei Landeck 1690, † Füssen 25. Okt. 1757, Tiroler Bildhauer. – Seit 1717 in Füssen nachweisbar; schuf v. a. die Schnitzfiguren der habsburg. Kaiser im Kaisersaal der Benediktinerabtei Ottobeuren (1724–27) und der vier Kirchenväter in der Wallfahrtskirche in der Wies (um 1753/54).

S., Charles [frz. styrm], * Genf 29. Sept. 1803, † Paris 18. Dez 1855, frz. Mathematiker schweizer. Herkunft. – Arbeiten zur Algebra (u. a. über die Nullstellen algebraischer Gleichungen), Analysis sowie zur Mechanik und geometr. Optik.

S., (S. von Sturmeck) Jakob, * Straßburg 10. Aug. 1489, † ebd. 30. Okt. 1553, dt. reformator. Ratsherr. – Führte in Straßburg die Reformation ein; 1589 Teilnehmer an den Marburger Religionsgesprächen; Mitverfasser der „Confessio tetrapolitana" und der „Wittenberger Konkordie"; gründete mit Johannes S. 1538 das prot. Gymnasium in Straßburg (seit 1621 Univ.).

S., Johannes, * Schleiden 1. Okt. 1507, † Straßburg 3. März 1589, dt. ev. Theologe und Pädagoge. – 1529 Magister am Collège de France in Paris, 1537 von Jakob S. nach Straßburg berufen und Rektor des dortigen Gymnasiums; seine humanist. pädagog. Arbeit war bis ins 17. Jh. Vorbild.

S., Julius, Pseud. Julius Stern, * Bad Köstritz 21. Juli 1816, † Leipzig 2. Mai 1896, dt. Dichter. – Populärer, religiöser Lyriker der Spätromantik; schrieb vaterländ. Gedichte, Märchen und Fabeln.

Sturm, starker Wind (nach der Beaufort-Skala der Stärke 9–11 mit Geschwindigkeiten von 20,8–32,6 m/s), der Schäden und Zerstörungen anrichtet.
◆ (magnet. S.) ↑ Erdmagnetismus.

Sturm, Der, von H. Walden 1910–32 hg. Wochenschrift für Kultur und Künste. – ↑ Sturmkreis.

Sturmabteilung, Abk. SA, die uniformierte polit. Kampf- und Propagandatruppe, nach der eigtl. Parteiorganisation urspränglich stärkste Gliederung der NSDAP. 1920 als Versammlungsschutz der Partei gegr., seit 1921 von ehem. Freikorpsoffizieren zur paramilitär. Kampforganisation umgeformt, nach dem Hitlerputsch verboten; 1925 Neuaufbau als Saalschutz- und Propagandaorganisation. 1926 organisierte Hitler eine Oberste SA-Führung (OSAF), deren Chef, Franz von Pfeffer (bis 1930), die SA zu einem unabhängigen, zentral geführten Instrument umbildete; die SA wurde als Massenheer (1933 rd. 700 000 v. a. jugendl. Mgl.) im Straßenkampf und in der Propaganda zur Terrorisierung polit. Gegner und der Staatsgewalt eingesetzt, ab 1933 z.T. als „Hilfspolizei" zur Ausschaltung des polit. Widerstands. Als SA-Stabschef E. Röhm (1931–34) die Bildung eines Milizheeres aus der SA betrieb, in dem die Reichswehr aufgehen sollte, nahm Hitler im sog. Röhm-Putsch (1934) der SA ihre polit. Bedeutung. Unter Stabschef V. Lutze (seit 1943 W. Schepmann) führte sie v. a. paramilitär. Übungen durch.

Sturmboot, flaches [Leichtmetall]boot mit Außenbordmotor zum schnellen Übersetzen von Soldaten über Flüsse und Seen.

Sturm-Bühne, dem Expressionismus verpflichtetes, nach der Zeitschrift „Der Sturm" ben. Theater in Berlin.

Stürmer, Der, 1923–45 von J. Streicher

in Nürnberg hg. antisemit. NS-Wochenschrift; diente der propagandist. Vorbereitung und Begründung der Vernichtung der Juden.

Sturmflut, ungewöhnlich hohes Ansteigen des Wassers an Meeresküsten und Tidenflüssen, bedingt durch Zusammenwirken von Flut und landwärts gerichtetem (auflandigem) Sturm, zuweilen durch eine Springtide verstärkt.

Sturmgeschütz, im 2. Weltkrieg in der dt. Wehrmacht selbstfahrende, auf gepanzerten Fahrgestellen montierte Geschütze; eingesetzt zur Panzerabwehr und unmittelbaren Feuerunterstützung der Infanterie.

Sturmgewehr ↑ Gewehr.

Sturmhauben (Cassidae), Fam. oft bunt gefärbter Meeresschnecken, deren Gehäuse helm- oder „sturmhaubenförmig" aussehen; z. B. **Große Sturmhaube** (Cassis cornuta) im Ind. und Pazif. Ozean; bis 25 cm lang.

Sturmhut, svw. ↑ Eisenhut.

Sturmi (Sturm, Sturmius), hl., *in Oberösterreich um 715, † Fulda 17. Dez. 779, erster Abt von Fulda. – Benediktiner; Gefährte des Bonifatius; gründete 744 das Kloster Fulda, das er zum wirtsch. und geistig bedeutendsten Kloster Ostfrankens machte. – Fest: 17. Dez.

Sturmkreis, Berliner Künstler-, speziell Dichterkreis um die von H. Walden herausgegebene Zeitschrift „Der Sturm". Beeinflußt vom italien. Futurismus, dessen Malerei Walden zum ersten Mal in Deutschland in seiner „Sturm-Galerie" vorstellte. 1914 wurde ein eigener Verlag und 1917 die Sturm-Bühne gegründet.

Sturmmöwe ↑ Möwen.

Sturmpanzer ↑ Panzer.

Sturmschwalben (Hydrobatidae), Fam. sperlings- bis amselgroßer, meist schwärzl. oder braunschwarzer ↑Sturmvögel (Röhrennasen) mit fast 20 Arten im Bereich aller Weltmeere. Zu den S. gehören u. a. der **Wellenläufer** (Oceanodroma leucorrhoa), über 20 cm lang, v. a. über dem N-Atlantik und N-Pazifik; unterscheidet sich von der Gewöhnl. S. durch den tief gegabelten Schwanz; die **Gewöhnl. Sturmschwalbe** (Hydrobates pelagicus; über dem östl. N-Atlantik und Mittelmeer).

Sturmsignale, svw. ↑Sturmwarnungszeichen.

Sturmtaucher (Procellariinae), Unterfam. etwa 25–50 cm langer, vorwiegend braun bis grau gefärbter Sturmvögel mit mehr als 40 Arten über allen Meeren; häufig nach Fischen und Kopffüßern tauchende Vögel. – Zu den S. gehört u. a. der etwa krähengroße **Gelbschnabelsturmtaucher** (Puffinus diomedea) mit gelbem Schnabel; über dem N-Atlantik und Mittelmeer.

Sturmtief (Sturmwirbel), bes. stark ausgeprägtes Tiefdruckgebiet (Luftdruck häufig unter 975 mbar) mit Luftströmungen hoher Geschwindigkeit (bis Orkanstärke).

Sturm und Drang (Geniezeit, Genieperiode), geistige Bewegung in Deutschland etwa vor der Mitte der 60er bis Ende der 80er Jahre des 18. Jh. Der Name wurde nach dem Titel des Schauspiels „S. u. D." (1776, urspr. Titel „Wirrwarr", von F. M. Klinger) auf die ganze Bewegung übertragen. Ihr Ausgangspunkt war eine jugendl. Revolte gegen Rationalismus, Regelgläubigkeit und das Menschenbild der Aufklärung sowie gegen die „unnatürl." Gesellschaftsordnung mit ihren Ständeschranken, erstarrten Konventionen und ihrer lebensfeindl. Moral. Während der S. u. D. im polit. Bereich völlig wirkungslos blieb, gab er dem geistigen Leben Impulse, die noch auf Klassik und Romantik, Naturalismus und Expressionismus bis zu Brecht nachwirkten. Leitideen sind Selbsterfahrung und Befreiung des Individuums; betont wird Wert des Gefühls, der Sinnlichkeit und Spontaneität, verbunden mit einer neuen Erfahrung und Wertung der Natur; höchste Steigerung des Individuellen wie des Naturhaften ist das Genie, in dem sich die schöpfer. Kraft einmalig und unmittelbar offenbart; der Künstler ist als *Originalgenie* schlechthin unvergleichlich; Prototyp war Shakespeare, als Ideal der Epoche schwärmerisch verehrt. Aus der Erfahrung des Individuellen entwickelte sich auch eine neue Geschichtsauffassung, in der die einzelnen Völker, Kulturen und Sprachen in ihrer einzigartigen Erscheinung vom Ursprung her betrachtet wurden; bes. Bed. erhielten frühe Dichtung und Volksdichtung. Anregungen erfuhr der S. u. D. durch die Kulturkritik J.-J. Rousseaus und das Genieverständnis E. Youngs sowie durch die pietist. und empfindsame Tradition; unmittelbarer Wegbereiter der antirationalen und religiösen Komponente war J. G. Hamann. Die eigtl. Grundideen entwickelte J. G. Herder. Der *literar. S. u. D.* begann mit der Begegnung zw. Herder und Goethe 1770 in Straßburg. Von Herders ästhet. Ideen beeinflußt, verfaßte Goethe im lyr., dramat. und ep. Bereich die initiierenden Werke: Sesenheimer Lieder (1771), „Götz von Berlichingen" (1773), „Die Leiden des jungen Werthers" (1774). Bevorzugte Gatt. wurde das Drama, bes. Tragödie und Tragikomödie. Die Form war den Regeln der klassizistisch verstandenen aristotel. Tragödie entgegengesetzt. Fast alle Dramen sind in Prosa, einer alltagsnahen Sprache geschrieben. Charakterist. Themen und Motive der Dichter (v. a. Goethe, Schiller, F. M. Klinger, J. A. Leisewitz, H. L. Wagner, J. M. R. Lenz) sind die Selbstverwirklichung des genialen Menschen, der trag. Zusammenstoß des einzelnen mit der Geschichte, dem „notwendigen Gang des Ganzen", Bruderzwist bis zum Brudermord, Konflikt zw. Moralkodex und Leidenschaft, soziale Anklage gegen die Korruption der herrschenden Stände. In der Epik spiegelte sich die Neigung zum Autobiographischen, die dem Interesse des S. u. D. am individuellen Leben entgegenkam, beispielhaft J. J. W. Heinses „Ardinghello und die glückseligen Inseln" (R., 1787). Die Lyrik, von Herder als *Urpoesie* aus ihrer gattungstheoretisch untergeordneten Stellung herausgehoben, löste sich zum ersten Mal aus ihrem gesellschaftl. Bezug und wurde (in Ballade, Hymne und Lied) Ausdruck persönl. Erlebens (G. A. Bürger, C. F. D. Schubart, M. Claudius), gelegentlich (wie bei den Dichtern des Göttinger Hains) auch einer gesellschaftskrit. Einstellung. *Dedert, H.: Die Erzählung im S. u. D. Stg. 1990. – Von der Aufklärung zum S. u. D. Hg. v. W. Grosse. Hollfeld 1989. – Huyssen, A.: Drama des S. u. D. Mchn. 1980. – S. u. D. Hg. v. W. Hink. Königstein/Ts. 1978. – Pascal, R.: Der S. u. D. Dt. Übers. Stg. ²1977.*

Sturmvögel, (Röhrennasen, Procellariiformes) Ordnung etwa 15–30 cm langer, gewandt fliegender Vögel mit rd. 90 Arten über allen Meeren; Schnabelspitze hakig nach unten gebogen; Füße mit Schwimmhäuten; ernähren sich vorwiegend von Fischen, Kopffüßern und Quallen. Die meisten Arten können eine von den Drüsenmagenzellen sezernierte ölige Flüssigkeit Angreifern meterweit entgegenspritzen. Man unterscheidet vier Fam.: Albatrosse, S. im engeren Sinne, Sturmschwalben und Tauchersturmvögel. ◆ (S. im engeren Sinne, Möwen-S., Procellariidae) Fam. möwenähnlich aussehender Hochseevögel mit rd. 50 Arten über allen Meeren; bis 35 cm lang. Hierher gehören u. a. ↑ Sturmtaucher und die etwa 36 cm große **Kaptaube** (Kap-S., Daption capensis); mit schwarzem Kopf, schwarzweiß gescheckter Oberseite und weißer Unterseite; über den Südmeeren.

Sturm von Sturmeck, Jakob ↑ Sturm, Jakob.

Sturmwarnungszeichen (Sturmsignale), opt. Zeichen, die die Schiffahrt auf einen bevorstehenden Sturm aufmerksam machen sollen. Die Anwendung von S. geht zurück, da alle Schiffe und Boote mit Rundfunkgeräten ausgerüstet sind und den Seewetterbericht empfangen können.

Sturz, Träger über einer Maueröffnung. ◆ (Rad-S.) ↑ Fahrwerk.

Sturzbügel, v. a. an leistungsstarken Motorrädern seitl. angebrachter Stahlbügel insbes. zum Schutz des Motors bei einem Sturz.

Stürze, der stark erweiterte Schalltrichter von Blechblasinstrumenten, im Ggs. zum Becher der Holzblasinstrumente.

Sturzgeburt, überstürzter Geburtsverlauf, bei dem für die Schwangere meist völlig überraschend das Kind durch eine oder nur wenige Preßwehen geboren wird.

Sturzhelm (Schutzhelm), gepolsterter Kopfschutzhelm, aus Leichtmetall oder Kunststoff; das Tragen eines S. ist im Motor-, Flug-, Rad- sowie im Bob- und Rennschlittensport und in den meisten alpinen Disziplinen obligatorisch. Seit 1978 müssen auch die Führer von Krafträdern (ausgenommen Fahrräder mit Hilfsmotor, die nicht schneller als 25 km/h fahren können) und ihre Beifahrer im Straßenverkehr einen S. tragen. – Neben sog. **Jethelmen** (die den Kopf von der Stirn bis zum Nacken umschließen, mit offenem Gesichtsteil) haben sich v. a. im Motorsport und bei Kraftradbenutzern **Integralhelme** durchgesetzt, die auch die Kinnpartie umgreifen und das Gesicht durch ein herunterklappbares durchsichtiges Visier schützen.

Sturzkampfflugzeug, im 2. Weltkrieg v. a. von der dt. Luftwaffe verwendetes Kampfflugzeug, das Punktziele wie Brücken, Panzer, Schiffe u. a. in steilem, gezieltem Sturzflug angriff und seine Bomben unmittelbar vor dem Abfangen in etwa 600 m Höhe ausklinkte; am bekanntesten war der dt. „Stuka" Junkers Ju 87.

Sturzo, Luigi, * Caltagirone 26. Nov. 1871, † Rom 8. Aug. 1959, italien. Theologe, Sozialtheoretiker und Politiker. – Ab 1894 Priester; gründete 1919 den Partito Popolare Italiano (PPI); bis 1923 dessen Generalsekretär; als Antifaschist 1924–46 im Exil in Paris, London und USA; übte großen Einfluß auf die Programmatik der DC aus; 1952 Senator auf Lebenszeit.

Sturzsee, svw. ↑ Brecher.

Stute, geschlechtsreifes ♀ Tier der Fam. Pferde und der Kamele.

Stutte, Hermann, * Weidenau (Sieg) 1. Aug. 1909, † Marburg 22. April 1982, dt. Psychiater. – Prof. in Marburg; gilt als einer der führenden dt. Kinder- und Jugendpsychiater (u. a. „Grenzen der Sozialpädagogik", 1958).

Stuttgart, Hauptstadt von Bad.-Württ., in einer kesselartigen Weitung des Nesenbachs gegen das Neckartal, 207–549 m ü. d. M., 551 900 E. Stadtkr., Sitz der Landesreg., des Landtages von Bad.-Württ. und des Reg.präsidiums des Reg.-Bez. S., zahlr. Landesämter; staatl. Münzprägeanstalt; Wertpapier- und Warenbörse, Oberkommando der amerikan. Truppen in Europa, Max-Planck-Inst. für Festkörperforschung und für Metallforschung, Univ. (gegr. 1876 als Polytechnikum), Univ. Hohenheim (gegr. 1817/18 als

Stuttgart. Neues Schloß

Lehranstalt für Land- und Forstwirtschaft),
Staatl. Hochschule für Musik und darstel-
lende Kunst, Staatl. Akad. der bildenden
Künste, kath. Akad., Fachhochschulen für
Technik, für Druck, für Bibliothekswesen
und für Verwaltung; zahlr. Museen (u. a.
Württ. Landesmuseum, Linden-Museum,
Daimler-Benz-Museum,   Weinmuseum),
Staatsgalerie, Hauptstaatsarchiv; Sitz des
Süddt. Rundfunks; Württ. Staatstheater,
Kammertheater, Marionettentheater, Kon-
zerthaus (Liederhalle); Sternwarte und Pla-
netarium; botan.-zoolog. Garten (Wilhelma).
Mineralquellen in den Stadtteilen Bad Cann-
statt und Berg. Bed. Wirtschafts- und Han-
delszentrum; führend ist die elektrotechn.
und elektron. Ind., gefolgt von Fahrzeug- und
Maschinenbau, feinmechan. und opt., Nah-
rungmittel-, Textil-, Bekleidungs-, Leder-,
Schuhind., Papier- und Holzverarbeitung;
Druckereien und Verlage; Weinbau; Messe-
und Ausstellungsgelände im Höhenpark Kil-
lesberg. Neckarhafen; internat. ✈ in Echter-
dingen.
Geschichte: S. entwickelte sich aus einem in
der 1. Hälfte des 10. Jh. angelegten Gestüt
(Stuotgarte), zu dessen Schutz um 950 eine
Wasserburg errichtet wurde (Ursprung des
heutigen Alten Schlosses). Die Siedlung S.
wird 1160 erstmals urkundlich bezeugt, 1286
erstmals die Stadt. Im 14. Jh. Sitz des Hofes
und Mittelpunkt der sich ausweitenden Gft.
Württemberg; seit dem Münsinger Vertrag
(1482) Haupt- und Residenzstadt (Verleihung
eines geschriebenen Stadtrechts 1492). Seit
1374 Münzstätte. Im 15.–17. Jh. planmäßige
Erweiterung der Stadt; die ma. Ummauerung
des Altstadtkerns wurde durch eine Umwallung ergänzt (bis Mitte des 19. Jh. abgebro-
chen). 1718/24–34 Verlegung der Residenz

nach Ludwigsburg. S. war 1945–52 Hauptstadt des von den Besatzungsmächten gebildeten Landes Württemberg-Baden; seitdem
Hauptstadt von Bad.-Württ. – Im jetzigen
Ortsteil **Bad Cannstatt** wurde etwa 85–90 ein
Reiterkastell zur Sicherung des Neckarlimes
errichtet; Cannstatt wurde um 708 zuerst erwähnt; 1330 Stadtrecht; 1905 in S. einge-
meindet, seit 1933 Bad Cannstatt.
Bauten: Nach schweren Zerstörungen (1944)
bestimmen moderne Hochhäuser das Stadtbild, ältere Bauten sind wiederhergestellt; ev.
got. Stiftskirche zum Hl. Kreuz (14./15. Jh.,
W-Turm 1490–1531), spätgot. Leonhardskir-
che (15. Jh.), spätgot. Spitalkirche (1471 ff.),
Altes Schloß (im Kern um 1320, v. a. 1553 ff.
mit späteren Ecktürmen, Renaissancebinnen-
hof), barockes Neues Schloß (1746 ff.; Innen-
räume bis 1963 modern wiederhergestellt).
Hauptbahnhof (1913–27, von P. Bonatz);
Weißenhofsiedlung (1926/27, u. a. von Mies
van der Rohe, Le Corbusier und W. Gropius); Liederhalle (1955/56); Fernsehturm
(1956); Landtag von Bad.-Württ. (1960/61),
Kulturzentrum Rotebühlplatz (1988–91). Nahebei Schloß Solitude (1763–67).
📖 *Gatermann, B.: Kunstführer S. Bln. 1990. –
Markelin, A./Müller, R.: Stadtbaugesch. S.
Stg. ²1990. – S. Kunst u. Kultur. Hg. v. B. Ro-
eder u. a. Stg. 1988. – Borst, O.: S. Die Gesch.
der Stadt. Stg. u. Aalen ³1986. – Freudenber-
ger, H.: S. Ein Führer durch Stadt und Landschaft. Stg. ²1983.*
S., Reg.-Bez. in Baden-Württemberg.
    Stuttgarter Hundeseuche (Kanikola-
fieber), auf den Menschen übertragbare,
durch Spirochäten der Art Leptospira cani-
cola verursachte Leptospirose des Haus-
hunds, v. a. bei älteren Rüden; Symptome
sind gesteigertes Durstgefühl, schnelle Ab-
magerung und Eiweiß im Harn; Nierenent-
zündung, langanhaltender Darm- und Bla-

senkatarrh (auch blutiger Durchfall), Gelbfärbung der Mund- und Augenschleimhäute.

Stuttgarter Liederhandschrift ↑ Weingartner Liederhandschrift.

Stuttgarter Schuldbekenntnis, am 19. Okt. 1945 vom Rat der EKD vor Vertretern des Ökumen. Rates abgegebene Erklärung, in der die EKD sich zu einer Mitschuld der ev. Christenheit Deutschlands bekennt, den NS nicht entschlossen genug bekämpft zu haben.

Stuttgarter Zeitung, dt. Zeitung, ↑ Zeitungen (Übersicht).

Stutthof, nat.-soz. KZ bei dem poln. Ort Sztutowo (rd. 1400 E) östl. von Danzig. – Seit Sept. 1939 war S. ein SS-Sonderlager v. a. für Polen, seit März 1942 KZ; von den hier insgesamt rd. 120000 Inhaftierten wurden bis Mai 1945 rd. 85000 ermordet.

Stutz, Ulrich, * Zürich 5. Mai 1868, † Berlin 6. Juli 1938, schweizer. Rechtshistoriker und Kirchenrechtler. – Prof. in Basel (1895), Freiburg (ab 1896), Bonn (ab 1904), Berlin (ab 1917); einer der bedeutendsten prot. Kirchenrechtsforscher.

Stutzen, kurzes einläufiges Jagdgewehr für Kugelschuß.
♦ Ansatzrohrstück.
♦ kurzer Wadenstrumpf (ohne Füßling), z. B. der alpenländ. Gebirgstracht.

Stützenwechsel, rhythmisch wechselnde Abfolge verschiedener Stützen, z. B. Säule/Pfeiler oder zwei Säulen/ein Pfeiler; v. a. in der roman. kirchl. Baukunst.

Stutzer, Bez. für einen etwa knielangen zweireihigen Herrenmantel, der erstmals in den 1920er Jahren getragen wurde.
♦ Modegeck.

Stützgewebe, pflanzl., tier. und menschl. Gewebe, das dem Organismus Festigkeit und Stütze gibt. Bei den Pflanzen wird das S. i. d. R. ↑ Festigungsgewebe genannt. Bei den Tieren und beim Menschen ist es das ↑ Bindegewebe, das die Aufgabe eines S. hat, v. a. (bei den Wirbeltieren) in Form des Knorpel- und Knochengewebes.

Stutzkäfer (Histeridae), weltweit verbreitete Käferfam. mit etwa 3000 Arten, davon rd. 80 einheimisch; Körper meist gedrungen, 1–10 mm lang, sehr hart gepanzert, glänzend schwarz.

Stützmauer ↑ Mauer.

Stützungskäufe, allg. alle Käufe, die darauf abzielen, durch vermehrte Nachfrage den Preis eines Gutes zu halten bzw. sein Sinken aufzuhalten. S. erfolgen v. a. auf dem Devisenmarkt durch die Zentralbank, um den Kurs einer Währung zu halten.

Stützweite ↑ Spannweite.

Stützwurzeln, svw. ↑ Stelzwurzeln.

Stüver (niederl. stuiver), urspr. fläm. Silbermünze (Doppelgroschen), geprägt von etwa 1450–1791 (Seeland) und schnell über die ganzen Niederlande verbreitet.

Stuyvesant, Petrus [ʃtɔyvəzant, niederl. 'stœÿvəzɑnt], * Scherpenzeel (Prov. Geldern) 1592, † New York (N. Y.) im Febr. 1672, niederl. Kolonialpolitiker. – Konnte als Gouverneur der Neuniederlande (seit 1645) 1655 Neuschweden angliedern; kapitulierte 1664 vor den Engländern.

StVG, Abk. für: Straßenverkehrsgesetz.

StVO, Abk. für: Straßenverkehrs-Ordnung.

StVZO, Abk. für: Straßenverkehrs-Zulassungs-Ordnung.

Styfel, Michael [ʃti:fəl] ↑ Stifel, Michael.

Stygal [griech.], in der Ökologie Bez. für Grundwasser im Hohlraumsystem wasserführender Bodenschichten als Lebensraum angepaßter Organismen, der Stygobionten (u. a. Ruderfußkrebse, Höhlenasseln).

Stygobionten [griech.] ↑ Stygal.

Styli, Mrz. von ↑ Stylus.

Styling [engl. 'staɪlɪŋ; zu lat. stilus „Stil"; Schreibart"], Formgebung, Formgestaltung, insbes. im Hinblick auf das funktionsgerechte und den Käufer ansprechende mod. Äußere.

Styliten (Säulenheilige), Säulenasketen, die ihr Leben auf einer Säule (griech. stýlos) verbrachten, deren Kapitell eine Plattform trug (vom einem Geländer umgeben); Schutz gegen Kälte und schlechtes Wetter fehlte. Diese extreme Askese hatte ihren Ursprung und ihr Zentrum in Syrien und fand im ganzen Byzantin. Reich zahlr. Anhänger. Die S. genossen hohes gesellschaftl. Ansehen.

Stylobat [griech.], oberste Stufe des meist dreistufigen Unterbaus des griech. Tempels.

Stylolithen [griech.] ↑ Drucksuturen.

Stylopisierung [griech.], Befall von Insekten, v. a. Bienen, Wespen, Zikaden, durch die endoparasitisch lebenden Stadien der Fächerflügler.

Stylus (Mrz. Styli) [lat.], in der Zoologie griffelartiges Rudiment von Gliedmaßen am Hinterleib mancher Insekten.
♦ in der *Botanik* ↑ Griffel.

Stymphalischer See, Karstsee auf der Peloponnes, am S-Fuß der Killini (bis 2376 m hohes Gebirge), 3,8 km² groß.

Stymphalische Vögel (Stymphaliden), nach der griech. Sage am Stymphal. See hausende menschenfressende Vögel, die ihre Opfer zuvor mit pfeilspitzen, eisenharten Federn durchbohren. Herakles überwindet sie in seiner 5. Arbeit.

Stypsis [griech.], svw. ↑ Blutstillung.

Styptika [griech.] (Hämostyptika), blutstillende Mittel.

Styracosaurus [griech.], ausgestorbene, nur aus der Oberkreide (bes. N-Amerika) bekannte Gatt. etwa 3–4 m langer Dinosaurier;

pflanzenfressende, auf vier Beinen sich fortbewegende Reptilien, die mit horn- und stachelförmigen Auswüchsen am Kopf (v. a. am Nackenschild) ausgerüstet waren.

Styrax [griech.], svw. ↑ Styraxbaum.

◆ svw. ↑ Storax.

Styraxbaum (Storaxbaum, Styrax), Gatt. der S.gewächse mit rd. 100 Arten in den Tropen und Subtropen (mit Ausnahme Afrikas); immergrüne oder laubabwerfende Sträucher oder Bäume, Blüten weiß, einzeln oder in Trauben. Bekannte Arten sind der ↑ Benzoebaum und der **Echte Styraxbaum** (Styrax officinalis), ein in S-Europa und Kleinasien beheimateter kleiner Baum; aus ihm wurde früher durch Einschneiden der Rinde das Balsamharz ↑ Storax gewonnen.

Styrol [griech./arab.] (Vinylbenzol), ungesättigter, aromat. Kohlenwasserstoff; farblose, wasserunlösl. Flüssigkeit, die leicht polymerisiert. S. wird in großem Umfang zur Herstellung von Kunststoffen (↑ Polystyrol) verwendet. Es wird durch katalyt. Anlagerung von Äthylen an Benzol und anschließende Dehydrierung hergestellt.

Styron, William [engl. 'staɪərən], *Newport News (Va.) 11. Juni 1925, amerikan. Schriftsteller und Journalist. – Von J. Joyce, T. Wolfe und W. Faulkner beeinflußter Erzähler. „Geborgen im Schoße der Nacht" (R., 1951) schildert den sozialen Verfall einer Südstaatenfamilie, „Die Bekenntnisse des Nat Turner" (R., 1967) den ersten Aufstand der Schwarzen 1831 aus der Sicht des Anführers, „Sophies Wahl" (R., 1979; dt. 1980, 1982 u. d. T. „Sophies Entscheidung") die Verbindung einer Überlebenden des Holocaust mit einem jüd. Wissenschaftler und der Person des Erzählers.

Styropor Ⓦ [Kw.], Handelsbez. für Schaumstoffe aus Polystyrol und Styrolmischpolymerisaten.

Styx, in der griech.-röm. Mythologie ein Fluß der Unterwelt, bei dem die Götter schwören.

s. u., Abk. für: siehe unten!

Suada (Suade) [lat.], Redefluß, Beredsamkeit.

Suaheli, svw. ↑ Swahili.

Suarès, André [frz. sua'rɛs], eigtl. Isaac Félix S., Pseud. Yves Scantrel, Caërdal u. a., *Marseille 12. Juni 1868, †Saint-Maur-des-Fossés 7. Sept. 1948, frz. Schriftsteller. – 1940–44 im Exil in S-Frankreich; schrieb in kunstvoller Sprache vom pessimist. Lebensauffassung bestimmte Essays, Gedichte, Aphorismen, Reiseberichte und Dramen sowie Porträts großer Männer.

Suárez, Francisco [span. 'suareθ], *Granada 5. Jan. 1548, †Lissabon 25. Sept. 1617, span. Philosoph und Theologe. – Aus vornehmer Familie; seit 1564 Jesuit. 1571–80

Lehrer der Philosophie an Jesuitenkollegien, 1580–85 der Theologie am röm. Ordenskolleg; 1585–93 Prof. der Theologie in Alcalá de Henares, 1597 auf ausdrückl. Wunsch Philipps II. Berufung auf den ersten Lehrstuhl für Theologie der Univ. Coimbra; bedeutendster Vertreter der span. Barockscholastik mit großem Einfluß insbes. auf die dt., und hier v. a. auf die prot. Schulmetaphysik.

Suárez González, Adolfo [span. 'suareθ ɣɔn'θaleθ], *Cebreros (Prov. Ávila) 25. Sept. 1932, span. Politiker. – 1968/69 Zivilgouverneur der Prov. Segovia; 1969–73 Generaldirektor des staatl. Hörfunks und Fernsehens; 1973–75 Präs. der nat. Tourismusorganisation; 1975/76 Min. und Generalsekretär der Einheitspartei; leitete als Min.präs. 1976–81 die Demokratisierung Spaniens ein; führte 1977–81 die Union des Demokrat. Zentrums (UCD); gründete 1982 eine eigene Partei, das Demokratisch-Soziale Zentrum (CDS).

suave [italien.], musikal. Vortragsbez.: lieblich, angenehm.

sub..., Sub... (auch suf..., sug..., suk..., sup..., sur...) [lat.], Vorsilbe mit der Bed. „unter, unterhalb; von unten heran; nahebei".

subaerisch [sʊp"ɛːrɪʃ; lat./griech.], an der Erdoberfläche, unter freier Luftzufuhr gebildet.

subalpine Stufe ↑ Vegetationsstufen.

subaltern [lat.], unterwürfig, untertänig; untergeordnet, unselbständig; **Subalternität,** Abhängigkeit, Unterwürfigkeit.

subantarktische Zone ↑ subpolares Klima.

subaquales Darmbad, svw. ↑ Darmbad.

subaquatisch [lat.], in den *Geowissenschaften* für: unter Wasserbedeckung erfolgt bzw. entstanden, z. B. Rutschungen, Abtragungen und Ablagerungen.

subarktische Zone ↑ subpolares Klima.

Šubašić, Ivan [serbokroat. ʃubaʃitɕ], *Vukova Gorica (Kroatien) 27. Mai 1892, †Zagreb 23. März 1955, jugoslaw. Politiker. – 1939–41 Ban von Kroatien; 1941–44 im Exil in den USA; 1944/45 Min.präs. der Londoner Exilreg.; März–Okt. 1945 Außenmin., Rücktritt aus Protest gegen die innenpolit. Entwicklung.

Subatlantikum ↑ Holozän (Übersicht).

Subbaß, Orgelregister, meist mit gedackten Pfeifen zu 32 oder 16 Fuß, vom Pedal aus zu spielen, mit dunklem, grundtönigem Klang.

Subboreal ↑ Holozän (Übersicht).

Subcutis, svw. Unterhaut (↑ Haut).

Subdominante (Unterdominante), in der *Musik* einerseits die 4. Stufe einer Dur- oder Molltonleiter, andererseits der über diesem Ton errichtete Dur- bzw. Molldreiklang.

Subduktion ↑ Plattentektonik.

subdural, in der Medizin für: unter der harten Hirnhaut (Dura mater) gelegen; z. B. von Blutergüssen oder Abszessen gesagt.

Suberine [lat.] (Korkstoffe), hochmolekulare Ester verschiedener Carbonsäuren, die in den Zellwänden des korkbildenden Gewebes abgelagert werden und dieses flüssigkeits- und gasdicht machen.

subfebril, leicht, jedoch nicht fieberhaft erhöht; auf die Körpertemperatur bezogen. Die s. Temperatur liegt beim Menschen zw. 37,4 und 38 °C.

subglazial, unter dem Gletschereis stattfindend.

subharmonische Schwingungen (Unterschwingungen), in nichtlinearen Systemen auftretende Schwingungen, deren Frequenzen im Ggs. zu den harmon. Schwingungen nicht ganzzahlige Vielfache der Anregungsfrequenz sind. Die Fähigkeit zu s. S. wird zur Frequenzreduktion in Quarzuhren, Steuersendern und elektron. Taktgebern häufig angewendet.

subherzynische Phase [lat./griech.] ↑ Faltungsphasen (Übersicht).

Subiaco [italien. su'bja:ko], italien. Stadt in Latium, 70 km östl. von Rom, 408 m ü. d. M., 8 900 E. Kath. Bischofssitz; Papier- und Baustoffind., Fremdenverkehr. – In der Römerzeit **Sublaqueum**; seit der Wende zum 6. Jh. durch den hl. Benedikt von Nursia berühmt, der sich in eine in der Nähe gelegene Höhle zurückzog, seine Ordensregel festlegte und in der Umgebung 12 Klöster gründete. S. wurde im 11. Jh. Stadt. – Burg (11. Jh.); ma. Aniobrücke; nahebei die Klöster Santa Scolastica (Kirche von 1764, roman. Kampanile [1053], 3 Kreuzgänge) und San Benedetto (13. Jh. ff.) mit der Höhle des hl. Benedikt.

Subikterus, leichteste Form der Gelbsucht mit schwacher Gelbfärbung der Augenlederhaut und leichter Bilirubinämie.

Subitaneier [lat./dt.] (Sommereier), in Anpassung an die klimat. Umweltbedingungen von manchen niederen Tieren (z. B. Wasserflöhe, Blattläuse) in der wärmeren Jahreszeit meist in größerer Anzahl abgelegte dünnschalige, schnell sich entwickelnde, dotterarme und daher kleinere Eier im Unterschied zu den fürs Überwintern bestimmten ↑ Dauereiern; dienen der raschen Ausbreitung der Art im Frühjahr und Sommer.

subito [italien.], musikal. Spielanweisung: schnell, plötzlich, sofort anschließend.

Subjekt [zu lat. subiectum „das (der Aussage) Unterworfene, Zugrundeliegende"], (Satzgegenstand) in der *Sprachwiss.* Bez. für denjenigen Teil eines Satzes, der den Träger der Aussage, den Ausgangspunkt der Äußerung bezeichnet und meist durch ein Nomen oder Pronomen (im Nominativ), auch durch einen Nebensatz *(S.satz)* ausgedrückt wird.

Das S. wird obligatorisch ˙durch das Prädikat und gegebenenfalls durch ein Objekt zum Satz ergänzt. Zu unterscheiden sind *grammat. S.* und *log. S.,* die nur in aktiv. Sätzen zusammenfallen (*Der Hund* beißt den Mann), während in passiv. Sätzen das log. S. (Agens) grammatisch als [Präpositional]objekt erscheint (Der Mann wird *von dem Hund* gebissen). Sätze ohne grammat. S. bezeichnet man als *subjektlos* (lat. *pluit* „es regnet").

◆ in der *Philosophie,* v. a. in der an Aristoteles orientierten Tradition, Bez. für den substantiellen Träger (das Substrat) von Zuständen, Eigenschaften und Wirkungen. S. gilt seit Descartes allg. als das denkende, seiner selbst bewußte Ich als letzte Einheit und Träger seiner Akte.

◆ in der *Musik* das Thema einer kontrapunkt. Komposition, z. B. einer Fuge. – ↑ Kontrasubjekt.

subjektiv [lat.], von persönl. Wertungen bestimmt, nicht allgemeinverbindlich.

subjektiv-dingliche Rechte, Rechte, die mit dem Eigentum an einem bestimmten Grundstück verbunden sind und auf einem bestimmten anderen Grundstück lasten, d. h. dem jeweiligen Eigentümer des einen Grundstücks gegen den jeweiligen Eigentümer des anderen zustehen (z. B. ↑ Grunddienstbarkeit).

subjektive Klagenhäufung ↑ Streitgenossenschaft.

subjektive öffentliche Rechte, die dem einzelnen gegenüber dem Staat eingeräumte Rechtsmacht, ein bestimmtes Tun, Dulden oder Unterlassen vom Staat zu verlangen (z. B. Ansprüche auf Sozialleistungen) oder auf die staatl. Rechtssphäre gestaltend einwirken zu können (z. B. Wahlrecht).

subjektive Photographie, Richtung der künstler. ↑ Photographie, die die individuelle gestalter. Sicht des Photographen betont; der Begriff wurde 1951 von O. Steinert geprägt.

subjektiver Geist, bei Hegel der Geist als individuelle Konkretion des Absoluten im (individuellen) Fühlen, Denken und Wollen des Menschen (im dialekt. Ggs. zum ↑ absoluten Geist und ↑ objektiven Geist).

subjektives Recht ↑ Recht.

Subjektivismus [lat.], in der Philosophie die Auffassung, nach der die Gegenstände des Erkennens und Wollens durch das Subjekt erzeugt („konstruiert") werden und/ oder die Erkenntnis von Sachverhalten allein durch das Subjekt, dessen Wahrnehmungen, Empfindungen, Wünsche bestimmt wird. War noch die Philosophie des MA mehr an Autoritäten orientiert, wurde das Erkenntnissubjekt in der Philosophie der Neuzeit zum Garanten (z. B. mit Descartes' „Cogito, ergo sum") und zum Objekt einer mögl. wie verbindl. Erkenntnis. In Kants „Kritik der reinen Vernunft" (1781) wird dann das Erkenntnissubjekt in seiner aprior. Einheit von Sinnlichkeit und Verstand erfaßt und erstmals eine Theorie über die Erzeugung (Konstituierung) wiss. Gegenstände durch das Subjekt vorgelegt. Demgegenüber arbeitet Hegel den Bildungsprozeß des Erkenntnissubjekts im Rahmen der Geschichte des Geistes heraus.

Subjektivität [lat.], 1. eine Eigenschaft von Aussagen, Urteilen, Haltungen oder Wert- und Handlungsorientierungen, die durch ihre Abhängigkeit von dem erkennenden, aussagenden, urteilenden Subjekt bestimmt ist; 2. die (daraus resultierende) Gültigkeit für das Subjekt einschl. der Nichtüberprüfbarkeit; 3. das Subjektsein im Rahmen des Subjektivismus.

Subjekt-Objekt-Problem, zentrales Problem der Erkenntnistheorie und des abendländ. Denkens überhaupt, das in der Frage besteht, wie die prinzipiell zweigliedrige Relation zw. (erkennendem) Subjekt und (zu erkennendem bzw. erkanntem) Objekt (Gegenstand) zu bestimmen ist sowie ob und gegebenenfalls inwieweit das Subjekt im Erkennen aktiv Einfluß auf das Objekt nimmt und dieses somit verändert. Die Geschichte der Philosophie führte zu einer Unterscheidung zw. (erkenntnistheoret., epistomolog.) Idealismus und Realismus, je nachdem, ob das Objekt als abhängig oder als unabhängig von dem erkennenden Subjekt angesehen wird. Durch die Entwicklung der modernen Naturwiss., insbes. der Quantenphysik, wird nur noch ein method. Dualismus von Subjekt und Objekt angenommen.

Subjektsatz ↑ Subjekt.

Subjunktion [lat.], (objektsprachl.) Verknüpfung von Aussagen zu einer neuen Aussage derselben Grundstufe mit der log. Partikel (Junktor) der Bedingung (**Subjunktor**) „wenn – dann" (Zeichen →, ⇒); streng zu unterscheiden von der Implikation.

Subkontinent, randl. Teil eines Kontinents, der auf Grund seiner bes. Größe und halbinselartigen Abgliederung als quasiselbständige Einheit betrachtet werden kann, z. B. Vorderindien.

Subkontraoktave, Bez. für den Tonraum $_2$C–$_2$H. – ↑ Tonsystem.

subkortikal, in der Biologie und Medizin für: unter der [Hirn]rinde gelegen.

subkrustal [lat.], unterhalb der Erdkruste entstanden.

Subkultur, die von der Gesamtkultur einer Gesellschaft unterscheidbare Teil- oder Eigenkultur einer relativ kleinen und geschlossenen [Sonder]gruppe, die sich durch erhöhte Gruppensolidarität auszeichnet und durch Normen- und Wertsystem, Schichtzugehörigkeit, Berufs-, Alters-, Rassen-, Ge-

schlechtsstruktur, regionale Verteilung sowie bes. Lebens- und Verhaltensweisen geprägt ist. S. gibt es v. a. in hochdifferenzierten, pluralist. Gesellschaften.

subkutan [lat.], in der Medizin für: 1. unter die Haut erfolgend (gesagt z. B. von Injektionen; Abk. s. c.); 2. unter der Haut liegend bzw. sich unter ihr vollziehend.

Subletalfaktor (Semiletalfaktor), durch Mutation entstandene krankhafte Erbanlage, die (im Unterschied zum ↑ Letalfaktor) nicht alle betroffenen Individuen, aber doch mehr als 50 % vorzeitig absterben läßt.

sublim [lat.], verfeinert, fein, feinempfindend; nur einem feineren Verständnis oder Empfinden zugänglich.

Sublimat [lat.], die bei einer ↑ Sublimation in den gasförmigen Aggregatzustand übergegangene und an kühleren Stellen wieder in fester Form niedergeschlagene Substanz.
♦ veraltete Bez. für Quecksilber(II)-chlorid (↑ Quecksilberchloride).

Sublimation [lat.], der direkte Übergang eines Stoffes vom festen Aggregatzustand in den gasförmigen [oder umgekehrt], ohne daß der normalerweise dazwischenliegende flüssige Zustand angenommen wird.

Sublimationskerne, in der Atmosphäre befindl. ↑ Kondensationskerne, an denen bei tiefen Lufttemperaturen und sehr hoher relativer Feuchtigkeit der Luft der Wasserdampf direkt in die Eisphase übertritt.

Sublimationswärme, Wärmemenge, die nötig ist, um einen Körper ohne Temperaturerhöhung durch Sublimation vom festen Aggregatzustand in den gasförmigen zu überführen; sie ist gleich der Summe aus Schmelzwärme und Verdampfungswärme. Der Quotient aus S. und Masse des betrachteten Körpers *(spezif. S.)* ist eine Materialkonstante.

Sublimierung [lat.], in der psychoanalyt. Theorie das Verhalten, durch das nach S. Freud diejenigen menschl. Handlungen zu erklären sind, die scheinbar keine Beziehung zur Sexualität als psych. Antrieb zugrunde liegt. Als S. sah Freud v. a. intellektuelle Arbeit und künstler. Betätigung an.

subliminal [lat.], unterschwellig, unter der Wahrnehmungs- oder Bewußtseinsschwelle liegend.

sublingual [lat.], unter der Zunge gelegen; Form der Arzneimittelzufuhr, wobei der Wirkstoff durch die gut durchblutete Mundschleimhaut (unter Umgehung der Leber) rasch aufgenommen wird, z. B. Nitroglycerin bei krampfartigen Schmerzen in der Herzgegend.

submarin, unter dem Meeresspiegel befindlich, lebend bzw. entstanden.

submers [lat.], untergetaucht; unterhalb der Wasseroberfläche befindlich oder lebend. – Ggs. ↑emers.

Submersion [lat.], in der *Geologie* Bez. für das Untertauchen des Festlandes unter den Meeresspiegel.

Subminiaturtechnik ↑Miniaturelektronik.

subnival, unterhalb der orograph. Schneegrenze liegender Bereich des Frostwechselklimas.
◆ unter dem Schnee gelegen bzw. unter Einwirkung von Schnee entstanden.

Subordinatianismus [lat.], eine Denkform in der frühchristl. Theologie, die das Verhältnis zw. Gott-Vater und Gott-Sohn als Unterordnung (lat. subordinatio) des Sohnes bestimmen möchte.

Subordination, allg. svw. Unterordnung; in der *Logik* die Unterordnung eines Begriffs unter einen anderen, z. B. des Artbegriffs unter den Gattungsbegriff.

Subotica [serbokroat. ‚suɔtitsa], Stadt in der zu Serbien gehörenden Wojwodina, in der nördl. Batschka, nahe der Grenze zu Ungarn, 114 m ü. d. M., 154 600 E. Museum; PH; Elektro- und chem. Ind., Motorradfabrik, Möbel-, Teppichherstellung. – Rathaus (1913) mit keram. Schmuckelementen.

subpolares Klima, das Klima zw. dem gemäßigten Klima der mittleren Breiten und dem Polarklima. Es ist auf der Nordhalbkugel **(subarkt. Zone)** stärker ausgebildet als auf der Südhalbkugel **(subantarkt. Zone).**

Subregion, Untereinheit einer ↑tiergeographischen Region.

subrezent, unmittelbar vor der (erdgeschichtl.) Gegenwart geschehen bzw. entstanden.

Subrosion [lat.], unterird. Auslaugung und Lösung von Salz oder Gips durch das Grundwasser. Die dadurch bei Salzstöcken oberhalb des Salzspiegels entstehenden Rückstandsbildungen nennt man **Residualgebirge.**

Subsidiarität [lat.], das Zurücktreten einer von mehreren an sich anwendbaren Rechtsnormen *(subsidiäre Rechtsnorm)* kraft ausdrückl. oder durch Auslegung zu ermittelnder gesetzl. Anordnung.

Subsidiaritätsprinzip, der kath. Sozialphilosophie entnommenes Prinzip, wonach jede gesellschaftl. und staatl. Tätigkeit ihrem Wesen nach „subsidiär" (unterstützend und ersatzweise eintretend) sei, die höhere staatl. oder gesellschaftl. Einheit also nur dann helfend tätig werden und Funktionen der niederen Einheiten an sich ziehen darf, wenn deren Kräfte nicht ausreichen, diese Funktionen wahrzunehmen. Von fundamentaler Bed. wurde das S. für die kath. Sozial- und Staatslehre.

sub sigillo [lat.], in der lat. Kirche Kurzform für: s. s. confessionis „unter dem Siegel [der Verschwiegenheit] der Beichte".

Subsistenz [lat.], in der Philosophie das Substanzsein, das Bestehen der Substanz in sich und für sich selbst.

Subsistenzwirtschaft, eine sich selbst genügende agrar. Wirtschaftsweise, bei der auf extrem niedrigem Entwicklungsniveau der Produktionstechnik die Produzenten (Großfamilie, Dorfgemeinschaft), abgesehen vom Austausch auf örtl. Märkten oder innerhalb der Dorfgemeinschaft, weitgehend nur für den Eigenverbrauch produzieren. Der Anteil der S. ist bes. in den am wenigsten entwickelten Ländern Afrikas und Asiens noch sehr hoch. Er liegt z. B. in Afrika (geschätzt) bei etwa 50 %.

Subskription [zu lat. subscriptio „Unterschrift"], die Vorbestellung eines noch nicht gedruckten oder erst in einigen Bänden erschienenen (meist kostspieligen und mehrbändigen) Werkes. Die Aufforderung zur S. muß Auskunft geben über Inhalt, Umfang, Ausstattung, Erscheinungstermin und voraussichtl. Preis. Der S.preis liegt meist etwa 10–20 % unter dem Ladenpreis. Von der Verpflichtung zur Abnahme des Werkes entbindet nur Tod oder Zahlungsunfähigkeit.

subsp., Abk. für: **Subspecies** (↑Unterart).

Subspecies, svw. ↑Unterart.

Substantia [lat.], in der *Anatomie:* Stoff (Substanz), Material, Struktur, woraus ein Organ bzw. Organteil oder ein Gewebe besteht, z. B. *S. alba, S. grisea* (die weiße Substanz bzw. graue Substanz im Zentralnervensystem).

Substantialität [lat.], Wesenhaftigkeit, Selbständigkeit.

Substantialitätstheorie, von der Scholastik und der späteren rationalen Psychologie vertretene Lehre, nach der eine unkörperl. Substanz ist, deren Manifestationen die seel. Vorgänge sind. – Ggs. ↑Aktualitätstheorie.

substantiell (substantial) [lat.], substanzartig, wesentlich; stofflich, materiell.

Substantiv [zu lat. substantia „Existenz, Sein"] (Hauptwort, Dingwort, Nennwort, Namenwort, Gegenstandswort), eine Wortart, die in semant. Hinsicht Gegenständlichkeit im weitesten Sinne ausdrückt (Personen, andere Lebewesen, konkrete Gegenstände, abstrakte Begriffe). Man unterscheidet danach Konkreta (Eigennamen für Einzeldinge bzw. -wesen, Gattungsnamen, Sammelnamen) und Abstrakta. Das S. gehört zur Kategorie ↑Nomen, ist also deklinierbar. Nur das S. kann mit dem Artikel verbunden werden. Syntaktisch kann es als Subjekt, Objekt, Attribut, Apposition, Prädikat[ivum] und Adverbiale fungieren.

substantive Farbstoffe ↑ Farbstoffe.

Substantivierung [lat.] (Nominalisierung), Gebrauch eines nichtsubstantiv. Wortes als Substantiv, z. B. *das Schöne, ein Aber, das Essen.*

Substanz [lat.], allg. svw. 1. Materie, Material, Stoff; 2. das Wesentliche, der Kern der Sache.

◆ in der *Philosophie* das, was ein jedes in sich und für sich selbst ist, das unabhängig Seiende im Ggs. zum Akzidens, dem unselbständig Seienden. Für Kant ist S., als das Beharrliche in den Erscheinungen definiert, lediglich ein dem menschl. Subjekt a priori zukommender Verstandesbegriff. In Weiterentwicklung dieses Ansatzes im dt. Idealismus ist die S. für Fichte das die gesamte Realität als seine Setzung umfassende Ich, für Hegel der Name für die unmittelbare Seinsweise des Absoluten.

◆ (Stoff) in der *Chemie* ein festes, flüssiges oder gasförmiges Material (Element oder Verbindung).

Substituent [lat.] ↑ Substitution.

Substitut [lat.], allg. svw. Vertreter, Ersatzmann.

◆ Berufsbez. im Einzelhandel für den Assistenten oder Vertreter des Abteilungsleiters.

Substitution [lat.], die Ersetzung von bestimmten Gütern oder Produktionsfaktoren (Materialien, Erzeugnisse, Produktionsverfahren, menschl. Arbeitskraft) durch andere. S. werden ausgelöst durch neue techn. Entwicklungen, Preisverschiebungen u. a. und sind auf positive *S.effekte* (Kostenersparnis, Arbeitszeiteinsparung, Qualitäts- und Gebrauchswertsteigerung) gerichtet.

◆ in der *Chemie* der Ersatz eines Atoms oder einer Atomgruppe in einem Molekül durch ein anderes Atom bzw. eine andere Atomgruppe *(Substituenten).* Die S. spielt v. a. in der organ. Chemie eine Rolle und verläuft nach bestimmten Reaktionsmechanismen. Eine *elektrophile* S. tritt v. a. bei der Halogenierung, Sulfonierung und Nitrierung aromat. Verbindungen auf, wobei ein positiv geladenes Reagenz (z. B. NO_2^+ mit dem Pielektronensystem der Kohlenstoffverbindung einen instabilen sog. *Pikomplex* bildet, der sich nach Abspaltung eines Protons und Rückbildung des aromat. Systems stabilisiert. Bei gesättigten aliphat. Kohlenstoffverbindungen tritt die *nukleophile* S. auf, bei der ein negativ geladenes Reagenz (z. B. NO_3^-, CI^-) einwirkt. *Radikalische* S., bei denen das angreifende Reagenz ein Radikal ist und eine Kettenreaktion auslöst, treten v. a. in der Gasphase auf.

◆ in der *Logik* und *Wissenschaftstheorie* die Ersetzung schemat. Symbole durch konkrete Aussagen.

◆ in der *Sprachwiss.* Bez. für den Austausch oder Ersatz von sprachl. Elementen innerhalb gleicher Umgebung; sprachwiss. Grundoperation, die der Identifizierung, Segmentierung und Klassifizierung von sprachl. Einheiten dient (Ersatzprobe). Voraussetzung dabei ist, daß der Text nach der S. grammatisch akzeptabel bleibt, gleichgültig, ob es sich um die Ersetzung *(Der Mann fährt mit dem Auto/Fahrrad)* oder um Weglassen (Reduktion) bzw. Hinzufügen (Expansion) bestimmter Einheiten handelt *(Der Mann fährt Auto/Der nette junge Mann fährt Auto).*

◆ in der *Psychoanalyse* einer der ↑ Abwehrmechanismen: Ein Objekt, auf das urspr. die psych. Antriebsenergie gerichtet war, wird durch ein anderes ersetzt.

◆ in der *Medizin* ↑ Substitutionstherapie.

Substitutionsleitung, svw. ↑ Ionenleitung.

Substitutionsrecht, Recht zur Erteilung einer Untervollmacht; in einer Behörde das Weisungsrecht, wer anstelle des planmäßig Vorgesehenen mit einer bestimmten Aufgabe betraut wird.

Substitutionstherapie, medikamentöser Ersatz *(Substitution)* eines dem Körper fehlenden, eventuell lebensnotwendigen Stoffes.

Substrat [zu lat. substratus „das Unterstreuen, Unterlegen"], allg. svw. Unterlage, Grundlage.

◆ in der *Sprachwiss.* Bez. für eine (zu einer bodenständigen Bev. gehörende) sprachl. Schicht, die von anderssprachigen Eroberern überlagert wird, aber ihrerseits auf die Sprache der Sieger einwirkt oder in Relikten erhalten bleibt. – Ggs. ↑ Superstrat.

◆ in der *Chemie* 1. eine chem. Verbindung, die von einem Enzym umgesetzt wird; 2. ein unlösl., meist unbunter Stoff, der am Aufbau bestimmter Farblacke beteiligt ist.

◆ in der *Mikrobiologie* svw. ↑ Nährboden.

Substrattheorie, in der Sprachwiss. Bez. für die zuerst auf dem Gebiet der Romanistik entwickelte Anschauung, daß sprachl. (insbes. lautl. und lexikal.) Veränderungen durch Sprachaustausch bzw. Sprachübertragung (↑ Substrat) zu erklären sind. Die S. geht zurück auf G. I. Ascoli.

subsumieren [lat.], einordnen, unterordnen.

Subsumtion (Subsumption) [lat.], in der *formalen Logik* die „Unterordnung" eines Individuums unter einen Prädikator („Artbegriff").

◆ in der *Rechtsanwendung* die Unterordnung eines konkreten Lebenssachverhalts unter den Tatbestand einer Rechtsnorm.

subterran [lat.], unterirdisch, unter der Erdoberfläche gelegen bzw. entstanden; z. B. die Erscheinungsform des Karstes.

subtil [lat.], zart, fein; sorgsam; schwierig; **Subtilität,** Zartheit; Spitzfindigkeit.

Subtrahend [lat.], die Zahl, die von einer anderen Zahl (dem Minuenden) abgezogen werden soll.

subtrahieren [lat.], svw. abziehen, eine ↑ Subtraktion ausführen.

Subtraktion [lat.], als eine der vier Grundrechenarten die Umkehrung der Addition, symbolisiert durch das Zeichen – (minus). Bei einer S. $a - b = c$ sind a der *Minuend*, b der *Subtrahend* und $a - b$ bzw. c die Differenz.

subtraktive Farbmischung [lat./dt.] ↑ Farblehre.

Subtropen, Übergangszone zw. den Tropen und der gemäßigten Zone der mittleren Breiten.

Subtropenjet ↑ Strahlstrom.

Subungulata [lat.] (Paenungulata), seit dem Paläozän bekannte Überordnung massiger, etwa nashorn- bis elefantengroßer Säugetiere, aus denen sich möglicherweise die rezenten Rüsseltiere, Schliefer und Seekühe entwickelt haben.

Subventionen [lat.], zweckgebundene Unterstützungszahlungen oder auch steuerl. Begünstigungen ohne Gegenleistung an bestimmte Wirtschaftszweige, Wirtschaftsgebiete oder auch an einzelne Unternehmen durch die öff. Hand. S. dienen als Instrument der Wirtschaftspolitik v. a. der Durchsetzung struktur- und konjunkturpolit. Ziele.

Subversion [lat.], (polit.) Umsturz, **subversiv**, umstürzlerisch; zerstörend.

subvulkanisch, von Erscheinungsformen des Vulkanismus gesagt, die in geringer Krustentiefe erstarrt, aber nicht bis an die Erdoberfläche vorgedrungen sind.

Subway [engl. 'sʌbweɪ], svw. Tunnel, Unterführung, Untergrundbahn.

Succinate [zʊki...; lat.], die Salze und Ester der Bernsteinsäure. Techn. Bed. haben einige mit Polyalkoholen hergestellte Ester als Lösungsmittel und Weichmacher für Kunststoffe und Wachse.

Succinimid [zʊ'kɪn...; Kw.] (Bernsteinsäureimid, 2,5-Dioxopyrrolidin), durch Umsetzen von Bernsteinsäureanhydrid mit Ammoniak entstehende farblose, kristalline Verbindung; einige Derivate sind Arzneimittel gegen Epilepsie vom Petit mal-Typ.

Succubus ↑ Sukkubus.

Succus ['zʊkʊs; lat.], in der Pharmazie Bez. für (eingedickten) Pflanzensaft, z. B. *S. Liquiritiae* (svw. Lakritze).

Suceava [rumän. su'tʃeava], rumän. Stadt in der Moldau, 92 700 E. Verwaltungssitz des Bez. S.; wirtsch. und kulturelles Zentrum der rumän. Bukowina; Holz-, Zellstoff-, Papierind., Maschinenbau. – Entstand an der Stelle einer dak. Siedlung des 2./3. Jh., 1388 urkundlich erwähnt; befestigt und zur Hauptstadt der Moldau (bis 1565) erhoben (Fe-

stungsanlagen wurden im späten 17. Jh. geschleift). – Zahlr. Kirchen, u. a. Mirăuţikirche (1380–90), Eliaskirche (1488 ff.), Gheorghekirche (1514–22), Dumitrukirche (1534/35) mit 30 m hohem Glockenturm (1561), befestigte Klosterkirche Zamca (1606); Fürstenherberge (17. Jh.).

Suchenwirt, Peter, fahrender Dichter des 14. Jh. aus Österreich. – Lebte zuerst in Österreich, dann am Hof Ludwigs I. von Ungarn und des Burggrafen Albrecht von Nürnberg, seit 1372 in Wien; begleitete Herzog Albrecht III. von Österreich nach Preußen. Hauptvertreter der Heroldsdichtung; schuf polit. Gelegenheitsgedichte, Minneallegorien, weltl. und religiöse Lehrgedichte, Scherz- und Lügengedichte.

Suchersystem ↑ photographische Apparate (Suchereinrichtungen).

Suchkopf, in der Spitze von Flugkörpern, Raketen, Torpedos, gelenkten Geschossen oder Bomben eingebautes, meist mit Infrarotstrahlen, Laserstrahlen oder Radar arbeitendes Peilgerät zur automat. Ausrichtung der Flugbahn auf das Ziel.

Suchlaufautomatik, auf Tastendruck ausgelöste Durchstimmung eines Rundfunkoder Fernsehempfängers, die automatisch beendet wird, wenn der nächste Sender mit ausreichender Feldstärke gefunden und abgestimmt ist.

Suchoň, Eugen [slowak. 'suxɔnj], * Pezinok (Westslowak. Bez.) 25. Sept. 1908, † Preßburg 5. Aug. 1993, slowak. Komponist. – Bed. Vertreter der zeitgenöss. slowak. Musik, komponierte Orchester-, Kammer- und Klaviermusik, Chorwerke und Lieder; wurde v. a. mit den Opern „Krútňava" (1949) und „Svätopluk" (1960) bekannt.

Suchona, linker Quellfluß der Nördl. Dwina, Rußland, Abfluß des Kubenasees, 558 km lang.

Suchos, svw. ↑ Sobek.

Suchowo-Kobylin, Alexandr Wassiljewitsch [russ. suxa'vo ka'bɨlin], * Moskau 29. Sept. 1817, † Beaulieu-sur-Mer 24. März 1903, russ. Dramatiker. – Unter dem Eindruck seines Prozesses (1850 wurde er wegen Verdacht des Mordes an seiner Geliebten verhaftet und erst 1857 freigesprochen) entstand die Dramen-Trilogie „Bilder der Vergangenheit" (1856–69), eine ankläger. Darstellung der zarist. Gerichtsbarkeit.

Sucht, die durch den Mißbrauch von Alkohol, Rauschgiften und bestimmten Arzneimitteln zustande kommende zwanghafte psych. und phys. Abhängigkeit, die zu schweren gesundheitl. Schäden führen kann. Die bekannteste Form der S. ist der Alkohol- und ↑ Drogenabhängigkeit.

Suchumi, Hauptstadt von Abchasien innerhalb Georgiens, Schwarzmeerkurort,

121 000 E. Univ. (1979 gegr.), PH, Forschungsinst., botan. Garten; 3 Theater; Obst-
konserven-, Tabak-, Schuh-, Metallind.; Hafen. – In der Nähe von S. lag der wohl im
7. Jh. v. Chr. gegr. griech. Handelsplatz **Dios-
kurias**, in den ersten Jh. n. Chr. die röm. Festung **Sebastopolis**. Mitte 15. – Anfang 19. Jh.
unter osman. Herrschaft (georg. **Zchumi**); seit
1829 russisch.

Suchumische Heerstraße, Paßstraße
über den Großen Kaukasus, zw. Suchumi
und Tscherkessk, 367 km lang.

Suckert, Kurt Erich, italien. Schriftsteller, ↑ Malaparte, Curzio.

Sucre [span. 'sukre], Hauptstadt Boliviens
und Dep.hauptstadt, 420 km sö. von La Paz,
2 800 m ü. d. M., 86 600 E. Kath. Erzbischofssitz; Univ. (gegr. 1624), Museen, Nationalbibliothek und -archiv. Handelszentrum; Erdölraffinerie und Industrie. – Gegr. 1538 an
der Stelle eines indian. Dorfes; hieß während
der Kolonialzeit meist indianisch **Chuquisaca**
(„goldenes Tor"); seit 1559 Sitz der Audien-
cia de los Charcas (daher auch **Charcas** gen.);
wurde 1776 Sitz einer Intendencia der Vize-
Kgr. La Plata, 1826 vorläufige, 1839 offizielle
Hauptstadt Boliviens und zu Ehren des Generals A. J. de Sucre y de Alcalá umbenannt;
verlor allmählich seine Hauptstadtfunktio-
nen an La Paz. – Schachbrettartig angelegtes,
kolonialzeitl. Stadtbild (von der UNESCO
zum Weltkulturerbe erklärt).

S., kolumbian. Dep. am Karib. Meer, 10 917
km², 560 100 E (1985), Hauptstadt Sincelejo.
Rinderzucht, Anbau von Reis, Maniok, Bananen, Tabak, Mais und Zuckerrohr.

S., venezolan. Staat am Karib. Meer, 11 800
km², 749 700 E (1990), Hauptstadt Cumaná. S.
liegt im Bereich der östl. Ausläufer der Kü-
stenkordillere. Angebaut werden u. a. Kakao,
Zuckerrohr, Kaffee, Mais.

Sucre [span. 'sukre], Währungseinheit in
Ecuador; 1 S. = 100 Centavos.

Sucre y de Alcalá, Antonio José de
[span. 'sukre i ðe alka'la], * Cumaná (Venezuela) 3. Febr. 1795, † Berruecos (bei Pasto)
4. Juni 1830, südamerikan. General und Politiker. – Bedeutendster militär. Mitstreiter S.
Bolívars; sicherte 1822 die Eroberung Quitos,
errang 1824 den entscheidenden Sieg über die
Royalisten bei Ayacucho; 1826–28 erster ver-
fassungsmäßiger Präsident Boliviens.

Sucula [lat.], svw. ↑ Aldebaran.

Suda, byzantin. enzyklopäd. Lexikon in
griech. Sprache. Etwa 30 000 Stichwörter
enthalten glossograph. und biograph. Artikel
sowie auch größere Sachartikel. Die S. ist
eine Kompilation aus sehr vielfältigem und
reichhaltigem literar. Material und daher von
größtem Wert als Quelle für Geschichte und
Literatur des Altertums.

Sudabad, svw. ↑ Darmbad.

Südafrika

(amtl.: Republic of South Africa, Republiek
van Suid-Afrika, dt.: Republik Südafrika),
Staat im äußersten S des afrikan. Kontinents,
zw. 22° und 34° 52′ s. Br. (Kap Agulhas) sowie
zw. 17° und 33° ö. L. (ohne Walfischbai).
Staatsgebiet: S. grenzt im W an den Atlant.,
im S und O an den Ind. Ozean, im N an Namibia, Simbabwe und Botswana, im NO an
Moçambique und Swasiland. Innerhalb des
Staatsgebietes von S. liegt Lesotho. Zu S. gehören die Prince Edward Islands im Ind.
Ozean (seit 1947). **Fläche:** 1 221 037 km². **Bevölkerung:** 39,82 Mill. E (1992), 33 E/km².
Hauptstadt: Pretoria, Sitz des Parlaments:
Kapstadt. **Verwaltungsgliederung:** 9 Prov.
Amtssprachen: Afrikaans, Englisch und 9
afrikanische Sprachen. **Nationalfeiertag:**
27. April. **Währung:** Rand (R) = 100 Cents
(c). **Internationale Mitgliedschaften:** UN,
WTO. **Zeitzone:** MEZ + 1 Std.

Landesnatur: S. gliedert sich in ein schmales
Tiefland an der Küste, den gewaltigen Steil-
anstieg der Großen Randstufe zu den Randschwellen des Binnenhochlandes und die
weitflächige, sanfte Abdachung der Hochfläche von diesen Randschwellen gegen das tie-
ferliegende Kalaharibecken, einem größtenteils mit rotem Sand bedeckten Trockenge-
biet mit geringem Relief. Die höchste Erhebung in S. ist der Champagne Castle mit
3 375 m (Drakensberge).
Klima: S. hat weitgehend randtrop. Klima,
das durch die Höhenlage einerseits, durch
den kalten Benguelastrom an der W- und den
warmen Moçambiquestrom an der O-Küste
andererseits beeinflußt wird; der äußerste S
ist ein mediterran geprägtes Winterregengebiet. Die Mitteltemperaturen des kühlsten
Monats liegen an der O- und W-Küste zw. 12
und 18 °C, im Binnenland zw. 7 und 10 °C, in
der Kalahari dagegen um 12 °C. Die höheren
Lagen (Highveld) haben bis zu 200 Frosttage.
Die Mitteltemperaturen des wärmsten Monats liegen in der Kalahari, am unteren
Oranje und im Lowveld Transvaals mit über
25 °C am höchsten. Die Jahressumme der
Niederschläge liegt zw. 625 mm und 250 mm.
Die höchste Niederschlagsmenge fällt an der
Ostseite der Großen Randstufe mit 2 000 bis
3 000 mm, die geringste im äußersten W am
unteren Oranje mit 50 mm. Die meisten Nie-
derschläge fallen im Sommer, nur im SW im
Winter; da Niederschläge manchmal ganz
ausbleiben, kommt es immer wieder zu Dür-
rekatastrophen.
Vegetation: An der O-Küste sind immergrüne
Wälder, an der Abdachung der Großen
Randstufe meerseitig feuchte Bergwälder,
binnenseitig Feuchtsavannen, die in offene

Grasländer, Trockenwälder und Dornstrauchsavanne übergehen, verbreitet. Das Winterregengebiet des SW bildet ein eigenes Florenreich (↑ kapländisches Florenreich). **Tierwelt:** S. hatte urspr. eine reiche und vielfältige Tierwelt. Durch die starke Bevölkerungszunahme und die weiträumige Landnahme ist sie stark reduziert worden. Zum Schutz und zur Erhaltung der verbliebenen Tiere wurden Nationalparks (bes. Krüger-Nationalpark) und Tierreservate eingerichtet. **Bevölkerung:** Ethnisch setzt sich die Bev. aus Schwarzen (75,2%; Bantu, bes. Zulu, Xhosa, Sotho und Tswana), aus Weißen (13,6%), Mischlingen oder Coloureds (8,6%; statistisch zählen hierzu auch Buschmänner und Hottentotten) und Asiaten (2,6%; v. a. Inder) zusammen. Für jede „Bantunation" wurde ein Bantuheimatland (insges. 10) geschaffen, die 4 der Xhosa, Tswana und Venda wurden von der südafrikan. Reg. in unabhängige Republiken verwandelt; einen inneren Autonomiestatus haben die 6 Bantuheimatländer Kwa Zulu, Lebowa, Gazankulu, Qwaqwa, Kwandebele und Kangwane. 92% der Weißen und 74% der Bantu bekennen sich zum Christentum, 62% der Asiaten zum Hinduismus. In S. gab es 1990 21 Universitäten. **Wirtschaft:** S. ist der wirtschaftlich bedeutsamste Staat Afrikas mit hochproduktiven Bereichen des Bergbaus und der verarbeitenden Ind. und mit einem modernen Agrarsektor. Die Landw. kann die für die Ernährung der Bev. notwendigen Grundnahrungsmittel selbst erzeugen; die Bantu treiben in ihren Heimatländern weitgehend Selbstversorgungswirtschaft, während die Weißen marktorientiert wirtschaften. In ihren Farmen werden, z. T. mit Bewässerung, Mais, Obst, Wein, Süd- und Zitrusfrüchte, Zuckerrohr, Baumwolle, Erdnüsse und Kaffee erzeugt. Große Bed. hat die Viehwirtschaft, bes. die exportorientierte Schafzucht (Wollgewinnung) in der Großen Karru und nördl. davon um den Oranje. Bed. ist außerdem die Angoraziegenzucht (Mohairwolle). Die Rinderzucht ist auf die Versorgung des Binnenmarktes ausgerichtet. Seit 1970 erhielt die v. a. vor der W-Küste betriebene Hochseefischerei Exportbedeutung. Verarbeitungszentrum ist Walfischbai, eines der bed. Fischkonservierungszentren der Erde. Industrielles Wirtschaftszentrum ist das Bergbaugebiet am Witwatersrand mit dem Mittelpunkt Johannesburg. Hier befinden sich die Zentren der Eisen- und Stahlind. sowie das Chemiezentrum Sasolburg. Weitere Ind.zentren (Nahrungsmittel-, Textil- und Bekleidungsind., Metallverarbeitung, Kfz-Montage, Elektro- und Papierind.) liegen an der Küste: Kapstadt, Durban, Port Elizabeth, East London. Der Bergbau ist wegen seiner großen Export-

bed. wichtigster Wirtschaftszweig des Landes, steht aber hinsichtlich seines Beitrages zum Bruttoinlandsprodukt nach der verarbeitenden Ind. an 2. Stelle. Insgesamt werden 65 verschiedene Minerale abgebaut. Für Chrom, Gold, Antimon und Vanadium ist S. der wichtigste, für Platin, Mangan, Diamanten und Lithium der jeweils zweitwichtigste Lieferant am Weltmarkt. Ebenso beachtlich sind die abbauwürdigen Kohlevorräte, sie sind zu $^9/_{10}$ an der Elektroenergieerzeugung beteiligt. Im Rahmen des Oranje River Project entstanden einige Wasserkraftwerke. S. bezieht auch Strom aus dem Kraftwerk am Cabora-Bassa-Staudamm in Moçambique. 1984 wurde ein Kernkraftwerk bei Kapstadt gebaut, ein Forschungsreaktor besteht seit 1970 in Pelindaba bei Pretoria. **Außenhandel:** Die wichtigsten Handelspartner sind die USA, Deutschland, Großbritannien, Japan und Italien. Exportiert werden Metalle und Metallprodukte, Minerale, Edelsteine, Nahrungsmittel und Tabak, Chemikalien und Textilien. Importiert werden Maschinen und Apparate, Kfz, Chemikalien, Eisen und Stahl, Kunststoffe und Gummi sowie Textilien. **Verkehr:** S. besitzt ein sehr gut ausgebautes Verkehrsnetz. Die Länge der Eisenbahnstrecken beträgt insgesamt 23 619 km, davon sind 8 440 km elektrifiziert. Das Straßennetz umfaßt insgesamt 228 268 km, davon sind 52 504 km asphaltiert. Wichtigste Häfen sind Durban (auch Umschlaghafen für Lesotho), Kapstadt, die 1976 in Betrieb genommenen Massenguthäfen Richards Bay und Saldanha Bay sowie Port Elizabeth und East London. Die staatl. Fluggesellschaft South African Airways bedient den inländ. und internat. Flugverkehr. Internat. ✈ sind der Jan Smuts Airport bei Johannesburg und die ✈ von Durban und Kapstadt. **Geschichte:** Buschmänner und Hottentotten, die historisch ältesten Bewohner dieses Gebietes, wurden seit dem 10. Jh. von den über den Sambesi vorstoßenden Bantuvölkern aus dem O Südafrikas verdrängt. Auf der Suche nach dem Seeweg nach Indien sichtete 1488 der Portugiese B. Diaz als erster Europäer das Kap der Guten Hoffnung an der S-Spitze Afrikas. Die 1652 im Auftrag der (niederl.) Vereinigten Ostind. Kompanie von J. van Riebeeck angelegte Verpflegungsstation in der Tafelbucht war Ausgangspunkt für die Entstehung der Niederl. Kapkolonie, in der sich neben vorwiegend niederl. auch dt. Einwanderer als Bauern (niederl.: Buren) niederließen. Die als Viehzüchter nomadisch lebenden sog. „Treck-Buren" und die seßhaften Weißen (die sich seit etwa 1800 „Afrikaander" nennen) lebten als Herrenschicht in einer gemeinsamen Gesellschaft mit den

Mischlingen (Coloureds) zusammen, die sie mit schwarzafrikan. Frauen zeugten. Die Hottentotten wurden in unwirtl. Randgebiete abgedrängt, die Buschmänner dezimiert. 1779 begann die Eroberung des Landes der Xhosa; der letzte (9.) „Kaffernkrieg" endete 100 Jahre später. 1795 besetzten brit. Truppen das Kapland, das den Status einer Kronkolonie erhielt (1803–06 vorübergehende Rückgabe an die Batav. Republik). Brit. Siedler wurden ins Land geholt; 1833 erzwang die Reg. die Freilassung der Sklaven. Um der brit. Herrschaft zu entgehen, zogen ab 1836 14 000 Buren (¹/₆ aller Weißen) außer Landes und stießen dabei mit den Ndebele und den Zulu zusammen, die nach blutigen Kämpfen unterlagen. Seit 1838 ließen sich die weißen „Vortrekker" in Natal, dem Oranjegebiet und Transvaal nieder und gründeten mehrere Republiken. Die 1840 entstandene Republik Natal wurde 1842 von Großbritannien besetzt (ab 1856 Kronkolonie mit begrenzter Selbstreg.). Die Südafrikan. Republik (gegr. 1852; heute Transvaal) und den Oranjefreistaat (gegr. 1854) erkannte Großbritannien an. Ab 1860 siedelten die Briten in Natal Inder für die Arbeit auf den Zuckerrohrplantagen an. Nach Entdeckung der Diamanten bei Kimberley (1867) annektierten die Kapbehörden das auch vom Oranjefreistaat beanspruchte Gebiet. 1877 geriet die Südafrikan. Republik als Transvaal Territory unter brit. Herrschaft; nach dem Sieg der Buren (1881) über brit. Truppen mußte Großbritannien jedoch erneut die Unabhängigkeit der Republik akzeptieren. Die Burenrepubliken anerkannten dagegen die brit. Rechte auf Betschuanaland, das C. Rhodes erworben hatte, der die gesamte südafrikan. Diamantenförderung kontrollierte und 1890–96 Premiermin. der Kapkolonie war. Nach einem gescheiterten brit. Versuch, 1895 im sog. Jameson Raid die Südafrikan. Republik zu annektieren, brach 1899 der † Burenkrieg aus, der 1902 mit der Kapitulation der Buren endete; ihre Republiken wurden brit. Kolonien (ab 1907 mit voller Selbstreg.). Am 31. Mai 1910 konstituierte sich als Vereinigung der brit. Kolonien in S. das Dominion Südafrikan. Union; erster Premiermin. wurde der ehem. Burengeneral L. Botha (bis 1919). Gegen die Beschränkung der Rechte der Schwarzen richtete sich die Gründung des African National Congress (ANC) 1912 (†Afrikanischer Nationalkongreß).

Bis 1924 regierte die englandfreundl. Südafrikan. Partei, unter der S. in den 1. Weltkrieg gegen Deutschland eintrat (Eroberung von Dt.-Südwestafrika 1914/15, das 1920 als Mandatsgebiet erworben wurde). 1924 gewann die antibrit. Nat. Partei mit der verbündeten Arbeiterpartei die Parlamentsmehrheit; die unter Min.präs. J. B. M. Hertzog (1924–39) gebildete Reg. führte 1925 Afrikaans als 2. Amtssprache ein. Unter dem Kabinett von J. C. Smuts (1939–48) nahm S. auf seiten der Alliierten am 2. Weltkrieg teil. Als die Nat. Partei 1934 mit der oppositionellen Südafrikan. Partei zur Vereinigten Partei (United Party) fusionierte, spaltete sich der radikale Flügel ab und ging unter D. F. Malan als „gereinigte" Nat. Partei (National Party) in Opposition. Sie erlangte 1948 die Reg.gewalt (Min.präs. 1948–54 Malan) und begann die durch strikte Rassentrennung gekennzeichnete Politik der †Apartheid. Danach wurden alle Weißen zu einer einheitl. „Nation" erhoben, die Schwarzen wurden in 10 verschiedene „Bantunationen" (nach Sprache und vorkolonialer Geschichte) unterteilt und jede bekam ein †Bantuheimatland zugewiesen. Die Mischlinge und Asiaten (v. a. Inder) wurden zu je einer weiteren „Nation" ohne eigenes Gebiet erklärt.

Die Schwarzen leisteten unter Führung des ANC bis 1959 gewaltfreien Widerstand, den die Reg. mit immer härteren Staatsschutzgesetzen beantwortete. 1959 spaltete sich der militante Pan-Africanist Congress (PAC) vom ANC ab. Demonstrationen der Schwarzen führten 1960 zum Massaker von Sharpeville (67 Tote). Nach ihrem Verbot im April 1960 führten ANC und PAC ihren Kampf gegen die Apartheid aus dem Untergrund und dem Exil fort. Die Organization of African Unity (OAU) erkannte 1963 ANC und PAC als Befreiungsbewegungen an, beide wurden 1972 als Beobachter bei den UN zugelassen. 1961 trat S. aus dem Commonwealth aus und wurde Republik. 1963 beschloß der UN-Sicherheitsrat ein Waffenembargo (1977 verschärft). Unter Premiermin. B. J. Vorster, der 1966 auf den ermordeten H. F. Verwoerd folgte, begann S. mit der Entlassung der Bantuheimatländer in die staatl. Unabhängigkeit (Transkei 1976, Bophuthatswana 1977, Venda 1979 und Ciskei 1981). Unter den städt. Schwarzafrikanern und Mischlingen sammelte sich neuer Widerstand in der Bewegung „Schwarzes Bewußtsein". Unruhen unter der schwarzen Jugend, die im Juni 1976 in Soweto ausbrachen, wurden durch die Polizei blutig unterdrückt (mindestens 250 Tote). Im Okt. 1977 verbot die Reg. die Organisationen (und Presseorgane) der Schwarzen (deren Führer z. T. verhaftet, z. T. ins Exil getrieben wurden) sowie weiße Antiapartheidgruppen.

Wiederholt unternahm S. Militäraktionen gegen Angola (u. a. 1981). Unter Min.präs. P. W. Botha (ab 1978) wurde 1984 eine neue Verfassung verabschiedet, auf deren Grundlage er zum Staatspräs. gewählt wurde und die den Mischlingen und Asiaten begrenzte Mitspra-

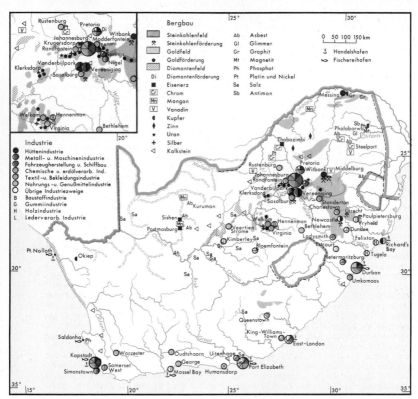

Südafrika. Wirtschaftskarte

cherechte einräumte (eigene Parlamentskammern), die Schwarzen jedoch weiterhin von polit. Verantwortung ausschloß.

Angesichts zunehmender Unruhen und Streiks gegen die Apartheidpolitik und einer damit einhergehenden Welle der Gewalt verhängte die Reg. im Juni 1986 den Ausnahmezustand. Daraufhin beschlossen u. a. die USA und die EG wirtsch. Boykottmaßnahmen gegen S. Bei den sog. weißen Wahlen im Mai 1987 war ein deutl. Rechtsruck in der weißen Bev. festzustellen; die rechtsextreme Conservative Party konnte bei den Nachwahlen 1988 ihre Position ausbauen. In bezug auf ↑Namibia, das bis 1966 Mandatsgebiet von S. war (durch UN entzogen) und seitdem widerrechtlich von diesem besetzt gehalten wurde, um v. a. die ↑SWAPO dort an einer Übernahme der polit. Macht zu hindern, kam es Ende der 80er Jahre zu einer polit. Konflikt-

lösung (1988 Vereinbarung zw. S., Angola und Kuba). Nach dem Abzug der südafrikan. Truppen und der erstmaligen Durchführung freier Wahlen (Nov. 1989) erlangte Namibia im März 1990 die Unabhängigkeit. Nach dem Rücktritt Bothas als Staatspräs. 1989 wurde F. W. de Klerk sein Nachfolger; unter dem Eindruck der wachsenden internat. Isolierung und der weiter eskalierenden Rassenunruhen, die z. T. bürgerkriegsähnl. Charakter annahmen, leitete de Klerk einen allmähl. Abbau der Politik der Apartheid ein, was v. a. auf den Widerstand der Conservative Party stieß. Nach Wiederzulassung des ANC (Febr. 1990) begann dessen mit zahlr. anderen polit. Gefangenen freigelassener Führer N. ↑Mandela im Mai 1990 offizielle Gespräche mit der Reg. über Wege zum Abbau des Rassenkonflikts. Im Juni 1990 wurde der Ausnahmezustand beendet; im gleichen Monat beschloß das Parlament die Aufhebung des Gesetzes über die Rassentrennung in öff. Einrichtungen (Separate Amenities Act; sog. kleine Apartheid). Daraufhin setzten die EG-Außenmin. im April 1991 die Wirtschaftssanktionen gegen S. außer Kraft. Mit der im Juni 1991 vom Parlament beschlossenen Abschaffung des Erfassungsgesetzes (Population Registration Act) wurde eines der entscheidenden Apartheidgesetze beseitigt. Dennoch blieb die innenpolit. Situation weiter gespannt (u. a. Attacken der militanten „Afrikaaner Widerstandsbewegung" gegen die Reg.politik). Insbes. zw. den politisch uneinigen Organisationen der Schwarzen kam es wiederholt zu blutigen, z. T. ethnisch geprägten Auseinandersetzungen, v. a. zw. der Inkatha, die in erster Linie die Zulu repräsentiert, und dem ANC, der von den Xhosa dominiert wird. Die im Juli 1991 bekannt gewordene geheime Finanzierung der Inkatha durch die Reg. behinderte den polit. Reformprozeß. Im Aug. 1991 löste sich die 1983 gegr. Antiapartheid-Bewegung „Vereinigte Demokrat. Front" (UDF) auf. Die durch den Zusammenschluß von ANC und PAC im Okt. 1991 entstandene „Patriot. Einheitsfront" zerfiel bereits Ende des Jahres wieder, da der PAC Verhandlungen mit der Reg. ablehnte. Im Dez. 1991 nahm ein „Konvent für ein demokrat. Südafrika" (Codesa), der sich aus Vertretern der südafrikan. Reg., der Administrationen der 4 für unabhängig erklärten Bantuheimatländer sowie aus 14 Parteien und Schwarzenorganisationen konstituierte, Verhandlungen über eine neue Verfassung und eine Übergangsreg. unter Beteiligung schwarzer Politiker auf (Verabschiedung einer Absichtserklärung über ein demokrat., nichtrass., ungeteiltes S.). Bei einem Referendum am 17. März 1992, von dessen Ausgang de Klerk sein Verbleiben im Amt abhängig gemacht hatte, stimmte die weiße Bev. mit 68,7 % für eine Fortführung der Reformpolitik. Die im Mai 1992 in Verhandlungen zw. Reg. und ANC sowie ANC erzielte Einigung über einen Übergangsexekutivrat für die Vorbereitung freier Wahlen zu einer Verfassungsgebenden Versammlung drohte jedoch trotz der eingegangenen Kompromisse zeitweise an den gewaltsam ausgetragenen Rivalitäten zw. den Schwarzenorganisationen und den z. T. rechtsextremen Gruppierungen der Weißen zu scheitern. Nach der blutigen Unterdrückung von Unruhen in der Township Boipaton (bei Johannesburg) durch die südafrikan. Polizei im Juni 1992 zog sich der ANC vorübergehend von den Verfassungsgesprächen zurück. In der zweiten Jahreshälfte 1992 setzte sich der Abbau der weißen Minderheitsherrschaft fort. Entsprechend einer Vereinbarung zw. Präs. F. de Klerk und ANC-Vors. N. Mandela (26. Sept. 1992) nahmen am 1. April 1993 26 Parteien und Organisationen in Kempton Park bei Johannesburg die Verhandlungen über eine Verfassung für S. wieder auf und setzten am 2. Juli 1993 den Termin für freie Wahlen auf den 27. April 1994 fest. Gewalttätigkeiten zw. rivalisierenden Organisationen der Schwarzen (bes. zw. Inkatha und ANC) sowie zw. weißen und schwarzen Extremisten stellten den Erfolg der Verhandlungen immer wieder in Frage. Am 10. April 1993 wurde der Generalsekretär der mit dem ANC zusammenarbeitenden KP, M. T. („Chris") Hani (* 1942), von einem Mgl. der extremist. weißen Afrikan. Widerstandsbewegung ermordet; es kam zu Streiks und Ausschreitungen. Nachdem die Verfassungskonferenz am 22. Sept. 1993 eine auf der Gleichberechtigung aller Gruppen in der Rep. S. beruhende Verfassung paraphiert hatte, hoben die OAU (30. Sept.), die UNO (8. Okt.) und andere Organisationen (z. B. die EU) die Wirtschaftssanktionen gegen S. auf. Auf der Basis der am 18. Nov. (von Präs. de Klerk und 20 Organisationen, darunter dem ANC) unterzeichneten Verfassung nahm am 7. Dez. 1993 ein (zur Kontrolle der Reg. de Klerk beauftragter) „Übergangsexekutivrat" die Arbeit auf. Radikale weiße Kräfte sowie konservativ-regionalistische schwarzafrikan. Gruppierungen (bes. die Inkatha-Bewegung), in der „Freiheitsallianz" zusammengeschlossen, lehnten die Verfassung ab und erklärten sich nur unter grundsätzl. Vorbehalten bereit, an den Wahlen teilzunehmen. Aus den vom 26.–29. April 1994 stattfindenden Wahlen zur Nationalversammlung ging als klarer Sieger mit etwa 62 % der Stimmen der ANC hervor. Die Nationalpartei konnte etwa 20 %, die Inkatha-Freiheitspartei 10 % erringen. Gemäß der Übergangsverfassung wurde ein Kabinett der nat. Einheit gebildet, dem Min. des ANC, der Nationalpartei und der Inkatha angehören. Zum neuen Präs. wurde N. Mandela gewählt (Amtsantritt 10. Mai 1994)

Politisches System. Am 27. April 1994 trat die für 5 Jahre geltende Übergangsverfassung in Kraft. Danach ist S. eine parlamentar. Republik mit präsidialem Reg.system. *Staatsoberhaupt* und Spitze der *Exekutive* ist der von der Nationalversammlung auf 5 Jahre gewählte Staats-Präs.; jede Partei mit mehr als 20 % der Wählerstimmen stellt einen Vize-Präs. Die Regierung wird durch ein Mehrparteienkabinett gebildet, dem Minister aus allen Parteien angehören, die mehr als 5 % der Wählerstimmen erhielten. *Legislative* ist das Zweikammerparlament, bestehend aus der Nationalversammlung (400 auf 5 Jahre direkt gewählte Abg.) und dem Senat (90 durch die Provinzparlamente indirekt gewählte Abg., 10 pro Provinz), das zugleich als Verfassungsgebende Versammlung fungiert.

Verwaltungsmäßig entstanden unter Integration der bisherigen Homelands und der 4 Autonom-Staaten (Transkei, Bophuthatswana, Venda, Ciskei) 9 neue Provinzen. Die bestehende *Rechtsordnung* wurde zunächst fast unverändert übernommen. Stärkste *Partei* ist der Afrikan. Nationalkongreß (African National Congress, ANC). Im Mehrparteienkabinett sind neben dem ANC die Nationalpartei (National Party, NP) und die Inkatha-Freiheitspartei (Inkatha Freedom Party, IFP) vertreten. Zu den kleineren Parteien gehören die rechte Freiheitsfront (VF/FF), die liberale Demokrat. Partei (DP), der Schwarznationalist. Panafrikan. Kongreß (PAC) und die Afrikan. Christl. Demokrat. Partei (ACOP).
ꇛ *Roth, T.: S. Die letzte Chance. Stg. 1991. – S. Apartheid u. Menschenrechte in Gesch. u. Gegenwart. Hg. v. J. Rüsen u.a. Pfaffenweiler 1991. – Wellner, K.: Wirtschaftssanktionen als Mittel internat. Politik. Ffm. 1991. – Rausch, E.: Buren, Bantus, Biedermänner. Rastatt 1991. – Seycholt, A.: S. – Tiere, Pflanzen, Landschaften. Hannover 1989. – Alphonse, M.: S. Zürich 1989. – Jaenecke, H.: Die weißen Herren. 300 Jahre Krieg u. Gewalt in S. Mchn. 1989. – Halbach, A.J.: S. u. seine Homelands. Köln 1988. – Thompson, L.: The political mythology of apartheid. New Haven (Conn.) 1985.*

südafrikanische Literatur, die Literatur Südafrikas in engl. Sprache und in Afrikaans. O. Schreiner schrieb den ersten südafrikan. Roman in **engl. Sprache** (* 1855, † 1920), ihm folgten S. T. Plaatje (* 1877, † 1932), L. van der Post (* 1906), St. Cloete, S. G. Millin (* 1889 [?], † 1968). Seit der Mitte des 20. Jh. wird die Rassensituation Hauptgegenstand der Literatur (A. Paton [* 1903, † 1988], W. Plomer [* 1903, † 1973], N. Gordimer, A. Fugard [* 1932]), E. Mphahlele). Die **afrikaanse Literatur** entstand erst nach dem Burenkrieg um 1905. Themen der Lyrik sind Kriegserleben, Natur, Landschaft, häusl. Leben, Themen der realist. Prosa (u. a. J. van Bruggen) v. a. die Proletarisierung von Stadt und Land. Exponent einer extrem individualist. Bekenntnislyrik war Mitte der 30er Jahre N. P. van Wyk Louw (* 1906, † 1970). Die formale Experimentierfreudigkeit und die ideolog. Kompromißlosigkeit der literar. Richtung der „Sestigers" (= Sechziger) führte zur radikalen Erneuerung der afrikaansen Literatur, der mit den Romanen von A. P. Brink und den Gedichten B. Breytenbachs der Anschluß an die Weltliteratur gelang. In absurdem Theater und surrealist. Prosa wurden überkommene Werte auf allen Gebieten in Frage gestellt, eine sozial- und gesellschaftskrit. Tendenz ist bis in die Gegenwart dominierend.

ꇛ *Current Themes in Contemporary South African literature. Hg. v. Elmar Lehmann u.a. Essen 1988. – Seidenspinner, M.: Die Literaturen Südafrikas. In: Krit. Lex. zur fremdsprachigen Gegenwartslit. Hg. v. H. L. Arnold. Losebl. Mchn. 1983 ff. – Chapman, M./Danger, A.: A century of South African poetry. Johannesburg 1981. – Gray, S. R.: Southern African literature. New York 1979.*

Südamerika, der südl. Teil des amerikan. Doppelkontinents, umfaßt 17,83 Mill. km^2 und ist damit der viertgrößte Erdteil. ˙S. wird im W vom Pazifik, im S von der Drakestraße, im O und NO vom Atlantik und im N vom Karib. Meer begrenzt. Lediglich im NW besitzt S. über die Landbrücke von Panama Festlandverbindung nach Mittelamerika. Der Kontinent hat eine N–S-Erstreckung (zw. Punta Gallinas und Kap Hoorn) von 7 600 km und eine W–O-Erstreckung (zw. Kap Branco und Punta Pariñas) über 5 000 km. Der schwach gegliederten Küste, ausgenommen das südchilen. Küstengeb., sind wenige bed. Inseln vorgelagert; im N Trinidad, im S die Falklandinseln, der Feuerlandarchipel und die chilen. Inseln. **Gliederung:** Im W von S., entlang der Küste steil aufsteigend, durchzieht das Faltengebirge der Anden als Hochgebirge den gesamten Kontinent. Schmale Küstenebenen sind dem Gebirgssystem nur in Kolumbien, Ecuador und in Mittelchile vorgelagert. Bei über 7 000 km Länge beträgt die größte Breite im zentralen Teil etwa 700 km. Die höchsten Gipfel steigen in den N-Anden über 5 000 m, in den Z-Anden über 6 000 m, im Aconcagua zu 6 959 m auf. Erst an der S-Spitze des Kontinents sinken die Gipfelhöhen unter 3 000 m ab. Im O und NO liegen die alten, ausgedehnten, Mittelgebirgshöhen erreichenden Bergländer, das Brasilian. Bergland und das Bergland von Guayana. Der kristalline Sokkel dieser Bergländer ist zum Teil von paläozoischen und mesozoischen Sedimenten und vulkan. Ergüssen überdeckt. Zw. den Bergländern im O und den Anden im W erstreckt sich eine weite Senkungszone, die durch niedrige Schwellen in das Orinokobecken, das Amazonastiefland und das La-Plata-Becken (Gran Chaco, Pampas) gegliedert wird. Der südl. Teil von S., Patagonien, zeigt eine allmähl. Abdachung der Anden nach O. Die Anden sind die Wasserscheide zw. Pazifik und Atlantik. Es werden rd. 7 % zum Pazifik und 85 % zum Atlantik entwässert, 1,5 Mill. km^2 sind abflußlos, ein Teil der innerandinen Hochbecken und des östl. Andenvorlandes (Gran Chaco und Pampas). Die größten Stromsysteme sind die des Amazonas (7,05 Mill. km^2), des Paraguay–Paraná–Rio de la Plata (3,10 Mill. km^2) und des Orinoko (0,95 Mill. km^2 Einzugsgebiet). Die Flüsse der

westl. Andenabdachung sind nur kurz. An Binnenseen ist S. arm; die größten liegen im zentralen Andenhochland (Titicaca- und Poopósee).
Klima: Der größte Teil von S. gehört den dauernd bis periodisch feuchten Tropen an. Im N reicht es in die trockene Passatzone, im äußersten S in die kühlgemäßigte Zone. Das Amazonastiefland liegt in den immerfeuchten Tropen. Nördl. und südl. davon schließen sich wechselfeuchte Tropenklimate an. Weiter südl. folgen subtrop. Klimate mit warmen, regenreichen Sommern und mäßig warmen, regenarmen Wintern; ständig feucht ist das Gebiet am unteren Paraná und am Uruguay, westl. davon nehmen die Niederschläge ab (im Andenvorland Halbwüste bis Wüste). Im trop. Hochgebirge der Anden folgen die Höhenstufen der Tierra caliente, Tierra templada, Tierra fría und Tierra helada aufeinander. Während der peruan.-nordchilen. Teil der Küstenebene unter dem Einfluß des kalten Humboldtstromes Wüstenklima hat, ist der kolumbian. Teil trop.-immerfeucht; das übrige Chile reicht vom Mittelmeerklima bis in die kühl-gemäßigte ozean. Zone. Die höchsten Niederschlagswerte/Jahr werden an der Ostabdachung der Anden im Bereich der immerfeuchten Tropen mit durchschnittlich 4000 mm (Maximum bei 7000 mm) gemessen. Ganzjährig hohe Niederschläge fallen im Amazonastiefland (2000–3000 mm); sie sinken im Brasilian. Bergland auf durchschnittlich 1500 mm/Jahr. In den pazif. Küstenwüsten südl. des Äquators bleiben die Niederschläge oft jahrelang aus, nur Tau- und Nebelniederschläge bringen etwas Feuchtigkeit.
Vegetation: S. gehört zum neotrop. Florenreich. Den klimat. Bedingungen entsprechend, herrscht der trop. Regenwald (Hyläa) im Amazonastiefland und in Guayana vor; seit den letzten 2 Jahrzehnten wird dieser durch intensive Rodung (Errichtung der †Transamazônica, Erschließung neuerkundeter Lagerstätten) flächenmäßig zunehmend reduziert; im O wird er von Feuchtsavannen (Campinas) durchsetzt. Im N und S der Hyläa schließen sich im Bereich der Llanos am Orinoko und im Brasilian. Bergland Savannen (Campos) an. In SO-Brasilien folgen subtrop. Regenwälder, in NO-Brasilien prägen das Landschaftsbild. Die Trockenwälder des Gran Chaco leiten zu den Steppen der Pampas und Ostpatagoniens über. Westl. der Pampa, stellenweise mit ihr verzahnt, schließt sich eine Dornbuschformation an, das Montegebiet. Die trop. Anden zeigen in ihrer Vegetationsabfolge eine vertikale Gliederung: auf den trop. Regenwald folgt trop. Bergwald (Nebelwald), daran schließt sich, v. a. auf den trockeneren Hochflächen zw. den einzelnen Gebirgszügen, die Grassteppe (Páramoformation mit Horstgräsern, Polsterpflanzen u. a.) an. Darüber folgen Wüstensteppen und Wüsten. Südl. 15° s. Br. besitzen die intramontanen Hochländer ausgesprochenen Wüstencharakter (Puna) mit polsterbildenden Pflanzen, die südwärts allmählich ausbleiben und zur vegetationslosen Andenzone überleiten.

Staatliche Gliederung (Stand 1992)

Staat	Fläche (km²)	E (in 1000)	E/km²	Hauptstadt
Argentinien	2 780 092	33 100	12	Buenos Aires
Bolivien	1 098 581	7 524	7	Sucre/La Paz
Brasilien	8 511 965	154 113	18	Brasilia
Chile	756 626	13 600	18	Santiago de Chile
Ecuador	270 670	11 055	39	Quito
Guyana	214 969	808	4	Georgetown
Kolumbien	1 138 914	33 424	29	Bogotá
Paraguay	406 752	4 519	11	Asunción
Peru	1 285 216	22 451	17	Lima
Surinam	163 265	438	3	Paramaribo
Uruguay	176 215	3 130	18	Montevideo
Venezuela	912 050	20 186	22	Caracas
abhängige Gebiete				
von Frankreich				
Französisch-Guayana	91 000	104	1	Cayenne
von Großbritannien				
Falklandinseln	12 173	2	0,2	Stanley

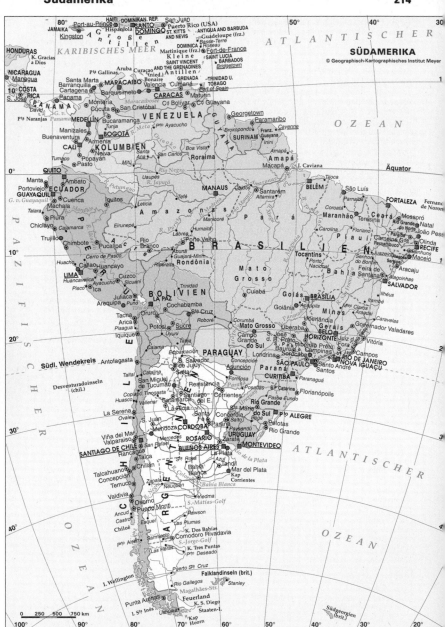

SÜDAMERIKA
© Geographisch-Kartographisches Institut Meyer

Tierwelt: Tiergeographisch gehört S. der neotrop. Region an. Mehrfache, teilweise langandauernde Perioden der Isolation in früheren Erdepochen gaben der Tierwelt dieser Region ein eigenständiges Gepräge. Eine Reihe einst vorherrschender Tiergruppen ist heute weitgehend oder ganz ausgestorben. Eine Folge der mehrfachen Unterbrechung der Landverbindung zw. S- und N-Amerika ist eine große Zahl endem. Tiergruppen. Unter den Säugetieren sind z. B. Ameisenbären, Faultier, Guanako, Vikunja, Jaguar, unter den Vögeln Hokkohühner, Kondore, Nandus und viele Kolibris typisch für S. Von den Reptilien sind die Krokodile mit mehreren Arten vertreten, von denen die Kaimane auf die neotrop. Region beschränkt sind. Eine große Artenfülle bringen die Echsen hervor, bes. die Leguane. An Schlangen sind v. a. die Riesenschlangen, u. a. die Anakonda, zu nennen und die buntgefärbten Korallenschlangen. Zu den Besonderheiten bei den Süßwasserfischen zählen u. a. die Raubfische (Pirayas).

Bevölkerung: Die indian. Urbev., die auf sehr unterschiedl. kultureller und techn.-zivilisator. Entwicklungsstufe stand, wurde von Weißen und Schwarzen stark zurückgedrängt. Nur in den Anden Boliviens, Perus und Ecuadors, dem Bereich der altamerikan. Kulturen, hat sie sich behaupten können. Restgruppen leben v. a. im Amazonastiefland und sind mit dessen zunehmender Erschließung immer mehr in ihrer Existenz bedroht. Durch Eroberung und Kolonisation haben die Spanier und Portugiesen S. zu einem Gebiet der roman. Sprachen und Kulturen (Lateinamerika) sowie der kath. Religion gemacht, wenn auch unter Indianern und Schwarzen vielfach alte Sitten und Glaubensvorstellungen geblieben und zum Teil mit dem Christentum eine Verbindung eingegangen sind. Nur in Guayana wurde die Entwicklung durch andere europ. Mächte geprägt. Durch die Sklaven, die mit dem Aufschwung der Plantagenwirtschaft nach S. gebracht wurden, erhielt Brasilien einen bed. Anteil von Schwarzen an der Gesamtbevölkerung. Seit dem 19. Jh. erfolgte v. a. eine starke europ. Einwanderung (1850–1950 rd. 9 Mill.); die Einwandererströme gingen v. a. nach Argentinien, Uruguay, Brasilien und Chile, die dadurch zu Siedlungs- und Wirtschaftszentren von S. wurden, während in der vorkolumb. Epoche die Anden der Hauptsiedlungsraum waren. So wurde das heutige Bev.bild im wesentlichen durch die neuzeitl. Einwanderung geprägt.

Geschichte: Zur Vor- und Frühgeschichte † die einzelnen Länder.
Zu den präkolumbischen Hochkulturen † altamerikanische Kulturen.

Entdeckung und Eroberung: Seit das christl. Europa durch die Ausbreitung des Osman. Reiches von der Verbindung nach Indien abgeschnitten worden war, gab es v. a. von Spanien und Portugal Bestrebungen, einen neuen Seeweg dorthin zu finden. 1492 versuchte C. Kolumbus im Auftrag der span. Krone, Asien in westl. Fahrt zu erreichen. Am 12. Okt. 1492 landete er auf seiner 1. Fahrt (1492/93) auf der Insel Guanahani, die er San Salvador nannte. Die weitere Reise führte ihn bis Kuba und Hispaniola (Haiti), die 2. Fahrt (1493–96) über die Kleinen Antillen und Puerto Rico bis nach Jamaika. Auf seiner 3. Fahrt (1498–1500) gelangte er nach Trinidad und berührte im Golf von Paria erstmals das amerikan. Festland; seine 4. Fahrt (1502–04) führte ihn bis zum zentralamerikan. Festland. – Als Kolumbus von seiner 1. Reise zurückkehrte, flammte der portugies.-span. Streit um das Recht auf Entdeckungen im Atlantik wieder auf. Beide Länder einigten sich im Staatsvertrag von Tordesillas (1494) auf eine Demarkationslinie 370 span. Meilen (Leguas) westl. der Kapverd. Inseln, die die Interessensphären in Übersee abgrenzten. Portugal, dem die Inseln und Länder östl. dieser Linie zufielen, erwarb sich damit Besitzansprüche auf Brasilien. Noch zu Kolumbus' Lebzeiten setzten Seefahrer im Dienste der span. oder portugies. Krone die Erforschung der Neuen Welt fort. A. Vespucci befuhr im Auftrag Spaniens und Portugals (1497–1504) die südamerikan. N- und O-Küste. Der Portugiese P. A. Cabral landete 1500 in Brasilien. 1516 war die amerikan. O-Küste von Florida bis zum Río de la Plata erkundet. Den Pazif. Ozean hatte V. Núñez de Balboa 1513 über den Isthmus von Panama erreicht, die Großen Antillen waren schon weitgehend kolonisiert. F. de Magalhães gelang es 1519–21, an der O-Küste S. entlangzusegeln und die nach ihm benannte Meeresstraße zu durchfahren (erste Weltumsegelung).
Bei der Eroberung des Inkareiches wurden die Spanier unter Führung von F. Pizarro durch einen Bruderkrieg begünstigt, der innerhalb der Herrscherdynastie ausgebrochen war. Pizarro zog am 15. Nov. 1533 in Cuzco, der Residenz der Inka, ein. Mit der Gründung Limas 1535 war die Eroberung Perus im wesentlichen abgeschlossen. Weitere Konquistadoren waren G. J. de Quesada, der 1536–39 die Muiscareiche (3. indian. Hochkultur) dem span. Imperium einverleibte, P. de Mendoza (* 1487 [?], † 1537), der den La-Plata-Raum für span. Besiedlung öffnete (1535–37), und P. de Valdivia, der die Siedlungsgrenze im S Chiles gegen den Widerstand der Araukaner vorschob. Die span. Krone machte der Profitgier der Konquista-

doren in ihren „capitulaciones" weitgehende Zugeständnisse, verzichtete aber nicht auf ihre Rechte und unterstellte die eroberten Gebiete ihrer Verwaltung.

Die Kolonialreiche in Süd- und Mittelamerika:

Die span. Herrschaft: Die überseeischen Besitzungen in Amerika galten als integrale Bestandteile der span. Monarchie. Die Kampfhandlungen während der Conquista und die Auswirkungen der Versklavung unterworfener Stämme führten zu einer demograph. Katastrophe für die indian. Bev. (bis zum Untergang v.a. der nicht seßhaften Indianerstämme). Schon mit den ersten Eroberern kamen auch schwarze Sklaven in die Neue Welt. Als sich herausstellte, daß Indianer den körperl. Anstrengungen der Plantagenwirtschaft und des Bergbaus nicht gewachsen waren, wurden immer mehr schwarze Sklaven nach Amerika verschifft. Um 1570 gab es etwa 40000, um 1650 etwa 850000 und am Ende der Kolonialzeit etwa 2350000 Schwarze im span. Amerika. Mestizen, Mulatten, Zambos sowie die Abkömmlinge aus Mischungen einer der 3 Grundrassen mit einer der Mischlingsgruppen ergaben ein vielfarbiges, von sozialen Abstufungen verschiedenster Art geprägtes Völkergemisch. Gegen Ende der Kolonialzeit machten die Mischlingsgruppen etwa 25–50% der Gesamtbev. aus. Schon früh vermehrte sich die weiße Bev. stärker durch in Amerika geborene Nachkommen (Kreolen) als durch Einwanderung aus dem Mutterland. Der Ggs. zw. Kreolen und Europa-Spaniern brach in der Unabhängigkeitsbewegung zu Beginn des 19.Jh. voll auf. – 1524 wurde der Consejo real y supremo de las Indias (Indienrat) als oberste Verwaltungs- und Gerichtsbehörde für das span. Amerika errichtet, der erst unter den Bourbonen an Bed. verlor. Außerdem wurden mit den Audiencias (kollegiale Gerichts- und Verwaltungsbehörden, die sich im MA in Spanien herausgebildet hatten) Aufsichtsbehörden geschaffen, die dem Machtstreben einzelner Personen vorbeugen konnten. 1535 entsandte Karl V. einen Vizekönig nach Neuspanien (mit der Hauptstadt Mexiko), das neben großen Teilen N-Amerikas auch M-Amerika (ohne Panama) und Venezuela umfaßte. 1543 wurde das Vize-Kgr. Peru gegründet mit der Hauptstadt Lima und ganz Span.-S. außer Venezuela als Herrschaftsbereich. Im 18.Jh. wurden 2 weitere Vize-Kgr. gebildet: Neugranada (1717/39) mit Sitz in Bogotá umfaßte die heutigen Länder Ecuador, Kolumbien, Panama und Venezuela; Rio de la Plata (1776) mit Sitz in Buenos Aires verwaltete die heutigen Länder Argentinien, Uruguay, Paraguay und Bolivien. Die Audiencias standen unter und ne-

ben den Vizekönigen. Schrittweise gelang es der span. Krone, sich bis zur Bulle Papst Julius' II. (1508) das Universalpatronat für die überseeischen Reiche zu sichern. Der Indienrat entwickelte sich zur obersten staatl. Behörde für die geistl. Angelegenheiten in Amerika. Auf seine Veranlassung kam es 1547 zur Errichtung der Erzbistümer Santo Domingo, Mexiko und Lima; Santa Fe de Bogotá folgte 1565. Auch die Missionsorden und die sog. Missionsstaaten, von denen der „Jesuitenstaat" von Paraguay der bekannteste wurde, konnten sich der Aufsicht durch die Kolonialverwaltung nicht entziehen. – Spanien konnte sein überseeisches Imperium über 3 Jh. im wesentlichen behaupten. Erst als Spanien durch den Einmarsch der Franzosen unter Napoleon I. und die folgenden inneren Wirren in eine Krise geriet, entschlossen sich die Kreolen – nach dem Beispiel der Vereinigten Staaten von N-Amerika – zum Abfall vom Mutterland. Kuba und Puerto Rico blieben noch bis 1898 spanisch. – ↑ spanische Kolonien.

Die portugies. Herrschaft: Ziele der portugies. Politik waren zunächst Seeherrschaft und Organisation von Handelsfaktoreien. Doch König Johann III. (⚰ 1521–57) erkannte, daß der einzige Weg zur Erhaltung Brasiliens in der Besiedlung bestand; deshalb begann der Aufbau einer staatl. Territorialverwaltung schon 1549: dem Generalgouverneur unterstanden die Prov.gouverneure des in Kapitanate geteilten Landes. Mit dem Estado do Maranhão wurde 1622 eine bes. Verwaltungseinheit geschaffen, die die entlegenen nordbrasilian. Gebiete zusammenfaßte. Versklavung und Zwangsarbeit erhielten sich lange und in großem Umfang. Aus wirtsch. Erwägungen wurden schließlich – wie in Span.-Amerika – die indian. Arbeitskräfte durch afrikan. Sklaven ersetzt (insgesamt etwa 4 Mill.). Die Erkundung und Besiedlung des brasilian. Hinterlandes geschah insbes. im Gefolge der Streifzüge der Paulistaner „Bandeirantes" im 17.Jh., die weit über die im Vertrag von Tordesillas vereinbarte Linie nach W vorstießen und riesige Gebiete für Brasilien besetzten. – ↑ Brasilien (Geschichte).

Die Staaten Süd- und Mittelamerikas:

Entstehung: Erste Erhebungen der Kolonien blieben erfolglos: die Aufstände in Minas Gerais gegen Portugal (1789), in Kolumbien und Venezuela (Nariño und Miranda, ab 1796) konnten mühelos niedergeworfen werden, weil die Strukturen der Kolonialreiche noch intakt waren; erst die Zerstörung dieser Strukturen durch die frz. Eroberung der Mutterländer gab der Unabhängigkeitsbewegung den notwendigen Rückhalt. – Brasilien erlangte 1822/25 seine Unabhängigkeit von

Portugal fast ohne Kampf. Der Aufstand der span. Kolonien in S. richtete sich vorgeblich zunächst nicht gegen das Mutterland. Die revolutionären Junten der Kolonialgebiete erklärten vielmehr, daß sie die Rechte des von Napoleon I. 1808 abgesetzten Herrscherhauses wahren wollten; erst 1811/12 forderten sie die volle Unabhängigkeit. 1817 gelang S. Bolívars 3. Aufstandsversuch; bis 1824 befreite er nacheinander die heutigen Länder Venezuela, Kolumbien, Ecuador und Peru. Auch im S des Kontinents brachten diese Jahre die Wende: Unter der Führung von J. de San Martín befreite das Heer der Vereinigten Prov. von Río de La Plata (später Argentinien), die 1816 die Unabhängigkeit errungen hatten, 1817 N-Chile; der S wurde 1818 erobert. Die letzte span. Garnison kapitulierte 1826 auf der Insel Chiloé.

Z-Amerika (die heutigen Staaten Costa Rica, Honduras, Nicaragua und El Salvador) folgte 1821 der Unabhängigkeitserklärung Mexikos; 1822 schlossen sich die Prov. des Generalkapitanats Guatemala dem Kaiserreich Mexiko unter Itúrbide an. Mit dem Sturz Itúrbides (1823) gewannen die Prov. als Zentralamerikan. Föderation die Unabhängigkeit. Vom amerikan. Kolonialreich Spaniens blieben Kuba, Santo Domingo, Puerto Rico; mit Haiti war 1804 der erste unabhängige Staat in S- und M-Amerika entstanden. – Bei der regionalen Gliederung des bisher span. S. setzte Bolívar seine ganze Autorität für die Schaffung möglichst großer Staaten ein. Die von ihm 1819 durchgesetzte Bildung Groß-Kolumbiens hatte nur vorübergehend Bestand. Im S war die Bildung der Einzelstaaten Argentinien, Chile und Paraguay schon abgeschlossen, als die Kolonien in N noch um ihre Unabhängigkeit kämpften. Paraguay erklärte 1811 seine Unabhängigkeit vom Mutterland und von Buenos Aires. Uruguay, die Banda Oriental, schloß sich 1814 der Föderation der La-Plata-Provinzen an, wurde aber 1816 von Brasilien erobert. Das Generalkapitanat Chile hatte schon seit seiner Errichtung ein Eigenleben geführt. Oberperu (Bolivien) hatte ab 1776 zum Vize-Kgr. Río de La Plata gehört. Als General A.J. de Sucre y de Alcalá dieses Land 1825 ohne Kampf von den Spaniern befreite, schloß er es zunächst dem von Bolívar geführten Groß-Kolumbien an, führte es aber schon 1825 in die Selbständigkeit. Auch Peru verließ 1825 die Großrepublik, 1829/30 spalteten sich Venezuela und Ecuador ab. Schließlich gelang es 1828 der Bev. der Banda Oriental, sich mit argentin. Hilfe von der brasilian. Herrschaft zu lösen; mit der Befreiung Perus von der Herrschaft (1836–39) des bolivian. Präs. A. de Santa Cruz durch Chile und Argentinien zerfiel S. in die heute noch bestehenden Staa-

ten iber. Provenienz. Zur gleichen Zeit zerbrach die Zentralamerikan. Föderation. 1844 errang die kreol. Bev. von Santo Domingo die Unabhängigkeit von der haitian. Fremdherrschaft (Gründung der Dominikan. Republik). Die Grenzen der neuen Republiken lagen zunächst nur in groben Zügen fest. Im 19. und 20. Jh. führten die Staaten mehrere Kriege um umstrittene Gebiete: Die Niederlage im Krieg gegen Argentinien, Uruguay und Brasilien (1864–70) kostete Paraguay einen beträchtl. Teil seines Territoriums. 1879–83 eroberte Chile im Pazif. Krieg (Salpeterkrieg) die wegen ihrer Salpeterlager wirtsch. wertvolle Atacama von Bolivien und Peru. Bolivien verlor 1903 das Acregebiet an Brasilien, 1932/38 den größten Teil des Gran Chaco an Paraguay. Die letzte größere territoriale Veränderung gab es 1941/42, als Peru das östl. Tieflandgebiet Ecuadors gewann.

Innere Entwicklung im 19. Jh.: Seit dem Beginn des Unabhängigkeitskampfes wurden die innerpolit. Verhältnisse in Lateinamerika weitgehend durch den sog. Caudillismus, eine typisch lateinamerikan. Herrschaftsform, geprägt. Der Caudillo, polit. oder militär. Führer, errang die Alleinherrschaft durch Demagogie oder Putsch und verteilte nach Erringung der Macht einträgl. Posten an seine Anhänger. Zwei polit. Gruppen rivalisierten während des 19. Jh., z. T. noch heute: Konservative und Liberale. Die Konservativen suchten ihre Anhänger v. a. unter den Großgrundbesitzern, sie befürworteten den föderalist. Staatsaufbau und die Schutzzollpolitik und unterstützten die Kirche. Die Liberalen rekrutierten ihre Gefolgschaft in den Städten, forderten den unitar. Staat und den Freihandel und gaben sich meist antiklerikal. Mit der Unabhängigkeit öffnete sich Lateinamerika dem europ. und nordamerikan. Handel. Billige Importwaren verhinderten den Aufbau einer eigenen Ind. für Konsumgüter. Die südamerikan. Staaten konnten ihre Handelsbilanzen nur durch den Export von Rohstoffen ausgleichen. Mit dem Handel drang auch fremdes Kapital ein. Die erwirtschafteten Gewinne wurden meist ins Ausland transferiert und dort konsumiert, auch von inländ. Kapitalgebern. Die Rolle des Rohstoffliefeeranten auf dem Weltmarkt machte den Kontinent von Konjunkturschwankungen abhängig. Nur die Staaten mit starker europ. Einwanderung erzielten schon im 19. Jh. beachtl. Fortschritte (Argentinien, Chile, Uruguay, Brasilien). Die beträchtl. Erweiterung des Bev.- und Wirtschaftspotentials dieser Staaten hatte zur Folge, daß sich das wirtschaftspolit. Schwergewicht in S. von den während der Kolonialzeit führenden Andenländern in die Tieflandstaaten verlagerte. In Peru und Ecuador gab die Plantagenwirtschaft der küstennahen Tiefländer den Städten wirtsch. Auftrieb. Durch den neuen Mittelstand gewannen die Liberalen an Macht; mehrere lateinamerikan. Staaten erhielten unter ihrem Einfluß in der 2. Hälfte des 19. Jh. die z. T. heute noch gültigen Verfassungen. Der Mittelstand forderte gleichzeitig eine stärkere Demokratisierung, v. a. verfassungsmäßige Garantien der Grundrechte. Zur Durchsetzung dieser Forderungen entstanden neue polit. Parteien, in den großen Städten auch solche mit sozialist. Orientierung.

Verhältnis zu den USA: Die Unabhängigkeitsbewegung wurde von den USA unterstützt. Die ↑Monroedoktrin von 1823 war ein entscheidender diplomat. Beitrag zur Verhinderung europ., speziell span. Intervention in Lateinamerika. Das größte Interesse zeigten die USA naturgemäß für den karib. Raum mit Z-Amerika. Dort gewannen die transisthm. Verkehrswege für die Besiedlung des westl. N-Amerika große Bed.; mit dem Clayton-Bulwer-Vertrag (1850) konnten die USA europ. Interessen zurückdrängen, als Großbritannien ihnen die Gleichberechtigung beim Bau eines interozean. Kanals zugestand. Das wirtsch. Engagement der USA setzte Mitte der 1870er Jahre in den Plantagenkulturen der Antillen und Z-Amerikas ein. Nach dem 1. panamerikan. Kongreß in Washington (1889) wurde die Internat. Union Amerikan. Republiken (seit 1910 Panamerikan. Union gen.) gegr. und das Handelsbüro Amerikan. Republiken. Die USA benutzten beide Institutionen zur Durchsetzung ihrer dem urspr. Sinn zuwiderlaufenden Auslegung der Monroedoktrin, von der sie einen wirtsch. und polit. Hegemonieanspruch über das gesamte Amerika ableiteten; u. a. griffen sie in den kuban. Aufstand gegen Spanien ein (1898). Die Interventionspolitik unterstützte auch offen die Abspaltung Panamas von Kolumbien (1903), womit sich die USA die Panamakanalzone sicherten. Von der wirtsch. Beherrschung M-Amerikas leiteten die USA das Recht ab, in die Innenpolitik dieser Staaten einzugreifen (Panama, Nicaragua, Dominikan. Republik und Haiti). Aus wirtsch. Gründen unterstützten die USA diejenigen Reg., die die besten Aussichten für die Aufrechterhaltung von Ruhe und Ordnung boten und mit denen sich schnell und geschäftsmäßig verhandeln ließ.

Die Krise der lateinamerikan. Staaten und die neuen Revolutionen: Der 1. Weltkrieg wirkte sich in S- und M-Amerika nur auf wirtsch. Gebiet aus; er bewirkte insgesamt wirtsch. Aufstieg und innenpolit. Stabilisierung, erst die Weltwirtschaftskrise machte die tiefen strukturellen Schwächen sichtbar. Infolge mangelnder Nachfrage brachen Export und Produktion von Rohstoffen, Nahrungs- und

Genußmitteln in vielen Staaten zusammen, es kam zu Massenarbeitslosigkeit. Wegen der vorherrschenden Monokulturen waren die Staaten vielfach nicht in der Lage, ihre Bev. ausreichend mit Nahrungsmitteln zu versorgen. Im polit. Bereich wurden die konservativen Kräfte gestärkt; die vorherrschende Reg.-form war die zivile oder militär. Autokratie bzw. Diktatur. Gleichzeitig entstanden neue polit. Kräfte, die umfassende Reformen anstrebten.

Mit dem Amtsantritt von Präs. F. D. Roosevelt (1933) revidierten die USA ihre Lateinamerikapolitik und begannen, sie auf gutnachbarl. Beziehungen umzustellen. Im Rahmen der Blockbildung nach dem 2. Weltkrieg kam es über den (nur von Kanada nicht unterzeichneten) Interamerikan. Pakt für gegenseitigen Beistand (Rio-Pakt, 30. Aug. 1947) 1948 in Bogotá zur Bildung der Organization of American States (↑OAS), die die friedl. Regelung aller Streitigkeiten sowie die wirtsch., soziale und kulturelle Zusammenarbeit sichern soll.

Während und v. a. nach dem 2. Weltkrieg hatten die Exporte der lateinamerikan. Staaten einen großen Aufschwung genommen; die angesammelten Devisenreserven benutzten einige zum Aufbau einer eigenen Ind., bes. Argentinien, Brasilien und Chile. In den wirtsch. rückständigsten, völlig von Monokulturen abhängigen Staaten wurden die Gewinne jedoch weitgehend ins Ausland transferiert. Schon in den 1940er Jahren führten die aufgestauten Spannungen in Bolivien (1943) und Guatemala (1944) zu Revolutionen. In beiden Staaten unterlagen jedoch die revolutionären Kräfte, in Guatemala (1954) waren die USA am Sturz der Reg. des Präs. Arbenz Guzmán beteiligt. – Seit den 1930er Jahren waren in den lateinamerikan. Staaten neue Parteien mit neuer und sozialer Zielsetzung entstanden. Sie wollten v. a. den Einfluß der USA zurückdrängen, die in Politik und Wirtschaft herrschende Oligarchien entmachten, eine Bodenreform durchführen und wichtige Industrien verstaatlichen. Nach dem Sieg der kuban. Revolution unter F. Castro 1960 verstärkte sich der Einfluß der radikalen linken Parteien. Die Guerillabewegung, die durch Terrorakte polit. und soziale Veränderungen erreichen will, erfaßte von Uruguay (↑Tupamaros) ausgehend große Teile des Kontinents (einflußreichster Guerillaführer: Che Guevara). Unter Präs. J. F. Kennedy revidierten die USA ihre Lateinamerikapolitik, indem sie 1961 ein Entwicklungshilfeprogramm („Allianz für den Fortschritt") einleiteten, das grundsätzl. Verbesserungen bringen sollte. Doch blieben die erhofften Wirkungen aus, und die wirtsch. und soziale Krise verschärfte sich so, daß in den 1960/

1970er Jahren die meisten demokrat. Reg. gestürzt wurden und die Militärs die Macht übernahmen (Brasilien, Argentinien, Bolivien, Peru, Chile). Unter der Präsidentschaft von R. Reagan (1980–89) kehrten die USA wieder zu ihrer Einmischungspolitik zurück (Nicaragua, Grenada). Bes. in Panama setzten sie ihre Interessen durch (Militärinvasion Dez. 1989). Neue Staaten entstanden und entstehen in S- und M-Amerika im Zuge der Auflösung der europ. Kolonialreiche nach dem 2. Weltkrieg. Frankreich gliederte seine Kolonien 1946 als Überseedepartements (Frz.-Guayana, Guadeloupe, Martinique) ein, die Niederlande gaben ihren Gebieten den Status von mit dem Mutterland gleichberechtigten Konstituierenden Reichsteilen (↑ Niederländische Antillen), Surinam wurde 1975 unabhängig. Großbritannien entließ seine größeren Kolonien in die Unabhängigkeit und bemüht sich, für die allein nicht lebensfähigen kleineren Kolonien neue Regelungen zu finden, v. a. seit es wegen dieser Gebiete (Falklandinseln 1982) zu krieger. Verwicklungen kam (↑ Britisches Reich und Commonwealth). Seit Ende der 1970er Jahre wurde deutlich, daß mit autoritären Machtstrukturen die Probleme des Kontinents nicht zu lösen sind. Die Militärreg. sahen sich zu demokrat. Zugeständnissen verpflichtet, seit langem regierende Diktatoren wurden gestürzt (1989 in Paraguay Stroessner), die marxist. Sandinisten in Nicaragua übergaben nach verlorenen demokrat. Wahlen die Macht; der Bürgerkrieg in El Salvador wurde im Jan. 1992 beendet. Ungelöst ist das Problem des illegalen Rauschgiftanbaus und -handels: Ein striktes Anbauverbot, das nötig wäre, um die Macht der Drogenkartelle zu brechen, bedroht andererseits die Existenz vieler Bauern in Bolivien, Kolumbien und Peru und begünstigt damit die Guerilla-Bewegung. Ebenfalls globale Auswirkungen hat die fortschreitende Abholzung der trop. Regenwälder; die internat. Staatengemeinschaft ist gefordert, eine drohende Katastrophe abzuwenden. Seit Mitte der 1980er Jahre verstärken die Staaten S- und M-Amerikas ihre Zusammenarbeit v. a. im Rahmen der OAS, um die Interessen des Kontinents in Weltwirtschaft und -politik besser vertreten zu können (Rio-Gruppe; 1. Ibero-amerikan. Gipfelkonferenz im Juli 1991).

📖 *Niess, F.: Am Anfang war Kolumbus. Die Gesch. einer Unterentwicklung. Mchn. 1991. – Humboldt, A. v.: Die Reise nach S. Hg. v. J. Starbatty. Gött. ²1991. – Lateinamerika-Ploetz. Hg. v. G. Kahle. Freib. 1989. – Lateinamerika. Hg. v. G. Sandner u. H.-A. Steger. Ffm. ¹¹1989. – Garzón Valdés, E.: Die Stabilität polit. Systeme. Freib. 1988. – Wilhel-*my, H./Borsdorf, A.: Die Städte Südamerikas. Bln. u. Stg. 1984–85. 2 Bde. – Müller, W.: Die Indianer Lateinamerikas. Bln. 1984. – Lateinamerika. Herrschaft, Gewalt u. internat. Entwicklung. Hg. v. K. Lindenberg. Bonn 1982. – Hueck, K./Seibert, P.: Vegetationskarte v. S. Stg. ²1981. – Climates of Central and South America. Hg. v. W. Schwerdtfeger. Amsterdam u. New York 1976. – Morrison, R. P.: Geological structure of South America. New York 1976.

Sudamina [lat.], svw. Frieseln.

Sudan

[zu'da:n, 'zu:dan] (amtl.: Al Gumhurijja As Sudan; Republic of the Sudan, dt.: Republik Sudan), Bundesstaat in NO-Afrika, zw. 4° und 23° n. Br. sowie 22° und 38° ö. L. **Staatsgebiet:** S. grenzt im NO an das Rote Meer, im O an Äthiopien, im S an Kenia, Uganda und Zaire, im SW an die Zentralafrikan. Republik, im W an Tschad, im NW an Libyen und im N an Ägypten. **Fläche:** 2 505 813 km² (größter Staat Afrikas). **Bevölkerung:** 26,65 Mill. E (1992), 11 E/km. **Hauptstadt:** Khartum. **Verwaltungsgliederung:** 9 Bundesstaaten. **Amtssprache:** Arabisch; Englisch ist Verwaltungssprache in der Südregion. **Nationalfeiertag:** 1. Jan. (Unabhängigkeitstag). **Währung:** Sudanes. Pfund (sud £) = 100 Piastres (PT.). **Internationale Mitgliedschaften:** UN, OAU, Arab. Liga; der EWG assoziiert. **Zeitzone:** MEZ + 1 Std.

Landesnatur: Die Oberfläche wird durch ein nach N geöffnetes, von inselartig aufsteigenden Berggruppen gegliedertes Becken charakterisiert, das vom Nil, dem Weißen Nil und dem Bahr Al Gabal durchflossen wird und von breiten Randschwellen eingefaßt ist: im O das Red Hills und das Äthiop. Hochland, im S Asande- und Zentralafrikan. Schwelle (an der Grenze zu Uganda der 3 187 m hohe Kinyeti, höchste Erhebung des Landes), im W Darfur- (Gabal Marra, 3 071 m) und Libysche Schwelle. Im zentralen S bilden Bahr Al Gabal und Bahr Al Ghasal die Überschwemmungs- und Sumpflandschaft des Sudd. **Klima:** S. hat trop. und randtrop. Klima mit einer nach N schnell kürzer werdenden Regenzeit. **Vegetation:** Entsprechend den Niederschlagsverhältnissen reicht die Spanne der Vegetation von Regenwald im S über Feucht-, Trocken- und Dornstrauchsavanne bis zur Wüste im N. **Tierwelt:** Sie ist der Äthiopiens ähnlich und besteht aus Spießbock, Gazellen, Giraffen, Elefanten, Leoparden, Löwen, Flußpferden, Straußen, Großtrappen, Marabus, Krokodilen u. a. In zwei Nationalparks und einem Tierreservat wird sie vor dem völligen Aussterben bewahrt.

Bevölkerung: Der Gegensatz zw. den muslim. Arabern der nördl. und zentralen Landesteile und den weitgehend animist. Niloten, Nilotohamiten und größtenteils christl. schwarzafrikan. Stämmen (Sudanide) im S führte zu krieger. Auseinandersetzungen. Araber und Arabermischlinge haben an der Gesamtbev. einen Anteil von 40%, Südsudanesen 30%, Fur, Asande u. a. 13%, Nubier 10%, Kuschiten (Hadendoa, Beni Amer, Amarar, Bischarin) 5%, sonstige 2%. In S. leben etwa 1,2 Mill. Flüchtlinge (1989) aus den Nachbarländern (bes. aus Äthiopien). Es besteht allg. Schulpflicht, die auf dem Land aber nur z. T. realisiert wird. Noch etwa $^2/_3$ der Bev. sind Analphabeten. Im Land gibt es 5 Universitäten.

Wirtschaft: Die Landw., in der 80% der Erwerbstätigen beschäftigt sind, bildet die Grundlage der Wirtschaft. Hauptanbauprodukt und wichtigstes Exportgut ist Baumwolle, außerdem werden Hirse, Sesam, Mais, Weizen, Zuckerrohr, Erdnüsse u. a. angebaut. Weltwirtsch. Bedeutung hat die Gewinnung von Gummiarabikum, von dem S. etwa 80% der Weltproduktion liefert. Das wichtigste Landw.geb. ist Al Gasira zw. Blauem und Weißem Nil südl. von Khartum, das größtenteils bewässert wird. Weitere Bewässerungsgeb. liegen längs des Nils in Nord-S. Die wenig ertragreiche Viehweidewirtschaft (Rinder, Ziegen, Schafe, Kamele) wird von Nomaden und Halbnomaden in den Trockenund Dornstrauchsavannen betrieben. Die Ind. ist wenig entwickelt. Vorherrschend ist die Verarbeitung landw. Produkte. $^3/_4$ der Ind.produktion kommt aus der Region von Khartum. Eine Erdölraffinerie steht in Port Sudan, eine Zementfabrik in Atbara. Erdölvorkommen wurden auf dem Festland und vor der Küste im Roten Meer entdeckt.

Außenhandel: Die wichtigsten Handelspartner sind Saudi-Arabien, Italien, Großbritannien, Ägypten, Deutschland und die USA. Exportiert werden Baumwolle, Gummiarabikum, Ölsaaten, Ölfrüchte, Erdnüsse, Lebendvieh und Viehprodukte. Importiert werden Kfz, Erdölprodukte, industrielle Gebrauchsgüter, Nahrungsmittel, chem. und pharmazeut. Erzeugnisse und Textilien.

Verkehr: Das Land ist verkehrsmäßig wenig erschlossen. Das Eisenbahnnetz umfaßt 4 786 km, das ganzjährig befahrbare Straßennetz 6 599 km (3 890 km befestigt). Einziger Seehafen ist Port Sudan. Die Binnenschiffahrt ist streckenweise auf dem Nil, Weißen Nil und Bahr al Gabal möglich. Die nat. Fluggesellschaft Sudan Airways bedient den In- und Auslandsverkehr; internat. ✈ in Khartum, Port Sudan und Wadi Halfa.

Geschichte: Das obere Niltal wurde von den ägypt. Pharaonen kolonisiert. Seit etwa 900 v. Chr. entstand das selbständige Reich Kusch. Nach Vordringen des Christentums aus Ägypten (6. Jh.) bildeten sich verschiedene christl.-nub. Staaten. 1336 wurde der nördl. Staat um Dongola, 1504 der südl. um Soba islamisiert. Im 16. Jh. entstand das Reich Sennar, das 1821 unter Mehmet Ali von Ägypten erobert wurde. Gegen die Europäer in ägypt. Diensten im S. und die ägypt. Reg. erhoben sich die Araber 1881 im Aufstand des Al ↑ Mahdi. Sein Nachfolger wurde 1898 von Großbritannien besiegt, danach und nach Beilegung der Faschodakrise wurde S. 1899 (bis 1953) angloägypt. Kondominium, faktisch brit. Kolonie. Durch die Proklamation der Unabhängigkeit S. 1956 weitete sich der 1955 ausgebrochene Aufstand der zumeist von Schwarzafrikanern bewohnten 3 Südprov., die die Autonomie forderten, zum blutigen Bürgerkrieg aus, den auch die Militärreg. unter General I. F. Abbud (1958–64) nicht beenden konnte. 1964 brachte ein Aufstand in Khartum eine Zivilreg. an die Macht; 1969 übernahm Oberst D. M. An ↑ Numairi nach einem Putsch die Führung des Landes und löste alle polit. Institutionen und Parteien auf. 1972 gewährte er den 3 Südprov. (1985–91 zur Südregion vereinigt; seit 1991 Bundesstaaten) weitgehende innere Autonomie und beendete damit den Bürgerkrieg. Mit der Verfassung von 1973 errichtete er ein Einparteiensystem („Sudanes. Sozialist. Union“, SSU, gegr. 1972). Die anfänglich guten Beziehungen zu Libyen verschlechterten sich zunehmend; von der engen Anlehnung an Ägypten (1976 Militärpakt) mit dem Ziel einer mögl. Unionsbildung mußte S. nach dem israel.-ägypt. Friedensvertrag 1979 z. T. abrücken. Die Anfang der 80er Jahre wieder zunehmenden Spannungen zw. dem arab.-islam. N und dem christl.-schwarzafrikan. S sowie die zunehmende Islamisierung (u. a. 1983–89 Gültigkeit der Scharia im ganzen Land) führten zum erneuten Ausbruch des Bürgerkrieges (seit 1983 Militärkontrolle über den S verhängt), den das Militär schließlich zum Sturz An Numairis (1985) nutzte. Der Militärrat unter Vorsitz von General A. S. Al Dahab löste das Parlament und die SSU auf. Nach demokrat. Wahlen im April 1986 wurde im Mai 1986 eine zivile Reg. unter Min.präs. S. Al Mahdi gebildet, Staatsoberhaupt wurde A. Al Mirghani. Ende Juni 1989 übernahm nach einem unblutigen Putsch eine Militärreg. unter General O. H. Ahmad Al Baschir (* 1944) die Macht; verfolgt einen repressiv proislam. Kurs. Im anhaltenden Bürgerkrieg fordert der von der „Sudanese People's Liberation Movement“ (SPLM) und deren Guerilla-

gruppen um J. Garang beherrschte S des Landes weiterhin stärkere polit. Mitbestimmung und Autonomie. Im 2.↑Golfkrieg 1991 auf irak. Seite, geriet der S. in internat. Isolation. Im Febr. 1992 wurde ein Übergangsparlament mit 300 von Baschir ernannten Mgl. installiert. **Politisches System:** Die provisor. Übergangsverfassung vom Okt. 1985 wurde nach dem Militärputsch vom 30. Juni 1989 suspendiert. Seit der Selbstauflösung des „Revolutionären Kommandorats der Nat. Wohlfahrt" (RCC; zuerst 15, zuletzt noch 9 Mgl.) im Okt. 1993 liegt alle Macht bei dem noch von diesem zum Präs. und Reg.chef ernannten Bashir. Laut Reg.proklamation vom 4. Febr. 1991 ist der S. ein föderativer Staat. Polit. *Parteien* und *Gewerkschaften* sind seit 1989 verboten. *Verwaltungsmäßig* ist der S. in 9 Bundesstaaten (Regionen) mit insgesamt 66 Prov. untergliedert. Den Regionen, an deren Spitze ein Gouverneur und eine Landesreg. stehen, wird weitgehende Autonomie eingeräumt. Die Bereiche Militär, Sicherheit, Außenpolitik, Wirtschaft und Handel bleiben jedoch in der Kompetenz der Zentralregierung. Mit Wirkung vom 1. Jan. 1991 gilt im N des S. die Scharia, das islam. *Rechtssystem*. Dem mehrheitlich christlich besiedelten S wird das Recht eingeräumt, der dortigen Situation entsprechende Gesetze auszuwählen.
🕮 *Lagemann, B.: Wirtschaftswandel im S. Ffm. 1990. – Anhuf, D.: Klima u. Ernteertrag. Bonn 1989. – Osman, M.: Die Zerstörung von Kulturland am Beispiel des Süd-S. Bremen 1989. – Streck, B.: Der S. Köln ²1989. – Iten, O.: Le Soudan. Zürich 1983. – Streck, B.: S. Steinerne Gräber u. lebendige Kulturen am Nil. Köln 1982. – Holt, P. M./Daly, M. W.: The history of the S. London ³1979.*

Sudan [zu'da:n, 'zu:dan], Großlandschaft in den wechselfeuchten Tropen N-Afrikas, die sich als breiter Gürtel zw. Sahara im N und Regenwald im S erstreckt; im O endet der S. am W-Fuß des Äthiop. Hochlands. Entsprechend den nach S zunehmenden Niederschlägen zeigt die Vegetation eine Abfolge von Trockensavannen im N zu Feuchtsavannen im Süden.

Sudanide, negrider Menschenrassentyp; mittelgroß, dunkelbraun, langschädelig; mit dichtem, braunschwarzem Kraushaar und breiter, flacher Nase; in offenen Savannengebieten des Sudans und an der Guineaküste.

Südantillenmeer, Meeresteil des sw. Atlantik, zw. Südantillenrücken mit Südgeorgien (im N), Süd-Sandwich-Inseln und Süd-Orkney-Inseln; die W-Grenze, die zw. Antarkt. Halbinsel und Feuerland bei 67° 16' w. L. verläuft, ist zugleich die Grenze zw. Atlantik und Pazifik, die durch die ↑Drakestraße verbunden sind.

Südarabische Föderation, ehem. Bund von Sultanaten, Emiraten und Scheichtümern im W des ehem. brit. Protektorats Südarabien, 1967 in der VR Süd-Jemen aufgegangen. – ↑Jemen (Geschichte).
Südasien, südl. der innerasiat. Hochregion zw. dem Arab. Meer und dem Golf von Bengalen gelegener Teil Asiens, umfaßt den ind. Subkontinent einschl. der vorgelagerten Insel Ceylon.
Südatlantischer Rücken, südl. Teil des Mittelatlant. Rückens, erstreckt sich vom Äquator bis 55° s. Br.; im nördl. Abschnitt bis 84 m ü. d. M. aufragend.
Südaustralien (amtl. South Australia), Bundesland von Australien im zentralen S des Kontinents, 984 377 km², 1,425 Mill. E (1989), Hauptstadt Adelaide. Im westl. Teil liegen ausgedehnte Rumpfflächen mit der Großen Victoriawüste und der Nullarborebene; im NW erreichen die Musgrave Ranges 1 440 m ü. d. M. Im SO erstrecken sich die Mount Lofty Ranges und die Flinders Ranges, darum ein Gebiet flacher Senken mit Salzpfannen (u. a. Eyresee, Lake Torrens). – Die überwiegend brit.-stämmige Bev. lebt v. a. im SO (72 % im Ballungsraum Adelaide). Hier liegen die Hauptind.standorte (Hütten-, Leicht- und Nahrungsmittelind.). Die Grundlagen der Landw. bilden Schafzucht, Getreide-, Obst- und Weinbau. Gefördert werden neben Eisenerzen Kupfer und Uranerze, Gold und Silber, Erdöl und Erdgas sowie Steinkohle. – 1798–1802 Erforschung der Küste durch den Briten M. Flinders; ab 1836 brit. Kolonie; 1856 Selbstverwaltung. 1901 schloß sich S. dem Austral. Bund an.
Südbairisch, oberdt. Mundart, ↑deutsche Mundarten.
Sudbury [engl. 'sʌdbəri], kanad. Stadt 330 km nnw. von Toronto, 90 000 E. Univ. (gegr. 1960), Bergbauschule; Hüttenind., Holzverarbeitung. – Gegr. 1883; seit 1893 Town, seit 1930 City. – Größte Nickelmagnetkieslagerstätte der Erde (Abbau seit 1886).
Südchinesisches Meer, Randmeer des westl. Pazifik, im N begrenzt vom chin. Festland und Taiwan, im W von Vietnam und der Halbinsel Malakka, im SW von Sumatra, im SO und O von Borneo, Palawan und Luzon, bis 4374 m tief.
Sudd, ausgedehntes Überschwemmungsgebiet des Weißen Nils, in der Rep. Sudan, erstreckt sich vom Bergland der Asandeschwelle bis zum Bahr As Saraf im O und bis an den Bahr Al Ghasal im NW.
Süddeutsche Ratsverfassung ↑Gemeindeverfassungsrecht.
Süddeutscher Rundfunk ↑Rundfunkanstalten (Übersicht).
Süddeutsche Zeitung, dt. Zeitung, ↑Zeitungen (Übersicht).

Sudeck-Syndrom [nach dem dt. Chirurgen P. H. Sudeck, * 1866, † 1945], Knochen- und Weichteilatrophie an den Gliedmaßen, bes. an Händen und Füßen, meist als Folge von Verletzungen und Entzündungen; gekennzeichnet durch Schmerzen, Schwellung, später Ernährungsstörungen der Gewebe und Gelenkversteifungen. Die Behandlung umfaßt Ruhigstellung, Physiotherapie, Krankengymnastik (aktive Bewegung benachbarter Gelenke) und kann zusätzlich medikamentös unterstützt werden.

Südeifel, Teil des dt.-luxemburg. Naturparks in der sw. Eifel.

Süden, Himmelsrichtung. – ↑ Südpunkt.

Süderbergland, zusammenfassende Bez. für Berg. Land und Sauerland.

Sudermann, Hermann, * Matziken i. Ostpr. 30. Sept. 1857, † Berlin 21. Nov. 1928, dt. Schriftsteller. – Vor dem 1. Weltkrieg erfolgreicher Dramatiker; polemisierte gegen den Sittenverfall eines unsozialen Bürgertums, u. a. in „Heimat" (1893) und „Das Glück im Winkel" (1896). Verfaßte auch der ostpreuß. Heimat verbundene realist. Romane („Frau Sorge", 1887) und Erzählungen („Litauische Geschichten", 1917).

Sudeten, in eine Reihe von Schollen zerlegtes Mittelgebirge in Polen, in der ČR und in Deutschland (Sa.), erstreckt sich zw. der Elbtalzone im NW und der Mähr. Pforte im SO, rd. 150 km lang, bis 60 km breit, bis 1 602 m hoch (Schneekoppe im Riesengebirge). Die West-S. setzen mit dem Lausitzer Gebirge ein, an das am SW-Rand der Jeschken anschließt. Nach SO folgen Iser- und Riesengebirge; sie umschließen im W und S den **Hirschberger Kessel,** den nach N das Bober-Katzbach-Gebirge, nach O der Landeshuter Kamm abschließen. Die Umrandung der folgenden Innersudet. Mulde und des Glatzer Kessels bilden außer dem Riesengebirge das Eulengebirge sowie das Glatzer Schneegebirge, das Adlergebirge mit dem vorgelagerten Habelschwerdter Gebirge und das Reichensteiner Gebirge. Letztere werden einschl. der Muldenzone mit Heuscheuer und Waldenburger Bergland auch Mittel-S. genannt. Beherrschendes Hochgebiet der Ost-S. ist das Hohe Gesenke. Zur Mähr. Pforte dachen sich die Ost-S. über die relativ niedrig gelegene Rumpffläche des Niederen Gesenkes ab. Der Bergmischwald wird oberhalb 650 m durch den starken Bestand an Fichten, auch Tannen, bestimmt. Oberhalb der Waldgrenze bei 1 200 m ü. d. M. treten almwirtschaftlich genutzte Matten, in Kammlagen auch vereinzelt Hochmoore auf. Lange Tradition haben Weberei, Glas-, Papier-, Porzellan- und Leinenind.; außerdem bed. Fremdenverkehr (Heilbäder, Luftkurorte, Wintersport).

⚇ *Kuhn, H.: S.land. Würzburg* ²1991. – *Hemmerle, R.: S.land-Lex. Würzburg* ³1990. – *Aschenbrenner, V.: S.land. Würzburg* ³1987. – *Werdecker, J.: Die S.länder. Abriß einer Landeskunde. Würzburg* 1957.

Sudetendeutsche, seit 1919 allg. Bez. für die dt. Volksgruppe in der Tschechoslowakei (rd. 3,5 Mill.), die größtenteils im Gebiet des ↑ Sudetenlandes lebte; wurde nach 1945 auf der Grundlage eines Dekretes der Exilreg. unter E. Beneš und den Potsdamer Abkommens fast vollzählig vertrieben. – Gegen den im Dt.-Tschechoslowak. Nachbarschaftsvertrag von 1992 vereinbarten Verzicht auf Rückerstattungs- und Entschädigungsansprüche fordert die **Sudetendeutsche Landsmannschaft** das Heimat- und Rückkehrrecht.

Sudetendeutsche Partei, Abk. SdP, polit. Partei in der ČSR, ging 1935 aus der 1933 von K. Henlein gegr. **Sudetendeutschen Heimatfront** (SHF) hervor; stützte sich wie diese auf die Massenbasis der Dt. Turnverbandes und der zahlr. nat. Vereinigungen; vom Dt. Reich finanziert, konnte 1935 bei den Wahlen 44 der 66 von Deutschen gewonnenen Mandate erringen; gab die urspr. erhobenen Autonomieforderungen für das ↑ Sudetenland auf und bekannte sich mit offenem Bekenntnis zum NS seit 1937/38 die Eingliederung in das Dt. Reich. Von Hitler in der Sudetenkrise für die Zerschlagung der ČSR eingesetzt; 1938 in die NSDAP eingegliedert.

Sudetenland, eine vor 1938 nur sporadisch gebrauchte Bez. für das geschlossene, etwa 26 600 km² umfassende, von Aš im W bis Opava im O reichende dt. Siedlungsgebiet in Böhmen, Mähren und Schlesien (ČSR); 1938–45 offizielle Bez. für den dt. *Reichsgau S.* mit rd. 3 Mill. E (v. a. ↑ Sudetendeutsche sowie Tschechen und Juden [1938 noch 30 000]) und dem Verwaltungssitz Reichenberg. – Der Vertrag von Saint-Germain-en-Laye (1919) bildete die Rechtsgrundlage für die gegen den Willen der dt. Bev. betriebene Inkorporation des dt. Siedlungsgebietes in die ČSR. Die v. a. von der Sudetendt. Partei geförderte prodt. Stimmung diente Hitler 1938 als Vorwand, um in der nach dt. Kriegsdrohungen gegen die ČSR entstandenen krit. Situation in Europa (Sudetenkrise) im Münchner Abkommen (ohne tschechoslowak. Beteiligung) die Abtrennung des S. zu erzwingen. 1945 fiel das S. an die Tschechoslowakei zurück (heute Teil der ČR).

Sudetische Phase ↑ Faltungsphasen (Übersicht).

Südfeld, Max Simon, Schriftsteller, ↑ Nordau, Max.

Südflevoland [niederl. ...fle:vo:lɑnt], Polder im südl. IJsselmeer, 430 km², bildet zus. mit Ostflevoland die niederl. Provinz Flevoland.

Südfränkisch (Südrheinfränkisch), oberdt. Mundart, ↑ deutsche Mundarten.

Südfrösche (Leptodactylidae), sehr artenreiche Fam. etwa 1–20 cm langer Froschlurche in Amerika (S-Amerika bis südl. N-Amerika), S-Afrika, Australien und Neuguinea. – Zu den S. gehören u. a. Pfeiffrösche, Nasenfrösche, Gespenstfrösche.

Südgeorgien, brit. Insel im S-Atlantik, 3 756 km², bis 1985 Teil der brit. Kronkolonie Falkland Islands and Dependencies; bildet zus. mit den Süd-Sandwich-Inseln (337 km²) das brit. Territorium **South Georgia and South Sandwich Islands.**

Sudhaus, Brauereigebäude, in dem die Bierwürze bereitet wird; mit Schrotmühlen, Maischpfannen, Läuterbottich, Würzpfannen, Kochbottichen und Kühlanlagen ausgestattet. – ↑ Bier.

Südholland, Prov. in den westl. Niederlanden, 3 335 km² (davon 2 877 km² Landfläche), 3,22 Mill. E (1990), Verwaltungssitz Den Haag. Mit Ausnahme der Küstendünenzone und des anschließenden z. T. aufgeforsteten Geeststreifens besteht S. weitgehend aus einer künstlich angelegten Polderlandschaft. Ein ausgedehntes Kanalnetz sowie die Flüsse Schie, Alter Rhein und Hollandsche IJssel entwässern das Land zum Rhein-Maas-Delta bzw. zur Nordsee. Den wirtsch. Schwerpunkt bildet die Ind.- und Hafenagglomeration Rotterdam-Europoort. Im Delfland, Schieland und Westland liegen die größten Gewächshauskomplexe der Niederlande, das Gebiet um Lisse ist das Zentrum der niederl. Blumenzwiebelzucht.

Süd-Jemen (amtl. Volksrepublik S.), 1967–70 Name der Demokrat. Volksrepublik Jemen (↑ Jemen [Geschichte]).

Südkalotte, Bez. für den südlich des südl. Polarkreises gelegenen Teil der Erde.

Südkaper ↑ Glattwale.

Südkarpaten ↑ Karpaten.

Süd-Korea ↑ Korea.

Südliche Hungersteppe ↑ Kysylkum.

Südliche Kalkalpen ↑ Alpen.

Südliche Krone ↑ Sternbilder (Übersicht).

Südlicher Bug, Fluß in der Ukraine, entspringt auf der Wolyn.-Podol. Platte, mündet in den Dnjepr-Bug-Liman, 806 km lang; schiffbar ab Wosnessensk.

Südlicher Fisch ↑ Sternbilder (Übersicht).

Südlicher Landrücken, durch das Norddt. Tiefland ziehender Höhenzug (Endmoräne), der mit den Harburger Bergen einsetzt und über Lüneburger Heide, Altmark, Fläming, Niederschles.-Lausitzer Landrücken bis zum Katzengebirge (bis 257 m ü. d. M., höchster Punkt des S. L.) in Polen verläuft.

Südliches Dreieck ↑ Sternbilder (Übersicht).

Südliches Eismeer, svw. ↑ Südpolarmeer.

Südliches Kreuz ↑ Sternbilder (Übersicht).

Südliche Wasserschlange ↑ Sternbilder (Übersicht).

Südliche Weinstraße, Landkr. in Rheinland-Pfalz.

Südlicht ↑ Polarlicht.

Südmeseta, Hochfläche zw. dem Kastil. Scheidegebirge, der Serranía de Cuenca, dem Bergland von Alcoy und der Sierra Morena, besteht aus der Mancha und dem Tajobekken.

Süd-Molukken, am 25. April 1950 von den Ambonesen ausgerufene Republik, die im Okt. 1950 durch Indonesien erobert und diesem angeschlossen wurde (↑ Molukken, Geschichte).

Sudor [lat.] ↑ Schweiß.

Sudorifera [lat.], svw. ↑ schweißtreibende Mittel.

Süd-Orkney-Inseln [engl. 'ɔ:knɪ], Inselgruppe im sw. Atlantik, nö. der Antarkt. Halbinsel, 622 km²; bis 1 266 m ü. d. M.; Rundfunk- und Forschungsstationen; sonst unbewohnt. – 1821 entdeckt und für Großbritannien in Besitz genommen; gehörte bis 1962 zur Kolonie Falkland Islands and Dependencies, seither zur Kolonie British Antarctic Territory; von Argentinien beansprucht.

Südossetien, autonomes Gebiet innerhalb Georgiens, am S-Hang des Großen Kaukasus, 3 900 km², 99 000 E (1989), Hauptstadt Zchinvali; bis 3 938 m hoch und zu 40 % bewaldet. Bergbau auf Erze, Talk, Baryt; Holzverarbeitung, Nahrungsmittelind., Erholungs-, Wintersport-, Kurgebiet. – Das 1922 gebildcte Autonome Gebiet erklärte sich im Sept. 1990 zur Südosset. Demokrat. Sowjetrepublik. Auf Bestrebungen, sich mit dem angrenzenden Nordossetien (Territorium der Russ. Föderation) zu vereinen, reagierte Georgien mit der Aufhebung des autonomen Status (Dez. 1990). Blutige Konflikte zw. Georgiern und Südosseten seit 1990 führten zu einer starken Fluchtbewegung nach Nordossetien. Im Nov. 1991 erklärte sich Südossetien zu einer unabhängigen Republik.

Südostanatolien, sö. Teil der Türkei, Vorland des Äußeren Osttaurus, 500–600 m ü. d. M., durch das Vulkanmassiv des Karacalı dağ geteilt; geht im S in die Syr. Wüste über. Kontinentales, trockenes Klima mit sehr hohen Sommertemperaturen.

Südostasien, südl. der zentralasiat. Hochlandes gelegener Teil Asiens östl. des Ind. Ozeans, umfaßt die Halbinsel Hinterindien und den Malaiischen Archipel.

Südostasienpakt ↑ SEATO.

Südosteuropa, geograph. Bez. für das Gebiet der Balkanhalbinsel, histor. und kulturhistor. Bez. für das Gebiet der Balkanhalbinsel, der Donauländer, Sloweniens, Kroatiens, Serbiens, Bosniens und Herzegowinas, Makedoniens und Montenegros.

Südostkap, südlichster Punkt Tasmaniens und damit Australiens, 43° 38′ s. Br., 146° 48′ ö. L.

Südpazifik-Kommission (engl. South Pacific Commission, Abk. SPC), von Australien, Frankreich, Großbritannien, Neuseeland, den Niederlanden (1962 ausgetreten) und den USA 1947 gegr. Organisation zur Förderung der wirtsch. und sozialen Entwicklung sowie zur Hebung des Landesstandards der Bev. der von ihnen verwalteten Territorien im pazif. Raum. Der S.-K. gehören 27 Staaten und Überseegebiete an, Sitz ist Numea (Neukaledonien).

Südpazifischer Rücken, untermeer. Schwelle im südl. Pazifik, trennt das Südpazif. vom Pazif.-Antarkt. Becken; bis 878 m u. d. M. aufragend.

Südpazifisches Becken, Tiefseebekken im sw. Pazifik, zw. Polynesien, Tonga- und Kermadecgraben und dem Südpazif. Rücken, bis 6 600 m tief.

Südpazifisches Forum (engl. South Pacific Forum, Abk. SPF), Regionalorganisation südpazif. Staaten bzw. Länder mit innerer Autonomie zur Erörterung von polit. und wirtsch. Fragen der Region; gegr. 1971. Mgl.: Australien, Bundesstaaten von Mikronesien, Fidschi, Kiribati, Marshallinseln, Nauru, Neuseeland, Niuĕ, Papua-Neuguinea, Salomonen, Tonga, Tuvalu, Vanuatu, Westsamoa. 1985 wurde der *Vertrag von Rarotonga* über eine kernwaffenfreie Zone im Südpazifik geschlossen.

Südpol ↑ Pol, ↑ Antarktis.

Südpolargebiet, Land- und Meeresgebiete um den Südpol, ↑ Antarktis.

Südpolarmeer (Südl. Eismeer), zusammenfassende Bez. für die antarkt. Bereiche des Atlant., Ind. und Pazif. Ozeans.

Südpunkt (Mittagspunkt), derjenige der beiden Schnittpunkte des Meridians mit dem Horizont, der vom Nordpol des Himmels die größere Distanz hat; der andere Schnittpunkt wird als Nordpunkt bezeichnet.

Südrhodesien, bis Okt. 1964 Name für Rhodesien (↑ Simbabwe).

Südrobben (Lobodontinae), Unterfam. etwa 2–4 m langer Robben mit vier Arten in antarkt. Meeren; häufig in großen Meerestiefen schwimmende Tiere, die sich nach dem Echolotprinzip (ähnlich wie die Fledermäuse) orientieren und mit dem Treibeis nach N wandern. – Zu den S. gehört u. a. der Seeleopard (↑ Robben).

Sudsalz ↑ Kochsalz.

Süd-Sandwich-Graben [engl. 'sænwɪtʃ], Tiefseegraben im sw. Atlantik, umzieht bogenförmig die Süd-Sandwich-Inseln, in der Meerestiefe 8 264 m tief.

Süd-Sandwich-Inseln [engl. 'sænwɪtʃ] ↑ Südgeorgien.

Südschleswigscher Wählerverband, Abk. SSW, aus der Südschleswigschen Vereinigung (SSV) 1948 hervorgegangene polit. Vertretung der dän. Minderheit in Schleswig-Holstein, für welche die Fünfprozentklausel keine Anwendung findet; seit 1962 mit 1 Abg. im Landtag vertreten.

Südsee, älteste Benennung des Pazif. Ozeans, heute Bez. für dessen südl. und äquatoriale Teile.

Südseekunst ↑ ozeanische Kunst.

Süd-Shetland-Inseln [engl. 'ʃetlənd], gebirgige, vergletscherte Inselkette nördl. der Antarkt. Halbinsel, 4 460 km². – 1819 entdeckt und für Großbritannien in Anspruch genommen; gehörten bis 1962 zur Kolonie Falkland Islands and Dependencies, seither zur Kolonie British Antarctic Territory; von Argentinien und Chile beansprucht.

Südslawen ↑ Slawen.

Süd-Sotho ↑ Sotho.

Südsternwarte (Europ. S., European Southern Observatory, Europ. Südl. Observatorium, Abk. ESO), von Deutschland, Belgien, Dänemark, Frankreich, Schweden und den Niederlanden unterhaltene Sternwarte in N-Chile auf dem Berg La Silla am Südende der Atacama in 2400 m Höhe errichtete Sternwarte (3,6-Meter-Spiegelteleskop).

Südtirol (italien. Alto Adige, 1948–72 amtl. dt. Bez. Tiroler Etschland), südl. des Brenners gelegener Teil von Tirol; entspricht etwa der italien. autonomen Prov. Bozen innerhalb der autonomen Region Trentino-S.; auch Bez. für das gebiet der gesamten Region Trentino-S. – Das aus der Teilung Tirols nach dem 1. Weltkrieg und der Angliederung von S., dessen Bev. vorwiegend dt.sprachig war (mit einer ladin. Minderheit), an Italien entstandene Nationalitätenproblem, die sog. **Südtirolfrage,** wurde verschärft durch die Italienisierungswelle während des Faschismus, die halbherzige Umsiedlungspolitik, nach 1945 durch die mangelhafte Ausführung des **Gruber-De-Gasperi-Abkommens,** durch das der dt.sprachigen Bev. Gleichberechtigung, kulturelle und administrative Autonomie und wirtsch. Förderung gewährt werden sollte, so daß die südt.-italien. Spannungen erst 1969 durch Annahme des sog. S.pakets abgebaut wurden. 1972 trat das Autonomiestatut in Kraft, doch dauerte es noch bis Anfang 1992, bis die italien. Reg. alle prakt. Bestimmungen der. Autonomie gesetzlich verankerte. – ↑ Trentino-Südtirol (Geschichte).

Südtiroler Volkspartei, Abk. SVP, christlich geprägte Sammlungsbewegung der dt. und ladin. Bev. in Südtirol, gegr. 1945; forderte zunächst das Selbstbestimmungsrecht für Südtirol; hatte wesentl. Anteil an den Autonomieverhandlungen und der Ausarbeitung des Südtirolpakets; 1957–91 geführt von S. Magnago, seit 1992 von S. Brunner; hat im Bozener Provinzparlament die absolute Mehrheit; in der italien. Abg.kammer nach den Wahlen von 1994 mit 3, im Senat im Zusammenschluß mit anderen Parteien mit 8 Abg. vertreten.

Südtirolpaket ↑ Trentino-Südtirol (Geschichte).

Suðuroy [färöisch 'su:υɔrɔ:i̯], eine der Hauptinseln der ↑ Färöer.

Süd-Vietnạm ↑ Vietnam (Geschichte).

Südwestạfrika ↑ Namibia.

südwestdeutsche Schule ↑ Neukantianismus.

Südwester, wasserdichter Seemannshut, dessen Krempe vorn hochgeschlagen wird und hinten über den Kragen reicht; urspr. aus mit Öl getränkter Leinwand angefertigt.

Südwestfunk ↑ Rundfunkanstalten (Übersicht).

Südweststaat, 1950–52 übl., nichtamtl. Bez. für das 1952 gebildete Bundesland im SW der BR Deutschland (↑ Baden-Württemberg, Geschichte).

Sue, Eugène [frz. sy], eigtl. Marie-Joseph S., *Paris 10. Dez. 1804, † Annecy 3. Aug. 1857, frz. Schriftsteller. – Urspr. Schiffsarzt; Sozialrevolutionär; schrieb die ersten frz. Seeromane, u.a. „Der Salamander" (1832), dann histor. Schauerromane und Zeitungsromane („Die Geheimnisse von Paris", 2 Bde., 1842 bis 1843).

Sueben ↑ Sweben.

Suẹbicum Mạre [lat. „sweb. Meer"], antiker Name der Ostsee.

Suenens, Leo Jozef [niederl. 'sy:nɔns], *Ixelles 16. Juli 1904, belg. kath. Theologe und Kardinal (seit 1962). – 1961 bis 1979 Erzbischof von Mecheln-Brüssel und Primas von Belgien; auf dem 2. Vatikan. Konzil als Moderator führender Vertreter der reformer. Konzilstheologen; kritisierte die restaurative innerkirchl. Entwicklung nach dem Konzil.

Sues (Suez), ägypt. Hafenstadt und Gouvernat am S-Ende des Golfs von S., 265 000 E. Düngemittelfabrik, Aluminiumwerk, Erdölraffinerien. – Schwere Zerstörungen im 3. und 4. Israel.-Arab. Krieg.

Sues, Golf von, nw. Arm des Roten Meeres, zw. Afrika und der Halbinsel Sinai, Ägypten; Teil des Ostafrikan. Grabensystems, rd. 325 km lang, bis zu 46 km breit und 80 m tief; über den Sueskanal mit dem Mittelmeer verbunden.

Sueskanal, schleusenloser Großschiffahrtskanal zw. dem Mittelmeer und dem Golf von Sues, Ägypten; durchschneidet unter Benutzung des Timsah- sowie des Großen und des Kleinen Bittersees die *Landenge von Sues.* Der S. ist 195 km lang, bis 365 m breit und 20 m tief; 1989 passierten 17 628 Schiffe den S. 1980 wurde nördl. von Sues der 5,6 km lange *Sueskanaltunnel* eröffnet. **Geschichte und Völkerrecht:** Vorläufer des S. (z. B. der unter Necho II. 610 v.Chr. begonnene Nechokanal [767 n.Chr. zugeschüttet]) verbanden für den nach S orientierten Handel das Nildelta mit dem Timsahsee bzw. dem Roten Meer. Nachdem F. M. Vicomte de Lesseps 1854 vom ägypt. Vizekönig Said Pascha eine vorläufige Konzession für 99 Jahre (ab Inbetriebnahme des Kanals) erhalten hatte, gründete er mit frz. Kapital die S.gesellschaft und ließ 1859–69 den S. anlegen. Am 17. Nov. 1869 wurde der S. eingeweiht. 1882 besetzte Großbritannien die Kanalzone und baute sie zu einem Stützpunkt aus. – Die von 9 Staaten unterzeichnete völkerrechtl. Regelung (Konvention von Konstantinopel, 29. Okt. 1888) garantiert die freie Durchfahrt durch den S. für Handels- und Kriegsschiffe aller Flaggen in Kriegs- und Friedenszeiten und verbietet jede Kriegshandlung gegen den S. und seine Nebenanlagen. Nach Abzug der brit. Truppen (1954) wurde der S. 1956 von Ägypten nationalisiert. Bei Ausbruch des 3. Israel.-Arab. Krieges (1967) kam es zur Blockade des S. Im Ergebnis des 4. Israel.-Arab. Krieges (1973) gelangte der S. wieder unter ägypt. Kontrolle, wurde aber am 5. Juni 1975 für die Schiffahrt wiedereröffnet. – ↑ ägyptische Geschichte. – Karte S. 226.
💬 *Köhler, W.: Die Wiedereröffnung des Suez-Kanals.* Mchn. 1977. – *Konzelmann, G.: Suez.* Mchn. 1975. – *Farnie, D. A.: East and west of Suez. The Suez Canal in history, 1854–1956.* Oxford 1969.

Sueskonferenzen, 3 Londoner Konferenzen zur Beilegung der Sueskrise (16.–23. Aug., 19.–21. Sept., 1.–5. Okt. 1956). Beschlossen wurde die Konstituierung einer internat. Vereinigung der Sueskanalbenutzer.

Sueskrise, polit.-militär. Nahostkrise, die nach dem Abzug der brit. Truppen aus der Sueskanalzone (Juni 1956) durch die Verstaatlichung der Sueskanalgesellschaft durch Ägypten (Juli 1956) ausgelöst wurde. Auf Grund einer geheimen Absprache mit Israel, das am 29. Okt. 1956 den 2. Israel.-Arab. Krieg begann, und unter Ausnutzung der sowjet. Bindung durch den ungar. Volksaufstand intervenierten Großbritannien und Frankreich militärisch (Bombardement der Kanalzone und Landung von Truppen bei Port Said), mußten jedoch am 6. Nov. der UN-Forderung nach einem Waffenstillstand

SUESKANAL
Port Said 1868
Port Fuad
Al Mansala
-13
Pelusium
Al Kantara
Ismailijja
Pithom
ÄGYPTEN
Timsahsee
Großer Bittersee
Fajid
Ginaifa
Kleiner Bittersee
0 15 30 km
===== Erste Streckeneröffnung
am 18.11.1862
1868 Hafenanlagen fertiggestellt
— Eisenbahnlinien
Sues Bur
1868 Taufik

nachgeben (Dez. 1956 Abzug der letzten brit.-
frz. Truppen, die durch UN-Truppen ersetzt
wurden). Die S. wurde durch den Abzug Israels (März 1957) beendet.

Sueß, Eduard [zy:s], *London 20. Aug.
1831, † Wien 26. April 1914, östr. Geologe. –
Prof. in Wien. Mit seinem Hauptwerk „Das
Antlitz der Erde" (3 Bde., 1885–1909) zeichnete er erstmals ein globales geolog. Gesamt-
bild.

Sueton [swe...] (Gajus Suetonius Tran-
quillus), *Hippo Regius (= Annaba) (?) um
70, † um 140, röm. Schriftsteller. – Freund
Plinius' d. J.; im kaiserl. Dienst u. a. Bibliothekar und Vorsteher der Kanzlei (bis 121).
Von 11 namentlich bekannten Werken sind
erhalten: Kaiserbiographien von Cäsar bis
Domitian sowie Kurzbiographien namhafter
röm. Autoren.

Suez, svw. ↑Sues.

suf..., Suf... ↑sub..., Sub...

Sufar (Dhofar), südl. Landesteil des Sul-
tanats Oman auf der Arab. Halbinsel, Hauptort Salala.

süffisant [frz., zu lat. sufficere „genügen"], spöttisch, selbstgefällig; **Süffisance,**
Spott, Selbstgefälligkeit.

Suffix [lat.] (Nachsilbe), gebundenes
Morphem, das an ein Grundmorphem oder
eine Morphemkonstruktion zur Bildung eines neuen Wortes (Ableitungssilbe, z. B.
Frucht–fruchtbar) oder einer Flexionsform
(Flexionsendung, z. B. Held–Helden) angehängt wird.

Suffolk [engl. 'sʌfək], ostengl. Gft.

Suffraganbistum [mittellat./dt.], im
kath. Kirchenrecht Bez. für ein zu einer Kir-
chenprovinz gehörendes Bistum.

Suffragetten [frz.-engl., zu lat. suffra-
gium „Stimmrecht"], i. e. S. die radikalen
Mgl. der Frauenbewegung in Großbritannien, die vor 1914 für die polit. Gleichberechtigung der Frauen kämpften; bekannteste S.
war E. Pankhurst. I. w. S. auch Bez. für andere aktivist. Gruppen der Frauenbewegung.

Sufismus, die myst. Frömmigkeit im Islam, die in Anknüpfung an hellenist. Vorbilder neben der Gesetzesreligion entstand mit
dem Ziel, die Kluft zw. Mensch und Gott zu
überwinden. Der **Sufi** begibt sich auf den
Weg, alles zu überwinden, was ihn von Gott
trennt; die Liebe zu Gott muß die Selbstsucht
in ihm verdrängen, so daß er durch absolute
Gottvertrauen im Augenblick der Ekstase
oder der myst. Selbstentäußerung sein Ziel
erreicht. Trotz des Widerstands der orth.
Theologen und Rechtsgelehrten wurden hervorragende Sufis als wundertätige Heilige
verehrt; ihre Grabstätten wurden zu Wall-
fahrtsorten (Marbut), wo man um Hilfe gegen
Krankheit und Kinderlosigkeit bat. Ibn Al
Arabi baute das sufist. Gedankengut zu einem theosoph. System aus, das in der Folgezeit die weltanschaul. Grundlage des S. blieb.
Vom 12. Jh. an bildeten sich aus den Schüler-
kreisen der bed. Sufimeister ordensartige
Vereinigungen, die späteren Derwischorden
(↑ Derwisch).
📖 *Shah, I.: Die Sufis. Dt. Übers. Düss.
⁷1990. – Burckhardt, T.: Vom Sufitum. Rhein-
felden ²1989. – Andrae, T.: Islam. Mystik. Dt.
Übers. Stg. ²1980.*

sug..., Sug... ↑sub..., Sub...

Suger von Saint-Denis ['zu:gɔr, frz. sy'ʒə],
*Saint-Denis oder Argenteuil um 1080,
† Saint-Denis 13. Jan. 1151, frz. Staatsmann
und Geschichtsschreiber. – 1122 Abt von
Saint-Denis, begann 1137 mit dem Bau der
Klosterkirche, die für die Entwicklung der
Gotik entscheidende Bed. erlangte; Ratgeber
Ludwigs VI. und Ludwigs VII.; 1147–49
Reichsverweser.

suggerieren [lat.], (seelisch) beeinflussen, jemandem etwas einreden.

suggestibel [lat.], beeinflußbar; **Suggestibilität,** Empfänglichkeit für Beeinflussung.

Suggestion [lat.], starke Beeinflussung des Denkens, Fühlens, Wollens oder Handelns eines Menschen unter Umgehung der rationalen Persönlichkeitsanteile (zumindest des Beeinflußten). Die Suggestibilität ist erhöht bei willensschwachen, unselbständigen und leichtgläubigen Menschen. Außerdem hängt sie von der aktuellen Situation (wie Erregtheit, Angst, Müdigkeit, Drogeneinwirkung, hypnot. Zustand, Massenbeeinflussung) ab. Es wird zw. *Hetero-S.* (Fremd-S.) und ↑ Autosuggestion unterschieden. Die Hetero-S. spielt eine bes. Rolle bei Werbung, Propaganda, Erziehung und verbaler Manipulation. Am sichersten gelingt die S. in der ↑ Hypnose. Suggestive Wirkungen erzielt man auch durch Auto-S. beim autogenen Training.

suggestiv [lat.], beeinflussend, bestimmend; verfänglich.

Suggestivfrage, Frage, die so formuliert ist, daß ihre Aussage in ganz bestimmter Richtung naheliegend ist bzw. nahegelegt wird.

Im *Recht* sind S. in Ermittlungsverfahren und Strafprozeß nicht ausdrücklich untersagt. Der Vernehmende darf einen Irrtum des Beschuldigten ausnutzen, nicht aber selbst erzeugen. S. sind i. d. R. zur Wahrheitsfindung ungeeignet und können im Strafprozeß vom Vors. des Gerichts zurückgewiesen werden.

Suhard, Emmanuel Célestin [frz. sy'a:r], * Brains-sur-les-Marches (Mayenne) 5. April 1874, † Paris 30. Mai 1949, frz. kath. Theologe und Kardinal (seit 1935). – 1898–1928 Prof. für Dogmatik am Priesterseminar in Laval; ab 1940 Erzbischof von Paris; Förderer des ökumen. Gedankens im frz. Katholizismus und Protektor der Arbeiterpriester.

Suharto, * Kemusu (Z-Java) 8. Juni 1921, indones. General und Politiker. – 1962 Kommandant der Truppen zur Befreiung W-Neu-guineas; schlug 1965 einen kommunist. Putschversuch nieder und entmachtete allmählich A. Sukarno, den er 1966 als Reg.chef ablöste; seit 1968 Staatspräsident.

Suhe Bator, Stadt in N der Mongolei, 260 km nnw. von Ulan Bator, 17 000 E. Verwaltungssitz des Bez. Selenga; Umschlagplatz an der Selenga und der Transmongol. Eisenbahn; Nahrungsmittel-, Textil-, Holz- und Baustoffindustrie.

Suhl, kreisfreie Stadt in Thür., im Thüringer Wald, 429–676 m ü. d. M., 56 000 E. Heimat- und Waffenmuseum; Volkssternwarte, Waldtheater. Geräte-, Kleinkraftrad-, Fahrrad-, Elektrofahrzeugbau, CD-Herstellung, Jagd- und Sportwaffenproduktion. – Um 1240 erstmals erwähnt; erhielt 1527 Stadtrecht; 1952–90 Hauptstadt des gleichnamigen DDR-Bezirks. – Spätgot. Hauptkirche (15. und 18. Jh.); Stadtzentrum mit Bürger-

häusern des 17.–19. Jh. (restauriert); im Stadtteil Heinrichs zahlr. Fachwerkhäuser, u. a. Rathaus (16. und 17. Jh.). **S.,** Landkr. in Thüringen.

Suhle (Gelach, Siele), wm. Bez. für einen Wassertümpel oder eine sumpfige Stelle, wo sich Rot- und Schwarzwild im Schlamm wälzen *(suhlen).*

Sühne, in der Religionswiss. Bez. für den menschl. Versuch der Wiederherstellung des durch Sünde, bewußte oder unbewußte Übertretung sittl. oder kult. Vorschriften gestörten Verhältnisses zw. Mensch und Gottheit; die S. kann durch mag. Praktiken, kult. Reinigungen, asket. Übungen, Opfer u. a., aber auch durch einen Stellvertreter geleistet werden.

Sühneversuch, förml. Versuch des Gerichts oder eines anderen Rechtspflegeorgans zur gütl. Beilegung einer Rechtsstreitigkeit. Im Zivilprozeßrecht soll das Gericht in jeder Lage des Verfahrens auf einen S. bedacht sein, was bei Erfolg in der Regel zu einem ↑ Prozeßvergleich führt. Im Strafprozeß ist der S. zur Erhebung der ↑ Privatklage zwingend vorgeschrieben, ebenso im Arbeitsgerichtsprozeß (↑ Güteverfahren).

In *Österreich* ist der S. für das Ehescheidungsverfahren sowie in Ehrenbeleidigungssachen gesetzlich vorgeschrieben. – In der *Schweiz* ist ein S. nur für zivilrechtl. Streitigkeiten bekannt und kantonal gesetzlich geregelt.

Suhr, Otto, * Oldenburg (Oldenburg) 17. Aug. 1894, † Berlin (West) 30. Aug. 1957, dt. Nationalökonom und Politiker. – 1945 Mitbegr. des DGB in Berlin, widersetzte sich dem Zusammenschluß von SPD und KPD; 1946–48 Stadtverordnetenvorsteher von Groß-Berlin, 1948–50 von Berlin (West), 1951–55 Präs. des Westberliner Abg.hauses, ab 1955 Regierender Bürgermeister von Berlin (West); 1948/49 Mgl. des Parlamentar. Rats, 1949–51 MdB. 1949–55 Direktor der Dt. Hochschule für Politik (seit 1958 Otto-Suhr-Inst. der Freien Univ. Berlin).

Suhrkamp, Peter, eigtl. Johann Heinrich S., * Kirchhatten (= Hatten bei Oldenburg [Oldenburg]) 28. März 1891, † Frankfurt am Main 31. März 1959, dt. Verleger. – Ab 1933 Hg. in der im S. Fischer Verlag erscheinenden „Neuen Rundschau" und ab 1936 Leiter dieses Verlages (1942 umbenannt in S. Verlag vormals S. Fischer). 1950 gründete S. in Frankfurt am Main den *S. Verlag* (ab 1951 KG), der sich zu einem führenden belletrist. Verlag (zeitgenöss. Autoren) entwickelte. Nach seinem Tod übernahm S. Unseld (* 1924) die Leitung. – ↑ S. Verlag.

Suiboku (Sumi-e) [jap.], jap. Maltechnik mit schwarzer Tusche (aus zerriebenen Holzkohlestangen) auf Papier, deren Möglichkei-

ten von der präzisen Linie bis zu weich abgestuften Tonwerten reichen. Bevorzugte Gatt. der jap. Zenkunst. Hauptvertreter ist Sesshū.
Suidbert ['zu:ɪtbɛrt, zu'i:tbɛrt], hl. ↑ Suitbert, hl.

sui generis [lat. „seiner Art"], (nur) durch sich selbst eine Klasse bildend, einzig, besonders.

Suitbert ['zu:ɪtbɛrt, zu'i:tbɛrt] (Suidbert, Swidbert), hl., † Kaiserswerth (= Düsseldorf) im März 713, Missionsbischof aus Northumbria. – In Begleitung ↑ Willibrords Missionar bei den Friesen; 693 (692?) vom hl. Wilfrith zum Bischof geweiht; gründete um 695 in Kaiserswerth ein Kloster. – Kostbarer S.schrein (13./14. Jh.) in der Stiftskirche. – Fest: 4. September.

Suite ['svi:tə; frz.; zu lat. sequi „folgen"], mehrteilige Komposition aus einer Folge von in sich geschlossenen, nur lose, etwa durch gleiche Tonart oder motiv. Verwandtschaft verbundenen Tänzen, tanzartigen oder sonstigen Sätzen. In der Lautenmusik des 16. Jh. kam die Bez. S. auf für eine Zusammenstellung mehrerer gleichartiger Einzeltänze oder durch Umrhythmisierung und Variation geschaffener Tanzpaare wie Pavane–Gaillarde, Pavane–Saltarello u. a. – In Oper und Ballett entfaltete sich im 17. Jh. die **Orchestersuite.** Die beliebig veränderbare Reihung von Einzeltänzen und tanzfreien Stücken stand neben der in der Abfolge der Tänze feststehenden, durch gleiche Thematik verknüpften **Variationensuite.** Die kammermusikalisch besetzte S. entwickelte sich im Rahmen der Kammersonate v. a. in Italien und Frankreich, wo auch die **Lautensuite** und die neugeschaffene **Klaviersuite** beliebt waren. Seit J. C. de Chambonnières gehören Allemande, Courante, Sarabande und Gigue zum Kernbestand, der um weitere Tanztypen und tanzfreie, oft programmatisch betitelte Stücke vermehrt werden kann. – In der 2. Hälfte des 18. Jh. wurde die S. von anderen Formen wie Divertimento, Kassation, Serenade abgelöst. Sie lebte erst wieder im 19./20. Jh. in barockisierenden Nachahmungen (M. Reger) auf, in programmusikal. Zyklen (M. P. Mussorgski) und in Zusammenstellungen von Schauspiel- oder Ballettmusiken (P. I. Tschaikowski) oder von losen Tanzfolgen (B. Bartók).
♦ Folge von Zusammengehörendem, z. B. von Zimmern in Hotels, von Graphiken.
♦ Gefolge. – ↑ à la suite.

Suitner, Otmar, * Innsbruck 16. Mai 1922, östr. Dirigent. – Schüler von C. Krauss; war 1960–64 Chefdirigent der Dresdner Staatskapelle und der Staatsoper sowie 1964–71 und ab 1974 Generalmusikdirektor der Dt. Staatsoper Berlin (Ost); 1977–88 Prof. für Dirigieren an der Musikhochschule in Wien.

Suits, Gustav, * Võnnu (Kreis Dorpat) 30. Nov. 1883, † Stockholm 23. Mai 1956, estn. Lyriker. – Führer der revolutionärromant. literar. Bewegung „Noor-Eesti" („Jung-Estland"); übte auf die polit. und geistige Haltung Estlands wie auch auf die estn. Dichtung großen Einfluß aus.

Suizid [lat.], svw. ↑ Selbsttötung.

Sujet [frz. sy'ʒɛ; zu lat. subiectum „das Zugrundeliegende"], Gegenstand, Stoff, künstler. Thema.

Suk, Josef, * Křečovice bei Benešov 4. Jan. 1874, † Benešov 29. Mai 1935, tschech. Komponist. – Schüler und Schwiegersohn (1898) von A. Dvořák, von dem er in seinem Schaffen ausging, entwickelte aber einen eigenen Stil mit neuzeitl. Harmonik; komponierte u. a. Sinfonien, sinfon. Dichtungen, eine Fantasie für Violine und Orchester, Kammer- und Klaviermusik sowie Chorwerke.

S., Josef, * Prag 8. Aug. 1929, tschech. Violinist. – Enkel von Josef S.; unternahm Konzertreisen als Solist und als Kammermusiker (1951–68 als Mgl. des von ihm gegr. S.-Trios, dann des mit J. Katchen gebildeten Duos).

Suk, nilotohamit. Stamm im mittleren W-Kenia und in O-Uganda.

Suk (Souk) [arab.], svw. ↑ Basar.

suk..., Suk... ↑ sub..., Sub...

Sukarno, Achmed, * Surabaja 6. Juni 1901, † Jakarta 21. Juni 1970, indones. Politiker. – Führender Vertreter der indones. Unabhängigkeitsbewegung; gründete 1927 die Indones. Nationalpartei; 1933 verbannt; arbeitete 1942–45 mit den Japanern zusammen; rief mit M. Hatta 1945 die Republik Indonesien aus und wurde deren erster Staatspräs. (bis 1967); setzte 1949 die Anerkennung der Souveränität durch die ehem. niederl. Kolonialmacht durch; 1959–66 auch Reg.-chef; näherte sich seit 1959 der VR China; wegen seiner zweideutigen Haltung bei einem kommunist. Putschversuch 1965 schrittweise (faktisch bis Febr. 1967) von der Armee unter General Suharto entmachtet.

Sukhawati [Sanskrit „glückl. Land"], nach der Vorstellung des Mahajana-Buddhismus das im Westen gelegene, in ewigem Licht erstrahlende Paradies des Buddha Amitabha.

Sukhothai, Stadt in N-Thailand, am Yom, 23 100 E. – Nahebei wurden die Reste der Hauptstadt des S.reichs freigelegt mit zahlr. buddhist. Klöstern, u. a. das Wat Mahadat, das Hauptheiligtum mit reicher Bauskulptur (v. a. 13./14. Jh.). Von der UNESCO zum Weltkulturerbe erklärt.

Sukkade [roman.], svw. ↑ Zitronat.

Sukkertoppen [dän. 'sɔɡərtɔbən] ↑ Maniitsoq.

Sukkot (Sukkoth) [hebr.], svw. ↑ Laubhüttenfest.

Sukkubus (Succubus) [mittellat.], im Dämonenglauben des MA Bez. für einen weibl. Teufel, der angeblich mit Menschen sexuell verkehrte. – ↑Hexe.

Sukkulẹnten [lat.] (Fettpflanzen, Saftpflanzen), v. a. in Trockengebieten verbreitete Pflanzen (↑Xerophyten), die Wasser über lange Dürreperioden hinweg in bes. großzelligem Grundgewebe speichern können. Man unterscheidet: *Blatt-S.* mit fleischig verdickten Blättern (z. B. Aloe, Agave, Fetthenne), *Stamm-S.*, deren mehr oder weniger verdickte Sproßachsen wegen fehlender oder reduzierter Blätter auch der Assimilation dienen (v. a. Kakteen und Wolfsmilchgewächse) und *Wurzel-S.* (einige Arten der Pelargonie).

Sukkulẹnz [lat.], fleischig-saftige Beschaffenheit pflanzl. Organe durch reichl. Ausbildung wasserspeichernden Grundgewebes.

Sụkkur, pakistan. Stadt am unteren Indus, 191 000 E. College; Textil- und Nahrungsmittelind., Heimgewerbe (Lederarbeiten), Straßen- und Eisenbahnbrücke über den Indus.

Sụkowa, Barbara, *Bremen 2. Febr. 1950, dt. Schauspielerin. – Darstellerin komplizierter Charaktere, spielte an Bühnen in Darmstadt, Bremen, Frankfurt am Main, München, Hamburg; wurde internat. bekannt durch den Film, u. a. „Berlin Alexanderplatz" (Fernsehfilm 1980), „Die bleierne Zeit" (1981), „Lola" (1982), „Rosa Luxemburg" (1985), „Homo faber" (1991).

Sukzessiọn [lat.], im *Recht* 1. ↑Thronfolge; 2. ↑Rechtsnachfolge.
◆ in der *Ökologie* die zeitl. Aufeinanderfolge der an einem Standort einander ablösenden Pflanzen- oder/und Tiergesellschaften, indem diese auf eine Folge einseitig gerichteter (irreversibler) Vorgänge (Umweltveränderungen) reagieren; z. B. die Verlandung eines Sees oder in der Folge eines Waldbrandes.

Sukzessiọnskrieg, svw. ↑Erbfolgekrieg.

sukzessịv [lat.], allmählich, nach und nach.

Sulaimạn (türk. Süleyman) (Suleiman, Soliman), Name osman. Sultane. Bed. v. a.: **S. II., der Große** oder **der Prächtige** (nach türk. Zählung S. I.), *6. Nov. 1494 (April 1495?), †vor Szigetvár 6. Sept. 1566, Sultan (seit 1520). – Sohn von Salim I.; betrieb den äußeren und inneren Ausbau des Osman. Reiches, trat sowohl als Feldherr wie auch als Förderer der Literatur (dichtete unter dem Namen **Munibbi**) und der Architektur hervor. Seine Gesetzgebung gab ins 19. Jh. die charakterist. Prägung (Beiname auch „der Gesetzgeber"). Er eroberte 1521 Belgrad, siegte 1526 über die Ungarn bei Mohács, stieß 1529 bis Wien vor und unterstützte Johann I. Zápolya gegen König Ferdinand I.; 1519/29 unterstellte er Algier, 1551 Tripolitanien der osman. Herrschaft. Im O dämmte S. das Vordringen der Safawiden ein, wobei er Teile Kaukasiens, den Irak und (vorübergehend) Aserbaidschan eroberte.

⚏ *Matuz, J.: Süleyman der Prächtige. In: Die Großen der Weltgesch. Hg. v. K. Fassmann. Bd. 4. Zürich 1974.*

Sulaimanịjja, As, irak. Stadt im Bergland von Kurdistan, 279 000 E. Hauptstadt des Verw.-Geb. S.; chaldäischer Bischofssitz; kurd. Universität (gegr. 1968).

Sulaiman Range [engl. sʊ'laɪmɑːn 'reɪndʒ], Gebirgskette in der pakistan. Prov. Belutschistan, bis 3 441 m hoch.

Sụlainseln, Inselgruppe der N-Molukken, Indonesien, östl. von Celebes und den Banggaiinseln, 4 851 km²; Hauptort Sanana auf der gleichnamigen Insel.

Sulạk, Fluß im östl. Großen Kaukasus, in Dagestan (Rußland), mündet ins Kasp. Meer, 144 km lang; mehrere Wasserkraftwerke.

Sulawẹsi, indones. für ↑Celebes.

Sụlcus (Mrz. Sulci) [lat.], in der Anatomie Bez. für eine Rinne oder Furche an der Oberfläche von Organen (Gehirn, Knochen u. a.).

Suleiman ↑Sulaiman.

Sulfaminsäure [Kw.] (Sulfamidsäure, Amidosulfonsäure, Amidoschwefelsäure), H_2N-SO_2-OH, das Monoamid der Schwefelsäure; farblose, kristalline, wasserlösl., stark saure Substanz, die in der Textil- und Seifenind. sowie in der Galvanotechnik verwendet wird.

Sulfanịlsäure [Kw.] (p-Aminobenzolsulfonsäure), farblose, kristalline Substanz, $H_2N-C_6H_4-SO_3H$; dient als Ausgangsstoff für die Synthese von Azofarbstoffen sowie von Sulfonamiden.

Sulfạte [lat.], Salze und Ester der ↑Schwefelsäure.

Sulfatide [lat.] ↑Zerebroside.

Sulfatierung [lat.], Veresterung von Alkoholen mit Schwefelsäure; im Ggs. zur ↑Sulfonierung wird die Sulfogruppe, $-SO_3H$, hier über ein Sauerstoffatom an den organ. Rest gebunden. Die S. hat techn. Bed. für die Gewinnung der Fettalkoholsulfate.

sulfatisierendes Rösten [lat./dt.] ↑Rösten.

Sulfạtminerale, natürlich vorkommende, meist kristallisierte Salze der Schwefelsäure. Zu den *kristallwasserfreien S.* gehören u. a. die Minerale ↑Baryt, ↑Zölestin, ↑Anhydrit, allg. Formel Me_2SO_4; zusätzl. OH-Gruppen im Molekül enthalten ↑Brochantit und ↑Alunit. Zu den *kristallwasserhaltigen S.* gehören u. a. ↑Gips, ↑Kieserit, ↑Alaune, ↑Bittersalz und Kupfervitriol (↑Kupfersulfate). – Viele S. werden bergmännisch abgebaut, um sie in der Bauind. (Gips) und für die Düngemittelherstellung (Kainit u. a.) zu verwenden.

Sulfatverfahren ↑ Zellstoff.

Sulfide [lat.], 1. Salze des ↑ Schwefelwasserstoffs; die Alkali-S. gehen durch Kochen mit Schwefel in *Poly-S.* über, aus denen durch Ansäuern *Polyschwefelwasserstoffe (Sulfane)* freigesetzt werden; Schwermetall-S. bilden in der Natur wichtige Erzlagerstätten (z. B. Bleiglanz); 2. die Ester des Schwefelwasserstoffs; bei den Halbestern (↑ Thiole) ist nur ein Wasserstoffatom durch einen organ. Rest, bei den neutralen Estern sind beide Wasserstoffatome durch organ. Reste ersetzt.

Sulfidminerale, natürlich vorkommende, sauerstofffreie Verbindungen von Metallen (auch anderen Elementen) v. a. mit Schwefel, auch mit Arsen, Antimon, Wismut, Selen und Tellur. S. haben technisch große Bed. als Rohstoffe zur Gewinnung vieler Metalle. Die S. werden vielfach nach ihrem äußeren Erscheinungsbild unterteilt in die ↑ Kiese, ↑ Glanze, ↑ Fahlerze (Fahle) und ↑ Blenden.

Sulfinsäuren [lat./dt.], organ. Verbindungen mit der allg. Formel R–SO–OH; die Salze *(Sulfinate)* dienen als Reduktionsmittel beim Färben und Ätzen sowie als Initiatoren bei Redoxpolymerisationen.

Sulfite [lat.], die Salze und Ester der ↑ schwefligen Säure.

Sulfitverfahren ↑ Zellstoff.

Sulfo- [zu lat. sulfur „Schwefel"], Bez. der chem. Nomenklatur für die Gruppe –SO₃H.

Sulfochloride, svw. ↑ Sulfonylchloride.

Sulfochlorierung, Verfahren u. a. zur Herstellung von Sulfonylchloriden aus Alkanen mit Schwefeldioxid und Chlor; technisch für waschaktive Substanzen und Weichmacher genutzt.

Sulfonamide [Kw.], die Amidderivate der Sulfonsäuren, v. a. der Sulfanilsäure (allg. Formel R–SO₂–NR'R''; R aliphat. oder aromat. Rest, R' R'' Wasserstoff oder organ. Reste). Das einfachste S. ist das von der Sulfanilsäure abgeleitete Sulfanilamid, von dem sich (meist durch Substitution mit heterocycl. Resten, z. B. Pyrimidin) weitere, gegen grampositive und gramnegative Bakterien sowie gegen einige Chlamydien und Protozoenarten wirksame, oral verabreichte S. ableiten. Nach der Halbwertszeit ihres Abbaus im Körper unterscheidet man Kurzzeit-, Mittelzeit-, Langzeit- und Ultralangzeit-S. Die antibakterielle Wirkung der S. beruht auf einer Konkurrenzreaktion mit der den Bakterien als Wuchsstoff dienenden p-Aminobenzoesäure. Durch Entstehung sulfonamidresistenter Erregerstämme und Entwicklung wirksamerer und besser verträgl. Antibiotika haben die S. inzwischen an Bed. verloren; angewendet werden sie v. a. noch bei Nokardiosen

und Ulcus molle. Die Heilwirkung der S. wurde 1935 von G. Domagk entdeckt.

Sulfonate ↑ Sulfonsäuren.

Sulfone [lat.], organ. Verbindungen mit der allg. Formel R–SO₂–R' (R, R' aliphat. oder aromat. Reste); farblose, kristalline Substanzen, die u. a. als Zwischenprodukte bei der Herstellung von Farbstoffen verwendet werden.

Sulfonierung [lat.], Einführung einer Sulfogruppe, –SO₃H, direkt an ein Kohlenstoffatom einer organ. Verbindung (Ggs. ↑ Sulfatierung), wobei Sulfonsäuren entstehen. Zur S. aromat. Verbindungen dienen Schwefelsäure, Oleum, Schwefeltrioxid und Chlorsulfonsäure.

Sulfonsäuren, organ. Verbindungen mit der allg. Formel R–SO₃H (R Alkyl- oder Arylrest), feste, in Wasser mit stark saurer Reaktion lösl. Substanzen, die wichtige Zwischenprodukte insbes. bei der Herstellung von Farbstoffen und Waschmitteln sind. Ihre Salze und Ester heißen *Sulfonate.*

Sulfonylchloride (Sulfochloride), organ. Verbindungen der allg. Formel R–SO₂Cl (R aliphat. oder aromat. Rest); feste flüssige Substanzen, die z. B. mit Aminen zu Sulfonamiden reagieren.

Sulfonylharnstoffe, als Antidiabetika verwendete organ. Verbindungen; allg. Formel R–SO₂–NH–CO–NH–R' (R meist aromat., R' aliphat., aromat. oder heterocycl. Rest). S. bewirken eine Freisetzung von Insulin aus den Inselzellen der Bauchspeicheldrüse.

Sulfosalze, in der Mineralogie Bez. für gemischte Metallarsenid- bzw. Metallantimonidsulfide.

Sulfoxide [lat./griech.], Verbindungen mit der charakterist. Gruppierung R–SO–R' (R, R' aliphat. oder aromat. Reste); wichtigster Vertreter ist das ↑ Dimethylsulfoxid.

Sulfurylchlorid [lat./griech.], Säurechlorid der Schwefelsäure, Cl–SO₂–Cl; unbeständige, erstickend riechende Flüssigkeit, die in der organ. Chemie für Chlorierungen und zur Sulfochlorierung verwendet wird.

Sulina, rumän. Hafenstadt an der Mündung des *S.arms* (83,8 km) der Donau ins Schwarze Meer, 4 900 E. Fischverarbeitung. – 950 byzantin. Umschlagplatz, um 1318 genues. Handelsniederlassung, im 16. Jh. osman. Kontrollpunkt für den Donauverkehr.

Sulioten, nach der Gebirgslandschaft Suli in Epirus, Griechenland, ben. Volksgruppe gräzisierter christl. Albaner, die seit etwa 1790 die osman. Herrschaft bekämpfte.

Suliotis, Elena [neugriech. sul'jotis], * Athen 28. Mai 1943, griech. Sängerin (Sopran). – Singt an den internat. renommierten Opernhäusern; v. a. italien. Opernpartien

Sulitjelma (schwed. Sulitälma), vergletschertes Gebirgsmassiv in N-Skandinavien, östl. von Bodø, durch das die schwed.-norweg. Grenze verläuft, bis 1913 m ü. d. M. Am Westfuß der norweg. Bergwerksort S. (Kupfererzförderung).

Sulky ['zʊlki, engl. 'sʌlki], leichter, zweirädriger, gummibereifter Wagen mit Spezialsitz, für den Fahrer in Trabrennen.

Süll [niederdt. „Schwelle"], senkrechte, feste Einfassung von Decksöffnungen (Luken-S.) bzw. hohe Schwelle in Öffnungen von Schiffswänden (Schott-S.), um das Durch- oder Einfließen von Wasser zu verhindern.

Sulla, Lucius Cornelius, * 138, † bei Puteoli (= Pozzuoli) 78 v. Chr., röm. Politiker. – 88 und 80 Konsul; erhielt den Oberbefehl im Krieg gegen Mithridates VI.; als dieses Kommando durch Volksbeschluß Gajus Marius übertragen wurde, kam es zum Bürgerkrieg. 87 zog S. gegen Mithridates und brachte bis Ende 86 Griechenland in seine Gewalt. Angesichts der Herrschaft seiner Gegner Marius und Lucius Cornelius Cinna in Rom schloß S. 85 Frieden mit Mithridates. Er besiegte 83/82 die mit den Samniten verbündeten Marianer und schaltete seine Gegner durch Proskriptionen aus, wurde zum Diktator „für Gesetzgebung und Ordnung des Staates" ernannt und stellte die Senatsherrschaft wieder her; 79 verzichtete S. freiwillig auf die Diktatur.

sulla tastiera [italien.], Spielanweisung für Streicher, die Saiten nahe am Griffbrett zu streichen.

Sullivan [engl. 'sʌlivən], Sir (seit 1883) Arthur Seymour, * London 13. Juni 1842, † ebd. 22. Nov. 1900, engl. Komponist. – Komponierte Opern, Bühnenmusiken, Orchester-, Kammer- und Chorwerke. Wurde v. a. bekannt durch seine Operetten, u. a. „H. M. S. Pinafore" (1878), „The Mikado" (1885).

S., Louis Henry, * Boston 3. Sept. 1856, † Chicago 14. April 1924, amerikan. Architekt. – Arbeitete ab 1879 im Büro von D. Adler (* 1844, † 1900; seit 1881 „Adler & S."), das große Bed. für die Chicagoer Schule († Hochhaus) hatte. Durch seine Devise „Form folgt Funktion" und seine Schriften beeinflußte S. entscheidend die Architektur des 20. Jahrhunderts.

Sully, Maximilien de Béthune, Hzg. (seit 1606) von [frz. syl'li], * Rosny-sur-Seine (Yvelines) 13. Dez. 1560, † Villebon (Eure-et-Loir) 22. Dez. 1641, frz. Staatsmann. – Hugenotte; nahm an den Feldzügen Heinrichs von Navarra (der spätere König Heinrich IV. von Frankreich) teil; als Min. des Königs (ab 1597) reformierte und vereinfachte er das Steuer- und Zollwesen, förderte Gewerbe und Landw. und ließ Straßen und Wasser-

wege ausbauen. Nach der Ermordung des Königs (1610) wurde er durch Maria von Medici vom Hof entfernt; 1634 zum Marschall ernannt.

S., Thomas [engl. 'sʌlı], * Horncastle (Lincolnshire) 19. Juni 1783, † Philadelphia 5. Nov. 1872, amerikan. Maler engl. Herkunft. – Schuf romant. Porträts, Genre- und Historienbilder („Washington überquert den Delaware", 1851; Boston, Museum of Fine Arts).

Thomas Sully. Mutter und Sohn; 1839 (New York, Metropolitan Museum)

Sully Prudhomme [frz. syllipry'dɔm], eigtl. René François Armand P., * Paris 16. März 1839, † Châtenay-Malabry (Hauts-de-Seine) 7. Sept. 1907, frz. Dichter. – Behandelt in seinen philosoph. Gedichten wiss., philosoph., soziale und moral. Grundfragen in einer präzisen, oft auch dunklen und abstrakten Sprache. 1881 Mgl. der Académie française; erster Nobelpreisträger für Literatur (1901).

Sulpicia, röm. Dichterin an der Wende des 1. Jh. v. Chr. zum 1. Jh. n. Chr. – Ihre Liebesgedichte, die sich durch den Ausdruck echter Gefühle auszeichnen, sind das einzige erhaltene poet. Werk einer Römerin.

Sulpicius Severus, * in Aquitanien um 360, † in S-Gallien um 420, lat. Geschichtsschreiber. – Schrieb eine „Chronica" in zwei

Büchern, einen unter christl. Aspekt abgefaßten Abriß der Weltgeschichte bis in seine Zeit; seine übrigen Schriften, v. a. die Biographie des hl. Martin („Vita Sancti Martini"), sind wertvolle Zeugnisse altkirchl. Hagiographie.

sul ponticello [...'tʃεlo; italien.] ↑ Ponticello.

Sultan [arab. „Macht, Herrschaft"], 1. Herrschertitel in islam. Ländern seit dem 11. Jh.; 2. Ehrenbez. für die Ordensmeister der Derwische.

Sultaninen [arab.-italien.], getrocknete, kernlose, hellgelbe Beeren der sog. *Sultanatraube*, v. a. aus der Türkei.

Suluinseln, Inselgruppe der Philippinen, zw. der Zamboanga Peninsula Mindanaos und Borneo, umfaßt neben den beiden gebirgigen Hauptinseln **Jolo** und **Tawitawi** 956 kleinere Inseln, Felsen und Riffe, 2 688 km², Verwaltungssitz Jolo. Trop. Regenwald ist heute nur noch auf Tawitawi in größerem Umfang erhalten. Die Bewohner sind muslim. Moros, die z. T. in Pfahldörfern leben.

Sulusee, Teil des Australasiat. Mittelmeers zw. Borneo im SW und den zu den Philippinen gehörenden Inseln Palawan, Mindoro, Panay, Negros, Mindanao sowie den Suluinseln; bis 5 094 m tief.

Sulzbach, ehem. Adelsgeschlecht im bayr. Nordgau, das sich auf die babenberg. Hzg. von Schwaben zurückführen läßt; Stammvater ist Berengar (1003 Graf im sw. Nordgau); 1188 erloschen.

Sulzbach-Rosenberg, Stadt am O-Rand der Fränk. Alb, Bay., 428 m ü. d. M., 18 100 E. Heimatmuseum; Stahlwerk, Sportmunitions-, Malzfabrik, Textil- und Elektroind. – **Sulzbach** entstand früh um die Burg der Grafen von Sulzbach; seit der 2. Hälfte des 13. Jh. Stadt; wurde 1614 Sitz des Ft. Pfalz-Sulzbach; 1934 mit **Rosenberg** vereinigt. – Spätgot. Stadtpfarrkirche Mariä Himmelfahrt (14., 15. Jh. und 17. Jh.); Schloß (15., 16. und 18. Jh.); spätgot. Rathaus (um 1400); Stadtmauer (14. Jh.) z. T. erhalten.

Sulzburg, Stadt am W-Rand des Schwarzwalds, Bad.-Württ., 360 m ü. d. M., 2 300 E. Landesbergbaumuseum; Weinbau und -handel. – Eine Siedlung ist 840 erstmals erwähnt; um 1250 Stadtgründung. – Ehem. Klosterkirche Sankt Cyriacus, otton. Bau (Weihe 993) mit roman. Krypta (11. Jh.), spätere Umbauten; bed. jüd. Friedhof (um 1550).

Sulze, svw. ↑ Salzlecke.

Sülze [zu althochdt. sulza „Salzwasser"], Fleisch- oder Fischstücke, auch Gemüse in Aspik.

Sulzer, Johann Georg, * Winterthur 16. Okt. 1720, † Berlin 27. Febr. 1779, schweizer. Philosoph und Pädagoge. – 1747 Mathematiklehrer in Berlin, 1765 dort Prof. an der Ritterakad., ab 1775 Direktor der philosoph. Klasse der Akad. der Wiss.; Hauptvertreter der Popularphilosophie der dt. Aufklärung. In seinem enzyklopäd. Hauptwerk „Allg. Theorie der schönen Künste" (6 Bde., 1771–74) betont S. die Sinnlichkeit als eigenständiges Erkenntnisvermögen.

Sulzer-Steiner, Heinrich, * Winterthur 19. März 1837, † Bern 11. Mai 1906, schweizer. Ingenieur und Unternehmer. – Leitete ab 1872 die von seinem Vater J. J. Sulzer (* 1782, † 1853) begr. Firma Gebrüder Sulzer; befaßte sich bes. mit der konstruktiven Durchbildung der Dampfmaschine und der Zentralheizung.

Sumac, Yma, eigtl. Emperatriz Chavarri, * Ichocan (Peru) 10. Sept. 1927, amerikan. Sängerin indian.-span. Abstammung. – Unternahm seit 1941 weltweite Konzertreisen, auf denen sie durch ihren Stimmumfang von vier Oktaven Aufsehen erregte; zog sich in den 70er Jahren zurück, seit 1984 wieder Konzertauftritte.

Sumach [arab.] (Rhus), Gatt. der Anakardiengewächse mit rd. 60 Arten in gemäßigten Asien, im Mittelmeergebiet und in N-Amerika; sommer- oder immergrüne Bäume oder Sträucher mit unscheinbaren Blüten und kleiner, trockener Steinfrucht; viele Arten sind giftig. Als Ziergehölz wird u. a. der **Hirschkolbensumach** (Rhus typhina, *Essigbaum*) angepflanzt; 5–12 m hoher Baum mit samtig behaarten Zweigen und gefiederten Blättern; Herbstfärbung orange bis scharlachrot; Blüten grünlich, in 15–20 cm langen, dichten Rispen; Früchte rot, in kolbenartigen Ständen. Der **Gerbersumach** (Rhus coriaria) wurde seit der Antike u. a. als Haarfärbe- und Gerbmittel verwendet. Die Blätter und jungen Triebe dienen noch heute zum Gerben von Saffianleder.

Sumachgewächse ↑ Anakardiengewächse.

Sumadija [serbokroat. ʃuˈmadija], Berg- und Hügelland in Serbien, zw. Save und Donau im N, Morava im O, Westl. Morava im S und Kolubara im W; im Rudnik 1 132 m ü. d. M.; zentraler Ort Kragujevac.

Sumakweberei, oriental. Weberei, bei der der Schußfaden stets vier Kettfäden, jeweils um zwei Kettfäden versetzt, umfaßt; nachgeahmt durch die ↑ Kelimstickerei.

Sumarokow, Alexandr Petrowitsch [russ. sumaˈrɔkəf], * Petersburg 25. Nov. 1717, † Moskau 12. Okt. 1777, russ. Dramatiker. – Gilt als erster russ. Berufsliterat; verfaßte klassizist. Tragödien, volkssprachl. satir. Komödien, Lyrik und Fabeln.

Sumatra [zuˈmaːtra, ˈzuːmatra], zweitgrößte der Großen Sundainseln, Indonesien, durch die Sundastraße von Java und die Malakkastraße von der Halbinsel Malakka getrennt. 1 770 km lang, bis 400 km breit, mit be-

nachbarten kleineren Inseln 473 606 km², 32,6 Mill. E (1985) in 8 Provinzen. Das die Insel im W in ihrer Gesamtlänge durchziehende, bis über 3 000 m hohe Barisangebirge wird durch tekton. Längstalzonen in mehrere Ketten gegliedert. Die Bruchlinien werden von zahlr., zum Teil tätigen Vulkanen (Kerinci, 3 805 m ü. d. M., höchster Berg von S.) begleitet. Zum Ind. Ozean fallen die Gebirgsketten z. T. steil ab. Im O schließt sich Berg- und Hügelland an, das in eine von Sümpfen und Seen durchsetzte Tieflandzone übergeht. Der größte Teil zählt zum Bereich der äquatorialen Regenklimate. Durch menschl. Eingriffe wurden die trop. Tiefland- und montanen Regenwälder vielfach von Sekundärformationen verdrängt. Allein zw. 1982 und 1990 wurden fast ¹/₃ der Regenwälder abgeholzt. Die Küsten werden v. a. im O von Mangrove-, Moor- und Süßwassersumpfwäldern gesäumt. – Unter den stark differenzierten Volksgruppen bilden die islam. Minangkabau in Mittel-S. die vorherrschende jungmalai. Gruppe. Lebensraum der altmalai., z. T. christl. Batak ist v. a. das Gebirgsland um den Tobasee in Nord-S. Die Aceher, eine jungmalai. Mischbev., bewohnen den nördl. Küstenraum. Kleine, rasch aussterbende Restgruppen leben als Wildbeuter im östl. Regenwaldtiefland. Im 19. Jh. erfolgte, nach Errichtung von Tabakplantagen, ein starker Zustrom auswärtiger Kontraktarbeiter aus Java, China, Singapur und Penang. Seit 1905 staatlich organisierte Ansiedlungen von Javanern und Balinesen, v. a. in S-Sumatra. Ziele der Binnenwanderung auf S. sind v. a. die Küstenstädte und die Erdölgebiete. Die Landw. erzeugt neben Grundnahrungsmitteln Tabak, Kaffee, Kakao, Tee, Pfeffer, Gewürznelken, Sisal, Kautschuk, Palmöl und Kopra. Viehhaltung, Schweinezucht wird bes. von der nichtislam. Bev. betrieben. Eine wichtige Rolle spielt der Bergbau. Mehr als 80 % der indones. Erdölförderung stammen aus den drei Fördergebieten N-, M- und S-Sumatras. Vorkommen von Gold und Silber, Eisen- und Uranerzen sowie Schwefel sind z. T. noch nicht erschlossen bzw. ihr Abbau wurde wieder eingestellt. Das verarbeitende Gewerbe umfaßt fast ausschließlich die Aufbereitung und Weiterverarbeitung heim. Rohstoffe; Erdölraffinerien, Kunstdünger-, Polypropylen-, Zement-, Palmölfabrik, Holz- und Kautschukverarbeitung. – Zur *Geschichte* ↑ Indonesien.
📖 *Cultures and societies of North S.* Hg. v. R. Carle. Bln. 1983. – *Agthe, J.: S. – Arm durch Reichtum: Eine Insel am Äquator. Ausstellungskat. Ffm. 1981.*

Sumatrabarbe [zu'ma:tra, 'zu:matra] (Viergürtelbarbe, Barbus tetrazona), bis 6 cm lange Gürtelbarbe in den Süßgewässern Sumatras und Borneos; Körper hochrückig,

seitlich zusammengedrückt, gelb, mit vier breiten, schwarzen Querstreifen und roten Zeichnungen auf Bauch- und Rückenflosse; Warmwasseraquarienfisch.

Sumatraelefant [zu'ma:tra, 'zu:matra] ↑ Elefanten.

Sumatranashorn [zu'ma:tra, 'zu:matra] ↑ Nashörner.

Sumatratiger [zu'ma:tra, 'zu:matra] ↑ Tiger.

Sumba (Sandelholzinsel), eine der Kleinen Sundainseln, Indonesien, 40 km südl. der Insel Flores, 11 082 km², bis 1 225 m hoch, Hauptort Waingapu. – Seit dem 17./18. Jh. in der Interessensphäre der niederl. Vereinigten Ostind. Kompanie; offiziell erst in der Mitte des 19. Jh. Niederl.-Indien angegliedert.

Sumbawa, eine der Kleinen Sundainseln, Indonesien, östl. der Insel Lombok, 227 km lang und 95 km breit, bis 2 851 m ü. d. M., Hauptort Sumbawa Besar mit Hafen Labuhansumbawa, Viehhaltung, Anbau von Naß- und Trockenreis, Tabak- und Kaffeekulturen, Forstwirtschaft und Hausweberei; 🔨. – 1978 wurden auf S. 20 000 bzw. 30 000 Jahre alte Steinsärge gefunden. – S. gehörte seit 1673/74 offiziell zu Niederl.-Ostindien; die urspr. bestehenden 6 Sultanate (Bima, Dompo, Papikat, Sanggar, S., Tambora), von denen Anfang des 19. Jh. Tambora und Papikat erloschen, erlangten durch Verträge von 1765, 1875–86 und 1905 weitgehende Selbständigkeit.

Sumer [zu akkad. Schumeru „sumerisch"], Bez. für M- und S-Babylonien als Land der Sumerer. Seit Ende des 3. Jt. wurde in der Königstitulatur ganz Babylonien als „S. und Akkad" bezeichnet.

Sumerer, die Bewohner von Sumer, mindestens seit Ende des 4. Jt. im südl. und mittleren Babylonien nachgewiesen; Herkunft und Einwanderungsfrage sind ungeklärt. Die S. waren entscheidend an der Schaffung der altorientál. Hochkultur, einer altoriental. Kunst und der Entwicklung der babylon. Keilschrift beteiligt. An der Spitze ihrer weitgehend selbständigen Stadtstaaten im 3. Jt. standen Stadtfürsten, die sich v. a. als ird. Stellvertreter des Stadtgottes verstanden. Der größte Teil des Grundeigentums gehörte den Heiligtümern (sog. sumer. Tempelstadt) und dem Palast, in denen Priester und Beamte wachsende Macht gewannen. Handelsbeziehungen reichten bis zu den Trägern der Harappakultur. Seit etwa dem 27./26. Jh. bildeten sich um die Städte Uruk, Kisch, Ur und Lagasch wechselnde größere Staaten; die Errichtung einer Herrschaft der S. über das einheitl. Reich in ganz Babylonien gelang erst unter der 3. Dyn. von Ur (2070–1950). Danach übernahmen semit. Babylonier und Assyrer endgültig die polit. Führung.

⊞ *Uhlig, H.: Die S. Bergisch Gladbach 1989.* – *Schmökel, H.: Das Land Sumer. Stg. u.a. ⁴1974.* – *Kramer, S. N.: The Sumerians. Their history, culture, and character. Chicago (Ill.) Neuaufl. 1971.*

Sumerisch, Sprache der Sumerer, die in Keilschrifttexten des 3.–1.Jt. überliefert ist; als lebende Sprache wurde sie spätestens im 19./18 Jh. vom ↑ Akkadischen verdrängt.

sumerisch-akkadische Kunst, altmesopotam. Kunst des späten 4. und des 3.Jt. v.Chr. Die beiden Abschnitte der *frühgeschichtl. Periode,* die sog. (späte) Urukzeit und die Dschamdat-Nasr-Zeit, brachten größere Tempelbauten mit Wanddekorationen (farbige Ziegelstiftmosaike) hervor. Die Plastik ist charakterisiert durch kräftige Körperlichkeit der Figuren bei Statuen und Hochreliefs. Flachreliefs und Einlegearbeiten zeigen Bildstreifen wie die neu erscheinenden Rollsiegel, die die Stempelsiegel völlig verdrängten. Neben Kultszenen mit menschengestaltig oder

Sumerisch-akkadische Kunst. Alabasterfigur aus Mari; um 2600 v. Chr. (Paris, Louvre)

als Symbol dargestellten Göttern erscheinen Tiermotive, der Kampf eines Helden gegen Raubtiere und wappenartige Darstellungen. Der künstler. Stil der folgenden *frühdynast. Zeit* (seit etwa 2600 v.Chr.) war stark abstrahierend. Die Beterstatuetten zeigen expressive Gesichter und die Ausarbeitung einzelner Körperglieder; die Rollsiegel tragen schmale, entkörperlichte Figuren oder das sog. Figurenband mit stilisierten, verflochtenen Tier- und Menschengestalten. Die letzte (dritte) Phase der frühdynast. Zeit (seit etwa 2550 v.Chr.) knüpfte wieder stärker an die ältere Kunst an. Kennzeichnend war eine neue Belebung bewegter Oberflächen, bes. bei den Statuen vergöttlichter Könige der *Akkadzeit* (seit etwa 2340 v.Chr.), deren Kunst in den Reliefs Naramsins (⋈ etwa 2260–2223) einen Höhepunkt erreichte. In der Glyptik finden sich mytholog. Motive und die seither beliebte sog. Einführungsszene eines Fürsten durch eine Schutzgottheit vor dem thronenden Hauptgott; auch Großplastik. Die *neusumer.-akkad. Kunst* (seit etwa 2100 v.Chr.), bekannt v.a. als Telloh zur Zeit Gudeas von Lagasch, griff wohl bewußt auf die frühgeschichtl. und die letzte Phase der frühdynast. Kunst zurück mit massigen, oft schematisch erstarrten Darstellungen. Sie erhielt erst in der ↑ babylonischen Kunst neue Impulse.

⊞ *Universum der Kunst.* Hg. v. A. Malraux u. A. Parrot. Bd. 1: Parrot: Vorderasien I: Sumer. *Die mesopotam. Kunst v. den Anfängen bis zum 12. vorchristl. Jh.* Mchn. ⁴1983.

sumerische Literatur, die Literatur der Sumerer in sumer. Sprache; ↑ babylonisch-assyrische Literatur.

sumerische Religion, die Religion der alten Sumerer, die auch stark die babylon.-assyr. Religion prägte. Die Zahl ihrer *Götter* war sehr groß, da urspr. jeder Stadtstaat eigene Gottheiten verehrte. An der Spitze des Pantheons standen der Himmelgott An, der Sturmgott Enlil und der Grundwassergott Enki. Hervorragende Bed. besaßen ferner die Liebesgöttin Inanna, der Sonnengott Utu, der Mondgott Nanna und Ereschkigal, die Herrin der Unterwelt. – Das sumer. Denken kannte keine eigtl. weltl. Sphäre. An der Spitze jedes Stadtstaates stand ein *Priesterfürst,* dessen vornehmste Aufgabe es war, im *Kult* den Göttern zu dienen; es war sumer. Auffassung, daß die Menschen zum Dienst für die Götter erschaffen seien. Bemerkenswert ist ein starkes Zurücktreten eth. Verpflichtungen.

Sumgait, Stadt an der N-Küste der Halbinsel Apscheron, Aserbaidschan, 231 000 E. Röhrenwalzwerk, Aluminiumhütte, petrochem. Ind.; ⋈. – Gegr. 1949, im März 1988 Pogrom gegen die hier lebenden Armenier.

Sumi-e [jap.] ↑ Suiboku.

Sumerisch-akkadische Kunst. Widder
mit Blütenstaude aus einem
Königsfriedhof in Ur; etwa 2600
v. Chr. (London, British Museum)

Summa [lat.], Abk. Sa., svw. Summe (veraltet).
♦ (Summa theologica; Summe) die aus dem scholast. Unterricht des Hoch MA erwachsene Zusammenfassung der Theologie in begriffl. Durchdringung und systemat. Bewältigung; Höhepunkt der Summen ist die „S. theologica" des Thomas von Aquin.
summa cum laude [lat. „mit höchstem Lob"], bestes Prädikat bei der Promotion.
Summanden [lat.], Zahlen bei einer Addition, die zusammengezählt werden.
summarisch [lat.], zusammengefaßt, ganz allgemein, vereinfachend.
summarische Arbeitsbewertung ↑Arbeitsbewertung.
summa summarum [lat. „die Summe der Summen"], alles in allem.
Summation (Summierung) [lat.], Zusammenfügung, Häufung; Bildung einer Summe.
Summationstöne, ↑Kombinationstöne, deren Frequenzen sich als Summe der Ausgangstonfrequenzen ergeben.
Summe [lat.], Ergebnis einer Addition, das einen mathemat. Ausdruck der Form $a + b$ darstellt. Die S.bildung aus n Summanden $x_1, x_2 ..., x_n$ wird mit Hilfe des $S.zeichens$ Σ symbolisiert; es ist

$$\sum_{i=1}^{n} x_i = x_1 + x_2 + ... + x_n.$$

Summenformel, svw. Bruttoformel, ↑chemische Formeln.
Summenzeichen ↑Summe.
Summepiskopat [lat./griech.], die im Rahmen des Episkopalsystems seit Ende des 17. Jh. dem ev. Landesherrn (*summus episcopus* „oberster Bischof") zugeschriebene oberste Kirchengewalt; im Zeitalter des Absolutismus auch staatsrechtlich fixiert; in Deutschland nach 1918 abgeschafft; besteht heute noch in England.
Summer, Generatoren für tonfrequente Wechselströme bzw. -spannungen. Der *Magnet-S.* funktioniert wie der Wagnersche Hammer nach dem Unterbrecherprinzip, der *Stimmgabel-S.* wie der Stimmgabelunterbrecher. Beim *Schwebungs-S.* wird die Tonfrequenz durch Schwebungen zweier Hochfrequenzschwingungen erzeugt.
Summerhill [engl. 'sʌməhɪl], engl. Internatsschule in Leiston (Suffolk), gegr. 1924 von A. S. ↑Neill.
Summum bonum [lat.] ↑höchstes Gut.
Sumner, James [engl. 'sʌmnə], * Canton (Mass.) 19. Nov. 1887, † Buffalo (N. Y.) 12. Aug. 1955, amerikan. Biochemiker. – Ab 1929 Prof. an der Cornell University in Ithaca (N. Y.). S. isolierte 1926 die Urease als erstes Enzym in kristalliner Form, wofür er 1946 (zusammen mit J. H. Northrop und W. M. Stanley) den Nobelpreis für Chemie erhielt.

Sumerisch-akkadische Kunst.
Beschriftetes Sitzbild des
Stadtfürsten Gudea aus Telloh;
etwa 2100 v. Chr. (Paris, Louvre)

Sumo [jap.], traditioneller jap. Ringkampf; mit 48 verschiedenen Griffen kann der Gegner zu Boden geworfen oder aus dem Ring, einem durch runde, mit Erde gefüllte Säcke begrenzten Kreis, geworfen oder gedrängt werden.

Sumpf, ständig feuchtes Gelände, vorwiegend in Flußniederungen, an Seeufern, Quellen, in Versickerungsgebieten von Flüssen, an Meeresküsten, mit einer angepaßten typ. Pflanzengesellschaft (S.flora; ↑ Sumpfpflanzen).
◆ Hauptsammelbecken zur vorübergehenden Klärung der Grubenwässer bis zum Zutagepumpen.

Sumpfbiber, svw. ↑ Biberratte.

Sumpfbinse, svw. ↑ Sumpfried.

Sumpfblume (Limnanthes), Gatt. der Sumpfblumengewächse (Limnanthaceae) mit sieben Arten im westl. N-Amerika; einjährige, niederliegende Kräuter; Blüten einzeln, achselständig, fünfzählig. Die Art **Limnanthes douglasii** (S. im engeren Sinn) aus Kalifornien mit zahlr. gelben, duftenden Blüten wird als Sommerblume und gelegentlich auch als Salatpflanze kultiviert.

Sumpfdeckelschnecken (Viviparidae), Fam. im Süßwasser lebender Schnecken (Unterklasse Vorderkiemer) mit zwei einheim. Arten: die **Gemeine Sumpfdeckelschnecke** (Viviparus contectus) in stehenden Gewässern und die **Stumpfe Sumpfdeckelschnecke** (Viviparus viviparus) in fließenden Gewässern; Gehäuse bauchig gewunden (bei der Stumpfen S. mit abgerundeter Spitze); bis 4 cm hoch; Deckel hornartig.

Sumpfdotterblume ↑ Dotterblume.

Sumpfeibe, svw. ↑ Sumpfzypresse.

Sumpferz, svw. ↑ Raseneisenerz.

Sumpffieber, svw. ↑ Malaria.

Sumpffliegen (Ephydridae), mit rd. 1 000 Arten (in Europa über 200) weltweit verbreitete Fam. meist kleiner bis sehr kleiner, unscheinbar grauer oder brauner Fliegen, v. a. in der Nähe von Gewässern oder Sümpfen, wo die Imagines vorwiegend räuberisch von kleinen Insekten leben.

Sumpffreund (Limnophila), Gatt. der Rachenblütler mit rd. 40 Arten in O-Afrika, S-Asien und Australien; teilweise untergetaucht lebende Wasserpflanzen.

Sumpfgas, bei Fäulnisprozessen in Sümpfen entstehendes, v. a. aus Methan bestehendes Gasgemisch.

Sumpfherzblatt ↑ Herzblatt.

Sumpfhühner (Sumpfhühnchen, Porzana), weltweit verbreitete Gatt. etwa 15–25 cm langer Rallen mit 13 Arten in vegetationsreichen Sümpfen und Sumpfgewässern; Oberseite vorwiegend bräunlich bis schwarzbraun, oft weiß getüpfelt; Unterseite hell, mit schwarz und weiß gestreiftem Bauch. – Zu den S. gehört u. a. das kaum starengroße **Zwergsumpfhuhn** (Porzana pusilla); in manchen Gegenden des gemäßigten und südl. Europas und Asiens, ferner in Australien Neuseeland sowie in O- und S-Afrika.

Sumpfkrebs (Galiz. Krebs, Stachelkrebs, Astacus leptodactylus), 11–14 cm langer Flußkrebs in Flüssen O-Europas; dunkeloliv- bis rotbraun; Kopfbruststück und Scheren schmaler als beim Edelkrebs.

Sumpfkresse (Rorippa), Gatt. der Kreuzblütler mit fünf einheim. Arten; Kräuter oder Stauden mit oft fiederteiligen Blättern und gelben Blüten; auf feuchten Wiesen.

Sumpfkrokodil ↑ Krokodile.

Sumpfmeise ↑ Meisen.

Sumpfmücken, svw. ↑ Stelzmücken.

Sumpfohreule (Asio flammeus), annähernd 40 cm lange, braune Art der Ordnung ↑ Eulenvögel.

Sumpfpflanzen (Helophyten, pelogene Pflanzen), Pflanzen, deren Wurzeln und untere Sproßteile sich meist ständig im Wasser bzw. in wasserdurchtränkter Erde befinden.

Sumpfquendel (Peplis), Gatt. der Weiderichgewächse mit drei Arten in den gemäßigten Gebieten der Nordhalbkugel. Die einzige einheim. Art ist der einjährige **Gewöhnl. Sumpfquendel** (Peplis portula) mit niederliegenden, 5–30 cm langen, roten Stengeln, eiförmigen Blättern und rötlichweißen, kleinen Blüten; auf feuchten Böden.

Sumpfreis ↑ Reis.

Sumpfried (Sumpfsimse, Sumpfbinse, Eleocharis), weltweit verbreitete Gatt. der Riedgräser mit über 100 Arten; meist ausdauernde Pflanzen mit gefurchten Stengeln und endständigen, mehrblütigen Ährchen. Eine bekannte Art ist die 8–60 cm hohe **Gemeine Sumpfbinse** (Eleocharis palustris; mit nur einem einzigen, 5–20 mm langen, braunen Ährchen).

Sumpfschildkröten (Emydidae), mit rd. 80 Arten umfangreichste Fam. der Schildkröten (Unterordnung ↑ Halsberger), v. a. in den wärmeren Zonen der nördl. Erdhalbkugel; überwiegend wasserbewohnende Reptilien mit meist flach gewölbtem, ovalem Panzer. – Neben den ↑ Schmuckschildkröten und der ↑ Scharnierschildkröte gehört hierher die **Europ. Sumpfschildkröte** (Emys orbicularis): urspr. an Süßgewässern großer Teile Europas, NW-Afrikas und W-Asiens (in M-Europa heute nur noch in der Mark Brandenburg, im Oder-Weichsel-Gebiet und an einigen Stellen W-Deutschlands); Panzerlänge bis 30 cm; Rückenpanzer fast schwarz, gelb getüpfelt oder mit strahlenförmiger Zeichnung; Bauchpanzer bräunlich, mit verwaschenen gelb. Flecken; Kopf und Hals dunkel, ebenfalls gelb gefleckt; steht in Deutschland unter Naturschutz.

Sumpfschnepfen (Gallinago), Gatt. etwa 30–40 cm langer Schnepfenvögel mit zwölf Arten, deren äußere Schwanzfedern durch beiderseitige Verengung harte Federschäfte besitzen, die während des Balzflugs „meckernde" Fluggeräusche erzeugen. – Zu den S. gehören in M-Europa ↑Bekassine, Doppelschnepfe und Zwergschnepfe.

Sumpfschrecke (Mecostethus grossus), 1,6–3,5 cm große, von M-, N- und O-Europa bis Sibirien verbreitete Feldheuschrecke auf nassen Wiesen, an Teich- und Seeufern; grünlich bis grünlichgelb, manchmal zart weinrot, Hinterschenkel teilweise leuchtend rot, innen schwarz gefleckt, Hinterschienen gelblich.

Sumpfwurz, (Stendelwurz, Epipactis) Orchideengatt. mit rd. 20 Arten in den gemäßigten Gebieten der Nordhalbkugel; Blüten mit ungespornter Lippe und rötl. oder grünl. Blütenhüllblättern. Die bekannteste einheim. Art ist die 20–50 cm hohe **Echte Sumpfwurz** (Weiße S., Epipactis palustris): Blüten mit rötlichbraunen Hüllblättern und weißer, rot geäderter Lippe in lockerer, nach einer Seite gewendeter Traube.
◆ svw. ↑Drachenwurz.

Sumpfzypresse (Sumpfeibe, Sumpfzeder, Taxodium), Gatt. der S.gewächse mit drei Arten im südl. N-Amerika einschl. Mexiko; Bäume mit nadelförmigen Blättern, die im Herbst, bei der halbimmergrünen **Mexikan. Sumpfzypresse** (Taxodium mucronatum) erst nach mehreren Jahren, abgeworfen werden. Die Art Taxodium distichum ist ein Charakterbaum der Sümpfe und Flußufer des sö. N-Amerika: 30–50 m hoch, mit schmal-kegelförmiger Krone; Stamm mit knieförmigen Atemwurzeln. – Die Gatt. S. war im Tertiär auch in M-Europa verbreitet und bildet einen wichtigen Bestandteil der Braunkohle.

Sumpfzypressengewächse (Taxodiaceae), Fam. der Nadelhölzer mit nur 15 Arten in acht Gatt. im südl. N-Amerika einschl. Mexiko, O-Asien sowie auf Tasmanien. Die heutigen S. sind die Reste einer in der Kreidezeit und im Tertiär formenreich vertretenen und weit verbreiteten Gruppe. Die wichtigsten Gatt. sind Mammutbaum, Metasequoia, Japanzeder, Spießtanne, Schirmtanne und Sumpfzypresse.

Sumy, Geb.hauptstadt am Psjol, Ukraine, 248 000 E. PH, Museen; Theater, Philharmonie; Maschinenbau, Superphosphatwerk, Bau von Elektronenmikroskopen. – 1652 von ukrain. Kosaken gegr.; mehrfach von den Krimtataren überfallen.

Sun, The [engl. ðə 'sʌn „Die Sonne"], brit. Zeitung, ↑Zeitungen (Übersicht).

Sund, svw. ↑Meerenge.
S. (Öresund), Meerenge zw. der dän. Insel Seeland und der südschwed. Küste, östlichster Ostseeausgang zum Kattegat; 118 km lang, zw. Helsingør und Helsingborg 4 km, bei Køge 50 km breit; stark befahrene Schiffahrtsstraße.

Sundagraben, Tiefseegraben im Ind. Ozean, südl. der Inseln Sumatra und Java, in der ↑Planettiefe 7 455 m tief.

Sundainseln, Teil des Malaiischen Archipels, umfaßt die ↑Großen Sundainseln und die ↑Kleinen Sundainseln.

Sundanesen, jungmalaiisches Kulturvolk auf W-Java; 21 Mill.; sunnit. Muslime.

Sundarbans, Ebbe und Flut ausgesetzte Küstenlandschaft im S des Ganges-Brahmaputra-Deltas in Bengalen, Vorderindien, ein Gewirr von Inseln mit Mangrovedschungel.

Sundastraße, Meeresstraße zw. Sumatra und Java; in ihr liegen mehrere Vulkane, u. a. der ↑Krakatau.

Sunday Mirror [engl. 'sʌndı 'mırə „Sonntags-Spiegel"], brit. Sonntagszeitung, ↑Zeitungen (Übersicht).

Sundby, Carl Olof Werner [schwed. 'sʊndby:], *Karlskoga 6. Dez. 1917, schwed. ev.-luth. Theologe. – 1959–61 Prof. für theolog. Ethik in Lund; 1972–83 als Erzbischof von Uppsala Haupt der luth. Kirche Schwedens; 1975–83 Mgl. des Präsidiums des Ökumen. Rats der Kirchen.

Sünde, in der Religionsgeschichte Bez. für das Tun eines Menschen, mit dem er die Verbindung zum Heiligen oder zur Gottheit unterbricht, und zwar durch Übertretung göttl. Gebote auf kult.-religiösem, sittl. oder sozialem Gebiet (aktuelle S.) oder durch die ichbezogene Existenz als eine Art kollektiven S.gefühls (existentielle S.). Im volkstüml. Denken setzte sich die Vorstellung von der Verunreinigung (Befleckung) durch, die auch religiös indifferente Vorgänge (z. B. Berühren von Leichen oder Wöchnerinnen) als Ursache sündiger Befleckung wertete und so den Umgang sühnepflichtiger Handlungen erweiterte (↑Entsühnung). In allen Religionen versucht der Mensch, sich von der aktuellen S. durch Waschungen, Bußgesinnung, Opfer, Gebet, Askese oder Sühne zu befreien, sich mit der Gottheit zu versöhnen und die existentielle S. durch Erkenntnis oder Erleuchtung, durch Einswerden mit der Gottheit aufzuheben, oder er wird durch einen Bund, den Gott mit den Menschen schließt, also durch ein gnadenhaftes Eingreifen, von der S. befreit. – Das A. T. kennt eine Reihe von Begriffen, mit denen S. als Verfehlung gegen die Norm und das Gesetz im zwischenmenschl. Bereich, gegen die Grundstrukturen der Schöpfung wie v. a. Gott gegenüber als Bruch des Bundes zw. Jahwe und Israel gekennzeichnet wird. Der Ursprung der S. liegt im S.fall; seitdem ist kein Mensch ohne Sünde. – Nach der Lehre

Jesu im *N. T.* sind alle Menschen Sünder und brauchen die göttl. Vergebung, die durch die Erlösungstat Jesu gewährleistet ist. Der Sünder kann nach der Taufe durch die Vollmacht, die Christus den Aposteln gab, Vergebung von seinen S. in der Lossprechung erlangen (↑ Buße, ↑ Bußsakrament). Die ganze Menschheit ist aber mit Adam in der ↑ Erbsünde verbunden und braucht Gottes Gnade. Im Anschluß an die Lehre der Kirchenväter mit ihrer Unterscheidung zw. schwerer und läßl. S. sieht die *kath. Lehre* das Wesen der *schweren S.* („Todsünde") als freie Übertretung des göttl. Gesetzes, d. h. als freiwillige Abkehr von Gott; ihre Wirkungen sind der Verlust der übernatürl. Gnade und der ewigen Seligkeit. Dagegen schließt die *läßl. S.* als Verstoß gegen Gottes Willen in einem nicht entscheidenden Moment der Schöpfungs- und Werteordnung nicht von der Gnade aus. Die *ev. Lehre* von der S. geht von der bleibenden Sündhaftigkeit des Menschen aus, die jeder einzelnen Tat-S. zugrunde liegt. Nur der Hl. Geist kann den Sünder aus Gnade allein zum Glauben bekehren. Die Sündhaftigkeit des Menschen wird dadurch allerdings nicht aufgehoben. 📖 *Herrmann, W.:* Mammon, Schmutz u. S. *Stg. 1991. – Klimke, C.:* Der Sünder. *Bln. 1985. – Pieper, J.:* S. *– nur eine Fehlleistung? Mchn.* ²*1985. – Beisser, F./Peters, A.:* S. *u. S.vergebung. Hannover 1983.*

Sündenbekenntnis, als persönl. Schuldgeständnis Bestandteil des kath. Bußsakraments, als allg. Schuldgeständnis Bestandteil des ev. Abendmahlsgottesdienstes und der kath. Messe, auch des kath. Bußgottesdienstes.

Sündenbock, Bez. für den Bock, dem der jüd. Hohepriester am Jom Kippur als Zeichen der Übertragung der Sünden des Volkes die Hände auflegte und der dann zu ↑ Asasel in die Wüste gejagt wurde. – In *übertragener* Bed. ist S. Bez. für eine Person, die für die Schuld anderer büßen muß.

Sündenfall, Bez. für die im A.T. (1. Mos. 2, 8–3, 24) beschriebene Ursünde der Stammeltern Adam und Eva: Dem Essen von der verbotenen Frucht auf Grund der Verführung durch die Schlange, womit der Bruch zw. Gott und dem Menschen vollzogen ist, folgen als Strafe der Ausschluß aus dem Paradies und die Elendssituation der Menschheit, die mit der Sünde der Stammeltern belastet wird; erst bei Paulus findet sich die Lehre vom Erbtod und von der Erbsünde.

Sündenstrafen, nach kath. Lehre Hauptfolgen der Sünde; man unterscheidet zw. *ewigen S.* (Hölle) und *zeitl. S.,* die während des ird. Lebens auftreten (Leid, Krankheit u. a.) oder in der Verzögerung der Gottnähe bestehen (Fegefeuer).

Sunderland [engl. 'sʌndələnd], engl. Stadt an der Mündung des Wear in die Nordsee, 196 200 E. Verwaltungssitz der Metropolitan County Tyne and Wear; polytechn. Hochschule; Museum, Kunstgalerie, Theater. Schiff- und Maschinenbau, Glashütten-, Papier-, Keramik- u. a. Ind.; bed. Hafen. – Am N-Ufer der Wearmündung entstand 674 das Kloster **Wearmouth** (später **Monkwearmouth**). Das durch den Fluß vom Kloster getrennte Land, wo sich später eine Stadt entwickelte, hieß Sunderland. Das westl. davon liegende **Bishopswearmouth** wurde im 16. Jh. mit S. vereinigt; im 12. Jh. erhielt S. Stadtrecht.

Sündflut, svw. ↑ Sintflut.

Sundgau, Hügelland im Oberelsaß, zw. den südl. Vogesenausläufern, dem Schweizer Jura und dem Oberrhein. Tiefland; wichtige Verkehrsdurchgangsfunktion (Oberrhein–Burgund). – Als polit. Einheit erscheint der S. („Südgau") erstmals in der Karolingerzeit; kam 1135/1324 an die Habsburger; 1469–74 an Burgund verpfändet; kam 1648 an Frankreich; 1790 dem Dep. Haut-Rhin eingegliedert; gehörte 1871–1918/19 (ausgenommen Belfort) zu Elsaß-Lothringen.

Sundman, Per Olof, * Vaxholm 4. Sept. 1922, schwed. Schriftsteller. – Als Zentrums-Abg. seit 1968 Mgl. des Reichstags, seit 1975 Mgl. der Schwed. Akad. Bed. Vertreter der Gatt. „Dokumentarroman", u. a. „Die Untersuchung" (1958), „Ingenieur Andrées Luftfahrt" (1967), „Bericht über Samur" (1977); auch Erzählungen und Reportagen.

Sundsvall, schwed. Hafenstadt südl. der Mündung des Indalsälv in die Bottensee, Verw.-Gebiet Västernorrland, 93 000 E. Bedeutendster Standort des Zellulose- und Papierind. Nordeuropas; Aluminiumwerk, Maschinenbau, chem. und Nahrungsmittelind. – Erhielt 1621 Stadtrecht; 1762–78 Hauptstadt von Västernorrland.

Sung (Song [chin. sʊŋ], Name chin. Dynastien, ↑ chinesische Geschichte.

Sungari (chin. Songhua Jiang), rechter und größter Nebenfluß des Amur, in NO-China, entfließt dem Kratersee des Baitou Shan im Changbai Shan, ab Jilin schiffbar, 1 840 km lang; 1 300 km sind von April bis Okt. schiffbar; im Oberlauf gestaut.

Sungatscha ↑ Chankasee.

Sungir [russ. sun'girj], Fundstelle (bei Wladimir, Rußland) des beginnenden Jungpaläolithikums Osteuropas mit Überresten einer Freilandstation, unter der in einer Okkerschicht 4 mit reichen Schmuckbeigaben versehene Körperbestattungen lagen; Ausgrabungen 1956–75.

Suni [afrikan.], svw. ↑ Moschusböckchen.

Sunion, Kap, Kap an der SO-Spitze der Halbinsel Attika, 50 km sö. von Athen, mit

Ruinen u. a. des dor. Poseidontempels (um 450/440).

Sunna [arab. „überkommene Handlungsweise"], die Gesamtheit der von Mohammed überlieferten Aussprüche, Entscheidungen und Verhaltensweisen, die im Islam als Richtschnur des Handelns im persönl., gesellschaftl. und staatl. Bereich betrachtet werden. Im 8. Jh. entstanden die ersten umfassenden Sammlungen. Neben dem Koran bildeten sie die Hauptquelle für die Glaubens- und Pflichtenlehre des Islams.

Sunniten, die größere der beiden Hauptgruppen des Islams, die heute etwa 90% der Muslime umfaßt. Im Ggs. zu den ↑Schiiten erkennen sie die Nachfolger des Propheten Mohammed, die nicht dessen Nachkommenschaft entstammen, als rechtmäßig an (↑Kalif). Ihre Glaubens- und Pflichtenlehre beruht auf der „Sunna" des Propheten.

Sun Ra [engl. 'sʌn 'reɪ], eigtl. Herman „Sonny" Blount, * Birmingham (Ala.) zw. 1910 und 1915, amerikan. Jazzmusiker (Pianist, Komponist und Orchesterleiter). – Gründete um 1955 in Chicago ein eigenes Orchester, das sich in der Folgezeit zur stilbildenden Big Band des Free Jazz entwickelte.

Süntel, Bergzug im Weserbergland, nördl. von Hameln, in der Hohen Egge 440 m hoch.

Sunusi, As, Muhammad Ibn Ali (Senussi), gen. „der Großsenussi", * bei Mostaganem (Algerien) um 1790, † Al Dschaghbub 7. Sept. 1859, islam. Theologe. – Gründete 1837 in Mekka eine eigene Bruderschaft, den Senussi-Orden, der seit 1853 in Libyen Fuß faßte und in der Oase Al Dschaghbub ein Missionszentrum schuf.

Sunyani [engl. su:n'ja:ni:], Stadt im westl. Ghana, 38 800 E. Verwaltungssitz der Region Brong-Ahafo; Sitz eines kath. Bischofs; Handelszentrum in einem Kakaoanbaugebiet.

Sun Yat-sen (Sun Wen, Sun Zhongshan), * Prov. Guangdong 12. Nov. 1866, † Peking 12. März 1925, chin. Politiker. – Studierte 1886–92 in Guangzhou Medizin; gründete 1894 in Honolulu die „Vereinigung zur Erneuerung Chinas", die 1905 in dem von ihm in Tokio gegr. „Chin. Revolutionsbund" aufging; hielt sich nach gescheitertem Aufstandsversuch in Kanton (1895) für 16 Jahre im Exil auf, unterbrochen von konspirativen Aufenthalten in China. Nach der Revolution von 1911 und dem Sturz des Kaisertums Jan./ Febr. 1912 Präs. der neuen Republik China; eine von ihm vorbereitete „2. Revolution" scheiterte 1913. Im jap. Exil gründete Sun die „Chin. Revolutionspartei". 1917/18 und seit 1921 an der Spitze einer Gegenreg. in Kanton. Seine Partei benannte er 1919 endgültig in Kuomintang („Nat. Volkspartei") um. Im Juni 1922 von einem regionalen Militär-

machthaber aus Kanton vertrieben, nahm Sun im Jan. 1923 ein Bündnisangebot der Sowjetunion an. Nach seiner Rückkehr nach Kanton und der erneuten Bildung einer Gegenregierung im Frühjahr 1923 leitete er mit Hilfe sowjet. Berater die Reorganisation der Kuomintang und ihre Umwandlung in eine Kaderpartei sowie den Aufbau einer parteieigenen Armee ein. 1924 fanden seine „3 Grundlehren vom Volk" (Nationalismus, Demokratie, Wohlfahrt des Volkes) ihre endgültige Form.

Suomalaiset, Eigenbez. der Finnen.

Suomi, finn. für: Finnland.

sup, Abk. für: Supremum (↑Grenze).

super..., Super... [lat.], Vorsilbe mit der Bed. „über, über–hinaus; zu sehr".

Super-acht-Film ↑Film (Aufnahmeformate und Filmarten).

superb, süperb [lat.-frz.], vorzüglich, prächtig.

Superbagnères [frz. sypɛrba'nɛr] ↑Bagnères-de-Luchon.

Superbenzin ↑Vergaserkraftstoffe.

Supercoil-DNS [...kɔɪl...; zu engl. coil „Rolle, Spirale"], in der Genetik Bez. für ringförmige DNS-Doppelstrangmoleküle mit einer Verdrillung *(Supertwist).* Alle natürlich vorkommenden ringförmigen DNS-Moleküle liegen als S.-DNS vor.

Supercup [...kʌp], im Fußball ein anderen Sportarten Pokalwettbewerb zw. Spitzenmannschaften, meist zw. den Europapokalgewinnern der Landesmeister und der Pokalsieger.

Superego, svw. ↑Über-Ich.

Superfekundation [lat.], svw. ↑Überschwängerung.

superfizielle Furchung [lat./dt.] ↑Furchungsteilung.

Superhet, Kurzbez. für Superheterodynempfänger (↑Überlagerungsempfänger).

Superintendent [lat.], in einigen dt. ev. Landeskirchen Bez. für den aufsichtführenden geistl. Amtsträger eines Kirchenkreises mit Leitungs- und Verwaltungsaufgaben.

Superior [engl. sjʊ'pɪərɪə], Stadt am SW-Ufer des Oberen Sees, Wisconsin, USA, 30 000 E. Kath. Bischofssitz; Univ. (gegr. 1893); Getreide- und Eisenerzhafen. – Gegr. 1852 an der Stelle einer um 1680 von Franzosen errichteten, um 1850 wieder aufgegebenen Pelzhandelsstation.

Superior [lat.], im kath. Ordensrecht der Leiter eines Klosters.

Superior, Lake [engl. 'leɪk sjʊ'pɪərɪə] ↑Oberer See.

superiore Güter ↑inferiore Güter.

Superiorität [lat.], Überlegenheit, Übergewicht.

Superlativ [lat.] (Meiststufe, Höchststufe) ↑Komparation.

Superlegierungen, als Hochtemperaturwerkstoffe in der Flugzeug- und Raumfahrttechnik verwendete Nickel-Chrom-Legierungen, z. T. mit Molybdän-, Wolfram-, Vanadium- und Titanbeimengungen.

Superleichtgewicht ↑Sport (Gewichtsklassen, Übersicht).

Supermärkte, großflächige (mindestens 400 m²) Selbstbedienungsläden, die im Rahmen eines Gemischtwarenhandels vorwiegend Lebensmittel führen; entstanden in den 1930er Jahren zuerst in den USA.

Supernova, Stern mit plötzl. Helligkeitszunahme von z. T. mehr als dem 10^8fachen, wobei kurzzeitig die Leuchtkraft eines ganzen Sternsystems erreicht wird. Dies entspricht etwa der Energie, die die Sonne in rd. 10 Mill. Jahren abstrahlen würde. Physikalisch ist eine S. ein kollabierender massereicher Stern am Ende der normalen Sternentwicklung. Bei einem S.ausbruch werden die äußeren Materiehüllen des Sterns als S.überreste mit Geschwindigkeiten bis zu 10 000 km/s abgestoßen, und der zurückbleibende Sternrest kollabiert wahrscheinlich zu einem ↑Neutronenstern bzw. in ein ↑schwarzes Loch. – Ein S.ausbruch ist eine weit seltenere Erscheinung (etwa alle 20 bis 50 Jahre) als das Auftreten einer ↑Nova. Beispiele von S. im Milchstraßensystem sind der ↑Crabnebel (1054), Tychos Nova (1572) und Keplers Nova (1604). Die 1987 in der Großen Magellanschen Wolke entdeckte S. ist die erste nahegelegene S., die in allen Phasen meßtechnisch erfaßt wird.

Superoxyde, veraltete Bez. für ↑Peroxide und ↑Hyperoxide.

Superphosphat, aus Calciumdihydrogenphosphat, $Ca(H_2PO_4)_2$, und Calciumsulfat, $CaSO_4$, bestehendes Düngemittel.

Superposition, Überlagerung mehrerer von verschiedenen Ursachen oder Quellen hervorgerufener physikal. Größen gleicher Art (Felder, Kräfte u. a.), insbes. von zeitlich period. Größen, v. a. von Wellen (↑Interferenz).

Superpositionsauge ↑Facettenauge.

superschwere Elemente, Elemente mit den Ordnungszahlen um $Z = 114$, deren Kerne theoretisch stabiler sein sollen als die Kerne der bisher bekannten, sehr kurzlebigen Transactinoide mit den Ordnungszahlen $Z = 104$ bis $Z = 109$.

Superschwergewicht ↑Sport (Gewichtsklassen, Übersicht).

Superstrahler, Laser, dessen Lichtverstärkung so hoch ist, daß bei einmaligem Durchgang der Lichtwelle durch das aktive Medium die Besetzungsinversion abgebaut wird, und der deshalb ohne opt. Resonator arbeitet, z. B. Stickstoff- und Wasserstofflaser.

Superstrat [lat.], in der Sprachwiss. Bez. für eine „darübergelegte" sprachl. Schicht von Eroberern (Kolonisatoren), die eine bodenständige Bev. unterwerfen, wobei die Sprache der Unterworfenen aber erhalten bleibt, sich durchsetzt, jedoch durch die der Einwanderer verändert wird; z. B. beeinflußte die Sprache der Franken die der Galloromanen, die der arab. Mauren das Spanische. – Ggs. ↑Substrat.

Supervielle, Jules [frz. sypɛr'vjɛl], * Montevideo 16. Jan. 1884, † Paris 17. Mai 1960, frz. Dichter. – Vom Surrealismus beeinflußt; bevorzugt in Lyrik, Romanen („Der Kinderdieb", 1926), Novellen und Komödien („Ritter Blaubarts letzte Liebe", 1932) Fabel- und Märchenmotive, die in ihrer philosoph. Essenz der poet. Welt Giraudoux' nahestehen.

Supervolttherapie ↑Strahlentherapie.

Supination [lat.], Auswärtsdrehung der Hand und des Vorderarmes; an den Füßen Hebung des inneren Fußrandes. – Ggs. Pronation.

Supp., Abk. für: Suppositorium (↑Suppositorien).

Suppé, Franz von [zu'pe:], eigtl. Francesco Ezechiele Ermenegildo Cavaliere Suppè Demelli, * Split 18. April 1819, † Wien 21. Mai 1895, östr. Komponist. – Begann 1840 seine Laufbahn als Theaterkapellmeister in Wien. Berühmt durch seine Operetten, u. a. „Die schöne Galathee" (1865), „Leichte Kavallerie" (1866), „Fatinitza" (1876), „Boccaccio" (1879), und das Lustspiel mit Gesang „Dichter und Bauer" (1846).

Suppenschildkröte (Chelonia mydas), mit einer Panzerlänge bis 1,4 m und einem Gewicht bis zu 200 kg größte Meeresschildkröte; Rückenpanzer olivgrünlich bis graubraun mit bräunl. oder gelbl. Flecken; Kopf ziemlich groß; ernährt sich überwiegend pflanzlich. – Während der Brutsaison setzt das ♀ bis zu fünf Gelege mit jeweils bis zu 200 Eiern in Nestgruben außerhalb der Gezeitenzone an Land ab. Die Eier werden als begehrte Delikatesse vom Menschen und von Tieren geraubt, so daß der Bestand der S. äußerst gefährdet ist. Außerdem wird die S. ihres Fleisches wegen gejagt.

Suppiluliuma (hethit. Schuppiluliuma), Name hethit. Könige:

S. I., König etwa 1370–35. – Konsolidierte die hethit. Herrschaft in Anatolien und setzte die von Tutchalija II. begonnene Expansionspolitik nach S fort. S. schuf das hethit. Großreich durch militär. Aktionen gegen die Churriter, die er weit nach N-Mesopotamien und N-Syrien vorstieß.

S. II. (Suppiluliama), König etwa ab 1220 bis um 1200. – Sohn Tutchalijas IV., letzter König des Hethiterreichs.

Supplement [zu lat. supplementum „Ergänzung"], svw. Ergänzung, insbes. für den Ergänzungsband eines Werkes, der Spezialfragen behandelt oder Nachträge enthält, sowie für Beihefte von Zeitschriften.

Supplementwinkel, derjenige Winkel, der einen gegebenen Winkel zu 180° ergänzt.

Suppletivismus [zu lat. supplere „ergänzen, ersetzen"] (Suppletivwesen, Suppletion), in der Sprachwiss. Bez. für den Zusammenschluß von Formen oder Wörtern genetisch verschiedenen Stammes zu einem Paradigma, z. B. *gut: besser: best*; engl. *I go: I went*.

Supplik [lat.], allg. für Bittgesuch.

supponieren [lat.], voraussetzen, unterstellen.

Support [lat.-frz.], Teil der ↑ Drehmaschine.

Supposition [lat.], in der scholast. Logik und in der Semantik das Stehen eines Substantivs, dessen Bed. („significatio") eindeutig festliegt, für etwas, das dennoch je nach der konkreten Verwendung dieses Substantivs im Satzzusammenhang ganz Verschiedenes sein kann; so z. B. „der Mensch" für ein bestimmtes Einzelwesen oder auch für die ganze Klasse solcher Einzelwesen.

Suppositorien [lat.] (Zäpfchen), kegeloder walzenförmige Arzneiform, bei der das Medikament zur rektalen *(Stuhlzäpfchen)* bzw. vaginalen *(Vaginalzäpfchen)* Applikation in eine bei Körpertemperatur schmelzende Grundmasse eingebettet ist. S. wirken entweder örtlich (z. B. bei Hämorrhoiden) oder (bei Stuhlzäpfchen) geben ihren Wirkstoff zur Resorption über den Mastdarm frei. Sie sind bes. zweckmäßig in der Kinderheilkunde sowie bei Magenunverträglichkeit der Wirkstoffe, deren Aufnahme durch die Darmschleimhaut ohne primäre Leberpassage erfolgt.

supra..., Supra... [lat.], Bestimmungswort von Zusammensetzungen mit der Bed. „über, oberhalb".

Suprafluidität [lat.], Zustand mit verschwindender Zähigkeit, der sich unterhalb einer bestimmten Temperatur in den **Supraflüssigkeiten** Helium 4 und Helium 3 (^{4}He, ^{3}He) bildet. Beim Abkühlen von flüssigem Helium (He I) unter den sog. *Lambda-Punkt* T_λ = 2,18 K bleibt die als Helium II bezeichnete Phase des ^{4}He bis in die Nähe des absoluten Nullpunkts flüssig, wobei die Viskosität des Heliums sprunghaft sehr kleine Werte annimmt. Helium II besitzt eine extrem hohe Wärmeleitfähigkeit, etwa das 10^8fache von He I. Es strömt reibungslos durch enge Kapillaren und übersteigt als Film bis zu 10 μm Dicke alle Barrieren (z. B. eine Gefäßwand) mit hoher Geschwindigkeit *(Onnes-Effekt)*.

supraleitende Magnete, Elektromagnete, deren Wicklung aus supraleitendem Material besteht. Bei Kühlung auf eine Temperatur unterhalb der jeweiligen Sprungtemperatur fließt in ihnen nach Erregung völlig widerstandslos ein Dauerstrom, der das Magnetfeld erzeugt.

Supraleitung (Supraleitfähigkeit), der bei sehr tiefen Temperaturen zu beobachtende, 1911 von H. Kamerlingh Onnes entdeckte, physikal. Effekt, daß der elektr. Widerstand von **Supraleitern** (bestimmte Metalle, Legierungen, intermetall. Verbindungen, organ. Stoffe sowie seit 1986 keram. Metalloxide) bei Abkühlung auf Temperaturen unterhalb einer für das jeweilige Material charakterist. Temperatur, der sog. **Sprungtemperatur** T_c, verschwindet. Neben dem widerstandslosen Stromtransport ist die Abhängigkeit der Sprungtemperatur von einem äußeren Magnetfeld für die S. charakteristisch. **Supraleiter 1. Art** sind dabei unterhalb der krit. magnet. Feldstärke $H_c(T)$ im Inneren vollständig frei von Magnetfeldern (↑ Meißner-Ochsenfeld-Effekt). Bei **Supraleitern 2. Art** existiert neben dem feldfreien Bereich eine Phase, in der das Feld teilweise in den Supraleiter eindringt, ohne daß die S. zusammenbricht. – ↑ Hochtemperatur-Supraleitung.

Supralibros (Superlibris) [lat.], im Buchwesen auf dem Einband angebrachter Besitzervermerk (Wappen, Devise, Monogramm); erstmals um 1450.

supranationale Organisationen, durch einen völkerrechtl. Vertrag begründete internat. Organisationen, deren Exekutivorgane über selbständige Entscheidungs- und Handlungsbefugnisse verfügen und deren Rechtsetzung nat. Recht vorgeht. Typ. s. O. sind die Europ. Gemeinschaften.

supranatural [lat.], übernatürlich.

Supraströme, die in Supraleitern bei Temperaturen unterhalb der Sprungtemperatur widerstandslos fließenden elektr. Ströme.

Supremat (Suprematie) [lat.], Oberhoheit; Obergewalt, Vorrang [v. a. des Papstes].

Suprematismus [lat.], russ. Richtung der gegenstandslosen Malerei (Hauptvertreter 1914–18 K. S. Malewitsch); Rechteck und Kreis gelten als Äquivalente der „reinen Empfindung"; 1918 abgelöst durch dreidimensionale Experimente.

Suprematsakte [engl. Act of Supremacy], engl. Parlamentsgesetz von 1534, das eine von Rom unabhängige engl. Nationalkirche mit dem König als Oberhaupt (erstmals Heinrich VIII.) begründete. – ↑ anglikanische Kirche.

Suprematseid, seit 1534 jedem engl. Geistlichen und Staatsbeamten abgeforderte eidl. Anerkennung der kirchl. und weltl.

Oberhoheit des engl. Königs; 1867 abgeschafft.

Supreme Court [engl. sjʊ'pri:m 'kɔt], in einigen Staaten mit angloamerikan. Recht der oberste Gerichtshof (z. B. USA), in anderen zusammenfassende Bez. für die obersten Instanzen (z. B. Großbritannien).

Supremum [lat.] ↑ Grenze.

sur..., Sur... ↑ sub..., Sub...

Surabaya [indones. sura'baja], indones. Stadt im O Javas, 2,03 Mill. E. Verwaltungssitz der Prov. Ostjava; Univ. (gegr. 1954), TU; wirtsch. Zentrum für den O der Insel und wichtiger Ind.standort. Exporthafen Tanjung Perak als zweitgrößter des Landes, nahebei die wichtigste Marinebasis Indonesiens; ☒. – Mitte des 15. Jh. gegr., unterstand ab 1743 der Vereinigten Ostind. Kompanie, unter niederl. Verwaltung bedeutendste Handelsstadt in Indonesien; 1942 von Japanern erobert. – Große Moschee (1868).

Surakarta, indones. Stadt in Z-Java, 90 m ü. d. M., 470 000 E. Zweig der islam. Univ. von Yogyakarta; Maschinenbau, Textil-, Möbel-, Zigaretten-, Nahrungsmittelind., handwerkl. Herstellung von Tonwaren, Holzschnitzereien und Musikinstrumenten. – Bis zur Unabhängigkeit Indonesiens Residenz des Ft. S. – Fürstenpalast (Ende 18. Jh.), ehem. niederl. Fort (1779).

Suramigebirge ↑ Kaukasus.

Surat, Stadt im ind. Bundesstaat Gujarat, an der Mündung der Tapti in den Golf von Cambay, 776 900 E. Univ. (gegr. 1964). Bed. Textilind.; Gold- und Silberstickereien; Hafen (v. a. Küstenhandel). – Wohl im 13. Jh. gegr.; 1612 errichteten die Engländer eine Faktorei; Sitz einer Präsidentschaft der engl. Ostind. Kompanie 1612–87. – Erhalten sind Moscheen (16./17. Jh.), Tempel der Parsen, Hindus und Dschainas.

Surchob ↑ Wachsch.

Surcot [frz. syr'ko] (Surkot), ma. Übergewand mit tiefen Ärmelschlitzen; auch eine ärmellose Jacke.

Surdomutitas [lat.], svw. ↑ Taubstummheit.

Sure [arab., eigtl. „Reihe"], Kapitel des ↑ Korans, der aus 114 S. besteht, die jeweils in Verse („aja") unterteilt sind.

Sûre [frz. sy:r] ↑ Sauer.

Surenbaum (Toona), Gatt. der Zedrachgewächse mit 15 Arten in O- und SO-Asien sowie in Australien; Bäume mit gefiederten Blättern, kleinen, in Rispen stehenden Blüten und Kapselfrüchten. Der 20–25 m hohe **Chinesische Surenbaum** (Toona sinensis) wird als winterharter Parkbaum gepflanzt.

Surfactant [engl. sə:'fæktənt; Kw. aus surface-active agent], allg. svw. oberflächenaktiver Stoff (↑ Tenside); in der *Medizin* Bez. für die von den Alveolarepithelien der Lunge gebildete, natürl., grenzflächenaktive Substanz aus Lipiden, Proteinen und Kohlenhydraten (Antiatelektasefaktor). Das S. verringert die Oberflächenspannung an der Grenzfläche zw. Lungengewebe und Luft und verhindert die Bildung von ↑ Atelektasen.

Surfen ['sə:fən; zu engl. surf „Brandung"], svw. ↑ Surfing.

Surfing [engl. 'sə:fɪŋ] (Surfen, Wellenreiten, Brandungsreiten), v. a. an der W-Küste N-Amerikas, an der frz. Atlantikküste, in Australien und in der Südsee ausgeübte Wassersportart polynes. Ursprungs; der **Surfer** läßt sich, auf einem flachen Brett (etwa 2,50–2,80 m lang, etwa 0,50 m breit) stehend, mit den Brandungswellen ans Ufer tragen. Eine Kombination aus S., Segeln und Wasserskilaufen ist **Windsurfing**: Der Windsurfer steht auf einem Kunststoffbrett (über 3,65 m lang und über 0,50 m breit, Gewicht 27 kg) und steuert mit dem Gabelbaum des um 360° schwenkbaren Mastes, an dem ein mehrere Quadratmeter großes Segel angebracht ist.

Surgut, Stadt in W-Sibirien, am mittleren Ob, im Autonomen Kreis der Chanten und Mansen, Rußland, 40 m ü. d. M., 248 000 E. Erdölförderung (Pipelines in den W und S Rußlands und in andere Republiken der GUS), Hafen, Eisenbahnverbindung mit Tjumen; ☒. – Gegr. 1593, seit 1965 Stadt.

Suriano, Francesco ↑ Soriano, Francesco.

Surinam

(amtl. Republik van Suriname), Staat im nö. Südamerika, zw. 1° 50' und 6° 7' n. Br. sowie 53° 59' und 58° 2' w. L. **Staatsgebiet:** S. grenzt im N an den Atlantik, im W an Guyana, im S an Brasilien und im O an Frz.-Guayana. **Fläche:** 163 265 km². **Bevölkerung:** 438 000 E (1992), 3 E/km². **Hauptstadt:** Paramaribo. **Verwaltungsgliederung:** 9 Distrikte. **Amtssprache:** Niederländisch. **Nationalfeiertag:** 25. Nov. (Unabhängigkeitstag). **Währung:** Suriname-Gulden (Sf) = 100 Cents. **Internationale Mitgliedschaften:** UN, OAS, WTO, der EWG assoziiert (AKP-Staat), Amazonasvertrag. **Zeitzone:** MEZ − 4½ Stunden.

Landesnatur: S. liegt im Bereich der N-Abdachung des Berglandes von Guayana, das seine größte Höhe im Zentrum des Landes im Wilhelminagebirge erreicht (1 280 m), während die Wasserscheide gegen das Amazonasbecken (und die Grenze gegen Brasilien) bildende Serra Tumucumaque unter 900 m ü. d. M. bleibt. Das im N anschließende Hügelland leitet zum mit Sümpfen durchsetzten Küstenebene über, die durch Anwendung des niederl. Poldersystems zum Hauptagrargebiet des Landes wurde.

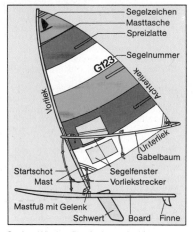

Surfen. Windsurfing (schematisch)

Klima: Es ist tropisch mit einer hohen relativen Luftfeuchtigkeit sowie einer großen Regenzeit im Sommer und einer kürzeren im Winter.

Vegetation: Im Landesinneren trop. Regenwald, an der Küste Mangrovevegetation, dahinter ein schmaler Streifen natürl. Savanne, die sich auch im S im Regenschatten der Gebirge findet.

Bevölkerung: Sie konzentriert sich auf die Küstenebene und hier wiederum auf die Hauptstadt und deren Umgebung. Die ethn. Zusammensetzung ist sehr unterschiedlich. Neben den Nachkommen der urspr. indian. Bewohner (3%; Aruak, Kariben) finden sich Kreolen (in S. Mulatten, 32%), Schwarze (10,4%; ↑Buschneger), Chinesen (1,5%), Javaner (15%), Inder (37%) und Europäer. Schätzungsweise die Hälfte der in S. geborenen Bev. lebt heute in den Niederlanden. Es besteht Schulpflicht vom 6.–12. Lebensjahr. Außer der Univ. in Paramaribo (gegr. 1968) gibt es ein Lehrerseminar und 2 naturwiss. Institute.

Wirtschaft: Der auf dem Bauxitabbau beruhende Bergbau bringt die Haupteinnahmen des Landes; zum Export trägt er (einschl. seiner Nebenprodukte) zu etwa 57% bei. Bauxit wird seit 1916 im östl. Hügelland abgebaut. Förderung und Verarbeitung betreiben die niederl. Billiton Company und die amerikan. Suralco. Erst seit Inbetriebnahme (1964) des Kraftwerks am Brokopondostausee des Suriname kann die Weiterverarbeitung des Bauxits zu Tonerde und dieser wiederum zu Rohaluminium in einem Aluminiumwerk am Suriname durchgeführt werden. Der Anteil der Landw. am Bruttoinlandprodukt liegt bei nur 11,4%. Die Agrarflächen sind fast ganz auf die Küstenebene beschränkt. Hauptsächlich werden Reis, Bananen und Zitrusfrüchte angebaut. Die Holzwirtschaft kann auf reiche Vorräte zurückgreifen, da 85% des Landes bewaldet sind.

Außenhandel: Wichtigste Handelspartner sind die Niederlande, die USA, Trinidad und Tobago, Norwegen u. a. Exportiert werden Tonerde, Bauxit, Aluminium, Reis, Bananen. Importiert werden Erdölderivate, Maschinen und Geräte, chem. Grundstoffe, Kfz und Metallwaren.

Verkehr: Das Straßennetz hat eine Länge von rd. 2 500 km. Eine einspurige, 86 km lange Bahnlinie führt von Onverwacht nach Brownsweg am Brokopondostausee. Wichtigster Hafen ist Paramaribo. Internat. ✈ ist Zanderij, 50 km südl. der Hauptstadt.

Geschichte: Nach Entdeckung der Küste des zu Guayana gehörenden S. (wohl 1499) nahm Spanien das Gebiet 1593 in Besitz. 1630 siedelten sich Engländer an; im 2. engl.-niederl. Seekrieg eroberten Niederländer die engl. Kolonie (bestätigt durch den Frieden von Breda 1667). Das gesamte Guayana blieb im 18. Jh. zw. Briten, Franzosen und Niederländern umstritten; dabei konnten die Niederlande die Souveränität über S. behaupten. Im Verlauf der frz. Revolutionskriege eroberten Franzosen S.; sie wurden 1799 von den Briten vertrieben. Erst der Wiener Kongreß sprach S. (das in Deutschland bis 1975 **Niederländisch-Guayana** gen. wurde) endgültig den Niederlanden zu. Nach Abschaffung der Sklaverei (1863) suchte man dem Mangel an Arbeitskräften durch Einwanderung von Indern und Javanern zu begegnen. 1866 erhielt die Kolonie ein gewisses Maß an Selbstverwaltung, 1954 den Status eines autonomen, gleichberechtigten Reichsteils des Kgr. der Niederlande. 1973 übernahm H. A. E. Arron (* 1936), der Führer der kreol. Nationalen Partei Surinams, die Reg. und erreichte 1975 die völlige Unabhängigkeit für S. Bis dahin emigrierten etwa 140 000 Surinamer, um die niederl. Staatsbürgerschaft zu behalten. Die ersten allg. Wahlen 1977 nach der Unabhängigkeit bestätigten die Reg.koalition. Durch einen Militärputsch (25. Febr. 1980) wurde Arron abgesetzt und das Parlament aufgelöst, die polit. Macht übernahm ein Nat. Militärrat unter der Führung von D. Bouterse. Mehrere Putschversuche beantwortete der Militärrat mit dem Ausnahmezustand (1982) und einer Verfolgungswelle gegen die Opposition; der Min.präs. und die zivilen Min. der Reg. traten daraufhin zurück. Nach inneren Unruhen und Streiks 1982–84 wurde im Jan. 1985 eine Nat.versammlung gebildet, die eine Verfassung ausarbeitete und im Aug. 1987

Bouterse auch formal zum Staatsoberhaupt ernannte. Dieser hob den Ausnahmezustand auf und bildete ein Kabinett, dem auch Oppositionspolitiker angehörten. Bei den Parlamentswahlen im Nov. 1987 errang das oppositionelle Bündnis „Neue Front für Demokratie und Entwicklung" eine große Mehrheit und stellte mit R. Shankar den Präsidenten. Die Anfänge einer demokrat. Entwicklung wurden im Dez. 1990 erneut durch einen Putsch unterbrochen. Ein Übergangskabinett bereitete Neuwahlen vor, die im Mai 1991 wiederum eine Mehrheit für die „Neue Front" brachten. Im Sept. 1991 wurde ihr Kandidat R. Venetíaan (* 1936) zum Präs. gewählt; Bouterse übte jedoch bis zu seinem Rücktritt als Armeechef (Nov. 1992) entscheidenden Einfluß aus. Im Aug. 1992 wurde mit Guerillatruppen, die sich 1986 gegen Bouterse erhoben hatten, ein Friedensabkommen geschlossen.

Politisches System: Nach der Verfassung von 1987 (am 30. Sept. durch Referendum angenommen) ist S. eine präsidiale Republik mit verfassungsmäßig verankertem Mitspracherecht des Militärs. *Staatsoberhaupt* ist der Präsident. Er wird für 5 Jahre von der Nat.-versammlung ($^2/_3$-Mehrheit erforderlich) zus. mit dem Vizepräs. gewählt, ist Oberbefehlshaber der Streitkräfte und verfügt über umfassende *Exekutiv*befugnisse. Dem Präs. steht ein Staatsrat mit weitreichenden Kontroll- und Beratungsfunktionen zur Seite, der die gesellschaftl. Gruppierungen (u. a. auch die Armee) repräsentiert. Die Reg.arbeit wird vom Vizepräs. geleitet, der dem Präs. verantwortlich ist. *Legislativ*organ ist die Nat.versammlung, deren 51 Abg. in allg., gleichen und geheimen Wahlen für 5 Jahre gewählt werden. Im Parlament sind (1991) folgende *Parteien* und Gruppierungen vertreten: die Vierparteienkoalition Neue Front für Demokratie und Entwicklung (FDO), die Nationaldemokrat. Partei (NDP) sowie die Demokrat. Alternative 91, ein Bündnis von 3 kleineren Linksparteien. Zum 1987 gegr. *Gewerkschafts*bund gehören: Algemeen Verbond van Vakverenigingen in Suriname (AVVS), Centrale 47 (C-47), Centrale Landsdienaren Organisatie (CLD) und Progressieve Werknemers Organisatie (PWO). Das *Rechts*wesen orientiert sich am niederl. Recht.

□ *Scherm, G.:* Guyana u. S. – wirtschaftsgeograph. Probleme der Rohstoffabhängigkeit bauxitexportierender Entwicklungsländer. Mchn. 1982.

Suriname [niederl. sy:ri:'na:mə], Fluß in Surinam, entspringt im Bergland von Guayana, mündet in einem breiten Trichter bei Paramaribo in den Atlantik, rd. 500 km; Wasserkraftwerk (189 MW) am Brokopondostausee (1 560 km²).

Surinamkirsche (Pitanga), weinrote, kirschgroße, süßsauer schmeckende Beerenfrucht der im trop. S-Amerika beheimateten, in allen trop. Ländern kultivierten Kirschmyrtenart Eugenia uniflora; Verwendung als Obst sowie für Getränke und Konfitüren.

Süring, Reinhard [Joachim], * Hamburg 15. Mai 1866, † Potsdam 29. Dez. 1950, dt. Meteorologe. – Ab 1909 Prof. und Direktor des Meteorolog. Observatoriums in Potsdam; Arbeiten zur Aerologie, über Wolken, Sonnenstrahlung und zur Gewitterforschung. S. erreichte bei einer Ballonfahrt (1901) eine Höhe von 10 800 m.

Surja [Sanskrit „Sonne"], der ind. Sonnengott, der als Auge des Gottes Mitra gilt.

surjektive Abbildung [lat./dt.] ↑ Abbildung (Mathematik).

Surkot [frz. syr'ko] ↑ Surcot.

Surra [Marathi], durch den im Blut parasitierenden Flagellaten Trypanosoma evansi hervorgerufene fieberhafte, meist tödlich verlaufende Erkrankung von Säugetieren; verbreitet von N-Afrika über S-Asien bis Australien.

Surrealismus [zʊ..., ...y...ʃ...], Bez. für eine nach 1918 in Paris entstandene avantgardist. Bewegung in Literatur, bildender Kunst, Photographie und Film, die [insbes. beeinflußt von der Psychoanalyse S. Freuds] die eigtl. Wirklichkeit in einem mit traditionellen Erkenntnismitteln nicht zu begreifenden, nichtrationalen Unbewußten suchte; Ausgangsbasis künstler. Produktion waren daher Träume, wahnhafte Visionen, spontane Assoziationen, somnambule und hypnot. Mechanismen, Bewußtseinszustände nach Genuß von Drogen. Haupttheoretiker und Sprecher der frz. Surrealisten war A. Breton, der in seinem „Ersten Manifest des S." (1924) eine theoret. Begründung der neuen Kunstrichtung lieferte. Gewisse Tendenzen zur Auflösung der surrealist. Gruppe wurden nach 1928 bzw. 1929 deutlich. Die Résistance 1940–44 brachte nochmals eine gewisse Neubelebung surrealist. Kunst und Literatur. Nach 1945 kann jedoch von einer surrealist. Bewegung kaum noch gesprochen werden. Die surrealist. *Literatur* (bed. Vertreter: L. Aragon, A. Artaud, G. Bataille, R. Desnos, P. Éluard, J. Prévert, P. Reverdy, P. Soupault, R. Vitrac und M. Leiris) wollte unter totalem oder teilweisem Verzicht auf Logik, Syntax und ästhet. Gestaltung nur „passiv" die von psych. Mechanismen gesteuerten Bildsequenzen aus vorrationalen Tiefenschichten festhalten. Unter Berufung auf verborgene Inspirationsquellen stellte sie eine feste Grenze zw. Traum und Realität in Frage. Als anarchist.-revolutionäre Kunst- und Weltauffassung nahm sie Elemente barocker Mystik, dt. Romantik und oriental. Kultur auf. Im

Zusammenhang mit dem S. in Frankreich entstanden bes. in Spanien (F. García Lorca), Lateinamerika (P. Neruda) und in den USA (H. Miller), aber auch im dt. Sprachraum (A. Döblin, H. Hesse, H. H. Jahnn, H. Kasack, E. Kreuder, A. Kubin, E. Langgässer, H. E. Nossack) literar. Texte mit surrealist. Gepräge.
In der *bildenden Kunst* formierten sich Anfang der 1920er Jahre in Paris Künstler der internat. Dada-Bewegung: H. Arp, M. Ernst, M. Duchamp, M. Ray, F. Picabia u. a., denen sich bald J. Miró, Y. Tanguy, A. Masson, R. Magritte, S. Dalí, P. Delvaux u. a. anschlossen. Gemeinsame Ausgangsbasis der *surrealist. Malerei* war neben Dada die in der „Pittura metafisica" von G. de Chirico entwikkelte verfremdete, illusionist. Bildbühne, in der die Surrealisten Gegenstände und Situationen in scheinbar widersprüchl. Kombinationen zusammenstellten, um durch traumhafte Vieldeutigkeit die herkömml. Erfahrungs-, Denk- und Sehgewohnheiten zu erschüttern, Realität und Irrealität in einer Überwirklichkeit aufzuheben. M. Duchamp und M. Ray erweiterten die surrealist. Malerei zur *surrealist. Objektkunst.*
Als *Photographie* bekamen die surrealist. Bilder Authentizitätsanspruch; Vertreter eines photographisch orientierten S. waren u. a. E. Mesens (* 1903, † 1971), H. Bellmer, H. List († Photographie). Surrealist. Darstellungsweisen boten sich bes. für den *Film* an, dessen photograph. Basis den ausgefallensten Phantasien den Anschein des Wahrscheinlichen geben konnte, wobei durch bes. Schnittfolgen und Montage [schockhafte] Zusammenstellungen unvereinbarer Materialien oder Situationen als real erschienen; z. B. bei M. Ray, H. Richter, L. Buñuel, J. Cocteau, A. Resnais und G. Rocha. – Abb. S. 246.
📖 *Seefeldt, P.: Transzendenz u. Kunst. Bln. 1990. – Hötter, G.: S. u. Identität. Paderborn 1990. – Picon, G.: Der S. in Wort u. Bild.: 1919–1939. Dt. Übers. Tüb. 1988. – S. Hg. v. P. Bürger. Darmst. 1982. – Rubin, W.: S. Dt. Übers. Stg. 1979. – Dupuis, J. F. (d. i. Vaneigem, R.): Der radioaktive Kadaver. Eine Gesch. des S. Dt. Übers. Hamb. 1979.*
Surrey, Henry Howard, Earl of [engl. ˈsʌrɪ], * Kenning-Hall (Norfolk) 1517 (?), † London 21. Jan. 1547, engl. Dichter. – Bed. Sonettdichter, der das starre Reimschema petrarkist. Sonette den Bedingungen der reimärmeren engl. Sprache anpaßte; führte den Blankvers in die engl. Literatur ein.
Surrey [engl. ˈsʌrɪ], Gft. in SO-England.
Surrogat [lat.], allgemein svw. Ersatz, Ersatzstoff, Behelf. – ↑ Surrogation.
Surrogation [lat.], Ersetzung eines ganz oder teilweise weggefallenen Vermögenswertes durch einen anderen. Gegenstand der S.

ist regelmäßig alles, was auf Grund eines Rechtes oder als Ersatz für die Zerstörung, Beschädigung oder Entziehung eines Gegenstandes erworben wird, z. B. der Leistungsgegenstand bei der Einziehung einer Forderung, Schadenersatzansprüche, Versicherungsansprüche bzw. das zur Befriedigung solcher Ansprüche Geleistete.
Surrogatmutter [lat./dt.], svw. ↑ Leihmutter.
Sursee, Bez.hauptort im schweizer. Kt. Luzern, am Ausfluß der Sure aus dem Sempacher See, 502 m ü. d. M., 7 500 E. Maschinen-, Fahrzeug- und Elektrogerätebau, Nahrungsmittelindustrie. – 1036 erstmals erwähnt. – Spätrenaissancekirche Sankt Georg (1639/40); spätgotische Friedhofskapelle (1495–97); Kapuzinerkloster (1704 umgebaut); barocke Wallfahrtskapelle Mariazell (1657); spätgot. Rathaus (1538–46).
Surt (Surtr) [altnord. „der Schwarze"], in der nordgerman. Mythologie der Herr über Muspelheim, der bei der Götterdämmerung (Ragnarök) den Weltbrand entzündet.
Surtout [frz. syrˈtu] ↑ Mantel.
Surtsey [isländ. ˈsʏrtsɛɪ], 1963–66 entstandene Vulkaninsel 33 km südl. von Island, 2,8 km², bis 174 m ü. d. M.; Leuchtturm.
Surveyor [engl. səˈvɛɪə; lat.-engl.], Name einer Serie unbemannter amerikan. Mondsonden zur Vorbereitung des Apollo-Mondlandeprogramms, die 1966–68 mit Meßinstrumenten und Fernsehkameras auf der Mondoberfläche abgesetzt wurden.
Survivals [engl. səˈvaɪvəlz; lat.-engl.], in der Völkerkunde und Volkskunde Reste untergegangener Kulturformen in heutigen [Volks- und Kinder]-Bräuchen sowie in Vorstellungen des Volksglaubens.
Susa, italien. Stadt im westl. Piemont, an der Dora Riparia, 503 m ü. d. M., 7 100 E. Kath. Bischofssitz; metallverarbeitende und Textilind. – In der Römerzeit Segusio; wegen seiner strategisch wichtigen Lage oftmals umkämpft, gehörte seit der Mitte des 11. Jh. zu Savoyen. – Röm. Augustusbogen (9 v. Chr.), roman. Dom (11. Jh. ff.).
S., altorientali. Stadt, Ruinenstätte südwestl. von Desful, Iran; ehem. Hauptstadt von Elam. Ausgrabungen seit 1884. Ältester Teil ist die sog. Akropolis mit Grabfunden aus der Zeit ab etwa 4000 v. Chr., bes. der dünnwandigen, bemalten, sog. Susa-I-Keramik. Um 3000 v. Chr. entwickelte sich in S. eine Stadtkultur, u. a. Funde von Rollsiegeln und Tontafeln mit protoelam. Strichinschriften. Aus dem 2. Jt. v. Chr. stammt eine reliefierte Backsteinfassade des Inschuschinaktempels. In S. fanden sich wertvolle Plastiken der altbabylon. Zeit aus Babylon und Eschnunna († Tall Al Asmar), offenbar Beutestücke, sowie auch der sog. Kodex Hammurapi. Unter den

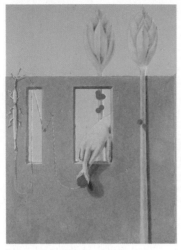

Surrealismus. Max Ernst, Beim ersten
klaren Wort; 1923 (Düsseldorf,
Kunstsammlung Nordrhein-Westfalen)

Achämeniden wurde S. Residenzstadt; Ruinen des großen Palasts Darius' I. und Artaxerxes' II. mit glasierten farbigen Ziegelreliefs. Zahlr. Funde aus S. befinden sich heute im Louvre (Paris).

Susdal [russ. 'suzdɐlj], russ. Stadt 30 km nördl. von Wladimir, etwa 10 000 E. Landwirtschaftstechnikum; Fremdenverkehr. – Eine der ältesten russ. Städte (erstmals 1024 erwähnt). Wurde Mitte des 12. Jh. bed. polit. und kulturelles Zentrum; im 13./14. Jh. Hauptstadt des Ft. Wladimir-S., 1238 von den Tataren erobert und niedergebrannt; im 15. Jh. Anschluß an das Groß-Ft. Moskau; im 17. Jh. mehrfach zerstört; seit 1778 Kreisstadt. – Die urspr. drei Siedlungen sind noch heute klar erkennbar. Mit der Erhebung der Stadt zum Erzbischofssitz im späten 14. Jh. setzte eine starke Bautätigkeit ein. Noch heute bestimmen zehn Klöster und weitere 25 Kirchen das Stadtbild: im Kern des Kreml die Roschdestwenski-Kathedrale (Untergeschoß 1222–25, vollendet 16. und 18. Jh.), am S- und W-Portal Bildtüren (etwa 1227–37). Am Kamenkaufer Rispoloschenski-Kloster (Heiliges Tor 1688, Kathedrale 16. Jh.), Pokrowski-Kloster (Heiliges Tor und Kathedrale um 1518), befestigtes Spasso-Jewfimi-Kloster (16./17. Jh.). Neben dem Pokrowski-Kloster befindet sich die große Peter- und Pauls-Kirche (1694). Um den Markt, den Hauptplatz, reihen sich mehrere einfache Kreuzkuppelkirchen des 18. Jh.

Su Shi (Su Shih) [chin. su ʃi], auch Su Dongpo (Su Tung-p'o), * Meishan (Sichuan) 19. Dez. 1036, † Zhangzhou 28. Juli 1101, chin. Staatsmann, Dichter und Maler. – Wechselvolle polit. Laufbahn als Gouverneur und Min.; bed. Dichter der Sung-Zeit mit Prosaschriften und bes. Landschaftsdichtung; beeinflußte die gesamte chin. Lyrik; bed. auch als Landschaftsmaler, Kalligraph und Kunsttheoretiker.

Süskind, Patrick, * Ambach (heute zu Münsing, Kr. Bad Tölz-Wolfratshausen) 26. März 1949, dt. Historiker und Schriftsteller. – Sohn von Wilhelm Emanuel S.; schreibt Dramen („Der Kontrabaß", 1985) und Romane („Das Parfüm", 1985) sowie Erzählungen („Die Taube", 1987; „Die Geschichte von Herrn Sommer", 1991), die sich durch Sprachwitz und Bilderreichtum auszeichnen; auch Drehbuchautor.

S., Wilhelm Emanuel, * Weilheim i. OB 10. Juni 1901, † Tutzing 17. April 1970, dt. Schriftsteller und Journalist. – 1933–42 Hg. der Zeitschrift „Die Literatur"; Hg. (zus. mit D. Sternberger und E. Storz) von „Aus dem Wörterbuch des Unmenschen" (1957).

Suslow, Michail Andrejewitsch [russ. 'suslɐf], * Schachowskoje (Gouv. Saratow) 21. Nov. 1902, † Moskau 25. Jan. 1982, sowjet. Politiker. – Ab 1941 Mgl. des ZK, ab 1955 des Präsidiums und ab 1966 des Politbüros des ZK der KPdSU, zu deren führendem Ideologen er aufstieg; unterstützte zunächst N. S. Chruschtschow, trug aber 1964 zu dessen Sturz bei.

Surrealismus. Salvador Dalí, Die
brennende Giraffe; 1935 (Basel,
Museum für Gegenwartskunst)

Susa. Löwengreif, Relief aus glasierten Ziegeln am Palast Dareios' I.; 5. Jh. v. Chr. (Paris, Louvre)

Suso, Heinrich ↑ Seuse, Heinrich.
suspękt [lat.], verdächtig.
Suspendierung, svw. ↑ vorläufige Dienstenthebung.
Suspension [lat.], im kath. Kirchenrecht Amts- oder Dienstenthebung.
◆ (Aufschwemmung) disperse Verteilung kleiner Teilchen eines Feststoffs (Durchmesser größer als 0,1 μm) in einer Flüssigkeit, die dadurch getrübt wird.
Suspensionsströme, an den Hängen von Meeres- und Seebecken sich rasch abwärts bewegende Gemische aus Wasser und festen Gesteinsbestandteilen.
suspensiv [lat.], aufhebend, aufschiebend.
Suspensorium [lat.], tragbeutelartige Bandage zur Entlastung bes. des Hodensakkes (z. B. bei Hodenentzündung) und der Brüste.
Süss, Wilhelm, * Frankfurt am Main 7. März 1895, † Freiburg im Breisgau 21. Mai 1958, dt. Mathematiker. – Prof. in Kagoshima, Greifswald und Freiburg; arbeitete über Differentialgeometrie, konvexe Bereiche und Grundlagenprobleme der Mathematik; gründete 1944 das Mathemat. Forschungsinst. Oberwolfach.
Süßdolde (Myrrhis), Gatt. der Doldengewächse mit der einzigen Art *Myrrhis odorata* in den Gebirgen Europas; bis 1,2 m hohe, nach Anis duftende Staude mit gefiederten Blättern und weißen Blüten; als Gewürz- und Gemüsepflanze angebaut.
Sussex [engl. 'sʌsɪks], Ende des 5. Jh. gegr. angelsächs. Kgr. in SO-England; fiel im 9. Jh. an Wessex. Seit dem 11. Jh. Grafschaft.
Süßgras, svw. ↑ Schwaden.
Süßgräser, systemat. Bez. für die in der Umgangssprache Gräser gen. Fam. Gramineae bzw. Poaceae der Einkeimblättrigen.
Süßholz (Lakritzenwurzel, Radix Liquiritiae), Bez. für die gelben, bes. durch den Gehalt an Glycyrrhizinsäure, Glucose und Rohrzucker süß schmeckenden Wurzeln v. a.

der Süßholzstrauchart *Glycyrrhiza glabra* (S. im engeren Sinne); dient hauptsächlich zur Gewinnung von Lakritze.
Süßholzstrauch (Glycyrrhiza), Gatt. der Schmetterlingsblütler mit rd. 15 Arten im Mittelmeergebiet, im gemäßigten und subtrop. Asien sowie vereinzelt im gemäßigten N- und S-Amerika und in Australien; Kräuter oder Halbsträucher mit weißen, gelben, blauen oder violetten Blüten in achselständigen Trauben oder Ähren. – Die mediterrane Art *Glycyrrhiza glabra,* eine Staude mit bis 1,50 m hohen Stengeln und lilafarbenen Blüten, liefert Süßholz.
Süßkartoffel, svw. ↑ Batate.
Süßkind von Trimberg, mittelhochdt. Sangspruchdichter des späten 13. Jh. – Von dem urkundlich nicht bezeugten fahrenden Dichter (wohl aus Trimberg bei Bad Kissingen) sind 12 Sangsprüche in 5 Tönen erhalten. Die Darstellung als Jude in der Großen Heidelberger Liederhandschrift ist umstritten.
Süßkirsche, Bez. für die zahlr. Sorten der ↑ Vogelkirsche, die in die Kulturformen Herz- und Knorpelkirsche untergliedert werden. Die **Herzkirsche** (Prunus avium var. juliana) hat größere Blätter und größere Früchte als die Wildform. Das Fruchtfleisch ist weich, saftig und meist schwärzlich. Die **Knorpelkirsche** hat schwarzrote, bunte oder gelbe Früchte mit festem, hartem Fruchtfleisch.
Geschichte: Die Verwendung der S. seit der Jungsteinzeit ist in fast ganz Europa nachgewiesen. Kultiviert wurde sie wahrscheinlich schon im 4. Jh. v. Chr. in Kleinasien.
◆ svw. ↑ Vogelkirsche.
Süßklee (Hedysarum), Gatt. der Schmetterlingsblütler mit über 150 Arten in der nördl. gemäßigten Zone, v. a. im Mittelmeergebiet und in Z-Asien; meist Stauden oder Halbsträucher; Blüten purpurfarben, weiß oder gelb, in achselständigen Trauben. Wichtige Futterpflanzen u. a. ↑ Alpensüßklee.

Süßlippen (Pomadasyidae), Fam. der Barschfische mit über 250 Arten in trop. und subtrop. Meeren; oft bunt gefärbt; können durch Aufeinanderreiben der Zähne Laute hervorbringen; Speise- und Aquarienfische.

Süßmayr, Franz Xaver (...maɪər], *Schwanenstadt (Oberösterreich) 1766, †Wien 17. Sept. 1803, östr. Komponist. – Schüler von W. A. Mozart und A. Salieri, ab 1794 Hofkapellmeister in Wien; komponierte Opern, Instrumentalwerke, Kirchenmusik; vollendete Mozarts „Requiem".

Süßmilch, Johann Peter, *Berlin 2. Sept. 1707, †ebd. 22. März 1767, dt. Statistiker und Nationalökonom. – Feldprediger, später Pastor; stellte statist. Modelle der allg. Bevölkerungsentwicklung auf, die er in seinem Werk „Die göttl. Ordnung in den Veränderungen des menschl. Geschlechts, ..." (1741) als Ausdruck einer teleolog. Progression der Menschheit darstellte.

Süßmost, aus frischem Obst gepreßter und pasteurisierter Saft.

Süssmuth, Rita, *Wuppertal 17. Febr. 1937, dt. Politikerin (CDU). – Prof. für Erziehungswiss.; 1986–88 Bundesmin. für Jugend, Familie, Frauen und Gesundheit, seit 1988 Bundestagspräsidentin.

Rita Süssmuth

Süß-Oppenheimer, Joseph, eigtl. Joseph Süß Oppenheimer, gen. Jud Süß, *Heidelberg 1692 oder 1698 (1699 ?), †Stuttgart 4. Febr. 1738 (hingerichtet), jüd. Finanzmann. – Führte als Geheimer Finanzrat (1736) Hzg. Karl Alexanders von Württemberg (1733–37) nach merkantilist. Prinzipien Steuern und Abgaben ohne ständ. Zustimmung ein; Verfassungsbruch und persönl. Bereicherung im Amt führten zu seiner Verhaftung und Hinrichtung sofort nach dem Tode des Herzogs. – Auf Prosawerken von W. Hauff (1828) und L. Feuchtwanger (1929) basiert der nationalsozialist. Tendenzfilm „Jud Süß" von V. Harlan (1940).

Süßreserve, dem fertigen Wein kurz vor der Flaschenabfüllung zugesetzter Anteil (4–10%) unvergorenen oder leicht angegorenen, steril gemachten Mostes von Trauben gleicher Sorte, Qualität und Lage. – ↑Restsüße.

Süßstoffe, synthet. und natürl. Verbindungen mit stärkerer Süßkraft als Saccharose (Rohr- oder Rübenzucker; seine Süßkraft wird gleich 1 gesetzt), die aber keinen entsprechenden Nährwert besitzen. Der älteste S. ist das ↑Saccharin. Weitere S. sind die *Cyclamate,* die Salze der N-Cyclohexylsulfaminsäure, z. B. das Natriumcyclamat mit einem Süßwert von 30. Der früher verwendete p-Äthoxyphenylharnstoff *(Dulcin)* ist wegen seiner tox. Nebenwirkungen nicht mehr zugelassen. Da das Saccharin und die Cyclamate durch Untersuchungen in den USA in den Verdacht gerieten, Krebs auszulösen (allerdings erst nach extremer Überdosierung), ist man bemüht, natürl., v. a. in trop. Früchten enthaltene Proteine (z. B. Monellin und Thaumatin; Süßwert ca. 3 000) und Glykoproteide als S. zu nutzen. – In Deutschland wird die Anwendung von S. u. a. durch das Süßstoffgesetz i. d. F. vom 2. 3. 1974 geregelt.

Süßwasser ↑Wasser.

Süßwasserbiologie, svw. ↑Limnologie.

Süßwasserdelphine, svw. ↑Flußdelphine.

Süßwassergarnelen (Atyidae), Fam. fast ausschließlich im Süßwasser lebender, überwiegend tropischer Garnelen mit rd. 140 Arten. Die etwa 3 cm lange, durchsichtige Art *Atyaephyra desmaresti* ist in jüngster Zeit aus den Mittelmeerländern vermutlich in den Oberrhein gelangt und hat sich von hier aus über zahlreiche Flüsse und Kanäle verbreitet.

Süßwasserkalk, svw. ↑Kalktuff.

Süßwassermilben (Hydrachnellae), Gruppe von rd. 40 Fam. mit zus. rd. 2 400 Arten 1–8 mm großer, meist auffallend bunt gefärbter Milben in fließenden und stehenden Süßgewässern; entweder am Grund von Fließgewässern (wo sie sich mit langen Krallen festhalten) oder schwimmend (mit langen Haaren an den Ruderbeinen) in stehenden Gewässern.

Süßwasserpolypen (Hydridae), Fam. süßwasserbewohnender Nesseltiere (Klasse Hydrozoen) mit etwa 1–30 mm langen einheim. Arten (ausgestreckt, ohne die etwa 1–25 cm langen Tentakeln). Sehr verbreitet ist die Gatt. *Hydra* mit den einheim. Arten **Braune Hydra** (Hydra vulgaris), **Graue Hydra** (Hydra oligactis) und **Grüne Hydra** (Grüner S., Hydra viridissima; etwa 1,5 cm lang, mit 6–12 kurzen Tentakeln; durch grüne einzellige Algen gefärbt).

Ludwig Sütterlin. Sütterlin-Schrift

Süßwasserschwämme (Spongillidae), Fam. der Schwämme mit mehreren einheim. Arten; meist krustenförmige Kolonien auf Wasserpflanzen oder Steinen in Flüssen und Seen; meist unscheinbar bräunlich.

Süßweichsel ↑ Sauerkirsche.

Susten ↑ Alpenpässe (Übersicht).

Suszeptanz [lat.] ↑ Admittanz.

Suszeptibilität [lat.], ([di]elektr. S.) Formelzeichen χ_e, physikal. Größe, die den Zusammenhang zw. der dielektr. Polarisation und der elektr. Feldstärke vermittelt (elektr. Feldkonstante).

◆ (magnet. S.) Formelzeichen χ, physikal. Größe, die den Zusammenhang zw. der Magnetisierung und der magnet. Feldstärke vermittelt (magnet. Feldkonstante).

Suter, Johann August ↑ Sutter, John Augustus.

Sutermeister, Heinrich, * Feuerthalen (Zürich) 12. Aug. 1910, † Vaux-sur-Morges 16. März 1995, schweizer. Komponist. – Einer der bedeutendsten schweizer. Komponisten der Gegenwart; seine Werke bleiben der Tonalität verbunden. Er schrieb u. a. die Opern „Romeo und Julia" (1940), „Die Zauberinsel" (1942), „Raskolnikoff" (1948), „Madame Bovary" (1967), „Le Roi Bérenger" (1985), die dramat. Szene „Consolatio philosophiae" (1978), Messen, Psalmen, Kammermusik, Klavierstücke und Lieder.

Sutherland [engl. 'sʌðələnd], Donald, * Saint John 17. Juli 1934, kanad. Schauspieler. – Im Film Darsteller kom.-hintergründiger oder auch psychopath. Typen; spielte in „M∗A∗S∗H" (1970), „Klute" (1971), „Wenn die Gondeln Trauer tragen" (1973), „Der Tag der Heuschrecke" (1975), „Casanova" (1977), „Crackers" (1984), „J.F.K." (1992).

S., Earl, * Burlingame (Kans.) 29. Nov. 1915, † Miami (Fla.) 9. März 1974, amerikan. Physiologe. – Prof. in Cleveland (Ohio) und Nashville (Tenn.); arbeitete auf dem Gebiet der Hormonforschung. – Er entdeckte das ↑ Cyclo-AMP, dessen entscheidende Bed. für die Wirksamkeit von Adrenalin u. a. Hormonen er erkannte. Hierfür erhielt er 1971 den Nobelpreis für Physiologie oder Medizin.

S., Graham, * London 24. Aug. 1903, † ebd. 17. Febr. 1980, brit. Maler und Graphiker. – 1940–45 offizieller Kriegsmaler. Seine Kompositionen verwandeln Formen aus der Welt der Tiere und Pflanzen in neuartige, bedrohl. Metaphern. Außerdem präzis analysierende Porträts (W. Churchill, 1954; K. Adenauer, 1965).

Sutlej [engl. 'sʌtlɪdʒ], größter der fünf Pandschabflüsse, entspringt in Tibet, durchfließt die südtibet. Längstalfurche bis zum Shipkipaß, durchbricht den Hohen Himalaja, erreicht bei Rupar (Indien) den Pandschab, ist für 110 km Grenzfluß zw. Indien und Pakistan, vereinigt sich bei Alipur (Pakistan) mit dem Trinab, rd. 1 370 km lang.

Sutra [Sanskrit „Leitfaden"], in der ind. Tradition knapp formulierter Lehrsatz; auch die aus S. bestehenden wiss. Werke u. a. des Rechts, der Poetik, der Erotik (↑ Kamasutra).

Sutri, Synode von, nach Sutri (Prov. Viterbo) 1046 einberufene Synode, die am 20. Dez. unter dem maßgebl. Einfluß König Heinrichs III. die Päpste Gregor VI. und Silvester III. absetzte; am 24. Dez. folgte in Rom die Absetzung Benedikts IX. und die Wahl Klemens' II. Bedeutendste Reformmaßnahme des Königs war die Befreiung des Papsttums aus der Abhängigkeit der röm. Adelsparteien.

Sutschou ↑ Suzhou.

Sutschou ↑ Xuzhou.

Sutter, John Augustus [engl. 'suːtə], eigtl. Johann August Suter, * Kandern (Baden) 23. Febr. 1803, † Washington (D. C.) 13. Juni 1880, amerikan. Kolonisator schweizer. Herkunft. – Kam 1834 nach Amerika und erwarb 1839 von den Mexikanern große Ländereien an der Stelle der heutigen Stadt Sacramento (Kolonie Neu-Helvetia). Als 1848 auf seinem Grund Gold gefunden wurde, zerstörten Abenteurer und Goldsucher seinen Besitz.

Sütterlin, Ludwig, * Lahr 23. Juli 1865, † Berlin 20. Nov. 1917, dt. Graphiker. – Schuf die dt. *„Sütterlin-Schrift",* die als Grundlage für die 1935–41 an den dt. Schulen eingeführte „Dt. Schreibschrift" diente.

Suttner, Bertha Freifrau von, geb. Gräfin Kinsky, Pseud. B. Oulot, * Prag 9. Juni 1843, † Wien 21. Juni 1914, östr. Pazifistin und

Schriftstellerin. – Gewann mit dem sozial-eth.-pazifist. Roman „Die Waffen nieder!" (1889) weite Kreise für die pazifist. Bewegung. Begründete 1891 die „Östr. Gesellschaft der Friedensfreunde" (seit 1964 „S.-Gesellschaft"); Vizepräs. des „Internat. Friedensbureaus" in Bern; regte die Stiftung des Friedensnobelpreises an, den sie selbst 1905 erhielt.

Sutton Hoo [engl. ˈsʌtn ˈhuː], Fundort (bei Woodbridge, Suffolk, Großbritannien) eines german. Bootgrabes, mit Helm, Schwert (Spatha), Schild, Eisenstandarte, Steinzepter, Harfe, byzantin. Silberteller, Tauflöffel, einer Börse mit 37 merowing. Goldmünzen (dadurch Datierung des Grabes: nach 625 n. Chr.).

Su Tung-p'o ↑ Su Shi.

Sutura [lat.], in der *Anatomie* svw. ↑ Naht.

Suu Kyi, eigtl. Aung San Suu Kyi, * Rangun 1945, birman. Politikerin. – Tochter von ↑ Aung San; lebte bis 1988 in Indien, Großbritannien; Mitbegr. und ab 1989 Generalsekretärin der National League of Democracy (NLD), die trotz der massiven Behinderungen durch die Militärreg. (u. a. S. K. seit 1989 unter Hausarrest gestellt) klarer Sieger der Parlamentswahlen 1990 wurde; 1991 mit dem Friedensnobelpreis ausgezeichnet; im Dez. 1991 unter dem Druck der Militärjunta aus der NLD ausgeschlossen.

Suum cuique [kuˈiːkve; lat. „jedem das Seine"], Wahlspruch des preuß. Schwarzen Adlerordens, nach einem angeblich auf Cato d. Ä. zurückgehenden, schon in der Antike geflügelten Wort.

Suva, Hauptstadt von Fidschi, auf Viti Levu, 71 600 E. Sitz eines kath. Erzbischofs und eines anglikan. Bischofs; Univ. (gegr. 1968), medizin. Hochschule; Schiffbau, Holz-, Nahrungsmittelind.; Hafen; internat. 🛫.

SUVAL (Suval), Abk. für: ↑ Schweizerische Unfallversicherungsanstalt Luzern.

Suvanna Phuma [ˈfuːma], * Luang Prabang 7. Okt. 1901, † Vientiane 10. Jan. 1984, laot. Politiker. – Aus der königl. Familie, Halbbruder von Suvannavong; ab 1951 wiederholt Min.präs.; geriet als neutralist. Politiker in Ggs. zum prokommunist. Pathet Lao, an den er 1975 die Reg. abgeben mußte.

Suvannavong, * Luang Prabang 12. Juli 1912 (13. Juli 1909?), laot. Politiker. – Aus der königl. Familie, Halbbruder von Suvanna Phuma; unter ihm entstand 1944 der prokommunist. Pathet Lao, der nach langem Guerillakrieg 1975 die Macht in Laos errang; 1975–91 Staatspräs. (seit 1986 nur noch formell im Amt).

Süverkrüp, Dieter, * Düsseldorf 30. Mai 1934, dt. Liedermacher, Sänger und Gitarrist. – Graphiker; verfaßt seit 1960 Songs und

Sutton Hoo. Eiserner Helm mit vergoldeten und verzinnten Bronzeauflagen

polit. Lieder v. a. gegen gesellschaftl. und soziale Mißstände in der BR Deutschland, u. a. das Kinderlied „Der Baggerführer Willibald" (1970) oder das Agitationslied „Rote Fahnen sieht man besser" (1972).

Suwałki [sʊˈvaʊki], Stadt in NO-Polen, auf der Masur. Seenplatte, 56 000 E. Hauptstadt der Woiwodschaft S.; Museum. Holzverarbeitung, Bekleidungsind. – Neoklassizist. Bauwerke (Kirche, Rathaus, Wohnhäuser).

Suzeränität [frz., zu lat. sursum „oben"], im Völkerrecht eine Staatenverbindung, bei der ein Staat *(Suzerän)* die auswärtigen Beziehungen eines anderen Staates regelt, der über ↑ Souveränität nur hinsichtlich seiner inneren Verhältnisse verfügt **(Halbsouveränität).**

Suzhou [chin. sudʒɔu] (Sutschou; 1912–49 Wuxian), chin. Stadt am Kaiserkanal, 700 000 E. Seidenind., handwerkl. Stickereien, Papierfabrik; Hafen. – Wohl im 6. Jh. v. Chr. gegr.; seit der Mingzeit ein Zentrum des Seidenhandels, ab 1896 dem ausländ. Handel geöffnet. – Pagode des sog. Tempels der Dankbarkeit (10. Jh.).

Sv, Einheitenzeichen für ↑ Sievert.

s. v., Abk. für lat.: salva venia („mit Erlaubnis"), sub verbo („unter dem Stichwort") und für frz.: sans valeur („ohne Wert").

Svalbard [norweg. ˌsvaˈlbar], Außenbesitzung Norwegens, 62 700 km², besteht aus Spitzbergen, der Bäreninsel und einigen kleineren Inseln im Nordpolarmeer.

Svarez (entstellt zu: Suarez), Carl Gottlieb, eigtl. C. G. Schwar[e]tz, * Schweidnitz 27. Febr. 1746, † Berlin 14. Mai 1798, dt. Jurist. – War als Mitarbeiter J. H. C. Graf von Carmers an der Neuorganisation der schles.

Verwaltung maßgeblich beteiligt; schuf mit diesem das ↑Allgemeine Landrecht [für die preuß. Staaten].

SVD, Abk. für lat.: Societas Verbi Divini, ↑Steyler Missionare.

Svealand, histor. Bez. für das nördl. der beiden Kerngeb. Schwedens, umfaßt die histor. Prov. Södermanland, Uppland, Vastmanland, Närke, Värmland und Dalarna.

Svear (lat. Sviones), Kernstamm der Schweden, seit dem 1.Jh. n.Chr. im Gebiet um den Mälarsee nachzuweisen; unterwarf um 600 die Gauten in S-Schweden und errichtete unter dem Königsgeschlecht der Ynglingar bis zum 10.Jh. das erste Schwedenreich (Svea-Rike = Sverige).

Svedberg, The (Theodor) [schwed. ˌsveːdbærj], *Valbo 30. Aug. 1884, †Kopparberg (Örebro) 26. Febr. 1971, schwed. Chemiker. – Prof. für physikal. Chemie in Uppsala; forschte v. a. über Kolloide, wofür er erstmals Ultrazentrifugen konstruierte; erhielt für seine Arbeiten über disperse Systeme 1926 den Nobelpreis für Chemie.

svegliato [svɛlˈjaːto; italien.], musikal. Vortragsbez.; munter, frisch, kühn.

Svend I. Tveskæg (Sven[d] Gabelbart), *um 955, †Gainsborough 3. Febr. 1014, König von Dänemark (seit 986) und England (seit 1013). – Als Anführer zahlr. Wikingerzüge erlangte S. um 1000 die Oberherrschaft über Norwegen und eroberte 1013 mit seinem Sohn Knut II., d. Gr., England.

Svenska Dagbladet [schwed. „Das schwed. Tageblatt"], schwed. Zeitung, ↑Zeitungen (Übersicht).

Svenska Kullagerfabriken AB [schwed. ˌsvɛnska ˌkuːlaɡərfabriːkən ɑːˈbeː], Abk. SKF, schwed. Unternehmen der Wälzlagerindustrie, Sitz Göteborg; gegründet 1907. Dt. Tochtergesellschaft: SKF Kugellagerfabriken GmbH, Sitz Schweinfurt.

Svenska Tändsticks AB [schwed. svɛnska ˌtɛndstiks ɑːˈbeː], Abk. STAB, schwed. Mischkonzern, Sitz Jönköping; gegründet 1917 von I.↑Kreuger.

Svensson, Jón, eigtl. J. Stefán Sveinsson, *Möðruvellir 16. Nov. 1857, †Köln 16. Okt. 1944, isländ. Erzähler. – Seine autobiograph. [humorvollen] Kinderbücher über den Jungen Nonni wurden in 30 Sprachen übersetzt.

Sverdrup Islands [engl. ˈsvɛədrʊp ˈaɪləndz], Inselgruppe im N des Kanad.-Arkt. Archipels; größte Insel ist Axel Heiberg Island.

Sveriges riksbank [schwed. ˈsværjəs] ↑Schwedische Reichsbank.

Světlá, Karolina [tschech. ˈsvjɛtlaː], eigtl. Johanka Mužáková, geb. Rottová, *Prag 24. Febr. 1830, †ebd. 7. Sept. 1899, tschech. Schriftstellerin. – Verfaßte krit.-realist. Dorf-

erzählungen und -romane. Die Erzählung „Der Kuß" (1871) diente als Vorlage für die Oper von B. Smetana.

Svevo, Italo [italien. ˈzvɛːvo], eigtl. Ettore Schmitz, *Triest 19. Dez. 1861, †Motta di Livenza (Treviso) 13. Sept. 1928 (Autounfall), italien. Schriftsteller. – Sohn eines aus dem Rheinland stammenden dt. Kaufmanns. Ab 1904 mit J. Joyce befreundet. Erster und wichtigster Vertreter des psychoanalyt. Romans in Italien. Die [autobiograph.] Werke „Ein Leben" (1892), „Ein Mann wird älter" (1898) und bes. „Zeno Cosini" (1923) sprengen fast die künstler. Möglichkeiten des Romans.

Svinhufvud, Pehr Evind [schwed. ˌsviːnhʉːvʉd], *Sääksmäki (= Valkeakoski [Häme]) 15. Dez. 1861, †Luumäki (Kymi) 29. Febr. 1944, finn. Politiker. – Ab 1894 konservativer Abg., mehrfach Parlamentspräs.; 1914–17 nach Sibirien verbannt; stand als Senatspräs. 1917 im finn. Befreiungskampf an der Spitze des Staates, Mai–Dez. 1918 Reichsverweser; 1930/31 Min.präs.; 1931–37 Staatspräsident.

Svoboda, Josef, *Čáslav 20. Mai 1920, tschech. Bühnenbildner. – 1948 Ausstattungsleiter der Prager Staatsbühnen. 1958 Mitbegr. der ↑Laterna magica. Schuf mit Projektionen und Lichtkinetik raumplast. Szenographien.

S., Ludvík, *Hroznatín (Mähren) 25. Nov. 1895, †Prag 20. Sept. 1979, tschechoslowak. Offizier und Politiker. – 1945–51 Verteidigungsmin. und Oberbefehlshaber der Armee; 1949–52 und 1968–76 Mgl. des ZK des KPČ, im März 1968 von den Prager Reformern zum Staatspräs. gewählt, stellte sich anfangs gegen die sowjet. Intervention; Rücktritt im Mai 1975.

SVP, Abk. für: ↑Südtiroler Volkspartei.

s.v.v., Abk. für: ↑sit venia verbo.

SvZ, Abk. für: ↑Systeme vorbestimmter Zeiten.

Swaanswijk, Lubertus Jacobus [niederl. ˈswaːnswɛik], Pseud. Lucebert, *Amsterdam 15. Sept. 1924, niederl. Lyriker und Maler. – Hauptvertreter der „Vijftigers", die um 1950 die niederl. Lyrik erneuerten. Als Maler bed. Vertreter des abstrakten Expressionismus.

Swahili (ki-Swahili, Suaheli, Kisuaheli), Bantusprache, die urspr. nur an der O-Küste Afrikas zw. Kismayu im N und Ibo (Insel nördlich von Pemba, Moçambique) im S gesprochen wurde. Die Bez. S. soll auf arabisch sawāḥil „Küsten" zurückgehen. Heute ist S. Amtssprache in Tansania, Uganda und Kenia und Verkehrssprache in weiten Teilen O-Afrikas. Es gibt eine Reihe von Dialekten, von denen das ki-Unguja, das auf Grund der wirtsch. Stellung Sansibars schon im 19.Jh. entlang den alten Karawanenwegen ins Landesinnere als Lingua franca Verbreitung gefunden hatte, von dem 1930 gegründeten „Inter-Territorial Language Committee" (später „East African Swahili Committee") als Standardsprache bestimmt wurde; das S. wird heute in lat. Schrift geschrieben. Die *literar. Tradition* des S., urspr. nur in den nördl. Dialekten ki-Mvita und ki-Amu vorhanden, wird auch heute noch gepflegt. Die Versdichtungen (z. B. „Utendi", „Shairi", „Ukawafi", „Kisarambe") sind in Manuskripten mit arab. Schrift überliefert; das älteste erhaltene Manuskript stammt aus dem Jahr 1728.

Swammerdam, Jan, * Amsterdam 12. Febr. 1637, † ebd. 15. Febr. 1680, niederl. Naturforscher. – War kurze Zeit Arzt; bed. anatom. und entomolog. Studien. S. entwickelte u. a. die Injektionsmethode zur Präparierung von Blutgefäßen. Bedeutende Arbeiten zur Systematik der Insekten. Schrieb „Biblia naturae ..." (hg. 1737/38).

Swan, Sir (seit 1904) Joseph Wilson [engl. swɔn], * Sunderland 31. Okt. 1828, † Warlingham (Surrey) 27. Mai 1914, brit. Erfinder. – Pionier auf dem Gebiet der Photographie; entwickelte u. a. verschiedene photograph. Kopierverfahren; 1879 Patent für das Bromsilberpapier; erfand 1883 die Herstellung von Kunstseide.

Swan River [engl. 'swɔn 'rɪvə], Fluß in Westaustralien, entspringt im zentralen Swanland, mündet bei Fremantle in den Ind. Ozean, etwa 400 km lang.

Swansea [engl. 'swɔnzɪ], Stadt in S-Wales, an der Mündung des Tawe in die S. Bay, 167 800 E. Verwaltungssitz der Gft. West Glamorgan; anglikan. Bischofssitz; College; Theater; Museum. Bed. Hafen; Stahlwerke, Verhüttung von Kupfer-, Zinn- und Zinkerzen, chem. Ind., Ölraffinerie, Motoren-, Schiff-, Maschinenbau. – Entstand um eine normann. Burg des 12. Jh.; erhielt 1184 Stadtrecht; seit 1888 Stadtgrafschaft.

Swanson, Gloria [engl. swɔnsn], * Chicago 27. März 1899 (?), † New York 4. April 1983, amerikan. Schauspielerin und Filmproduzentin. – In den 1920er Jahren internat. Stummfilmstar, u. a. „Male and female" (1919), „Madame Sans-Gêne" (1925), „... aber das Fleisch ist schwach" (1928), „Queen Kelly" (1928). – *Tonfilme:* Boulevard der Dämmerung (1950), Neros tolle Nächte (1956).

Swapgeschäft [engl. swɔp], im Devisenhandel Verbindung von Kassa- mit Termindevisengeschäft v. a. zur Ausschaltung des Kursrisikos bei Handelsgeschäften, aber auch zu Spekulationszwecken. Der *Swapsatz* ist dabei die zum Kassakurs ins Verhältnis gesetzte Differenz zw. Termin- und Kassakurs.

SWAPO, Abk. für: South West African People's Organization, 1958 als „Ovambo-land People's Congress" gegr. namib. Unabhängigkeitsbewegung (seit 1960 heutiger Name); führte ab 1966 einen Guerillakrieg gegen das südafrikan. Besatzungsregime, dem die UN im gleichen Jahr die Treuhandschaft über Namibia entzogen hatten. Von OAU und UN als Sprecherin der namib. Bev. anerkannt, erwirkte die S. unter internat. Druck 1989 den Abzug der südafrikan. Truppen und die Durchführung freier Wahlen unter UN-Aufsicht, aus denen sie als Siegerin hervorging. Der Präs. der S., S. Nujoma, wurde 1990 1. Staatspräs. des unabhängigen Namibia.

Swarabhakti (Svarabhakti) [Sanskrit „Vokalteil"], bei den ind. Grammatikern übl. und von der europ. Sprachwiss. des 19. Jh. übernommene Bez. für einen sekundären (in der Klangfarbe variierenden) *Sproßvokal,* der, meist zur Erleichterung der Aussprache, in eine Konsonantengruppe eingeschoben wird, z. B. lat. *saeculum* aus *saeclum* („Zeitalter").

Swarog, slaw. Gott des ird., urspr. wohl auch des himml. Feuers, der Sonne.

Swasi, Bantuvolk in Swasiland und in der Republik Südafrika, bilden in † Swasiland das Staatsvolk. Von den S. in Südafrika (970 000) leben nur rd. 22 % in dem Bantuheimatland Kangwane.

Swasiland

(amtl.: Umbuso we Swatini, engl.: Kingdom of Swaziland; dt.: Königreich Swasiland), Monarchie im südl. Afrika, zw. 25° 45' und 27° 20' s. Br. sowie 30° 45' und 32° 10' ö. L. **Staatsgebiet:** S. ist im N, W, S und südl. O von der Republik Südafrika umgeben, im nördl. O grenzt es an Moçambique. **Fläche:** 17 364 km². **Bevölkerung:** 792 000 E (1992), 45,6 E/km². **Hauptstadt:** Mbabane. **Verwaltungsgliederung:** 4 Distr. **Amtssprachen:** isi-Swazi und Englisch. **Nationalfeiertag:** 6. September. **Währung:** Lilangeni (E; Plural: Emalangeni) = 100 Cents (c). **Internationale Mitgliedschaften:** UN, OAU, Commonwealth, Zollunion mit Südafrika und Lesotho, der WTO und der EWG assoziiert. **Zeitzone:** MEZ + 1 Stunde.

Landesnatur: S. liegt auf der O-Abdachung der Großen Randstufe mit 3 Niveaulagen der Oberfläche: das Highveld (1 000–1 800 m), das Middleveld (500–1 000 m) und das Lowveld (150–500 m); an der O-Grenze liegt die bis 810 m hohe Lebombo Range. **Klima:** S. hat dank der Höhenlage gemäßigtes Klima, das je nach Höhenlage in Temperatur und Niederschlagsmenge variiert. **Vegetation:** Das Highveld hat Grasfluren mit Waldresten, das Middleveld Kulturland und

Weideareale, das Lowveld Trockensavanne (natürl. Weidegebiet).
Tierwelt: Typisch sind Arten der ostafrikan. Savannen (z. B. Antilopen, Zebras).
Bevölkerung: 84 % der Bev. gehören dem Volk der Swasi an; daneben gibt es Zulu (10 %) und Tsonga (2,5 %) u. a. Völker. Etwa 75 % der Bewohner sind Christen, 20 % Anhänger von Naturreligionen. Am dichtesten besiedelt ist das Middleveld, am dünnsten das Lowveld. S. besitzt eine Universität.
Wirtschaft: Hauptwirtschaftszweig ist die Landw. Über 70 % der landw. Nutzfläche werden in Selbstversorgungswirtschaft genutzt (Anbau von Mais und Hirse sowie Viehhaltung). Wichtigste Marktprodukte sind Zuckerrohr, Baumwolle, Zitrusfrüchte, Ananas und Reis, die meist in Plantagen erzeugt werden. Bedeutung haben auch Bergbau (Asbest, Eisenerz und Steinkohle) und Waldnutzung. Die Ind. beschränkt sich im wesentlichen auf die Verarbeitung der heim. Land- und Forstwirtschaftsprodukte.
Außenhandel: Haupthandelspartner ist die Republik Südafrika (wertmäßig $\frac{2}{3}$ des Umsatzes). Exportiert werden Zucker, Holz und Holzprodukte, Bergbauerzeugnisse, Früchte und Säfte, importiert Maschinen, Kfz, Erdöl, industrielle Konsumgüter, Nahrungsmittel und Chemikalien.
Verkehr: 2 Eisenbahnlinien (Gesamtlänge 295 km) verbinden S. mit den Häfen der Republik Südafrika und mit dem Hafen Maputo (Moçambique). Die Länge des Straßennetzes beträgt 2 800 km, davon sind 750 km asphaltiert. Internat. ⊠ Matsapa bei Manzini.
Geschichte: Die erst Anfang des 19. Jh. eingewanderten Swasi vereinten sich unter Sobhusa I. († 1836), um ein Eindringen der Zulu zu verhindern. 1868 kamen die ersten Buren ins Land; 1894 übernahm die Burenrepublik Transvaal die Verwaltung von S., das nach dem Burenkrieg 1902 unter brit. Oberhoheit geriet (seit 1907 brit. Protektorat). Unter König Sobhusa II. (⟅⟆ 1921–82) erlangte S. 1967 die innere Autonomie und am 6. Sept. 1968 die Unabhängigkeit, blieb jedoch unter starkem Einfluß Südafrikas (u. a. 1982 geheimes Sicherheitsabkommen).
Nach dem Tod Sobhusas II. (Aug. 1982) stand das Land zunächst unter der Regentschaft seiner Frau Dzeliwe, die 1983 durch Ntombi, eine weitere Frau Sobhusas, abgelöst wurde. Deren Sohn Makhosetive wurde am 25. April 1986 als Mswati III. zum König gekrönt.
Politisches System: Nach der Verfassung von 1978 ist S. eine unabhängige absolute Monarchie im Rahmen des Commonwealth. *Staatsoberhaupt* und oberster Inhaber der *Exekutive* ist der König. Er regiert als Alleinherrscher, unterstützt von einem Kabinett, dessen

Premiermin. (Mgl. der königl. Familie) und Min. er ernennt. Darüber hinaus existieren die Stammesinstitutionen Liqoqo (Swazi National Council; bestehend aus dem König und allen erwachsenen männl. Swasi) und Tinkhundla (Stammesversammlungen), die dem König mit beratender und exekutiver Funktion zur Seite stehen. Die *Legislative* liegt beim Zweikammerparlament, bestehend aus Nat.rat (Libandla; 55 seit 1993 direkt gewählte und 10 vom König ernannte Mgl.) und Senat (10 vom Nat.rat gewählte und 20 vom König ernannte Mgl.). *Parteien* sind durch königl. Erlaß von 1973 und durch die Verfassung verboten. An ihre Stellte traten nach 1991 zunehmend polit. ausgerichtete Vereine. *Verwaltungsmäßig* ist S. in 40 von Häuptlingen verwaltete Gebiete gegliedert, die in 4 Distr. zusammengefaßt sind. Oberste Instanz der *Rechtsprechung* ist der Oberste Gerichtshof, dem Gerichte der Verwaltungsbez. nachgeordnet sind. Daneben existieren Swasi-Gerichtshöfe.
⊞ *Polit. Lexikon Afrika.* Hg. v. R. Hofmeier u. M. Schönborn. Mchn. ⁴1987. – Kuper, H.: *Sobhuza II. Ngwenyama and king of Swaziland.* New York 1978. – Grotpeter, J. J.: *Historical dictionary of Swaziland.* Metuchen (N. J.) 1975.

Swastika [Sanskrit], seit der ↑ Harappakultur in Indien nachweisbares Glückssymbol. – ↑ Hakenkreuz.

Sweater [ˈsveːtər, engl. ˈswetə], Sportpullover, der meist auf der Schulter geknöpft wird.

Sweben (Sueben, Schwaben, lat. Suebi, Suevi), eine erstmals von Cäsar genannte Gruppe westgerman. Völker, zu der u. a. Semnonen, Markomannen, Quaden, Hermunduren, Vangionen, Nemeter, Alemannen gerechnet werden. Urspr. wohl im Gebiet Brandenburg ansässig, breiteten sie sich über die Niederlausitz, Sachsen, Thüringen aus und stießen bis nach Hessen, ins Maingebiet sowie nach S-Deutschland vor. Teile der S. unter Ariovist wurden 58 v. Chr. in Gallien von Cäsar besiegt. Markomannen (als zurückgebliebene Teile werden die **Neckarsweben** [Hauptort Lopodunum (= Ladenburg)] angesehen) und Quaden wanderten 9/8 v. Chr. nach Böhmen und Mähren aus.

Swedenborg, Emanuel [ˈsveːdənbɔrk, schwed. ˌsveːdənˈbɔrj], eigtl. E. Svedberg, * Stockholm 29. Jan. 1688, † London 29. März 1772, schwed. Naturforscher und Theosoph. – 1716–47 Mgl. der Verwaltung der obersten Bergbaubehörde; Schwerpunkte seiner wiss. Tätigkeit lagen bei techn. Konstruktionen (u. a. eines Tauchbootes), Studien zur Kristallographie und Kosmogonie; daneben astronom., geolog., paläontolog. und anatom.-physiolog. Arbeiten (z. B. Entdek-

kung der Lokalisation der Gehirnfunktionen). Im Anschluß an Leibniz und Wolff beschäftigte er sich mit Problemen des Aufbaus einer Universalwissenschaft. Diese Bemühungen standen bereits unter dem Einfluß religiöser Spekulationen (seit den 1730er Jahren), die ihren wiss. Niederschlag z. B. in einer theolog. Physiologie fanden („Oeconomia regni animalis", 1740–41; „Regnum animale", 1744/45). Umfangreiche Bibelkommentare (u. a. zu Genesis und Exodus: „Arcana coelestia", 8 Bde. 1749–56) dienten dem Entwurf einer universalen Religion, der ab 1782 zur Bildung zahlr. Gemeinden der „Neuen Kirche" (u. a. in England, Deutschland, in den USA; **Swedenborgianer**) führte. S. leugnete die leibl. Auferstehung des Menschen, sah aber dessen Passivität im Erlösungsgeschehen ab und verstand die Trinität nicht als drei Personen Gottes, sondern drei Wesensseiten der Gottheit. – *Weitere Werke:* Opera philosophica et mineralia (1734), Die wahre christl. Religion (1771).
⚲ *Heinrichs, M.: E. S. in Deutschland. Ffm. 1979. – Jonsson, I.: E. S. Engl. Übers. New York 1971.*

Sweelinck, Jan Pieterszoon, * Deventer im Mai 1562, † Amsterdam 16. Okt. 1621, niederl. Komponist und Organist. – 1580–1621 Organist der Oude Kerk in Amsterdam; seine Vokalwerke sind noch im älteren kontrapunkt. Stil der niederl. Schule geschrieben. Mit seinen Werken für Tasteninstrumente (Fantasien, Ricercare, Tokkaten, Choral- und Liedvariationen) beeinflußte er die norddt. Orgelschule.

Swerdlowsk, 1924–91 Name von ↑Jekaterinburg.

Swertia [nach dem niederl. Botaniker E. Swert (Sweert), 16./17. Jh.], svw. ↑Tarant.

Swidbert ↑Suitbert.

Swidérien [svideri'ɛ̃; frz.] (Swidrykultur), nach der Gemeinde Swidry Wielkie bei Warschau ben. endpaläolith. Formenkreis mit Verbreitungsschwerpunkt im heutigen Polen; kennzeichnend sind steinerne Stielspitzen.

Świdnica [poln. ɕfid'nitsa] ↑Schweidnitz.

Świecie [poln. 'ɔfjɛtɕɛ] (dt. Schwetz an der Weichsel), poln. Stadt 40 km nö. von Bromberg, 60 m ü. d. M., 26 000 E. Zellstoff-, Papier- und Nahrungsmittelind. – Seit dem 12. Jh. bekannt; kam 1308/09 mit Pomerellen an den Dt. Orden; erhielt vor 1338 Culmer Stadtrecht. – Ruinen der ehem. Deutschordensburg (1338–48).

Swieten, [nach dem östr. Mediziner G. van Swieten, * 1700, † 1772], Gatt. der Zedrachgewächse mit fünf Arten (ausschließlich Bäume) von trop. Amerika; die wirtsch. bedeutendsten Arten *S. mahagoni* und *S. macrophylta* liefern das echte Mahagoniholz.

Swift, Jonathan, * Dublin 30. Nov. 1667, † ebd. 19. Okt. 1745, ir.-engl. Schriftsteller. – Seit 1694 anglikan. Geistlicher; 1713 Dekan in Dublin. Starb in geistiger Umnachtung. Verfaßte zahlr. polit. und polit.-religiöse Schriften. „Ein Märchen von einer Tonne" (1704) ist eine satir. Allegorie auf den Streit der Konfessionen; in den 6 „Tuchhändlerbriefen" (1724) verteidigte er die sozialen und polit. Interessen der ir. Bev. gegen die engl. Unterdrücker. In dem satir.-aggressiven Roman „Gullivers sämtl. Reisen" (4 Tle., 1726) wird im Wechsel der Perspektive des Erzählers und der grotesk-überspitzten Darstellung die Umkehrung aller Verhältnisse und Werte gezeigt, insbes. jedoch das engl. Regierungswesen unbarmherzig verspottet. In veränderter Fassung wurden die beiden ersten Teile zu einem der beliebtesten Kinderbücher der Welt. Sein „Tagebuch in Briefen an Stella" (1710–13) ist eine Meisterleistung der Briefliteratur.
⚲ *Wood, N.: S. Brighton 1986. – Downie, J. A.: J. S., political writer. London 1984. – Schuhmann, K./Möller, J.: J. S. Darmst. 1981. – Real, J. V./J. S. Bln. 1978. – Wittkop, J. F.: J. S. Rbk. 1976.*

Swimming-pool [engl. 'swɪmɪŋ 'pu:l], Schwimmbecken [auf Privatgrundstücken].

Swinburne, Algernon Charles [engl. 'swɪnbə:n], * London 5. April 1837, † Putney (= London) 10. April 1909, engl. Dichter. – Aus alter, wohlhabender Familie; schloß sich 1860 den Präraffaeliten an; lebte seit 1879 zurückgezogen bei dem Kunstkritiker T. Watts-Dunton (* 1832, † 1914). Stürm. Entrüstung riefen seine „Gesänge und Balladen" (1866 [Bd. 1], 1878 [Bd. 2], 1889 [Bd. 3]) hervor, deren Sinnlichkeit und Erotik v. a. von F. Villon, C. Baudelaire und T. Gautier beeinflußt waren. Seine Tragödie „Atalanta in Calydon" (1865) behandelt ein griech. Thema in fließenden Versen und melod. Wortgestaltung. Griech. Vorbilder hatten auch die Dramen, in denen er meist Themen der engl. Geschichte gestaltete. Die polit. Dichtung, v. a. „Lieder vor Sonnenaufgang" (1871), verherrlicht unter dem Einfluß G. Mazzinis demokrat. und republikan. Ideale.

Swindon [engl. 'swɪndən], engl. Stadt 40 km sw. von Oxford, Gft. Wiltshire, 91 100 E. Royal Military College of Science; Eisenbahnmuseum, Kunstgalerie. Eisenbahnwerkstätten, Maschinen- und Fahrzeugbau, Bekleidungs- und elektrotechn. Ind. – Bis 1841 unbed. Marktstädtchen (heute Old Swindon).

Swinemünde (poln. Świnoujście), Stadt auf Usedom und Wollin, Polen, 20 m ü. d. M., 47 000 E. Theater; Vorhafen Stettins, Marinebasis, Fischereihafen; Werftind., Fischverarbeitung; Solequellen; Fährverbindungen nach Schweden, Großbritannien, Dänemark und Deutschland. – Das Dorf **Swine,** seit dem 9. Jh. als slaw. Siedlung bekannt, im 12. Jh. wichtige Zollstation, kam 1648 an Schweden, 1720 an Preußen; Ausbau des versandeten Hafens 1738–80, erhielt 1765 eine förml. Stadtverwaltung; seit 1945 zu Polen.

Swing [engl., eigtl. „das Schwingen"], 1. im Jazz Bez. für die rhythm. Spannung, die durch das Aufeinandertreffen von ↑ Beat und ↑ Off-Beat sowie durch Polyrhythmik entsteht. – 2. Stilbereich des Jazz der 1930/40er Jahre, bei dem europ. Klangvorstellungen dominierend wurden. An die Stelle von improvisator. Freiheit trat die straffe Orchesterdisziplin. Zu den bed. Orchestern der S.epoche gehörten die von F. Henderson, D. Ellington, C. Basie und B. Goodman.
◆ (techn. Kredit) Toleranzvolumen als Bestandteil zweiseitiger Verrechnungs- bzw. Zahlungsabkommen mit dem Ziel, sich gegenseitig einen meist zinslosen Verrechnungsspielraum zum Ausgleich zeitlich unterschiedl. Zahlungseingänge bzw. -ausgänge einzuräumen. Der S. hat dann den Charakter eines zinslosen Kredits.

Swing-by-Technik [engl. 'swɪŋ 'baɪ] ↑ Raumflugbahnen.

Świnoujście [poln. ɕfinɔ'ujɕtɕɛ], poln. Name für ↑ Swinemünde.

Swischtow, bulgar. Stadt an der Donau, 70 m ü. d. M., 32 000 E. Wirtschaftshochschule; Museum; chem. und Nahrungsmittelind.; Hafen. – Im 8. Jh. gegr.; in osman. Zeit (1396–1878) bed. Handelszentrum. – Der **Friede von Sistowa** (4. Aug. 1791) im Rahmen des Türkenkriegs 1787–92 zw. Österreich und dem Osman. Reich stellte die Grenzen vor dem östr. Kriegseintritt (1788) wieder her.

Swissair Schweizerische Luftverkehrs AG ['svɪsɛ:r] ↑ Luftverkehrsgesellschaften (Übersicht).

Świela, Bogumil [sorb. 'ʃvjɛla] (dt. Gottlieb Schwela), * Schorbus (Landkr. Cottbus) 5. Sept. 1873, † bei Naumburg (Saale) 20. Mai 1948, niedersorb. Philologe. – Begr. der modernen niedersorb. Orthographie; verfaßte ein Lehrbuch des Niedersorbischen (1905 bis 1911) und eine vergleichende Grammatik der ober- und den bed. niedersorb. Sprache (1926).

sy..., Sy... ↑ syn..., Syn...

Sybaris, berühmte griech. (Achäer, Troizen) Kolonie am Golf von Tarent (Gründung um 720 v. Chr.); sprichwörtlich reich, weil es ein großes Gebiet im Hinterland beherrschte; 510 v. Chr. durch Kroton (= Crotone) vernichtet; mehrere versuchte Neugründungen, darunter Thurii.

Sybel, Heinrich von, * Düsseldorf 2. Dez. 1817, † Marburg 1. Aug. 1895, dt. Historiker. – Schüler L. von Rankes, seit 1844 Prof.

in Bonn, seit 1846 in Marburg, seit 1854 in München; 1875 Direktor der preuß. Staatsarchive; Gründer der Histor. Zeitschrift (1859); 1862–64 und 1874–80 Mgl. des preuß. Abg.-hauses. Einer der Hauptvertreter der kleindt. Geschichtsschreibung. – *Werke:* Entstehung des dt. Königthums (1844), Geschichte der Revolutionszeit von 1789–1795 (5 Bde., 1853–79), Die Begründung des Dt. Reiches durch Wilhelm I. (7 Bde., 1890–94).

Syberberg, Hans-Jürgen, * Nossendorf bei Demmin 8. Dez. 1935, dt. Regisseur. – Außenseiter unter den dt. Filmregisseuren; als Bühnenregisseur enge Zusammenarbeit mit E. ↑ Clever („Penthesilea", 1988; „Die Marquise von O.", 1989). – *Filme:* Scarabea (1968), Ludwig – Requiem für einen jungfräul. König (1972), Karl May (1974), Winifred Wagner – Die Geschichte des Hauses Wahnfried von 1914–1975 (1975), Hitler – Ein Film aus Deutschland (1977), Die Nacht (1985).

Sydenham, Thomas [engl. 'sɪdnəm], * Wynford Eagle (Dorset) 10. Sept. 1624, † London 29. Dez. 1689, engl. Mediziner. – Arzt in London; Vertreter und Erneuerer der hippokrat. Medizin; stützte seine medizin. Studien auf Erfahrung und exakte Beobachtung und beschrieb meisterhaft verschiedene Krankheitsbilder, u. a. Gicht, Scharlach und Veitstanz.

Sydney [engl. 'sɪdnɪ], Hauptstadt des austral. Bundeslandes Neusüdwales, an der SO-Küste des Kontinents, als Metropolitan Area 3,62 Mill. E, die Stadt S. (City of S.) ist mit 51 800 E. Sitz eines anglikan. und eines kath. Erzbischofs; 3 Univ. (gegr. 1850, 1948 bzw. 1964), Konservatorium, Kunstakad., mehrere Forschungsinst., mehrere Museen, Theater, Oper; botan. Garten, Zoo. S. ist das führende Wirtschaftszentrum des Landes, bed. u. a. Maschinen- und Schiffbau, Zinkschmelze, Holz- und Papierind., Elektro-, Nahrungsmittel-, Genußmittel-, Textil- und chem. Ind.; Erdölraffinerien; bedeutendster Hafen Australiens; Fährverkehr nach George Town und Hobart auf Tasmanien; östl. Endpunkt der transkontinentalen Bahnlinie von Perth; internat. ✈ an der Botany Bay; im Jahr 2000 Austragungsort der 27. Olymp. Sommerspiele.
Geschichte: Älteste Siedlung Australiens. 1788 als Sträflingskolonie gegr. (**Sydney Cove),** wurde im Zuge der Industrialisierung und des Hafenverkehrs 1911 zum größten Ballungsgebiet Australiens.
Bauten: Restauriert wurden der alte Stadtteil The Rocks und Lagerhäuser an der Bucht S. Cove. Zahlr. Hochhäuser (Centrepoint Tower; 305 m hoch) bestimmen das Bild der City. Berühmt ist das Opernhaus (1959–73) in Form riesiger Muschelschalen (oder Se-

gel), das als Wahrzeichen der Stadt die nahegelegene Hafenbrücke abgelöst hat.

S., kanad. Hafenstadt auf Cape Breton Island, 27 800 E. Stahl- und chem. Ind., Schiffbau, Fischfang und -verarbeitung. – Gegr. 1783. – Kirche Saint George (1786).

Sydow, Emil von ['zy:do], *Freiberg 15. Juli 1812, † Berlin 13. Okt. 1873, dt. Offizier und Kartograph. – Seit 1867 Leiter der geograph.-statist. Abteilung des preuß. Großen Generalstabs; schuf zahlr. vorbildl. Landkarten und Atlanten.

S., Max von [schwed. 'sy:dɔv], *Lund 10. April 1929, schwed. Schauspieler. – Darsteller nuancenreicher, psychologisch komplexer Charaktere; spielte in zahlr. Filmen von I. Bergman (u.a. „Das siebente Siegel", 1956; „Das Gesicht", 1958; „Die Jungfrauenquelle", 1959; „Wie in einem Spiegel", 1960; „Licht im Winter", 1961; „Passion", 1968; „Schande", 1968) sowie u.a. unter der Regie von Jan Troell (u.a. „Emigranten", 1970; „Das neue Land", 1971) und Wim Wenders („Bis ans Ende der Welt", 1991); als Theaterdarsteller seit 1960 am Königl. Dramat. Theater in Stockholm.

Syene ↑Assuan.

Syenit [nach Syene], helles, graues bis rötl. Tiefengestein mit hohem Feldspat- und geringem Quarzgehalt.

Syfer, Hans ['zi:fər] ↑Seyfer, Hans.

Sykomore [griech.], svw. ↑Maulbeerfeigenbaum.

Sykonschwamm [griech./dt.], Bauplantyp der Schwämme, bei dem die Kragengeißelzellen seitl. Ausstülpungen des zentralen Hohlraums auskleiden; steht in der Organisationshöhe zw. Askonschwamm und Leukonschwamm; nur bei Kalkschwämmen.

Sykosis [griech.] ↑Bartflechte.

Syktywkar [russ. siktif'kar], Hauptstadt der Autonomen Republik der Komi (Rußland), an der Mündung der Sysola in die Wytschegda, 101 m ü.d.M., 233 000 E. Zweigstelle der Russ. Akad. der Wiss., Univ. (gegr. 1972), PH, 2 Theater. Bed. holzverarbeitende Ind., Schiffbau, Hafen. – Ende des 16./Anfang des 17. Jh. befand sich hier die Siedlung Syssolskoje, 1780 wurde S. Kreisstadt; Verbannungsort.

syl..., Syl... ↑syn..., Syn...

Syllabus [griech.-lat.], der von Papst Pius IX. am 8. Dez. 1864 mit der Enzyklika „Quanta cura" veröffentlichte Katalog von 80 „Zeitirrtümern" hinsichtlich der Säkularisierung des geistigen, sittl. und polit. Lebens. In vielen Punkten ist der S. durch die Aussagen des 2. Vatikan. Konzils überholt.

Syllogismus [griech.], in der Syllogistik ein gültiger log. ↑Schluß aus zwei Prämissen, in denen drei unterschiedl. Prädikatoren auftreten; einer davon, der *Mittelbegriff,* muß

und darf nur in beiden Prämissen vorkommen. Ein verkürzter S., bei dem eine Prämisse oder die Konklusion als bekannt vorausgesetzt ist, wird als *Enthymem* bezeichnet. Die *bedingten Syllogismen* gehören in den Bereich der Aussagenlogik, wo sie für den Aussagenkalkül als *Characteristica universalis* (↑Leibniz) fungieren. Die Sätze der *modalen Syllogismen* enthalten Modaloperatoren wie „möglich" oder „notwendig". Die Schlußform heißt *Modus.*

Syllogistik [griech.], die Theorie der gültigen Schlußsätze (Konklusionen) aus zwei Vordersätzen (↑Syllogismus). Die Syllogismen werden je nach der Stellung der in den Prämissen auftretenden Prädikatoren in vier *Schlußfiguren* untersucht. Die S. geht auf Aristoteles zurück, ist jedoch in der modernen Logik keine Basisdisziplin, da ihre korrekte formallog. Behandlung zumindest die Junktorenlogik voraussetzt.

Sylt, nördlichste und größte der Nordfries. Inseln, Schl.-H., 99,1 km², bis 52 m ü.d.M., mit Dünen und Kliffbildungen (u.a. Rotes Kliff an der W-Küste). Umfangreiche Küstenschutzmaßnahmen; bed. Fremdenverkehr in den Badeorten Westerland, Wenningstedt, Kampen, List, Hörnum, S.-Ost u.a.; Bahnverbindung über den ↑Hindenburgdamm. – Ab 1386 teilten sich der dän. König und der Herzog von Schleswig den Besitz von S., das 1435 (außer dem Gebiet um List) an das Hzgt. Schleswig kam.

Sylvanus, Erwin, *Soest 3. Okt. 1917, † ebd. 27. Nov. 1985, dt. Schriftsteller und Regisseur. – Dramatiker, Hörspiel- und Fernsehspielautor; internat. Beachtung fand sein Stück „Korczak und die Kinder" (1959). – *Weitere Schauspiele:* Die Treppe (1965), Jan Palach (1973), Victor Jara (1976), Lessings Juden (1979), Ein Purim-Spiel (1981).

Sylvensteinsee ['zɪlvən...] ↑Stauseen (Übersicht).

Sylvester, James Joseph [engl. sɪl'vɛstə], *London 3. Sept. 1814, † ebd. 15. März 1897, brit. Mathematiker. – Mgl. der Royal Society; leistete Bedeutendes in der Theorie der algebraischen Gleichungen (mit A. Cayley Begründer der Invariantentheorie), in der Determinanten- und Matrizenrechnung sowie in der Zahlentheorie.

Sylvester ↑Silvester.

Sylvin [nach F. Sylvius], kub. Salzmineral, farblos oder verschieden gefärbt, glasglänzend; Geschmack bittersalzig; Kristalle oft würfelförmig mit Oktaedern; chemisch KCl (Kaliumchlorid); Mohshärte 2; Dichte 1,99 g/cm³; Kalisalz in sedimentären Salzlagerstätten; Verwendung als Düngemittel.

Sylvius [zyl..., 'zɪl...], Franciscus, eigtl. François (Frans) Deleboe (de le Boë), *Hanau 15. März 1614, † Leiden 14. Nov. 1672, niederl. Anatom und Chemiker. – Prof. in Leiden; einer der Hauptvertreter der ↑Iatrochemie; führte 1658 den klin. Unterricht ein; suchte physiolog. Vorgänge rein chemisch zu klären, betrachtete Atmung und Verbrennung als gleichartige Vorgänge.

sym..., Sym... ↑syn..., Syn...

Symbionten [griech.], in ↑Symbiose lebende Organismen.

Symbiose [griech.], das Zusammenleben artverschiedener, aneinander angepaßter Organismen zu gegenseitigem Nutzen. Die bekanntesten Beispiele für *pflanzl. S.* bieten die Flechten (S. zw. Algen und Pilzen), die Knöllchenbakterien in den Wurzeln von Hülsenfrüchtlern und die Mykorrhiza (S. zw. Pilzen und zahlr. Baum- bzw. Orchideenwurzeln). – Die Gemeinschaft von Ameisenpflanzen und Ameisen stellt eine *S. zw. Pflanzen und Tieren* dar. – Ein Beispiel für eine *tier. S.* ist das Zusammenleben der Putzerfische mit Raubfischen. – Die S. ist manchmal schwer von ↑Kommensalismus und ↑Parasitismus abzugrenzen.

◆ Bez. für das Zusammenleben von Bevölkerungsgruppen unterschiedl. Lebensweise mit gegenseitiger Abhängigkeit, v. a. für das Verhältnis zw. den Wildbeutervölkern des trop. Regenwaldes und ihren feldbautreibenden Nachbarvölkern.

Symblepharon [griech.], Verwachsung des Augenlids mit dem Augapfel; bes. nach Verbrennungen.

Symbol [zu griech. sýmbolon „Kennzeichen, Zeichen"], *allg.* ein wahrnehmbares Zeichen bzw. Sinnbild, das stellvertretend für etwas nicht Wahrnehmbares steht. So wird z. B. in der *Religionsgeschichte* eine profane Erscheinung durch das Zusammentreffen mit der Sphäre des Göttlichen zu einem S. und erhält dadurch selbst einen religiösen Sinn und vermittelt die Gegenwart des Heiligen. – *I. e. S.* ist jedes Schrift- oder Bildzeichen mit verabredeter oder unmittelbar einsichtiger Bed. ein S., das zur verkürzten oder bildhaften Kennzeichnung oder Darstellung eines Begriffs, Objekts, Verfahrens, Sachverhalts u. a. verwendet wird. S. spielen deshalb auch in den *Naturwiss.* (z. B. chem. und mathemat. S., Zeichen für physikal. Größen), in der *Logik* und *Sprachphilosophie*, in der *Technik* (z. B. Schaltzeichen) und *Datenverarbeitung* sowie im *tägl. Leben* (z. B. Piktogramme, Verkehrszeichen u. a.) eine wichtige Rolle.

Symbolik [griech.], Sinnbildgehalt einer Darstellung; durch Symbole dargestellter Sinngehalt; Wiss. von den Symbolen und ihrer Verwendung.

◆ in der christl. Theologie urspr. die Erklärung des Glaubensbekenntnisses, dann seit der Reformation Bez. für die Einleitung in die Bekenntnisschriften bzw. für die konfes-

sionellen Unterscheidungslehren in der theolog. Kontroverse.

symbolisch, sinnbildlich; zeichenhaft für etwas anderes stehend, auf es hindeutend (↑Symbol); **symbolisieren**, sinnbildlich darstellen.

Symbolisierung [griech.], in der Logik und anderen Wiss. das Verfahren der Ersetzung sprachl. Ausdrücke durch eigene, eindeutig in ihrer Rolle festgelegte Zeichen.

Symbolismus [griech.], etwa 1860 in Frankreich entstandene uneinheitl. Richtung in Literatur und Kunst in Europa; gekennzeichnet v. a. durch subjektivist.-idealist., irrationalist. und myst. Tendenzen. Stand im Ggs. zu den realist. und naturalist. Strömungen der Zeit. In der *Literatur* (insbes. der Lyrik) bis in die Gegenwart wirkende Ausprägung des europ. Manierismus; gilt als letzte große europ. Stilepoche. Vorbild war C. Baudelaire und dessen an der dt. Romantik und den engl. Präraffaeliten orientierte Dichtungstheorie; hinzu kamen Elemente des Platonismus, der Philosophie Schopenhauers, Nietzsches und H. Bergsons, ferner die Musik R. Wagners. Der symbolist. Dichter lehnt die gesellschaftsbezogene Wirklichkeit ab; er verzichtet prinzipiell auf Zweckhaftigkeit in polit.-moral., weltanschaul. oder sozialer Hinsicht. Seine dichter. Phantasie zerlegt vielmehr die Elemente der realen Welt in Bildzeichen, Symbole und erzeugt so eine autonome Welt der Schönheit. Die Verwendung der Realitätsbruchstücke führt zu traumhaften Bildern, verrätselten Metaphern, zu Vertauschungen realer und imaginierter Sinneseindrücke, zu bewußt dunkler, hermet. Aussage. Sprachmagie, die bewußt alle klangl. und rhythm. Mittel einsetzt, verleiht der Lyrik des S. eine Musikalität von außerordentl. Suggestivkraft, deren Sinn dem Sprachklang untergeordnet erscheint. Dennoch gibt es „Inhalte", ist die Sprache noch Bedeutungsträger. Bed. Vertreter: S. Mallarmé, P. Verlaine, A. Rimbaud. Der S. beeinflußte die gesamte europ. Lyrik. In Deutschland wurde S. George zu seinem Wegbereiter.
In der *bildenden Kunst* reichen die Anfänge des S. bis ins 18. Jh. zurück, damals als Antithese zur Aufklärung. Im 19. Jh. wurde der S. ein Gegenentwurf zu der jeweils anerkannten Kunstauffassung, die von rationalist., realist. oder naturalist. Tendenzen geprägt war. Der S. stellte den Glauben an den Wert allgemeingültiger Maximen in Frage und wandte sich der Welt des Traumes und der Phantasie zu. Irrationale Themen wie kosm. Landschaften, nächtl. Szenen, Visionen u. Dämon. künstler. Gestaltung bes. in der Graphik meisterhaft gelang, wurden bevorzugt. Zu Vorläufern bzw. frühen Vertretern des S. zählen u. a. W. Blake, Puvis de

Symbolismus. Paul Gauguin,
Der Verlust der Jungfräulichkeit;
1890/91 (Norfolk, Virginia,
Chrysler Museum)

Chavannes, die Präraffaeliten, A. Böcklin, H. von Mareés und G. Moreau. Die Symbolisten waren Wegbereiter der Moderne: E. Carrière, M. Denis, J. Ensor, P. Gauguin, F. Hodler, A. Kubin, E. Munch, P. Sérusier, J. F. Willumsen haben dem Expressionismus vorgearbeitet; G. de Chirico, J. Ensor, F. Khnopff, F. Rops, M. Klinger, A. Kubin, O. Redon stehen in der Entwicklungslinie des Surrealismus. Die große Affinität des Jugendstils zu symbolist. Kunstauffassung dokumentiert sich in Werken von F. Hodler, L. von Hofmann, G. Klimt, E. Munch, G. Segantini, F. von Stuck, J. Toorop, F. Vallotton. M. Klinger, A. Maillol, G. Minne schufen bed. symbolist. Plastiken.

Symbolismus. Edvard Munch,
Sterbezimmer; 1894/95 (Oslo,
Nasjonal Galleriet)

Hansen-Löve, A.A.: Der russ. S. Bd. 1. Wien 1989. 5. Bde. – Müller, Margarete: Musik u. Sprache. Zu ihrem Verhältnis im frz. S. Ffm. 1983. – Gorceix, P.: Le Symbolisme en Belgique. Hdbg. 1982. – Lex. des S. Hg. v. J. Cassou. Dt. Übers. Köln 1979. – Fin de Siècle. Zu Lit. u. Kunst der Jh.wende. Hg. v. R. Bauer. Ffm. 1977. – Gerhardus, M./Gerhardus, D.: S. u. Jugendstil. Freib. u.a. 1977. – Jullian, P.: Der S. Dt. Übers. Köln 1974.

Symbolum Nicaeno-Constantinopolitanum [ni'tsɛ:...], svw. ↑ Nizänokonstantinopolitanum.

Symeon Stylites der Ältere, hl., *Sis (= Kozan, Verw.-Geb. Adana, Türkei) um 390, † Kalat Siman bei Aleppo 459, syr. Asket. – Kam als Kind in ein Kloster, lebte dann als Einsiedler; steigerte die das syr. Mönchtum kennzeichnende Strenge, indem er sich auf eine Säule (anfangs 3, zuletzt 20 m hoch) stellte (↑ Styliten). – Fest: 5. Jan., in der Ostkirche 1. September.

Symeon Stylites der Jüngere, hl., *Antiochia (= Antakya) um 521, † ebd. 24. Mai 592, syr. Asket. – Lebte 45 Jahre auf einer Säule auf dem „Wunderberg" bei Antiochia.

Symmachie [griech.], Bündnisvertrag zw. griech. Staaten der Antike, abgeschlossen im Hinblick auf einen Kriegsfall, oft unter der Hegemonie einer Führungsmacht (z. B. Att.-Del. Seebund).

Symmachus, Quintus Aurelius, *um 340, † nach 402, röm. Redner. – 384/85 Stadtpräfekt, 391 Konsul; feinstilisierte Reden, Briefe, Relationes („amtl. Eingaben"). Setzte sich v. a. zus. mit den Prätorianerpräfekten (390–93) und Konsul (394) **Nicomachus Flavianus** (*um 334, † 394) für die Erhaltung des heidn. klass. Erbes ein.

S., hl., *Sardinien, † Rom 19. Juli 514, Papst (seit 22. Nov. 498). – S. wurde in einer Doppelwahl von der Mehrheit gewählt, während die byzantinerfreundl. Minderheit einen Gegenpapst (Laurentius [† 506]) wählte. In diesem Zusammenhang entstanden erfundene Papstprozesse **(Symmachianische Fälschungen),** um die Doktrin zu stützen, der Papst könne von niemandem gerichtet werden. Die Wirren endeten, als Theoderich 506 Laurentius fallen ließ.

Symmetrie [griech.], allg. svw. Gleich- oder Regelmäßigkeit, Ebenmaß; die harmon. Anordnung mehrerer Teile eines Ganzen zueinander; Spiegelungsgleichheit. – Ggs. Asymmetrie.

◆ in der *Geometrie* die Eigenschaft einer geometr. Figur, bei einer von der ident. Abbildung verschiedenen geometr. Abbildung auf sich abgebildet zu werden. Eine ebene Figur heißt **achsen-, axial-** oder **spiegelsymmetrisch,** wenn sie bei der Spiegelung an einer Geraden g *(S.achse)* auf sich abgebildet wird, z. B.

ein Rechteck mit einer Mittellinie oder ein gleichseitiges Dreieck mit einer der Winkelhalbierenden als S.achse. Das räuml. Analogon zur Achsen-S. ist die *Ebenen-* bzw. *Spiegel-S.*, bei der die Spiegelung der räuml. Figur an einer Ebene *(S.ebene)* erfolgt. Eine ebene oder räuml. Figur heißt **punkt-** oder **zentralsymmetrisch,** wenn sie bei der Spiegelung an einem Punkt (*S.zentrum* oder *Zentralpunkt*) in sich übergeht, z. B. ein Kreis oder ein Rechteck, wobei der Mittelpunkt das S.zentrum ist. Eine Figur heißt **rotations-** oder **radialsymmetrisch,** wenn diese bei Drehung um einen Punkt *(Drehpunkt)* auf sich abgebildet wird; einen Sonderfall der Dreh-S. stellt die Punkt-S. (Drehung um 180°) dar.
♦ in der *Physik* das Vorliegen von Regelmäßigkeiten bestimmter räuml.-geometr. oder mathemat. Strukturen derart, daß diese nach Ausführen sog. S.operationen wieder in sich übergehen. Während sich geometr. und kristallograph. S. in der Invarianz gegenüber Drehungen und Spiegelungen äußern, besteht die S. der Naturgesetze in deren Forminvarianz gegenüber bestimmten Transformationen.

Symmetriegruppen, Gruppe sämtl. Transformationen (Symmetrieoperationen), die ein geometr. Gebilde, ein physikal. System oder ein Kristallgitter in sich überführen bzw. gegenüber denen die Gesetze und Observablen eines mikrophysikal. Systems invariant sind.

Symmetrieklassen, svw. ↑Kristallklassen.

Symmetrieoperation (Deckoperation), Bewegung, die ein [symmetr.] Gebilde, insbes. ein Kristallgitter, in sich selbst überführt, d. h. mit sich selbst zur Deckung bringt. *Einfache S.* sind Translationen um bestimmte Strecken (bei Kristallgittern um Gittervektoren), Drehungen um Symmetrieachsen (jeweils um bestimmte Winkel) und Spiegelungen an Symmetrieebenen bzw. an einem Symmetriezentrum (Inversionen); *zusammengesetzte S.* sind *Drehspiegelungen, Drehinversionen,* die *Gleitspiegelungen* aus Translation und Spiegelung sowie Schraubungen. Die bei S. nicht ihre Lage ändernden geometr. Gebilde (Punkte, Geraden, Ebenen), die Symmetriezentren, -achsen oder -ebenen der S., bezeichnet man als ihre **Symmetrieelemente.** I. w. S. wird in der Mikrophysik jede [Koordinaten]transformation einer Symmetriegruppe als S. bezeichnet.

symmetrische Matrix, eine quadrat. ↑Matrix.

sympathetisch [griech.], auf Sympathie beruhend; geheimnisvolle Wirkung ausübend.

sympathetische Tinten, svw. Geheimtinten (↑Tinten).

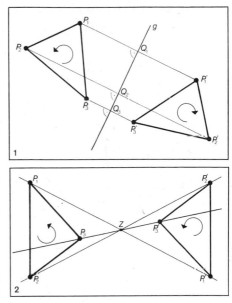

Symmetrie. Achsen- (1) und Punktsymmetrie in der Ebene (2)

Sympathie [griech.], Zuneigung, positive Gefühlsreaktion gegenüber Personen, Dingen oder Ideen.

Sympathikolytika, svw. ↑Sympatholytika.

Sympathikomimetika, svw. ↑Sympathomimetika.

Sympathikus [griech.], der efferente Anteil des vegetativen Nervensystems der Wirbeltiere (einschl. des Menschen), der meist als Gegenspieler zum ↑Para-S. wirkt. Der S. nimmt seinen Ursprung von den Ganglienzellen in den Seitenhörnern der grauen Substanz des Rückenmarks im Bereich der Brust- und Lendensegmente, deren Neuriten als „weißer Verbindungsstrang" (markhaltiger Spinalnervenast) zu den Ganglien des ↑Grenzstrangs weiterleiten. Von diesen Umschaltstellen des S. aus stellen marklose Fasern als „grauer Verbindungsstrang" die eigentl. Verbindung (über Adrenalin bzw. Noradrenalin ausscheidende [adrenerge] Synapsen) zu den Erfolgsorganen (glatte Muskulatur, Herz, Drüsen) her. – Der S. befindet sich auf Grund ständiger Impulse, die von bestimmten übergeordneten Regionen des Zentralnervensystems (v. a. vom Hypothalamus sowie von Bezirken des Mittelhirns und des verlängerten Marks) ausgehen, in einem va-

Sympathisant

riablen Zustand der Erregung *(Sympathikotonus)* und kann allein oder (meist) im Wechselspiel mit dem Para-S. zahlr. Organfunktionen beeinflussen. Dabei bewirkt der S. allg. eine Leistungssteigerung (augenblickl. Höchstleistung) des Gesamtorganismus. Im einzelnen bewirkt der gesteigerte Sympathikotonus v. a.: Pupillenerweiterung, die Erweiterung der Bronchien, eine Steigerung der Herztätigkeit, die Erweiterung der Herzkranzgefäße, eine Hemmung der Aktivität der Drüsen des Magen-Darm-Trakts und seiner Peristaltik, die Kontraktion des Afterschließmuskels, das Erschlaffen der Wandmuskulatur und die Kontraktion des inneren Schließmuskels der Harnblase, die Kontraktion des Samenleiters und der Samenblase (führt zur Ejakulation) sowie allg. eine Verengung der Blutgefäße, wodurch zusätzlich die Blutzirkulation beschleunigt wird.

Sympathisant [griech.], jemand, der einer Angelegenheit, einer Anschauung u. a. wohlwollend gegenübersteht; heute Bez. für denjenigen, der einer [extremen] polit. oder gesellschaftl. Gruppe Sympathie entgegenbringt [und sie unterstützt].

sympathisch, anziehend, ansprechend, angenehm.

◆ zum vegetativen Nervensystem bzw. zum Sympathikus gehörend, diese betreffend.

Sympatholytika (Sympathikolytika, Adrenolytika) [griech.], Arzneimittel, die auf Grund ihrer chem. Ähnlichkeit mit Noradrenalin und Adrenalin, den natürl. Überträgerstoffen des Sympathikus, in der Lage sind, die Wirkung einer sympath. Erregung (oder Sympathikusreizung) und auch diejenige von ↑ Sympathomimetika auf das Erfolgsorgan zu verhindern oder aufzuheben. Die *α-S.* (*α*-Blocker, Alphablocker, Alpharezeptorenblocker), z. B. hydrierte Mutterkornalkaloide und Phentolamin, verdrängen *α*-Sympathomimetika von den *α*-Rezeptoren; die *β-S.* (*β*-Blocker, Betablocker, Betarezeptorenblocker), z. B. Propranolol, verdrängen *β*-Sympathomimetika von den *β*-Rezeptoren. – Neben den eigtl. S. mit „postsynapt." Angriffspunkt gibt es auch *Antisympathotonika,* die „präsynaptisch" entweder die Synthese, die Speicherung oder die Freisetzung des Überträgerstoffs Noradrenalin hemmen und damit den Sympathikotonus senken; dazu gehört z. B. Reserpin. Die *β*-Blocker nehmen einen wichtigen Platz in der Therapie von Bluthochdruck, koronaren Durchblutungsstörungen, bestimmten Herzrhythmusstörungen, Glaukom u. a. ein und dienen der Herzinfarktprophylaxe.

Sympathomimetika (Sympathikomimetika, Adrenomimetika) [griech.], Arzneimittel, deren Wirkung einer Erregung des Sympathikus gleicht. *Direkt wirkende S.* können die adrenergen Rezeptoren im Erfolgsorgan (auf Grund ihrer chem. Ähnlichkeit mit den natürl. Überträgerstoffen Noradrenalin und Adrenalin) direkt beeinflussen und somit die Erregung sympath. Neurone bzw. die des Nebennierenmarks imitieren. Dabei sind sog. *α*-Wirkungen (über *α*-Rezeptoren; meist die Kontraktion glatter Muskeln; Gefäßverengung) von sog. *β*-Wirkungen (über *β*-Rezeptoren; im allg. die Erschlaffung glatter Muskeln wie Gefäßerweiterung, Bronchodilatation und Herzerregung) zu unterscheiden. *α-S.* (z. B. Adrenalin, Noradrenalin, Phenylephrin) werden bei Bluthochdruck und Herz-Kreislauf-Versagen angewendet. *β-S.* (z. B. Terbutalin, Buphenin, Fenoterol) dienen zur Behandlung des Bronchialasthmas sowie als durchblutungsfördernde Mittel und Wehenhemmer.

Sympatrie [griech.], in der *Biologie* das Nebeneinandervorkommen nahe miteinander verwandter Tier- oder Pflanzenarten (oder Unterarten bzw. Sorten) im selben geograph. Gebiet (Ggs. Allopatrie).

Symphonic Jazz [engl. sɪm'fɔnɪk 'dʒæz] (sinfonischer Jazz), Bez. für eine mit Jazzelementen durchsetzte Stilform der amerikan. Unterhaltungsmusik der 1920er und 1930er Jahre.

Symphonie [griech.], dt.-frz. Nachrichtensatelliten zur Übertragung von Fernsehsendungen und für Kommunikation, die auf eine geostationäre Position über dem Äquator gebracht wurden; *S. 1* wurde am 19. Dez. 1974, *S. 2* am 27. Aug. 1975 gestartet.

Symphonie ↑ Sinfonie.

Symphonie concertante [frz. sɛ̃fɔnikõser'tãːt] ↑ Sinfonia concertante.

Symphyse [griech.], knorpelige Knochenverbindung, speziell zw. den Schambeinen des ↑ Beckens.

Symphyta [griech.], svw. ↑ Pflanzenwespen.

sympodiale Verzweigung [griech./dt.] (zymöse Verzweigung), Verzweigungsform pflanzl. Sproßsysteme, die im Ggs. zur ↑ monopodialen Verzweigung auf der Förderung der Seitenachsen gegenüber der (gehemmten) Hauptachse beruht. Die Endknospen stellen jährlich ihre Weiterentwicklung ein, sterben ab oder bilden Blüten, während die Fortsetzung des Systems durch spitzennahe Seitenachsen erfolgt.

Symposion (Symposium) [griech.], 1. das auf eine festl. Mahlzeit folgende Trinkgelage im alten Griechenland; aus dem [philosoph.] Gespräch im Vordergrund stand; 2. eine [wiss.] Tagung, auf der in Vorträgen und Diskussionen bestimmte Fragen erörtert werden.

Symptom [griech.], svw. ↑ Krankheitszeichen.

symptomatisch [griech.], anzeigend; warnend, alarmierend; bezeichnend.
◆ in der *Medizin:* die Symptome betreffend; nur auf die Symptome, nicht auf die Krankheitsursache einwirkend; nur als Symptom einer Grundkrankheit einzustufen. **symptomatische Behandlung,** svw. symptomatische ↑ Therapie.

Symptomatologie [griech.] (Phänomenologie, Semiologie, Semiotik), die Lehre von den Krankheitszeichen und Krankheitserscheinungen.

Symptomenkomplex, svw. Syndrom (↑ Krankheitszeichen).

Sympus [griech.] (Sirene), Mißgeburt mit zusammengewachsenen unteren Extremitäten.

syn..., Syn... (sym..., Sym..., syl..., Syl..., sy..., Sy...) [griech.], Vorsilbe mit der Bed. „mit, zusammen; gleichartig".

Synagoge [griech. „Versammlung"] (hebr. bet ha-knesset „Haus der Versammlung, der Zusammenkunft"), nach dem Tempel in Jerusalem die wichtigste kult. Institution der jüd. Religion. Die S. als Versammlungsstätte für den jüd. Gebets- und Lesegottesdienst entstand in der Zeit des Babylon. Exils, als den Juden der Tempel (587 v. Chr. zerstört) nicht mehr zur Verfügung stand. Nach der Zerstörung des 2. Tempels (70 n. Chr.) wurde die S. endgültig zur alleinigen Kultstätte des Judentums in allen Ländern der Diaspora zum örtl. Zentrum des religiösen und sozialen Lebens. – Zur Architektur der S. ↑ jüdische Kunst.
◆ ↑ Ecclesia und Synagoge.

Synalgie [griech.], Mitempfinden von Schmerzen in einem nicht erkrankten Körperteil.

Synalöphe [griech. „Verschmelzung"], in gebundener, insbes. metr. Sprache im ↑ Hiatus Verschleifung eines auslautenden Vokals mit dem anlautenden des Folgewortes zu einem (metrisch einsilbig gewerteten) Diphthong.

Synanthropie [griech.], die mehr oder weniger weitgehende Anpassung von Lebewesen (↑ Kulturfolger) an den Lebensraum des Menschen.

Synapse [zu griech. sýnapsis „Verbindung"], Struktur, über die eine Nervenzelle oder (primäre) Sinneszelle mit einer anderen Nervenzelle oder einem Erfolgsorgan (z. B. Muskel, Drüse) einen Kontakt für die Erregungsübertragung bildet. Die S. setzt sich demnach aus zwei Zellanteilen zus.: der *Prä-S.* als dem Endbläschen der Nervenfaser, das mit der folgenden Zellstruktur, dem *Post-S.,* in Verbindung tritt. Im menschl. Gehirn bildet im Durchschnitt jede Nervenzelle mehrere hundert synapt. Kontakte aus. Die Erregungsübertragung erfolgt auf biochem.

Weg durch Freisetzung von ↑ Neurotransmittern aus den in der Prä-S. eingeschlossenen synapt. Vesikeln. Viele Medikamente (z. B. Psychopharmaka, Blutdruckmittel) entfalten ihre Wirkung durch Beeinflussung der S.funktion.

Synärese [griech.], 1. svw. ↑ Kontraktion; 2. svw. ↑ Synizese.

Synarthrose ↑ Gelenk.

Synästhesie [griech.] (Mitempfindung), die [Mit]erregung eines Sinnesorgans durch einen nichtspezif. Reiz; z. B. subjektives Wahrnehmen opt. Erscheinungen (Farben) bei akust. und mechan. Reizeinwirkung. – In der *Literatur* wird die psych. Fähigkeit der Reizverschmelzung zur metaphor. Beschreibung („duftige Farben") herangezogen.

synästhetisch, die Synästhesie betreffend; durch einen nichtspezif. Reiz erzeugt; z. B. von Sinneswahrnehmungen gesagt.

synchron [...'kro:n; griech.], gleichzeitig, zeitgleich; gleichlaufend, übereinstimmend.

Synchrongenerator [...'kro:n...] ↑ Wechselstrommaschinen.

Synchrongetriebe [...'kro:n...], mit einer Gleichlaufschaltung (Synchronisierung) ausgestattetes ↑ Getriebe.

Synchronie [...kro:...; griech.], Beschreibung der gleichzeitig bestehenden Erscheinungsformen einer Sprache; Ggs. ↑ Diachronie.

Synchronisierung (Synchronisation) [...kro:...; griech.], allg. die Herstellung des Gleichlaufs zw. zwei Vorgängen, Maschinen oder Geräten bzw. Geräteteilen; u. a. beim Photographieren mit Blitzlicht durch die ↑ Blitzlichtsynchronisation, beim Fernsehen [Grundprinzip]), beim Tonfilm durch verschiedene Mittel, durch ↑ Getriebe durch besondere Synchronkörper.
◆ die nachträgl. Vertonung eines in einer fremden Sprache oder stumm aufgenommenen Films.

Synchronismus [...kro:...], svw. ↑ Gleichlauf.
◆ in der *Geschichte* das zeitl. Zusammentreffen von Ereignissen.

Synchronmotor [...'kro:n...] ↑ Wechselstrommaschinen.

Synchronorbit [...'kro:n...], die Umlaufbahn um eine Zentralmasse (z. B. ein Planet), auf der die Umlaufzeit mit der Rotationsperiode der Zentralmasse übereinstimmt, der umlaufende Körper (Satellit) also ständig die gleiche Position über einem bestimmten Ort der Zentralmasse beibehält. Den Umlauf eines Satelliten auf einem S. um die Erde nennt man auch **geostationäre Bahn.**

Synchronschwimmen [...'kro:n...] ↑ Schwimmen.

Synchrotron ['zynkrotro:n, zynkro-'tro:n; griech.] ↑Teilchenbeschleuniger.

Synchrotronstrahlung ['zynkrotro:n, zynkro'tro:n], erstmals in Synchrotronen festgestellte elektromagnet. Strahlung, die von energiereichen geladenen Teilchen (v. a. Elektronen) emittiert wird, wenn sie durch ein Magnetfeld auf gekrümmte Bahnen gezwungen werden.

Synchrozyklotron [zynkro'tsy:klotro:n; griech.] ↑Teilchenbeschleuniger.

Syndaktylie [griech.], angeborene Mißbildung mit Verwachsung einzelner oder aller Finger bzw. Zehen.

syndetisch [zu griech. sýndetos „zusammengebunden"], Bez. für durch Konjunktionen verbundene Reihungen gleichgeordneter Wörter, Wortgruppen oder Sätze. – Ggs. asyndetisch (↑Asyndeton).

Syndets [Kw. aus engl. **sy**nthetic und **det**ergents], aus dem Engl. übernommene Bez. für: 1. synthet. waschaktive Substanzen (Detergentien, Tenside); 2. stückige Zubereitungen mit synthet. waschaktiven Substanzen, die anstelle von [Toiletten]seifen für die Hautreinigung verwendet werden.

Syndikalismus [griech.-frz.], Bez. für eine in der Arbeiterbewegung gegen Ende des 19. Jh. entstandene Richtung, in den gewerkschaftl. Zusammenschlüssen der Lohnarbeiter (Syndikate) den Träger revolutionärer Bestrebungen sah. Der S. lehnt den polit. [parlamentar.] Kampf, wie er von den sozialdemokrat. Parteien geführt wurde, als Umweg ab; der Klassenkampf müsse vielmehr in dem die Klassengegensätze verursachenden ökonom. Bereich, durch die direkte Aktion geführt werden. In Theorie und Praxis eng mit dem Anarchismus verflochten, ist das Ziel des S. eine Gesellschaft ohne [staatl.] Zentralgewalt. – Der S. entwickelte sich zuerst in Frankreich unter dem maßgebl. Einfluß von F. Pelloutier. Seine Hauptwirkungszeit reichte von der Jh.wende bis zum 1. Weltkrieg. Über längere Zeit blieb der S. von Bed. in den [weniger industrialisierten] Ländern Südamerikas und in Spanien (bes. 1931–39). Als organisierte Bewegung zerfiel der S. größtenteils in den 1920er Jahren zugunsten des Anschlusses teils an die Sozialdemokratie, teils an kommunist. Parteien.

syndikalistische Gewerkschaften ↑Gewerkschaften.

Syndikat [griech.-frz.] ↑Kartell.
♦ geschäftlich getarnte Verbrecherorganisation in den USA.

Syndikus [griech.], ständiger Rechtsbeistand bei großen Unternehmen, Handelskammern oder Verbänden. Der *S.anwalt* (Rechtsanwalt) ist auf Grund eines Dienstvertrages mit festem Entgelt angestellt. Zur Vertretung seines Arbeitgebers in Anwalts-prozessen ist er deshalb nicht befugt; anders, wenn der S.anwalt die erforderl. rechtl. Unabhängigkeit besitzt, z. B. Tätigkeit als freier Mitarbeiter.

Syndrom [zu griech. sýndromos „zusammenlaufend"], eine Gruppe von Merkmalen oder Faktoren (Symptome), deren gemeinsames Auftreten einen bestimmten Zusammenhang oder Zustand anzeigt, z. B. in der Medizin (auch „Symptomenkomplex").

Synedrium [griech.-lat. „Sitzung, Versammlung, Rat"] (Synedrion, Hoher Rat, hebr. Sanhedrin), oberste religiöse, gerichtl. und polit. Behörde des Judentums in röm. Zeit vor und nach der Zerstörung des Tempels 70 n. Chr.; ständige Einrichtung, deren 71 Mgl. zur letztverbindl. Entscheidung von Rechtsfragen täglich in der Quaderhalle des Tempels zusammentraten. Nach der Zerstörung des Tempels hatte die Nachfolgeinstitution zunächst ihren Sitz in Jabne (Jamnia), später in verschiedenen Städten Galiläas und war bis zu ihrer Auflösung (425) die entscheidende polit. Instanz des Judentums der gesamten Röm. Reiches.

Synergetik [zu griech. synergeín „zusammenarbeiten"], interdisziplinäres Forschungsgebiet zur Beschreibung komplexer Systeme, die aus vielen miteinander kooperierenden Untersystemen bestehen. Die S. untersucht die Entstehung von Strukturen in der Thermodynamik, Laserphysik, Biologie, Ökologie, Soziologie u.a. und hat deren quantitative Erfassung zum Ziel. Sie umfaßt insbes. Prozesse der Selbstorganisation von Systemen (z. B. Laser, lebende Zelle), die die Ausbildung geordneter Strukturen aus ungeordneten Phasen durch kooperatives Verhalten der Teilsysteme fern vom thermodynam. Gleichgewicht zum Gegenstand haben.

synergetischer Streit ↑synergistischer Streit.

Synergie [griech.], das Zusammenwirken von Faktoren, Stoffen oder Kräften (z. B. mehrere Wirtschaftsunternehmen) derart, daß die Gesamtwirkung größer als die Summe der Wirkung der Einzelkomponenten.

Synergiekurve ↑Raumflugbahnen.

Synergismus [griech.], in der Theologiegeschichte ↑synergistischer Streit.

Synergist [griech.], in der *Anatomie* im Ggs. zum ↑Antagonisten ein Muskel, der einen anderen Muskel bei einem Bewegungsvorgang unterstützt.
♦ in der *Chemie* und *Pharmakologie* eine Substanz, die die Wirkung einer anderen additiv oder verstärkend ergänzt (z. B. verstärkt Alkohol die Wirkung der Arzneimittel). In der Schädlingsbekämpfung können auch sonst unwirksame Substanzen die Wirkung von Insektiziden verstärken.

synergistischer Streit (synergetischer Streit), theolog. Lehrauseinandersetzung der Reformationszeit um die Mitwirkung des menschl. Willens bei der ↑ Rechtfertigung; Luther führte (gegen Erasmus von Rotterdam) die Bekehrung ausschließlich auf das Gnadenwirken Gottes zurück, während Melanchthon das Ja des menschl. Willens zum Anruf Gottes für notwendig hielt **(Synergismus)**. In der Konkordienformel wurde gegen den Synergismus entschieden.

Synge [engl. sıŋ], John Millington, * Rathfarnham bei Dublin 16. April 1871, † Dublin 24. März 1909, ir. Schriftsteller. – Ab 1904 Direktor des Abbey Theatre in Dublin. Bedeutendster Dramatiker der kelt. Renaissance, der den angloir. Dialekt bühnenfähig machte. Seine mit Realismus und Phantastik verbundenen Stücke behandeln Stoffe aus der Welt der ir. Bauern und Fischer („Kesselflickers Hochzeit", Kom., 1907; „Ein wahrer Held", 1907); Prosaschriften („Die Aran-Inseln", Skizzen, 1907).

S., Richard Laurence Millington, * Liverpool 28. Okt. 1914, † Norwich 18. Aug. 1994, brit. Biochemiker. – Ab 1939 an verschiedenen Forschungsinstituten tätig; entwickelte mit A. J. P. Martin die Verteilungschromatographie, wofür er (mit Martin) 1952 den Nobelpreis für Chemie erhielt.

Syngman Rhee [engl. 'sıŋmən 'ri:] ↑ Rhee, Syngman.

Synizese [griech.] (Synärese, Vokalschleifung), in der griechlschen und römischen Metrik die Verschmelzung zweier meist im Wortinnern nebeneinanderliegender, zu verschiedenen Silben gehörender Vokale zu einer einzigen diphthongischen Silbe. – ↑ Synalöphe.

Synklinale [griech.], svw. geolog. Mulde (↑ Falte).

Synkope [griech.], ['zvnkope] in der griech.-röm. *Verskunst* die verstechnisch bedingte Verkürzung eines drei- oder mehrsilbigen Wortes durch Ausstoßung des [kurzen] Vokals einer Mittelsilbe; in der dt. Verskunst Bez. vergleichbarer prosod. Erscheinungen (z. B. ew'ger für ewiger).
◆ [zvn'ko:pə] in der *Musik* eine rhythm. Verschiebung gegenüber der regulären Taktordnung, d. h. die Bindung eines unbetonten an den folgenden betonten Taktwert, über die

Taktgrenze hinweg (♩ ♩ ♩) oder innerhalb

des Taktes (♩ ♩ ♩ = ♩ ♩ ♩ ♩).

Seit der 2. Hälfte des 18. Jh. werden S. außer als strenger oder freier ↑ Vorhalt auch als freie Taktverschiebung und Vorwegnahme der schweren durch eine leichte Zeit angewendet, z. B.

𝄞 ♩ ♩ ♩   statt   𝄞 ♩ ♩ ♩

S.wirkung haben entsprechende Fälle wie

|𝄽 ♩ 𝄽 ♩ und |♩ ♩ ♩ ♩ |.
          >   >   >

Anders als in der metrisch freien modernen Musik spielen S. und S.phänomene im Jazz eine vielseitige Rolle (u. a. als Off-Beat; ↑ Ragtime); Jazz ist mit synkopierter Musik jedoch nicht gleichzusetzen.
◆ ['zvnkope] in der *Medizin*: 1. svw. ↑ Kreislaufkollaps; 2. kurzdauernder plötzl. Bewußtseinsverlust infolge kreislauf- und herzbedingter Mangeldurchblutung des Gehirns.

Synkretismus [griech.], in der *Religionswiss.* Vermischung verschiedener Religionen bzw. einzelner ihrer Phänomene mit der Intention zur religiösen Harmonisierung (z. B. die Identifizierung kath. Heiliger mit indian. Numina in der neuen brasilian. Religion Makumba).
◆ in der *Sprachwiss.* svw. ↑ Kasussynkretismus.

Synod [griech.] (Heiliger Synod, Allerheiligster Synod, offiziell: Allerheiligster Dirigierender Synod), 1721–1917 oberstes Organ der russ.-orth. Kirche. Peter I., d. Gr., hob 1721 das Patriarchat auf und setzte an die Stelle des Moskauer Patriarchen den „Allerheiligsten Dirigierenden S.". Nach der Wiederherstellung des Patriarchats (1918) übernahm der Moskauer Patriarch als Primus inter pares den Vorsitz im S., der seitdem beratendes Organ beim Kirchenoberhaupt ist.

Synodale [griech.], Mitglied einer ↑ Synode.

Synodalverfassung, auf Apg. 15 zurückgeführte Form der ev. kirchl. Verfassung auf der Grundlage gleichberechtigter Repräsentanz der (an sich autonomen) Kirchengemeinden. Die S. betont die durch Kollegialorgane kirchl. Rechts gebildete Vertretung und Mitsprache der Gemeinden an den kirchl. Leitungsaufgaben.

Synode [zu griech. sýnodos „Zusammenkunft"], in der *alten Kirche* in Anlehnung an apostol. Praxis (Apg. 15) die Versammlung von Bischöfen und Gemeindevorstehern zu Beratung, Beschlußfassung und Gesetzgebung unter der Leitung des Bischofs von Rom (des Papstes). Neben dieser allg. (,,ökumen.") S. (Konzil) gab es auch regional begrenzte S. (Partikularkonzil). – Während bis zum 2. Vatikan. Konzil in der *kath. Kirche* unter S. v. a. das allg. Konzil verstanden wurde, nimmt seither die Bed. von Regional-S. (z. B. Diözesan-S., National-S.) und themat. S. (z. B. Pastoral-S.) zu. – Die Verfassung der einzelnen, selbständigen (autokephalen) orth. *Kirchen* ist synodal wie auch die der gesamten orth. Kirche. Verbindl. Entscheidungen in Fragen des Glaubens, Kultes und des Kirchenrechts trifft allein die ökumen. S., die nach orth. Verständnis zuletzt 787 (2. Konzil von Nizäa) stattfand. Die ständigen S. (früher „synodos endemusa") sind die höchsten Verwaltungsorgane der einzelnen orth. Kirchen. – In den *ev. Kirchen* ist S. das regelmäßige, durch Kirchengesetz landeskirchlich geregelte Zusammentreten (mit auch gottesdienstl. Charakter) von Gemeinde- bzw. Kirchenkreisbeauftragten **(Synodalen)** zur Beratung und Entscheidung kirchl. Angelegenheiten. Entsprechend der landeskirchl. Gliederung unterscheidet das ev. Kirchenrecht Kreis- und Landes-S. sowie S. übergeordneter Kirchenverbände (EKD, EKU), die jedoch keine direkte Leitungsbefugnis besitzen.

synodischer Monat ↑ Monat.

synodische Umlaufzeit ↑ Umlaufzeit.

Synökie (Synözie) [griech.], das Zusammenleben zweier oder mehrerer Arten von Organismen in der gleichen Behausung, ohne daß die Gemeinschaft (im Ggs. zu Symbiose und Parasitismus) den Wirtstieren nützt oder schadet.

Synökologie ↑ Ökologie.

Synonym [griech.], Wort, das mit einem anderen Wort oder einer Folge von Wörtern derselben Sprache bedeutungsgleich ist, also **Synonymie** aufweist, z. B. *Samstag – Sonnabend.* Bedeutungsgleichheit besteht i. d. R. nur hinsichtlich des begriffl. Kerns. Strenge Synonymie liegt vor, wenn ein Ausdruck in jedem Kontext (z. B. innerhalb eines Satzes) durch einen anderen ersetzt werden kann, ohne daß sich die Bed. ändert.

Synophrys ['zy:nofrʏs, zy'no:frʏs; griech.], Zusammenwachsen der Augenbrauen.

Synopse (Synopsis) [griech.], allg. svw. Zusammenschau, Überblick; in der *Literatur* die Anordnung von verwandten Texten (oder Textteilen) im Druck in (fortlaufenden) parallelen Spalten v. a. zu wiss. Zwecken, um Textparallelen, -abhängigkeiten und -unterschiede zu bestimmen; die in diesem Sinne entstehende **synoptische Frage** richtet sich speziell auf die entsprechende Anordnung der deshalb so gen. **synoptischen Evangelien,** des Matthäus-, des Markus- und des Lukasevangeliums.

Synoptik [griech.], Teilgebiet der Meteorologie, das in einer großräumigen Zusammenschau *(Synopsis)* mit Hilfe zahlr. Wetterkarten der verschiedensten Art die Wetterzustände in ihrer räuml. Verteilung und zeitl. Änderung für einen gegebenen Zeitpunkt untersucht und daraus die folgende Wetterentwicklung zu erkennen bemüht ist, die sie in Form einer Wettervorhersage formuliert.

Synoptiker [griech.], die Verfasser des Matthäus-, Markus- und des Lukasevangeliums, so benannt, weil ihre Evangelien in einer ↑ Synopse angeordnet werden können.

synoptische Evangelien ↑ Synopse.

synoptische Frage ↑ Synopse.

Synözie [griech.], svw. ↑ Synökie.

◆ svw. Einhäusigkeit (↑ Monözie).

Synsemantikon [griech.], Wort oder Morphem, das nur in Kombination mit einem ↑ Autosemantikon vorkommt und zur Gesamtbed. der Kombination beiträgt, z. B. Präfixe, Suffixe oder *sein* und *werden* als Kopula und Hilfsverben.

Syntagma [griech.] ↑ Paradigma.

syntagmatisch [griech.], im linguist. Strukturalismus Bez. für Beziehungen zw. sprachl. Einheiten, die in der Redekette aufeinander folgen, die ein Syntagma bilden (z. B. *Das + Kleid + ist + blau),* im Ggs. zu den paradigmat. Beziehungen zw. sprachl. Einheiten (↑ Paradigma).

Syntaktik [griech.], Teilgebiet der ↑ Semiotik, das die formalen Beziehungen zw. Zeichen zum Gegenstand hat und von den Beziehungen der Zeichen zu dem, wofür sie stehen (↑ Semantik), und zu denen, die sie verwenden (↑ Pragmatik), abstrahiert.

syntaktische Definition ↑ Definition.

Syntax [griech.], Lehre vom Bau des Satzes. Als Teilgebiet der *Grammatik* erforscht die S. die in einer Sprache zulässigen Verbindungen von Wörtern zu Wortgruppen und Sätzen hinsichtlich ihrer äußeren Form, ihrer inneren Struktur und ihrer Funktion bzw. Bed. – Die *traditionelle S.* war bis ins 19. Jh. stofflich heterogene „Misch-S.". Sie beschrieb Bed. und Gebrauch der Wortarten und Wortformen (Kasus, Tempora u. a.) und fragte nach der Funktion des Satzes und seiner Hauptteile Subjekt und Prädikat. Die neuere „funktionale S." grenzt die Satzlehre von der Wortlehre ab und beschreibt Form und Funktion v. a. der Satzarten, Satzglieder, Satzgefüge, Wort- und Satzreihen. – Die im amerikan. Strukturalismus entwickelte *Konstituentenstruktur-S.* ermittelt den beobachtbaren Aufbau des Satzes aus Teilen, indem sie Äußerungen stufenweise in kleinere und kleinste Konstituenten segmentiert und diese nach ihrer Distribution klassifiziert. Sie stellt die Satzstruktur in einem Stammbaum dar, dessen Äste Teil-Ganzes-Beziehungen ausdrükken und dessen Knoten Konstituentenklassen repräsentieren, die auf die lineare Anordnung des Satzes projizierbar sind. *Die generativ-transformationelle S.* N. Chomskys hat zum Ziel, alle grammatisch korrekten Sätze einer Sprache mittels eines Regelsystems zu generieren (deduktiv abzuleiten).

[] *Bünting, K. D./Bergenholz, H.: Einf. in die S. Ffm.* ²*1989. – Der Duden in 10 Bden. Bd. 4: Gramm. der dt. Gegenwartssprache. Mhm. u. a.* ⁴*1984. – Edmondson, J. A.: Einf. in die Transformations-S. des Deutschen. Tüb. 1982. – Engel, U.: S. der dt. Gegenwartssprache. Bln.* ²*1982. – Heringer, H.-J., u. a.: S. Mchn. 1980. – Tesnière, L.: Grundzüge der strukturalen S. Dt. Übers. Stg. 1980. – Lange, K. P.: S. u. natürl. Semantik im Dt. Tüb. 1978.* ◆ (log. S.) in der *mathemat. Logik* die Theorie der Erzeugung formaler Sprachen durch Kalküle bzw. Kalkülregeln.

Synthese [griech.], allg. svw. Zusammenfügung [einzelner Teile zu einem Ganzen]. ◆ in der *Philosophie* das der ↑ Analyse entgegengesetzte Verfahren, von elementaren Sätzen (Begriffen) zu komplexen Sätzen (Begriffen) zu gelangen. ◆ in der *Psychologie* die Verknüpfung verschiedener Teile der Wahrnehmung im Denken zu einem Ganzen. ◆ in der *Chemie* die Herstellung von Verbindungen; bei der *Total-S.* geht man von den Elementen oder einfach gebauten Verbindungen aus, die in mehr oder weniger zahlr. Reaktionsstufen umgesetzt werden; bei der *Partial-S.* geht man von Verbindungen aus, in denen das Molekülgerüst des herzustellenden Stoffs bereits vorgebildet ist.

Synthesegas, aus Stickstoff und Wasserstoff bzw. Kohlenmonoxid und Wasserstoff bestehende Gasgemische, die zur Ammoniaksynthese dienen bzw. zu Kohlenwasserstoffen, Aldehyden oder Alkoholen umgesetzt werden. Ausgangsstoffe für S. sind Kohle, Koks, Erdöl und Erdgas, die durch Umsetzen mit Wasserdampf oder durch partielle Oxidation vergast werden.

Synthesekautschuk (Kunstkautschuk), künstlich hergestellte Elastomere, die sich gegenüber dem Naturkautschuk durch größere Abriebfestigkeit, Beständigkeit gegen Chemikalien und Wärme oder geringere Gasdurchlässigkeit auszeichnen. Bes. wichtige S. werden aus Butadien (*Butadienkautschuk*, Buna, Abk. BR von engl. butadiene rubber), Butadien und Styrol (*Butadien-Styrol-Kautschuk*, Buna-S., Abk. SBR), Butadien und Acrylnitril (*Nitrilkautschuk*, Buna-N, Abk. NBR) und Isopren (*Isoprenkautschuk*, Abk. IR) hergestellt. Weitere S. sind der aus Chloropren (2-Chlorbutadien) gewonnene *Chloroprenkautschuk* (Abk. CR), der durch Mischpolymerisation von Isobutylen und Isopren erzeugte *Butylkautschuk* (Abk. IIR), der ihm ähnl. *Chlorbutylkautschuk* und der *Acrylkautschuk* aus Acrylsäureestern. Durch Polyaddition entstandener S. findet sich v. a. unter den Polyurethanen; durch Polykondensation erhält man Siliconkautschuk.

Geschichte: 1909 erkannte F. Hofmann, daß sich zweifach ungesättigte Alkene, z. B. Isopren, durch Wärme zu elast. Massen polymerisieren lassen. 1916 stellte er aus 2,3-Dimethylbutadien den ersten technisch brauchbaren Ersatz für Naturkautschuk her. Die Erzeugung von Butadienkautschuk mit Natrium als Katalysator wurde nach Entwicklung der Ziegler-Natta-Katalysatoren Mitte der 1950er Jahre technisch verbessert.

Syntheseteleskop [griech.] ↑ Radioteleskop.

Synthesizer ['sʏntesaɪzər; engl. 'sɪnθɪsaɪzə; griech.-engl.], elektron. Musikinstrument, das aus einer Kombination aufeinander abgestimmter elektron. Bauelemente und Geräte (Module) besteht, mit dem sich auf rein elektron. Wege Töne und Klänge, Tongemische und Geräusche jegl. Art erzeugen und [halbautomat.] zu musikal. Abläufen oder synthet.-sprachl. Abfolgen zusammenfügen bzw. verändern lassen. Als wesentl. Bausteine sind im S. enthalten: 1. Generatoren (Ton-, Rausch- und Impulsgeneratoren); 2. Klangformer und -modulatoren (Envelope-Generator, Filter, Hall-Generator, Ringmodulator); 3. Zusatzeinrichtungen (Zufallsgenerator, Manual, Speicher). Jedes Modul kann von Hand oder durch die von einem anderen Modul abgegebene elektr. Spannung (sog. *Spannungssteuerung;* engl. voltage control) gesteuert werden; außerdem können die Steuerspannungen von außen (z. B. über Mikrophon oder Tonbandgerät) zugeführt werden. Durch die Spannungssteuerung wird erreicht, daß musikal. ↑ Parameter aufeinander einwirken können. Dabei kann es durch mehrfache Rückkopplung zu schwer überschaubaren Klangabläufen kommen, die nicht selten der Kontrolle des Spielers entgleiten. Da die meisten Module period. Abläufe erzeugen, überwiegen beim S.spiel ostinate Klangfolgen. S. bilden heute die zentrale Einheit elektron. Studios, werden aber auch im Bereich der Popmusik verwendet (hier oft mit vorprogrammierten Kombinationen von Modulen).

Der erste funktionstüchtige [Voll]synthesizer wurde nach seinem Erbauer R. A. Moog benannt. Danach ist Moog heute die Markenbezeichnung für bestimmte S., wird aber umgangssprachlich auch oft als Synonym für S. verwendet. Als *Mini-Moog* kommen heute kleine S. auf den Markt, die wie E-Orgeln gespielt werden können. Diese S. heißen *Poly-Moog,* wenn auf ihnen zwei- oder mehrstimmig gespielt werden kann.

Synthetasen [griech.], svw. ↑ Ligasen.

Synthetics (Synthetiks) [zʏn'te:tɪks; griech.-engl.], zusammenfassende Bez. für Chemiefasern und die aus diesen hergestellten Erzeugnisse.

synthetisch [griech.], allg. svw. zusammengesetzt, künstlich hergestellt. In der *Philosophie* werden im Anschluß an Kant Sätze s. genannt, die nicht allein auf Grund log. und definitor. Vereinbarungen gelten. Die Frage, in welcher Weise die Wahrheit und damit die Begründung s. Sätze einen Rückgriff auf Erfahrung erfordert, ist in der neueren Wissenschaftstheorie umstritten.

synthetische Definition ↑ Definition.

synthetische Methode, wiss. Verfahren, das auf der logisch geregelten Zusammensetzung wiss. Theoreme aus einfachen und als begründet, evident oder unbegründbar geltenden Elementen (Grundbegriffe, Prinzipien, Axiome) beruht. – Ggs. ↑ analytische Methode.

♦ Methode des Schreiben- und Lesenlernens, bei der zunächst die Buchstaben, Buchstabenteile oder -gruppen geübt und dann erst zu größeren Einheiten (Wörtern) zusammengesetzt werden. – Ggs. ↑ Ganzheitsmethode.

synthetischer Kubismus, von J. Gris 1912 begründete Richtung des ↑ Kubismus.

synthetische Sprachen, Sprachen, in denen grammat.-syntakt. Beziehungen vorzugsweise innerhalb des Wortes oder am Wort markiert werden, und zwar durch innere Flexion, Affigierung, Reduplikation. Lexikal. und grammat. Bed. werden synthetisiert, z. B. verweist lat. *filias* auf einen Inhalt „Tochter", zugleich werden aber auch die Merkmale Substantiv, feminin, Plural, Akkusativ und direktes Objekt ausgedrückt.

♦ einer menschl. Sprache physikalisch und linguistisch ähnl. Abfolgen von Schallereignissen, die mit Hilfe eines Sprachgenerators erzeugt werden. S. S. sind u. a. bedeutungsvoll bei der akust. Ausgabe der von Datenverarbeitungsanlagen u. a. gelieferten Informationen. Eine v. a. in der phonet. und linguist. Grundlagenforschung verwendete s. S. *(Visible speech)* erhält man, wenn Sprachvorgänge in vereinfachter Form zeichnerisch oder als Rechnerprogramm dargestellt und mit Hilfe eines geeigneten Umwandlungsgeräts hörbar gemacht werden.

synthetische Urteile, nach Kant diejenigen Urteile, bei denen das Prädikat nicht schon im Subjekt enthalten ist, die also eine zusätzl. Erkenntnis über das Subjekt liefern.

Synzytium (Syncytium) [griech.], mehrkerniger Zellkörper, der durch Verschmelzung (Fusion) mehrerer Zellen entsteht; z. B. die quergestreifte Muskelfaser.

Syphilid [griech.], syphilit. Hautausschlag. – ↑ Syphilis.

Syphilis [nach dem Lehrgedicht „Syphilis sive de morbo gallico" von G. ↑ Fracastoro, in dem die Geschichte eines an dieser Krankheit leidenden Hirten namens Syphilus erzählt wird] (Lues, harter Schanker), als chron.

Infektionskrankheit verlaufende, wegen ihrer Spätfolgen gefährlichste Geschlechtskrankheit; es besteht Meldepflicht. Erreger der S. ist das Bakterium Treponema pallidum. Die Ansteckung erfolgt meist durch Geschlechtsverkehr (erworbene S.) oder diaplazentar (angeborene S.).

Die *erworbene S. (S. acquisita)* verläuft unbehandelt in vier Stadien. Für das *Primärstadium* (S. 1; zus. mit dem Sekundärstadium auch unter der Bez. *Früh-S.* zusammengefaßt) ist das *Primäraffekt* vom Beginn der 3. bis 6. Woche nach der Infektion an kennzeichnend. Er tritt meist als einzelnes kleines, hartes, gerötetes Knötchen im Bereich der Infektionsstelle auf und entwickelt sich zu einem braunroten, schmerzlosen Geschwür mit hartem Rand *(harter Schanker)*, gefolgt von schmerzloser Schwellung benachbarter Lymphknoten. – Das zweite oder *Sekundärstadium* der S. wird durch Hautausschläge *(Syphilide)* eingeleitet, die ab 8. bis 12. Woche nach der Ansteckung (oder etwa 45 Tage nach Erscheinen des harten Schankers) auftreten; daneben dehnt sich die zunächst örtl. Lymphknotenschwellung auf den ganzen Körper aus. Der Hautausschlag besteht aus zahlr. fleckigen oder knötchenförmigen Krankheitsherden und nässenden Papeln *(breite Kondylome);* sie enthalten wie der Primäraffekt viele S.erreger und sind deshalb sehr ansteckend. Außerdem kommt es zu Schleimhautefflorescenzen, Haarausfall und weißen Flecken an der Stelle abgeheilter Papeln *(Leukoderm).* – Das dritte oder *Tertiärstadium* der S. *(Spät-S.)* tritt oft erst nach jahrelanger (etwa 5 Jahre) völlig erscheinungsfreier Zeit (Latenzperiode) an Haut, Knochen oder inneren Organen auf, meist in Form geschwüriger, zerstörender Veränderungen *(Gummigeschwulst, Gumma).* Bes. bedrohlich ist der Befall der Aorta mit Bildung einer Wandaussackung (Aortenaneurysma) und der Gefahr des Platzens. – Im vierten oder *Quartärstadium* der S. *(Neuro-S.)* kommt es zu einem bleibenden Ausfall am Zentralnervensystem. Die S.erreger bewirken den Untergang grauer Hirnsubstanz (progressive Paralyse) und syphilit. Befall des Rückenmarks (Tabes dorsalis).

Bei der *angeborenen S. (S. connata)* erfolgt die Ansteckung durch die syphilit. Mutter über das Plazentakreislauf gegen Ende der ersten Schwangerschaftshälfte. Symptome der Säuglings-S. sind allg. Unterentwicklung, blutiger Schnupfen, Hautausschlag und Befall innerer Organe; Spätzeichen sind bleibende Veränderungen an Zähnen und Knochen sowie Augen-, Ohren- und Nervenerkrankungen.

Die *Behandlung der S.* erfolgt mit Penicillin, bei Penicillinallergie auch mit Tetrazyklinen oder Erythromyzin.

Geschichte: Die S. wird in Europa erstmals kurz nach der Entdeckung Amerikas beschrieben. In größerer Verbreitung trat sie zuerst als „Franzosenkrankheit" (Ende 15. Jh.) im Heer Karls VIII. von Frankreich auf. Bis ins 19. Jh. unterschied man die S. nicht vom Tripper, 1905 konnten F. R. Schaudinn (* 1871, † 1906) und E. Hoffmann (* 1868, † 1959) den Erreger der S. nachweisen.
📖 *Schelton, H. M.: S. – Ein Irrtum der Medizin. Ritterhude 1990. – Bäumler, E.: Amors vergifteter Pfeil. Mchn. 1989.*

Syracuse [engl. 'sırəkju:s], Stadt im W des Staates New York, USA, 170 300 E. Kath. Bischofssitz; Univ. (gegr. 1870). Maschinenbau, Stahl-, chem., elektrotechn. u. a. Ind. – An der Stelle einer Missionsstation entstand 1797 ein Dorf, das 1820 den Namen S. erhielt; 1847 City.

Syrakus, italien. Hafenstadt in SO-Sizilien, auf der Insel Orligia und den angrenzenden Festland, 17 m ü. d. M., 124 600 E. Hauptstadt der Prov. S.; kath. Erzbischofssitz; literatur- und theaterwiss. Inst.; bed. Museen; Erdölraffinerie, Zementind., Metallverarbeitung, elektrotechn. und Nahrungsmittelind.; Fremdenverkehr.
Geschichte: Um 733 v. Chr. von Korinth gegründet; bedeutendste griech. Kolonie Siziliens; gründete selbst mehrere Kolonien; beherrschte zunächst den SO der Insel, unter Gelon das ganze griech. Sizilien; 480 v. Chr. Sieg über Karthago; die Herrschaft Hierons I. war eine erste kulturelle Blütezeit; 466 v. Chr. Einführung einer demokrat. Verfassung. Seine wachsende Macht bewog Athen zur Sizil. Expedition (415–413), das athen. Heer wurde jedoch auf dem nördl. Hochplateau **Epipolai** (Teil des antiken S.) geschlagen. Unter den Tyrannis von Dionysios I. neue Glanzzeit; 212 v. Chr. von Rom erobert (lat. *Syracusae*), Prov.hauptstadt; in frühchristl. Zeit wichtiges religiöses Zentrum (Katakomben); im MA durch Erdbeben und Seuchen stark in Mitleidenschaft gezogen.
Bauten: Zahlr. antike Bauten, v. a. aus griech. Zeit: dor. Apollontempel (um 565 v. Chr.), Reste des großen Altars Hierons II. (3. Jh. v. Chr.), griech. Theater (nach 238 v. Chr.), röm. Amphitheater (3. Jh. n. Chr.), größtenteils aus dem Fels gehauen. Die großen Steinbrüche dienten als Gefangenenverliese oder wurden in Gärten umgewandelt, u. a. die Latomia del Paradiso mit dem „Ohr des Dionysios", einer künstl. Grotte mit bes. Akustik. S. hat ausgedehnte Gräberfelder aus griech. und röm. Zeit und bed. Katakomben (v. a. 4. Jh.). Der Athenatempel (um 480 v. Chr.) wurde im 7. Jh. zur christl. Basilika umgebaut (Dom, Fassade 18. Jh.). Bed. weitläufige Katakomben. Aus stauf. Zeit stammen mehrere Paläste, u. a. Palazzo Bellomo (1. Hälfte des

Syrien. Übersichtskarte

13. Jh., oberes Geschoß 15. Jh.) und die Ruine des stauf. Kastells Maniace (1038, erneuert von Friedrich II.).
📖 *Drögemüller, H.-P.: S. Zur Topographie u. Gesch. einer griech. Stadt. Hdbg. 1969.*

Syrdarja [russ. sirdarj'ja], einst Zufluß des ↑Aralsees, versickert seit 1975 wegen Wasserentnahme für Bewässerungsmaßnahmen meistens vorher in der Sandwüste Kysylkum; entsteht durch den Zusammenfluß von ↑Naryn und Karadarja, fließt durch das Ferganabecken und am NO-Rand des Kysylkum; etwa 2 200, mit Naryn 3 000 km lang; Wasserkraftwerke. – In der Antike wurde der S. **Jaxartes** genannt.

Syria, röm. Prov., ↑Syrien (Geschichte).

Syrien

(amtl.: Al Dschumhurijja Al Arabijja As Surijja, dt. Arab. Republik Syrien), Staat in Vorderasien, zw. 32° 20′ und 37° 20′ n. Br. sowie 35° 35′ und 42° 20′ ö. L. **Staatsgebiet:** S. grenzt im zentralen W an das Mittelmeer, ihr N an die Türkei, im O an Irak, im S an Jordanien, im äußersten SW an Israel und im südl. W an Libanon. **Fläche:** 185 180 km². **Bevölkerung:** 13,3 Mill. E (1992), 72 E/km². **Hauptstadt:** Damaskus. **Verwaltungsgliederung:** 13 Prov. (Muhafasa) und die Hauptstadt. **Amtssprache:** Arabisch. **Nationalfeiertag:** 17. April. **Währung:** Syrisches Pfund (syr£) = 100 Piastres (PS). **Internationale Mitgliedschaften:** UN, Arabische Liga, OAPEC; Kooperationsabkommen mit EWG und EGKS. **Zeitzone:** MEZ + 1 Std.

Landesnatur: S. ist weitgehend ein ebenes Tafelland, das nach O unmerklich in den mesopotam. Trog übergeht; es wird im NO von einem Hügelland (Dschabal Abd Al Asis, bis 920 m hoch) überragt und im S von einer von erloschenen Vulkanen und Lavafeldern geprägten Landschaft (Hauran, Dschabal Ad Drus; bis 1 735 m hoch) begrenzt. Die höchsten Erhebungen finden sich im W, sie sind noch zum ostafrikan.-vorderasiat. Grabensystem gehörende gehobene Grabenränder: Hermon (bis 2 814 m) und Antilibanon (bis 2 629 m), über die die Grenze gegen Libanon verläuft.
Klima: S. liegt im Übergangsbereich vom winterfeuchten Mittelmeerklima (im W) zum kontinentalen Trockenklima (im O). Die Niederschläge nehmen von der Küste (800–1 000 mm Niederschlag/Jahr) nach dem Landesinneren und dem O hin ab (um 150 mm Niederschlag/Jahr). Das Binnenland ist zum Teil jahreszeitl. Temperaturunterschiede (zw. 7 und 33 °C); im W treten außer an der Küste regelmäßig Fröste auf, die westl. Gebirge tragen im Winter eine Schneedecke.
Vegetation: Im W mediterrane Pflanzengesellschaften, z. T. mit Restbeständen von Libanonzedern. Das Binnenland ist zum Teil Kulturland, sonst weitgehend Steppe.
Bevölkerung: Der überwiegende Teil der Bev. sind Araber (88 %), der Rest 6 % Kurden sowie Armenier und Splittergruppen von Turkmenen und Tscherkessen. Etwa 90 % der Bev. sind Muslime (meist Sunniten der hanafit. oder schefit. Richtung), 9 % Christen, die weiteren Alawiten, Drusen u. a. Am dichtesten ist das Küstengebiet besiedelt, am dünnsten der zentrale O. Den Siedlungskernraum des Landes bildet die östl. Gebirgsabdachung bis zum Grenzsaum zw. Agrarland und Nomadenland, wo sich die heutige N–S-Achse des Landes Aleppo–Hama–Homs–Damaskus–Dara herausgebildet hat. Der Verstädterungsgrad beträgt 50 %. Derzeit leben etwa 280 000 Palästinaflüchtlinge in S. Es besteht Schulpflicht für alle 6- bis 12jährigen Kinder. Neben Fachhochschulen gibt es Univ. in Damaskus, Aleppo, Al Ladhakijja und Homs.
Wirtschaft: Die Landw. bildet trotz forcierter Industrialisierung in den letzten Jahren die wirtsch. Grundlage des Staates. Sie erbringt über 30 % des Bruttoinlandprodukts und beschäftigt rd. ein Viertel aller Erwerbstätigen. Durch die Agrarreformen von 1958 und 1980 wurde die Besitzstruktur grundlegend verändert; privates und genossenschaftl. Eigentum sind vorherrschend. Hauptanbaugebiete sind die Ackerebenen Nord-S. (Neuerschließung in der Landschaft Al Dschasira) und das Euphratgebiet. Hauptanbaukulturen sind Weizen und dank künstl. Bewässerung (Nutzung des Asadstausees) Baumwolle, das wichtigste

agrar. Exportprodukt S. Unter den Baumkulturen sind v. a. Aprikosen (drittgrößter Erzeuger der Welt) und Feigen zu nennen. Der gesamte zentrale Teil von S. kann nur durch die Weidewirtschaft der Nomaden genutzt werden. – Die bedeutendsten Bodenschätze sind Erdöl, Erdgas und Phosphat. Seit 1973 werden die Phosphatlager bei Palmyra abgebaut. Die 1966 im NO entdeckten Erdölfelder werden seit 1968 ausgebeutet und seit Mitte der 70er Jahre für den Export genutzt. Das Rohöl ist stark schwefelhaltig und schwer und daher nicht leicht verkäuflich; zum größten Teil verarbeiten es die Raffinerien von Homs und Banijas. Schwerpunkt der Wirtschaftspolitik ist die Ausweitung der Erdölförderung. Traditionelle Ind.zweige sind die Nahrungsmittel- und Textilind., zu denen sich später die chem. Ind., der Maschinen- und Fahrzeugbau sowie die Zement- und Düngemittelproduktion gesellten. Das Kunsthandwerk hat große Tradition und ist weltbekannt. Die Ind. konzentriert sich v. a. in Aleppo, Damaskus, Hama und Homs.
Außenhandel: Haupthandelspartner sind die EU-Länder, Iran, Rußland u. a. Republiken der GUS. S. exportiert v. a. Erdöl und Erdölderivate (74 %), Baumwolle und Textilwaren. Importiert werden: Rohöl, Nahrungsmittel, Maschinen, Eisen und Stahl.
Verkehr: Das Verkehrsnetz ist in dem dichter besiedelten westsyr. Raum relativ gut ausgebaut. Das Eisenbahnnetz wurde bereits in der Zeit vor dem 1. Weltkrieg erbaut (Bagdadbahn, Hedschasbahn). Die Länge des Streckennetzes beträgt 2 052 km, davon 1 725 km in Normalspur. Das Straßennetz hat eine Länge von 30 208 km, davon 22 538 km asphaltiert und 6 018 km gepflastert. Wichtigste Häfen sind Al Ladhakijja, Banijas und Tartus. Den Luftverkehr besorgt die nat. syr. Fluggesellschaft Syrian Arab Airlines. Internat. ✈ ist Damaskus.
Geschichte: Im Altertum urspr. Bez. für das Gebiet zw. Mittelmeer im W und Arabien im O, etwa dem heutigen Aleppo im N und Palästina im S (die Zuordnung Phönikiens ist unterschiedlich). Im 2./1. Jt. v. Chr. befand sich S. im Überschneidungsbereich der Interessen der altorientai. Mächte Ägypten, Babylonien, der Churriter, Hethiter, Assyriens und Persiens. 301 v. Chr. wurde S. unter Ptolemäer und Seleukiden geteilt; 195 v. Chr. gänzlich seleukidisch; 64/63 richtete Pompejus die Prov. Syria ein (einschl. Phönikien), Hauptstadt Antiochia (= Antakya); 194 n. Chr. Teilung in Syria Coele (Coilesyria) und Syria Phoenice (Phoenicia), unter Diokletian in Syria I (Hauptstadt Antiochia), II (Hauptstadt Apamea), Phoenicia I (Hauptstadt Tyrus [= Sur]) und II (Hauptstadt Damaskus). Ab 395 gehörte S. zum Oström. Reich. Nach der Er-

oberung durch die muslim. Araber (634–640) machten die Omaijadenkalifen 661 Damaskus zur Hauptstadt ihres Reiches. Nach ihrem Sturz (750) geriet das Land in Abhängigkeit von Ägypten. 1098–1268 gehörten Teile S. zum Kreuzritter-Ft. Antiochien; 1517 bis 1918 war es Teil des Osman. Reiches. Nach einem von Husain Ibn Ali geführten Aufstand wurde S. am 18. März 1920 zum unabhängigen Kgr. und Faisal I. zum König von Groß-S., das Palästina, Transjordanien und Libanon einschließen sollte, erklärt. Nach dem Einmarsch frz. Truppen und der Abdankung Faisals I. (25. Juni 1920) war S. 1922 bis 1946 frz. Mandatsgebiet und blieb (wechselnd) in mehrere polit.-administrative Untereinheiten aufgeteilt (Libanon, Staat der Nusairier, Staat von Aleppo, Staat von Damaskus, autonome Region der Drusen, Sandschak Alexandrette). Nach der Niederschlagung des Drusenaufstandes 1925/26 wurde Libanon selbständig. Im 2. Weltkrieg besetzten brit. Truppen S.; de Gaulle erklärte S. am 1. Jan. 1944 erneut für unabhängig, doch räumten die brit. und frz. Truppen erst nach wachsenden Unruhen im April 1946 das Land (volle Unabhängigkeit). 1945 wurde S. Mgl. der UN und der Arab. Liga. Unter Staatspräs. S. Al Kuwwatli (* 1891, † 1967) suchte S. den v. a. von der Bath-Partei geforderten staatl. Zusammenschluß mit Ägypten: 1958 wurde die Vereinigte Arab. Republik (VAR) gegründet (Sept. 1961 nach einem Putsch in S. aufgelöst). Nach einem Militärputsch am 8. März 1963 übernahm die Bath-Partei unter H. Al Hafiz die Macht. Sie blieb auch nach dem 3. Israel.-Arab. Krieg 1967, der den Verlust der Golanhöhen brachte, Reg.partei. Ihre 1966 zur Herrschaft gekommene orth.-marxist. Führungsgruppe um Nur Ad Din Al ↑ Atasi wurde im Nov. 1970 durch einen unblutigen Putsch von General H. Asad, Repräsentant des pragmat. Flügels, verdrängt („Korrekturschritt"); seit März 1971 ist Asad Staatspräsident (Dez. 1991 wiedergewählt). Der im April 1971 mit Ägypten und Libyen vereinbarte Zusammenschluß zur „Föderation Arab. Republiken" blieb ohne Wirkung (↑ ägyptische Geschichte). Nach dem 4. Israel.-Arab. Krieg („Oktoberkrieg" 1973) schloß S. 1974 ein Truppenentflechtungsabkommen für die Golanhöhen mit Israel. Die Ablehnung des 2. israel.-ägypt. Sinai-Abkommens (1975) durch S. führte zu einer starken Kontroverse mit Ägypten. Die Unterstützung der Palästinenser und das direkte Eingreifen syr. Streitkräfte im libanes. Bürgerkrieg seit Juni 1976 (zunächst zugunsten, seit 1982 zuungunsten der Christen) stärkte die Stellung S. in der arab. Welt. Der zw. Ägypten und Israel ausgehandelte Friedensvertrag (1979) war der unmittelbare An-

laß für eine Annäherung an Irak, mit dem S. seit 1966 ideologisch (↑ Bath-Partei) verfeindet war. Der irak.-iran. Krieg 1980–88 (1. ↑ Golfkrieg), in dem S. im Ggs. zu den anderen arab. Staaten Iran unterstützte, verschärfte erneut die Spannungen zw. S. und Irak sowie Jordanien, das auf irak. Seite stand. Die Annexion der syr. Golanhöhen durch Israel (Dez. 1981) und die israel. Invasion im Libanon (Juni 1982–Juli 1985) verstärkten die Aktivitäten S. im Libanon und im arab. Lager; die kompromißlose Haltung gegenüber Israel führte aber bald zur polit. Isolation. Mit dem Abkommen von Taif (Okt. 1988) wurde S. offiziell zur Schutzmacht Libanons erklärt; mit einem Freundschaftsvertrag gelang es S. im Mai 1991, den Befriedungsprozeß im Libanon zum Ausbau seines Machtbereiches zu nutzen. Die Annäherung an Ägypten 1990, der Beitritt zur antiirak. Allianz im 2. ↑ Golfkrieg 1991 und die Bereitschaft, das Existenzrecht Israels anzuerkennen und an der im Okt. 1991 eingeleiteten Nahostfriedenskonferenz (Forderung nach Rückgabe der Golanhöhen) teilzunehmen, förderte das Gewicht des sich als Regionalmacht verstehenden S. im Nahen und Mittleren Osten. Innenpolitisch sah sich das Regime verstärkt seit Beginn der 90er Jahre einer radikalen fundamentalist. Opposition gegenüber.

Politisches System: S. ist nach der Verfassung von 1973 eine sozialist. Republik mit präsidialem Reg.system. *Staatsoberhaupt*, Oberbefehlshaber der Streitkräfte und Inhaber der *Exekutive* ist der Staatspräs., der nach Vorschlag der Bath-Partei und Nominierung durch die Volksversammlung vom Volk auf 7 Jahre gewählt wird. Er bestimmt die Richtlinien der Politik, hat Gesetzgebungsinitiative und -veto, ernennt und entläßt seine Stellvertreter und die Reg. mit dem Min.präs. an der Spitze, die reines Vollzugsorgan ist. Die *Legislative* liegt bei der Volksversammlung (250 auf 4 Jahre gewählte Mgl.; Frauenwahlrecht seit 1971). Das Parlament kann gegen das Kabinett bzw. einzelne Min. ein Mißtrauensvotum aussprechen. Einflußreichste der polit. *Parteien* ist die sozialist., arabisch-nationalistisch orientierte syr. ↑ Bath-Partei. Sie dominiert auch die 1972 gegr. Nat. Progressive Front (NPF), die Reg.koalition, zu der außerdem die Kommunist. Partei, die (nasserist.) Arab. Sozialist. Union, die Sozialist. Unionisten und die Arab. Sozialist. Partei gehören. Außerhalb der NPF existieren kleinere polit. Organisationen. Über 160 *Gewerkschaften* sind im Syr. Allg. Gewerkschaftsbund zusammengeschlossen. Hauptquelle des syr. *Rechts* ist die Scharia. Es besteht ein Oberster Verfassungsgerichtshof; dem Obersten Kassationsgerichtshof sind Berufungsgerichte sowie

Gerichte 1. Instanz nachgeordnet. Für die Angehörigen der verschiedenen Religionsgemeinschaften bestehen eigene Personenstandsgerichte.

⊞ *Perthes, V.: Staat u. Gesellschaft in S. Hamb. 1990. – Frank, H.: S. Schauplatz der Gesch. Bln. 1989. – Odenthal, J.: S. Köln ⁵1989.*

Syringomyelie [griech.], auf einer Entwicklungsstörung beruhende Schädigung der zentralen grauen Rückenmarksubstanz und der Hinterhörner mit tumorartigen Gliawucherungen, durch deren Zerfall es zu mehr oder weniger ausgedehnter Höhlenbildung kommt. Erste Symptome treten zw. 20. und 40. Lebensjahr auf. Charakteristisch ist eine sog. dissoziierte Empfindungsstörung, bei der (bei erhaltener Berührungsempfindung) Schmerz- und Temperaturempfindung vermindert oder aufgehoben sind.

Syrinx [griech. „Röhre"] ↑ Panflöte.
◆ für die Vögel (mit Ausnahme der Störche, Strauße und Neuweltgeier) charakterist. Stimmbildungsorgan, das an der Gabelung der Luftröhre in die beiden Hauptbronchien als sog. *unterer Kehlkopf* ausgebildet ist.

Syrisch ↑ Aramäisch.

syrische Kirchen, Gruppe der ↑ Ostkirchen, die dem west- oder ostsyr. Ritus angehören und voneinander unabhängig sind. Ihre Gemeinsamkeit besteht in der liturg. Tradition und Sprache, dem Altsyrischen.

syrische Kunst, im Altertum Teilbereich der altoriental. Kunst im Gebiet etwa von Aleppo bis Palästina. Die früheste kulturell bed. Stadt ist Jericho, mit Befestigungsanlagen vor 7 000 v. Chr.; frühe Porträtplastik (Modellierungen über Schädeln). Seit dem 5. Jt. mesopotam. Kultureinflüsse (Tall Halaf; Ibla (Tall Mardich) und Mari sind bed. Städte des sumerisch-akkad. Kulturbereichs. Die Kunst N-Syriens gehört im 2. und 1. Jt. zur ↑ hethitischen Kunst, im 1. Jt. (10.–7. Jh.) spricht man meist von syro-hethit. Kunst. Die Kunst der Küstenstädte, die neben mesopotam. und churrit. v. a. ägypt. Einflüsse verarbeitet, wird als ↑ phönikische Kunst zusammengefaßt. Im 4. Jh. v. Chr. begann die Einbeziehung Altsyriens in den hellenist. Kulturkreis. Schließlich wird Syrien Teilbereich der frühchristl. Kunst, bed. der frühchristl. Kirchenbau N-Syriens vom 3.–6./7. Jh. Die älteste christl. Kirche befindet sich in Dura-Europos (3. Jh.), den klass. Typ der nordsyr. Basilika mit zwei S-Eingängen vertritt v. a. Markianos Kyris (um 400).

⊞ *Bahnassi, A.: Die Kunst des Alten Syrien. Dt. Übers. Stg. 1987. – Land des Baal: Syrien – Forum der Völker u. Kulturen. Ausstellungskatalog. Hg. v. K. Kohlmeyer u. E. Strommenger. Mainz 1982.*

syrische Literatur ↑ aramäische Literatur.

Syrische Wüste, wüstenhaftes Kalkplateau zw. den kultivierten Geb. des Mittelmeerbereichs im W und dem Euphrat im O, in Syrien, Jordanien und Irak.

Syrjänen ↑ Komi.

Syrlin ['zyrli:n] (Sürlin, Sirlin), Jörg, d. Ä., *Ulm um 1425, †ebd. 1491, dt. Bildschnitzer. – Schuf für das Ulmer Münster 1468 den Dreisitz und 1469–74 das bedeutendste Chorgestühl der dt. Gotik; in den Büsten der heidn. Weisen und Sibyllen, der Propheten, Apostel und Märtyrer zeigten sich die theolog. und humanist. Bildung der Zeit und eine neuartige Erfassung des bürgerl. Menschen. **S.,** Jörg, d. J., *Ulm um 1455, †ebd. nach 1521, dt. Bildschnitzer. – Sohn von Jörg S. d. Ä., dessen Werkstatt er fortführte; schuf zahlr. Chorgestühle (u. a. in der ehem. Benediktinerklosterkirche in Blaubeuren, 1493).

Syse, Jan Peder, *Nøtterøy 25. Nov. 1930, norweg. Politiker (Høyre). – Jurist; seit 1973 Mgl. des Parlaments; 1983–85 Industriemin.; seit 1985 Fraktionsvors. der Høyre, 1988 Parteivors.; 1989/90 Ministerpräsident.

Sysserskit ↑ Iridosmium.

System [zu griech. sýstēma, eigtl. „Zusammenstellung"], allg. usw. Gliederung, Aufbau, Ordnungsprinzip; einheitlich geordnetes Ganzes.
◆ ein auf allg. Grundsätze zurückgeführtes und danach geordnetes Ganzes von Einzelerkenntnissen einer Wiss.; ein Lehrgebäude.
◆ in der *Datenverarbeitung* Anordnung von zueinander gehörenden und zusammenwirkenden Komponenten, Prozessen, Verknüpfungen u. a. zu einer neuen Einheit. Der Ausdruck findet sowohl im Software- als auch im Hardwarebereich Verwendung.
◆ kybernet. S. ↑ Kybernetik.
◆ in der *Philosophie* seit der Antike eine sinnvolle, in sich gegliederte und geordnete Gesamtheit von Anschauungen, Erkenntnissen und Lehren, insbes. die Zusammenfassung von Wissenselementen zu einer einheitl. Weltanschauung. Lange Zeit wurde der Aufbau eines solchen S. als Ziel philosoph. Denkens angesehen. Ein vollendetes S. dieser Art lieferte Hegel.
◆ in der *Physik* werden physikal. S., wie atomare S., Kristalle, Gase oder Planeten-S., im Hinblick auf ihre Wechselwirkung mit der Umwelt als *offene* oder *abgeschlossene* S. bezeichnet, je nachdem, ob das S. mit der Umgebung in Energie- und Materieaustausch steht oder nicht.
◆ techn. S. sind in allg. Zusammenfügungen unterschiedl. Bauelemente, die auf Grund der Eigenschaften ihrer Bestandteile ein bestimmtes Verhalten zeigen und bei Einwirkungen von äußeren Kräften, Zufuhr von Energie, Eingabe von Signalen u. a. mit einer Reaktion gleicher oder ähnl. Art antworten

(z. B. Abgabe von Arbeit, Energie, Signalen). Solche techn. S. sind z. B. alle Apparate, Geräte, Maschinen oder techn. Anlagen und als *elektrotechn. S.* alle elektr. Schaltungen und Netzwerke.

⍐ *Neubauer, H.: Lebensweg – orientierte Planung techn. Systeme. Hdbg. 1989. – Föllinger, O./Franke, D.: Einf. in die Zustandsbeschreibung dynam. Systeme. Mchn. 1982. – Profos, P.: Einf. in die S.dynamik. Stg. 1982.*

♦ in der *zoolog.* und *botan. Systematik* die übersichtl., hierarchisch nach dem Grad der (natürl.) verwandtschaftl. Zusammengehörigkeit geordnete und dementsprechend in verschiedene systemat. Kategorien (↑ Taxonomie) gegliederte Zusammenstellung der verschiedenartigen Tiere bzw. Pflanzen, die deren stammesgeschichtl. Entwicklung widerspiegeln soll. Die systemat. Grundeinheit ist die ↑ Art. In einer *Art* werden diejenigen Organismen zusammengefaßt, die in allen wesentl. Merkmalen übereinstimmen. Die nächsthöhere Einheit ist die *Gattung,* in der mehrere Arten zusammengefaßt werden. Mehrere Gattungen bilden eine *Familie,* mehrere Familien eine *Ordnung,* mehrere Ordnungen eine *Klasse* und mehrere Klassen eine *Abteilung.* Die zoolog. Systematik kennt die Kategorie Abteilung nicht oder verwendet diesen Begriff im Sinne von *Stamm.* Reichen die systemat. Kategorien *(Taxa)* nicht aus, werden Zwischenkategorien (z. B. Unterfamilie, Unterart) eingeschoben. Innerhalb einer Art können geograph. Unterarten unterschieden werden.

Nach dem verwendeten Ordnungsprinzip unterscheidet man *künstliche Systeme* mit der Anordnung nach Ähnlichkeit und *natürliche Systeme* mit der Anordnung nach Verwandtschaft. – ↑ Systematik. – Übersicht S. 272–274.

♦ (soziales *S.)* ein Grundbegriff der *Soziologie,* der das zwischenmenschl. Handeln innerhalb eines bestimmten Rahmens sozialer Verhaltens- und Orientierungsmuster analytisch erfaßt. Konstitutive Wesensmerkmale eines sozialen S. sind die wechselseitige Abhängigkeit (Interdependenz) aller seiner Elemente (z. B. Personen, Institutionen), die Ordnung, Geschlossenheit, Regelmäßigkeit in den Beziehungen der Teile untereinander (Struktur, Integration, Kontinuität) sowie eine deutl. Abgrenzung von der Umwelt, woraus sich geregelte Umweltbeziehungen und die Identität des S. ergeben. Das umfassendste soziale S. ist die Gesellschaft.

♦ Gesellschaftssystem (↑ Gesellschaft).

Systemanalyse, die Untersuchung der Funktion, Struktur, des zeitl. Verhaltens und der Beeinflussung kybernet. (insbes. techn. oder ökonom.) Systeme unter Zuhilfenahme von Modellsystemen und -methoden. Die S. ermöglicht es, die Wechselbeziehungen der betrachteten Systeme sowie die dadurch bewirkten [Entwicklungs]prozesse quantitativ zu erfassen und einer mathemat. Beschreibung zugänglich zu machen.

♦ in der *Datenverarbeitung* die vor der Programmierung vorzunehmende Analyse eines vorgelegten Problems und die Entwicklung einer Konzeption für einen datenverarbeitungsgerechten Informationsfluß.

Systematik [griech.], allg. svw. planmäßige Darstellung, Gestaltung.

♦ in der *Zoologie (Tier-S., systemat. Zoologie;* als Teilgebiet der speziellen Zoologie) und *Botanik (Pflanzen-S., systemat. Botanik;* als Teilgebiet der speziellen Botanik) umfassender Begriff für die Wiss. und Lehre von der Vielfalt der Organismen mit der übersichtl. Erfassung dieser Vielfalt in einem hierarch., der Abstammungslehre gerecht werdenden Ordnungsgefüge (↑ System). Ausgehend von der ↑ Taxonomie wird auf Grund abgestufter Ähnlichkeiten in den Merkmalen bzw. einer abgestuften stammesgeschichtl. Verwandtschaft eine wiss. begründete Hierarchie von Taxa ermittelt, die als (systemat.) Kategorien in das Ordnungsschema der Klassifikation umgesetzt werden. Zur Benennung der Tiere und Pflanzen bedient sich der S. der ↑ Nomenklatur.

systematisch, planmäßig, folgerichtig, in ein System gebracht.

systematische Kategorie (systemat. Einheit, Taxon [Mrz. Taxa]), Ordnungseinheit (z. B. Art, Gatt., Fam., Ordnung usw.) der botan. bzw. zoolog. ↑ Taxonomie, die einen bestimmten Verwandtschaftsgrad innerhalb einer Gruppe von Organismen angibt.

systematischer Fehler ↑ Fehlerrechnung.

systematische Theologie, in der Begriffsgeschichte v. a. der prot. Theologie Bez. für die theolog. Kerndisziplinen (Dogmatik, Apologetik, theolog. Ethik); ihre Quellen sind die histor. Fächer, ihr Ziel ist die systemat. Aufbereitung theolog. Erkenntnisse für die prakt. Theologie.

Systemerkrankung, Krankheit eines gesamten Organsystems, z. B. des Skelettsystems.

Systeme vorbestimmter Zeiten, Abk. SvZ, auf Bewegungen bei der Arbeit basierende und diesen zugeordnete Verfahren zur Rationalisierung von Arbeitsmethoden und zur Ermittlung von Vorgabezeiten. Sie sind auf Zeitwerten aufgebaut, die Einflußfaktoren des Bewegungsablaufs, wie z. B. Bewegungslänge, Genauigkeitsanforderungen, Kraftaufwand, berücksichtigen.

systemische Mittel (innertherapeutische Mittel), Pflanzenschutzmittel, die über Blätter und Stengel oder über die Wurzel aufgenommen und mit dem Saftstrom im Gefäß-

System der Pflanzen und Tiere

Die systematischen Kategorien

Reich *(Regnum)*
Unterreich *(Subregnum)*
  Stamm/Abteilung *(Phylum/Divisio)*
    Unterstamm/Unterabteilung
    (Subphylum/Subdivisio)
      Überklasse *(Superclassis)*
        Klasse *(Classis)*
          Unterklasse *(Subclassis)*
            Überordnung *(Superordo)*
              Ordnung *(Ordo)*
                Unterordnung *(Subordo)*
                  Überfamilie *(Superfamilia)*
                    Familie *(Familia)*
                      Unterfamilie *(Subfamilia)*
                        Gattung *(Genus)*
                          Art *(Species)*
                            Unterart (Rasse) *(Subspecies)*

System, Pflanzenreich
(nach Lehrbuch der Botanik, 33. Aufl., 1991)

	Prokaryonten
Organisationstyp	*Bakterien*
1. Abteilung	Archebakteria (80*)
2. Abteilung	Eubacteria (1600)

Organisationstyp	*Prokaryontische Algen*
1. Abteilung	Cyanophyta (Blaualgen, 2000)
2. Abteilung	Prochlorophyta

	Eukaryonten
Organisationstyp	*Schleimpilze* (600)
1. Abteilung	Acrasiomycota
2. Abteilung	Myxomycota (500)
3. Abteilung	Plasmodiophoromycota

Organisationstyp	*Pilze*
1. Abteilung	Oomycota (500)
2. Abteilung	Eumycota
1. Klasse	Chytridiomycetes (500)
2. Klasse	Zygomycetes (500)
3. Klasse	Ascomycetes (Schlauchpilze, 30 000)
4. Klasse	Basidiomycetes (Ständerpilze, 30 000)

Organisationstyp	*Flechten* (20 000)
Organisationstyp	*Eukaryontische Algen*
1. Abteilung	Euglenophyta (800)
2. Abteilung	Cryptophyta (120)
3. Abteilung	Dinophyta (1 000)
4. Abteilung	Haptophyta (250)
5. Abteilung	Heterokontophyta (Chrysophyta, 9 500)
6. Abteilung	Rhodophyta (Rotalgen, 4 000)
7. Abteilung	Chlorophyta (Grünalgen, 7 000)

System der Pflanzen und Tiere
(Fortsetzung)

Organisationstyp	*Moose und Gefäßpflanzen*
1. Abteilung	Bryophyta (Moose, 24 000)
2. Abteilung	Pteridophyta (Farnpflanzen)
1. Klasse	Psilophytopsida (Urfarne †)
2. Klasse	Psilotopsida (Gabelblattgewächse, 4)
3. Klasse	Lycopodiopsida (Bärlappgewächse, 1200)
4. Klasse	Equisetopsida (Schachtelhalmgewächse, 32)
5. Klasse	Filicopsida, Pteridopsida (Farne, 10 000)
3. Abteilung	Spermatophyta (Samenpflanzen, 240 000)
Entwicklungsstufe	Gymnospermae (Nacktsamer, 800)
1. Unterabteilung	Coniferophytina (gabel- und nadelblättrige Nacktsamer, 600)
1. Klasse	Ginkgoopsida (1)
2. Klasse	Pinopsida (Nadelhölzer)
2. Unterabteilung	Cycadophytina (fiederblättrige Nacktsamer, 200)
1. Klasse	Lyginopteridopsida (Samenfarne †)
2. Klasse	Cycadopsida
3. Klasse	Bennettitopsida (†)
4. Klasse	Gnetopsida (†)
Entwicklungsstufe u.	Angiospermae (Bedecktsamer)
3. Unterabteilung	
1. Klasse	Dictyledonae (Zweikeimblättrige, 174 000)
2. Klasse	Monocotyledonae (Einkeimblättrige, 66 000)

System, Tierreich
(nach A. Remane, V. Storch und U. Welsch, 1989)

1. Unterreich	PROTOZOA (EINZELLER, 27 100*)
1. Klasse	Flagellata (Geißeltierchen, 5 890)
2. Klasse	Rhizopoda (Wurzelfüßer, 11 100)
3. Klasse	Sporozoa (Sporentierchen)
4. Klasse	Cnidosporidia
5. Klasse	Ciliata (Wimpertierchen, 5 500)
2. Unterreich	METAZOA (VIELZELLER)
Stamm	Porifera (Schwämme, 5 000)
Stamm	Cnidaria (Nesseltiere, 8 900)
1. Klasse	Hydrozoa (2 700)
2. Klasse	Cubozoa
3. Klasse	Scyphozoa (200)
4. Klasse	Anthozoa (Blumentiere, 6 000)
Stamm	Ctenophora (Rippenquallen, 100)
	COELOMATA (BILATERIA)
	Reihe: Protostomia
Stamm	Tentaculata (Tentakelträger, 4 300)
Stamm	Sipunculida
Stamm	Plathelminthes (Plattwürmer, 15 600)
1. Klasse	Turbellaria (Strudelwürmer, 3 300)
2. Klasse	Trematoda (Saugwürmer, 6 250)
3. Klasse	Cestoda (Bandwürmer, 3 500)
Stamm	Mesozoa (50)
Stamm	Gnathostomulida (100)
Stamm	Nemertini (Schnurwürmer, 900)
Stamm	Aschelminthes (Schlauchwürmer, 18 000)
Stamm	Kamptozoa (Kelchtiere, 150)

	System der Pflanzen und Tiere (Fortsetzung)
Stamm	Mollusca (Weichtiere, 130 000)
1. Klasse	Aplacophora (Wurmmollusken, 240)
2. Klasse	Polyplacophora (Käferschnecken, 1 000)
3. Klasse	Monoplacophora (Napfschaler, 15)
4. Klasse	Gastropoda (Schnecken, 105 000)
5. Klasse	Scaphopoda (Kahnfüßer, 350)
6. Klasse	Lamellibranchiata (Muscheln, 20 000)
7. Klasse	Cephalopoda (Kopffüßer, 600)
Stamm	Articulata (Gliedertiere)
1. Unterstamm	Annelida (Ringelwürmer, 17 000)
1. Klasse	Polychaeta (Vielborster, 10 000)
2. Klasse	Clitellata (Gürtelwürmer, 6 500)
3. Klasse	Echiurida (Igelwürmer, 140)
2. Unterstamm	Pentastomida (Zungenwürmer, 100)
3. Unterstamm	Tardigrada (Bärtierchen, 500)
4. Unterstamm	Arthropoda (Gliederfüßer, 1 000 000)
1. Überklasse	Trilobitomorpha (†)
2. Überklasse	Chelicerata (Fühlerlose, 70 000)
1. Klasse	Merostomata (5)
2. Klasse	Arachnida (Spinnentiere, 66 200)
3. Klasse	Pantopoda (Asselspinnen, 1000)
5. Unterstamm	Mandibulata
1. Überklasse	Crustacea (Krebstiere, 50 000)
2. Überklasse	Antennata (Tracheentiere)
1. Klasse	Chilopoda (Hundertfüßer, 2 500)
2. Klasse	Progoneata (Tausendfüßer, 10 660)
3. Klasse	Insecta (Insekten, 1 000 000)

Reihe: Deuterostomia

Stamm	Chaetognatha (Pfeilwürmer, 80)
Stamm	Pogonophora (Bartwürmer, 115)
Stamm	Hemichordata (Kragentiere, 110)
Stamm	Echinodermata (Stachelhäuter, 6 000)
Stamm	Chordata (Chordatiere, 70 000)
1. Unterstamm	Tunicata (Manteltiere, 1 200)
2. Unterstamm	Copelata (60)
3. Unterstamm	Acrania (Schädellose, 20)
4. Unterstamm	Vertebrata (Wirbeltiere, 46 500)
1. Überklasse	Agnatha (Kieferlose, 75)
2. Überklasse	Gnathostomata (Kiefermäuler)
1. Klasse	Placodermi (†)
2. Klasse	Acanthodii (†)
3. Klasse	Chondrichthyes (Knorpelfische, 800)
4. Klasse	Osteichthyes (Knochenfische, 20 000)
5. Klasse	Amphibia (Lurche, 3 000)
6. Klasse	Reptilia (Kriechtiere, 6 000)
7. Klasse	Aves (Vögel, 8 800)
8. Klasse	Mammalia (Säugetiere, 5 000)

* alle Zahlen geben nur die ungefähre Anzahl der rezenten Arten an.
† ausgestorben.

system und durch Diffusion von Zelle zu Zelle transportiert werden; vernichten saugende oder fressende Schädlinge, Pilze und Bakterien, ohne die Pflanze zu schädigen.

Systemtheorie, als Teilgebiet der theoret. Kybernetik die formale Theorie der Beziehungen zw. gekoppelten Systemen (bzw. zw. ihnen und ihrer Umgebung) sowie des Zusammenhanges zw. Struktur und Verhalten von Systemen; i. e. S. eine Theorie über die Beeinflußbarkeit der Ausgangsgrößen bestimmter [kybernet.] Systeme bei gegebenen Eingangsgrößen durch Veränderung von Systemeigenschaften.

Systole ['zʏstole, zʏs'to:lə; griech.], in der *Physiologie* die mit der ↑ Diastole (als Ruhephase) rhythmisch wechselnde Kontraktionsphase des Herzmuskels (i. e. S. die der Herzkammer) vom Beginn der Anspannungszeit bis zum Ende der Austreibungszeit. Die Dauer der S. beträgt beim Menschen je nach Herzfrequenz zw. 0,25 und 0,45 Sekunden.

systolischer Blutdruck ↑ Blutdruck.

Syzygium [griech.], Gatt. der Myrtengewächse mit rd. 100 Arten im trop. Afrika, Asien, in Australien und auf Hawaii; immergrüne Bäume oder Sträucher mit längl.-eiförmigen Blättern und weißen oder roten, in Trugdolden stehenden Blüten. Die wichtigste Art ist der ↑ Gewürznelkenbaum. Einige andere Arten liefern Obst (↑ Jambuse).

Szabó [ungar. 'sobo:], István, * Budapest 18. Febr. 1938, ungar. Filmregisseur. – Protagonist des neueren ungar. Films; internat. bekannt wurden „Mephisto" (1980), „Oberst Redl" (1984) und „Hanussen" (1988) mit K. M. Brandauer in der Titelrolle. – *Weitere Filme:* Zeit der Träumereien (1964), Budapester Legende (1977), Der grüne Vogel (1979), Zauber der Venus (1991).

S., László, * Debrecen 8. Sept. 1917, frz. Bildhauer ungar. Herkunft. – Begann mit Tierreliefs, später wurde sein an Naturformen orientierter Stil abstrakter; von H. Moore beeinflußte Skulpturen („Fliegende Fische" im Münchner Olympiastadion).

S., Magda, * Debrecen 5. Okt. 1917, ungar. Schriftstellerin. – Von ihren zahlr. Romanen über den ungar. Mittelstand fanden v. a. „Das Fresko" (1958), „Die andere Esther" (1959), „1. Moses 22" (1967), „Katharinenstraße" (1969) und „Das Schlachtfest" (1960) starke Resonanz.

Szakasits, Árpád [ungar. 'sokoʃitʃ], * Budapest 6. Dez. 1888, † ebd. 3. Mai 1965, ungar. Politiker. – Ab 1938 Generalsekretär der Sozialdemokrat. Partei; vollzog 1948 die Verschmelzung mit der KP zur Vereinigten Ungar. Arbeiterpartei, deren Vorsitz er übernahm; 1945–48 stellv. Min.präs., 1948 Staatspräs., 1950 abgesetzt und inhaftiert, 1956 rehabilitiert.

Szálasi, Ferenc [ungar. 'sa:loʃi], * Košice 6. Jan. 1897, † Budapest 12. März 1946 (hingerichtet), ungar. Politiker. – Gründete 1935 die rechtsextreme Hungaristenbewegung (später Pfeilkreuzler); Okt. 1944–April 1945 Staatschef; setzte die Kriegführung an dt. Seite fort; nach Kriegsende von den USA an Ungarn ausgeliefert und zum Tode verurteilt.

Szamos [ungar. 'somoʃ] (rumän. Someş, dt. Samosch), linker Nebenfluß der Theiß, entsteht in Siebenbürgen (2 Quellflüsse), mündet nahe Vásárosnamény, etwa 410 km lang (in Rumänien 360, in Ungarn 50 km).

Szaniawski, Jerzy [poln. ʃa'njafski], * Zegrzynek bei Warschau 10. Febr. 1886, † Warschau 16. März 1970, poln. Schriftsteller. – Vielgespielter Theaterautor, u. a. „Der Vogel" (1923), und Verf. von Erzählungen („Prof. Tutkas Geschichten", 1954).

Szczecin [poln. 'ʃtʃetɕin] ↑ Stettin.

Szczesny, Gerhard ['tʃɛsni], * Sallewen bei Osterode i. Ostpr. 31. Juli 1918, dt. Verleger und Schriftsteller. – Gründete 1963 den bis 1969 bestehenden S.-Verlag in München; 1969–74 Hg. im Rowohlt Taschenbuch Verlag. 1961 begründete S. die ↑ Humanistische Union e. V. (bis 1969 deren Vorsitzender).

Szczypiorski, Andrzej [poln. ʃtʃi'pjorski], * Warschau 3. Febr. 1924, poln. Schriftsteller. War nach Teilnahme am ↑ Warschauer Aufstand bis April 1945 im KZ Sachsenhausen. Ab 1968 Kritiker des poln. Regimes, Dez. 1981–Mai 1982 interniert; 1971–88 erschienen seine Publikationen in Untergrund- und Auslandsverlagen; 1989 bis 1991 Mgl. des poln. Senats. – *Werke:* Eine Messe für die Stadt Arras (R., 1971), Und sie gingen an Emmaus vorbei (En., 1984), Die schöne Frau Seidenmann (R., Paris 1986), Amerikanischer Whiskey (En., 1989), Nacht, Tag und Nacht (R., 1991), Selbstporträt mit Frau (R., 1994).

Széchenyi, István (Stephan) Graf [ungar. 'se:tʃenji], * Wien 21. Sept. 1791, † Döbling (= Wien) 8. April 1860, ungar. Politiker. – Gemäßigt liberal, 1827–34 Führer der konservativen Opposition, setzte sich für Reformen ein (u. a. Beseitigung der Steuerprivilegien des Adels, der Hörigkeit und des Zunftzwangs), förderte die nat. Kultur durch seine Mitwirkung bei der Errichtung der Akad. der Wissenschaften (1825).

Szeged [ungar. 'sɛgɛd] (dt. Szegedin), ungar. Stadt mit Bez.recht an der Mündung der Maros in die Theiß, 189 000 E. Verwaltungssitz eines Bez.; kath. Bischofssitz; Univ. (Neugründung 1921), medizin. Univ. (seit 1951 selbständig), Fachhochschulen; Getreideforschungsinst., Konservatorium, Museum, Theater, Oper; Sommerfestspiele (auf dem Domplatz). Herstellung von Gewürzpaprika, Salamifabriken, Textil-, Bekleidungs-,

Holz-, Gummiind. sowie Maschinenbau; im Ortsteil *Algyő* Erdgasverarbeitung. - Entstand bei einem schon seit der Antike benutzten Übergang über die Theiß; wurde 1498 königl.-ungar. Freistadt; fiel 1542 an die Osmanen; kam 1686 zum habsburg. Teil Ungarns; 1879 durch Hochwasser größtenteils zerstört, danach planmäßig wiederaufgebaut. - Roman. Demetriusturm (12./13. Jh.); spätgot. Marienkirche (15. Jh.) mit barocker Einrichtung, neuroman. Dom (20. Jh.).

Szegedin ['sɛgɛdi:n], dt. Name für ↑ Szeged.

Székesfehérvár [ungar. 'se:kɛʃfɛhe:rva:r] (dt. Stuhlweißenburg), ungar. Stadt zw. Platten- und Velencer See, 114 000 E. Verwaltungssitz eines Bez., kath. Bischofssitz; Technikum für Vermessungskunde; Museum; Aluminiumwalzwerk, Omnibuswerk, Maschinen-, Fernseh- und Rundfunkgerätebau; Eisenbahnknotenpunkt. - Erhielt unter König Stephan I., dem Heiligen, Stadtrecht **(Alba regia)**; seit dieser Zeit eine der Residenzen, bis 1526 Krönungsstadt, bis 1540 Begräbnisstätte der ungar. Könige; 1543-1688 osmanisch besetzt und stark zerstört. 1777 wurde das Bistum S. errichtet. - Im Ruinengarten u. a. Reste des roman. Basilika und des Mausoleums Stephans I. (beide 11. Jh.); spätgot. Annakapelle (um 1470). Zahlr. Barockbauten, u. a. Dom, Franziskanerkirche mit ehem. Ordenshaus, Seminarkirche, Rathaus und Bischofspalast.

Szekler ['se:...] (Sekler), ungarisch sprechende ethn. Minderheit in SO-Siebenbürgen, im sog. S.gebiet, etwa 500 000 (Zahlenangaben schwanken), eigenständige Volkskultur. - Die S., vermutlich türk. Herkunft (im 10.-13. Jh. als „Grenzschutz" an den Westhängen der Karpaten angesiedelt), gehörten 1437-1874 zu den 3 regierenden Bev.gruppen Siebenbürgens.

Szekszárd [ungar. 'sɛksa:rd], ungar. Stadt am W-Rand der Donauniederung, 39 000 E. Verwaltungssitz eines Bez.; Museum; Zentrum eines Weinbaugebiets (Rotweine, Szekszárdi Kadarka).

Szell, George (György) [engl. sɛl], * Budapest 7. Juni 1897, † Cleveland (Ohio) 30. Juli 1970, amerikan. Dirigent tschech.-ungar. Herkunft. - War Dirigent u. a. in Berlin und Prag, emigrierte 1939 in die USA und leitete 1946-70 das ↑ Cleveland Orchestra.

Szenarium [griech.-lat.] (Szenar, Szenario), Szenenfolge eines Dramas; n. im Stegreifspiel Skizzierung des Handlungsablaufs. Seit dem 18. Jh. im Theater der Übersichtsplan über die Szenenfolge, auftretende Personen, Requisiten, techn. Vorgänge, Verwandlungen des Bühnenbildes usw. - Auch Rohentwurf eines Dramas; beim Film Entwicklungsstufe zw. Exposé und Drehbuch.

Szenczi Molnár, Albert [ungar. 'sɛntsi 'molna:r], * Szenc (= Senec, Westslowak. Bez.) 30. Aug. 1574, † Klausenburg 17. (?) Jan. 1639 (?), ungar. Schriftsteller. - Geistiger Führer des ungar. Protestantismus; bearbeitete die ungar. Bibel; verfaßte ein lat.-ungar. und ein ungar.-lat. Wörterbuch (1604); bed. seine Übersetzung der „Genfer Psalmen" von C. Marot und T. Beza (1607).

Szene [griech.], im Theaterwesen svw. Bühne als Schauplatz einer Handlung. Im altgriech. Theater svw. ↑ Skene.
◆ 1. Gliederungseinheit des Dramas, Films, Hörspiels, die durch das Auf- bzw. Abtreten einer oder mehrerer Personen begrenzt ist *(Auftritt);* 2. ep. Kompositionselement; konzentrierte, meist eine „dramat." Krise, Wendung oder Entscheidung des Geschehens wiedergebende Erzähleinheit.
◆ charakterist. Milieu, z. B. Drogenszene.

Szenerie [griech.], Landschaftsbild, Schauplatz; Bühnenbild.

Szenessy, Mario [ungar. 'sɛnɛʃi], * Zrenjanin 14. Sept. 1930, † Pinneberg 11. Okt. 1976, ungar. Schriftsteller dt. Sprache. - 1942 Übersiedlung nach Ungarn, 1963 in die BR Deutschland. Eigene Erfahrung verarbeitender Autor, dessen Prosa sich zw. genauem Beschreiben und iron., oft parodierendem Sprachspiel bewegt, u. a. „Verwandlungskünste" (R., 1967), „In Paris mit Jim" (En., hg. 1977).

Szentendre [ungar. 'sɛntɛndrɛ], ungar. Stadt 20 km nördl. von Budapest, 19 600 E. Serb.-orth. Bischofssitz; Museen (u. a. Freilichtmuseum); Baustoff- und Nahrungsmittelind.; Künstlerkolonie, Sommerfestspiele. - Von serb. Flüchtlingen geprägt, die im Laufe der Türkenkriege in mehreren Wellen (1389, 1448, 1690) die Stadt besiedelten, kultureller Mittelpunkt der im nördl. Ungarn lebenden Serben. - Barock- und Rokokohäuser; orth. Kathedrale (18. Jh.).

Szentgotthárd [ungar. 'sɛntgotha:rd], ungar. Ort im Kleinen Ungar. Tiefland, 8 200 E. Seidenweberei. - Schauplatz (1664) eines habsburg. Sieges über die Osmanen. - Zisterzienserabtei (gegr. 1183) mit Kirche von 1748/49 (darin Fresko der Schlacht von S.).

Szent-Györgyi von Nagyrapolt, Albert [ungar. 'sɛndjørdji; engl. sɛnt'dʒɔ:dʒɪ], * Budapest 16. Sept. 1893, † Woods Hole (Mass.) 22. Okt. 1986, amerikan. Biochemiker ungar. Herkunft. - Prof. u. a. in Budapest und Waltham (Mass.); Arbeiten über den Mechanismus der biolog. Oxidation, über Zellatmung, zur Muskelforschung und zur Erforschung der Vitamine P und C (letzteres wurde von ihm erstmals in kristallisierter Form isoliert); erhielt 1937 den Nobelpreis für Physiologie oder Medizin.

Szepter ↑ Zepter.

Szeryng, Henryk [poln. 'ʃɛrɪŋk], * Zelazowa-Wola bei Warschau 22. Sept. 1918, † Kassel 3. März 1988, mex. Violinist poln. Herkunft. – Schüler u. a. von C. Flesch, J. Thibaud und N. Boulanger; lehrte seit 1948 an der Univ. von Mexiko.

Szetschuan ['zɛtʃuan] † Sichuan.

Szientismus (Scientismus) [lat.], Bez. für ein wissenschaftstheoret. Programm, nach dem die Ideale und Methoden der sog. exakten Wiss., speziell der empir. Naturwiss., auf die Theoriebildung in den Geistes- und Sozialwiss. übertragen werden sollen.

Szilard, Leo [engl. sɪ'lɑːd], * Budapest 11. Febr. 1898, † San Diego 30. Mai 1964, amerikan. Physiker ungar. Herkunft. – Emigrierte 1933 nach Großbritannien, 1938 in die USA. S. arbeitete v. a. auf dem Gebiet der Kernphysik; ab 1939 war er maßgeblich am Anlaufen des amerikan. Atombombenprojekts, später auch an der Reaktorentwicklung beteiligt (gehörte der Arbeitsgruppe E. Fermis an, die 1942 die erste Kernenergieanlage der Welt in Betrieb setzte).

Szilla [griech.] (Blaustern, Scilla), Gatt. der Liliengewächse mit rd. 100 Arten in Europa, im gemäßigten Asien und in den trop. Gebirgen Asiens und Afrikas; bis 30 cm hohe Stauden mit grundständigen, lineal- oder längl.-eiförmigen Blättern und stern- oder glockenförmigen, blauen, rosa- oder purpurfarbenen, in Trauben stehenden Blüten. Bekannt ist der **Sibirische Blaustern** (Szilla sibirica) mit blauen Blüten in Wäldern und Gebüschen; häufige Gartenzierpflanze.

Szintigraphie [lat./griech.], nuklearmedizin. Verfahren zur bildmäßigen Aufzeichnung der Verteilung gammastrahlender Radionuklide im Körper. Nach oraler oder parenteraler Applikation werden radioaktive Stoffe innerhalb des zu untersuchenden Organs oder Gewebes selektiv angereichert. Die abgegebene radioaktive Strahlung wird mit Hilfe eines sich zeilenförmig über das zu untersuchende Organ bewegenden Scanners zweidimensional erfaßt und proportional zur Strahlungsintensität graphisch dargestellt oder mit einer † Szintillationskamera aufgenommen. Das resultierende Aktivitätsverteilungsbild heißt **Szintigramm.** Die S. eignet sich zur Lokalisationsdiagnostik (v. a. bösartiger Tumoren) und Funktionsdiagnostik (z. B. der Schilddrüse).

Szintillation [lat.], durch die Luftunruhe hervorgerufenes Flimmern der Sterne infolge der mit den Luftturbulenzen verbundenen unterschiedl. Brechzahlen.

♦ das lokalisierte Aufblitzen eines † Szintillators an der Stelle, an der ein energiereiches Teilchen oder Gammaquant in ihn eindringt.

Szintillationskamera (Gammakamera, Anger-Kamera), bildgebendes Gerät für die nuklearmedizin. Diagnostik. Im Ggs. zur Scanneraufzeichnung wird das Untersuchungsobjekt (z. B. Gehirn) durch die S. nicht zeilenweise abgetastet, sondern mittels einer Vielzahl feststehender Detektoren (Szintillationskristalle) des Kamerakopfes im Überblick erfaßt. Die vom untersuchten Organ auf Grund der eingespritzten Radionuklide ausgesandten Gammastrahlen erzeugen in den Kristallen Szintillationen, die mittels Photomultiplier in Stromstöße umgesetzt und auf einem Oszillographen abgebildet werden. Die S. liefert Aufzeichnungen in rascher Bildfolge und eignet sich deshalb zur Darstellung von Funktionsabläufen.

Szintillationszähler (Leuchtstoffzähler), Gerät zum Nachweis oder zur Bestimmung der Energie schneller Elementarteilchen und Gammaquanten. Die in einem Szintillator durch Teilchen oder Quanten ausgelösten Lichtblitze werden mit einer Photozelle bzw. einem Photomultiplier elektrisch registriert und elektronisch weiterverarbeitet.

Szintillator [lat.], in Szintillationszählern verwendeter durchsichtiger fluoreszierender Leuchtstoff (z. B. mit Thallium aktivierter Natrium- oder Caesiumjodidkristall), in dem energiereiche geladene Teilchen (Alpha-, Betateilchen, Protonen, Mesonen) oder Gammaquanten Szintillationen hervorrufen.

Szinyei Merse, Pál [ungar. 'sinjɛɪ mɛrʃɛ], * Szinye-Újfalu (= Chminianska Nová Ves [Ostslowakei]) 4. Juli 1845, † Jernye (= Jarovnice [Ostslowakei]) 2. Febr. 1920, ungar. Maler. – Wandte sich nach dem Studium an der Münchner Akad., angeregt von W. Leibl, dem Realismus und unter dem Eindruck des frühen frz. Impressionismus der Freilichtmalerei zu („Frühstück im Freien", 1872/73; Budapest, Nat.galerie).

Szirrhus [griech.], svw. † Faserkrebs.

Szokolay, Sándor [ungar. 'sokolɔj], * Kunágota 30. März 1931, ungar. Komponist. – Seit 1966 Prof. an der Budapester Musikakad.; trat v. a. mit Opern („Die Bluthochzeit", 1964; „Hamlet", 1968; „Samson", 1973; „Ecce homo", 1987) hervor; schrieb ferner Instrumental- und vokalsinfon. Werke (u. a. „Ungar. Chorsinfonie", 1970; „Hommage à Kodály", 1974).

Szolnok [ungar. 'solnok], ungar. Stadt an der Theiß, 88 000 E. Verwaltungssitz eines Bez.; Museum, Theater; Künstlerkolonie. Metall-, Papier-, Zellstoff- u. a. Ind.; Thermalquelle. – Funde aus Neolithikum und Bronzezeit; vom MA bis ins 19. Jh. wichtiger Salzumschlagplatz. – Barocke Franziskanerkirche (1724–57); klassizist. Rathaus.

Szombathely [ungar. 'somboθɛj] (dt. Steinamanger), ungar. Stadt am W-Rand des Kleinen Ungar. Tieflands, 88 000 E. Verwaltungssitz eines Bez., kath. Bischofssitz; Museen. Metallverarbeitende, Leichtind. – Entstand im MA an der Stelle des röm. Verwaltungszentrums **Savaria** (Colonia unter Claudius); 445 von den Hunnen zerstört; seit dem 11.Jh. zu Ungarn. – Röm. Isistempel; Ruine einer frühchristl. Basilika (4.Jh.). Dom und Bischofspalast (beide 18.Jh.).

Szondi, Peter [ungar. 'sondi], * Budapest 27. Mai 1929, † Berlin 18. (?) Okt. 1971 (Selbstmord), dt. Literarhistoriker ungar. Herkunft. – Widmete sich v. a. der dt. Literatur des 20.Jh. und Gattungsproblemen.

Szymanowski, Karol [poln. ʃima-'nofski], * Timoschewka (Ukraine) 6. Okt. 1882, † Lausanne 29. März 1937, poln. Komponist. – Nahm Anregungen des frz. Impressionismus bis hin zur Atonalität auf; u.a. Opern („Hagith", 1922; „König Roger", 1926), Ballette („Harnasie", 1935), 4 Sinfonien, Konzerte, Kammer- und Klaviermusik, Chorwerke und Lieder.

Szymborska, Wisława [poln. ʃim-'borska], * Bnin bei Posen 2. Juli 1923, poln. Lyrikerin. – Alltägl. Begebenheiten, die unpathetisch die histor. Dimension erfassen, geben Anlaß zu Betrachtungen über existentielle Fragen des Menschen; ihre in klassisch einfacher Sprache geschriebene Lyrik hat in Polen große Resonanz gefunden. – Frankfurter Goethe-Preis 1991. – *Werke:* Deshalb leben wir (1953), Salz (dt. 1973), Vokabeln (dt. Auswahl 1979), Hundert Freuden (dt., 1986).

T

T, 20. Buchstabe des dt. Alphabets (im lat. der 19.), im griech. τ (Tau; T, Υ, Τ), im Nordwestsemitischen ×, + (Tāw); diese Bez. ist jedoch erst aus dem Hebräischen überliefert; Zahlwert im Semitischen 400, im Griechischen 300. Bezeichnet im Semitischen, Griechischen, Lateinischen usw. den stimmlosen dentalen Verschlußlaut [t]. – In der für das Isländische gebräuchl. Form der Lateinschrift dient das aus dem Runenalphabet entnommene Zeichen Þ, þ („Þorn") zur Wiedergabe des stimmlosen dentalen Reibelauts [θ].
◆ (Münzbuchstabe) ↑ Münzstätten.
T, Abk.
◆ für: Taxkurs.
◆ für: ↑ Tiefdruckgebiet (in Wetterkarten).
T, Kurzzeichen:
◆ für die Schwingungsdauer einer ↑ Schwingung.
◆ (chem. Symbol) für ↑ Tritium.
◆ (Einheitenzeichen) für ↑ Tesla.
◆ (Formelzeichen) für die ↑ absolute Temperatur [in K].
◆ (Vorsatzzeichen) für ↑ Tera.
t, Kurzzeichen:
◆ für die ↑ Zeit.
◆ (Einheitenzeichen) für die Masseeinheit ↑ Tonne.
◆ (physikal. Symbol) für das ↑ Triton.
◆ (*t*) (physikal. Zeichen) für die ↑ Temperatur [in °C].
Ta, chem. Symbol für ↑ Tantal.
Taaffe, Eduard Graf, * Wien 24. Febr. 1833, † Schloß Ellischau (= Nalžovské Hory, Westböhm. Bez.) 29. Nov. 1895, östr. Politiker. – Jugendgefährte Kaiser Franz Josephs I.; ab 1867 mehrfach Min. (Inneres und Landesverteidigung) und Min.präs. (1868 bis 1870, 1879–93).

Tabak [zu indian. tobako (span. tabaco) „Rauchrohr"] (Nicotiana), Gatt. der Nachtschattengewächse mit etwa 100 Arten, v. a. im trop. und subtrop. Amerika; meist Kräuter mit großen, einfachen, oft drüsig behaarten Blättern und endständigen Trauben oder Rispen stehenden, weißen, gelben, roten oder rosafarbenen Blüten mit langröhriger oder glockiger Krone. Die beiden wirtsch. bedeutendsten Arten sind der *Virgin. T.* (Nicotiana tabacum), ein bis 3 m hohes Kraut mit lanzettförmigen, zugespitzten Blättern und rosafarbenen Blüten, und der bis 1,2 m hohe *Bauern-T.* (Machorka, Nicotiana rustica) mit rundl.-eiförmigen Blättern und grünlichgelben Blüten. Einige Arten werden als Zierpflanzen kultiviert. Alle T.arten enthalten das Alkaloid ↑ Nikotin. Zur T.gewinnung (für Rauch-T., ↑ Schnupftabak, ↑ Kautabak) wird der Virgin. T. heute in zahlr., nach Klima- und Bodenansprüchen sehr unterschiedl. Sorten (z. B. Virginia-, Orient-, Burley-, Kentucky-, Havanna-, Sumatra-, Brasil-T., die jeweils zur Herstellung bestimmter T.erzeugnisse verwendet werden) von den Tropen bis in die gemäßigten Zonen (38° südl. Breite bis 56° nördl. Breite) angebaut. In Deutschland findet sich T.anbau v. a. in der Vorderpfalz, im Hess. Ried, im Kraichgau, in der Ortenau sowie in Franken. Bauern-T. wird in der

Ukraine und in Polen (sowie in den USA zur
Nikotingewinnung) kultiviert. Zur **Gewinnung von Rauchtabak** findet die Blatternte
zeitlich gestaffelt in Abständen von 10–20
Tagen (4–5 Tagen bei Zigarren-T.) für die
einzelnen Blattqualitäten statt, die man an
der Pflanze (von unten nach oben) als *Grum-
pen, Sandblatt, Mittelgut, Hauptgut* (Bestgut)
und *Obergut* bezeichnet. Als *Nachgut* (Nach-
T.) werden die im Sept. geernteten Blätter der
zwei oder drei stehengelassenen Seitentriebe
bezeichnet. Nach der Ernte werden die Blätter nach Länge, Farbe und Schadbild sortiert,
auf Fäden aufgezogen (sog. *Randolieren*) und
getrocknet. Die fertig getrockneten Blätter
werden nachsortiert und in Büscheln zusam-
mengelegt; diese werden zu Ballen gepreßt
und mit Jute umhüllt als *Roh-T.* zur Weiterverarbeitung der T.ind. zugeführt. – Krankheiten der T.pflanze sind verschiedene Viro-
sen (v. a. ↑Tabakmosaik) und Pilzkrankheiten
(v. a. ↑Blauschimmel).
Die **Welternte** betrug 1990 6,63 Mill. t. Davon
entfielen auf die Hauptanbauländer (in
1 000 t): VR China 2 279, USA 729, Brasilien
449, Indien 490, UdSSR 233, Türkei 288, Italien 205. In der BR Deutschland betrug die
Ernte 10 000 t. Bei der **Tabakverarbeitung**
werden die T.blätter zunächst einer mehrere
Wochen bis Monate dauernden Fermenta-
tion unterworfen, durch die unerwünschte
Substanzen (v. a. proteinhaltige Stoffe) abgebaut und gleichzeitig Aromastoffe sowie
braune Pigmente gebildet werden. Anschließend werden die T.blätter von den stärkeren
Blattrippen befreit, danach häufig mit Lösungen aromagebender Substanzen, wie Zucker,
Lakritze, Kakao u. a., besprüht („soßiert",
„gesoßt") und auf die gewünschte Schnittbreite geschnitten. Zuletzt wird das Schneid-
gut in Trockenanlagen „geröstet". Je nach
den verwendeten T.sorten und der Art der
Verarbeitung werden sehr unterschiedl. End-
produkte als *Rauch-T.* erhalten (z. B. der fein
geschnittene, speziell gesoßte *Shag*). Für Zi-
garetten nimmt man meist schwach gesoßte
helle Virginia-, Orient- oder Burley-T.; als
Pfeifen-T. werden meist stark gesoßte Ken-
tucky- oder Orient-T. verwendet (*Grobschnitt*
mit einer Schnittbreite von über 3 mm).
Geschichte: Nach Europa gelangten die ersten Nachrichten über den T. durch Begleiter
von Kolumbus. Von den nordamerikan. Indianern wurde der T. in der Pfeife geraucht,
von den südamerikan. Indianern auch ge-
schnupft und gekaut. Der T.genuß diente v. a.
kult. Zwecken. – Der Bauern-T. wurde zuerst
durch F. Hernández de Toledo, den Leibarzt
König Philipps II., nach Spanien gebracht, wo
der T. v. a. als Zierpflanze kultiviert
wurde. Der frz. Gesandte in Portugal, Jean
Nicot, schickte 1560 T.samen nach Paris, wo

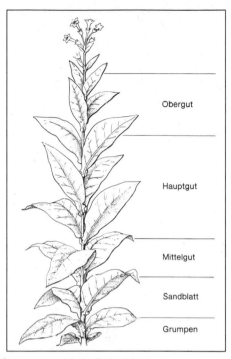

Tabak. Einteilung der Tabakpflanze
nach Blattqualitäten

in der Folgezeit am Hof das Schnupfen in
Mode kam. – T.rauchen wurde um 1570 bei
niederl. Seeleuten üblich, 1586 machte es Sir
W. Raleigh in England bekannt. Im Dreißig-
jährigen Krieg verbreiteten schwed. Soldaten
das Rauchen in Europa; mit dem Aufkommen von Zigarre (1788) und Zigarette (1862)
bürgerte es sich ein.
Bedeutung: T.produkte werden als Genußmittel konsumiert. T.genuß in jeder Form ist
gesundheitsschädlich und kann zur Abhängigkeit führen. – ↑Rauchen.
📖 *Barthel, M.: Blauer Dunst aus fernen Ländern. Gernsbach 1991.* – *Baumgartner, H.: T.
Gewohnheit u. Konsequenz. St. Gallen 1989.* –
Garbe, H. J. u. a.: T. Bln. 1989. – *Hallier, B.:
Organisation u. Marktstrategie im T.waren-
fachgroßhandel. Gött. 1983.*
Tabakmonopol, ↑Finanzmonopol auf
Tabak, meist als Monopol auf die Verarbei-
tung des Tabaks.
Tabakmosaik, mit erhebl. Qualitäts-
und Ertragsminderung verbundene Virose

(↑ Mosaikkrankheiten) der Tabakpflanze; äußert sich in Aufhellung der Blattnerven, mosaikartiger, hell- und dunkelgrüner Fleckung der Blattspreiten und in Blattdeformationen. Das T. wird v. a. durch Berührung der Pflanzen untereinander übertragen. Erreger ist das 300 nm lange *Tabakmosaikvirus (TM-Virus)*.

Tabakmotte, svw. ↑ Kakaomotte.

Tabakspfeife, Gerät zum Rauchen von Tabak. Vorläufer sind Rauchgeräte mit Pfeifenkopf. In N-Amerika war die Pfeife ein kult. Gerät, sie fand zw. 1558–65 in W-Europa Verbreitung. Im 17. Jh. waren die langen Tonpfeifen der Holländer weit verbreitet. Daneben entfaltete sich v. a. seit dem 18. Jh. die aus Stiel(teilen) und Kopf zusammengesetzte T. in zahlr. Varianten aus Meerschaum, Holz, Porzellan oder Steingut. Etwa seit 1852 fand zunächst in Großbritannien und in den USA die kurze Shagpfeife aus dem Holz der Baumheidewurzel (Bruyèreholz) Verbreitung.

♦ ↑ Pfeifenfische.

Tabaksteuer, Verbrauchsteuer auf Tabakwaren, nach Verbraucherpreisen gestaffelt. Das Aufkommen aus der T. betrug in der BR Deutschland 1990 17 402 Mill. DM.

Tabarka, tunes. Seebad am Mittelmeer, nahe der alger. Grenze; Fischereihafen mit Fischkonservenind.; Eisenbahnendpunkt. – Von Phönikern im 5. oder 4. Jh. v. Chr. als **Thabraca** gegr.; in der Römerzeit, unter arab. (seit dem 7. Jh.) und genues. Herrschaft (1540–1741) bed. Hafen.

Tabasco [span. taˈβasko], mex. Staat am Golf von Campeche, 25 267 km², 1,50 Mill. E (1990), Hauptstadt Villahermosa. Der Staat erstreckt sich in der weithin versumpften Golfküstenebene. Die Bev. betreibt Ackerbau, Viehzucht, Fischerei. Von großer Bed. sind Erdöl- und Erdgasvorkommen. – T. war in präkolumb. Zeit bereits von Olmeken bewohnt, der O gehörte später zur Mayakultur. Erste Europäer waren ab 1518 Spanier, das Gebiet wurde nach 1530 unterworfen, ab Ende des 16. Jh. besiedelt; gehörte in der Kolonialzeit zu Yucatán; seit 1824 Staat.

Tabascoschildkröten (Dermatemydidae), Fam. pflanzenfressender Schildkröten (Unterordnung ↑ Halsberger) mit der einzigen Art *Dermatemys mawii,* v. a. in oder an größeren Flüssen des östl. Mexiko bis Guatemala und Honduras. Zw. dem mäßig gewölbten, bis 40 cm langen Rückenpanzer und dem Bauchpanzer liegt eine Reihe kleiner Schilde.

Tabascosoße, nach ↑ Tabasco benannte sehr scharfe Würzsoße aus roten Chilischoten, Essig, Salz u. a.

Tabassaranisch ↑ kaukasische Sprachen.

Tabatiere [indian.-frz.], östr., sonst veraltete Bez. für (Schnupf)tabakdose.

Tabelle [zu lat. tabella „Brettchen, (Merk)täfelchen"], systematisch [in Zeilen und Spalten] angeordnete Übersicht von Zahlenmaterial und anderem.

♦ im *Sport* die Rangfolge in den Mannschaftssportarten (Punkt- und Tor- bzw. Spielpunktverhältnis) und gegebenenfalls in Sportarten mit meßbaren Leistungen.

Tabelliermaschine, Gerät der konventionellen, rein elektromechanisch arbeitenden Lochkartentechnik, das die Karten eines (sortierten) Kartenstapels liest und die enthaltenen Daten in Tabellenform ausdruckt.

Tabernae ↑ Rheinzabern.

Tabernakel [lat.], seit dem 12. Jh. übl. Bez. für Behälter zur Aufbewahrung des Allerheiligsten, urspr. auch dem Hauptaltar aufgestellt; auch verschließbare Wand-T., in der Spätgotik v. a. frei vor der Wand stehende reichgeschmückte steinerne Sakramentshäuser, auch (bes. seit dem 16./17. Jh.) mit dem Altar fest verbundene Tabernakel.

Tabes [lat.], in der Medizin veraltete Bez. für Schwindsucht (Tuberkulose).

Tabes dorsalis [lat.] (sog. Rückenmarkschwindsucht), Spätform der ↑ Syphilis mit fortschreitendem Schwund von Rückenmarkbahnen und einzelnen Gehirnnerven; es bestehen Gang-, Seh- und Reflexstörungen, Schmerzen in Gliedmaßen und inneren Organen. T. d. tritt nur bei etwa 2–3 % der Syphilisfälle mit einer Latenzzeit von etwa 8–12 Jahren auf.

Tabgatsch ↑ Toba.

Tabgha, Pilgerstätte am See Genezareth; Reste einer Kirche aus byzantin. Zeit; erhalten sind Teile des Fußbodenmosaiks (4./5. Jh.) mit pflanzl. und tier. Motiven. In der Nähe Überreste der antiken Synagoge von Kapernaum.

Tableau économique [frz. tabloekɔnɔˈmik] ↑ Quesnay, François.

Tablette (Tabuletta) [frz., eigtl. „kleines Täfelchen" (zu lat. tabula „Tisch, Tafel")], unter hohem mechan. Druck aus pulverförmiger Substanz in meist flach-zylindr. Form gepreßte Arzneizubereitung.

Tabor, kegelförmiger Berg in Israel, östl. von Nazareth, 588 m hoch. Auf dem Gipfel orth. Sankt-Elias-Kirche mit Bauteilen einer Kreuzfahrerkirche; Franziskanerkloster. In der Überlieferung Ort der Verklärung Jesu.

Tabor [tatar.-slaw.], befestigtes Feldlager der Hussiten; z. Z. der Türkenkriege in Österreich und auf dem Balkan Bez. u. a. für Fliehburgen, befestigte Kirchen, Friedhöfe.

Tábor, Stadt an der Lužnitz, ČR, Südböhm. Bez., 442 m ü. d. M., 34 400 E. Museum; Nahrungsmittelind., Werkzeugmaschinenbau, chem. Ind. – Entstand 1420 um eine seit dem 13. Jh. bekannte Burg als befestigtes Lager der Hussiten. – Ehem. spätgot. Rathaus (15./16. Jh.; heute Hussit. Museum); Häuser aus Spätgotik und Renaissance; Rundturm der Burg Kotnov (14. Jh.). Befestigungsanlagen (15. Jh.) umgeben die Altstadt.

Tabora, Regionshauptstadt in NW-Tansania, 1 188 m ü. d. M., 67 400 E. Kath. Erzbischofssitz; Verarbeitung landw. Erzeugnisse; Bahnknotenpunkt; ⚒. - Im 19. Jh. ein Zentrum arab. Sklavenjäger.

Tabori, George, * Budapest 24. Mai 1914, Schriftsteller und Regisseur ungar. Herkunft. - 1936 Emigration nach London (brit. Staatsbürger), lebte 1946–70 in den USA, ab 1971 in der BR Deutschland, 1987–90 in Wien (eigenes Theater), seit 1990 v. a. in Berlin tätig. Sein Vater und andere Mgl. seiner Familie sind in Auschwitz getötet worden. T. gehört als Dramatiker und Regisseur zu den großen Vertretern der Theaterkunst des 20. Jh.; mit seinen Theaterstücken (u. a. „Die Kannibalen", 1968; „Jubiläum", 1983; „Mein Kampf", 1987; „Weisman und Rotgesicht", 1990; „Die Goldberg-Variationen", 1991) hat T. in der Tradition des Shakespearetheaters und der Kultur des jüd. Witzes den Mordkult von Auschwitz auf die Bühne gebracht. T. schreibt auch Prosa (u. a. „Meine Kämpfe", En., 1986; Oberammergau oder Die guten Deutschen, Essay, 1981) und Drehbücher. Erhielt 1992 den Georg-Büchner-Preis. - *Weitere Theaterstücke:* Pinkville (1970), Peepshow (1984), Nathans Tod (1991), Der Großinquisitor (1993).

Taboriten ↑ Hussiten.

Täbris [ˈtɛːbrɪs, tɛˈbriːs], Stadt in NW-Iran, 1 367 m ü. d. M., 971 000 E. Hauptstadt der Prov. Aserbaidschan-Ost; Univ. (gegr. 1947); Aserbaidschan-Museum, Theater; großer Basar; Diesel- und Elektromotorenwerke, Werkzeugmaschinenbau, Kugellagerfabrik, Lkw-, Traktorenwerk, Leichtind., ⚒. - Entwickelte sich an der Stelle einer sassanid. Siedlung zum Zentrum Aserbaidschans; 1265–1304 offizielle Hauptstadt Irans und glanzvollste Metropole Vorderasiens; auch in nachmongol. Zeit meist Hauptstadt des Landes. Nach Verlegung der Residenz ins Innere des Landes Ende des 16. Jh. galt T. als zweitwichtigste Stadt; im 19. Jh. offizielle Residenz der pers. Thronerben; 1945/46 Hauptstadt einer autonomen Republik Aserbaidschan. - Ruinen der Zitadelle (14. Jh.); sog. Blaue Moschee (1465–66).

Täbris ↑ Orientteppiche (Übersicht).

Tabu [polynes. „intensiv gemerkt"], Bez. für v. a. bei Naturvölkern zu beobachtendes, religiös, magisch oder rituell begr. und allg. respektiertes Meidungsgebot oder Verbot, bestimmte Gegenstände (z. B. staatl. oder religiöse Symbole, Tiere oder Pflanzen) oder Personen (z. B. Herrscher, Priester, Mütter) anzurühren oder zu verletzen, gewisse Handlungen (z. B. sexueller Art) vorzunehmen, bestimmte Örtlichkeiten zu betreten, über bestimmte Dinge zu reden oder gewisse Namen (z. B. von Göttern, Königen) auszusprechen, um durch übernatürl. Macht bewirktes Unheil zu vermeiden (Ggs. ↑ Noa). - Im heutigen Sprachgebrauch bezieht sich der Begriff T. auf Themenbereiche oder Verhaltensweisen, die aufgrund gesellschaftl. Konventionen unantastbaren Normen unterliegen.
📖 *Freud, S.: Totem u. T. Ffm.* ²⁴*1990. - Douglas, M.: Ritual, T. u. Körpersymbolik. Dt. Übers. Ffm. 1986.*

Tabula rasa [lat.], in der Antike eine wachsüberzogene Schreibtafel, deren Schrift vollständig gelöscht werden konnte; übertragen **tabula rasa machen** für: sich so verhalten, daß ein Neubeginn möglich ist.

Tabulatur [zu lat. tabula „Tafel"], vom 14. bis 18. Jh. die Notierung von Musik für mehrstimmige solist. Instrumente (v. a. Orgel, Cembalo, Laute) primär mit Buchstaben, Ziffern u. a. Zeichen. Hauptformen sind die *Orgel-* oder *Klavier-T.,* in der die Mensuralnoten, Buchstaben und Ziffern verwendet werden, und die *Lauten-T.,* die mit Ziffern bzw. Buchstaben die Kreuzungsstellen von Saiten und Bünden bezeichnet. - Für volkstüml. Instrumente (Gitarre, Zither, Akkordeon, Ukulele) sind T. noch heute gebräuchlich.
♦ seit dem Ende des 15. Jh. satzungsmäßig festgelegte Regeln des ↑ Meistersangs.

Tabun [Kw.], im 2. Weltkrieg als Kampfstoff entwickelter, jedoch nicht verwendeter organ. Phosphorsäureester, der als starker Hemmstoff in den Synapsen gebildeten Enzyms Cholinesterase wirkt.

Tacca [malai.], Gatt. der einkeimblättrigen Pflanzenfam. Taccagewächse (Taccaceae) mit rd. 30 Arten in der males. Florenregion, im trop. Afrika und in S-Amerika; Stauden mit großen, gestielten Blättern und in Scheindolden stehenden Blüten. Die 100 bis 350 g schweren, rd. 30 % Stärke enthaltenden Sproßknollen der im Tropen weithin angebauten Art **Tacca pinnatifida** mit ihren langgestielten, fingerartig geteilten Blättern liefern *T. stärke* oder werden gekocht gegessen.

tacet [lat. „(es) schweigt"], Abk. tac., Hinweis in Instrumental- oder Vokalstimmen: die Stimme pausiert in diesem Satz bzw. für den Rest.

Tacheles reden [zu jidd. tachlis „Ende, Ziel"], offen miteinander reden; jemandem seine Meinung sagen.

Tacheometer [griech.], svw. ↑ Tachymeter.

Taches [frz. taʃ], in der *Medizin* svw. Flecken; z. B. **Taches bleues:** blaue Flecken, die an Stichstellen von Filzläusen auftreten.

Taching ↑ Daqing.

Táchira [span. 'tatʃira], venezolan. Staat an der Grenze gegen Kolumbien, 11 100 km², 855 000 E (1990), Hauptstadt San Cristóbal. T. liegt im äußersten W der Cordillera de Mérida. Die Bev. konzentriert sich in den Gebirgsbecken. Wichtigstes Anbauprodukt ist Kaffee; Kohlevorkommen.

Tachismus [ta'ʃɪsmus; frz.] ↑ abstrakter Expressionismus.

Tachistoskop [griech.], zur Prüfung der Aufmerksamkeit und des Bewußtseinsumfangs verwendete Vorrichtung, die es ermöglicht, ein Bild für beliebig kurze Zeit dem Auge darzubieten (ähnlich dem Verschluß eines Photoapparats).

Tacho, Kw. für ↑ Tachometer.

tacho..., Tacho... (tachy..., Tachy...) [zu griech. tachýs „schnell"], Bestimmungswort von Zusammensetzungen mit der Bed. „schnell, Geschwindigkeit".

Tachograph, svw. ↑ Fahrtschreiber.

Tachometer (Geschwindigkeitsmesser), als Drehzahlmesser gebautes Gerät zur Anzeige der Geschwindigkeit von Fahrzeugen (bei Kfz meist mit Kilometerzähler verbunden) bzw. der Umdrehungsgeschwindigkeit von Generatoren, Zentrifugen u. a.; *Fliehkraft-T.* arbeiten mechanisch, *Wirbelstrom-T.* nutzen das Drehmoment, das ein rotierender Magnet durch Erzeugung von Wirbelströmen hervorruft.

Tacht e Solaiman [pers. 'tæxtesoleɪ-'maːn „Thron des Salomo"], Ruinenstätte in NW-Iran, 110 km westlich von Sandschan; befestigte Anlage um einen natürl. Kegel-

stumpf (Kalktuffablagerungen mit zentralem See) mit 38 Wachtürmen und Palastbauten aus sassanid., auch mongol. Zeit.

Tachtigers [niederl. 'tɑxtəxərs „Achtziger"], Gruppe von Dichtern und Schriftstellern, die ab 1880 die ↑ niederländische Literatur von Grund auf erneuerten.

tachy..., Tachy... ↑ tacho..., Tacho...

Tachygraphie, Kurzschrift für die griech. Sprache. Die ältesten Systeme entstanden im 2. Jh. n. Chr. in Anlehnung an die lat. Tiron. Noten. Es gab mehrere T.systeme, die im griech. Sprachgebiet das ganze MA hindurch in Gebrauch blieben.

Tachykardie [griech.] (Herzjagen), Zunahme der Herzfrequenz auf Werte über 100 Schläge/min (im Ggs. zur ↑ Bradykardie); krankhaft z. B. bei Herzinsuffizienz, Schock, Schilddrüsenüberfunktion oder Fieber; kann auch anfallsweise als *paroxysmale T.* aus den genannten Gründen oder ohne erkennbare Ursache auftreten.

Tachymeter (Tacheometer), zur geodät. Schnellmessung verwendete Geräte, Kombinationen von Winkel- und Streckenmeßgeräten. Das vermessungstechn. Aufnahmeverfahren der **Tachymetrie** (Schnellmessung), bei dem jeder Geländepunkt gleichzeitig nach Lage und Höhe in bezug auf den jeweiligen Standpunkt des T. durch Messung seiner Entfernung, seines Azimuts und seines Höhenwinkels festgelegt wird, wird v. a. bei topograph. Aufnahmen und bei der Herstellung von Höhenplänen herangezogen.

Tachyonen [griech.], hypothet. Teilchen, die sich mit Überlichtgeschwindigkeit bewegen.

Tacht e Solaiman

Tachyphylaxie [griech.], Verminderung der Empfindlichkeit eines Organismus gegenüber einem Arzneimittel oder Gift bereits nach verhältnismäßig kurzer Anwendungsdauer. Die T. ist eine Form der Gewöhnung.

tachytrophes Gewebe, Körpergewebe mit guter Blutgefäßversorgung, hohem Stoffwechsel und raschen Stoffaustauschvorgängen; z. B. die Muskulatur. – ↑bradytrophes Gewebe.

Tacitus, Publius (?) Cornelius, * um 55, † nach 115, röm. Geschichtsschreiber. – Befreundet mit Plinius d. J.; 88 Prätor, 97 Konsul, um 112 Prokonsul der Prov. Asia. T. begann mit der Veröffentlichung seiner Werke erst nach der Gewaltherrschaft Domitians. Er verfaßte u. a. eine Biographie seines Schwiegervaters Gnaeus Julius Agricola mit einem bed. Exkurs über Britannien sowie die „Germania" (wohl 98), eine geograph.-ethnograph. Schrift; seine Hauptwerke, die „Annalen" und die „Historien" (abgeschlossen etwa 109), umfassen die Zeit vom Tod des Augustus (14 n. Chr.) bis zum Ende Domitians (96), sie sind nur teilweise erhalten. Das Werk des T. interpretiert den polit. und moral. Verfallsprozeß unter der Monarchie, dargestellt an einzelnen Kaisern und der durch sie bestimmten Zeitsituation.

📖 *T. Hg. v. V. Pöschl. Darmst. ²1986. – Wille, G.: Der Aufbau der Werke des T. Amsterdam 1983. – Voss, B. R.: Der pointierte Stil des T. Münster ²1981.*

Tacloban, philippin. Hafenstadt an der NO-Küste von Leyte, 102 500 E. Verwaltungssitz der Prov. Leyte; Univ. (gegr. 1946); technolog. Inst.; Fischerei; Eisenerzbergbau.

Tacna, Dep.hauptstadt in S-Peru, 570 m ü. d. M., 137 500 E. Kath. Bischofssitz; Weinkellereien, Herstellung von Spirituosen und Obstkonserven. – **T.,** südlichstes Dep. Perus 15 232 km², 209 800 E (1990), Hauptstadt Tacna. Erstreckt sich von der Küstenebene bis in die Anden. Angebaut werden Wein, Baumwolle, Zuckerrohr, in höheren Lagen Weizen, Gerste und Kartoffeln; Viehzucht. Kupfererzbergbau bei **Toquepala** in 3 500 m Höhe.

Tacoma [engl. tə'koumə], Stadt im Staat Washington, USA, an der SO-Küste des Puget Sound, etwa 90 m ü. d. M., 158 900 E. Zwei Univ. (gegr. 1888 und 1890); Holz- und Papierind., Erdölraffinerie, Kupfer- und Aluminiumschmelze, Schiffbau, chem. Ind.; Hafen. – Entstand 1852 nahe dem 1833 errichteten Fort Nisqually; 1884 City.

Tacuarembó, Hauptstadt des uruguay. Dep. T., am Ostfuß der Cuchilla de Haedo, 40 500 E. Kath. Bischofssitz; Museum; Handelszentrum eines Landw.gebiets. – Gegr. 1831 als **San Fructuoso.** – **T.,** Dep. in N-Uruguay, 15 438 km², 82 800 E

Taddeo di Bartolo. Heilige Agnes; undatiert (Vaduz, Liechtensteinische Staatliche Kunstsammlung)

(1985), Hauptstadt Tacuarembó. Überwiegend Tafelland; Anbau von Weizen, Mais und Gemüse; Rinder- und Schafzucht; am Río-Negro-Stausee das größte Wasserkraftwerk Uruguays.

Taddeo di Bartolo, * Siena vermutlich 1362 oder 1363, † ebd. zw. dem 26. Aug. 1422 und dem 13. Mai 1423, italien. Maler. – Arbeitete, geschult an Simone Martini und in der Tradition der sienes. Malerei stehend, nach 1405 v. a. in Siena (Fresken und Tafelbilder).

Tadelantrag, in parlamentar. Reg.systemen ein Antrag, durch den Maßnahmen der Reg. oder einzelner Min. mißbilligt werden; zielt häufig auf den Rücktritt des Getadelten.

Tadla, fruchtbare Ebene mit Bewässerungskulturen nördl. des Mittleren Atlas, Marokko.

Tadschiken, Volk in Vorder- und Zentralasien; in Afghanistan (3,7 Mill.), in Tadschikistan (3,18 Mill.), in Usbekistan (935 000), in Iran (50 000), in Kirgisien (34 000) sowie in China. Außer Tadschikisch (↑iranische Sprachen) werden Pamirdialekte gesprochen. Die T. sind Ackerbauern, Viehzüchter und Handwerker. Als Anhänger des Islams sind sie v. a. Sunniten, z. T. Schiiten, im Pamir Ismailiten.

Tadschikistan

(Tadschikien, Republik Tadschikistan), Staat im SO Mittelasiens, zw. 36° 40′ und 41° 05′ n. Br. und 67° 31′ und 75° 14′ ö. L. **Staatsgebiet:** T. grenzt im W an Usbekistan, im N an Usbekistan und Kirgisien, im O an China und im S an Afghanistan. **Fläche:** 143 100 km². **Bevölkerung:** 5,6 Mill. E (1992), 39 E/km². **Hauptstadt:** Duschanbe. **Verwaltungsgliederung:** 19 Gebiete, Hauptstadt, 1 autonomes Gebiet. Im O von T. liegt das Autonome Gebiet Bergbadachschan. **Amtssprache:** Tadschikisch. **Nationalfeiertag:** 9. Sept. **Internationale Mitgliedschaften:** GUS, UN. **Währung:** Rubel = 100 Kopeken. **Zeitzone:** MEZ + 4 Std.

Landesnatur: T. ist zu 70 % ein stark zertaltes, z. T. schwer zugängl. Hochgebirgsland. Den SO und O nimmt der Pamir (Pik Kommunismus, 7 495 m ü. d. M.), den mittleren Teil nehmen Turkestan- und Serawschankette sowie Hissar- und Alaigebirge ein. Im N hat T. Anteil an den sw. Ausläufern des Tian Schan und am Ferganabecken. Der SW wird von breiten, dichtbesiedelten Tälern und niedrigen Gebirgszügen eingenommen.
Klima: Trockenes Kontinentalklima bzw. subtrop. Klima in tiefen Tälern, gemäßigt warm in mittleren Höhen und kalt im Hochgebirge.
Vegetation: Bis in Höhen von 600 m ü. d. M. reicht die Wüsten- und Halbwüstenzone; in der Vorgebirgszone bis 1 200 m ü. d. M. folgen Wüsten- und Trockensteppe, darüber ein Steppen- (1 800–2 000 m ü. d. M.), ein lichter Waldgürtel (2 700–3 500 m ü. d. M.) sowie Hochgebirgswiesen und -wiesensteppen (4 000 m, im Pamir 4 800 m ü. d. M.).
Tierwelt: In den Halbwüsten leben Wolf und Nagetiere, in den Auenwäldern an den Flußläufen im SW Wildschwein, Nutria und Hirsch, in den Gebirgswäldern Braunbär, Steinbock, Fuchs, Luchs u. a., in den Flüssen und Seen u. a. Forellen, Karpfen und Welse.
Bevölkerung: Sie setzt sich (1989) aus Tadschiken (62,3 %), Usbeken (23,5 %), Russen (7,6 %; seit 1991 starke Abwanderung), Tataren (1,5 %), Kirgisen (1,3 %) sowie aus Ukrainern, Deutschen u. a. zusammen. Die traditionelle Religion der Tadschiken ist der Islam sunnit. Richtung. Über 85 % der Bewohner leben in Tälern (bes. Hissar-, Wachschtal), um Chudschand im Ferganabecken und in Hochgebirgskesseln bis 1 600 m ü. d. M. T. verfügt über eine Univ. in Duschanbe und 9 weitere Hochschulen sowie über eine Akad. der Wissenschaften.
Wirtschaft: Wirtschaftsgrundlage ist der monokulturartig betriebene Baumwollanbau mittels Bewässerung, der durch die ständige extensive Ausweitung in der Epoche der polit. und wirtsch. Abhängigkeit von Moskau zu erhebl. ökolog. Schäden (bes. Bodenversalzung) führte. Daneben werden Getreide, Futterpflanzen sowie Obst und Wein angebaut. In den Gebirgsregionen dominieren Weidewirtschaft (Schafe, Rinder, Ziegen) und Geflügelhaltung; ein traditioneller Zweig ist die Seidenraupenzucht. An Bodenschätzen werden Erdöl, Erdgas, Braunkohle sowie Blei-, Zink-, Antimon-, Uranerz, Gold, Quecksilber, Bauxit u. a. gefördert. Führend ist die Textilind., gefolgt von der Nahrungsmittelind.; außerdem bestehen Hüttenwerke (u. a. für Aluminiumgewinnung) sowie Betriebe der Metallverarbeitung und chem. Ind. Am Wachsch liegen große Wasserkraftwerke (bes. Nurek und Rogun).
Außenhandel: Ausgeführt werden Baumwolle und Baumwollgewebe, Buntmetalle, Kohle, Obstkonserven, Wein sowie Maschinen für die Erdöl- und Baumwollverarbeitung, eingeführt werden Erdöl und -gas, chem. Erzeugnisse, Maschinen und Nahrungsmittel. Wichtigste Handelspartner sind Usbekistan, Rußland u. a. Republiken der GUS.
Verkehr: Große Teile von T. sind nur durch den Luftverkehr erreichbar. Von den 29 600 km Autostraßen haben 18 300 km eine feste Decke. Von bes. Bed. sind die Autostraßen Duschanbe–Chorog und Osch–Chorog durch den Pamir. Das Eisenbahnnetz ist 470 km lang.
Geschichte: Im Altertum war das Gebiet von T. zunächst unter pers., dann unter griech. und hunn. Herrschaft. Seit Anfang des 8. Jh. unter arab. Einfluß (Islamisierung), gehörte es seit dem Ende des 9. Jh. zum Reich der Samaniden. Das 1219/20 von den Mongolen eroberte T. war größtenteils ab dem 16. Jh. Bestandteil des usbek. Khanats Buchara. 1868 gliederte Rußland den N von T. in sein Generalgouv. Turkestan ein; der S, nominell unter Herrschaft Bucharas verblieben, geriet mit diesem in russ. Abhängigkeit. Nach der Oktoberrevolution gehörte der N ab 1918 zur Turkestan. ASSR. Unter Angliederung der anderen tadschik. Gebiete wurde 1924 die Tadschik. ASSR innerhalb der Usbek. SSR gebildet; 1929 wurde T. selbst in eine SSR umgewandelt. Am 24. Aug. 1990 erklärte T. seine Souveränität, am 9. Sept. 1991 seine Unabhängigkeit. Am 24. Nov. 1991 wählte die Bev. den Altkommunisten R. Nabijew (* 1930) zum Staatspräs. Im Dez. 1991 beteiligte sich T. an der Gründung der Gemeinschaft Unabhängiger Staaten (GUS). Im März 1992 wurde es Mgl. der UNO. Nach schweren Unruhen erzwang die islam. Opposition im Mai 1992 die kurzfristige Beteiligung an der Macht durch Bildung einer Koalitionsreg. In dem seither andauernden Bür-

gerkrieg zw. Anhängern der ehem. kommunist. Partei und der islam.-demokrat. Koalition wurde im Sept. 1992 Nabijew zum Rücktritt gezwungen, neuer Präs. wurde im Nov. 1992 I. Rahmanow (* 1952). Mit russ. Hilfe gelang es der Regierung, die islam. Aufständischen in die Grenzregionen zu Afghanistan abzudrängen, wo die Kämpfe seither andauern. Die Präsidentschaftswahlen im Nov. 1994, deren Legitimität umstritten war, gewann der bisherige Amtsinhaber Rahmanow. Aus den Parlamentswahlen von 1995 gingen die Kommunisten gestärkt hervor. **Politisches System.** Gemäß der Verfassung von 1994 ist T. eine Parlamentar. Republik. *Staatsoberhaupt* ist der für 5 Jahre direkt gewählte Präs. Die *Exekutive* obliegt neben dem Präs. dem Ministerrat. Die *Legislative* liegt beim Parlament (230 Abg.). Fast alle Abg. des Parlaments gehören der Kommunist. Partei an, oppositionelle (v. a. islam.) *Parteien* wurden 1993 verboten.

Tạdsch Mahạl ↑ Agra.

Taebaekgebirge [korean. tɛbɛk], Gebirge an der O-Küste Koreas, erstreckt sich von der Bucht von Wonsan über rd. 260 km bis nördl. von Pohang, bis 1 708 m hoch.

Taegu [korean. tɛgu], Prov.hauptstadt im sö. Süd-Korea, im Zentrum des Naktongbekkens, 2,03 Mill. E. Kath. Erzbischofssitz, 2 Univ. (gegr. 1952 und 1967). Textilind. (bes. Seidenindustrie).

Taekwọndo [tɛ...; korean.], korean. Zweikampfsportart auf der Basis von Fuß- (Tae) und Handtechniken (Kwon); im Ggs. zum Karate liegt der Schwerpunkt auf den vielseitigen und im Kampf bevorzugten Fußtechniken. Alle gegen bestimmte Körperstellen gerichtete Angriffe werden vor dem Ziel gestoppt; Punktwertung.

Tael [tɛ:l, te:l; malai.] (malaiisch Tail, Tahil), frühere ostasiat. Gewichtseinheit für Edelmetall (um 1833: etwa 170 Arten zw. 9,60 und 68,36 g); in China z. T. auch der Geldrechnung zugrundegelegt.

Taeuber-Ạrp, Sophie ['tɔʏbər], * Davos 19. Jan. 1889, † Zürich 13. Jan. 1943, schweizer. Malerin und Kunsthandwerkerin. – Ab 1921 ∞ mit Hans Arp; gehörte zum Kreis der Dadaisten. Sie schuf strenge geomet. Wandbilder, Ölgemälde, Gouachen, Zeichnungen.

Tafel, in der *Geologie* ein Teil der Erdkruste aus ungefalteten, meist flach liegenden Schichten.

Tafelberg ↑ Sternbilder (Übersicht).

Tafelberg, Berg mit großem Gipfelplateau, unmittelbar südl. der Tafelbucht, Republik Südafrika, 1 086 m; Seilbahn. Der Gipfel ist oft in Wolken gehüllt („Tafeltuch"). Am Fuß des T. liegt Kapstadt.

Tafelberg (Mesa), Bez. für eine isolierte, plateauartige Bergform, deren meist tisch-

ebene Oberfläche durch eine widerständige Gesteinsschicht gebildet wird; häufig in ariden bis semiariden Klimagebieten.

Tafelbild ↑ Malerei.

Tafelbucht, Bucht des Atlantiks an der südafrikan. Küste, Hafenbucht von Kapstadt. – Um 1500 von Portugiesen entdeckt.

Tafelklavier, ein Hammerklavier (↑ Klavier) in Tischform, mit waagerechtem Resonanzboden und quer zu den Tastenhebeln verlaufenden Saiten; gebaut 1750–1850.

Tafelland, aus horizontal gelagerten Gesteinsschichten aufgebautes Gebiet mit annähernd ebener Oberfläche.

Tafelmusik, die während der Mahlzeit aufgeführte Musik sowie das sie vortragende Ensemble. Das Mahl, bes. das festl. an Höfen, war bis ins 18. Jh. einer der Hauptanlässe des Musizierens.

Tafelsalz ↑ Kochsalz.

Tafeltrauben, zum Frischverzehr bestimmte Weintrauben.

Täfelung, Verkleidung von Wänden und Decken eines Innenraums mit Holzplatten.

Taff [engl. tæf], Zufluß des Bristolkanals in S-Wales, entsteht aus 2 Quellflüssen, mündet bei Cardiff, 64 km lang. Das T.tal ist eines der bedeutendsten Ind.täler des Südwales-Kohlenfeldes.

Tạffet ↑ Taft.

Tafilalẹt, große Flußoase in Marokko, südl. des Hohen Atlas, am Oued Ziz und Oued Gheris, Hauptort Erfoud. – Bei Rissani die Ruinen von Sijilmassa (im 8. Jh. Hauptstadt eines Berberreiches, im 17. Jh. Residenz der Hassaniden).

Taft [engl. tæft, tɑ:ft], Robert Alphonso, * Cincinnati (Ohio) 8. Sept. 1889, † New York 31. Juli 1953, amerikan. Politiker (Republikan. Partei). – Sohn von William Howard T.; ab 1939 Senator für Ohio; 1940, 1948 und 1952 als Führer des konservativen Parteiflügels erfolglos um die republikan. Präsidentschaftskandidatur bemüht; brachte das ↑ Taft-Hartley-Gesetz (1947) ein.

T., William Howard, * Cincinnati (Ohio) 15. Sept. 1857, † Washington D. C. 8. März 1930, 27. Präs. der USA (1909–13). – 1901 erster Zivilgouverneur der Philippinen; 1904–08 Kriegsmin., gehörte zum konservativen Flügel der Republikaner; verfolgte als Präs. außenpolitisch den Kurs der Dollar-Diplomatie; der Verzicht auf innenpolit. Reformen führte zur Abspaltung der Progressive Party und zur Niederlage T. beim Präsidentschaftswahlkampf 1912 gegen Wilson; 1913–21 Prof. für Recht an der Yale University; 1921–30 Oberster Bundesrichter.

Taft (Taffet) [pers., eigtl. „gewebt"], leinwandbindiges, früher aus Seidengarnen, heute auch aus Chemiefasergarnen hergestelltes Gewebe mit feinen Querrippen, die durch größere Fadenzahl in der Kette und geringere Fadenzahl im Schuß entstehen.

Taftbindung, in der Seidenweberei gebräuchl. Bez. für die Leinwandbindung (↑ Bindungslehre).

Taft-Hartley-Gesetz [engl. 'tæft 'hɑːtlɪ, 'tɑːft...] (amtl. Labor-Management Relations Act), nach seinen Initiatoren, dem Senator R. A. Taft und dem Abg. F. A. Hartley ben. Gesetz in den USA zur Regelung der Beziehungen zw. Arbeitnehmern und -gebern; 1947 gegen das Veto von Präs. Truman als Novellierung des National Labor Relations Act von 1935 verabschiedet. Das Gesetz, mit dessen Hilfe die Rechte der Gewerkschaften eingeschränkt wurden, bestimmt u. a.: „Abkühlungsfrist" von 60 Tagen zw. Ausrufung und Beginn eines Streiks; Verbot der Koppelung von Arbeitsvertrag und Gewerkschaftsmitgliedschaft; Beschlagnahme von Gewerkschaftsfonds, wenn sie zu polit. Zwecken verwendet werden; Gewerkschaftsfunktionäre müssen eidesstattlich erklären, nicht der KP anzugehören.

Tag, 1. durch die Rotation der Erde um ihre Achse gegebener natürl. Zeitabschnitt: der Zeitraum zw. zwei aufeinanderfolgenden unteren Kulminationen der Sonne *(Sonnen-T.)* bzw. zwei aufeinanderfolgenden oberen Kulminationen des Frühlingspunktes *(Stern-T.).* Der mittlere Sonnen-T. (Zeichen: d), der die Grundlage der bürgerl. Zeitrechnung bildet (d = 24 h), ist um 3 min 56,6 s länger als der Sterntag. Sein Wert nimmt infolge Gezeitenreibung um 1 ms pro Jh. zu. 2. die Zeit zw. Sonnenaufgang und -untergang. Die T.länge hängt von der Jahreszeit und der geograph. Breite des Beobachtungsortes ab. Nur am Erdäquator ist der T. immer 12 Stunden lang, an allen anderen Orten der Erde nur zum Zeitpunkt der Äquinoktien.

Tagalen, jungmalaiisches Volk, v. a. auf der Insel Luzon, kleinere Gruppen auf den Marianen, den Hawaii-Inseln und in Kalifornien; 13 Millionen.

Tagalog, zur nordwestl. Gruppe der indones.-malaiischen Sprachen gehörende Sprache der Tagalen, als Muttersprache von etwa 8 Mill. Menschen auf der philippin. Insel Luzon gesprochen. Während der span. Kolonialzeit durch Übernahme vieler Lehnwörter aus dem span., später aus dem engl. Sprache und den philippin. Dialekten bereichert. Seit dem 4. Juli 1946 ist das T. die als „Pilipino" (Filipino) bezeichnete und von 75% der Bev. gesprochene Staatssprache der Philippinen (etwa 14 Mill. Sprecher).

Taganka-Theater (eigtl. Moskauer Theater für Drama und Komödie an der Taganka), 1946 in Moskau gegr.; entwickelte sich unter J. P. ↑ Ljubimow seit 1964 zum krit. Avantgardetheater (u. a. mit W. Wyssozki);

1984–86 war Anatoli Efros (*1925, †1986) Chefregisseur; 1987–89 führte der Schauspieler, Filmregisseur und Kulturmin. Nikolai Gubenko (*1941) die Theaterarbeit im Sinne Ljubimows weiter, der seit 1989 wieder Leiter des Theaters ist.

Taganrog, russ. Stadt an der Bucht von T., 291 000 E. Funktechn. Hochschule; PH; Tschechowmuseum, Gemäldegalerie; Theater; Hüttenwerk, Kessel-, Mähdrescherbau, Leder- u. a. Ind.; Hafen. – 1698 von Peter I., d. Gr., als Festung und Hafen gegr.; 1712 nach Vertrag mit den Osmanen geschleift; kam 1774 endgültig an Rußland.

Taganrog, Bucht von, NO-Teil des Asowschen Meeres, 140 km lang, bis 31 km breit; Haupthäfen Mariupol und Taganrog.

Tagblindheit (Nachtsichtigkeit, Nyktalopie), Herabsetzung des Sehvermögens bei Tag (bei hellem Licht); angeboren z. B. bei totaler Farbenblindheit, Albinismus oder erworben bei zentralen Trübungen der Linse und Hornhaut, wobei durch Pupillenerweiterung in der Dämmerung ein besseres Sehen erreicht wird.

Tagblüher, Pflanzen, deren am Tag geöffnete Blüten v. a. durch opt. Reize (Farbe, Form) tagaktive Tiere (viele Insekten, Vögel) anlocken und von ihnen bestäubt werden. – Ggs. ↑ Nachtblüher.

Tagbogen ↑ Nachtbogen.

Tag der deutschen Einheit, früher Gedenktag des ↑ Siebzehnten Juni 1953, gesetzl. Feiertag in der BR Deutschland 1954–90; seit 1990 Gedenktag zur Wiederherstellung der dt. Einheit am 3. Okt. 1990 und gesetzl. Feiertag.

Tagebau, Gewinnung von nutzbaren Mineralen oder Gesteinen von der Erdoberfläche aus (↑ Abbau). Zunächst muß über der Lagerstätte liegender Abraum beseitigt werden. Lagerstätte und Abraum werden in treppenförmigen Absätzen (Strosse) söhlig fortschreitend abgebaut. Neben Steinen und Erden werden in dieser Art des Bergbaus v. a. Eisen- und Kupfererze sowie Braunkohlen gewonnen (98 % der gesamten Braunkohlenförderung und etwa 80 % der Erzförderung der Welt stammen aus Tagebauen).

Tagebuch, in regelmäßigen Abständen, meist täglich verfaßte und chronologisch aneinandergereihte Aufzeichnungen, in denen der Autor Erfahrungen mit sich und seiner Umwelt aus subjektiver Sicht unmittelbar festhält. Als relativ autonome literar. Texte können T. betrachtet werden, die schon im Hinblick auf eine spätere Veröffentlichung konzipiert (und damit oft stilisiert) sind. Insbes. das literar. T. gibt Aufschlüsse über künstler. Schaffensprozesse. – Tagebuchähnl. Formen sind seit der Antike bekannt. Das seit dem späten 17. Jh. bes. in bürgerl.

Schichten zunehmend beliebte T. (Diarium) wurde seit Mitte des 18. Jh. wichtiger Bestandteil des literar. und kulturellen Lebens. Neben den „authent." Tagebüchern treten in verschiedenen Variationen auch „fingierte" T. als Strukturelemente erzählender Texte oder auch als bestimmendes Kompositionselement *(T.roman)* auf.
♦ in der *Schiffahrt* svw. Schiffstagebuch (↑ Logbuch).

Tagelied, in der mittelhochdt. Lyrik ein meist dreistrophiges Lied, das den Abschied zweier Liebenden am Morgen nach einer Liebesnacht schildert. Bed. Dichter: Heinrich von Morungen, Wolfram von Eschenbach, Walther von der Vogelweide, Ulrich von Liechtenstein, Ulrich von Winterstetten, Steinmar und in späterer Zeit Oswald von Wolkenstein.

Tages-Anzeiger, schweizer. Zeitung, ↑ Zeitungen (Übersicht).

Tagesbefehl, Anweisung, die allg. militär. Angelegenheiten regelt; auch Bez. für Verlautbarungen von Kommandierenden.

Tagesheimschule (Tagesschule), eine Schulform, bei der die pädagog. Betreuung der Schüler über die eigtl. Schularbeit und die Aufsicht beim Mittagessen hinaus auf die Freizeit ausgedehnt werden kann.

Tageskurs, amtl. Kurs des Ausführungstages beim Kauf oder Verkauf von Wertpapieren.

Tageslicht, das durch die Sonnenstrahlung verursachte natürl. Licht mit je nach Sonnenstand und Wolkenbedeckung unterschiedl. Farbtemperatur, die im Unterschied zum Licht künstl. Lichtquellen (2 800 bis 3 800 K) bei rd. 5 500 K für reines Sonnenlicht, 10 000–25 000 K für das Licht des blauen Himmels und rd. 7 000 K für den bedeckten Himmel liegt.

Tagesmütter, Frauen, die wochentags halb- oder ganztägig Pflegekinder in ihrer Wohnung oder der der Eltern betreuen. Die Betreuung von Kindern in Tageseinrichtungen (Kindergarten, Hort) und in Tagespflege ist in §§ 22 ff. SGB VIII (Kinder- und Jugendhilfe) geregelt.

Tagesordnung, Zusammenstellung der Beratungspunkte einer Sitzung oder Tagung (meist in der Geschäftsordnung geregelt).

Tagesrhythmik, rhythm. Zustandsänderungen von Organen und Organfunktionen mit einer 24-Stunden-Periodik (↑ physiologische Uhr).

Tagessatzsystem, bei der Strafzumessung einer ↑ Geldstrafe die Festsetzung der Zahl der Tagessätze nach der Schwere der Tat (mindestens 5, höchstens 360 volle Tagessätze) und die Bestimmung der Höhe der Tagessätze nach den persönl. und wirtsch. Verhältnissen des Täters (mindestens 2 und

höchstens 10 000 DM), wobei das durchschnittl. tägl. Nettoeinkommen des Täters Ausgangspunkt ist (§ 40 StGB). – ↑ Ersatzfreiheitsstrafe.

Tagesschule, svw. ↑ Tagesheimschule.

Tagesspiegel, Der, dt. Zeitung, ↑ Zeitungen (Übersicht).

Tageswert (Zeitwert, Marktwert), Preis, zu dem ein Vermögensgegenstand zu einem bestimmten Zeitpunkt allg. erhältlich ist; entspricht dem ↑ Tageskurs an der Börse.

Tageszeitenklima, Klima, bei dem die Unterschiede der Klimafaktoren (v. a. die Temperatur) innerhalb des Tages größer sind als die entsprechenden Unterschiede des Jahres; in den Tropen. – Ggs. Jahreszeitenklima.

Tagetes [lat.; nach dem etrusk. Gott Tages, der einer Furche entstieg], svw. ↑ Sammetblume.

Tagewerk (Tagwerk), alte dt. Flächeneinheit unterschiedlicher Größe; entsprach 2 500–3 600 m².

Tagger, Theodor, östr.-dt. Dramatiker, ↑ Bruckner, Ferdinand.

Taghafte (Hemerobiidae), weltweit verbreitete Fam. der Insekten mit rd. 750 meist kleinen, florfliegenähnl. Arten; Vorderflügel glasig hell, grau oder braun, mit leicht vorgezogener Spitze. – Zu den T. gehören u. a. die ↑ Florfliegen.

Tagliamento [italien. taʎʎa'mento], Fluß in Italien, entspringt in den östl. Dolomiten, mündet bei Bibione in den Golf von Venedig, 170 km lang.

Tagliatelle [talja'tɛlə; italien.], dünne und breite italien. Bandnudeln.

Taglichtnelke ↑ Nachtnelke.

Taglilie (Hemerocallis), Gatt. der Liliengewächse mit 16 Arten in S-Europa und im gemäßigten Asien; Stauden mit grundständigen, linealförmigen Blättern und großen, trichterförmigen, gelben oder orangefarbenen, nur einen Tag lang geöffneten Blüten. Zahlr. Arten sind Gartenzierpflanzen.

Taglioni [italien. taʎ'ʎo:ni], Filippo, * Mailand 5. Nov. 1777, † Como 11. Febr. 1871, italien. Tänzer und Choreograph. – Wirkte v. a. in Wien, Stuttgart und Paris, wo seine bedeutendsten Ballette herauskamen, u. a. „La Sylphide" (1832), das einen ersten Höhepunkt romant. Ballettstils darstellte.
T., Maria, * Stockholm 23. April 1804, † Marseille 22. April 1884, italien. Tänzerin. – Tochter von Filippo T.; kreierte zahlreiche Rollen in dessen Balletten. T. war eine der bedeutendsten Ballerinen der Romantik, die den Spitzentanz mit vollendeter Grazie beherrschte.
T., Paolo, * Wien 12. Jan. 1808, † Berlin 6. Jan. 1884, italien. Tänzer und Choreograph. – Sohn von Filippo T.; wirkte 1856–83 als Ballettmeister an der Berliner Hofoper.

Tagore [anglisiert aus der Bengaliform Thakur], Abanindranath, * Kalkutta 7. Aug. 1871, † ebd. 5. Dez. 1951, ind. Maler. – Neffe von Rabindranath T.; begr. mit seinem Bruder Gaganendranath T. (* 1867, † 1938) die „Bengalische Schule", die eine an landeseigene Vorbilder anknüpfende moderne ind. Malerei entwickelte.

T., Sir (seit 1915) Rabindranath, * Kalkutta 6. Mai 1861, † Santiniketan (Bengalen) 7. Aug. 1941, ind. Dichter, Philosoph und Maler. – Aus begüterter bengal. Brahmanenfamilie; gründete 1901 in Santiniketan eine Schule, um ind. und europ. Erziehungsmethoden zu verschmelzen; lehnte das Kastensystem ab; spielte als Nationalist und gemäßigter Gegner der brit. Indienpolitik eine führende Rolle im Widerstand gegen die Teilung Bengalens 1905; leistete mit seinem dichter. Werk, v. a. neuromant. Lyrik sowie expressionist. Erzählungen und Dramen einen bed. Beitrag zur bengal. Literatursprache; 1913 Nobelpreis für Literatur. – *Werke:* Das Heim und die Welt (R., engl. 1910, bengal. 1916), Meine Lebenserinnerungen (1912), Das Postamt (Dr., 1912), Der Gärtner (Ged., engl. 1913).

Tagpfauenauge (Inachis io), etwa 5–6 cm spannender, von W-Europa bis Japan verbreiteter Tagschmetterling; Flügel oberseits rotbraun mit je einem großen, blau, gelb und schwarz gezeichneten Augenfleck, unterseits schwärzlich; ♀ etwas größer als ♂.

Tagsatzung, seit dem 14. Jh. bis 1848, außer 1798–1803, das zentrale Bundesorgan der schweizer. Eidgenossenschaft. Aus den unregelmäßigen Zusammenkünften der Bündnispartner (Orte bzw. Kantone) entwickelte sich seit dem 15. Jh. ein System regelmäßiger Treffen von Gesandten zur Erledigung der gemeinsamen Geschäfte.

Tagschläfer (Nyctibiidae), Fam. bis bussardgroßer † Nachtschwalben mit fünf Arten in Z- und S-Amerika; nachtaktive Vögel, die tagsüber unbeweglich auf Ästen sitzen. Am bekanntesten ist der durch seine melod., an Menschenrufe erinnernde Stimme auffallende **Urutau** (Grauer T., Nyctibius griseus; von Mexiko bis Argentinien verbreitet).

Tagschmetterlinge (Tagfalter, Diurna), zusammenfassende Bez. für die am Tage fliegenden Schmetterlinge: 1. *Echte Tagfalter* (Rhopalocera) mit den wichtigsten einheim. Fam. Ritterfalter, Weißlinge, Augenfalter, Edelfalter und Bläulinge; 2. *Unechte Tagfalter* (Grypocera) mit der Fam. Dickkopffalter. – Ggs. † Nachtschmetterlinge.

Tagtraum, svw. † Wachtraum.

Taguan [indones.] † Flughörnchen.

Tagundnachtgleiche † Äquinoktium.

Tagwerk † Tagewerk.

Taha Husain † Husain, Taha.

Tahan, mit 2 190 m höchste Erhebung der Halbinsel Malakka, im Taman Negara National Park (Westmalaysia).

Tahiriden (arab. Tahirijjun), erste selbständige arab. Dyn. in Iran; begr. durch Tahir Ibn Al Husain, einen Statthalter des Kalifen Al Mamun, der sich um 821 für unabhängig erklärte. Die T. beherrschten v. a. Chorasan; um 872 brach ihre Herrschaft zusammen.

Tahiti, größte der Gesellschaftsinseln, Frz.-Polynesien, mit dessen Hauptstadt Papeete, 1 042 km². T. besteht aus zwei Teilen, deren Kerne Vulkane (2 237 bzw. 1 332 m hoch) bilden und die durch den Isthmus von Taravao miteinander verbunden sind. In den Küstenebenen werden Kokospalmen, Bananen, Zuckerrohr und Vanille kultiviert; Fremdenverkehr. – 1767 von S. Wallis entdeckt; ab 1842 frz. Protektorat (1880 Kolonie).

Tahoua [frz. ta'wa], Dep.hauptstadt im S der Republik Niger, 415 m ü. d. M., 41 900 E. Handelszentrum.

Tahre [Nepali] (Thare, Halbziegen, Hemitragus), Gatt. der Horntiere mit drei Arten in Gebirgen S- und SW-Asiens; Körperlänge 1,3–1,7 m, Schulterhöhe 0,6–1,0 m; Hörner kurz, stark zurückgebogen, mit auffaltend stark gekielter Vorderkante; größte Art: **Nilgiri-Tahr** (Hemitragus hylocrius); mit kurzhaarigem, dunkelbraunem Fell; bedrohte Restbestände.

Tai, Volk in Südostasien, † Thai.

TAI, Abk. für frz.: Temps atomique international († Zeitmessung).

Taiba [frz. tai'ba], Ort in W-Senegal. Phosphatabbau und -anreicherung; Abtransport per Bahn nach Dakar.

Taichung (Taizhong) [chin. taidʒʊŋ], Stadt im westl. Taiwan, 715 000 E. Zwei Univ. (gegr. 1955 bzw. 1961), mehrere Fachhochschulen. T. wird im Zusammenhang mit dem Bau des Seehafens Wuchi zum zweitgrößten Ind.standort Taiwans ausgebaut.

Taif, At [a'ta:ıf], Oasenstadt 50 km osö. von Mekka, Saudi-Arabien, 1 630 m ü. d. M., 205 000 E. Landw., Gewinnung von Rosenöl und Honig; Weberei.

Taifun [gebildet aus chin. tai feng „großer Wind" und engl. typhoon „Wirbelwind" (zu griech. typhôn)], Bez. für trop. Wirbelstürme im Bereich des westl. Pazifiks.

Taiga Ikeno, * bei Kyōto 10. Juni 1723, † Kyōto 30. Mai 1776, jap. Maler und Kalligraph. – Vertreter der Literatenmalerei des 18. Jh.; gilt als Begründer der modernen jap. Malerei; u. a. „Fischen im Frühling" (Rolle; Cleveland [Ohio], Museum of Art).

Taiga [russ., aus Turksprachen entlehnt], Nadelwaldgürtel südl. der nord. Tundra, der sich als breite Zone durch Sibirien über Finnland, Skandinavien bis nach Schottland erstreckt und in Nordamerika fortsetzt.

Taihang Shan [chin. tai̯xanʃan] (Taihangschan), rd. 350 km langer, annähernd S–N verlaufender Gebirgszug in China, nördl. des Hwangho; erreicht Höhen von über 2 000 m.

Taihō-Kodex [jap. da'iho:] (Taihoryō), ältestes Gesetzbuch Japans; 701 von Fujiwara no Fuhito u. a. nach chin. Vorbild kompiliert, bis 1232 in Kraft. Die im T.-K. fixierte *Taika-Reform* von 645/46 umfaßte u. a. die Überführung privaten Grundbesitzes in kaiserl. Eigentum, Zentralisierung der Verwaltung und Steuerreform.

Tai Hu (Taihu) [chin. tai̯xu], See westl. von Schanghai, rd. 2 200 km², natürl. Rückhaltebecken für die Wasser des Jangtsekiang, vom Kaiserkanal tangiert.

Taika-Reform ↑ Taihō-Kodex.

Tail [tɛ:l, te:l] ↑ Tael.

Tailfingen ↑ Albstadt.

Taille ['taljə; frz.], zw. Brustkorb und Hüfte gelegener schmalster Abschnitt des Rumpfes.

Taille [frz. tɑ:j], im ma. Frankreich 1. eine urspr. willkürlich erhobene Abgabe der Unfreien an ihren Grundherrn *(T. servile);* 2. eine vom Lehnsherrn erhobene Einkommensteuer *(T. seigneuriale);* 3. eine seit Karl VII. (bis zur Frz. Revolution) allg. und regelmäßige Abgabe *(T. royale),* die von den nicht privilegierten Ständen erhoben wurde.

Tailleferre, Germaine [frz. taj'fɛ:r], * Le Parc-de-Saint-Maur (= Saint-Maur-des-Fossés) 14. April 1892, † Paris 7. Nov. 1983, frz. Komponistin. – Mgl. der Gruppe der ↑ Six; Opern, Orchesterwerke, Kammer- und Klaviermusik, Bühnen- und Filmmusiken.

Taillenwespen ['taljən] (Apocrita), weltweit verbreitete Unterordnung der Hautflügler, von den Pflanzenwespen äußerlich unterschieden v. a. durch die deutl. Abschnürung des Hinterleibs vom Vorderkörper („Wespentaille") unter Bildung eines bes. Mittelsegments. – Zu den T. gehören die Legwespen und die Stechimmen.

Tailleur [ta'jØr; frz.], v. a. schweizer. Bez. für: enganliegendes Schneiderkostüm, tailliertes Jackenkleid.

Taimyr, Autonomer Kreis [russ. taj'mir] (A. K. T. der Dolganen und Nenzen), autonomer Kreis innerhalb der Region Krasnojarsk, in Rußland, erstreckt sich von der Halbinsel Taimyr in das Mittelsibir. Bergland, 862 100 km², 55 000 E (1990), Hauptstadt Dudinka; Ind.zentrum Norilsk.

Taimyr, Halbinsel [russ. taj'mir], nordsibir. Halbinsel zw. Jenissei- und Chatangabucht, vom Byrrangagebirge durchzogen; Tundrenvegetation; Erdöl-, Erdgas-, Erzvorkommen; Arktis-Naturschutzgebiet.

Taimyrsee [russ. taj'mir], 250 km langer See auf der Halbinsel Taimyr, 4 560 km², bis 26 m tief, 6 m ü. d. M.

Tainan, Stadt auf Taiwan, im SW, 622 000 E. Univ. (gegr. 1927 als techn. Schule); Nahrungsmittel-, Textil-, chem. Ind., Maschinenbau. – Seit 1590 von Chinesen besiedelt; älteste Stadt der Insel Taiwan, von 1684 bis ins 19. Jh. deren Verwaltungszentrum.

Taine, Hippolyte [frz. tɛn], * Vouziers (Ardennes) 21. April 1828, † Paris 5. März 1893, frz. Kulturkritiker, Philosoph und Historiker. – 1864–84 Prof. für Ästhetik und Kunstgeschichte an der Pariser École des Beaux-Arts. Unter dem Einfluß von A. Comte und J. S. Mill entwickelte sich T. zum einflußreichen Begründer des literarhistor. Positivismus (bed. v. a. seine „Geschichte der engl. Literatur", 1863). „Rasse, Milieu und Moment" bestimmen nach der von ihm entwickelten Milieutheorie jedes soziale Phänomen und jede geistige Gestaltung; wandte sich nach der frz. Niederlage 1870/71 einem kulturkrit. Pessimismus zu: „Die Entstehung des modernen Frankreich" (6 Bde., 1876–94); seit 1878 Mgl. der Académie française.

Taipa [portugies. 'taipɐ], Insel vor der chin. S-Küste, ↑ Macao.

Taipan [austral.] (Oxyuranus scutellatus), bis 4 m lange, braune bis schwarzbraune Giftnatter in NO-Australien und Neuguinea; gefährlichste austral. Giftschlange.

Taipeh ['taipe, tai'pe:] (Taibei [chin. tai̯bei̯]), Hauptstadt von Taiwan, nahe der N-Küste der Insel Taiwan, am Tanshui, 2,68 Mill. E. Sitz der Regierung, kulturelles und wirtsch. Zentrum; 6 Univ., u. a. die Nationaluniv. (gegr. 1928), Kunstakad., zahlr. Fachhochschulen und Forschungsinst.; Sitz von Akademien. Bed. Museen, u. a. Nat. Palastmuseum (bed. Sammlung chin. Kunstschätze), Nationalgalerie und Nationalbibliothek; traditionelle Pekingoper; botan. Garten, Zoo. Die Wirtschaftsstruktur zeigt ein deutl. Übergewicht des Dienstleistungsgewerbes; Textil-, pharmazeut. und chem. sowie Papierind., Kfz-Montage, Maschinenbau, Elektronik- u. a. Ind. Nördl. von T. zahlr. Schwefelthermen (Kurorte); internat. ✈. – Wuchs aus 3 chin. Siedlungen zus., deren älteste 1720 zum Handel mit den Ureinwohnern der Insel angelegt worden war; Verwaltungszentrum der 1875 gebildeten Präfektur und Hauptstadt der 1885 gebildeten Prov. Taiwan (1895–1945 unter jap. Herrschaft); seit 1950 Hauptstadt von Taiwan. – Buddhist. Longshan- („Drachenberg"-)Tempel (1739 bis 1741), T.-Moschee (1960; in arab. Stil).

Taiping [indones. 'taipıŋ], Stadt 70 km sö. von George Town, Malaysia, 55 000 E. Perak-

Museum. – Früher führendes Zinnerzberg-bauzentrum Westmalaysias und Hauptstadt von Perak.

Taiping [chin. „friedlich"], chin. Bez. für einen Idealzustand, in dem die Kräfte des Universums sowie alle Schichten der Gesellschaft in vollendeter Weise zusammenwirken; danach die Losung des chin. Bauernaufstandes 1850–64 (**Taipingbewegung**), der v. a. agrarkommunist. Ziele verfolgte.

Tairow, Alexandr Jakowlewitsch [russ. taˈirəf], * Romny 6. Juli 1885, † Moskau 25. Sept. 1950, russ. Regisseur. – 1905 Schauspieler, 1908 Regisseur; mit seiner Frau, der Schauspielerin Alissa G. Koonen (* 1889, † 1974), 1914 Begründer des Moskauer Kammertheaters und dessen Leiter; betonte in seinen Inszenierungen den Spielcharakter theatral. Geschehens und artist. Elemente.

Taiss, Stadt im S von Jemen, 1 370 m ü. d. M., 178 000 E. Museum im ehem. Imampalast; handwerkl. Herstellung von Gebrauchsgütern. – Festung aus dem 12. Jh.; zwei Moscheen (13. bzw. 14. Jh.), mächtiges Stadttor Bab Musa. Das Stadtbild wird bestimmt durch die mit weißen geometr. Mustern bemalten Häuserfassaden.

Taiwan

[ˈtaɪvan, taɪˈva(:)n] (amtl.: Ta Chung-Hua Min-kuo; dt. Republik China), Staat in Ostasien, zw. 21° 45' und 25° 56' n. Br. sowie 119° 18' und 124° 34' ö. L. **Staatsgebiet:** Umfaßt die vom chin. Festland durch die Formosastraße getrennte Hauptinsel Taiwan (früher Formosa), die in der Formosastraße gelegenen Pescadoresinseln, mehrere kleine Inseln sowie die der Südküste der VR China unmittelbar vorgelagerten Inseln Quemoy und Matsu; T. erhebt Ansprüche auf die Spratley-inseln. **Fläche:** 36 179 km². **Bevölkerung:** 20,45 Mill. E (1992), 568 E/km². **Hauptstadt:** Taipeh. **Verwaltungsgliederung:** 16 Kreise, 7 kreisfreie Städte. **Amtssprache:** Chinesisch (Mandarin). **Nationalfeiertag:** 10. Okt. **Währung:** Neuer Taiwan-Dollar (NT$) = 100 Cents (c). **Internationale Mitgliedschaften:** Asiat. Entwicklungsbank; 1971 aus den UN ausgeschlossen. **Zeitzone:** MEZ + 7 Std.

Landesnatur: T. wird im zentralen Teil von N–S-verlaufenden Faltengebirgszügen eingenommen (im Mount Morrison 3 997 m hoch). Gegen O bricht das Gebirge zum Taitunggraben ab; den östl. Abschluß bildet ein schmales Küstengebirge. Die W-Abdachung des zentralen Gebirges erfolgt allmählich über ein Berg- und Hügelland zu einer 8–40 km breiten Küstenebene. Die Pescadoresinseln sind vulkan. Ursprungs.
Klima: T. liegt im trop. Klimabereich. Im N

Niederschläge zu allen Jahreszeiten, im S während des Winters eine Trockenperiode. Taifune sind im Sommer häufig.
Vegetation: 63,8 % der Insel T. sind waldbedeckt. Bei jeweils im S höher ansteigenden Vegetationsstufen finden sich bis 500/800 m Mangroven, Palmen, Bambus und Akazien; bis 1 500/2 000 m immergrüne subtrop. Wälder; bis 2 600 m Mischwald; bis 3 600 m reiner Nadelwald, darüber eine Stufe mit Kniehholz.
Bevölkerung: Von der überwiegend chin. Bev. (im Landesinneren z. T. noch malaiisch-polynes. Gaoschan) bekennen sich etwa 60 % zum Buddhismus, der Rest zum Konfuzianismus, Daoismus, Islam und Christentum. Der Trend in der Bev.verteilung der v. a. im westl. Teil dicht besiedelten und wirtsch. höher entwickelten Insel T. geht eindeutig zu den Städten (72 % Stadtbev.). Allg. Schulpflicht besteht von 6–15 Jahren. T. verfügt über zahlr. Colleges und 14 Universitäten.
Wirtschaft: Neben Japan ist T. heute einer der wichtigsten Ind.produzenten im Fernen Osten, der bis Ende der 1980er Jahre einen enormen Wirtschaftsaufschwung erlebte und heute zu den Schwellenländern Asiens („Kleine Tiger") zählt. Auf Grund der Armut an Bodenschätzen (Kohle, Erdöl, Erdgas, Gold) ist die Ind. stark von importierten Rohstoffen abhängig. Die führenden Branchen im verarbeitenden Gewerbe als dem bei weitem wichtigsten Wirtschaftssektor des exportorientierten T. sind neben der Nahrungsmittel-, Textil- und Bekleidungsind. v. a. die expandierende Elektro- und Elektronikind., die petrochem. und metallurg. Ind. sowie der Schiff- und Maschinenbau. 40 % der Ind.erzeugung entfallen bereits auf die Hochtechnologiefertigung. Eine landw. Nutzung stehen wegen des Gebirgscharakters nur 25 % der Landfläche zur Verfügung. Eine ganzjährige Vegetationszeit ermöglicht mehrere Ernten im Jahr. Die durchschnittl. Betriebsgröße liegt bei 1,02 ha. Angebaut werden Reis, Champignons, Spargel, Tee, Zuckerrohr, Bananen und Ananas. 90 % des Waldes sind Staatsbesitz. Der Holzexport gewinnt wachsende Bed. In der Fischerei erfolgt eine zunehmende Verlagerung zur Hochseefischerei.
Außenhandel: Der Gesamtexportwert hat einen Anteil von über 50 % am Bruttosozialprodukt. Exportiert werden elektr. und elektron. Geräte, Garne, Bekleidung, Büromaschinen, Schuhe und Agrarerzeugnisse. Importiert werden chem. und elektron. Erzeugnisse, Maschinen und Metallwaren. Die wichtigsten Handelspartner sind die USA, Japan, Hongkong, Deutschland, Singapur, Saudi-Arabien.
Verkehr: Eisenbahn- und Straßennetz sind im W der Insel konzentriert. 1978 wurde die Nord-Süd-Autobahn fertiggestellt. Die Län-

ge des Eisenbahnnetzes beträgt 2 526 km, davon dienen 1 072 km dem öff. Personen- und Güterverkehr, die restlichen werden hauptsächlich von Zucker- und Holzgesellschaften betrieben. Das Straßennetz ist 19 981 km lang. Die wichtigsten Häfen des Landes sind: Kaohsiung, Keelung, Hualien, Suao und Wuchi. Nat. Fluggesellschaft China Air Lines; internat. ✈ in Taipeh (Taoyuan) und Kaohsiung.

Geschichte: T. mit seiner malaiisch-polynes. Urbev. wurde bereits seit dem 3. Jh. v. Chr. vom chin. Festland aus erkundet und später besiedelt. 1590 von den Portugiesen entdeckt und „[Ilha] Formosa" (portugies. „schöne Insel") gen. Ab 1624 besetzten die Niederländer T., verdrängten die seit 1626 im N ansässigen Spanier und wurden 1661 vom Ming-General Koxinga vertrieben. 1683 eroberten die Qing die Insel. Nach dem chin.-jap. Krieg (1894/1895) mußte China T. an Japan abtreten, das die Insel bis 1945 beherrschte. Nach der Kapitulation Japans im 2. Weltkrieg sprachen die Alliierten T. wieder China zu, ohne eine Volksabstimmung auf der Insel durchgeführt zu haben. 1947 blutige Niederschlagung eines Aufstandes der um ihre Unabhängigkeit ringenden Inselbewohner. 1949 flüchtete die durch kommunist. Truppen vom chin. Festland vertriebene Kuomintang-Reg. nach T. und rief dort am 1. März 1950 die „Republik China" (Nationalchina) unter Staatspräs. Chiang Kai-shek (1950–75) aus. Auf Grund massiver wirtsch. und polit. Unterstützung durch die USA sowie einer erfolgreich durchgeführten Bodenreform (1949–64) wurde T. zu einem bed. wirtsch. Faktor. Die Auseinandersetzungen mit der VR China kulminierten in den beiden „Quemoykrisen" 1955 und 1958 (Bombardierung der Insel Quemoy durch chin. Truppen). 1971 verlor Nationalchina seinen Sitz in der Generalversammlung und im Sicherheitsrat der UN an die VR China. Nach dem Tod Chiang Kai-sheks 1975 wurde zunächst Vizepräs. Yen Chia-kan (* 1905) Staatsoberhaupt, im März 1978 Chiangs Sohn Chiang Ching-kuo. Nachdem die USA 1978 zur VR China diplomat. Beziehungen aufgenommen hatten, brachen sie die zu T. ab. 1986 wurde als erste Oppositionspartei die Demokrat. Fortschrittspartei (DPP) gegr., die bei den Wahlen im Dez. 1986 in der Nat.versammlung 11 und im gesetzgebenden Yüan 12 Sitze erringen konnte. Im Juli 1987 wurde das seit 1950 geltende Kriegsrecht aufgehoben und durch neue Sicherheitsgesetze ersetzt. Nachfolger des im Jan. 1988 verstorbenen Staatspräs. Chiang Ching-kuo wurde Li Teng-hui. Im Jan. 1989 verabschiedete das Parlament ein neues Parteiengesetz, das die Neugründung von Parteien generell zuließ. Im Mai 1989 wurde der

Taiwan. Übersichtskarte

Generalsekretär der Kuomintang, Li Huan, Min.präs. Bei den ersten Wahlen nach Aufhebung des Kriegsrechts im Dez. 1989 vereinigten sich 41% der abgegebenen Stimmen auf die Oppositionsparteien (59% auf die Kuomintang). Anhaltende Protestaktionen der Opposition, die weiterreichende demokrat. Reformen forderte, führten im Mai 1990 zum Rücktritt der Reg. Li Huan; neuer Reg.chef wurde General Hao Pei-tsun. Seit 1988 entspannte sich das Verhältnis zur VR China (weitgehende Legalisierung des Handels, Ausweitung des Reiseverkehrs); 1990 erklärte sich T. zu Gesprächen über eine Wiedervereinigung mit der VR China bereit. Im April 1991 wurden die 1948 im Bürgerkrieg gegen die Kommunisten eingeführten Notstandsrechte des Staatspräs. aufgehoben und weitere Verfassungsänderungen beschlossen. Bei den Wahlen zur Nat.versammlung im Dez. 1991 setzte sich die für eine Weiterführung der Demokratisierung eintretende Kuomintang als klarer Sieger gegenüber der oppositionellen DPP durch. Die Wahlen zum Legislativ-Yüan im Dez. 1992 konnte die Kuomintang bei schwindender Mehrheit gegenüber der DPP gleichfalls für sich entscheiden, neuer Min.präs. wurde Lien Chan.

Politisches System: T. hat ein kombiniertes Präsidial- und Kabinettssystem. Es erhebt Anspruch auf Alleinvertretung aller Chinesen und betrachtet sein Staatsgebiet als eine Prov. Gesamtchinas. Daher existiert in T. ein doppeltes Reg.system aus Nat.reg. und Prov.-reg. mit den entsprechenden parlamentar. Körperschaften. Es gilt die z. T. suspendierte nationalchin. Verfassung von 1946 (letzte Änderung im Juli 1994). *Staatsoberhaupt* ist der direkt gewählte Staatspräs. (Amtszeit 6 Jahre). Er ist Oberbefehlshaber der Armee, verkündet die Gesetze und kann Anweisungen mit Billigung des Min.präs. erteilen. Die Nat.versammlung (405 Mgl.) entscheidet über Verfassungsänderungen. Die verbleibenden Kompetenzen der Staatsgewalt werden von 5 Organen (Yüan) wahrgenommen. Der Reg.chef als Vors. des *Exekutiv*-Yüan wird vom Präs. im Einvernehmen mit dem *Legislativ*-Yüan (161 Mgl.) ernannt, der seinerseits bis auf 36 nach Proporz gewählten Mgl. vom Volk gewählt wird. Der *Staatsprüfungs-Yüan* und der *Aufsichts-Yüan* nehmen die Funktionen der gesellschaftl. Überwachung bzw. der Beamtenauswahl wahr. Dem *Justiz-Yüan* untersteht das Gerichtswesen; er fungiert auch als Verfassungsgericht. Die noch vor der Teilung Chinas auf dem Festland gewählten nat. Institutionen wurden später nur z.T. durch Nachwahlen in T. ergänzt. Die Prov.reg. von T. steht unter der Führung eines von der Nat.reg. ernannten Gouverneurs. Die für 4 Jahre vom Volk gewählten Prov.parlamente für T. und den Stadtstaat Taipeh besteht aus 77 Abg., v.a. einheim. Taiwanern. Dominierende *Partei* ist die ↑ Kuomintang, die eine Mehrheit in den verfassungsmäßigen Gremien hat. Seit 1989 sind auch andere Parteien offiziell zugelassen, von denen die Demokrat. Fortschrittspartei (DPP) größten Einfluß gewann. Die Bed. der *Gewerkschaften* ist gering; Streiks sind verboten. *Verwaltungsmäßig* ist die Prov. T. in 16 Landkreise, 5 Stadtkreise und 2 Sonderstadtkreise gegliedert. Die Hauptstadt Taipeh ist der Nat.reg. direkt unterstellt. Höchste Instanz der *Rechtsprechung* ist der Justiz-Yüan, dem Ober- und Amtsgerichte nachgeordnet sind.

📖 *Whittome, G.*: T. 1947: Der Aufstand gegen die Kuomintang. Hamb. 1991. – *Gälli, A.*: T. Eine chin. Herausforderung. Köln 1988. – *Wu, Yüan-Li: Auf dem Wege zur Ind.nation. Böblingen 1987. – *Hsieh, C. C.*: Strategy for survival. The foreign policy and external relations of the Republic of China on T. 1949–1978. London 1985. – *Kindermann, G.-K.*: Pekings chin. Gegenspieler. Theorie u. Praxis nationalchin. Widerstandes auf T. Düss. 1979.

Taiyuan [chin. taị̈yæn] (Taiyüan), Hauptstadt der chin. Prov. Shanxi, am Fen He, 1,93

Mill. E. Fachhochschule für Ackerbau; Zentrum der Maschinenbauind., ferner chem., Textil-, Zement-, Elektro- und Genußmittelind. – Bereits im 5.Jh. v. Chr. umwallt; im 6.Jh. unter der Nördl. Qidynastie zur zweiten Metropole bestimmt und als buddhist. Zentrum ausgebaut; die Stadt erreichte in der Tangzeit (618–907) ihre größte Blüte; 979 vollständig zerstört; seit der Ming- bzw. Qingdynastie Hauptstadt der Prov. Shanxi.

Taizé [frz. tɛ'ze] (Communauté de T.), ökumen. Kommunität, ben. nach ihrem Sitz in Taizé (Saône-et-Loire); 1940 von Roger ↑ Schutz gegr. Die „Brüder" haben sich zu Ehelosigkeit, Gütergemeinschaft und Anerkennung einer Autorität verpflichtet und leben vom Ertrag ihrer eigenen Arbeit.

Tajín, El [span. ɛlta'xin], seit 1934 freigelegte Ruinenstätte im mex. Staat Veracruz, 500–900 bed. Kultzentrum der Totonaken, weiterbenutzt bis ins 13.Jh.; berühmt ist die 7stufige „Nischenpyramide" mit 364 quadrat. Nischen. Der T.stil ist durch Spiralen (Mäander) und Voluten sowie Reliefplatten mit Ballspielern gekennzeichnet. Häufige Motive der Keramik sind Schlangen, Kröten, Vögel. Grabfiguren aus Stein (Palmas); Steinringe (Yugos).

Tajo [span. 'taxo] (portugies. Tejo), längster Fluß der Iber. Halbinsel, entspringt in der span. Sierra de Albarracín; bei seinem Austritt aus dem Gebirge ist am Ende von Engtalstrecken des T. und seines linken Nebenflusses Guadiela ein System von Stauseen mit Kraftwerken angelegt worden. Nach dem T.becken bildet der Fluß ein Engtal, das 60 km lang die span.-portugies. Grenze ist. Unterhalb von Abrantes durchfließt er den Ribatejo, in dessen südl. Teil er senartig zum Mar da Palha erweitert ist. Bei Lissabon durchbricht der T. eine tekton. Aufwölbung und mündet in den Atlantik; 1 007 km lang.

Tajobecken [span. 'taxo], Tallandschaft in Z-Spanien und Portugal, erstreckt sich am S-Fuß des Kastil. Scheidegebirges entlang nach W bis Portugal, etwa 480 km lang und bis 115 km breit. Agrar. Nutzung: Weinfelder in Verbindung mit Feigen-, Kirsch- und Edelkastanienbäumen; Bewässerungsfeldbau entlang der Flüsse. Südl. von Toledo finden sich zunehmend Ölbaumpflanzungen mit Wintergetreide als Unterkultur sowie Obstbaumpflanzungen.

Tajumulco [span. taxu'mulko], Vulkan in SW-Guatemala, mit 4 210 m höchster Berg Z-Amerikas.

Taka, Abk. Tk., Währungseinheit in Bangladesch; 1 Tk. = 100 Poisha (ps.).

Takamatsu, jap. Hafenstadt an der NO-Küste von Shikoku, 328 000 E. Verwaltungssitz der Präfektur Kagawa; kath. Bischofssitz; Univ. (gegr. 1950). Herstellung von Möbeln, Papier, Regenschirmen, Lacken, Arzneimitteln u.a.; Fährverbindung nach Tamano auf Honshū. – Ende des 16.Jh. Burgbau und Stadtentwicklung. Seit 1871 Hauptstadt der Präfektur Kagawa. – Wandmalereien (7. Jh.) in einer Grabkammer; Reste der Burganlage; berühmter Landschaftsgarten.

Take [engl. tɛɪk „(auf)nehmen"], in Film und Fernsehen 1. Szenenausschnitt; 2. Filmabschnitt für die Synchronisation (für wiederholte Projektion zum Endlosband zusammengeklebter kurzer Filmstreifen).

Takel [niederdt.] ↑ Talje.

Takelage [...'la:ʒə; niederdt.], seemänn. Bez. für die Gesamtheit der Masten, Rahen, Bäume, Stengen und Segel eines Schiffes und ihres stehenden und laufenden Gutes.

takeln [niederdt.], seemännisch 1. die Takelage eines Schiffes betriebsbereit machen (auftakeln); 2. einen ↑ Takling herstellen.

Takelung [niederdt.], Art der Takelage eines Schiffes; man unterscheidet: *Rah-T.* (Anordnung der Segel quer zum Schiff), *Gaffel-* bzw. *Schoner-T.* (Anordnung der Segel längs zum Schiff), bei Segelbooten die *Hoch-T.* bzw. *Bermuda-T.* mit Hochsegeln und die *Steilgaffel-T.* mit einem Spitzsegel an senkrechter Gaffel.

Takin [tibet.] (Rindergemse, Budorcas), Gatt. der Horntiere mit der einzigen Art *Budorcas taxicolor* in Gebirgen S- und O-Asiens; Länge 1,7–2,2 m, Schulterhöhe 1,0–1,3 m; Körper massig, rinderähnlich, mit kurzen, stark zurückgebogenen Hörnern; Beine sehr kräftig; Fell kurz und dicht, goldgelb bis graubraun gefärbt; geschickte Kletterer.

Takis, eigtl. T. Vassilakis, * Athen 29. Okt. 1925, griech. Bildhauer. – Gestaltet kinet. Plastiken, deren Wirkungsprinzip auf elektromagnet. Kräften beruht.

Takla Makan (Talimupendi, chin. Taklimakan Shamo), Sandwüste in der Autonomen Region Sinkiang, China; nimmt mit rd. 400 000 km² den zentralen Teil des Tarimbeckens ein. Die Jahresniederschläge liegen z. T. weit unter 100 mm. Entlang dem N-Rand fließt der Tarim.

Taklimakan Shamo ↑ Takla Makan.

Takling [niederdt.], das durch Umwickeln mit dünnem Tauwerk gegen Aufdrehen gesicherte Ende z. B. eines Seiles, Taues.

takonische Phase [nach den Taconic Mountains, USA] ↑ Faltungsphasen (Übersicht).

Takoradi, ghanaische Hafenstadt, seit 1946 Stadtteil von ↑ Sekondi-Takoradi.

Takt [zu lat. tactus „das Berühren, der Gefühlssinn, der Schlag"], musikal. Maß- und Bezugssystem, das die Betonungsabstufung und zeitl. Ordnung der Töne regelt und insofern nicht nur den ↑ Rhythmus grundlegend

bestimmt, sondern auch mit dem melod. und harmon. Geschehen in engstem Wechselverhältnis steht. Der T. schließt Zählzeiten oder Schläge beim Dirigieren zu übergeordneten Einheiten zusammen, indem er gleich lange

Maßwerte (z. B. ♩ ♩ ♩ ♩) unterschiedlich

gewichtet oder akzentuiert (♩ ♩ ♩ ♩).

Das Hauptgewicht fällt stets auf den T.anfang, d. h. auf die erste Zählzeit; der **Taktstrich** (ein senkrechter Strich, der das Liniensystem oder die Akkolade durchzieht) ist insofern ein Betonungszeichen. Die T.art wird am Beginn eines Stücks durch einen Bruch angegeben. Der Nenner gibt die Einheiten an, in denen gezählt werden soll (Achtel, Viertel, Halbe usw.), der Zähler die Anzahl solcher Einheiten in einem Takt. Man unterscheidet gerade T.arten:

($\frac{2}{8}$, $\frac{2}{4}$, $\frac{4}{4}$ (=**C**), $\frac{2}{2}$ (=**¢** ; ↑ alla breve),

ungerade T.arten: ($\frac{3}{8}$, $\frac{3}{4}$, $\frac{3}{2}$, $\frac{9}{8}$)

und zusammengesetzte T.arten, z. B.

$\frac{6}{8}$ (♪♪♪ ♪♪♪)

Bei sehr raschem Tempo wird häufig nur noch die Eins jeden T. als Schlagwert empfunden (und auch dirigiert). Mehrere T. können dann zu übergeordneten metr. Einheiten zusammengefaßt sein (↑ Metrum). Umgekehrt werden in sehr langsamem Tempo die Zählschläge oft noch unterteilt. Unregelmäßige Bildungen wie Fünfer- oder Siebener-T. bestehen meist aus einer Kombination ungerader und gerader T.; sie sind seit dem Ende des 19.Jh. aus der Volksmusik v. a. des slaw. Raums zunehmend in die Kunstmusik gelangt. Die Notierung fremdartiger Rhythmen führt dabei vielfach zu einer Sprengung des

herkömml. T.begriffs (z. B. $\frac{4+2+3}{8}$ „Alla

bulgarese" in B. Bartóks 5. Streichquartett, 1934).

Geschichte: Antike und MA kannten den T. noch nicht. In der Mensuralmusik des Spät-MA und der Renaissance regelt der *Tactus* als zweiteilige Ab- und Aufbewegung der Hand die auf ihn bezogenen Mensuren. Zus. mit der Dur-Moll-Tonalität begann sich um 1600 der Akzentstufen-T. unter dem Einfluß der Betonungsrhythmik damaliger Tänze herauszubilden. Gleichzeitig kam der Begriff ↑ Tempo auf. Bei den Wiener Klassikern stellt der T. einen eigenständigen Faktor der Komposition dar. Entsprechend treten Auftakt,

Abtakt, Taktmotiv, achttaktige Periode mit Verkürzungen und Erweiterungen in den Vordergrund. Die romant. Musik löste sich wieder stärker von den Bindungen an den T.; freie Akzentsetzung und T.wechsel häuften sich. Im 20. Jh. werden flexible Arten der Rhythmusnotierung bevorzugt, z. B. mit sorgfältiger Anpassung der T.vorzeichnung an frei wechselnde, oft prosaähnl. Bewegungsarten (A. Schönberg, A. Webern, I. Strawinski, P. Boulez) oder mit freier T.strichsetzung in traditioneller (C. Ives, O. Messiaen) und graph. Notation (K. Stockhausen).

📖 *Maier, Siegfried: Studien zur Theorie des T. in der ersten Hälfte des 18. Jh. Offenburg 1984.* – *Apfel, E./Dahlhaus, C.: Studien zur Theorie u. Gesch. der musikal. Rhythmik u. Metrik. Mchn. 1975.* – *Dahlhaus, C.: Zur Entstehung des modernen T.systems im 17. Jh. In: Arch. f. Musikwiss. 18 (1961).*

◆ kleinste formale Einheit der Lyrik (↑ Vers).

◆ bei Verbrennungsmotoren ein einzelner Arbeitsgang während des Kolbenlaufs im Zylinder (z. B. Ansaugen, Verdichten, Verbrennen, Ausstoßen beim Viertakt-Ottomotor).

Takt [frz., zu lat. tactus „das Berühren, der Gefühlssinn"], Form menschl. Verhaltens: Rücksichtnahme und Feinfühligkeit gegenüber dem Mitmenschen.

Taktakischwili, Otar, * Tiflis 27. Juli 1924, † ebd. 22. Febr. 1989, georg. Komponist. – Lehrte seit 1947 am Konservatorium Tiflis (1966 Prof.), 1952–56 Leiter des Staatl. Chores Georgiens. T. Musik ist geprägt von der Folklore seiner Heimat, u. a. Opern („Mindija", 1960; „Der Raub des Mondes", 1977; „Die erste Liebe", 1980; u. a.), zahlr. Orchester- und Vokalwerke, Instrumentalkonzerte.

Taktik [zu griech. taktikḗ (téchnē) „Kunst der Anordnung und Aufstellung"], allg. die planvollen Einzelschritte im Rahmen eines Gesamtkonzepts (Strategie); berechnendes, zweckbestimmtes Vorgehen („taktieren"). Im *militär.* Sinn nach C. v. Clausewitz die Theorie und Praxis des Einsatzes von Truppen in Gefechten (im Rahmen der *Kriegführung,* der Strategie). Dabei hat jede Truppenbzw. Waffengattung in Angriff und Verteidigung ihre bes. T., die jedoch der T. der jeweiligen Teilstreitkraft untergeordnet bleibt. Wichtige takt. Grundsätze sind u. a. der Einsatz der angemessenen Mittel, Tarnung und Täuschung, Fähigkeit der Anpassung an veränderte Situationen, Bildung von Schwerpunkten, Konzentration der Kräfte, abgewogene Eigeninitiative für die Unterführer *(Auftrags-T.* im Ggs. zur *Befehls-Taktik).*

taktil [lat.], das Tasten, den ↑ Tastsinn betreffend.

Taktionsproblem [lat./griech.], svw. ↑ apollonisches Berührungsproblem.

taktische Waffen, Waffen, die – im Unterschied zu den ↑ strategischen Waffen – der Bekämpfung von Bodenzielen (z. B. von Truppen bei der Heranführung zum Gefecht) dienen. In der atomaren Kriegführung Bez. für 1. nukleare Sprengköpfe unter einer bestimmten Größe (meist 1 Megatonne TNT); 2. Trägersysteme, die mit geringer Reichweite (Kurz- und Mittelstreckenraketen) Nuklearköpfe auf das Gefechtsfeld tragen.

Taktmesser ↑ Metronom.

Taktstrich ↑ Takt.

Tal, Josef, eigtl. J. Gruenthal, * Pinne (bei Posen) 18. Sept. 1910, israel. Komponist und Pianist. – 1965–71 Leiter der Abteilung für Musikwiss. und des Inst. für elektron. Musik an der Hebrew University in Jerusalem. Komponierte Werke aller Gattungen, teilweise unter Verwendung elektron. Mittel.

T., Michail Nechemjewitsch, * Riga 9. Nov. 1936, lett.-sowjet. Schachspieler. – Weltmeister 1960/61.

Tal, langgestreckte, offene Hohlform der Erdoberfläche, geschaffen von einem fließenden Gewässer (teilweise später von Gletschern überformt) durch die linienhaft einschneidende Kraft der Erosion gebildet, meist verbunden mit denudativer Hangabtragung. Vom T.rand führen die T.hänge oft über T.terrassen (alte T.böden) zur T.sohle. Die T.formen hängen von der Wassermenge, der Fließgeschwindigkeit, dem Schutttransport, der Beschaffenheit der Gesteine, der Hangabtragung und dem Klima ab. Man unterscheidet: 1. nach dem Querschnitt: *Klamm* (senkrechte bis überhängende T.wände, kein T.boden; enger und tiefer als eine Schlucht), *Schlucht* (senkrechte bis abgeschrägte T.wände; bei horizontale Gesteinslagerung ↑ Canōn gen.), *Kerbtal* oder V-Tal (mit V-förmigem Querschnitt, geradlinigen bis konvexen Hängen, engem T.boden), *Muldental* mit breitem, ohne deutl. Grenze in die flachen T.hänge übergehendem T.boden). Durch Aufschüttung oder Seitenerosion entsteht ein *Sohlen-* oder *Kastental* (mit sehr breitem T.boden und scharfem Knick am Fuß der T.hänge). Eine Sonderform ist das glazial überformte *Trogtal* (U-Tal); 2. nach dem *Grundriß:* gestreckte Täler mit geradlinigem Verlauf im Ggs. zu gewundenen Tälern. Zu diesen gehören die Täler der mäandrierenden Flüsse (↑ Mäander); 3. nach dem *Längsprofil:* Dieses entwickelt sich mit gleichmäßigem Gefälle oder getreppt und gestuft (der Lauf wird von Wasserfällen oder Stromschnellen unterbrochen); 4. nach dem *geolog.-tekton. Struktur: Längstäler* folgen den Achsen geolog. Mulden oder Sättel, *Quertäler* queren diese; 5. nach der *Entwicklungsgeschichte:* Gebirge querende *Durchbruchstäler* (↑ antezedentes Tal); 6. nach der *Wasserführung:*

regelmäßig Wasser führende Täler und *Trokkentäler.*

Tala, Währungseinheit in Westsamoa; 1 T. = 100 Sene.

Talaing, Volk in Hinterindien, ↑ Mon.

Talakmau, tätiger Vulkan auf Sumatra, 2 912 m hoch.

Talamanca, Cordillera de [span. kɔrði'jera ðe tala'maŋka], höchstes Gebirge Costa Ricas, Wasserscheide zw. Pazifik und Atlantik, bis 3 920 m hoch.

Talar [lat.], knöchellanges, weites Amtskleid von Geistlichen, Richtern und von Hochschullehrern.

Talas, Fluß in Kirgisien und Kasachstan, entspringt mit zwei Quellflüssen im Kirgis. und T.-Alatau, durchfließt das zw. diesen beiden Gebirgsketten gelegene 250 km lange T.tal (600–2 000 m ü. d. M.), versickert in der Wüste Mujunkum, 661 km lang; Stausee bei Kirowsk.

Talat Pascha, Mehmet, * Edirne 1874, † Berlin 15. März 1921, osman. Politiker. – Einer der Führer der Jungtürken; ab 1909 Innenmin., 1917/18 Großwesir; maßgeblich an der Vertreibung der Armenier beteiligt; floh im Nov. 1918 nach Deutschland, wo er dem Attentat eines Armeniers erlag.

Talaudinseln, indones. Inselgruppe nw. von Halmahera, 1 282 km². Größte Insel ist **Karakelong** (980 km², bis 680 m hoch; an der W-Küste der Hauptort *Beo*).

Talavera de la Reina [span. tala'βera ðe la 'rreina], span. Stadt in Estremadura, am Tajo, 371 m ü. d. M., 66 000 E. Nahrungsmittel- (u. a. Konservenfabrikation, Ölmühlen) und Textilind.; Landmaschinenbau, Herstellung keram. Erzeugnisse. – In der Antike **Ebura;** 1085 durch König Alfons VI. von Kastilien den Arabern entrissen. – Stiftskirche Santa Maria (13. Jh.); röm. und ma. Stadttore, Brücke (15. Jh.) mit 35 Bögen.

Talayots [katalan. tələ'jɔts; arab.], Steinbauten auf den Balearen, entsprechen den ↑ Nuraghen.

Talbot [engl. 'tɔ:lbət], engl. Adelsfamilie, ↑ Shrewsbury (Adelstitel).

Talbot, William Henry Fox [engl. 'tɔ:lbət], * Melbury Abbas (Dorset) 11. Febr. 1800, † Lacock Abbey (Wiltshire) 17. Sept. 1877, brit. Chemiker, Sprachforscher und Archäologe. – Einer der Erfinder der Photographie; befaßte sich mit Photochemie und entwickelte ab 1834 das erste, 1839 bekanntgegebene photograph. Negativ-Positiv-Verfahren **(Talbotypie, Calotypie),** das erstmals die Vervielfältigung photograph. Bilder erlaubte. Außerdem befaßte sich T. als einer der ersten mit der Entzifferung der babylon.-assyr. Keilschrift.

Talca, Regionshauptstadt in Z-Chile, 164 500 E. Kath. Bischofssitz; Metall-, Le-

der-, Nahrungsmittel- u. a. Ind.; bed. Weinbau; Verkehrsknotenpunkt. – Gegr. 1692; nach Zerstörung durch Erdbeben 1928 modern wiederaufgebaut. – Hier wurde 1818 die Unabhängigkeit Chiles proklamiert.

Talcahuano [span. talka'ɥano], chilen. Hafenstadt an der Bahía de Concepción, 231 000 E. Fischfang und -verarbeitung; Trockendocks; Marinebasis. Unmittelbar westl. von T. das Stahlwerk **Huachipato.**

Tal der Könige ↑ Biban Al Muluk.

Taldy-Kurgan [russ. tal'dikur'gan], Geb.hauptstadt im SO von Kasachstan, 119 000 E. PH; Akkumulatorenbau, Bekleidungs-, Möbel-, Lederind. – Seit 1944 Stadt.

Talent [zu griech. tálanton, eigtl. „die Waage, das Gewogene"], griech. Masseneinheit; 1 mittleres (att.) T. = 60 Minen = 26,196 kg, 1 kleinstes (syr. oder ptolemäisches) T. ≈ 7 kg, 1 größtes (äginäisches) T. ≈ 45 kg, 1 neugriech. T. = 150 kg; als Recheneinheit auch im Münzwesen verwendet.

Talent [zu mittellat. talentum „Gabe, Begabung" (als von Gott anvertrautes Gut) von lat. talentum „eine bestimmte Geldsumme" (↑ Talent)], 1. Anlage zu überdurchschnittl. geistigen oder körperl. Fähigkeiten auf einem bestimmten Gebiet, besondere Begabung; 2. jemand, der auf einem bestimmten Gebiet über eine bes. Begabung verfügt.

Taler (früher auch Thaler), Silbermünze, die urspr. als Silberäquivalent des Goldguldens **(Guldiner oder Guldengroschen)** zuerst in Hall in Tirol (1486) geprägt wurde; erhielt ihren Namen nach dem in Sankt Joachimsthal (= Jáchymov, Böhmen) 1518 bis 1528 in großer Zahl geprägten sog. **Joachimst(h)aler** (Guldengroschen). Seit 1524 trennten sich schrittweise Silbergulden (↑ Gulden; = 60 Kreuzer bzw. 21 „Groschen meißnisch") und T. (seit 1500 = 21 Groschen, seit 1534 = 24 Groschen), so daß „T." zum höheren Wertbegriff wurde. 1566 kam es zur Spaltung in sog. *Guldenländer* (Österreich, Süddeutschland) und *T.länder* (Mitteldeutschland und große Teile Nord- sowie Westdeutschlands); daneben stand noch das *Markgebiet* lüb. Währung, die jedoch die Überschichtung durch den seit 1566 sog. **Reichstaler** (1572 = 2 Mark, 1624 = 3 Mark) hinnehmen mußte. *Mehrfach-T.* blieben Ausnahmen; *Doppel-T.* wurden seit 1838 Vereinsmünze von der T. im Zollverein (1857–71 als ↑ Vereinstaler im Dt. Bund). Die letzten T. wurden in Deutschland 1871 geprägt und 1908 außer Kurs gesetzt. Auswärtige Nachahmungen, schon seit dem 16. Jh. üblich, waren z. B. Albertus-T., Crown, Dollar, Ecu, Peso, Piaster, Rubel, Scudo, Yuan.

Talew, Dimitar, * Prilep (Makedonien) 14. Sept. 1898, † Sofia 20. Okt. 1966, bulgar. Schriftsteller. – Seine Erzählungen und Ro-

Talg 296

mane schildern meist die Zeit der makedon. Freiheitskämpfe, u. a. der Romanzyklus „Der eiserne Leuchter" (1952), „Der Eliastag" (1953), „Die Glocken von Prespa" (1954).

Talg, (Hauttalg) ↑Talgdrüsen.
◆ (Unschlitt) körnig-feste, gelbl. Fettmasse, die aus inneren Fettgeweben von Rindern, Schafen u. a. Wiederkäuern ausgeschmolzen und als Speisefett sowie auch zur Herstellung von Seifen, Kerzen, Lederfettungsmitteln u. a. verwendet wird. – In der Pharmazie wird T. als *Sebum* bezeichnet und v. a. zur Herstellung von Salben verwendet.

Talgdrüsen (Glandulae sebaceae), neben den Schweißdrüsen auf dem Körper weit verbreitete, mehrschichtige Hautdrüsen der Säugetiere (einschl. Mensch), die meist den Haarbälgen der Haare (als *Haarbalgdrüsen*) zugeordnet sind. Das talgige, v. a. aus Neutralfetten, freien Fettsäuren und zerfallenden Zellen sich zusammensetzende Sekret *(Hauttalg)* dient zum Geschmeidighalten der Haut und der Haare.

Talgfluß, svw. ↑Seborrhö.
Talgletscher ↑Gletscher.
Taliesin [engl. tɑːˈliˈɛsɪn], walis. Barde des 6. Jh. – „The book of T.", eine um 1275 entstandene Handschrift, enthält zahlr. T. zugeschriebene Preisgedichte, Elegien und religiöse Dichtungen.
Talisch ↑Orientteppiche (Übersicht).
Talisman [roman., zu arab. tilasm „Zauberbild"], schon in der Spätantike verbreiteter zauberkräftiger Schutz bzw. Glücksbringer, der vornehmlich am menschl. Körper getragen wird.
Talje [niederl.], flaschenzugartiger Teil einer Takelage oder eines Ladegeschirrs, bestehend aus einem Seil bzw. einer Kette, die durch einen oder mehrere Blöcke (Gehäuse mit drehbaren Seilscheiben) laufen. Schwere T. heißen ↑Gien.
Talk [arab.], weißes, gelbl. oder grünl. monoklines Mineral; meist blätterige oder schalige Aggregate; Schichtsilikat, Formel $Mg_3[(OH)_2|Si_4O_{10}]$; Mohshärte 1; Dichte 2,7–2,8 g/cm³. T. fühlt sich fettig an und ist infolge sehr guter Spaltbarkeit nach den Basisflächen fein pulverisierbar **(Talkum)**. Rohstoff u. a. für Puder, feuerfeste Geräte, Polier- und Gleitmittel. – ↑Steatit.
Talkmaster [ˈtɔːkmaːstə; engl.] ↑Show.
Talkose [arab.], Staublungenerkrankung (↑Staublunge) durch langdauerndes Einatmen von Talkstaub.
Talk-Show [engl. ˈtɔːkʃoʊ] ↑Show.
Talkum [arab.] ↑Talk.
Tall, arab. Bez. für [künstl.] Hügel (v. a. in Ortsnamen).
Tallahassee [engl. tælə'hæsɪ], Hauptstadt des Bundesstaates Florida, USA, nahe der S-Grenze gegen Georgia, 66 m ü. d. M.,

125 600 E. Zwei Univ. (gegr. 1857 bzw. 1887); Kunst-, geolog. Museum. – Gegr. 1824 als Hauptstadt von Florida, 1825 City. – State Capitol (erbaut 1839–45).
Tall Ahmar ['axmar], Ruinenhügel der altoriental. Stadt Til Barsip am östl. Euphratufer in Syrien, etwa 20 km sö. von Karkamış (Türkei); Siedlungsschichten aus dem 3./2. Jt. (Steinkammergrab), im 1. Jt. Hauptstadt des Aramäerstaats Bit Adini; Mitte des 9. Jh. von Salmanassar III. erobert; im assyr. Statthalterpalast auf der Zitadelle Wandmalereien des 8 Jh. v. Chr.; Stelen assyr. Könige.
Tall Al Amarna ↑Amarna.
Tall Al Asmar, Ruinenhügel der altoriental. Stadt Eschnunna (Aschnunna) im Osttigrisland, nö. von Bagdad. Amerikan. Ausgrabungen 1930–36 legten einen Tempel des 3. Jt. v. Chr. (Fund von 12 Beterstatuetten) und einen Palast der altbabylon. Dyn. von Eschnunna (etwa 1960–1695) frei. Die Rechtssammlung von Eschnunna (18. Jh. v. Chr.) wurde 1948/49 nahebei in einem Ruinenhügel (Tall Harmal) gefunden.
Tall Al Uhaimir ↑Kisch.
Tall Brak, Ruinenhügel in NO-Syrien; brit. Ausgrabungen (1937–39 und 1977 ff.) legten den sog. Augentempel (Augenidole), eine Palastfestung und Karawanserei frei, von Naramsin von Akkad um 2270 v. Chr. erbaut und von Ur-Nammu und Schulgi aus der 3. Dyn. von Ur erneuert.
Tallchief, Maria [engl. 'tɔːltʃiːf], * Fairfax (Okla.) 24. Jan. 1925, amerikan. Tänzerin. – Kreierte zahlr. Rollen in Balletten von G. Balanchine, u. a. in „Feuervogel" (1948); v. a. wegen ihrer techn. Brillanz eine der gefeiertsten Ballerinen der USA.
Tallemant des Réaux, Gédéon [frz. talmädere'o], * La Rochelle 2. Okt. 1619, † Paris 10. Nov. 1692, frz. Schriftsteller. – Seine realist. und zyn. „Geschichten" (hg. 1834/35) über Persönlichkeiten der zeitgenöss. Gesellschaft gelten als kulturhistor. Quelle.
Talleyrand (T.-Périgord) [frz. tal'rã (perigoːr), talɛ'rã], altes frz. Adelsgeschlecht aus dem Seitenzweig der 1435 ausgestorbenen Grafen von Périgord. Bed. Vertreter:
T., Alexandre Angélique de, * Paris 16. Okt. 1736, † ebd. 20. Okt. 1821, kath. Theologe und Kardinal. – Onkel von Charles Maurice Hzg. von T.; 1777 Erzbischof von Reims; verfocht 1789/90 als Deputierter des Klerus in der Nat.versammlung die kirchl. Rechte; emigrierte 1790–1814; ab 1817 Erzbischof und Kardinal von Paris.
T., Charles Maurice de, Fürst von Benevent (seit 1806), Hzg. von T.-Périgord (seit 1807), Hzg. von Dino (seit 1815), * Paris 2. Febr. 1754, † ebd. 17. Mai 1838, Staatsmann. – 1788–91 Bischof von Autun; Mgl. der Generalstände von 1789 und der Nat.versamm-

lung; wegen seines Eides auf die Zivilkonstitution des Klerus (1790) seit 1791 im Kirchenbann. Royalist. Umtriebe beschuldigt, nutzte T. 1792 eine diplomat. Mission zur Emigration (1792–96 Großbritannien, USA), 1797–1807 Außenmin. des Direktoriums und Napoleons I., dessen Eroberungspolitik er ablehnte; hatte 1814 entscheidenden Anteil an der Rückkehr der Bourbonen. Dank seiner überragenden diplomat. Fähigkeiten blieb auf dem Wiener Kongreß Frankreichs Rang innerhalb Europas gewahrt. Nach den ↑ Hundert Tagen erneut für kurze Zeit Außenmin. und Präs. des Min.rats (Rücktritt im Sept. 1815); betrieb 1830 die Thronkandidatur Louis Philippes und förderte als Botschafter in London (1830–34) die frz.-brit. Zusammenarbeit. ⊞ Orieux, J.: T. Dt. Übers. Ffm. 1987. – Bernard, F. J.: T. Mchn. 1979. – Cooper, D.: T. Dt. Übers. Ffm. 1979.

Tall Fara, Ruinenhügel von ↑ Schuruppak.

Tall Hadidi, beim heutigen syr. Ort Al Hadidi gelegene Ausgrabungsstätte, am rechten Ufer des Euphrat, östl. von Aleppo. Ausgrabungen 1973–77 entdeckten eine Stadt der Bronzezeit; Zeugnisse v. a. der Zeit zw. 2300 und 1350 v. Chr.; wichtig insbes. die Tontafeln mit Keilschrift, die histor. Daten lieferten.

Tall Halaf, Ruinenhügel einer altmesopotam. Stadt in NO-Syrien, bei Ras Al Ain. Ausgrabungen 1911–13 und 1927–29 durch M. von Oppenheim. Die in ganz Mesopotamien verbreitete sog. T.-H.-Keramik (5. bis 4. Jt.) ist mehrfarbig mit geometr. (Bandkeramik) und figürl. Motiven (Stierkopf oder Doppelaxt). Im 10. Jh. v. Chr. Sitz einer Aramäerdyn., im 9. Jh. als Gusana (bibl. Gozan) assyr. Provinzhauptstadt (Palast des 9./8. Jh.).

Tallinn, estn. Name für Stadt ↑ Reval.

Tallis, Thomas [engl. 'tælis], * um 1505, † Greenwich (= London) 23. Nov. 1585, engl. Komponist, Organist und Musikverleger. – 1540 Organist und Chorist in Canterbury, 1542–85 an der königl. Kapelle in London (ab 1572 mit W. Byrd); vertonte als einer der ersten engl. Texte für den liturg. Gebrauch; daneben komponierte er v. a. lat. Kirchenmusik (Messen, Motetten, Psalmen).

Tallit (Tallith) [hebr.], 1. viereckiges mit Quasten (↑ Zizit) versehenes Tuch (Gebetsmantel), das die Juden bei religiösen Verrichtungen anlegen *(großer T.);* 2. kleineres Tuch mit Zizit, das von orth. Juden unter der zivilen Oberkleidung getragen wird *(kleiner T.).*

Tall Mardich, Ruinenhügel der altoriental. Stadt Ebla (Ibla) in N-Syrien, etwa 70 km sw. von Aleppo. 2400–1600 von polit. Bed.; italien. Ausgrabungen (seit 1964) fanden über Schichten seit dem 4. Jt. v. Chr. die ummau-

erte Unterstadt (Stadtmauer um 2300 v. Chr., 3 km), auf dem Burgberg einen großen Tempel, reliefierte Wasserbecken, im Palast ein Keilschriftarchiv (bisher etwa 16 000 Tontafeln) mit Texten in sumer.-akkad. und einer altsemit. Sprache (Eblaitisch).

Tall Musa, mit 2 629 m höchste Erhebung des Antilibanon; über sie verläuft die Grenze Libanon/Syrien.

Tall Nabi Mand, Ruinenhügel von ↑ Kadesch.

Tallöl [schwed./dt.], bei der Zellstoffherstellung nach dem Sulfatverfahren aus der Ablauge gewonnene hellbraune bis schwarze, unangenehm riechende, flüssige bis zähflüssige Substanz aus Harzsäuren, Fettsäuren und Kohlenwasserstoffen; T. wird zur Herstellung von Bohrölen verwendet.

Tall Ubaid (Obeid), Ruinenhügel im südl. Irak, 6 km nw. von Ur; brit. Ausgrabungen (1919–37) fanden in einem Gräberfeld des späten 5. Jt. v. Chr. erstmals die geometrisch verzierte sog. *Ubaidkeramik* sowie Terrakottafiguren; Kultzentrum war der Tempel der Göttin Ninchursanga (nach 2500 v. Chr.).

Talma, François-Joseph, * Paris 15. Jan. 1763, † ebd. 19. Okt. 1826, frz. Schauspieler. – Bed. Tragöde, Reformer des Bühnenkostüms; erstrebte eine natürliche Spielweise innerhalb des Klassizismus der Comédie Française. Als Parteigänger der Frz. Revolution gründete T. 1791 das Théâtre de la République.

Talmi [Kurzform der nach dem frz. Erfinder de Tallois ben. Kupfer-Zink-Legierung Tallois-demi-or] ↑ Tombak.

Talmud [hebr. „Lehre"], [zusammenfassender] Name der beiden großen, zu den hl. Schriften zählenden Literaturwerke des Judentums, ↑ Mischna und deren rabbin. Kommentare (Gemara); beide sind in einem langen Prozeß mündl. und schriftl. Traditionsbildung entstanden. Entsprechend den beiden Zentren jüd. Gelehrsamkeit in Palästina und Babylonien entstanden ein palästin. oder Jerusalemer („Jeruschalmi"; 5. Jh. n. Chr.) und ein babylon. T. („Babli"; 7. Jh. n. Chr.). – Inhaltlich unterscheidet man die beiden Gattungen ↑ Halacha und ↑ Haggada. Charakteristisch für den Stil des T. sind die prägnante Kürze und die z. T. scharfe Dialektik, die in den Diskussionen der Lehrhäuser wurzeln. – Seit dem MA war der T. bevorzugtes Objekt antijüd. Polemik (T.verbrennungen, entstellte Zitate).

Talon (ta'lõ:; lat.-frz.], ↑ Dividende. ◆ beim *Kartenspiel* der nicht ausgegebene Kartenrest; bei *Glücksspielen* der Kartenstock; beim *Dominospiel* der Kaufstein.

Talschaft, die Gesamtheit eines relativ isolierten und daher eigenständigen Tals (oft mit Nebentälern), v. a. in Hochgebirgen.

Talsperre, Bauwerk, das ein Tal in seiner ganzen Breite abschließt und damit einen Stauraum zur Wasserspeicherung (Stausee) schafft. Jede T. besteht aus dem eigtl. Sperrenbauwerk und den dazugehörigen Betriebsanlagen, zu denen die Betriebsauslässe oder Entnahmebauwerke, die Hochwasserentlastungsanlagen und die Grundablässe gehören. Das Sperrenbauwerk besteht aus der Staumauer oder dem Staudamm und gegebenenfalls einer Dichtungsschürze bis zur wasserundurchlässigen Schicht oder einem Dichtungsteppich auf der Beckensohle im Anschluß an die Dammdichtung. Die Höhe der T. richtet sich nach energie- und/oder wasserwirtsch. Bedürfnissen unter Berücksichtigung der Möglichkeiten der Wasserbereitstellung und der Speichermöglichkeiten.

Staumauern werden aus Bruchstein, Beton und Stahlbeton gebaut. Nach der stat. Wirkung unterscheidet man verschiedene Typen: Die durch ihr Eigengewicht standsichere *Gewichtsstaumauer* überträgt den Wasserdruck auf die Talsohle. Bei der im Grundriß bogenförmigen *Bogengewichtsstaumauer* wirkt ein Teil der auftretenden Kräfte auf die Sohle, der restl. Kräfteanteil durch die Bogenwirkung auf die Talflanken. *Bogenstaumauern* haben eine größere elast. Bogenwirkung und werden v. a. für hohe Sperren verwendet, wenn der Fels die zu übertragenden Kräfte sicher übernehmen kann. *Schalen-* und *Kuppelstaumauern* sind geeignet für den T.bau in Steiltälern und Schluchten, während die in einzelnen Blöcken gebauten *Pfeilerstaumauern* sich für flache Täler eignen. Unter *aufge-*

lösten Staumauern versteht man Pfeilerplatten-, Pfeilergewölbe-, Pfeilerschalen- und Pfeilerkuppelstaumauern.

Staudämme können im Unterschied zu Staumauern auf jedem Baugrund errichtet werden, wenn mit wirtsch. Maßnahmen in der Talsohle und den Talhängen wasserundurchlässige Schichten erreicht werden können. Baustoffe sind Erde, Kies, Geröll und Steine.

Geschichte: T. zur Wasserversorgung und Bewässerung waren in vielen alten Kulturen bekannt. Der älteste noch erhaltene Damm (etwa 6 m hoch) wurde um 1300 v. Chr. in Syrien am Orontes erbaut. Aus der Römerzeit sind die Erddämme von Proserpina (12 m Höhe) und Cornalbo (24 m Höhe, 200 m Kronenlänge) in Spanien erhalten. Byzantin. Ingenieure bauten erstmals 550 n. Chr. einen stromaufwärts konvex gekrümmten Damm bei Dara. In Europa wurden erst wieder in der Neuzeit T. errichtet: um 1580 in SO-Spanien die Alicante-T. (41 m Höhe), 1675 ein 36 m hoher Erddamm bei Saint-Ferréol in der Nähe von Toulouse. Nach wiss. Prinzipien entworfene T. werden seit der 2. Hälfte des 19. Jh. gebaut.

📖 *Franke, P./Frey, W.: Talsperren in der BR Deutschland. Bln. 1987. – T.bau u. baul. Probleme der Pumpspeicherwerke. Vortrr. zum Symposium vom 6.–8. Dez. 1978 in München. Hamb. 1980.*

TA Luft ↑ Luftreinhaltung.

Talvela, Martti, * Hiitola (Karelien) 4. Febr. 1935, † Juva (Finnland) 22. Juli 1989, finn. Sänger (Baß). – War 1961/62 Mgl. der Königl. Oper in Stockholm, kam dann an die

Talsperre. Links: Gewichtsstaumauer; rechts: aufgelöste Staumauer (Pfeilerschalenstaumauer)

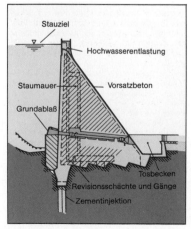
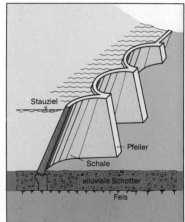

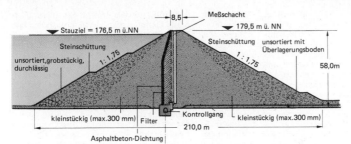

Talsperre. Staudamm (Querschnitt
der Großen Dhünntalsperre)

Dt. Oper Berlin; sang Baßpartien v. a. aus
Opern von Mozart, Verdi, Wagner und Mussorgski; leitete 1972–79 die Opernfestspiele
von Savonlinna.
 Talvio, Maila, eigtl. Maria Mikkola, geb.
Winter, *Hartola 17. Okt. 1871, †Helsinki
6. Jan. 1951, finn. Schriftstellerin. – Vertrete-
rin der finn. nationalromant. Bewegung Anfang des 20. Jh.; schrieb gesellschaftskrit. und
histor. Romane wie „Die Kraniche" (1919),
„Tochter der Ostsee" (Trilogie, 1929–36).
 Talyschgebirge [russ. ta'liʃ], NW–SO
streichendes, 100 km langes Gebirge an der
SW-Küste des Kasp. Meeres, Iran und Aserbaidschan, bis 2477 m hoch.
 Tamahak (Tamaschek), svw. Tuareg
(↑ Berbersprachen).
 Tamale, Stadt im zentralen N Ghanas,
210 m ü. d. M., 151 100 E. Verwaltungssitz der
Northern Region; kath. Erzbischofssitz; Tex-
til-, Lebensmittelind., Maschinenbau; Handelszentrum.
 Taman, Halbinsel, Halbinsel in der Region Krasnodar, Rußland, zw. Schwarzem
und Asowschem Meer, durch die Straße von
Kertsch von der Krim getrennt, 2000 km²,
zahlr. Schlammvulkane (bis 164 m hoch).
 Tamanduas (Tamandua) [indian.], Gatt.
baum- und bodenbewohnender, vorwiegend
dämmerungs- und nachtaktiver Ameisenbären mit der einzigen Art *Tamandua* (Caguare,
Tamandua tetradactyla) in Z- und S-Amerika; Länge bis knapp 60 cm, mit etwa eben-
solangem Greifschwanz; Fell kurz, borstig.
 Tamanrasset [frz. tamanra'sɛt] (früher
Fort-Laperrine), Oasenort im Ahaggar, Algerien, 1420 m ü. d. M., 38 100 E. Verwaltungssitz des Wilayat T.; Handelszentrum (Sahara-
messe) an der Transsaharastraße; ⌀.
 Tamarack (Amerikan. Lärche, Larix lari-
cina), in N-Amerika heim., bis 20 m hoch
werdende Lärchenart.
 Tamarinde (Tamarindus) [arab.], Gatt.
der Caesalpiniengewächse mit der einzigen,
vermutlich im trop. Afrika heim. Art *Tama-*

rindus indica: bis 25 m hoher und bis 8 m
Stammumfang erreichender Baum; Blüten
gelblich, rot gezeichnet, in endständigen
Trauben; Früchte mit breiig-faserigem
Fruchtfleisch, das zu Heilzwecken, aber auch
als Nahrungsmittel Verwendung findet. Die
T. wird heute als Zier- oder Nutzpflanze vielfach in den Tropen und Subtropen kultiviert.
 Tamarins [indian.] (Saguinus), Gatt. gesellig lebender Krallenaffen mit rd. 15 Arten,
v. a. im trop. Regenwald des Amazonastief-
landes; Länge etwa 20–30 cm, Schwanz über
körperlang; Färbung oft kontrastreich; Fell
dicht und weich. Gesicht meist unbehaart.
 Tamariske (Tamarix) [lat.], Gatt. der
T.gewächse mit rd. 80 Arten, verbreitet vom
Mittelmeergebiet bis O-Asien und in
S-Afrika; Sträucher oder Bäume mit schuppenförmigen Blättern und kleinen, rosafarbenen, in Trauben stehenden Blüten. Einige Arten werden als winterharte Ziergehölze kultiviert.
 Tamariskengewächse (Tamarica-
ceae), Fam. der Zweikeimblättrigen mit vier
Gatt. und rd. 120 Arten in M- und S-Europa,
im gemäßigten Asien und in Afrika; kleine
Bäume, Sträucher oder Stauden mit schup-
penartigen, häufig mit Salzdrüsen versehenen
Blättern; v. a. in Steppen- und Wüstengebie-
ten sowie auf salzhaltigen Böden verbreitet.
 Tamaschek, svw. Tuareg (↑ Berbersprа-
chen).
 Tamási, Aron [ungar. 'tɔma:ʃi], *Farkas-
laka (= Lupeni, Kr. Harghita) 20. Sept. 1897,
†Budapest 26. Mai 1966, ungar. Schriftsteller. – Erzähler und Dramatiker, dessen Stoffe
aus der bäuerl. Welt der Szekler stammen,
u. a. die „Abel-Trilogie" (1932–34).
 Tamatave [frz. tama'ta:v] ↑ Toamasina.
 Tamaulipas, Staat in NO-Mexiko,
79 384 km², 2,24 Mill. E (1990), Hauptstadt
Ciudad Victoria. Im mittleren Teil wird die
von Lagunen gesäumte Küste am Golf von
Mexiko von der Sierra de San Carlos, im S
von der Sierra de T. (bis 1500 m hoch) überragt. In der Sierra Madre Oriental erreicht T.
4056 m ü. d. M. Durch die Bewässerungsanla-
gen hat die Landw. großen Umfang ange-

nommen; bed. ist auch die Rinderzucht; Holzgewinnung ermöglichen die Kiefern-, Eichen- und Zedernbestände der Sierra Madre Oriental. Die bedeutendsten Erdgasfelder Mexikos, nahe dem Rio Grande, liegen fast ganz in T.; im S hat es Anteil an dem ergiebigsten Erdölgeb. des Landes. – Zur Zeit der span. Eroberung war der S der Küstenebene von Huaxteken besiedelt, im restl. Teil lebten v. a. nomad. Jägerstämme; planmäßige span. Kolonisierung erst seit Mitte des 18. Jh. **(Nuevo Santander);** kam 1786 zur Intendencia San Luis Potosí. Seit 1824 ist T. ein eigener Staat.

Tamayo, Rufino [span. tɑ'majo], *Oaxaca 26. Aug. 1900, † Mexiko-Stadt 24. Juni 1991, mex. Maler. – 1919–21 Studium an der Akad. in Mexiko-Stadt. Unter dem Einfluß präkolumb. Kultur sowie der Werke Braques, Picassos und Mirós schuf er großfigurige Gemälde zu Themen des mex. Lebens, auch dem Muralismo nahestehende Wandbilder (u. a. für das UNESCO-Gebäude in Paris, 1958).

Tambo, Oliver, *Bizana (Transkei) 27. Okt. 1917, südafrikan. Politiker und Bürgerrechtler. – Jurist; seit 1944 im Widerstand gegen die Apartheid aktiv, gründete 1952 mit N. Mandela die erste schwarze Anwaltskanzlei in Südafrika; 1960–90 im Exil, 1967–91 Präs. des „African National Congress" (ANC), seit Juli 1991 dessen Vorsitzender.

Tambour [frz. tã'buːr; pers.-arab.-frz.], frz. Bez. für alle Arten von Trommeln.
◆ meist zylindr. Bauteil (Trommel), auf dem die Kuppel eines Bauwerks aufsitzt. Der T. ist vielfach mit Fenstern zur besseren Belichtung des Kuppelraums ausgestattet.

Tambourin [frz. tãbu'rɛ̃; pers.-arab.], seit dem 15. Jh. bekannte längl. zylindr. Trommel, bespannt mit zwei Fellen; wird v. a. in der Provence zus. mit der Einhandflöte gespielt.

Tambourmajor [...buːr...], Bataillonstrommler; bei der dt. Reichswehr im Range eines Portepeeunteroffiziers; heute Leiter eines [uniformierten] Spielmannszuges.

Tambow [russ. tam'bɔf], russ. Geb.hauptstadt in der Oka-Don-Ebene, 305 000 E. Hochschule für Chemieanlagenbau, PH, Gemäldegalerie, mehrere Theater, Philharmonie. Maschinenbau, chem. u.a. Ind.; Hafen. – Gegr. 1636 als Festung gegen die Tataren; 1796 Gouvernementsstadt.

Tamburin [zu ↑Tambour], svw. ↑Schellentrommel.

Tamburizza [pers.-arab.-serbokroat.] ↑Tanbur.

Tamerlan ↑Timur-Leng.

Tamerlanpforte, schmale Durchgangsstelle zw. der Turkestankette und dem Nuratau, in Usbekistan, 120–130 m, z. T. nur 35–40 m breit; durch die T. führt die Transkasp. Eisenbahn.

Tamil, zu den drawid. Sprachen gehörende Literatursprache (v. a. in S-Indien und Sri Lanka) mit über 2000jähriger kontinuierl. Tradition und eigener Schrift; mehr als 58 Mill. Sprecher (↑Tamilen). – Die streng stilisierte **Tamilliteratur** ist die erste unter den ind. Literaturen, die unabhängig vom Vorbild des Sanskrit entstanden ist. Sie umfaßt Kunstepen, Spruchsammlungen, religiöse Dichtung, wiss. Literatur. Ab dem 18. Jh. Genres im Volksgeschmack. Die Volkssprache wurde von Subramanya Bharati literaturfähig gemacht. – ↑indische Literaturen.

Tamilen, eine drawid. Sprache sprechendes Volk in S-Indien (52 Mill.), Sri Lanka (2,8 Mill.), O- und S-Afrika, Mauritius, Malaysia und Fidschi. Die T. gehören verschiedenen Kasten an und sind im wesentlichen Hindus, nur zu geringem Teil Christen oder Muslime. In Sri Lanka streben die T. Autonomie an.

Tamil Nadu (früher Madras), Bundesstaat in S-Indien, 130 058 km², 55,9 Mill. E (1990), Hauptstadt Madras. T. N. umfaßt den Siedlungsraum der Tamilen auf der O-Abdachung der südl. Dekhanhalbinsel und reicht von den Westghats über die Ostghats bis zur Koromandelküste. Die Flußdeltas, v. a. das der Cauvery, stellen die landw. wertvollsten Flächen dar; angebaut werden Reis, Hirse, Tabak und Zuckerrohr, in der Koromandelküstenebene auch Sesam, Erdnüsse und Kokospalmen. Baumwolle wird im Inneren angebaut. In den Westghats werden Kaffee, Tee, Kautschuk und Kakao plantagenmäßig kultiviert. An Bodenschätzen werden Gold, Glimmer, Kupfererz und Gips, an der Küste Seesalz gewonnen. Die Ind. verarbeitet v. a. landw. Erzeugnisse; in der Herstellung von Tannin nimmt T. N. in Indien die erste Stelle ein. – T. N. war das Kernland der Dyn. Tschola (9.–14. Jh.); entstand in seiner heutigen Form 1956, nachdem Teile des ehem. Bundesstaates Madras an die Staaten Andhra Pradesh und Mysore (= Karnataka) abgetreten worden waren.

Tamisdat-Literatur ↑Samisdat-Literatur.

Tamm, Igor Jewgenjewitsch, *Wladiwostok 8. Juli 1895, †Moskau 12. April 1971, russ. Physiker. – Bed. Arbeiten zur Quantentheorie und ihren Anwendungen, zur Theorie der Kernkräfte und der Elementarteilchen sowie zur Plasmaphysik. 1937 lieferte T. (zus. mit J. M. Frank) die theoret. Erklärung des Tscherenkow-Effekts; erhielt 1958 (mit Frank und P. A. Tscherenkow) den Nobelpreis für Physik.

Tammann, Gustav, *Jamburg (Geb. St. Petersburg) 28. Mai 1861, †Göttingen 17. Dez. 1938, dt. Physikochemiker. – Ab 1892 Prof. in Dorpat, ab 1903 in Göttingen; befaßte sich u. a. mit der therm. Analyse intermetall. Verbindungen und Legierungen sowie mit der Hochdruckphysik. Entwickelte den nach ihm ben. *T.-Ofen,* der durch Widerstandsheizung Temperaturen bis 3 000 °C erreicht.

Tammerfors ↑Tampere.

Tammsaare, Anton Hansen, eigtl. A. Hansen, *Albu 30. Jan. 1878, †Reval 1. März 1940, estn. Schriftsteller. – Verfaßte zunächst realist. Erzählungen aus dem bäuerl. Milieu; führte mit seinen neorealistisch gestalteten Romanen die klass. estn. Erzählliteratur zu einem Höhepunkt, u. a. 5teiliger Romanzyklus „Tõde ja õigus" (– Wahrheit und Recht; 1926–33, dt. 4 Bde.: „Wargamäe", „Indrek", „Karins Liebe", „Rückkehr nach Wargamäe"); auch modernist. Dramen.

Tammus [hebr.], 10. Monat des jüd. Jahres mit 29 Tagen (Juni/Juli).

Tammuz, Benjamin [hebr. ta'muz], *Charkow (Ukraine) 1919, israel. Schriftsteller. – Kam 1924 nach Palästina; schreibt Romane mit sentimentaler, aber auch gesellschaftskrit. Tendenz (u. a. „Hôlôt-zahav" [= Goldener Sand], En., 1950; „Requiem lē-Na'āmạn" [= Requiem für Naaman], R., 1978).

Tampa [engl. 'tæmpə], Hafenstadt an der T. Bay, Florida, USA, 281 800 E. Zwei Univ. (gegr. 1931 und 1956), College; Kunst-, städt. Museum; führender Hafen Floridas. – 1823 wurde Fort Brooke errichtet; 1831 Gründung der Poststation T. Bay, seit 1834 Tampa.

Tampen [niederl.], das Ende eines Taues.

Tampere (schwed. Tammerfors), Stadt in SW-Finnland, 171 100 E. Luth. Bischofssitz; Univ. (gegr. 1925), TU, mehrere Museen, Theater; Textil-, Gummi-, Schuhind., Maschinenbau u. a.; ⚒. – 1775 von König Gustav III. von Schweden gegründet. – Dom (1902/07), Alte Kirche (Holzbau, 1824), Rathaus (1890), Theater (1912), Kalevakirche (1966).

Tampico [span. tam'piko], mex. Stadt in der Golfküstenebene, Hafen am Río Pánuco, 10 km oberhalb seiner Mündung, 268 000 E. Kath. Bischofssitz; Univ. (gegr. 1972); Zentrum eines bed. Erdölfördergebiets; chem. u. a. Ind.; bed. Fischerei. – Entstand in der Nähe des 1530 als Missionsniederlassung angelegten San Luis de T.; 1901 wurden die Erdölvorkommen bei T. erschlossen. Die Stadt wurde mehrfach durch schwere Naturkatastrophen zerstört (u. a. 1933 Hurrikan, 1955 Überflutung).

Tampon ['tampɔn, tã'põ:; frz.], gepreßter, saugfähiger Bausch aus Watte, Mull u. ä.; dient z. B. zur Wundbehandlung und Menstruationshygiene der Frau. – ↑Tamponade.

Tamponade [frz.], Ausstopfung, z. B. von Wunden, Hohlorganen oder Körperhöhlen, mit *Tampons* u. a. zur Blutstillung.

Tamtam [Hindi-frz.], ein aus O-Asien stammender ↑Gong mit unbestimmter Tonhöhe, der auch im europ. Orchester verwendet wird. Das T. besteht aus einer runden, leicht gewölbten Scheibe aus Bronze mit schmalem, umgebogenem Rand (Durchmesser 40–150 cm). Der Klang ist dröhnend und lang anhaltend.

Tamuín, mex. Ort am Fuß der Sierra Madre Oriental, 100 km wsw. von Tampico. – Nahebei ehem. Kultzentrum der Huaxteken mit (meist unausgegrabenen) Pyramiden; Reste von Fresken und Steinskulpturen („huaxtek. Jüngling"). Blüte 1000–1250.

tan, Funktionszeichen für Tangens (↑trigonometrische Funktionen).

Tana, größter Fluß Kenias, entspringt am O-Hang der Aberdare Range, mündet in 2 Armen bei Kipini in den Ind. Ozean; rd. 800 km lang; am Oberlauf Kraftwerke.

T., (früher Tanaelv; finn. Teno, Tenojoki) 310 km langer Fluß in Skandinavien, entsteht durch den Zusammenfluß von Karasjokka und Anarjokka, bildet auf 135 km die Grenze zw. Norwegen und Finnland, mündet in den **Tanafjord** (Norwegen).

Tanagra ['ta:nagra, neugriech. ta'naɣra], griech. Ort in Böotien, 20 km östl. von Theben. – Herstellungs- und Fundort der *Tanagrafiguren* aus bemaltem Ton (v. a. 4.–3. Jh. v. Chr.), v. a. Mädchenstatuetten, die als Grabbeigaben dienten.

Tanagratheater, eine zu Beginn des 20. Jh. bekannte Form des Miniaturtheaters, bei dem die Schauspieler, die hinter der Bühne agieren, durch Spiegel mehrfach verkleinert auf einer Miniaturbühne abgebildet werden und wie Tanagrafiguren (↑Tanagra) wirken.

Tanais [...na-ıs], Name des ↑Don im Altertum.

T. ↑Asow.

Tanaka Kakuei, *in der Präfektur Niigata 4. Mai 1918, jap. Politiker (Liberal-Demokrat. Partei). – Ab 1947 Mitglied des Unterhauses; 1962–65 Finanz-, 1971/72 Handels- und Industriemin.; 1972–74 Vors. seiner Partei und Min.präs.; im Zusammenhang mit der Lockhead-Affäre 1983 zu 4 Jahren Haft verurteilt.

Tanana River [engl. 'tænənə 'rivə], linker Nebenfluß des Yukon River, in Alaska, entspringt im SW des Yukon Territory, mündet nahe Fairbanks; 1 287 km lang.

Tananarivo ↑Antananarivo.

Tänaron, Kap, südlichste Landspitze der Peloponnes, S-Ende der Halbinsel Mani, Griechenland; Leuchtturm.

Tanasee, größter See Äthiopiens, im nördl. Äthiop. Hochland, 1 830 m ü. d. M., 3 630 km², bis 72 m tief; vom Blauen Nil durchflossen. Im T. mehrere Klosterinseln.

Tanbur ['tanbuːr, tan'buːr; pers.-arab.] (Tambur, Tambura), oriental. Langhalslaute mit kleinem, bauchigem Holzkorpus, 3 oder 4 Metallsaiten und zahlr. Bünden. Die Wirbel sind frontal und seitlich in den Hals gesteckt. – Langhalslauten sind im Orient seit dem 2. Jt. v. Chr. bekannt. Im antiken Griechenland *(Pandura)* und Rom wurden sie als fremdländ. Instrumente angesehen. Im 13. Jh. tauchte der T. in Europa auf. Heute ist der T. v. a. von SO-Europa *(Tanburica, Tamburizza)* bis zum mittleren Orient, in N-Afrika und im Kaukasus verbreitet; in der ind. Musik als Borduninstrument verwendet.

Tandem [engl., zu lat. tandem „endlich, zuletzt"], allg. Vorrichtungen, Geräte u. a., bei denen 2 hintereinander angeordnete *(T. anordnung)* gleiche oder ähnl. Bauteile, Antriebsvorrichtungen u. ä. vorhanden sind; i. e. S. ein Fahrrad mit 2 hintereinander angeordneten Sitzen sowie 2 Tretkurbelpaaren (einem Tretkurbelmechanismus).

Tandemachse, nicht lenkbare Achsenanordnung bei Vierradanhängern, insbes. größeren Wohnwagen, bei der beide Achsen in kleinem Abstand symmetrisch zum Wagenschwerpunkt gruppiert sind.

Tandemrennen ↑ Radsport.

Tandler, Gerold Eric, * Reichenberg (ČR) 12. Aug. 1936, bayr. Politiker. – Mgl. der CSU seit 1956, MdL in Bayern seit 1970; Generalsekretär der CSU 1971–78 und 1984–88; 1978–Okt. 1982 bayr. Innenmin.; 1982–88 Fraktionsvors. der CSU-Landtagsfraktion; 1988/89 Wirtschaftsmin., seit Nov. 1989 stellv. CSU-Vors., 1989/90 Finanzmin.; trat im März 1994 im Zusammenhang mit der Zwick-Affäre als stellv. CSU-Vors. zurück.

Tandschur [tibet. „Übersetzung der Lehre"], neben dem ↑ „Kandschur" die andere große, im 14. Jh. abgeschlossene Schriftensammlung des Lamaismus. Der größte Teil des „T." wurde aus dem Sanskrit übersetzt.

Tanega, zweitgrößte der ↑ Ōsumiinseln.

Tanejew, Sergei Iwanowitsch [russ. ta-'njejɪf], * Wladimir 25. Nov. 1856, † Djudkowo bei Swenigorod 19. Juni 1915, russ. Komponist und Pianist. – Schüler u. a. von N. G. Rubinschtein und P. I. Tschaikowski; komponierte u. a. die Operntrilogie „Oresteja" (1895; nach Aischylos).

Tanezrouft [frz. tanɛ'zruft], ausgedehnte, extrem trockene Fels- und Felsschuttebene in der alger. Sahara, westl. des Ahaggar.

Tang (T'ang) [chin. taŋ], chin. Dyn., ↑ chinesische Geschichte.

Tang, svw. ↑ Seetang.

Tanga, tansan. Regionshauptstadt am Ind. Ozean, 103 400 E. Kath. Bischofssitz; Nahrungsmittel-, Textilind., Stahlwalzwerk, Düngemittelfabrik u. a.; Hafen; ⌗.

Tanga, mod. Minibikini, dessen Höschen aus 2 durch Bänder miteinander verbundenen schmalen Stoffdreiecken besteht; auch Bez. für ähnlich geschnittene Damen- und Herrenslips.

Tanganjika, Landesteil von Tansania.

Tanganjikasee, Süßwassersee im Zentralafrikan. Graben, zu Tansania, Sambia, Burundi und Zaire, 773 m ü. d. M., etwa 660 km lang, 20–80 km breit, 34 000 km², im südl. Teil bis 1 435 m tief.

Tangaren [indian.] (Thraupinae), Unterfam. 10–25 cm langer, häufig farbenprächtiger, finkenähnl. Singvögel mit mehr als 200 Arten, verbreitet in Amerika (im N bis Kanada, im S bis Argentinien). Neben den *Echten T.* (Thraupini) mit den meist recht bunten *Organisten* (z. B. **Violettblauer Organist** [Euphonia violacea]) kommen u. a. die **Schwalbentangare** (Tersina viridis) und der **Türkisvogel** (Cyanerpes cyaneus, ♂ zur Brutzeit türkisfarben [Oberkopf] und blau, ♀ grün) vor.

Tange Kenzō, * Imabari 4. Sept. 1913, jap. Architekt. – Gilt als einer der bedeutendsten Architekten der Gegenwart. In seinen Werken sucht T. die Strukturen der traditionellen jap. Bauweise mit den Erfordernissen der modernen Gesellschaft in Einklang zu bringen. Internat. bekannt wurde T. durch das Friedenszentrum in Hiroshima (1949–55), die Kathedrale St. Maria in Tokio (1962–65), das Olympiastadion ebd. (1961–64) mit einem riesigen Hängedach aus Spannbeton. Als Städtebauer schloß sich T. den ↑ Metabolisten an, u. a. Projekt der Erweiterung der Stadt Tokio in die Bucht. Übernahm den Wiederaufbau der durch Erdbeben zerstörten Stadt Skopje (Makedonien, seit 1966) sowie Planung und Ausführung der Weltausstellung in Ōsaka (1970).

Tangens [lat. „berührend"] ↑ trigonometrische Funktionen.

Tangens hyperbolicus [lat.] ↑ Hyperbelfunktionen.

Tangente [zu lat. tangens „berührend"], Gerade, die eine Kurve, z. B. einen Kreis, in einem Punkt berührt: Gerade und Kurve haben in diesem Punkt die gleiche Steigung. ◆ bei besaiteten Tasteninstrumenten ein Stift aus Metall oder Holz, der die Saiten abteilt (Drehleier), sie anschlägt (Tangentenflügel) oder beides bewirkt (Klavichord).

Tangentenebene, svw. ↑ Tangentialebene.

Tangentenviereck, Viereck, dessen Seiten einen Kreis berühren, d. h. Tangenten des Kreises sind; die Summe zweier gegenüberliegenden Seiten ist gleich der Summe der beiden anderen Gegenseiten. T. sind z. B. das gleichschenklige Drachenviereck, die Raute und das Quadrat.

tangential [lat.], eine Kurve oder gekrümmte Fläche berührend, in Richtung der Tangente verlaufend.

Tangentialbeschleunigung   ↑ Beschleunigung.

Tangentialebene (Tangentenebene), Ebene, die eine gekrümmte Fläche in einem (nicht singulären) Flächenpunkt P berührt.

Tangentialkraft, die in die jeweilige momentane Bewegungsrichtung eines Körpers wirkende Kraft[komponente].

Tanger, marokkan. Hafenstadt an der Straße von Gibraltar, 312 200 E. Verwaltungssitz der Prov. T.; kath. Erzbischofssitz; Konservatorium, Volkskunst- und Altertümermuseum; Schiffbau, elektrotechn., Fischkonserven-, Textil- u. a. Ind.; Fremdenverkehr; Freihafen; Autofähren nach Spanien und Frankreich; internat. ✈. – Im Altertum Tingis; seit dem 5. Jh. v. Chr. pun. Hafen, später Hauptstadt des Berberreiches Mauretanien, ab 40 n. Chr. Hauptstadt der röm. Prov. Mauretania Tingitana, seit dem 7. Jh. arab., 1471–1580 portugies., dann span., 1661–84 engl.; (1912 wurde die internat. Zone T. (1923 entmilitarisiert) gebildet (Gebiet der heutigen Prov. T.); 1940–45 von Spanien besetzt. 1945 stellten Großbritannien und Frankreich die internat. Verwaltung (bis 1952 unter Ausschluß Spaniens) wieder her; nach internat. Konferenz 1956 unter marokkan. Souveränität. – Malerisch ummauerte Altstadt, u. a. mit ehem. Sultanspalast (17. Jh.), Großer Moschee (17. Jh.), Hasan-Ali-Medrese (14. Jh.).

Tangerhütte, Stadt in der südl. Altmark, Sa.-Anh., 38 m ü. d. M., 7 900 E. Eisenwerk, Holz- und Futtermittelind. – Entstand aus dem wend. Dorf *Väthen* (T. seit 1928); Stadt seit 1935.

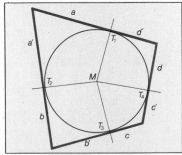

Tangentenviereck mit
Berührungspunkten T_1 bis T_4
an den Kreis mit dem
Mittelpunkt M (a und a',
b und b', c und c' sowie
d und d' sind immer streckengleich)

Tangerinen [nach Tanger] ↑ Mandarine.

Tangermünde, Stadt an der Mündung der Tanger in die Elbe, Sa.-Anh., 45 m ü. d. M., 11 900 E. Museum; Süßwaren- und Konservenind. – Urspr. karoling. Reichsburg; um 1200 Stadt; 1368 Beitritt zur Hanse; 2. Residenz Kaiser Karls IV. – Reste der Burg (11. und 14. Jh.); gut erhaltene ma. Stadtbefestigung. Bed. Werke der norddt. Backsteingotik sind die Pfarrkirche Sankt Stephan und das Rathaus; zahlr. Fachwerkhäuser aus dem 17./18. Jahrhundert.

Tangfliegen (Coelopidae), Fam. 4–6 mm langer, stark geborsteter, grauer oder tief dunkelbrauner Fliegen, von denen rd. zehn Arten v. a. auf angeschwemmtem Tang an europ. Meeresküsten vorkommen.

tangieren [lat.], eine Kurve oder eine gekrümmte Fläche berühren; übertragen: berühren, betreffen, beeindrucken.

Tango [span.], aus Argentinien stammender Tanz im ²/₄- oder ⁴/₈-Takt, in synkopiertem Rhythmus, mit Kreuz- und Knickschritten und abruptem Stillstand.

Tangshan [chin. taŋ∫an] (Tangschan), chin. Stadt in der Prov. Hebei, 1,41 Mill. E. Inst. für Eisenbahnbau; Ind.zentrum im Kohlenfeld Gailuan. – Am 28. Juli 1976 durch das seit 400 Jahren schwerste Erdbeben in China zerstört (vermutlich mehr als 655 000 Tote); im Juli 1977 im wesentlichen wieder aufgebaut.

Tanguten, nordosttibet. Volk (Nomaden und Feldbauern), das im 10./11. Jh. ein eigenes Reich errichtete (Xixia [nach chin. Quellen]) und den Verkehr zw. China und Innerasien kontrollierte.

Tanguy, Yves [frz. tã'gi], * Paris 5. Jan. 1900, † Waterbury (Conn.) 15. Jan. 1955, frz. Maler. – Begann 1924 im Kreis der frz. Surrealisten mit Gemälden einer figürl.-phantast. Thematik; seit 1927 halluzinator. Landschaften mit imaginären Gebilden, eine Bildwelt, die in der Spätzeit durch architekton.-konstruktive Elemente verfestigt wird.

Tang Yin (T'ang Yin) [chin. taŋ-ɪŋ], * Xuzhou 1470, † ebd. 1524, chin. Maler und Dichter. – Eleganter, von zahlr. Einflüssen bestimmter Stil; bes. berühmt seine Frauendarstellungen. Seine Arbeiten gelangten in Form von Porzellan- und Lackdekorationen auch nach Europa.

tanh, Funktionszeichen für Hyperbeltangens (↑ Hyperbelfunktionen).

Täniase (Täniose, Taeniasis) [griech.-lat.], Bandwurmleiden; i. e. S. die Erkrankung durch Bandwürmer der Gatt. Taenia.

Tänifuga [griech.-lat.], Bandwurmmittel; dienen zur Abtötung und/oder zur Austreibung von Bandwürmern.

Taniguchi Buson, jap. Dichter und Maler, ↑ Yosa Buson.

Tanimbarinseln, Inselgruppe der S-Molukken, zw. Banda- und Arafurasee, 5625 km² Hauptort Saumlaki auf Yamdena.

Täniose, svw. ↑Täniase.

Tanis, ägypt. Ruinenstätte im östl. Nildelta, 50 km osö. von Al Mansura; Residenz der 21. Dyn.; Mitte des 10.Jh. v.Chr. nach dem Zusammenbruch des ramessid. Reiches gegründet. Ausgrabungen unversehrter Bestattungen ägypt. Könige.

Tanit ↑Tinnit.

Tanizaki Junichirō [jap. ...zaki], *Tokio 24.Juli 1886, †Yugawara (Kanagawa) 30.Juli 1965, jap. Schriftsteller. – Gehört mit seinen Romanen zu den Klassikern der modernen jap. Literatur (u.a. „Insel der Puppen", 1929; „Der Schlüssel", 1956; „Tagebuch eines alten Narren", 1963); als Hauptwerk gilt der Gesellschaftsroman „Die Schwestern Makioka" (1948).

Tanjungkarang [indones. tandʒʊŋ'karaŋ] (früher Telukbetung), indones. Stadt in S-Sumatra, 284300 E. Verwaltungssitz einer Prov.; modern ausgebauter Hafen **Panjang** (8 km sö.); Eisenbahnendpunkt; 🖂.

Tank, Kurt, *Schwedenhöhe (heute zu Bromberg) 24. Febr. 1898, †München 5. Juni 1983, dt. Flugzeugkonstrukteur. – 1931–45 techn. Leiter und Chefkonstrukteur der Focke-Wulf-Flugzeugbau AG (seit 1937 GmbH) in Bremen; entwickelte u.a. das Langstreckenflugzeug F.W. 200 „Condor" sowie verschiedene Jagdflugzeuge; seine Pläne für den Düsenjäger Ta 183, die bei Kriegsende in sowjet. Hände fielen, waren Vorbild für die MiG 15; arbeitete 1947–56 in Argentinien, 1956–67 in Indien.

T., Maxim, eigtl. Jewgeni Iwanowitsch Skurko, *Pilkowschtschina bei Minsk 17. Sept. 1912, weißruss. Lyriker. – Schrieb bildhafte Lyrik von hohem literar. Niveau mit vorwiegend polit. Thematik [v.a. gegen das Piłsudskiregime]; nach einer Periode im Sinne des sozialist. Realismus (1939–56) folklorist., zur Reflexion neigende Dichtungen.

Tank [engl.], Lager- und Transportbehälter für Flüssigkeiten oder Gase. Für Mineralöle, petrochem. Produkte u.a. haben oberird. *Hoch-T.* große Bedeutung. *Festdach-T.* besitzen eine gewölbte, feste Dachkonstruktion. Sie werden überwiegend für Heizöle, Dieselkraftstoff, Bitumen und Schmieröle verwendet. Bei *Schwimmdach-T.* hebt und senkt sich das Dach mit dem Flüssigkeitsspiegel. Schwimmdach-T. werden für Rohöl, Benzin und andere brennbare Flüssigkeiten der Gefahrenklasse A I bis zu einem Fassungsvermögen von 150000 m³ gebaut.
◆ im 1. Weltkrieg übl. Bez. (urspr. Deckname) für gepanzerte Kampfwagen (↑Panzer).

Tanka, ind. Münzen seit dem 11.Jh. n.Chr., in Silber, Gold und Bronze.

Tanka [jap.], jap. Gedichtform; besteht aus 31 Silben, angeordnet in einer dreireihigen Oberstrophe (5, 7, 5 Silben) und einer zweireihigen Unterstrophe (je 7 Silben); entstand etwa im 8. Jahrhundert.

Tanker [engl.], svw. ↑Tankschiff.

Tankred (Tancred), *um 1076, †Antiochia 12. Dez. 1112, süditalien. Normannenfürst. – Enkel von Robert Guiscard; beteiligte sich an der Eroberung Jerusalems am 15. Juli 1099; 1100–03 und ab 1104 Regent für seinen Onkel Bohemund I. im Ft. Antiochia und 1104–08 für den späteren Balduin II. von Jerusalem im Ft. Edessa.

Tankred (Tancred) **von Lecce** [italien. 'lett∫e], *1130/34, †Palermo 20. Febr. 1194, König von Sizilien (seit 1189). – Enkel Rogers II. von Sizilien; 1189 von einer sizil. Partei zum König erhoben (Krönung 1190); verteidigte sein Kgr. erfolgreich gegen den Erbanspruch des Röm. Königs Heinrich VI., den Gatten der rechtmäßigen Erbin Konstanze.

Tankschiff (Tanker), Spezialschiff zum Transport von flüssiger Ladung. Je nach Art der Ladung, die auch über die bes. Bauweise entscheidet, unterscheidet man u.a. Öl-, Chemikalien- und Gastankschiff. Das Flüssighalten der Gase beim Transport in **Gastankern** geschieht durch Kühlung, Druck oder durch Kombination von niedriger Temperatur und hohem Druck; wegen der beträchtl. Beanspruchung des Materials können nur aus Sonderstählen hergestellte Tanks (bei Erdgas-T. oft riesige Kugeltanks, die über die Decklinie herausragen) verwendet werden, die gegen den Schiffskörper gut isoliert sein müssen. Den weitaus größten Teil der T. machen die zum Transport von Erdöl bestimmten **Öltanker** aus, deren einzelne Tanks mit einem Rohrleitungssystem untereinander verbunden sind. Moderne T. sind mit Tankwaschanlagen und Inertgasanlagen zur Verhinderung von explosiven Gasanreicherungen, Ballasttanks sowie Anlagen zur Reinigung des Wasch- und Ballastwassers ausgerüstet; sie haben mehrere Längsschotte und sollen neuerdings aus Sicherheitsgründen als Doppelhüllenschiffe gebaut werden. Die Tragfähigkeit von sog. Supertankern liegt zw. 150000 und 500000 dwt.

Tankstelle, Verkaufsstelle (vorwiegend) für Kfz-Treibstoffe, -Schmiermittel und -Zubehör, meist mit Einrichtungen zur Durchführung von Wartungs- und Pflegearbeiten (Waschanlage u.a.) ausgestattet. Der unterirdisch gelagerte Kraftstoff wird durch elektrisch betriebene Pumpen zu den Zapfsäulen gefördert und von dort über Durchflußmeßeinrichtungen in den Zapfschlauch gedrückt. Die Meßuhren sind mit Preisrechnern kombiniert, die für jede abgegebene Kraftstoffmenge den Preis anzeigen, z.T., insbes. an den Selbstbedienungs-T. *(SB-T.)*, auch selbsttätig die Rechnung bzw. Quittung drucken. Moderne T. sind mit Einrichtungen zur Rückführung der beim Tanken austretenden gesundheitsgefährdenden Treibstoffdämpfe ausgerüstet.

Tannaiten [aram.], die in Mischna und Tosefta zitierten jüd. Gesetzeslehrer bis Jehuda Ha-Nasi (* um 135, † nach 200).

Tanne (Abies), Gatt. der Kieferngewächse mit rd. 40 Arten in den außertrop. Gebieten, v. a. in den Gebirgen der N-Halbkugel; immergrüne, meist pyramidenförmig wachsende, bis 80 m hohe Bäume mit nadelbis schmallinealförmigen, zerstreut oder zweizeilig stehenden Blättern, unterseits meist mit zwei weißl. Wachsstreifen. Zapfen aufrecht, bei der Reife zerfallend; Samen einseitig geflügelt. – Wichtige Waldbäume sind u. a. **Weißtanne** (*Edeltanne,* Silber-T., Abies alba), bis 75 m hoch und bis 500 Jahre alt werdend; Nadeln flach, 15–30 mm lang und bis 2 mm breit, an der Spitze meist eingekerbt, zweizeilig an den Kurztrieben stehend; ♀ Zapfen fast nur in der Wipfelregion, 10–15 cm lang; in den Gebirgen S- und M-Europas. Das Holz ist weich, gelblichweiß bis hellrötlich, ohne Harzgänge; **Nordmannstanne** (Abies nordmanniana) bis 30 m hoch, mit schwärzlichgrauer Rinde und glänzenden, dichtstehenden Nadeln mit zwei weißl. Streifen auf der Unterseite; im westl. Kaukasus, heute auch in M-Europa verbreitet; **Himalajatanne** (Abies spectabilis) bis 50 m hoch, mit breiter Krone und weit abstehenden Ästen; Nadeln 2,5–5 cm lang, lederartig, steif, gescheitelt, unterseits mit zwei weißen Bändern; im Himalaja, in Sikkim und Bhutan.

Tännelkraut (Kickxia), in Europa und vom Mittelmeergebiet bis NW-Indien verbreitete Gatt. der Rachenblütler mit rd. 30 Arten. Im südl. Deutschland kommt in Getreideunkrautgesellschaften das **Echte Tännelkraut** (Kickxia elatine) vor, eine einjährige Pflanze mit dünnen, niederliegenden Stengeln und hellgelben Blüten.

Tannenbärlapp (Teufelsklaue, Huperzia), Gatt. der Bärlappgewächse mit mehreren Arten; ausdauernde Pflanzen mit gabelig verzweigten Sprossen. Die einzige Art in Deutschland ist die geschützte **Tannenteufelsklaue** (Huperzia selago) mit 5–30 cm langen, aufsteigenden bis aufrechten, stark verzweigten Sprossen; zerstreut in Nadelwäldern und alpinen Zwergstrauchheiden.

Tannenberg (poln. Stębark), Ort im westl. Masuren, Polen. – In der **Schlacht bei Tannenberg** am 15. Juli 1410 besiegte König Wladislaw II. (Jagello) von Polen, unterstützt von russ.-tatar. Hilfstruppen, das Heer des Dt. Ordens. – Zu Beginn des 1. Weltkriegs wurde in der **Schlacht bei Tannenberg** (23. bis 31. Aug. 1914) die 2. russ. Armee unter A. W. Samsonow (* 1859, † 1914) von der dt. 8. Armee unter P. von Hindenburg vernichtend geschlagen. – Das 1927 errichtete monumentale **Tannenbergdenkmal** wurde 1945 gesprengt.

Tannenbergbund, 1925 gegr. Dachorganisation völk. Wehr- und Jugendverbände unter der Schirmherrschaft E. Ludendorffs; seit 1927 zunehmend in den Dienst des weltanschaul. Kampfes gegen die „überstaatl. Mächte" (Freimaurerei, Jesuitismus, Judentum, Marxismus) und für „dt. Gotteserkenntnis" gestellt; 1933 verboten. – † deutschgläubige Bewegungen.

Tannenhäher (Nucifraga), Gatt. 30–34 cm langer Rabenvögel mit zwei Arten in den Nadelwäldern großer Teile Eurasiens und N-Amerikas, darunter der auf dunkelbraunem Grund weiß gefleckte **Eurasiat. Tannenhäher** (Nußhäher, Nußknacker, Zirbelkrähe, Nucifraga caryocatactes), bes. in Gebirgen; ernährt sich bevorzugt von Samen der Nadelhölzer.

Tannenläuse (Fichtenläuse, Adelgidae), Fam. sehr kleiner, ausschließlich auf Nadelbäumen lebender Blattläuse; Flügel in Ruhe dachförmig gehalten; stets mit Wirtswechsel.

Tannenmeise † Meisen.

Tannenpfeil (Kiefernschwärmer, Hyloicus pinastri), in Eurasien weit verbreitete, 7–8 cm spannende Art der Schwärmer; Vorderflügel aschgrau mit schwarzbrauner Zeichnung, Hinterflügel einfarbig dunkelgrau; am Tage v. a. an Nadelholzstämmen ruhend. Nur vereinzelt auftretend und deshalb nicht bes. schädlich.

Tannensterben † Waldsterben.

Tannenwedel (Hippuris), Gatt. der zweikeimblättrigen Pflanzenfam. T.gewächse (Hippuridaceae) mit der einzigen, formenreichen Art **Gemeiner Tannenwedel** (Hippuris vulgaris); mit Ausnahme S- und O-Asiens weltweit verbreitete, ausdauernde, meist halb untergetaucht lebende Wasser- oder Sumpfpflanze mit linealförmigen, in Wirteln angeordneten Blättern.

Tanner, Adam (von) ['--], * Innsbruck 14. April 1572, † Unken bei Salzburg 15. Mai 1632, östr. kath. Theologe. – Jesuit; Prof. für Systematik in Wien, Prag, Ingolstadt und München; bedeutendster Theologe der Gegenreformation; Vorkämpfer für die Einstellung der Hexenprozesse.

T., Alain [frz. ta'nɛːr], * Genf 6. Dez. 1929, schweizer. Filmregisseur. – Bed. Vertreter des internat. Films, u. a. „Charles – tot oder lebendig" (1969), „Der Salamander" (1971), „Der Mittelpunkt der Welt" (1974), „Jonas, der im Jahre 2000 25 Jahre alt sein wird" (1976), „Messidor" (1979), „Lichtjahre entfernt" (1981), „Niemandsland" (1985), „Eine Flamme in meinem Herzen" (1987).

T., Väinö Alfred [finn. 'tɑnɛr], * Helsinki 12. März 1881, † ebd. 19. April 1966, finn. Politiker. – 1919–26 Vors. der Sozialdemokrat. Partei, 1926/27 erster sozialdemokrat. Min.-präs.; 1937–44 wiederholt Min., u. a. 1939/40 Außenmin.; verfolgte im 2. Weltkrieg einen prodt. Kurs; unterzeichnete 1940 am Ende des Finn.-Sowjet. Winterkriegs den Friedensvertrag mit der Sowjetunion, setzte sich 1941 für die Wiederaufnahme des Krieges gegen die Sowjetunion auf dt. Seite ein; 1944 auf sowjet. Verlangen zu 5½ Jahren Gefängnis verurteilt; 1957–63 erneut Parteivorsitzender.

Tannhäuser, der (mittelhochdt. Tan[n]-huser), * vermutlich Tannhausen bei Neumarkt i. d. OPf. bald nach 1200, † nach 1266, mittelhochdt. Dichter. – Teilnahme am Kreuzzug 1228/29; ab 1237 am östr. Hof Herzog Friedrichs II., des Streitbaren; nach 1246 an verschiedenen ostdt. Höfen. Seine höf. Tanzlieder und das antiidealist. Kreuzlied sind virtuose Höhepunkte ihrer Gattung. Die betonte Sinnlichkeit seiner Minnedichtung steht in bewußtem Kontrast zur idealen „hohen Minne". – Die **Tannhäusersage** wird im späten 14. Jh. manifest: Der Ritter T. wird von Frau Venus in ihren Zauberberg gelockt. Von seinem Gewissen geplagt, pilgert er nach Rom, wo ihm der Papst (Urban IV.) jedoch keine Vergebung gewährt. Das Zeichen göttl. Verzeihung, der grünende Wanderstab, kommt zu spät: T. ist bereits wieder in den Venusberg zurückgekehrt. Die Sage fand Niederschlag im *T.lied* (fixiert um 1515). Den Stoff griffen u. a. L. Tieck, H. Heine, E. Geibel, C. Brentano auf. R. Wagner verschmolz in seiner Oper „T. und der Sängerkrieg auf Wartburg" die Gestalt T. mit der Heinrichs von Ofterdingen.

Tannin [frz., zu mittellat. tan(n)um „Gerberlohe"] (Gallusgerbsäure), in Holz, Rinde und Blättern zahlr. Pflanzen sowie in Pflanzengallen enthaltene Substanz aus Gemischen von Verbindungen, in denen mehrwertige Alkohole oder Zucker (v. a. Glucose) mit Phenolcarbonsäuren (z. B. Gallussäure) verestert sind. T. denaturiert Proteine und wird in der Lederherstellung als Gerbstoff, in der Medizin als Adstringens sowie bei der Herstellung von Eisengallustinten verwendet.

Tanning, Dorothea [engl. 'tænɪŋ], * Galesburg (Ill.) 25. Aug. 1912, amerikan. Malerin und Objektkünstlerin. – Seit 1946 ⚭ mit Max Ernst. Ihr Werk ist stark vom Surrealismus geprägt.

Tannu-Ola, Gebirgszug im S Tuwiniens (Rußland), erstreckt sich 300 km lang parallel zur Grenze gegen die Mongolei, bis 3061 m hoch.

Tano [engl. 'tɑnoʊ], Sprachfamilie des Uto-Aztek-Tano-Sprachstammes. Die T. sprechenden Indianer (rd. 10000) gehören kulturell zu den Puebloindianern im Tal des Rio Grande, New Mexico, USA.

Tanreks [Malagassi] † Borstenigel.

Tansambahn [Tansania-Sambia-Bahn], Eisenbahnlinie in O-Afrika, zw. Daressalam in Tansania und Kapiri Mposhi in Sambia; 1857 km lang, mit 320 Brücken und 21 Tunnels; 1970–76 von der VR China erbaut.

Tansania

[tan'za:nia, tanza'ni:a] (amtl.: Jamhuri ya Muungano wa Tanzania, United Republic of Tanzania; dt. Vereinigte Republik T.), BR in O-Afrika, zw. 1° und 12° s. Br. sowie 29° 30′ und 40° 30′ ö. L. **Staatsgebiet:** T. grenzt mit seinem Festlandteil (Tanganjika) im S an Moçambique, im SW an Malawi und Sambia, im W an Zaire (Grenze verläuft durch den Tanganjikasee), im NW an Burundi und Rwanda, im N an Uganda (Grenze verläuft z. T. durch den Victoriasee), im NO an Kenia und im O an den Ind. Ozean. Im Ind. Ozean liegen die Inseln Sansibar und Pemba, die den weitgehend autonomen Teilstaat Sansibar bilden. **Fläche:** 945 087 km². **Bevölkerung:** 27,83 Mill. E (1992), 29 E/km². **Hauptstadt:** Dodoma (im Aufbau). **Verwaltungsgliederung:** 25 Regionen. **Amtssprache:** Swahili; daneben wird auch Englisch amtlich verwendet. **Nationalfeiertag:** 26. April (Tag der Vereinigung). **Währung:** Tansania-Schilling (T.Sh.) = 100 Cents (Ct.). **Internationale Mitgliedschaften:** UN, OAU, WTO, Commonwealth. **Zeitzone:** MEZ + 2 Std.

Landesnatur: T. ist weitgehend ein Hochland in 1 000–1 500 m Meereshöhe, das im W vom Zentralafrikan. Graben (Tanganjikasee, Rukwasee, Njassasee), im mittleren Teil vom Ostafrikan. Graben mit den ihn begleitenden, meist erloschenen Vulkanmassiven gegliedert wird, unter denen das den Kilimandscharo (an der NO-Grenze) das höchste ist (im Kibo 5895 m). Im SO ist dem Hochland eine nach S sich erniedrigende Küstenebene vorgelagert. Das Küstengebiet wird im N von den Usambara Mountains (bis 2230 m) und im Zentrum von den Uluguru Mountains (bis 2652 m) überragt.

Klima: Das an der Küste herrschende feuchtheiße trop. Klima geht nach W in gemäßigtes Hochlandklima über. Über 1800 m ü. d. M. treten Nachtfröste auf; der Gipfel des Kibo ist vergletschert. Dauer und Intensität der Regenzeit hängen von der Lage zum Ind. Ozean ab. Die höchsten Niederschlagsmengen erhalten die östl. Bruchränder der Hochebene und die SO-Hänge der Vulkane, die geringsten die zentralen Senken (z. B. die Massaisteppe).

Vegetation: Entsprechend der Niederschlagsmenge sind Vegetationsformationen vom immergrünen Berg- und Nebelwald über die Feuchtsavanne, den Trockenwald, und die Trockensavanne bis hin zur Dornstrauchsavanne entwickelt.

Tierwelt: In den Waldgebieten leben Elefanten, Nashörner, Kaffernbüffel, Leoparden u. a., in der offenen Savanne Gnus, Antilopen, Gazellen, Löwen, Geparde, Strauße u. a. Zum Schutz der einst reichhaltigen Tierwelt wurden mehrere große Tierreservate und Nationalparks (bes. der Serengeti-Nationalpark) angelegt.

Bevölkerung: Die Bewohner sind größtenteils Bantu, die sich in etwa 120 Stämme gliedern. Die von N her eingewanderten Niloten und Hamiten (Luo, Massai, Tussi) machen nur 5% der Bev. aus. Etwa 10% der Bewohner sind Araber, 6% Asiaten (bes. Inder und Pakistani). Von der Bev. sind je $\frac{1}{3}$ Christen, Muslime und Animisten. Es besteht eine allg. 7jährige Grundschulpflicht. Daressalam hat eine Univ., Sokoine eine landw. Universität.

Wirtschaft: Sie beruht auf der Landw., in der 90% der Bev. tätig sind. Nur etwa 17% der Landfläche sind Ackerland (in Sansibar fast die gesamte nutzbare Inselfläche), 45% werden als extensives Weideland (vorwiegend Rinderhaltung) genutzt. Wichtige Exportkulturen sind Baumwolle, Kaffee, Gewürznelken (80% des Weltbedarfs), Sisal, Tabak und Tee. Für die Eigenversorgung ist neben dem Getreide-, Erdnuß-, Bananen-, Zuckerrohr-, Gemüse- und Pyrethrumanbau die Binnenfischerei bedeutsam. Die Ind. ist noch wenig entwickelt, vorherrschend sind Kleinst- und Kleinbetriebe. Führend sind Nahrungsmittel- und Textilind. In Tanga arbeitet ein Stahlwalzwerk. Wichtige Ind.standorte sind Daressalam, Tanga, Mwanza, Tabora, Mbeya und Arusha. Bedeutsam ist die Diamantenförderung bei Shinyanga sw. von Mwadui (südl. vom Victoriasee).

Außenhandel: Die wichtigsten Handelspartner sind Großbritannien, Deutschland, Japan und Italien. Exportiert werden Agrargüter (Kaffee und Baumwolle je $\frac{1}{4}$ des wertmäßigen Umsatzes) und Diamanten, importiert werden Maschinen, Kfz, Metalle, Erdöl und Lebensmittel.

Verkehr: Die Länge des Eisenbahnnetzes beträgt 2 580 km, davon entfallen 969 km auf die Tansambahn. Das Straßennetz ist rd. 82 000 km lang, davon 980 km auf Sansibar und Pemba. Hauptstraßen in Tanganjika 17 700 km (nur 3 000 km asphaltiert), asphaltierte Straßen auf Pemba und Sansibar 580 km. Die wichtigsten Häfen sind Daressalam, Tanga und Mtwara und Lindi. Internat. ✹ lie-

gen in Daressalam und bei Arusha (internat. ✹ Kilimandjaro Airport für den Touristenverkehr).

Geschichte: Die Küste von T. war seit der Antike in den ostafrikan. Fernhandel mit Arabien und Indien einbezogen (↑ Kenia, Geschichte). Eine beherrschende Rolle spielten dabei die vorgelagerten Inseln Sansibar, Pemba, Mafia Island und Kilwa. Ende des 16. Jh. errichteten die Portugiesen auf Sansibar Handelsniederlassungen. Nach der Vertreibung der Portugiesen (1698) übernahmen die Araber aus Oman von ihrem Hauptstützpunkt Sansibar aus die Führung. Sie betrieben Sklaven- und Elfenbeinhandel. Von Sansibar aus drangen im 19. Jh. auch die ersten Europäer ins Festlandinnere vor. 1884 begann C. Peters mit dem Erwerb von Festlandgebieten, er erhielt 1885 für die Dt.-Ostafrikan. Gesellschaft (DOAG) einen kaiserl. Schutzbrief, der zu Hoheitsrechten befugte. 1888 erwarb die DOAG vom Sultan von Sansibar den Küstenstreifen; 1891 übernahm das Dt. Reich die Verwaltung des Schutzgebiets Dt.-Ostafrika. Im Helgoland-Sansibar-Vertrag 1890 zw. Großbritannien und Deutschland fiel Sansibar als Protektorat an die Briten, die schon Festlandbesitzungen im N eingenommen hatten; damit waren die N-Grenzen von Dt.-Ostafrika abgesteckt. Verträge mit Belgien und Portugal regelten die Grenzen im W und S. Im 1. Weltkrieg konnte sich die dt. Schutztruppe unter dem Kommando des Generals P. von Lettow-Vorbeck bis 1916 gegen belg.-portugies.-brit.-südafrikan. Truppen halten, dann wich sie ins benachbarte

Tansania. Übersichtskarte

Moçambique, später nach N-Rhodesien aus, wo sie im Nov. 1918 die Kampfhandlungen einstellte. Die Sieger teilten sich das Land: Portugal erhielt einen kleinen, südl. des Rovuma gelegenen Gebietsstreifen, der Völkerbund vergab 1919/20 Ruanda-Urundi als Mandat an Belgien, der größte Teil des vormaligen Dt.-Ostafrika, Tanganjika, wurde Großbritannien übertragen, dem auch 1946 die UN das Gebiet als Treuhandgebiet unterstellten mit der Auflage, die Unabhängigkeit vorzubereiten. 1954 gründete J. K. Nyerere die Tanganyika African National Union (TANU) als Sammelbecken für alle polit. Kräfte der Afrikaner; die TANU forderte von Großbritannien und den UN einen Zeitplan für die Unabhängigkeit. Im Sept. 1960 bildete Nyerere die erste afrikan. Regierung. Am 9. Dez. 1961 entließ Großbritannien Tanganjika in die Unabhängigkeit, zunächst als Monarchie unter der brit. Krone. Ein Jahr später erklärte sich Tanganjika zur Republik mit Nyerere als Staatspräs., blieb aber Mgl. im Commonwealth. Nachdem die Briten schon im Juni 1963 Sansibar die innere Autonomie gewährt hatten, entließen sie es am 10. Dez. 1963 als Sultanat in die Unabhängigkeit; doch schon im Jan. 1964 wurde der Sultan gestürzt; Staatspräs. der neugebildeten VR Sansibar und Pemba wurde der Führer der Afro-Shirazi Party (ASP), Scheich A. A. Karume. Um eine größere Stabilität zu gewährleisten, schlossen sich am 26. April 1964 Tanganjika und Sansibar unter Beibehaltung eigener Legislativ- und Exekutivorgane sowie separater Rechtssysteme zu der Vereinigten Republik von Tanganjika und Sansibar (seit Okt. 1964 T.) zusammen. Nyerere wurde Staatspräs., Karume 2. Vizepräs. (zugleich Präs. des „Revolutionsrates" von Sansibar). Das 1967 verkündete Entwicklungsprogramm für „Sozialismus und Selbstvertrauen" wurde nur z. T. durchgeführt. Entwicklungspolitisch arbeitete T. v. a. mit westl. Ländern, aber auch mit der VR China zusammen. Nach der Ermordung von Karume 1972 folgte ihm M. A. Jumbe (* 1920) im Amt. Die Notwendigkeit der Rücksichtnahme auf den eigenständigen polit. Kurs, den Sansibar auch nach dem Zusammenschluß von TANU und ASP im Febr. 1977 zur Einheitspartei Chama Cha Mapinduzi (Sammlungsbewegung der Revolution [CCM]) verfolgt, führte immer wieder zu Spannungen zw. beiden Landesteilen. Sansibar erhielt 1979 eine neue Verfassung. Außenpolitisch spielte T. eine maßgebl. Rolle unter den afrikan. „Frontstaaten" gegen die weißen Minderheitsregime in Südafrika und Rhodesien. Innerhalb der blockfreien Staaten trat T. Versuchen entgegen, diese eng an das sowjet. Lager anzulehnen. Nachdem seit Dez. 1976 eine Belastung der Beziehungen

zw. T. und Kenia eingesetzt hatte, wurde im April 1977 die Grenze nach Kenia gesperrt. Im Nov. 1978 kam es zu einem bewaffneten Konflikt zw. T. und dem von I. Amin Dada regierten Uganda, der im April 1979 den Sturz Amin Dadas bewirkte. T. nahm entscheidenden Einfluß auf die Bildung der neuen ugand. Reg. bis zur Wahl des von Nyerere unterstützten Kandidaten A. M. Obote (er lebte seit seinem Sturz 1971 im Exil in T.) zum ugand. Staatspräs. im Dez. 1980. Ein Putschversuch auf Sansibar wurde 1980 vereitelt. Die Präsidentschaftswahlen 1980 bestätigten Nyerere als Präs. und Jumbe als Vizepräs. 1985 wurde A. Hassan Mwinyi zum Präs. gewählt (Nyerere kandidierte nicht wieder), 1990 wurde er bestätigt und ernannte J. Malecela zum 1. Vizepräs. und Min.präs. und S. Amour zum 2. Vizepräs. und Präs. von Sansibar. Durch Verfassungsänderung wurde zum 1. Juli 1992 die Einparteienherrschaft der CCM beendet.

Politisches System: T. ist nach der Verfassung von 1977 eine föderative präsidiale Republik, die aus den beiden Landesteilen Tanganjika und Sansibar besteht. *Staatsoberhaupt,* Oberbefehlshaber der Streitkräfte und oberster Inhaber der *Exekutive* ist der auf Vorschlag der CCM vom Volk auf 5 Jahre gewählte Staatspräs.; Wiederwahl ist zulässig. Er ernennt den 1. Vizepräs. (zugleich Premiermin.) und den 2. Vizepräs. (zugleich Präs. von Sansibar) sowie das Kabinett, besitzt ein Vetorecht bei der Gesetzgebung, das mit $2/3$-Mehrheit des Parlaments aufgehoben wird, und das Recht der Parlamentsauflösung. Die *Legislative* liegt bei der Nat.versammlung mit 169 direkt gewählten und 75 von der Einheitspartei CCM sowie Massenorganisationen ernannten Abgeordneten. Sansibar verfügt nach seiner Verfassung vom Jan. 1985 über ein Repräsentantenhaus (75 Mgl., davon 50 direkt gewählt) und eine eigene Exekutive für innere Angelegenheiten (Präs., Chief-Min., Revolutionsrat). Einzige zugelassene *Partei* war bis 1992 die Chama Cha Mapinduzi (CCM), 1977 durch Zusammenschluß der Tanganyika African National Union (TANU) und der Afro-Shirazi Party (ASP) entstanden. Einheits*gewerkschaft* ist seit 1978 die Jumuiya ya Wafanyabazi wa Tanzania (JUWATA). Das *Rechts*wesen folgt brit. Vorbild. Der dreistufige Gerichtsaufbau besteht aus Primary Courts, District Courts und dem High Court als höchster Instanz. In Familien- und Erbangelegenheiten gilt z. T. traditionelles Recht. Sansibar ist im Rechtswesen autonom; 1970 wurden sog. Volksgerichte mit vom Volk gewählten Richtern eingeführt.

📖 *Hartmann, W.: Das polit. System der Nyakyusa. Saarbrücken 1991. – Zell, H.: Die Kapitalgüterind. in T. Hamb. 1990. – Wen-*

zel, H./Wiedenmann, R.: Tanzania's Economic Performance in the Eighties. Saarbrücken 1989. – Berg-Schlosser, D./Siegler, R.: Polit. Stabilität u. Entwicklung. Köln 1988. – Donner-Reichle, C.: Ujamaadörfer in Tanzania. Hamb. 1988. – Glaeser, B.: Ecodevelopment in Tanzania. Bln. 1984. – Coulson, A.: Tanzania: a political economy. London 1982. – Kurtz, L.: Historical dictionary of Tanzania. Metuchen (N. J.) 1978.

Tansanit [nach Tansania] ↑ Zoisit.

Tansillo, Luigi, * Venosa (Potenza) 1510, † Teano 1. Dez. 1568, italien. Dichter. – Seine lange lebendig gebliebenen lyr. Gedichte leiteten durch ihren Manierismus zum Barock über; großer Einfluß auf die frz. und span. Dichtung des 16. und 17. Jahrhunderts.

Tansman, Alexandre (Aleksander) [frz. täs'man], * Łodź 12. Juni 1897, † Paris 15. Nov. 1986, frz. Komponist poln. Herkunft. – Neoklassizistisch orientiert, verbindet T. poln. Folklore und Polytonalität; u. a. Opern, zahlr. Ballette, Orchesterwerke, Konzerte, Kammer- und Klaviermusik sowie Filmmusiken.

Tanta, ägypt. Stadt im Zentrum des Nildeltas, 373 500 E. Hauptstadt des Governorats Al Gharbijja; Univ. (gegr. 1972); Handelszentrum, v. a. für Baumwolle; Baumwollverarbeitung; Erdölraffinerie; Wallfahrtsort.

Tantal [griech., nach Tantalus], chem. Symbol Ta; metall. Element aus der V. Nebengruppe des Periodensystems der chem. Elemente, Ordnungszahl 73, relative Atommasse 180,948, Dichte 16,6 g/cm^3, Schmelzpunkt 2 996 °C, Siedepunkt 5 425 (± 100) °C. Das grauglänzende Schwermetall ist gegen Säuren (außer Flußsäure) sehr beständig und tritt in seinen Verbindungen meist fünfwertig auf. In der Natur kommt T. nur gebunden und stets zus. mit Niob vor. Wegen seiner chem. Widerstandsfähigkeit wird es u. a. zur Herstellung medizin. Instrumente, chem. Geräte und von Elektrolytkondensatoren sowie als Legierungsbestandteil für Edelstähle verwendet. – T. wurde 1802 von A. G. Ekeberg im T.mineral Tantalit entdeckt.

Tantalit [griech., wegen des Gehalts an Tantal], schwarzes bis bräunl., rhomb. Mineral (Fe,Mn) (TaO$_3$)$_2$; Mohshärte 6, Dichte 8,1 g/cm^3; lokal Tantalerz.

Tantalus (Tantalos), in der griech. Mythologie Sohn des Zeus und einer Nymphe, Liebling der Götter und deshalb von frevler. Überhebung: T. hat die Götter an seine Tafel geladen, um ihre Allwissenheit zu prüfen, ihnen das Fleisch seines Sohnes Pelops vorgesetzt. Die Götter bestrafen ihn mit ewigen Qualen: In einem See stehend, über seinem Haupt köstl. Früchte, kann er Hunger und Durst niemals stillen; Wasser und Früchte weichen bei jedem Versuch, sie zu er-

reichen, zurück. Der Fluch der Götter trifft auch seine Nachkommen, u. a. ↑ Atreus.

Tantieme [tä..., tan...; frz.], Anteil am Jahresgewinn eines Unternehmens, insbes. einer AG, der Vorstands- und Aufsichtsratsmgl. sowie z. T. auch leitenden Angestellten auf Grund der Satzung, des Anstellungsvertrags oder eines Beschlusses der Hauptversammlung gewährt wird. Auch Bez. für Zahlungen an Autoren als Beteiligung am Erlös aus Aufführungen musikal. oder literar. Werke.

Tantrismus, religiöse Strömung in Indien, die seit dem 5. Jh. großen Einfluß auf Hinduismus und Buddhismus gewann. Die in den Texten des **Tantra** niedergelegten Lehren wenden sich von der Orthodoxie des Weda ab und heben den Unterschied zw. den Kasten und den Geschlechtern auf. Die Erlösung sucht der T. auf dem Weg des Rituals mit Hilfe mag., mitunter auch orgiast. Praktiken. In den Geheimriten, in die ein göttl. Verehrung genießender Lehrer einführt, stehen die Rezitation myst. Silben („Mantra"; im **Mantrajana** galt dies als wichtiges Mittel zur Erlösung) und der Genuß der fünf mit „M" beginnenden Dinge im Mittelpunkt: Mada (Wein), Matsja (Fisch), Mamsa (Fleisch), Mudra (geröstete Körner), Maithuna (Geschlechtsverkehr).

Tantum ergo sacramentum [lat. „ein so großes Sakrament"], Anfangsworte der 5. Strophe des Thomas von Aquin zugeschriebenen Hymnus „Pange, lingua, gloriosi corporis mysterium", die zus. mit der 6. Strophe „Genitori genitoque" seit dem 15. Jh. in der kath. Liturgie zur Aussetzung des Allerheiligsten gesungen wird.

Tantung ↑ Dandong.

Tanz, rhythmisch geregelte Körperbewegung zu Musik- oder Geräuschbegleitung, auch die zum T. erklingende Musik oder deren vom T. gelöste Stilisierung in instrumentaler (Instrumental-T.) oder vokaler Form (T.lied). – Urspr. ein rein religiöser Akt, der oft auch überird. Ursprünge zurückgeführt wird. Neben dem Opfer ist der T. wichtigster Bestandteil des Kultes. Der T. verleiht wichtigen Akten des menschl. Lebens eine religiöse Weihe; dabei dient er oft zugleich der Abwehr dämon. Einflüsse, z. B. bei Initiationsriten, beim Hochzeits-T. oder bei Totentänzen. Daneben hat der T. oft auch die Bed. einer mag. Analogiehandlung, z. B. Fruchtbarkeitstänze, die den Ertrag der Felder fördern sollen.

Kult. und gesellige Tänze gab es in Altägypten und Mesopotamien. In der griech. Antike wurden der Reigen, der Einzel-T. und der chor. T. (↑ Chor) gepflegt. Der T. bildete mit Musik und Dichtung eine Einheit. Judentum und frühes Christentum kannten den sakralen T.,den die Kirche im frühen MA wegen seiner Weltlichkeit ebenso ablehnte wie die in kirchl. Sicht entarteten Tänze der Spielleute, Gaukler und des Volkes. Eine ständ. T.kultur entwickelte sich im 13. Jh. an den Höfen. Ihre Formen waren der gruppenweise getanzte Reigen und der ihm oft vorangestellte Einzelpaartanz. Im Gesellschafts-T. des 15./16. Jh. setzten sich der langsame Schreit-T. (Basse danse, Passamezzo, Pavane) und der schnelle, gesprungene Nach-T. (Saltarello, Tourdion, Gaillarde) durch. Mit der Scheidung von ↑ Volkstanz und höf.-aristokrat. ↑ Gesellschaftstanz seit dem 15. Jh. entwickelte letzterer eine Vielfalt von Paartänzen, so neben Pavane, Gaillarde und Passamezzo die Allemande oder den dt. T., die frz. Courante und die span. Sarabande und Chaconne. Ein beliebter Reigen war der frz. Branle. In Italien und Frankreich wirkten im 15. und 16. Jh. berühmte T.lehrer, die den Grund für die Herausbildung einer akadem. T.kunst (↑ Ballett) legten. Seit dem 17. Jh. wurden v. a. die Höfe in Versailles und Wien für die Entwicklung von Ballett und Gesellschafts-T. vorbildlich. Im Gesellschafts-T. mußte der Reigen dem in Kolonnen ausgeführten Einzelpaartanz weichen, der eine Rangabstufung der mitwirkenden T.paare gestattete. Viele der neuen Tänze entstammten dem Volks-T., so Gavotte, Bourrée, Rigaudon, Passepied und Gigue. Zum wichtigsten höf. T. wurde das ungeradtaktige Menuett. Mit dem Aufkommen der bürgerl. Musikkultur im 18. Jh. traten auch neue Tänze in den Vordergrund, so z. B. dt. T. und der Ländler, aus denen sich der Walzer entwickelte, der weltweite Verbreitung fand, ferner Polka, Mazurka, Rheinländer, Galopp und die Gruppentänze Polonaise, Ecossaise und Française. – Charakteristisch für den Gesellschafts-T. nach 1900 ist die Vorherrschaft nord- und lateinamerikan. Tänze, das gänzl. Zurückdrängen des Gruppen-T. durch den Einzelpaartanz und die starke Affinität von T.musik und Jazz. Neben den Standardtänzen, den lateinamerikan. Tänzen (↑ Tanzsport) sowie Blues, Jive, Rock 'n' Roll, Boogie-Woogie und Beat entstand eine Vielzahl von meist kurzlebigen Tänzen, wie z. B. Onestep, Charleston, Shimmy, Black-Bottom, Bebop, Mambo, Calypso, Madison, Twist, Bossanova, Letkiss, Shake und Lambada. Im 20. Jh. trat auf dem Gebiet des Kunst-T. neben den klass. T. der **Ausdruckstanz** (auch freier T.), der als eigenständiger, von musikal. Bindungen und akadem. Positionslehre befreiter Ausdrucksträger verstanden wurde. Wegweisend wirkten hier I. Duncan, É. Jaques-Dalcroze, R. von Laban und M. Wigman sowie die Wigman-Schüler H. Kreutzberg, G. Palucca und Y. Georgi. In Form des

amerikan. Modern dance (u. a. H. Holm, R. Saint Denis, T. Shawn und M. Graham) hat der Ausdrucks-T. das moderne Ballett entscheidend geprägt.

📖 *Ehrlenbruch, G.: Die freien Gruppen in der T.szene der BR. Ffm. 1991. – Schneider, Otto: T.-Lex. Mainz 1985. – Sorell, W.: Der T. als Spiegel der Zeit. Wilhelmshaven 1985. – Weidig, J.: T.-Ethnologie. Ahrensburg 1984. – Günther, H.: Jazz Dance. Wilhelmshaven ³1983. – Otterbach, F.: Die Gesch. der europ. T.musik. Wihelmshaven 1983. – Stüber, W.: Gesch. des Modern Dance. Wilhelmshaven 1983. – Brunner, I.: Jazztanz. Rbk. 1979. – Taubert, K. H.: Höf. Tänze. Ihre Gesch. u. Choreographie. Mainz 1968. – Petermann, K.: Gesellige Tänze u. T.spiele. T.beschreibungen. Lpz. 1968. – Prudhommeau, G.: La danse grecque antique. Paris 1966. 2 Bde.*

tanzende Derwische ↑ Mewlewija.

Tanzfliegen (Empididae), mit rd. 4 500 Arten weltweit verbreitete Fam. 1–15 mm langer Fliegen; teils räuberisch lebende, teils blütenbesuchende Insekten, deren ♂♂ in auffallenden Schwärmen tanzen.

Tanzimat [türk. tanzi:'mat „Verordnungen"], Reformgesetze im Osman. Reich, die der Zeit von 1839–76 ihren Namen gegeben haben und auf eine Neuerung der Verwaltung, des Steuerwesens, der Gesetzgebung sowie wirtsch. Maßnahmen und den Aufbau eines staatl. Erziehungswesens nach europ. Vorbildern zielten.

Tanzlied, Gattungsbez. für lyr. oder erzählende Lieder, die im Hoch- und Spät-MA zum Tanz gesungen wurden; dazu gehören Refrainlieder (↑ Ballade, ↑ Rondeau, ↑ Virelai) und der ↑ Leich (Tanzleich).

Tanzmaus, durch Mutation aus der ostasiat. Hausmaus (Mus musculus wagneri) hervorgegangene, meist schwarzweiß gescheckte Zuchtform, die infolge krankhafter Veränderungen im Labyrinth Zwangsbewegungen ausführt und sich dabei im Kreise dreht („tanzt").

Tanzmeistergeige, svw. ↑ Pochette.

Tanzschrift, svw. ↑ Choreographie.

Tanzsport (Turniertanz), der wettkampfmäßig betriebene sportl.-künstler. Variante des ↑ Gesellschaftstanzes. Der T. entwickelte sich Anfang des 20. Jh.; es werden Turnierklassen für Junioren und Senioren unterschieden sowie verschiedene Startklassen. Die Wertung erfolgt durch 5 oder 7 Wertungsrichter. Bewertet werden Takt und Grundrhythmus, Körperlinien, Bewegungsablauf, rhythm. Gestaltung und Fußarbeit. Zu den Turniertänzen gehören die 5 Standardtänze Langsamer Walzer, Tango, Slowfox, Wiener Walzer, Quickstep und die 5 lateinamerikan. Tänze Rumba, Samba, Cha-Cha-Cha, Paso doble und Jive.

Taormina. Griechisches Theater, im
Hintergrund der Ätna

Taoismus, svw. ↑Daoismus.

Taolanaro (früher Fort-Dauphin), Hafenstadt an der SO-Küste Madagaskars,
60 000 E. Kath. Bischofssitz; Sisal- und Holzverarbeitung; Glimmeraufbereitung; ⚓.

Taormina, italien. Stadt über der sizilian.
O-Küste, 250 m ü. d. M., 10 000 E. Fremdenverkehr; Filmfestspiele. – In der Antike **Tau-
romenion,** 396 v. Chr. von Sikelern gegr.;
wurde durch Einwanderung von Flüchtlingen aus Naxos 358 griech., fiel um 215 an
Rom; nach Verfall der Stadt gründete Augustus wohl 21 v. Chr. die Kolonie **Taurome-
nium;** nach byzantin. Herrschaft ab 902 arab.,
ab 1079 normannisch. – Bed. griech. Theater
(im 1. Jh. n. Chr. röm. erneuert); Reste eines
kleinen röm. Theaters und der sog. Nauma-
chia (Badeanlage). Got. Dom (13. und 15. Jh.)
mit jüngeren Umbauten; got. Adelspaläste.

Taos [engl. taʊs], Stadt 90 km nnö. von
Santa Fe, New Mexico, USA, 2 135 m ü. d. M.,
2 500 E. Fremdenverkehr. – Um 1620 von
Spaniern gegr.; kam Anfang des 20. Jh. als
Künstlerkolonie in Mode. – 5 km nö. liegt
Taos Pueblo, ein autonomes Dorf von Tiwa
sprechenden Puebloindianern mit stockwerk-
artig angelegten Lehmziegelbauten.

Taoteking, svw. ↑Daodejing.

Tapa [polynes.], in Ozeanien, v. a. in Polynesien, aus dem Bast des Papiermaulbeer-
baumes, gelegentlich auch des Feigen- und
des Brotfruchtbaumes, hergestellter Stoff.
Der abgezogene Bast wird getrocknet, gewässert und mit Schlegeln aus Eisenholz auf
einer hölzernen Unterlage breitgeschlagen,
schließlich an- und übereinandergeklebt und
meist bemalt und ornamentiert.

Tapajós [brasilian. ...'ʒɔs], rechter Nebenfluß des Amazonas in Brasilien, entsteht aus

2 Quellflüssen in Mato Grosso, mündet bei
Santarém; Klarwasserfluß; 650 km lang.

Tape [engl. tɛɪp], svw. Magnetband, Tonband.

Tapedeck [engl. 'tɛɪp], svw. Kassetten-
deck (↑Kassettenrecorder).

Tapet [zu griech. tápēs „Teppich,
Decke"], veraltet für „Decke des Konferenz-
tisches"; **aufs Tapet bringen,** zur Sprache
bringen.

Tapete [zu ↑Tapet], Wandverkleidung
aus Papier, textilem Material, Kunststoff, die
in Bahnen auf den Putz geklebt wird. Diese
Art der Verarbeitung kam erst mit dem 19. Jh.
auf, vorher (seit dem 15. Jh.) wurden die Bahnen auf einem Rahmen und dieser an Sockel
und Decke des Zimmers befestigt. Chin. T.
aus Papier wurden schon im 16. Jh. eingeführt, europ. T. waren jedoch vor dem 19. Jh.
aus Leder oder Stoff. Das 18. Jh. bevorzugte
die mit Ölfarben bemalte Wachs-T., das
19. Jh. die Gemälde imitierenden Bild-T.,
sog. Panorama-T. Das engl. Kunstgewerbe
brachte in der 2. Hälfte des 19. Jh. eine sehr
dekorative T.kunst hervor (W. Morris); geometr.-abstrakte Designs setzten sich mit dem
Bauhaus durch. – Heute verwendet man v. a.
farbig bedruckte oder geprägte Papier-T.,
u. a. auch unter Zusatz von Holzschliff hergestellte Papier-T. mit rauher Oberfläche (sog.
Rauhfaser-T.), T. aus Metallfolien, Glassei-
denmischgeweben u. a. Materialien.

Tapetum [mittellat., zu griech. tápēs
„Teppich, Decke"], in der *Zoologie:* die licht-
reflektierende Struktur in den Augen von
Gliederfüßern und manchen Wirbeltieren.
◆ in der *Botanik* ein- oder mehrschichtiges
Gewebe aus plasmareichen Zellen an der
Sporangieninnenwand der Farnpflanzen
bzw. der Pollensäcke der Samenpflanzen;
dient der Ernährung der Sporen bzw. Pollenkörner.

Tapezierbienen [mittellat.-italien./dt.], svw. ↑Blattschneiderbienen.

Tapezierspinnen [mittellat.-italien./dt.] (Atypidae), v. a. in den Tropen und Subtropen (mit Ausnahme von S-Amerika und Australien) verbreitete, 20 Arten umfassende Fam. bis 3 cm langer Spinnen, davon drei Arten einheimisch; ♀♀ zeitlebens in von Spinnfäden austapezierten Erdröhren, die sich in oberird. Fangschläuchen fortsetzen.

Tapiau (russ. Gwardeisk), Stadt am Pregel und seinem Flußarm Deime, Rußland, 9 000 E. Galanteriewarenfabrik, Lebensmittelind.; Hafen. – Ging aus der Burg Sugurbi hervor, die 1265 an den Dt. Orden kam. Die Siedlung erhielt 1722 Stadtrechte und kam 1945 an die Sowjetunion. – Ehem. Burg des Dt. Ordens (erhaltene Teile meist um 1350–60); spätgot. Pfarrkirche (nach 1502, im 17. Jh. erneuert).

Tàpies, Antoni [katalan. 'tapjəs], eigtl. A. T. Puig, * Barcelona 23. Dez. 1923, span. Maler des Tachismus. – Nachhaltig vom Surrealismus beeinflußt; Materialbilder mit reliefartigem Farbauftrag, Zeichnungen.

Tapie Shan, svw. ↑Dabie Shan.

Tapioka [indian.] ↑Maniok.

Tapiokastrauch, svw. ↑Maniok.

Tapire (Tapiridae) [indian.], seit dem Eozän bekannte, heute nur noch mit vier Arten (Gatt. *Tapirus*) in den Wäldern SO-Asiens, M- und S-Amerikas vertretene Fam. der Unpaarhufer; primitive, fast nashorngroße Säugetiere mit ziemlich plumpem Körper, dessen Kopf einen kurzen Rüssel aufweist; Extremitäten stämmig; ♀ setzt ein Junges mit heller, frischlingsähnl. Zeichnung. – Zu den T. gehört u. a. der **Schabrackentapir** (Tapirus indicus; Fell auffallend kurzhaarig; vorderes Körperdrittel und Hinterbeine schwarz, übriger Körper grauweiß; auf Malakka und Sumatra).

Tapisserie [griech.-frz.], Wandteppich (↑Bildteppich).

Tappa Gaura (Tepe Gawra), Ruinenhügel in Irak bei Chorsabad; amerikan. Ausgrabungen (1930–37). Lückenlose Siedlungsschichten vom späten 6. Jt. bis ins 14. Jh., u. a. Tempelfundamente bes. aus assyr. Zeit.

Tappe Hesar [pers. tæp'pe he'sɑ:r] (Tepe Hissar), Ruinenhügel in Iran, etwa 80 km südl. der SO-Spitze des Kasp. Meers; amerikan. Ausgrabungen (1931/32) fanden Keramik aus dem 4. Jt. bis etwa 2000; Gold- und Silbergefäße und -schmuck aus dem 3./2. Jt.; Reste eines sassanid. Palasts mit Stuckornamentik.

Tappert [zu frz. tabar(d) (mit gleicher Bed.)], Anfang des 14. bis Anfang des 16. Jh. getragener mantelartiger Überwurf; auch als Waffenrock und Bekleidung der Herolde bei Turnieren.

Tappe Sialk [pers. tæp'pe si'ɑ:lk], Name von zwei vor- und frühgeschichtl. Ruinenhügeln 3 km sw. von Kaschan in Iran. Frz. Ausgrabungen (1933–38) fanden im nördl. **Tappe Sialk A** Stampflehmhäuser des 6. Jt. bzw. Lehmziegelbauten des 5. und 4. Jt. v. Chr. Vom Anfang des 3. Jt. stammen (protoelam.) Schrifttäfelchen, Rollsiegel, monochrome Keramik. **Tappe Sialk B** ist eine künstl. Terrassenanlage des frühen 1. Jt. mit abgesonderten Nekropolen. Charakterist. Beigaben sind bemalte Schnabelkannen, Zaumzeug.

Tapti, Fluß in Z-Indien, entspringt in der Satpura Range, mündet bei Surat in den Golf von Cambay (Arab. Meer), rd. 720 km lang.

Tara [italien.], Gewicht der (für den Versand einer Ware benötigten) Verpackung oder die Verpackung selbst.

Tarakan, flache, z. T. versumpfte Insel vor der nördl. O-Küste Borneos, Indonesien, Hauptort T. (Erdölhafen, 🛢).

Tarangire-Nationalpark [engl. tɑ:rɑ:ŋ-'gi:rei], tansan. Wildreservat in der nördl. Massaiebene, 1 360 km².

Tarant [italien.] (Swertia), Gatt. der Enziangewächse mit rd. 90 Arten, v. a. in den Gebirgen Eurasiens, Afrikas und Amerikas; aufrechte Kräuter mit blauen, seltener gelben Blüten in traubigen oder doldentraubigen Rispen. Die einzige einheim. Art ist der stark gefährdete, bis 50 cm hohe **Blaue Tarant** (Swertia perennis) mit blauen, dunkel punktierten bis schmutzig violetten Blüten; in Flachmooren und Sumpfwiesen.

Tarantella [italien.], süditalien. Volkstanz, der im schnellen ³/₈- oder ⁶/₈-Takt mit sich steigerndem Tempo zur Begleitung von Kastagnetten und Schellentrommel getanzt wird; heute v. a. Schautanz.

Taranteln [italien. nach Taranto, dem italien. Namen von Tarent], zusammenfassende Bez. für verschiedene trop. und subtrop., z. T. giftige Arten bis 5 cm langer ↑Wolfsspinnen; am bekanntesten die **Apulische Tarantel** (Tarantelspinne, Lycosa tarentula): etwa 3–4 cm lang; verbreitet im Mittelmeergebiet; Biß für den Menschen schmerzhaft, aber ungefährlich.

Tarantelskorpione (Tarantula), in M- und S-Amerika verbreitete Gatt. der ↑Geißelspinnen; Länge etwa bis 2 cm; erstes Beinpaar zu riesigen, fadendünnen Geißeln verlängert; Biß ungiftig.

Tarascon [frz. taras'kõ], frz. Ort an der unteren Rhone, Dep. Bouches-du-Rhône, 11 000 E. Marktzentrum für Agrarprodukte, Papier-, Kartonagenind. – Um 74 v. Chr. von Massilia (= Marseille) aus besiedelt; wurde mit der Gft. Provence 1481/86 frz. – Festungsartiges Schloß (14. und 15. Jh.); got. Kirche Sainte-Marthe (12.–15. Jh.); Rathaus (17. Jh.).

Tarasken, sprachlich isolierter Indianerstamm im mex. Staat Michoacán (etwa 60 000). Die T. gründeten (nach der Sage im 15. Jh.) ein bed. Reich, das um 1520 Michoacán und Teile von Guanajuato, Jalisco und Colisma umfaßte; 1522 von den Spaniern ohne Kampf unterworfen. – Kulturell weichen die T. stark von den Azteken ab. Sie errichteten im Grundriß T-förmige Pyramiden mit rechteckigem und rundem Baukörper; hervorragende Bearbeitung von Obsidian und Bergkristall, bes. für Schmuck. Bed. Metallverarbeitung und Keramik.

Tarasp ↑ Schuls.

Tarawa [engl. tə'rɑ:wə], Atoll der Gilbertinseln, Kiribati, besteht aus 15 Inseln, zus. 23 km², Hafen, internat. ✈.

Tarbagataigebirge, 300 km langer Gebirgszug in Kasachstan, O-Teil an der Grenze gegen China, bis 2 992 m hoch.

Tarbeladamm, Erd-Fels-Schüttdamm am Indus in Pakistan, Kronenlänge 2 470 m, Kronenhöhe 137 m, Basisbreite 800 m, Stauraum 13,7 Mrd. m³; dient der Abflußregulierung des Induswassers, der Energiegewinnung und Bewässerung.

Tarbes [frz. tarb], frz. Stadt im Pyrenäenvorland, 51 400 E. Verwaltungssitz des Dep. Hautes-Pyrénées; kath. Bischofssitz; Ingenieurhochschule; Gerbereien, lederverarbeitende und Möbelind., Elektromaschinen-, Lokomotiv- und Raketenbau. – Das kelt. **Bigorra** wurde nach der Eroberung durch die Römer im 1. Jh. v. Chr. **Turba** genannt. Seit dem 5. Jh. Bischofssitz (1801–22 aufgehoben). – Got. Kathedrale (13.–15. und 18. Jh.), Garten „Jardin Massey" mit spätgot. Kreuzgang eines ehem. Klosters.

tardando [italien.], musikal. Vortragsbez.: zögernd, langsamer werdend.

Tardenoisien [frz. tardənoazi'ɛ:], nach Funden von La Fère-en-Tardenois (Aisne), Frankreich, ben. Kulturgruppe des jüngeren Mesolithikums in M-, O- und W-Europa, die u. a. durch sog. geometr. Mikrolithe gekennzeichnet ist.

Tardieu [frz. tar'djø], frz. Kupferstecherfamilie des 17.–19. Jh. Bekannteste Vertreter:
T., Nicolas Henri, * Paris 18. Jan. 1674, † ebd. 27. Jan. 1749. – Kombinierte Kaltnadel- und Grabsticheltechnik v. a. in maler. Stichen nach Watteau.
T., Pierre Alexandre, * Paris 2. März 1756, † ebd. 3. Aug. 1844. – Hervorragender Porträtstecher; meist kleinformatige Stiche nach Vorlagen (u. a. nach Raffael).

Tardieu, André [frz. tar'djø], * Paris 22. Sept. 1876, † Menton 15. Sept. 1945, frz. Politiker. – 1914–24 und 1926–36 Abg., gründete 1932 das Centre Républicain; als enger Mitarbeiter G. B. Clemenceaus und Verfechter eines harten Friedens an der Ausarbeitung

des Versailler Vertrags beteiligt; 1926–34 mehrmals Min. (u. a. 1928–30 Innen-, 1932 Außenmin.); 1929/30 und 1932 zugleich Ministerpräsident.

T., Jean, Pseud. Daniel Trevoux, * Saint-Germain-de-Joux (Ain) 1. Nov. 1903, † Créteil (bei Paris) 27. Jan. 1995, frz. Schriftsteller. – Verf. surrealist.-absurder Lyrik sowie dem absurden Theater verpflichteter Einakter; versuchte dabei, musikal. Strukturen auf das Drama zu übertragen, u. a. „Faust und Yorick" (1955), „L'accent grave et l'accent aigu. Poèmes 1976–1983" (Ged., 1986).

tardo [italien.], musikal. Vortragsbez.: langsam.

Tarent, italien. Hafenstadt in Apulien, am Golf von T., 15 m ü. d. M., 244 500 E. Hauptstadt der Prov. T.; kath. Erzbischofssitz; ozeanograph. Forschungsinst., Observatorium; Museum; Staatsarchiv; Wirtschafts- und Handelszentrum des südl. Apulien, mit Werften, Hütten- und Stahlwerken, chem. Ind.; Miesmuschel- und Austernzucht; Meerwassersalinen; Marinehafen. – Das griech. **Taras** wurde von spartan. Auswanderern um 706 v. Chr. an einem alten Siedlungsplatz gegr., stieg im 5. Jh. zur mächtigsten Stadt Großgriechenlands auf; höchste Blüte Ende 5. Jh./Anfang 4. Jh.; mußte sich 272 den Römern unterwerfen **(Tarentum),** wurde 123 v. Chr. röm. Kolonie **(Colonia Neptunia);** fiel nach häufigem Besitzwechsel im frühen MA 1063 an die Normannen und wurde Teil des Kgr. Sizilien. – Der Dom (11. Jh., im 18. Jh. barockisiert) besitzt im Innern antike Säulen mit z. T. romanischen Kapitellen; Kastell (15./16. Jh.); reich ausgestattete Nekropolen.

Tarentaise [frz. tarɑ̃'tɛ:z], Talschaft der oberen Isère in den frz. N-Alpen; Kraftwerke, elektrochem. und Metallind.; Wintersport.

Targa Florio, schwerstes & längstes Langstreckenrennen für Automobile; wurde 1906–72 um einen von Graf V. Florio gestifteten Silberschild (italien. targa) auf einem seit 1951 72 km langen kurvenreichen Straßenkurs auf Sizilien ausgetragen (vorher kürzere Runden).

Target [engl. 'tɑ:gɪt; „Zielscheibe"] (Auffänger) in der Kernphysik Medium (Folie, Flüssigkeits- oder Gasvolumen), das z. B. bei Streuexperimenten einer hochenerget. Teilchenstrahlung ausgesetzt wird.

Targi, Einz. von ↑ Tuareg.

Targowischte, bulgar. Stadt im nördl. Vorland des Ostbalkan, 180 m ü. d. M., 48 000 E. Histor. Museum, Theater; Herstellung von Spezialstählen, Metall-, Lebensmittel-, Textilindustrie.

Targum [hebr. „Übersetzung"] (Mrz. Targumim, dt. auch Targume), aram. Bibelübersetzung; die ältesten T. fand man in Kumran.

tarieren   **314**

tarieren [arab.-italien.], eine Waage auf
den Nullpunkt (Gleichgewicht) einstellen,
z. B. mit Hilfe kleiner Metallkugeln oder Me-
tallplättchen *(Tarierschrot).*
Tarierwaage, Feinwaage, deren Anzeige zu Beginn der Wägung auf den Nullpunkt eingestellt wird.
Tarif [italien.-frz.], Verzeichnis für Preis-
bzw. Gebührensätze für bestimmte Lieferun-
gen und Leistungen, z. B. Eisenbahn-, Zoll-,
Lohntarif.
Tarifa [span. ta'rifa], span. Hafenstadt an
der Straße von Gibraltar, 14 000 E. Fischfang
und -verarbeitung, Weinbrennereien. – In der
Römerzeit Julia Traducta; seit etwa 500 west-
got., 711 von den Arabern besetzt, 1292 von
König Sancho IV. von Kastilien zurücker-
obert. – Maur. Stadtbild mit Alkazar.
Tarifausschlußklausel ↑ Tarifvertrag.
Tarifautonomie, die Freiheit der Tarifvertragsparteien, ohne staatl. Einwirkung
Verträge über Arbeitsentgelte und -bedingun-
gen abzuschließen.
Tarifkonkurrenz, Anwendbarkeit von
zwei oder mehreren Tarifverträgen auf ein
Arbeitsverhältnis. Bei T. ist der stärker auf
den Betrieb bezogene Tarifvertrag zugrunde
zu legen (z. B. der Firmentarifvertrag).
Tariflohn ↑ Tarifvertrag.
Tarifpartner ↑ Tarifvertrag.
Tarifregister, beim Bundesmin. für Arbeit und Sozialordnung geführtes Verzeichnis, in das Abschluß, Änderung und Aufhebung von Tarifverträgen sowie Allgemeinver-
bindlichkeitserklärungen (↑ Tarifvertrag) eingetragen werden.
Tarifvertrag, schriftl. Vertrag zw. Tarif-
partnern zur Festlegung von Arbeits- und
Wirtschaftsbedingungen, der als *Gesamtver-
einbarung* zum kollektiven Arbeitsrecht gehört. Dabei sind Tarifpartner (Tarifvertragsparteien) auf Arbeitnehmerseite Gewerkschaften bzw. Zusammenschlüsse von Gewerkschaften, auf Arbeitgeberseite Arbeitge-
berverbände oder (beim *Haus-T.)* auch einzelne Arbeitgeber.
Gegenstand des *normativen* Teils von T. ist
v. a. die Höhe der Arbeitsentgelte, der sog.
Tariflohn, für die verschiedenen Lohngruppen *(Entgelt-T.),* die Beschreibung dieser
Lohngruppen durch abstrakte Tätigkeits-
merkmale und/oder konkrete Tätigkeitsbei-
spiele, die Regelung sonstiger Arbeitsbedingungen wie Länge der Arbeitszeit, Umfang
des Urlaubsanspruchs *(Mantel-T., Rahmen-
T.).* Die Bestimmungen in T., die den Inhalt
der einzelnen Arbeitsverhältnisse regeln **(In-
haltsnormen),** sind Mindestregelungen, von
denen nur zugunsten der Arbeitnehmer abge-
wichen werden darf **(Günstigkeitsprinzip).** So
darf z. B. der vereinbarte Tariflohn nicht un-
terschritten werden; der tatsächlich gezahlte

Lohn (Effektivlohn) muß mindestens den Tariflohn betragen. Unzulässig sind sog. **Ab-
sperrklauseln,** die die Einstellung nicht ge-
werkschaftlich organisierter Arbeitnehmer
verbieten (↑ Closed shop), **Tarifausschluß-
klauseln,** die nicht einer Tarifpartei angehö-
rende Beschäftigte von der vollen Gewäh-
rung der im T. festgelegten Rechte ausschließen, sowie **Differenzierungsklauseln,** die zusätzl. Leistungen für Organisierte vorsehen.
Der *Geltungsbereich* des T. wird meist in den
T. selbst festgestellt. Der räuml. Geltungsbereich kann sich auf das Bundesgebiet oder
ein oder mehrere Bundesländer erstrecken
(Flächen-T.), aber auch auf einen Ort beschränken. Für welche Arbeitnehmer ein T.
gilt, hängt zunächst von der satzungsgemä-
ßen Zuständigkeit der Tarifpartner ab, d. h.
meist gilt ein T. entsprechend dem Industrie-
verbandsprinzip für einen bestimmten Wirtschaftszweig. Dabei sind jedoch weitere Ein-
schränkungen auf bestimmte Gruppen von
Arbeitnehmern möglich. Die zeitl. Geltungs-
dauer (Laufzeit) beträgt beim Entgelt-T.
meist ein Jahr; bei anderen T. sind längere
Laufzeiten üblich, so etwa bei Mantel-T. zw.
zwei und sechs Jahren. – T. gelten nur für Arbeitsverhältnisse, die mit einem tarifgebunde-
nen Arbeitgeber abgeschlossen sind. Tarifge-
bunden ist ein Arbeitgeber, wenn er entweder
selbst Partner eines T. oder Mgl. einer T.par-
tei ist. Jedoch können T. auf Antrag einer
T.partei durch den Bundesmin. für Arbeit
und Sozialordnung auch für nicht tarifgebun-
dene Unternehmen für verbindlich erklärt
werden **(Allgemeinverbindlichkeitserklärung).**
Bestandteil des *schuldrechtlichen* Teils des T.
sind die Pflicht zur Durchführung des T., zur
Einwirkung auf die Mgl. der beteiligten Vereinigungen, sich vertragstreu zu verhalten,
und zur Wahrung des Arbeitsfriedens **(Friedenspflicht),** d. h. zum Verzicht auf Arbeits-
kampfmaßnahmen zu Forderungen, deren
Gegenstand in einem gültigen T. geregelt ist.
Geschichte: In Deutschland wurde nach der
Aufhebung des Koalitionsverbots (1869) der
erste T. 1873 von den Buchdruckern abgeschlossen. Doch erst 1918 wurden Gewerkschaften allg. als Partner von T. anerkannt.
1933 beseitigte im NS die Tarifautonomie.
Nach dem 2. Weltkrieg beschloß (am 9. 4.
1949) der Wirtschaftsrat ein T.gesetz, das
1952 neu gefaßt wurde. Heute gilt in
Deutschland das T.gesetz i. d. F. vom 25. 8.
1969 (seit 3. 10. 1990 auch in den neuen Bundesländern, in denen die früher gültigen Rah-
menkollektivverträge durch von den T.par-
teien ausgehandelte T. abgelöst wurden).
▭ *Arbeit, Entgelt, Leistung.* Hdb. Hg. v. K.
Lang u. a. Köln 1990. – Möx, W.: *Arbeits- u.
Tarifrecht.* Essen ¹⁵1989. – Meier-Krenz, U.:
Der T. Hdbg. 1989.

Tarifvertragsparteien ↑ Tarifvertrag.
Tarija [span. ta'rixa], Hauptstadt des bolivian. Dep. T., im S des Ostbolivian. Berglandes, 1950 m ü. d. M., 63 000 E. Kath. Bischofssitz; Univ. (gegr. 1946); Handelszentrum. – Gegr. 1574 von Spaniern.
T., bolivian. Dep. an der Grenze gegen Argentinien und Paraguay, 37 623 km², 309 000 E (1989), Hauptstadt Tarija. Der W liegt im Ostbolivian. Bergland, der O im Gran Chaco; Ackerbau und Viehzucht; Erdölförderung.
Tarik Ibn Sijad, † um 720, arab. Heerführer berber. Herkunft. – Landete 711 bei dem nach ihm ben. Gibraltar, schlug im Juli 711 den Westgotenkönig Roderich und eroberte große Teile der Pyrenäenhalbinsel.
Tarim, Oasenstadt in Jemen, 12 000 E. Kulturelles Zentrum des Wadi Hadramaut; islam. Akad.; Oasenwirtschaft.
Tarim [ta'rɪm, ta'ri:m, 'ta:rɪm], Fluß in NW-China, in Sinkiang, entsteht durch die Vereinigung von 4 Quellflüssen aus dem Tian Shan und Kunlun, fließt als Fremdlingsfluß entlang dem N-Rand des T.beckens und versiegt in der Wüste Takla Makan; 2 179 km lang, das Einzugsgebiet wird unterschiedlich mit 400 000 bis 1,2 Mill. km² angegeben.
Tarimbecken [ta'rɪm, ta'ri:m, 'ta:rɪm], abflußloses Hochbecken in Sinkiang, China, im W durch die östl. Randketten des Pamir, im N vom Tian Shan, im S von Kunlun, Altun Shan und Nan Shan begrenzt, mit einer Länge von 1 500 km und maximal 650 km Breite. Der SW-Rand liegt bei 1 300 m ü. d. M., der N-Rand bei rd. 1 000 m, die tiefste Stelle im östl. Teil des T. mit 780 m ü. d. M. wird vom Lop Nor eingenommen. Bei extrem kontinentalem Klima zum größten Teil von der Sandwüste Takla Makan bedeckt.
Tarkowski, Andrei Arsenjewitsch, * Sawraschje (Geb. Iwanowo) 4. April 1932, † Paris 29. Dez. 1986, russ. Film- und Opernregisseur. – Exponent der russ. Filmkunst; verließ 1983 die UdSSR; internat. bekannt wurden „Iwans Kindheit" (1962), „Andrej Rubljow" (1969), „Solaris" (1972), „Der Spiegel" (1975), „Stalker" (1979), „Nostalghia" (1983), „Das Opfer" (1985).
Tarn, rechter Nebenfluß der Garonne, entspringt in den Cevennen, bildet in den Causses cañonartige, 400–600 m tiefe Talabschnitte *(Gorges du T.),* mündet unterhalb von Moissac, 375 km lang.
T., Dep. in Frankreich.
Tarn-et-Garonne [frz. tarnega'rɔn], Dep. in Frankreich.
Tarnobrzeg [poln. tar'nɔbʒɛk], poln. Stadt an der Weichsel, 160 m ü. d. M., 45 000 E. Hauptstadt der Woiwodschaft T.; Maschinenbau, Textilind., Schwefelabbau und -verarbeitung.

Tarnopol, Geb.hauptstadt am Seret, Ukraine, 205 000 E. Hochschule für Ökonomie, für Medizin, PH; Theater, Philharmonie; Nahrungsmittel-, Metallind., Porzellanfabrik. – Entstand Mitte des 16. Jh. als Festung; seit 1919 poln., Woiwodschaftsverwaltungszentrum (bis 1935); 1939 an die Sowjetunion.
Tarnów [poln. 'tarnuf], poln. Stadt an der Mündung der Biała in den Dunajec, 230 m ü. d. M., 118 000 E. Hauptstadt der Woiwodschaft T.; kath. Bischofssitz; Diözesanmuseum; Stickstoffwerk, Elektromotoren-, Maschinenbau, Glas-, Nahrungsmittelind. – 1105 erstmals erwähnt, 1332 Stadtrecht; entwickelte sich im 15./16. Jh. zur bed. Handelsstadt. – Got. Kathedrale (um 1400; mehrfach umgebaut), got. Rathaus (14. und 16. Jh.), ehem. Patrizierhäuser (16.–18. Jh.), z. T. mit Laubengängen.
Tarnowitz ↑ Tarnowskie Góry.
Tarnowskie Góry [poln. tar'nɔfskjɛ 'guri] (dt. Tarnowitz), poln. Stadt am N-Rand des oberschles. Ind.gebiets, 280 m ü. d. M., 74 000 E. Bau von Bergbaumaschinen, chem. Fabrik, Zinkhütte. – Seit dem 12. Jh. bekannt, seit dem 16. Jh. Zentrum des Blei-Silber-Erzbergbaus (im 19. Jh. aufgegeben). – Am Markt Laubenhäuser aus dem 17./18. Jahrhundert.
Tarnung, in der *Biologie* bei (v. a. wehrlosen) Tieren die Schutzanpassung gegenüber Feinden in Form von Schutzfärbungen und -zeichnungen des (zuweilen auch bes. gestalteten) Körpers, die bis zur ↑ Somatolyse führen können oder eine ↑ Mimese oder eine abschreckende ↑ Mimikry darstellen. Zusätzlich zu solchen *Tarntrachten* bzw. *Schutztrachten* kann es bei diesen Tieren noch zu einer ↑ Akinese kommen.
◆ *militärisch* die Gesamtheit der Maßnahmen, die die eigenen Kräfte, Anlagen und Kampftechniken der gegner. Aufklärung entziehen sollen, v. a. durch Anpassung an die Umgebung mit natürl. und künstl. Mitteln.
◆ in *Kristallographie* und *Mineralogie* Bez. für das Vorkommen eines selteneren chem. Elements in einem Mineral eines häufigeren Elements, wobei das seltene Element fast den gleichen Ionenradius wie das häufigere hat und daher wie dieses in das Kristallgitter eingebaut ist.
Taro [polynes.] (Kolokasie, Blattwurz, Zehrwurz, Colocasia), Gatt. der Aronstabgewächse mit 6 Arten im trop. Asien; große Stauden mit meist knollig verdickem Rhizom und langgestielten, schild-, herz- oder pfeilförmigen Blättern; Blütenkolben mit großer Blütenscheide. Die wichtigste Art ist Colocasia esculenta (Taro i. e. S.), eine auf den Sundainseln beheimatete, heute überall in den Tropen angebaute Pflanze. Neben den

als Gemüse gekochten Blättern (roh durch hohen Calciumoxalatgehalt ungenießbar) wird v.a. das bis 4 kg schwere, knollige Rhizom als wichtiger Stärkelieferant (Stärkegehalt zw. 15 und 26%) genutzt (Verwendung gekocht oder geröstet bzw. zur Mehlherstellung oder als Futtermittel).

Tarock [italien.], Kartenspiel für 3 Personen mit 78 Karten (52 gewöhnl. Blätter, vier Cavalls [Reiter], 21 T. [Trumpfkarten] und ein Einzelblatt, der *Sküs*). – Der T.-Karte haftete eine symbol. Bedeutung an.

Taroudant [frz. taru'dant], marokkan. Stadt in der Küstenebene Sous, 255 m ü.d.M., 35800 E. Marktort; Kunsthandwerk. – T. ist von einer 5–6 m hohen Lehmmauer mit Türmen umgeben.

Tarpan [kirgis.-russ.], Bez. für zwei ausgerottete Unterarten des ↑ Prschewalskipferdes.

Tarpune (Elopidae), Fam. der Knochenfische mit zwei etwa 1–2,5 m langen Arten im trop. Atlant., Pazif. und Ind. Ozean, auch in die Flüsse aufsteigend; Körper seitlich abgeplattet, langgestreckt, mit gegabelter Schwanzflosse; letzter Rückenflossenstrahl schmal schwertartig verlängert.

Tarquinia, italien. Stadt im nördl. Latium, nahe der tyrrhen. Küste, 133 m ü.d.M., 13000 E. Kath. Bischofssitz; bed. Museum; Marktort mit Landmaschinenmesse; Fremdenverkehr. – Die bed. etrusk. Stadt **Tarquinii** lag nö. des heutigen T.; wurde im 3.Jh. v.Chr. von Rom unterworfen; im 5.Jh. als Bischofssitz bezeugt. Nach Zerstörung durch die Sarazenen im 8.Jh. entstand an der Stelle einer älteren Siedlung **Corneto,** als Stadtrepublik mit Genua, Pisa und Venedig verbündet, seit dem 14.Jh. unter päpstl. Herrschaft; nannte sich 1872–1922 **Corneto Tarquinia.** – Ma. Stadtbild mit Mauern und Geschlechtertürmen, Kastell mit der roman. Kirche Santa Maria di Castello (1121–1208); im Zentrum Dom (17.Jh., z.T. älter), San Pancrazio (13.Jh.), Palazzo dei Priori (13.Jh.), Palazzo Vitelleschi (15.Jh.; Nationalmuseum, v.a. Funde aus der Nekropole). Nahebei die etrusk. Nekropole mit über 2000 Gräbern; Grabkammern mit bed. Wandmalereien sind zugänglich, u.a. „Grab der Auguren" (2. Hälfte des 6.Jh. v.Chr.), „Grab der Leoparden" (frühes 5.Jh. v.Chr.), „Grab der Stiere" (2. Hälfte des 4.Jh. v.Chr.). Seit 1954 Ausgrabungen der antiken Stadt.

Tarquinier [...i-ɛr], etrusk. Geschlecht.

Tarquinius Collatinus, Lucius, nach der Überlieferung 509 v.Chr. zus. mit Lucius Junius Brutus Inhaber des ersten röm. Konsulats.

Tarquinius Priscus, Lucius, nach der Sage der 5. König von Rom. – Soll 616–578 regiert und u.a. das Forum Romanum sowie den Circus maximus angelegt haben.

Tarquinius Superbus, Lucius, nach der Sage der 7. (letzte) König von Rom. – Soll 533–509 willkürlich geherrscht und die Latiner unterworfen haben; als sein Sohn ↑Lucretia entehrt hatte, wurde er vertrieben.

Tarragona, span. Hafenstadt in Katalonien, bis 160 m ü.d.M., 107400 E. Verwaltungssitz der Prov. T.; kath. Erzbischofssitz; techn. Fachhochschule, Priesterseminar; Museen. Petrochem. Ind., Konserven-, Textil-, Schuh-, Papierind. – Das iber. **Tarraco** fiel 218 v.Chr. an Rom, wurde Hauptstadt der Prov. Hispania citerior (später Tarraconensis), unter Cäsar Kolonie **(Colonia Julia Victrix);** 476 von Westgoten, 714 von den Arabern besetzt; nach der Rückeroberung 1117 Wiedererrichtung des seit dem 3.Jh. belegten Bistums und Erhebung zum Erzbistum. – Reste eines röm. Amphitheaters, des Augustuspalastes und der iber.-röm. Stadtmauer; Kathedrale im roman.-got. Übergangsstil mit roman. Kreuzgang. Im W der Stadt röm.-christl. Nekropole; 4 km von T. entfernt zweigeschossiger, 217 m langer röm. Aquädukt.

Tarragonaweine, span., dunkelfarbige, gespritete Süßweine, die überwiegend aus der Stadt Tarragona exportiert werden.

Tarsenspinner [griech./dt.], svw. ↑Embien.

Tarsicius ↑Tharsicius, hl.

Tarsier [griech.] (Fußwurzeltiere, Koboldmakiartige, Tarsiiformes), seit dem Tertiär bekannte, weit verbreitete (auch in Europa, N-Amerika), mit Ausnahme der ↑Koboldmakis ausgestorbene Teilordnung der Halbaffen; sehr gewandt springende Baumbewohner mit stark verlängerten, röhrenknochenähnl. Teilen der Fußwurzelknochen (Fersenbein, Kahnbein) und verwachsenem Schien- und Wadenbein.

Tarsis, Waleri Jakowlewitsch, *Kiew 23. Sept. 1906, †Bern 3. März 1983, russ. Schriftsteller. – 1962 verhaftet und in eine psychiatr. Klinik eingewiesen („Botschaft aus dem Irrenhaus", E.; 1965); 1963 freigelassen; 1966 ausgebürgert, ab 1967 in der Schweiz; neben 2 Kurzromanen erschien in dt. Sprache die Satire „Walpurgisnacht" (1981).

Tarski, Alfred, *Warschau 14. Jan. 1901, †Berkeley (Calif.) 26. Okt. 1983, poln.-amerikan. Logiker. – Trat für die Verwendung formaler Sprachen auch für philosoph. Zwecke ein. Mit der bahnbrechenden Untersuchung „Der Wahrheitsbegriff in den formalisierten Sprachen" (1933) begründete er die formale, mit syntakt. Hilfsmitteln arbeitende log. Semantik; bed. Beiträge auch zur mathemat. Logik und Modelltheorie (↑ Modell).

Tarsus, türk. Stadt im südl. Anatolien, 120300 E. Handelszentrum im W der Çukurova. – Alte kilik. Siedlung, nach hethit. Herrschaft assyr., danach pers. (Sitz eines Satrapen); 333 v. Chr. von Alexander d. Gr. eingenommen; Hochblüte unter den Seleukiden (griech. **Tarsos**); anschließend röm.; Heimat des Apostels Paulus; seit Mitte des 7. Jh. zw. Byzantinern und Arabern umkämpft; Ende des 11.–Mitte des 14. Jh. unter armen. Herrschaft; seit 1515 beim Osman. Reich.

Tartaglia, Niccolò [italien. tar'taʎʎa], eigtl. N. Fontana, * Brescia um 1500, † Venedig 13. Dez. 1557, italien. Mathematiker. – Wegen seiner Sprachstörung T. („Stotterer") gen.; Autodidakt. Verfaßte ein gründl. Werk der Elementarmathematik (1556–60) und übersetzte Euklids „Elemente" ins Italienische; löste 1535 in einem öff. Wettstreit die kub. Gleichung algorithmisch. T. befaßte sich auch mit Fragen der angewandten Mathematik und gab eine Zusammenstellung spezif. Gewichte.

Tartaglia [tar'talja; italien. „Stotterer"], Figur der Commedia dell'arte; ein überhebl. Tölpel v. a. in der Rolle des Dieners.

Tartan Ⓦ, Handelsbez. für einen wetterfesten, fugenlos herstellbaren elast. Belag für Sportbahnen auf Polyurethanbasis.

Tartaren, fälschlich für ↑ Tataren.

Tartarus (Tartaros), bei den Griechen Name für die Unterwelt, v. a. für den Aufenthaltsort von Dämonen und Büßern.

Tartessos, Stadt des Altertums an der span. SW-Küste, im Mündungsgebiet des T. (= Guadalquivir); bed. als Stützpunkt für den Zinnhandel mit Britannien und der Bretagne sowie durch Silber- und Kupfererzporte, beherrschte ein großes Gebiet; etwa 800/700 unter Einfluß von Tyrus, im 7./6. Jh. direkter Handel mit Griechenland, um 500 v. Chr. von den Karthagern zerstört.

Tartini, Giuseppe, * Piran 8. April 1692, † Padua 26. Febr. 1770, italien. Violinist und Komponist. – Seit 1721 Konzertmeister an Sant'Antonio in Padua, wo er 1728 eine Musikakademie gründete. Seine Violintechnik (Bogentechnik, Doppelgriffe, Triller) wurde Grundlage für das moderne Violinspiel. Von seinen Kompositionen sind etwa 125 Violinkonzerte, 50 Triosonaten, 200 Violinsonaten, darunter die „Teufelstrillersonate", Sinfonien und Cellokonzerte erhalten.

Tartrate [frz., zu mittellat. tartarum „Weinstein"] ↑ Weinsäure.

Tartu, estn. und russ. Name der Stadt ↑ Dorpat.

Tartus, Hafenstadt an der syr. Mittelmeerküste, 52 600 E. Hauptstadt des Verw.-Geb. T.; Fischerei, Eisenbahn nach Homs; Tanklager, Erdölexport. – In der Antike **Antarados;** lag gegenüber der auf einer Insel gelegenen phönik. Stadt **Arwada** (Armada, griech. **Arados),** die seit dem 14. Jh. v. Chr. erwähnt wird und als Handelsstadt bis 64/63

wichtiger war als die Festlandsstadt. 1099 n. Chr. und 1102 wurde die Stadt von den Kreuzfahrern erobert, die sie **Tortosa** nannten; ab 1183 Hauptfestung der Templer, die die Stadt bis 1291, die Insel bis 1303 behaupteten. – Erhalten sind bed. Bauten aus der Kreuzfahrerzeit, u. a. die Kathedrale (jetzt Museum) und die Festung der Templer (beide 12. und 13. Jh.).

Tarzan, Hauptfigur von Abenteuerromanen E. R. Burroughs'; ein im Urwald aufgewachsener, stets siegreicher weißer Dschungelheld; zahlr. Verfilmungen und Comics.

Tas, Zufluß der Karasee, entspringt im Sibir. Landrücken, mündet in den 330 km langen *T.busen,* 1401 km lang; im Unterlauf schiffbar.

Taschau, Hannelies, * Hamburg 26. April 1937, dt. Schriftstellerin. – Schreibt Gedichte (u. a. „Wundern entgehen", 1986), Erzählungen und Romane („Die Taube auf dem Dach", 1967; „Erfinder des Glücks", 1981); auch Hörspiele.

Taschenbuch, preiswertes, in hohen Auflagen und oft in Reihen erscheinendes Buch im handl. Taschenformat, meist im Rotationsdruck und mit Klebebindung hergestellt. Als Vorbild dienten die engl.-amerikan. Pocket books. – ↑ Paperback.
♦ spezielle, seit dem 18. Jh. erscheinende Form des ↑ Almanachs.

Taschencomputer ↑ Taschenrechner.

Taschengeige, svw. ↑ Pochette.

Taschengeldparagraph ↑ Geschäftsfähigkeit.

Taschenhörgeräte ↑ Hörgeräte.

Taschenklappen ↑ Herz.

Taschenkrankheit, svw. ↑ Narrenkrankheit.

Taschenkrebs (Cancer pagurus), bis etwa 20 cm breite, rotbraune, teilweise schwärzl. Krabbe an den europ. und nordafrikan. Küsten; Panzer glatt, am Rand leicht gekerbt, Scheren kräftig; Fleisch sehr schmackhaft.

Taschenlampe (Taschenleuchte), mit Trockenbatterien, einem kleinen Trockenakkumulator (der wieder aufgeladen werden kann) oder einem (durch Hebeldruck angetriebenen) Kleingenerator betriebene handl. Leuchte.

Taschenmäuse (Heteromyidae), Nagetierfam. mit rd. 70 mäuse- bis rattengroßen Arten, verbreitet in ganz Amerika; Fortbewegung häufig hüpfend.

Taschenratten (Geomyidae), Nagetierfam. mit rd. 40 Arten in N- und M-Amerika; Körper 12–23 cm lang, plump und kurzbeinig; Backentaschen groß, innen behaart; obere Schneidezähne sehr stark entwickelt; Lebensweise überwiegend unterirdisch, legen umfangreiche Erdbaue an, sammeln Vorräte.

Taschenrechner, elektron. Rechner mit mindestens zwei Registern (Anzeige- und Rechenregister), der wegen seiner kompakten, durch Miniaturisierung erreichten Bauweise leicht mitgeführt werden kann. Die Anzeige der über die Tastatur eingegebenen und der errechneten Werte erfolgt meist 8- oder 10stellig in Leuchtdioden- oder Flüssigkristallanzeige (LED- bzw. LCD-Anzeige). Nach der Ausstattung unterscheidet man gewöhnl. T. (vier Grundrechenarten), T. mit Funktionstasten (für die Berechnung von Prozenten, Wurzeln, trigonometr. Funktionen usw.), T. mit Hierarchie oder mit Klammertasten, T. mit saldierenden, rechnenden oder adressierbaren Speichern und programmierbare T. Als **Taschencomputer** bezeichnet man speicherprogrammierbare T., die über ein geeignetes Interface (Schnittstelle) an Peripheriegeräte, Datenfernübertragungssysteme und/oder an Meßgeräte angeschlossen werden können.

Taschenspringer (Känguruhratten, Dipodomys), Gatt. nachtaktiver, vorwiegend bräunl. bis dunkelbrauner Taschenmäuse mit rd. 20 Arten in N-Amerika; Länge etwa 10–20 cm; Schwanz mit pinselartigem Ende.

Taschkent, Hauptstadt von Usbekistan und des Geb. T., im westl. Vorland des Tian Shan, 440–480 m ü. d. M., 2,07 Mill. E. Akad. der Wiss., Univ. (gegr. 1918), 18 Hochschulen, Museen und 9 Theater; botan. Garten; Zoo; bedeutendstes usbek. Ind.zentrum, v. a. Maschinenbau und Baumwollverarbeitung; an der Transkasp. Eisenbahn; ☒. **Geschichte:** Nach archäolog. Funden seit dem 5./4.Jh. Stadt; in den ersten Jh. n.Chr. lokales Herrschaftszentrum als **Tschatschkent;** gehörte im 6.Jh. zu den Turkherrschaften; Anfang des 8.Jh. von den Arabern erobert; unterstand im 11./12.Jh. dem Reich der Ilkhane; seitdem heißt die Stadt T. („steinerne Stadt“); nach mehrfachem Besitzwechsel im 12./13.Jh. im 14.Jh. von Timur-Leng erobert; kam 1865 an Rußland, wurde 1867 Hauptstadt des Generalgouvernements Turkestan, 1930 der Usbek. SSR. 1966 durch Erdbeben stark zerstört. **Bauten:** Die Stadtanlage wird von dem Nebeneinander der oriental. Altstadt und der planmäßig angelegten russ. Kolonialstadt bestimmt; Wiederaufbau nach dem Erdbeben in neooriental. Stil; erhalten blieben die Kukeldasch-Medrese und die Barak-Khana-Medrese (beide 15./16.Jh.).

Tasman, Abel Janszoon, * Lutjegast (Prov. Groningen) um 1603, † Batavia (= Jakarta) vor dem 22. Okt. 1659, niederl. Seefahrer. – Bereiste 1632/33–53 den Ind. Ozean und entdeckte 1642 Van Diemen's Land (= Tasmanien), 1643 die Tongainseln und die Fidschiinseln.

Tasman, Mount [engl. 'maʊnt 'tæzmən], mit 3 498 m zweithöchster Berg der Neuseeländ. Alpen.

Tasmanbucht, Bucht der Tasmansee an der N-Küste der Südinsel Neuseelands.

Tasmangletscher ↑ Cook, Mount.

Tasmanien, Bundesland des Austral. Bundes, umfaßt die Insel T. sowie die sie umgebenden Inseln, 67 800 km², 451 000 E (1989), 7 E/km², Hauptstadt Hobart. Die Insel T., durch die Bass-Straße vom austral. Kontinent getrennt, ist ein Teil der Ostaustral. Kordilleren, im Mount Ossa 1 617 m hoch. Tieflandregionen finden sich nur an NW- und NO-Küste sowie im N. Das Klima ist maritim, warm-gemäßigt. Im östl. T. herrschen Hartlaubbaumgehölze mit Eukalypten, im westl. Teil temperierte Regenwälder vor. Die Bev. ist überwiegend brit. Abkunft. Landw. wird v. a. im O-Teil der Insel sowie in den Küstenniederungen betrieben. Bed. ist der Obstbau (zu 90 % Äpfel). Die Viehwirtschaft liefert v. a. Fleisch, Milchprodukte und Wolle. T. verfügt über bed. Bodenschätze, u. a. goldhaltige Kupfererze, Eisen-, Zinn- und Wolframerze sowie Steinkohle. Nahrungsmittel- und Genußmittelind. sowie die holzverarbeitende Ind. sind die führenden Zweige. Verkehrsmäßig ist v. a. der O-Teil von T. gut erschlossen. Die wichtigsten Seehäfen sind Hobart, Burnie, Devonport, Launceston und Port Latta. ☒ für den inneraustral. Verkehr besitzen Hobart, Launceston und Devonport.
Geschichte: 1642 von A. J. Tasman entdeckt, hieß bis 1853 **Van Diemen's Land** (Van Diemensland); wurde Sträflingskolonie (bis 1853) und gehörte bis 1825 zu Neusüdwales; trat 1901 dem Austral. Bund bei.

Tasmanier, die bald nach der Besiedlung durch die Europäer ausgestorbene urspr. Bev. Tasmaniens, mit den Palämelanesiden verwandte Wildbeuter.

Tasmansee, Meeresteil des sw. Pazifik, zw. SO-Australien bzw. Tasmanien und Neuseeland bzw. den Auckland Islands, steht über die Bass-Straße mit dem Ind. Ozean in Verbindung; in der Thomsontiefe bis 5 994 m tief.

TASS, seit 1992 ITAR-TASS, ↑ Nachrichtenagenturen (Übersicht).

Tassel, Jean [frz. ta'sɛl], * Langres um 1608 (?), † ebd. 6. April 1667, frz. Maler. – Lebte 1634–47 in Rom; schuf v. a. bed. Porträts und Genreszenen.

Tasselmantel, weiter, mantelartiger Umhang des 13. und frühen 14.Jh., am Hals gehalten durch das Tasselband mit Scheibenfibel (Tassel).

Tassili der Adjer [frz. ad'ʒɛːr], Teil der zentralen Sahara, nö. des Ahaggar (Algerien), bis 2 554 m hoch; zahlr. bed. Felsmalereien, auch Gravierungen. Die ältesten Felsbilder sind zw. 10 000 und 5 000 zu datieren, bed. Bildwerke stammen bes. aus dem 4.–2. Jt. („Rinderperiode"), es folgte im 1. Jt. v. Chr. die „Streitwagenperiode". Die Felsmalereien wurden von der UNESCO zum Weltkulturerbe erklärt.

Tassili des Ahaggar [frz. aa'gaːr] (Tassili du Hoggar), Teil der zentralen Sahara im äußersten S von Algerien.

Tassilo III., * um 741, † Lorsch 11. Dez. nach 794, Hzg. von Bayern (748/749–788). – Agilolfinger; ab 757 Vasall Pippins III., d. J., errichtete jedoch eine faktisch unabhängige Herrschaft in Bayern; wurde nach einem Aufstand (787) gegen den fränk. Lehnsherrn und einem Bündnis mit den Awaren 788 von Karl d. Gr. zu lebenslanger Klosterhaft verurteilt.

Tassilokelch, von Herzog Tassilo III. von Bayern und dessen Gemahlin dem Benediktinerstift Kremsmünster geschenkter Kelch in kostbarer Goldschmiedearbeit mit niellierten figürl. Darstellungen (um 780).

Tasso, Torquato, * Sorrent 11. März 1544, † Rom 25. April 1595, italien. Dichter. – Lebte als gefeierter Dichter seit 1565 im Dienste der Este (ab 1575 als ihr Historiograph); litt seit 1577 an Verfolgungswahn; wurde wegen Gewalttätigkeiten inhaftiert; danach unstetes Wanderleben. Sein Versuch, das romant. italien. Ritterepos durch Anlehnung an antike Vorbilder zu erneuern („Rinaldo", 1562), erfuhr durch das Kreuzzugsepos „Das befreite Jerusalem" (1581) eine klass. Vollendung. Das handlungsreiche Werk, das die Eroberung Jerusalems unter Gottfried von Bouillon schildert, diente als Muster für zahlr. Epen der Barockzeit. Weites Echo fand sein Schäferspiel „Aminta" (Uraufführung 1573, erschienen 1580), das für die gesamte europ. Schäferdichtung vorbildlich wurde. Seine zahlr. lyr. Dichtungen leiteten zur Barockdichtung über. – Dichtungen über T. verfaßten insbes. C. Goldoni, Goethe („T. T.", Dr., 1790) und Lord Byron. ⚏ Regn, G.: T. T. zykl. Liebeslyrik u. die petrarkist. Tradition. Tüb. 1987. – Perrino, G.: T. T. Neapel 1985. – Basile, B.: Poeta melancolicus. Tradizione classica e follia nell'ultimo T. Pisa 1984.

Tassoni, Alessandro, * Modena 28. Sept. 1565, † ebd. 25. April 1635, italien. Dichter. – Schuf mit dem kom. Epos „Der geraubte Eimer" (1622) die Literaturgatt. der burlesken Eposparodie.

Tastatur [lat.-italien.], die Gesamtheit der Tasten eines techn. Geräts, z. B. einer Büromaschine (bei Musikinstrumenten meist als Klaviatur bezeichnet).

Tastblindheit (Tastlähmung, Stereoagnosie), Unfähigkeit, Gegenstände mit Hilfe

Tassili der Adjer.
Bogenschütze mit Hund
aus der „Rinderperiode"

des Tastsinns bei geschlossenen Augen zu identifizieren.

Taste [lat.-roman.], gewöhnlich durch Druck eines einzelnen Fingers zu betätigende Vorrichtung zur Bewegung eines Hebelmechanismus, zur Herstellung eines elektr. Kontakts u. a.

Tasteninstrumente, Gruppe von Musikinstrumenten, deren gemeinsames Merkmal die Auslösung von Tönen durch hebelartig ausgebildete Manual- oder Pedaltasten ist; die Gesamtheit der Tasten eines T. bezeichnet man als Klaviatur (Tastatur).

Taster [lat.-roman.], bei Tieren svw. † Palpen.
◆ 1. mit einer Taste (sog. Geber) oder einer Tastatur ausgestattetes Gerät; 2. svw. Abtastvorrichtung, Meßfühler; 3. zirkelähnl. Gerät mit an den Enden spitz zulaufenden, gekrümmten Schenkeln zum Abgreifen und Übertragen von Maßen.

Tastermotten (Palpenmotten, Gelechiidae), über 4 000 Arten umfassende, weltweit verbreitete Fam. bis etwa 20 mm spannender Kleinschmetterlinge (davon rd. 350 Arten einheimisch); die Lippentaster sind meist sehr lang und sichelförmig aufgebogen; die Raupen können durch Minierfraß in Früchten und Samen schädlich werden (z. B. † Getreidemotte).

Tasthaare, bei den *Säugetieren* svw. ↑ Sinushaare.

◆ (Fühlhaare) bei *Pflanzen* haarartige Bildungen, die Berührungsreize registrieren (z. B. bei der Venusfliegenfalle).

Tastkörperchen, Tastsinnesorgane in der Haut der höheren Wirbeltiere (einschl. Mensch), v. a. in Form der ↑ Meißner-Körperchen und ↑ Vater-Pacini-Körperchen.

Tastleisten, svw. ↑ Hautleisten.

tasto solo [italien.], Abk. t. s., in der Generalbaßschrift die Anweisung, die Baßstimme allein, d. h. ohne Akkorde zu spielen. Zeichen 0.

Tastsinn (Fühlsinn), mechan. Sinn, der Organismen (Tier und Mensch) befähigt, Berührungsreize wahrzunehmen (zu tasten, fühlen).

Tastsinnesorgane (Tastorgane, Fühlorgane), bei *Tieren* und beim *Menschen:* mechan. Einwirkungen auf den Körper in Form von Berührungsempfindungen (Tastempfindungen) registrierende Sinnesorgane; v. a. Hautsinnesorgane, die bevorzugt an Stellen lokalisiert sind, die für die Reizaufnahme entsprechend exponiert liegen, so beim Menschen gehäuft an den Händen bzw. den Fingerspitzen, bei Tieren v. a. am Kopf bzw. an der Schnauze (als Tasthaare), an den Antennen (Fühlern) oder Tentakeln sowie an den Beinen bzw. Pfoten und an den Flügeln (bei Gliederfüßern). Die T. kommen aber auch weit über den Körper verstreut vor. Die zw. den Zellen der Epidermis vieler Tiere (auch des Menschen) verteilt vorkommenden freien Nervenendigungen sind v. a. Schmerzrezeptoren.

◆ bei manchen *Pflanzen* Berührungsreize (Tastreize) aufnehmende Organe, wie *Fühlhaare* (Tasthaare) bei der Venusfliegenfalle oder die Köpfchen der Randtentakel beim Sonnentau.